T0388510

Werner Bests korrespondance med Auswärtiges Amt
og andre tyske akter vedrørende besættelsen
af Danmark 1942-1945

Die Korrespondenz von Werner Best mit dem
Auswärtigen Amt und andere Akten zur
Besetzung von Dänemark 1942-1945

Danish Humanist Texts and Studies

Volume 43

Edited by Erland Kolding Nielsen

THE ROYAL LIBRARY · COPENHAGEN

Werner Bests korrespondance med Auswärtiges Amt og andre tyske akter vedrørende besættelsen af Danmark 1942-1945

Udgivet af
John T. Lauridsen

Under medvirken af
Jakob K. Meile

BIND 1:

Indledning
Oktober – november 1942

DET KONGELIGE BIBLIOTEK
&
SELSKABET FOR UDGIVELSE AF KILDER TIL DANSK HISTORIE

I kommission hos Museum Tusculanum Press

KØBENHAVN 2012

Werner Bests korrespondance med Auswärtiges Amt
og andre tyske akter vedrørende besættelsen af Danmark 1942-1945
Udgivet af John T. Lauridsen under medvirken af Jakob K. Meile

© 2012 Det Kongelige Bibliotek & Selskabet for Udgivelse af Kilder til dansk Historie

Tilsynsførende: Knud J.V. Jespersen & Aage Trommer
Oversættelse: Johannes Wendland, LanguageWire A/S
Layout & sats: Forlagsbureauet/Ole Klitgaard (†)
Reproduktioner: Fotografisk Atelier, Det Kongelige Bibliotek

Bogen er sat med Adobe Garamond Pro
og trykt på 115g Scandia 2000 Smooth Ivory
Dette papir overholder de i ISO 9706:1994
fastsatte krav til langtidsholdbart papir.

Printed in Denmark by Special-Trykkeriet Viborg A/S

ISBN (værket)   978-87-7023-296-8
ISBN (dette bind)   978-87-7023-297-5
ISSN (DHTS)   0105 8746

Udgivet med støtte fra
Carlsbergfondet
Oticon Fonden
Kulturministeriets Forskningspulje
Det Kongelige Bibliotek

I kommission hos
Museum Tusculanum Press
University of Copenhagen
Njalsgade 126
DK-2300 Copenhagen S
www.mtp.dk

Die Korrespondenz von Werner Best mit dem Auswärtigen Amt und andere Akten zur Besetzung von Dänemark 1942-1945

Herausgegeben von
John T. Lauridsen

Unter der Mitarbeit von
Jakob K. Meile

BAND 1:

Einleitung
Oktober – November 1942

KÖNIGLICHE BIBLIOTHEK
&
GESELLSCHAFT FÜR DIE HERAUSGABE VON QUELLEN
ZUR DÄNISCHEN GESCHICHTE

In Kommission bei Museum Tusculanum Press

KOPENHAGEN 2012

*Die Korrespondenz von Werner Best mit dem Auswärtigen Amt
und andere Akten zur Besetzung von Dänemark 1942-1945
Herausgegeben von Dr. phil. John T. Lauridsen
unter der Mitarbeit von M.A. Jakob K. Meile*

Herausgeberbeirat:	Prof., Dr. phil. Knud J.V. Jespersen &
	Rektor i. R., Dr. phil. Aage Trommer
Übersetzung:	M.A. Johannes Wendland, LanguageWire ᴬ/s
Layout & Satz:	Forlagsbureauet/M.A. Ole Klitgaard (†)
Repro:	Fotografisk Atelier, Det Kongelige Bibliotek

Das Werk wurde in der Adobe Garamond Pro gesetzt
und auf 115g Scandia 2000 Smooth Ivory gedruckt.
Dieses Papier erfüllt die Anforderungen an
Nachhaltigkeit nach ISO 9706:1994.

Printed in Denmark by Special-Trykkeriet Viborg ᴬ/s

ISBN (ges. Werk)	978-87-7023-296-8
ISBN (dieser Band)	978-87-7023-297-5
ISSN (DHTS)	0105 8746

Herausgegeben mit Unterstützung von
Carlsbergfondet
Oticon Fonden
Forschungspool des Dänischen Kulturministeriums
Königliche Bibliothek

In Kommission bei
Museum Tusculanum Press
University of Copenhagen
Njalsgade 126
DK-2300 Copenhagen S
www.mtp.dk

Indhold

Inhalt

Indholdsfortegnelse

Registre til hele værket er i bind 10.

Udgiverinstitutionernes forord

I de seneste 20 år har Danmarks besættelse 1940-1945 været et af de områder, hvor *Det Kongelige Bibliotek* har koncentreret en betydelig del af sin forsknings- og udgivelsesvirksomhed. Hensigten har været og er fortsat at give et kvalificeret grundlag for den stadige diskussion blandt såvel fagfolk som i offentligheden, som denne periode af dansk historie tilbagevendende giver særlig anledning til.

Tilsvarende har *Selskabet for Udgivelse af Kilder til Dansk Historie* (Kildeskriftselskabet), hvis formål er at udgive kilder og hjælpemidler til studiet af dansk historie, tidligere udgivet en række kildesamlinger specielt til denne periode, således i 1995 (Christmas Møllers dagbøger 1941-1945), i 2000 (viceadmiral H. Rechnitzers dagbog om flådens virke 1939-40) og i 2001 (dokumenter til belysning af Danmarks Kommunistiske Partis og Frit Danmarks virksomhed 1939-1943/44) og har derudover en række nye kildeudgivelser under forberedelse.

Det Kongelige Biblioteks aktivitet inden for området er flersidet: at tilvejebringe de nødvendige *bibliografiske værktøjer* til at orientere sig i den omfattende litteratur af enhver art om tiden 1940-1945, at organisere og medvirke til udgivelse af *opslagsværker*, som samler den eksisterende forskning i koncentreret form, at udgive *monografier* med ny forskning og endelig at bidrage med *nye videnskabelige kildeudgaver* på grundlag af bibliotekets egne og andres samlinger. I den sidste kategori er der, udover bind 26 i nærværende serie om den danske naziforer Frits Clausen, journalisten Vilhelm Bergstrøms dagbøger 1939-1945 og en række mindre i *Fund og Forskning i Det Kongelige Biblioteks Samlinger*, udkommet fire større kildeudgaver i tidsskriftet *Danske Magazin* 2006 (Frits Clausens beretning om tiden efter d. 9. april 1940), 2008 (tyske akter om "jødespørgsmålet" i Danmark 1940-1943), 2010 (danske akter om handel med Tyskland 1943-1944) og 2012 (befuldmægtiget for økonomiske anliggender Franz Ebners indberetninger til Auswärtiges Amt 1940-1944). I nær fremtid udgives endvidere trafikminister 1940-1943 Gunnar Larsens omfattende dagbøger.

Kulminationen på denne virksomhed foreligger imidlertid med denne monumentale udgave af den rigsbefuldmægtigede Werner Bests korrespondance med Berlin og andre akter til tysk besættelsespolitik i Danmark 1942-1945, et arbejde, der har stået på i knap ti år. Grundlaget lagdes efter en pilotundersøgelse i 2003 med en tidsbegrænset bevilling fra Kulturministeriet i 2004, hvorefter Det Kongelige Bibliotek har bekostet arbejdet med udgaven fra starten på undersøgelserne i danske og udenlandske arkiver og biblioteker til færdiggørelsen af registrene i foråret 2012. Udgaven er så fuldstændig som kildematerialets overlevering og rekonstruktion har muliggjort. Den bevidste tyske arkivdestruktion, ødelæggelserne ved luftangreb, adskillelse af sammenhørende arkiver efter 1945 m.m. gør en kildeudgave som den foreliggende til en uhyre omfattende arkivrekonstruktionsopgave, hvordan man end griber den an. I sagens natur udgives akterne derfor også samlet og ikke bind for bind.

Undertegnede udgiver af den skriftserie, hvori udgaven udkommer, har fra starten i dialog med udgiveren, forskningschef, dr.phil. John T. Lauridsen, truffet den saglige afgørelse, at udgaven *ikke* skulle være selektiv, men inden for sine rammer sigte imod den størst mulige grad af fuldstændighed, som det kendskab til og den nyerkendelse af fund- og overleveringssituation, som pilotprojektet i 2003 afdækkede, og dermed sand-synliggjorde muligheden for, uanset de økonomiske konsekvenser.

Det Kongelige Bibliotek har i denne sammenhæng fundet det naturligt at indgå i et samarbejde med Selskabet for Udgivelse af Kilder til Dansk Historie, som har formået at få kgl. ordenshistoriograf, professor, dr.phil. Knud J.V. Jespersen og fhv. rektor, dr.phil. Aage Trommer til at påtage sig den ikke ubetydelige opgave at være tilsynsførende med udgaven. Vi retter en hjertelig tak herfor og desuden til alle de institutioner og enkelt-personer, der har bistået med aspekter af eller bidraget til udgaven.

Udgaver af denne art og omfang er i dag dog heller ikke mulige uden omfattende støtte fra danske fonde. Trykningen er bekostet af *Carlsbergfondet*, distributionen af *Oti-con Fonden* ved usædvanlig generøse bevillinger, der understreger rigtigheden af at sigte imod fuldstændighed frem for en selektion, der altid i et forskningsperspektiv vil afføde diskutable valg og udeladelser. Begge fonde bedes modtage vor hjerteligste tak.

Erland Kolding Nielsen   Sebastian Olden-Jørgensen
Det Kongelige Bibliotek   Kildeskriftselskabet
Direktør   Universitetslektor, Formand

Forord

Udarbejdelsen af denne kildeudgave har ikke kunnet finde sted uden imødekommenhed eller hjælp fra mange sider. Derfor er der mange at takke.

Begyndelsen blev gjort i foråret 2003, da en pilotundersøgelse skulle godtgøre, hvor mange dokumenter vekslet mellem Werner Best og Auswärtiges Amt 1942-45, der med en vis sikkerhed var at finde i Rigsarkivets samling af affotograferinger af tyske akter. Daværende rigsarkivar, dr.phil. Johan Peter Noack, gav uden videre tilladelse til, at Rigsarkivets affotograferinger blev stillet til rådighed og benyttet på Det Kongelige Bibliotek. Den tilladelse blev siden udstrakt til at gælde hele perioden frem til kildeudgavens afslutning. Herfor skylder jeg Rigsarkivets chef, såvel som det personale, der har fundet pakker og mikrofilm frem, en meget stor tak for udvist tillid og service. Var den imødekommenhed ikke vist, ville udgivelsesforløbet være blevet endnu længere og have været mere kostbart.

Pilotundersøgelsen 2003 resulterede i en ansøgning til Kulturministeriets forskningspulje i 2004, hvori der blev søgt om et tilskud til udarbejdelsen af en kildeudgave af Werner Bests korrespondance med Auswärtiges Amt 1942-45 på grundlag af Rigsarkivets affotograferinger. Den ansøgning blev imødekommet og har været selve grundlaget for, at arbejdet kom fra start. Kulturministeriets forskningsudvalg bringer jeg min tak derfor.

I 2006 var tekstgrundlaget for dette arbejde så vidt tilvejebragt, at den første arkivrejse kunne foretages til Berlin for i Politisches Archiv i Auswärtiges Amt og i Bundesarchiv i Lichterfelde at undersøge, om affotograferingerne i Rigsarkivet var et tilstrækkeligt grundlag for en udgave af Bests korrespondance. Begge arkiver stillede ved den lejlighed som siden beredvilligt arkivalier til rådighed, ligesom der blev givet vejledning om den ikke helt gennemskuelige fordeling af de udenrigspolitiske akter mellem de to arkiver. Den imødekommenhed og anden service har været uomgængelig for arbejdets videre gennemførelse. Derfor skal rettes en stor tak til begge institutioner.

Resultatet af denne første arkivundersøgelse var ikke alene, at Rigsarkivets affotograferinger måtte suppleres med nyt materiale fra arkiverne i Berlin for at tilvejebringe en så vidt mulig fyldestgørende kildeudgave af Bests korrespondance – der var flere Best-skrivelser o.a. i Berlin end i København –, men også og lige så vigtigt, at udgaven måtte *udvides* med andet kildemateriale for så vidt muligt at følge beslutningsprocessen vedrørende besættelsespolitikken og andre tyske gennemførte foranstaltninger i Danmark. En konsekvens heraf var arkivundersøgelser i Militärarchiv i Freiburg i 2009, der nær havde været delvis forgæves, da et skybrud vandskadede de forud bestilte dokumenter. Kun takket være arkivpersonalets velvilje og ekstraordinære service lykkedes det under et vist tidspres at få et positivt udbytte af besøget.

En række andre institutioner har bidraget med kildemateriale, der er kommet udgaven til gode. Det gælder bl.a. Landsarkivet for Sjælland, Landsarkivet for Sønderjylland, Landsarkivet for Nørrejylland, Frihedsmuseet, Historisk Samling fra Besættelsestiden 1940-1945 (Esbjerg), Arbejderbevægelsens Bibliotek og Arkiv, Institut für Zeitgeschichte (München) og rigsarkiverne i Oslo og Stockholm. Alle får de en stor tak.

Flere fagfæller har også bidraget med kildemateriale, som udspringer af deres eget arbejde med aspekter af besættelsestidens historie: Det gælder museumschef, ph.d. Jens Andersen (Museumscenter Hanstholm), fhv. overarkivar, dr.phil. Hans Chr. Bjerg, lektor, ph.d. Joachim Lund (Copenhagen Business School), arkivleder, cand.mag. Henrik Lundtofte (Historisk Samling fra Besættelsestiden 1940-1945) og arkivar, cand.mag. Lars Schreiber Pedersen (Frederiksberg Stadsarkiv). De skal have en stor tak. Jens Andersen, Joachim Lund og lektor, ph.d. Claus Bundgård Christensen (Roskilde Universitet) skal tillige have tak for at have kommenteret den indledende forskningsoversigt.

Da kildematerialet, når der ses bort fra de trykte kildeudgaver, kun undtagelsesvis med fordel har kunnet scannes, er den alt overvejende del blevet genindskrevet, hvilket har taget en årrække. Det arbejde er for 90 procents vedkommende foretaget af historiestuderende og en enkelt bibliotekarstuderende: Malene Karner Jacobsen, Trine Wehnert, Morten Møller, Niels Henrik Vejen Jespersen, Sara Dinesen, Gunnvá Bak Mortensen, Ingeborg Kofoed Brodersen, Lisbet Crone Jensen, Malte Möller-Christensen og Anna Lund Nielsen. Sara Dinesen, Ingeborg Kofoed Brodersen, Lisbet Crone Jensen og Malte Möller-Christensen har tillige – sammen med forskningsbibliotekar, cand.mag. Lene Eklund-Jürgensen – læst korrektur, og Ingeborg Kofoed Brodersen og Lisbet Crone Jensen har yderligere udarbejdet henholdsvis emneregister og navneregister. De har alle tålmodigt holdt ud med det opslidende arbejde og skal have tak derfor. Det har været en ejendommelig oplevelse at have et formeligt sekretariat til at udskrive telegrammer, som var det i Auswärtiges Amt eller ved førerhovedkvarteret 1942-45. Cand.mag. Jesper Jakobsen har som civil værnepligtig udarbejdet indholdsfortegnelsen til *Politische Informationen*, hvorfor jeg bringer min tak.

Min nyligt afdøde kollega, forskningsbibliotekar, cand.mag. Willy Dähnhardt skylder jeg megen tak for løbende beredvilligt at have været behjælpelig ved løsning af en række sproglige problemer og ved læsning af utydelige kopier og håndskrevne tilføjelser og rettelser. Det var ham i en nøddeskal.

En tak skal også rettes til de tilsynsførende, professor, dr.phil. Knud J.V. Jespersen og fhv. rektor, dr.phil. Aage Trommer, som på vegne af Selskabet for Udgivelse af Kilder til Dansk Historie påtog sig opgaven. Tillige tak til Selskabet for Udgivelse af Kilder til Dansk Historie og dets formand lektor, ph.d. Sebastian Olden-Jørgensen for at være medudgiver. En særlig tak skal rettes til Aage Trommer for at have givet tilladelse til trykning af den "Oversigt over jernbanesabotageaktioner", som han udarbejdede i forbindelse med sin disputats om jernbanesabotagen i Danmark under anden verdenskrig, men dengang ikke kunne få publiceringsmidler til!

Det er takket være en betydelig bevilling fra Carlsbergfondet, at udgaven fremkommer på tryk, mens Oticon Fonden har finansieret distributionen. Begge fonde bedes modtage min ærbødige tak.

I sidste ende fremkommer dette arbejde først og fremmest takket være en meget stor velvilje og langmodighed fra min arbejdsplads, Det Kongelige Bibliotek. Det er Det Kongelige Bibliotek, der har stillet de fleste af de meget betydelige arbejdsmæssige og økonomiske ressourcer til rådighed, der gør det muligt, at et arbejde som dette har kunnet gennemføres. Der er vist mig en tillid, som jeg ikke tror, vil kunne findes større på nogen anden arbejdsplads.

Et udgiverarbejde af denne karakter kan ikke gennemføres, uden at redaktøren må og med glæde vil vedkende sig at stå på skuldrene af flere generationers dansk og international forskning, der brik for brik har fremlagt de informationer og resultater, som kommentarerne og noterne her har kunnet støtte sig til. Ingen nævnt ingen glemt, men tak.

Når et udgiverarbejde er så længe undervejs og ender med at nå et omfang som det foreliggende, er det af afgørende betydning at få en stadig faglig sparring, konstruktiv kritik og opmuntring fra en, der kender til de faglige problemer og til kildematerialet. Den har Henrik Lundtofte givet, og han har tilmed påtaget sig det store arbejde at udføre det omfattende tillæg 3 i bind 10: Oversigt over tyske modterroraktioner 1943-45. Resultatet var ikke blevet det samme uden hans uegennyttige engagement. Det kan jeg ikke takke nok for.

En kollega har fra starten været med i hele arbejdet: Først som studentermedhjælp, siden som forskningsbibliotekar har cand.mag. Jakob K. Meile sørget for alle led i den tekniske proces og det praktiske omkring udgavens tilblivelse, der også strækker sig til planlægning og gennemførelse af arkivrejserne og det ofte trælsomme arbejde med bestilling af tusinder af kopier. Jeg kan ikke forestille mig en mere effektiv og tålmodig partner gennem hele processen. Det skylder jeg den største tak for. Og de uundgåelige fejl og mangler er mit ansvar alene.

En mangeårig ven, konsulent, cand.mag. Per Christensen har læst korrektur på den danske tekstdel. Tak derfor. Afdelingsbibliotekar Lotte Philipson har været en tålmodig ledsager under hele arbejdet, har lyttet, rejst med og læst korrektur på en del af den danske tekst. Også det vil jeg takke for.

Ole Klitgaard har forestået arbejdet med satsen til det meste af udgivelsen med vanlig omhu og professionalisme. Desværre må takken til ham blive posthum, da han døde kort før arbejdets afslutning.

Til sidst skal udtrykkes ønsket om, at dette værk kan blive fulgt op med et tilsvarende om tiden forud. I det mindste for perioden 1939-42 bør de tyske arkiver have et fornyet eftersyn med hensyn til relevant kildemateriale for dansk historie i de vigtige år og gerne tilgængeliggjort i digital form.

John T. Lauridsen
forskningschef, dr.phil.
maj 2012

Bindoversigt

Tabelfortegnelse

Diagramfortegnelse

WERNER BEST. Der neue Bevollmächtigte des Reiches in Dänemark Dr. Werner Best ist 39 Jahre alt. Er ist als alter Mitkämpfer der nationalsozialistischen Bewegung bekannt. Schon in seiner Jugend war er politisch führend in der nationalen Jugend-Bewegung und in der völkischen Studentenbewegung tätig. In seiner Heimat Hessen ist Best ein Vorkämpfer der nationalsozialistischen Bewegung gewesen.
Seit frühen Jahren hat Best der SS angehört, er hat jetzt den Rang eines SS-Gruppenführers. Wie sein Vater, der als Reserveoffizier im letzten Weltkrieg gefallen ist, so ist auch der neue Bevollmächtigte des Reiches aus der Beamtenlaufbahn hervorgegangen. Vor 1933 bekleidete er das Amt eines Richters in Hessen, wurde aber von politischen Gegnern aus seinem Amte entfernt. Nach der Machtübernahme bekam er das Amt des Polizeichefs der nationalsozialistischen Regierung in Hessen. Später hatte er eine leitende Stellung in der Zentralbehörde der deutschen Polizei.
1940 meldete Best sich als Kriegsfreiwilliger zur Truppe und wurde von dort aus als Kriegsverwaltungschef vom Militärbefehlshaber in Frankreich berufen. Von dort aus berief Reichsaussenminister von Ribbentrop Best in den auswärtigen Dienst. Er war zuletzt als Ministerialdirektor im Auswärtigen Amt tätig.
Auch auf Grund seiner literarischen Tätigkeit ist Best bekannt. Er ist Mitherausgeber der staatswissenschaftlichen Zeitschrift »Reich, Volksordnung, Lebensraum«. Ausserdem hat er mehrere Bücher staats- und verwaltungsrechtlichen Inhalts verfasst, unter denen das Buch: »Die deutsche Polizei« und »Die Verwaltung in Polen« erwähnt seien.

Werner Best fotograferet i uniform kort efter sin ankomst til Danmark. Det var rigstyskernes blad i Danmark, *Skagerrak,* der i sit novembernummer 1942 bragte billedet med en præsentation af den nye rigsbefuldmægtigede (Det Kongelige Bibliotek).

Werner Best in Uniform, fotografiert kurz nach seiner Ankunft in Dänemark. Das Bild erschien in der Novemberausgabe 1942 von *Skagerrak,* der Zeitung der Reichsdeutschen in Dänemark, zusammen mit einem Porträt über den neuen Reichsbevollmächtigten (Det Kongelige Bibliotek).

1. Indledning

1.1. Udgavens formål

I Werner Bests tid som rigsbefuldmægtiget i Danmark november 1942-maj 1945 falder den mest dramatiske periode af den tyske besættelse af Danmark og af dansk historie i det 20. århundrede i det hele taget sted. Werner Best personificerede i samtiden frem for nogen besættelsespolitikken, blev forbundet med dens henrettelser, jødedeportationen, terror, schalburgtage, clearingmord og deportationer af danske fanger til tyske koncentrationslejre. Sammen med den øverstkommanderende for værnemagten i Danmark, general Hermann von Hanneken, og højere SS- og politifører i Danmark, Günther Pancke, kom Best til at stå som de mest hadede tyskere i den danske befolkning. Målestokken var de lidelser, den frygt og de afsavn, som danskere kom ud for.

Best var naturligvis også i fokus under retsopgøret med besættelsesmagtens ledende repræsentanter, hvor en lang række forhold, som besættelsessituationen, censur og hemmeligholdelse havde forholdt den større offentlighed, kom frem. Detaljerne om de tyskbetalte terrorgruppers meritter cementerede opfattelsen af besættelsespolitikkens råhed og umenneskelighed, hvor tilfældige uskyldige blev udpeget til døden. Det var det danske retssystem, der foretog den første undersøgelse af dele af tysk besættelsespolitik i Danmark, først og fremmest de dele, der kunne give anledning til at rejse tiltale for strafbare forhold. Siden har forskningen fulgt trop, og talrige danske historikere, og i mindre grad tyske, har undersøgt forskellige dele af tysk besættelsespolitik i Danmark, mens Bests var dens førstemand. Det vil være forkert i dag at udtrykke, at væsentlige sider af tysk besættelsespolitik er helt ubeskrevet eller ubekendt. Både med hensyn til hovedlinjerne og detailniveau er den foreliggende viden på flere felter meget høj.

Trods det foreligger der fortsat så betydelige mængder af ubenyttet kildemateriale, at den foreliggende forskning ikke kun vil kunne nuanceres, men at også nye hovedlinjer vil kunne trækkes op. Det vil der blive gjort nærmere rede for til slut i kapitel 8, mens der gives en oversigt over forskningen i kapitel 6-7.

Der foregik så mange ting af betydning for Danmarks historie i den korte dramatiske periode 1942-45, at de tyske beslutninger og store begivenheder, som aktstykkerne omhandler, for en uoverskuelig tid fremover vil gøre det af værdi at kunne gå direkte til betydelige dele af kilderne. Det vil åbne for nye aspekter og perspektiver for forskningen og tillige er det for denne periode af danmarkshistorien vurderet som værende af en varig værdi, at andre end historikere med adgang til arkiverne i Danmark og udlandet, kan få umiddelbar indsigt i gangen i det tyske besættelsesapparats virke i Danmark og dets forhold til de foresatte i Berlin, og at enhver dansker med tyskkundskaber selv kan læse om de beslutninger, der førte til jagt på kommunister, til eftersøgning og deportation af jøder, til henrettelse af modstandsfolk, til udelukkelse af jødiskejede firmaer, til krisehåndteringen under strejker osv. Alt dette er kronologisk organiseret, så læseren enten kan følge udviklingen dag for dag på de talrige områder eller i stedet slå ned på bestemte dage eller perioder for at følge udviklingen set fra "Dagmarhus", Silkeborg Bad, "Shellhuset", "Hotel Phønix", Rüstungsstab Dänemark og i mindre grad også fra Wilhelmsstraße i Berlin eller hos udenrigsminister Joachim von Ribbentrop i førerhovedkvarteret og i mindre grad hos Reichsführer-SS (RFSS) og Reichssicherheitshauptamt (RSHA).

Der er med andre ord både et forsknings- og formidlingsaspekt forbundet med udgaven.

Dertil kommer, at der fremlægges en større mængde hidtil ukendt eller uudnyttet kildemateriale, som føjer nye brikker til det kendte billede og forskubber eller i andre tilfælde ændrer det, ligesom det bringer nye sider af besættelsespolitikken frem i lyset. For det tredje er det med udgaven hensigten at bidrage til at få tysk besættelsespolitik i Danmark anbragt i et europæisk perspektiv. Det går det stadig mere end 65 år efter besættelsens ophør trægt med, hvilket i mindre grad er historikernes skyld end en offentlighed, der er svær at bevæge fra samtidens helt sort-hvide forestillinger, og som gerne ser Danmark som et offer for Det Tredje Rige på linje og niveau med andre europæiske lande. Det var Danmark ikke.

1.2. Arkivdestruktion – arkivrekonstruktion

Før den tyske besættelsesmagt i Danmark kapitulerede i maj 1945, søgte den så vidt muligt at slette sine skriftlige spor. Det gjaldt såvel det tyske gesandtskab, værnemagten, Rüstungsstab Dänemark, Organisation Todt som det tyske politi og andre tyske organisationer, hvilket skete efter ordre fra Berlin.[1] Et forbryderisk regime ville ikke stå ved sine gerninger, men forsøgte at beskytte sine talrige ledere og embedsmænd. Vi har den groteske situation, at Werner Best med nogle ugers mellemrum først beordrede gesandtskabets omfattende kildemateriale 1939-45 destrueret[2] og derpå villigt lod sig afhøre om, hvad der havde stået i det samme materiale, ikke uden i en del tilfælde at forvanske det til egen fordel – naturligvis. Fra Det Tyske Gesandtskab i København er der i Danmark for tiden fra oktober 1942 til maj 1945 kun bevaret et fåtal aktstykker tilhørende Best personligt eller tilkommet i de sidste majdage i 1945, hvorved de undgik destruktion og siden blev stjålet eller konfiskeret for til sidst for en dels vedkommende at nå i offentligt eje.[3] Fra enkelte af hans medarbejdere på gesandtskabet og ude i landet er også arkivrester bevaret.[4] Noget lignende er i tilsvarende omfang gældende for de øvrige tyske instanser.[5]

Havde situationen ikke været noget anderledes i Tyskland, havde der ikke været et samtidigt materiale at basere en kildeudgave på i dag. Dermed være ikke sagt, at det tyske materiale er fuldstændigt eller næsten fuldstændigt bevaret. Det er langtfra tilfældet. De tyske statsinstitutioner og det tyske nazistparti, NSDAPs partiorganer havde også ordre til destruktion af kildemateriale, men allerede før den definitivt blev udstedt i foråret 1945, havde de allieredes luftangreb over Berlin og andre byer tyndet ud i ar-

---

1 For Auswärtiges Amts vedkommende udgik der 10. april 1945 telefonisk befaling om at tilintetgøre alle vigtigere akter fra Hitlertiden (Gemzell 1965, s. 362).

2 Hvidtfeldt 1953, s. 9.

3 Frihedsmuseet er i besiddelse af det meste af dette materiale. En bemærkelsesværdig undtagelse er Werner Bests originale kalenderoptegnelser 1943-44, der i 1945 blev benyttet ved afhøringerne af Best, men siden kom i privateje.

4 Det gælder materialet i RA, Vesterdals nye pakker, 1-2 fra gesandtskabsmedarbejdere og materiale fra konsulatet i Åbenrå (RA, AA, nr. 392 og 393) og for Bests Außenstelle i Åbenrå, der for en dels vedkommende er at finde i LAS, Det Tyske Mindretals Arkiv, da mindretallet modtog kopier af dele af korrespondancen med København.

5 Se hertil *Tyske arkivalier om Danmark 1848-1945*, 1-4, 1978-97. Udg. af Rigsarkivet.

kivbestandene. Arkiverne led yderligere skade ved de tyske evakueringer og flytninger, for til sidst i foråret 1945 at være spredt for alle vinde, hvorved noget på den måde forsvandt ud i mørket, mens de tilbageværende dele endte med at blive delt mellem de allierede, alt efter hvem der fandt hvad først. Både amerikanere, russere og englændere havde efterretningsgrupper i felten, hvis eneste opgave var at opspore Det Tredje Riges arkivmateriale med henblik på de kommende krigsforbryderprocesser og andre retssager foruden naturligvis den militære interesse i at kigge den slagne fjende over skulderen. Det være hermed klart, at det engang eksisterende materiale enten var borte for altid eller stærkt desorganiseret og fordelt på magter, hvor nye politiske konstellationer under den kolde krig afgjorde, om det var til at komme i nærheden af.

Auswärtiges Amt (herefter AA) led meget alvorlige tab som følge af krigshandlingerne, første gang da dets bygning i Wilhelmstraße blev truffet ved bombardementet af Berlin i november 1943,[6] flere afdelinger blev udflyttet,[7] men hertil kommer, at en stigende desorganisation indtrådte, som krigen skred frem. Udenrigsminister Joachim von Ribbentrop var fra angrebet på Sovjetunionen i sommeren 1941 i meget lange perioder borte fra sit ministerium for at kunne opholde sig i førerens nærhed i førerhovedkvarteret.[8] Kommunikationen mellem AA og udenrigsministeren blev derved i stigende grad enten telefonisk eller skriftlig (telegram eller brev), idet ministerens afgørelser naturligvis kom til at foreligge i skriftlig form. Det kunne umiddelbart synes en fordel ud fra en overleveringsbetragtning, men i og med at der skete en fysisk opsplitning mellem den besluttende, de rådgivende og de arkiverende instanser var det ingenlunde tilfældet. En meget betydelig del af den arkivdannelse, der fandt sted omkring udenrigsministeren under de sidste krigsår, synes gået til grunde, mens en del mere er bevaret fra AA i Berlin. Det vil sige, at mens mange kopier af endeligt trufne beslutninger er borte, er en del flere indstillinger og råd til udenrigsministeren bevaret. Indstillingerne var ikke nødvendigvis lig med den endelige beslutning, men med de givne kildeforhold kan der ikke ses bort fra dem.

Denne arkivsituation er mere eller mindre gældende for hele Werner Bests embedsperiode. De ordrer og direktiver, han har modtaget, kendes ofte ikke direkte eller slet ikke, mens omvendt hans korrespondance til AA kendes i et betydeligt større omfang og foreligger i AA. Det kan forklares ved, at Best skulle sende al sin korrespondance til AA, hvor den blev behandlet centralt, ofte fik adskillige kontorer afskrifter af hans indberetninger, i mange tilfælde tilgik de også andre instanser uden for AA, mens udenrigsministeren ved førerhovedkvarteret i de fleste tilfælde blot fik et resume og en indstilling, hvis Bests indberetninger overhovedet nåede ministerniveau.[9] Bests skrivelser nåede

---

6   Tab af akter fremgår direkte flere gange (eks. 4:400), evakuering af akter også (eks. 8:211).

7   Det gælder bl.a. dele af Inland II (Weitkamp 2008, s. 107). Akterne blev flyttet mod øst og til slotte og borge i Harzen (Kröger/Thimme 1999, Biewer 2005, s. 144).

8   Rosengreen 1982, s. 178. Best forklarede 22. oktober 1948 i sagen mod Weizsäcker, at Ribbentrops fravær betød, at han kun fik relativt få direkte direktiver fra ministeren (RA, Danica 234, pk. 88, læg 1157, s. 26.363).

9   Afhørt 23. oktober 1948 i sagen mod Weizsäcker var Best af den mening, at hans længere beretninger hverken blev læst af Ribbentrop eller Hitler (RA, Danica 234, pk. 88, læg 1157, s. 26.418). Der er da også i det samtidige materiale eksempler på, at Best skrev kortere sammendrag til brug for de overordnede (eks. 6:2 og 8:281).

dertil, hvor de havde bedst chance for at blive bevaret, tilmed sikrede kopieringen, at chancen blev forøget, selv om arkiverne siden blev spredt. Omvendt kan man gå ud fra, at AAs øverste ledelses interesse i destruktion af kildemateriale i første omgang har drejet sig om det mest belastende, beslutninger taget på ministerniveau. I hvert fald er kopibøgerne fra udenrigsministerens eget kontor (Büro Reichsaußenminister, forkortet RAM) med enkelte undtagelser nær ikke bevaret.[10]

Kronologisk tynder materialet fra AA generelt meget stærkt ud allersidst i 1944, men her kommer det for så vidt angår forholdet til Danmark an på, hvilken tysk afdeling under AA, det drejer sig om. Nogle afdelings og kontorers materiale er langt bedre overleveret end andres, dvs. at vi for visse afdelingers vedkommende kommer helt frem til januar 1945, før materialet stort set hører op; for enkelte funktioners vedkommende er der et spinkelt materiale lige til maj 1945, men generelt er der meget sparsomt med materiale fra AA i krigens sidste godt fire måneder.[11]

For den tyske værnemagt i Danmark er kildesituationen noget bedre forstået på den måde, at kilderne flyder rigere. Der er bevaret et stort antal krigsdagbøger fra både Wehrmachtbefehlshaber (WB) Dänemark og Admiral Dänemark og deres underafdelinger; i et vist omfang også korrespondance med de overordnede, mens materialet er langt mere begrænset fra Luftwaffe. Selv om materialet er omfattende, så er det langt hen mindre givende, hvis interessen ikke er specifik militærhistorisk. WB Dänemarks krigsdagbog 1943-45 er f.eks. en helt uomgængelig kilde og samtidig på mange måder lidet givende, da den bevisligt rummer en ret så redigeret del af den virkelighed, den skulle foregive at registrere. På den anden side giver krigsdagbøgerne på alle niveauer kombineret med de udvekslede beskeder og krigsdagbogsbilag mulighed for at stykke et helhedsbillede sammen af, hvad der foregik, og hvordan og på hvilket grundlag beslutninger blev truffet. Her skal der specielt gøres opmærksom på, at en hel del af Werner Bests telegrammer kun er bevaret i værnemagtsarkiverne. De er bevaret der, fordi den rigsbefuldmægtigede havde ret til at forholde sig til alle tiltag fra tysk side, som kunne have en politisk dimension, en ret Best ivrigt udnyttede, og bl.a. har haft som konsekvens, at vi i dag kan følge tilblivelsen af betydende dele af tysk besættelsespolitik, selv i en stribe af tilfælde, hvor AA knapt eller slet ikke var inddraget eller hvor materialet ikke længere er bevaret der.

SS og tysk politi var tilsammen den tredje betydende magtfaktor i Danmark, selv om de afgjort udgjorde adskilte enheder, men havde RFSS som øverste instans, og de gjorde sig i stærkt stigende grad gældende i landet fra efteråret 1942. Der er bevaret en overordentlig omfattende korrespondance fra RFSS og i mindre omfang fra en række underinstanser. Der er heri et spredt, begrænset, men betydeligt materiale vedrørende Danmark, som især belyser bestræbelserne på at hverve danske frivillige til SS, men tillige er materialet meget væsentligt, hvad angår politikken i forhold til det danske nazistparti, DNSAP og Schalburgkorpset. Det har for visse deles vedkommende været grundigt benyttet af særlig Henning Poulsen (DNSAP, Schalburgkorpset) og Claus Bundgård Christensen, Niels Bo Poulsen og Peter Scharff Schmidt (de frivillige), andet

---

10 Jfr. Indledningerne til ADAP/D, 1-4. Rosengreen 1982, s. 178.
11 Derfor kan jeg ikke helt følge Weitkamp 2008, s. 39, når han skriver, at akterne i Inland II, som også indeholder akterne fra afdeling D, er næsten komplet bevaret.

af Lars Schreiber Pedersen (Ahnenerbe), men som det vil fremgå, rummer materialet andre og i visse tilfælde overraskende bidrag til dansk besættelsestidshistorie.

Når det specielt gælder RSHA og tysk politis virksomhed i Danmark, er situationen den, at det allermeste tyske kildemateriale i både Danmark og Tyskland er tilintetgjort for tiden fra sommeren 1943-45. Der er bevaret et vist materiale for tiden forud, men derefter er det ubetydelige stumper i Danmark og enkelte rester i Tyskland, som langt hen tilmed er bevaret som kopi i andre tyske arkiver. På dette område må der på mere end noget andet felt trækkes på efterkrigsforklaringer af de involverede på tysk og dansk side. Dette fravær af materiale giver denne kildeudgave en skævhed, som det ikke har været muligt at kompensere for, og de medtagne politiakter har mere eksempelkarakter, end de kan bidrage til at oplyse egentlige forløb.

Den fjerde betydelige tyske instans i Danmark var Rüstungsstab Dänemark, der ikke var en magtfaktor på linje med de foregående tre, men som gennem sin virksomhed igennem alle besættelsesårene var med til at sørge for, at dansk industri ydede sit bidrag til tysk rustningsproduktion. Dertil kom, at Rüstungsstab Dänemark var et stabiliserende og bærende element i den besættelsesordning, der blev skabt i den første tid efter april 1940, og som stabens leder i hele perioden, Walter Forstmann, holdt fast ved i et samspil med de rigsbefuldmægtigede, først Cecil von Renthe-Fink og siden Werner Best. Havde Rüstungsstab Dänemark villet bidrage til at eskalere forholdene i Danmark, havde den haft mulighed for at gøre det. Rüstungsstab Dänemarks omfattende arkiv er i stort omfang intakt for tiden helt frem til marts 1945, herunder den komplette liste over de ca. 12.000 kontrakter med danske virksomheder, som leverede direkte til den tyske rustningsindustri eller værnemagten.[12]

Ingen andre tyske aktører i Danmark havde en tilsvarende betydning for tysk besættelsespolitik i Danmark, men enkelte udenfor havde en lige så stor betydning, og adskillige forsøgte at gøre sig gældende med skiftende held. Her tænkes naturligvis på den øverste tyske ledelse, som imidlertid kun ved få lejligheder beskæftigede sig med Danmark, men til gengæld hver gang greb ind på en måde, der havde store konsekvenser. Det gælder, hvad enten det omhandlede fæstningsbyggeri, foranstaltninger i forhold til dansk militær og politi, politirepressalier eller tyske flygtninge. Det begrænsede materiale fra rigsledelsen er så vidt muligt medtaget i fuldt omfang, og dertil er føjet Joseph Goebbels' dagbogsoptegnelser vedrørende Danmark, da de afspejler skiftende holdninger til Danmark i rigsledelsen.

Uden for Danmark havde særligt én tysker betydning for besættelsespolitikken i Danmark: Alex Walter, Ministerialdirektor og leder af den handelspolitiske afdeling i det tyske ernærings- og landbrugsministerium, havde en indflydelse på den danske situation, som kommer nærmest den, der blev udøvet af den øverste rigsledelse. Han var hovedarkitekten bag den tyske handelspolitik over for Danmark i hele besættelsesperioden. Der foreligger også et omfattende materiale om forhandlingerne med den danske modpart og resultaterne deraf. Dette forhold er imidlertid grundigt undersøgt flere gange, hvorfor materiale vedrørende selve handelsforhandlingerne stort set er udeladt.[13]

---

12 Originalmaterialet er hovedsageligt i BArch, Freiburg og kopier er købt til RA, desuden yderligere og mere materiale til KB i forbindelse med denne udgave.
13 Jensen 1971 og Nissen 2005.

Det begrænsede inddragne materiale har hidtil været ubenyttet og har skullet være med til at tegne den overordnede sammenhæng.

Flere andre tyske ministerier søgte at gøre sig gældende i Danmark. Foruden er-næringsog landbrugsministeriet var det rigserhvervsministeriet, rigsfinansministeriet og propagandaministeriet, dertil bl.a. Einsatzstab Reichsleiter Rosenberg. Materialet fra disse ministerier og fra Einsatzstab vedrørende Danmark er af meget varierende omfang og betydning, men det vidner om, at der var adskillige tyske aktører, der gerne ville på banen i Danmark, og at de også kom det, især og udelukkende som alliancepartnere for andre.

Der var flere andre tyske operatører i Danmark, som det kunne være relevant at inddrage. Jeg vil her bl.a. pege på Organisation Todt, som 1944-45 var den største byg-gekoncern i Danmark, men som ikke er en organisation, der efter de hidtidige arkivun-dersøgelser foreligger et overordnet materiale fra, dvs. i form af kommunikation med de overordnede i Berlin.[14]

Sikringen, bevaringen og tilgængeliggørelsen af Det Tredje Riges kildemateriale var i den første efterkrigstid et internationalt anliggende. Tysk kildemateriale blev ført ud af Tyskland og/eller blev mikrofilmet og distribueret til interesserede i et hidtil uset omfang, men er efter jerntæppets fald og Tysklands genforening sluttelig atter blevet et i første række tysk anliggende. Genforeningen har også bragt arkiver sammen, som har været skilt i mere end et halvt århundrede.[15]

Danmark var et af de mange lande, der efter anden verdenskrigs afslutning meldte sig som interesseret i at undersøge de tyske arkiver med henblik på kommende retssager, men nok så meget af historisk interesse. Tysklands fuldstændige sammenbrud og fire-magtsbesættelsen gav en enestående mulighed for at kigge Danmarks nærmeste nabo i kortene både langt tilbage i tiden og helt frem til maj 1945.

Den danske undersøgelse af det tyske arkivmateriale blev formelt set iværksat af den under folketinget nedsatte parlamentariske kommission. Det var kommissionen, der opnåede de vestallierede myndigheders tilladelse til at foretage arkivundersøgelserne, og der var repræsentanter for kommissionen med i Berlin under det første besøg, men reelt blev arbejdet forestået af Rigsarkivet. Det havde fagkyndige historikere med ved det før-ste besøg, og Rigsarkivet stod alene for de opfølgende arkivundersøgelser i Berlin 1948 og 1953. Under det første besøg blev der alene hjemtaget kopier af tyske dokumenter for tiden 1939-45 til brug for den parlamentariske kommission, og en hel del heraf blev senere offentliggjort i kommissionens beretninger (betegnet PKB). Dog synes dele af dette materiale i afskrift også benyttet i retssagen mod Werner Best, Hermann von Hanneken, Günther Pancke og Otto Bovensiepen. De to følgende arkivundersøgelser i Berlin koncentrerede sig om at sikre ældre tyske historiske arkivalier. Den første af disse undersøgelser med påfølgende omfattende affotograferinger blev finansieret af Carls-

14 OT i Danmark havde sin øverste chef i Oslo, og derfra har RA indkøbt kopier, der er af beskedent omfang (RA, Danica 630), mens OT i Danmark destruerede de fleste af sine arkiver i maj 1945 (bl.a. blev arkivet fra Hjørring reddet (KB, Herschends arkiv, telefontelegram nr.138, 8. maj 1945)), hvilket dog ikke har hindret, at et omfangsrigt, men uudnyttet materiale er bevaret (*Tyske civile og militære myndigheder og tyske partiinstitutioner 1934-1947*, 1972. Udg. af Rigsarkivet, s. 6).
15 Om kapløbet om de tyske arkiver, deres spredning og senere tilbagelevering til Tyskland se bl.a. Brather 1958, Wolfe 1974, Boberach 1977, Eckert 2004.

bergfondet, mens den sidste undersøgelse fandt sted i 1953 på Rigsarkivets eget initiativ og bekostning. Den foregik i London, da de relevante tyske arkivalier på det tidspunkt var flyttet dertil.

Hele det under disse arkivundersøgelser kopierede materiale blev samlet i Rigsarkivet, idet den parlamentariske kommission efter endt arbejde 1955 afleverede sine kopierede tyske arkivalier dertil.[16] Rigsarkivet har siden publiceret registraturer over indholdet,[17] og ikke mindst materialet fra tiden 1940-45 er blevet flittigt benyttet af danske og enkelte tyske og andre historikere. Det har siden 1960erne dannet hovedgrundlaget for udforskningen af tysk besættelsespolitik i Danmark.

Dette materiale er siden blevet suppleret på forskellig vis. I 1960 hjemførte daværende landsarkivar Johan Hvidtfeldt tyske militær- og partiarkiver med relevans for Danmark efter en arkivrejse til USA og England, hvilket er blevet fulgt op i 1970erne ved indsamling af materiale ved det tyske militærarkiv i Freiburg og i forbundsarkivet, dengang beliggende i Koblenz.

Der er sideløbende og samtidigt blev udgivet adskillige udenlandske aktpublikationer, først og fremmest *Akten zur Deutschen Auswärtigen Politik* (ADAP), der indeholder en del dokumenter vedrørende Danmark, også for tiden 1942-45,[18] som her er i centrum.[19] Det kan på den baggrund være rimeligt at spørge, hvad en ny aktpublikation skal til for? Der er et til dels velregistreret aktmateriale for hånden i København og meget foreligger tillige udgivet i udbredte kildepublikationer.[20]

Svaret herpå er sammensat af flere forhold.

For det første og som det vigtigste: Rigsarkivet skrev om det af arkivet indsamlede tyske kildemateriale i 1958: "Ved benyttelsen bør det imidlertid erindres, at fotograferingen af de tyske dokumenter er foretaget efter et skøn, foretaget af to arkivtjenestemænd. Det lå uden for mulighedernes grænse at fotografere alt."[21] Det skønsmæssige synes at være gået i glemmebogen hos benytterne siden hen, som det her skal dokumenteres. Måske er de blevet hjulpet på vej af den parlamentariske kommission, der i bind 13s beretningsdel side x skriver: "*intet i det modtagne* materiale, der er af væsentlig betydning for besættelsestidens forhold, er udeladt." (udhævelsen er min, JTL). Bindet rummer i lighed med bind 12 og 14 tyske akter til belysning af besættelsestidens forhold, skal det tilføjes. Til udsagnet er der kun at sige, at det er lige så forkert, da det blev skrevet, som det er i dag, hvis da ikke "besættelsestidens forhold" skal opfattes i en ubekendt indskrænket forstand, der ikke har noget med det givne kommissorium at gøre. Udvalget af tyske dokumenter, herunder ikke mindst de talrige udeladelser i enkeltdokumenter, er helt uigennemskuelige, og læseren bliver ikke vejledt af de tilhørende beretninger. Det var ganske vist ingen videnskabelig kildeudgivelse, kildehenvisninger og kommentarer

16 *Meddelelser om Rigsarkivet for årene 1921-55*, 1958, s. 59f.
17 *Fortegnelse over fotografier fra Auswärtiges Amt, SS-kontorer m.v.* Udg. af Rigsarkivet. 1965, og *Tyske arkivalier om Danmark 1848-1945*, 1-4, 1978-97 (hvor bd. 4 er om udenrigstjenesten og s. 90-118 vedrører tiden 1940-45).
18 Det drejer sig om serie ADAP/E.
19 Blandt de øvrige er IMT, NORD, EUHK. Se i øvrigt litteraturlisten.
20 RAs firebinds udg. er ikke lavet med en systematisk indgang og giver kun en nødtørftig hjælp.
21 *Meddelelser om Rigsarkivet for årene 1921-55*, 1958, s. 60.

mangler næsten fuldstændigt[22] (bind 14 undtaget, hvor der er en egentlig kildeoversigt s. xxi-xxv),[23] men også vurderet som politisk publikation forekommer udgiverne at have ramt ved siden af målet. Politikerne værgede sig mod kritik fra DKP og søgte at gøre DNSAP til prügelknabe. For en sen eftertid forekommer det uhensigtsmæssigt, at dokumentudvalget i den grad synes uden saglig styring, da det allerede dengang må have stået klart, at brugerne af materialet i sidste ende først og fremmest ville blive historikere.[24]

For det andet gav jerntæppets fald og Tysklands genforening en forventning om, at der i de i det tidligere Østtyskland bevarede dele af AAs arkiv ville være nyt materiale om dansk besættelsestid at hente. Til Potsdam var af interesse for tiden 1940-45 kommet dele af flg. afdelinger i AA: Rechtsabteilung, Kulturpolitische Abteilung, Nachrichten- und Presseabteilung og Rundfunkpolitische Abteilung, foruden betydelige dele af store vigtige ministerier som Reichswirtschaftsministerium og Reichsministerium für Ernährung und Landwirtschaft.[25] Allerede på dette sted skal det gøres klart, at forventningerne kun i begrænset omfang er blevet indfriet forstået på den måde, at der kun har været lidt at hente om den overordnede tyske besættelsespolitik over for Danmark i disse arkiver. Derimod har de i begrænset omfang været og vil yderligere i betydeligt omfang kunne udnyttes ved undersøgelser af det dansk-tyske økonomiske samarbejde.

Til gengæld viste det sig, at der i det kollapsede Sovjetunionen fandtes store arkivmængder fra Det Tredje Rige, som efter den tyske kapitulation var ført til Moskva, og hvis eksistens forblev en hemmelighed til omkring 1990. De har siden været flittigt benyttet især af amerikanske og tyske historikere, men da der også er et betydeligt materiale vedrørende de danske kommunisters forhold til Moskva m.m., de danske østfrontfrivillige m.m., har danske historikere flere gange været i Moskva, ligesom Rigsarkivet har sikret sig kopi af en større mængde akter vedrørende danske forhold, herunder for tiden 1940-45.[26] Der er dog stadig en del materiale af betydning for Danmark, der ikke er kopieret, også vedrørende besættelsestiden.[27]

Det er imidlertid i de af Rigsarkivet tidligere undersøgte arkiver og andre dele af AAs arkiver, at der er kommet mest nyt materiale frem. Det har overrasket udgiveren, selv om Rigsarkivet fra starten har gjort klart, at der var foretaget et skøn ved udvælgelsen af materiale i 1947, 1948 og 1953. Man burde som historiker egentlig ikke være blevet overrasket, når man havde fået den oplysning på forhånd. Når overraskelsen imidlertid i en vis grad har holdt sig, skyldes det, at "skønnet" har ført til, at nogle akter i en sag er blevet affotograferet, i visse tilfælde flere gange, mens andre lige så "vigtige" eller "vigtigere" dokumenter i samme sag i en del tilfælde ikke er blevet det. Det kan f.eks. skyldes de arbejdsforhold, som arkivundersøgelserne blev foretaget under: Tidspres, mangel på

22 Der gives dog oplysning om, hvorvidt bilag er udeladt eller mangler.
23 Her er også oplyst om der er tale om originaler, koncepter, gennemslag, kopier eller afskrifter.
24 Jfr. min konkrete kritik i Lauridsen 2003b, s. 339f.
25 Helmut Lötzke, Hans-Stephan Brather (Hg.): *Übersicht über die Bestände des Deutschen Zentralarchivs Potsdam*, Berlin 1957, s. 49f., 88f., 95.
26 *Danica i Rusland. Kilder til Danmarks historie efter 1917 i russiske arkiver: Resultater af et forskningsprojekt.* 1994.
27 Rybner 2004, Frederichsen 2011.

et lethåndterligt katalogapparat, mangel på oversigtsmuligheder m.m. Så det er for let i dag at stille sig uforstående over for, at situationen er, som den er.

Det er sværere at forstå, at danske historikere efter Rigsarkivets klare redegørelse i 1958 ikke har fundet det fornødent at gå til AAs og de andre tyske organisationers originale kildemateriale igen, da medlemmerne af Udgiverselskabet for Danmarks Nyere Historie og andre fra 1960erne og fremefter foretog deres undersøgelser.[28] Jørgen Hæstrups grundlæggende fremstilling af departementschefstyrets virke 1943-45 benytter Rigsarkivets affotograferinger fra AA uden nogen kommentarer, hvilket kan forklares med, at hovedsigtet netop ikke var en afdækning af den tyske politik, men departementschefstyrets.[29] Det samme kan siges at gælde et flertal af Udgiverselskabets andre publikationer, hvor affotograferingerne finder anvendelse, men dog ikke Henning Poulsen: *Besættelsesmagten og de danske nazister*, 1970, Sigurd Jensen: *Levevilkår under Besættelsen*, 1971 og Henrik S. Nissen: *1940*, 1973, der alle direkte behandler den tyske besættelsespolitik som led i deres undersøgelser. Af de tre er det kun Henning Poulsen, der drøfter det affotograferede tyske materiale fra AA og SS og dets anvendelsesmuligheder og begrænsninger, men dets repræsentativitet og fuldstændighed tager han ikke stilling til og kunne heller ikke, for han havde ikke taget rejsen til originalmaterialet.[30] Også Hans Kirchhoff tager i sit både meget bredt og dybtgående anlagte værk *Augustoprøret 1943* stilling til det affotograferede tyske aktmateriale, særligt fra værnemagtsarkiverne, og dets anvendelsesmuligheder. Men heller ikke han har været i Bundesarchiv eller Militärarchiv Freiburg for at undersøge, om det i Danmark affotograferede materiale er tilstrækkeligt dækkende. Fra hvert af de to arkiver anvender han kun en enkelt mindre betydende arkivfond,[31] og Politisches Archiv i AA omtales slet ikke.[32]

Imidlertid var han klar over, at der var et generelt metodisk problem ved, at det tyske materiale udgjorde et udvalg og var kopier foretaget af andre forskere og med et i visse henseender bredere, i andre snævrere sigte end hans. Alligevel kunne han straks påfølgende slutte: "Dog har jeg kun i to tilfælde via litteraturen fundet frem til akter der kan siges at have suppleret Rigsarkivets samlinger i nævneværdig grad."[33] Det drejer sig om de lige nævnte akter, men i den vedføjede note oplyses det yderligere, at Rigsarkivets første indsamlinger i Berlin og Washington er blevet kontrolleret ved en systematisk gennemgang af *Guide to German records microfilmed at Alexandria*.[34] Kontrollens resultat nævnes ikke, så læseren må slutte, at den har været positiv. Denne kontrol burde i det mindste være suppleret med den lige så relevante George A. Kent: *A Catalog of Files and Microfilms of the German Foreign Ministry Archives 1920-1945*,[35] hvorved opmærksom-

---

28 Udgiverselskabet for Danmarks Nyere Historie havde ikke på noget tidspunkt planer om at udarbejdelse af et værk om tysk besættelsespolitik i Danmark (jfr. Brunbech 2002, s. 175).

29 Hæstrup 1966-71.

30 Poulsen 1970, s. 14-17.

31 Kirchhoff, 1, 1979, s. 19-21 og 3, s. 58. De anvendte akter er Paul Kansteins Denkschrift 17.1.1945 og WFSts Feindlageberichte 1943.

32 Politisches Archiv i AA overses også fuldstændigt hos Nissen 2005 og Brandenborg 2005 på trods af, at de begge benytter de akter derfra, som er deponeret i Bundesarchiv. Se om Politisches Archiv Biewer 2005.

33 Kirchhoff, 1, 1979, s. 21.

34 Kirchhoff, 3, 1979, s. 87 note 2.

35 1-4. Stanford/California 1962-72.

heden også ville være blevet henledt på de originale akter i Politisches Archiv i AA. Om den yderligere kontrol ville have ændret konklusionen, er en anden sag.[36]

Det er en historiker uden for Udgiverselskabet, der som den første og hidtil eneste eksplicit har taget stilling til, om Rigsarkivets affotograferinger af tyske arkivalier er fyldestgørende. Det er Bjørn Rosengreen i *Dr. Werner Best og tysk besættelsespolitik i Danmark 1943-1945*, 1982 i afsnittet "Arkivmaterialet". Her er fremgangsmåden igen at gennemgå de udgivne guides til de amerikanske affotograferinger af det tyske kildemateriale, både *Guide to German records microfilmed at Alexandria* og *A Catalog of Files and Microfilms of the German Foreign Ministry Archives 1920-1945*, og sammenligne dem med Rigsarkivets affotograferinger. Dette blev suppleret med et besøg i Tyskland for at opspore yderligere materiale af SS- og politiproveniens, hvilket ikke gav noget nyt. Det er ikke nævnt, hvilke tyske arkivfonde, der har været gennemgået, og der optræder ingen tyske arkiver i kildefortegnelsen. Det konkluderes, at det almene indtryk af Rigsarkivets Danica-samling er, at den er overordentlig fyldestgørende. Uden at det kan afgøres, hvor vidt og detaljeret sammenligningerne mellem de amerikanske guides og Rigsarkivets affotograferinger er foretaget, kan det dog konstateres, at de ikke har kunnet være foretaget ud over arkivpakkeniveau. De har ikke kunnet omfatte indholdet af den enkelte pakke.

De fåtallige udenlandske historikere, der har beskæftiget sig med tysk besættelsespolitik i Danmark, har for de flestes vedkommende benyttet det originale tyske materiale, dog med en markant og bemærkelsesværdig undtagelse, nemlig tyskeren Erich Thomsen, der i den hidtil eneste større monografi om den samlede tysk besættelsespolitik i Danmark 1940-45 langt hen betjener sig af Rigsarkivets affotograferinger foruden og i mindre grad af tyske arkiver (Bundesarchiv, Politisches Archiv i AA og Institut für Zeitgeschichte).[37] Han kommer ikke ind på denne prioritering af sin kildeanvendelse, men det må være en forudsætning, at han har haft tillid til de danske affotograferings tilstrækkelighed.

Ville danske historikere have forvisset sig om, at Rigsarkivets affotograferinger af det tyske materiale ikke er fyldestgørende, havde de dog ikke behøvet at tage til Tyskland. De kunne have nøjedes med at lave en stikprøveundersøgelse og at konsultere Leni Yahils grundlæggende afhandling *Et demokrati på prøve. Jøderne i Danmark under besættelsen*, der kom på dansk i 1967 på grundlag af manuskriptet på hebraisk fra 1964. Heri benyttes og henvises til tyske akter af væsentlig betydning vedrørende den tyske håndtering af "jødespørgsmålet" i Danmark, der ikke findes affotograferet på Rigsarkivet.[38] Jeg vil som eksempel blot nævne Renthe-Finks brev til AA 15. september 1942 om, hvordan man kunne udelukke jødisk indflydelse i danske håndværksvirksomheder, og

---

36 Johan Peter Noack karakteriserer i sin bog om det tyske mindretal i Nordslesvig under besættelsen AAs arkiv som velbevaret og righoldigt og sammen med det tyske konsulats arkiv som den ubetinget "mest centrale kildegruppe for undersøgelsen." (Noack 1975, s. 15). Det er affotograferingerne fra AA i RA, der benyttes, men han undlader at tage stilling til deres fuldstændighed.

37 Thomsen 1971, s. 267-269.

38 Yahil afleverede manuskriptet som disputats på det hebræiske universitet i Jerusalem i 1964. Den danske udgave fik en ret hård medfart af Hans Kirchhoff i *Historisk tidsskrift* 12.IV, s. 269-277, men alligevel er hendes behandling af den tyske besættelsespolitik ikke blevet overgået, da ingen har haft samme tyske kildegrundlag til rådighed.

i øvrigt henvise til min udgivelse fra 2008 af tyske akter vedrørende "jødespørgsmålet" i Danmark til august 1943, hvor der er en stribe akter, der ikke foreligger affotograferet i Rigsarkivet.[39] De er for de flestes vedkommende allerede benyttet af Leni Yahil i 1964/67. Det paradoksale er, at Yahil heller ikke har benyttet originalakterne i AA, men også har benyttet sig af mikrofilm derfra, men her drejer det sig om samlingen deraf i Yad Vashems arkiv – desuden mikrofilm fra AA i Rigsarkivet. Ikke desto mindre kan det alligevel konkluderes, at Yahil havde adgang til andet og mere materiale, end der var i Rigsarkivet. Siden udkomne tyske værker,[40] og en enkelt amerikansk undersøgelse af Philip Giltner fra 1998 om det tysk-danske økonomiske samarbejde, bekræfter til fulde, at nok er Rigsarkivets affotograferede tyske materiale omfattende, men det er ikke fyldestgørende, og det kan ikke erstatte besøg i de tyske arkiver.

Det har en ny generation af danske historikere siden 1990erne også taget konsekvensen af, og de har som en nødvendig del af beskæftigelsen med dansk-tyske forhold i besættelsesårene enten skrevet og fået kopier af nyt kildemateriale eller har taget turen til tyske og andre udenlandske arkiver. Det sidste blev ret hurtigt reglen. Her skal nævnes Joachim Lund 1995ff., Niels-Henrik Nordlien 1998, Claus Bundgård Christensen et al. 1997ff., Mikkel Kirkebæk 2004 og 2008, Ole Brandenborg Jensen 2005, Mogens R. Nissen 2005ff., Lars Schreiber Petersen 2005ff., Henrik Lundtofte 2005ff., John T. Lauridsen 2006ff., og Jens Andersen 2007ff. Det er imidlertid bemærkelsesværdigt, at kun en af dem (Joachim Lund)[41] kommer ind på, om Rigsarkivets affotograferinger er tilstrækkelige eller fyldestgørende. Det har også været et overflødigt spørgsmål at stille sig, for det kunne de ved de udenlandske arkivbesøg konstatere, at det er de ikke.[42]

Hertil kan føjes den iagttagelse, at heller ikke de amerikanske mikrofilm af tyske arkivalier tilsyneladende altid indeholder det samme som de originale pakker. Jeg har kun et enkelt eksempel derpå, men betragter det som tilstrækkeligt til, at de originale pakker også bør genses, hvis man på mindste måde får mistanke om, at der mangler noget i affotograferingen, eller at andet er galt. I det konkrete tilfælde drejer det sig om materiale fra Rüstungsamts arkiv i Freiburg sammenholdt med mikrofilmningen fra samme: Rüstungsstab Dänemarks leder Walter Forstmann udarbejdede i 1942 en fremstilling af Rüstungsstab Dänemarks historie til udgangen af 1941 med tilhørende bilag for samme periode. Den er i original i BArch, RW 27/24 og mikrofilmningen er i RA, Danica 1000, T-77, sp. 697. Imidlertid indeholder mikrofilmudgaven bilag til fremstillingen strækkende sig ind i efteråret 1944, modsat materialet i originalpakken, hvor bilagene ikke rækker ud over 1941. Det kan være et tilfælde, men dog tankevækkende.

Det bringer mig frem til den tredje og sidste grund til udgivelsen: For første gang at fremlægge et struktureret og organiseret kildemateriale om tysk besættelsespolitik på øverste politiske niveau i Danmark under Werner Bests embedsperiode. Jeg har ingen

---

39 Lauridsen 2008a.

40 Det gælder især en række bidrag til værket *Das Deutsche Reich und der Zweite Weltkrieg* (Maier 1979, Müller 1999, Umbreit 1979, 1988a og b, 1998 og 1999), foruden Köller 1965, Schumann 1973, Winkel 1976, en række artikler af Petrick og i mindre grad Herberts arbejder vedrørende Danmark.

41 Lund 2005, s. 309, der konstaterer, at det er de ikke, en indsigt han da havde haft i en hel del år.

42 Dog er overblikket i nogle tilfælde ikke større end at påberåbe "nyfund" eller angiveligt upåagtede akter har været publiceret i flere årtier. Især synes ADAP overset. Se f.eks. Lauridsen 2008a, nr. 60.

forventning om at have fået alt det nu eksisterende relevante kildemateriale med, selv
når der tages forbehold for de afgrænsninger deraf, som jeg selv har pålagt mig. Både i
og uden for AAs omfattende arkiv vil der kunne findes yderligere materiale af og vedrø-
rende Werner Best i Danmark, og for de øvrige tyske instansers vedkommende er situa-
tionen den samme. Der er forventeligt bl.a. yderligere materiale i Freiburg til belysning
af værnemagtens rolle i Danmark. Her er fremlagt tidligere publiceret materiale, affoto-
graferet materiale og helt nyt materiale fra arkiverne i Tyskland og Moskva, som først og
fremmest kan danne grundlag for nye fremstillinger, andre problemstillinger og yderli-
gere arkivundersøgelser. I en oversigt over dansk besættelsestidsforskning 1995 skriver
Aage Trommer, at "den tyske politik i Danmark, vekselvirkningen mellem Auswärtiges
Amt i Berlin og gesandtskabet i København, forholdet mellem diplomaterne og værne-
magten etc. nok kunne være en undersøgelse eller to værd".[43] Det er jeg enig i, blot gør
en undersøgelse eller to det ikke.

Materialet til den foreliggende kildeudgave er både AAs samlinger i Berlin, et udvalg
af andre arkivfonds i Bundesarchiv i Berlin og Freiburg samt kopisamlingerne i Dan-
mark, nemlig Rigsarkivets talrige affotograferinger, de nytilkomne kopier fra Moskva,
afskrifterne i retssagen mod Werner Best m.fl. og afskrifter og kopier i Historisk Sam-
ling fra Besættelsestiden. Enkelte originaltelegrammer fra majdagene 1945 og andre do-
kumenter er fremskaffet fra Frihedsmuseet samt enkelte andre arkiver i ind- og udland.

43 Trommer 1995b, s. 18.

2. Udvælgelseskriterier

2.1. Udvælgelseskriterier

Der er ved udvælgelsen af dokumenter taget fire forudsætninger i betragtning ud over det rent omfangsmæssige:

For det første blev der ikke opbygget en tysk besættelsesadministration i Danmark modsat andre besatte lande. I stedet blev antallet af embedsmænd i Det Tyske Gesandtskab i et beskedent omfang udvidet,[44] og selv om den tyske gesandt tillige blev rigsbefuldmægtiget, var det ikke ensbetydende med, at han havde overhøjheden over de øvrige tyske instanser, der gjorde deres indtog i landet. Den rigsbefuldmægtigede var alene den højeste tyske politiske myndighed i landet, men havde ingen bemyndigelse i forhold til WB Dänemark, Kriegsmarine, Luftwaffe, Germanische Leitstelle og Rüstungsstab Dänemark, der alle agerede selvstændigt inden for deres områder. Hertil kom fra oktober 1943 et selvstændigt tysk politi.[45]

Dette indebærer, at det ikke er tilstrækkeligt at fokusere på den rigsbefuldmægtigedes korrespondance ved beskæftigelsen med tysk besættelsespolitik i Danmark.

For det andet forelå der ikke og kom ikke på noget tidspunkt til at foreligge en overordnet endsige samlet tysk formuleret besættelsespolitik for Danmark. Der var visse planer for Danmarks integration i det tyske storrum eller Neuropa i 1940, men efter at de planer var faldet, var det alene konkrete tyske krav og forventninger til den danske regering, der prægede politikken inden for rammen af fiktionen om en "fredsbesættelse" og aftalerne af april 1940, dvs. at besættelsespolitikken blev udviklet fra sag til sag eller i takt med opståede tyske ønsker, behov eller problemer og ikke efter en forud planlagt målsætning. Den situation fortsatte efter den danske regerings afgang i august 1943, idet departementschefstyret trådte i stedet for regeringen, og i tysk optik derefter var regeringen.

Det indebærer, at der ikke kan udpeges enkelte eller et fåtal nøgledokumenter, som udtryk for den besættelsespolitik, der blev fulgt i Danmark, men at politikudviklingen må undersøges som forløb.

For det tredje og i forlængelse af de to første forudsætninger var der ikke i Berlin nogen samlende eller koordinerende instans, der varetog besættelsespolitikken hverken i Danmark eller i de øvrige besatte lande.[46] Hitler greb kun sjældent ind og den tyske rigsledelses beskæftigelse med danske forhold var lejlighedsvis og præget af stillingtagen til konkrete sager og problemer. Danmark var på den ene side ikke i fokus som besat land, på den anden side kom mange førerordrer til at påvirke den tyske fremfærd også i Danmark.[47]

Også dette indebærer, at der ikke kan udpeges enkelte eller et fåtal nøgledokumenter som udtryk for den besættelsespolitik, der set fra Berlin skulle følges i Danmark.[48]

---

44 Se 1:4 og tillæg 4.

45 Jfr. Bests redegørelse "Hvorledes det tyske Udenrigsministerium har indvirket paa Situationen i Danmark i Tidsrummet 5.11.1942-5.5.1945", 21. marts 1948 (LAK, Best-sagen, s. 257ff.).

46 Röhr 1996, s. 105f.

47 Se tillæg 13.

48 Her skal det også påpeges, at centrale ordrer vedrørende politikken i Danmark alene blev givet mundt-

AA agerede inden for de diplomatisk afstukne rammer og opretholdt fiktionen om Danmark som et ikkebesat land. Der blev forhandlet de to lande imellem via de respektive udenrigsministerier,[49] og AA kunne alene nidkært forsøge at håndhæve sin status i forhold til de andre tyske instanser, der virkede i Danmark med andre formål. De tyske interessemodsætninger måtte med disse spilleregler tage til i takt med ankomsten af tysk politi og en uafhængig Höhere SS- und Polizeiführer (HSSPF), krigens gang, den stigende invasionsfare og en øget dansk modstand.[50]

Med disse forudsætninger kan dokumentudvalget ikke afgrænses til den rigsbefuldmægtigedes korrespondance med AA. Det ville give et skævt billede af besættelsespolitikkens tilbliven i Danmark, de andre hovedaktører må inddrages, men før de præsenteres nærmere, skal der igen gøres opmærksom på, at en del af den rigsbefuldmægtigedes skrivelser alene er fundet i andre tyske arkiver end AAs. Det skyldes overleveringssituationen og er ikke overraskende. Idet forretningsgangen er blevet overholdt, måtte AA i talrige tilfælde konsultere andre tyske instanser, hvor der forelå en indstilling fra den rigsbefuldmægtigede, og ofte blev den rigsbefuldmægtigedes skrivelse medsendt i kopi eller afskrift. Derfor skal en del af Werner Bests telegrammer søges uden for AA og kun der. Der vil andre tyske instansers svar til AA på Bests telegrammer i mange tilfælde også kun være at finde i gennemslag o.a. Igen på grund af overleveringssituationen. Der er en sammenhæng i beslutningstilblivelsen, som kun kommer frem ved inddragelse af de andre hovedaktører – og deres arkiver. Der skal som eksempel herpå fremhæves Bests vellykkede bestræbelser på bl.a. at dæmme op for HSSPF Günther Panckes forsøg på at indføre deportation af arbejdere som reaktion på strejker i august 1944, og hvor sagen nåede til Oberkommando der Wehrmacht (OKW), før den blev afsluttet. Den sag er kun så velbelyst takket være *Kriegsmarines* arkiver! (7: 155, 168, 172, 181).

Werner Bests korrespondance med AA er kildeudgavens fundament med samt de tilhørende sagsbehandlingsakter i ministeriet.[51] På det felt er der stort set ikke tale om et udvalg, så godt som alle lokaliserede skrivelser mellem Best og AA er medtaget. Da Bests underskrift skulle på alt af betydning fra gesandtskabet, har den beslutning været let. Selv i de tilfælde, hvor AA stilede skrivelser til Det Tyske Gesandtskab, var det hovedreglen, at Bests underskrift var under svaret.[52] Det er naturligvis ikke ensbetydende med, at han selv forestod sagsbehandlingen, men han ville i forlængelse af planen for gesandtskabets forretningsgang have de fleste udgående skrivelser forelagt.[53] Udeladt er dog Bests månedlige standardanmodninger til AA om pengeudbetalinger og enkelte inferiøre småsager så som et beskedent tyveri begået af en ansat ved Det Tyske

---

ligt, det gælder bl.a. direktiverne til von Hanneken og Best ved deres tiltræden 1942 og ved mødet med Hitler 30. december 1943.

49 Jfr. Poulsen 1997 i både dansk og engelsk udg. og samme 2001, s. 18-23.

50 Modsat opfattelse hos Poulsen 2001, s. 21-23, der bl.a. også mener, at de tysk-danske handelsforhandlinger ikke gav anledning til indre tyske gnidninger og blev ført adskilt fra den øvrige politik!

51 Sagsbehandlingsakterne bliver enten aftrykt eller refereret i teksthovedet eller noterne.

52 Som Bests korrespondance regnes også meddelelser afsendt på hans vegne af stedfortræderen Paul Barandon samt i et enkelt tilfælde dennes stedfortræder.

53 Se tillæg 5.

Videnskabelige Institut. Med de få forbehold kan udgivelsen af Bests korrespondance med AA betragtes som en tilstræbt rekonstruktion af Det Tyske Gesandtskabs væsentligste korrespondance november 1942-maj 1945, idet rekonstruktionen både hviler på AAs og andre tyske organers arkiver.[54]

Med den rigsbefuldmægtigedes forudgående godkendelse skrev andre fra gesandtskabet til Auswärtiges Amt, når det drejede sig om mindre betydende konkrete sager, og eksempler herpå er medtaget. Det var ofte rykkere rettet til andre tyske myndigheder og leverandører, hvor det lovede ikke var leveret. I adskillige af disse sager endte det med, at Best selv måtte skrive under for at give rykkere politisk vægt både hos AA og hos slutmodtagerne. Flere sådanne sagstyper vil kunne fremdrages.[55] Specielt er Franz Ebners indberetninger om den økonomiske og erhvervsmæssige situation i Danmark alle medtaget på grund af deres betydning – også for den rigsbefuldmægtigede, der ikke alene nøje fulgte de tysk-danske handelsforhandlinger, men også fremmede dem.[56] Når Best ikke var underskriver af disse indberetninger, skyldes det ikke deres underordnede betydning, men Ebners høje stilling som ansat i Reichsernährungsministerium (REM) og udlånt til Auswärtiges Amt. Ebner havde også i Cecil von Renthe-Finks embedsperiode som rigsbefuldmægtiget været underskriver af disse indberetninger – efter at de havde været forelagt den rigsbefuldmægtigede, naturligvis.[57]

I fuldt omfang er medtaget alle de kendte numre af den rigsbefuldmægtigedes *Politische Informationen für die deutschen Dienststellen in Dänemark* fra november 1942 til april 1945, der er en hovedkilde til, hvordan Best ønskede, at de tyske tjenestesteder skulle opfatte situationen og forstå hans politik. Endvidere er det udtryk for den moderne form, hvorpå han søgte at imødegå den fjendtlige propaganda. Dertil belyser informationsbladet talrige andre tyske tiltag (se 1:181 og oversigten over indholdet i bind 10).

Kopier eller afskrifter af Bests telegrammer er lokaliseret i bl.a. OKWs, OKMs (Oberkommando der Kriegsmarine), SS' (SS-Hauptamts, RSHAs) og Rüstungsamts arkiver eller hos deres repræsentanter i Danmark. Alle tog disse instanser fra tid til anden stilling til hans ageren. Disse fire overordnede instansers beskæftigelse med tysk besættelsespolitik i Danmark, og hvordan man fra tysk side skulle forholde sig, vil derfor blive inddraget, idet der dog langtfra kan blive tale om samme kildemæssige dækning som for den rigsbefuldmægtigedes virksomheds vedkommende. Der er blevet tale om en høj grad af udvælgelse, det tilsiger alene de talrige og omfattende krigsdagbøger, som alle tyske værn var forpligtet til at føre på mange tjenesteniveauer.[58]

Først og fremmest bliver de allerfleste militære dispositioner vedrørende forsvaret af

54 En fremgangsmåde i lighed med Heiber 1983.
55 Der er bl.a. bevaret en del korrespondance med den rigsbefuldmægtigedes Außenstelle i Åbenrå. Den er kun medtaget i begrænset omfang og især for 1945, da materialet fra den rigsbefuldmægtigede i øvrigt tørrer ud. Jfr. nedenfor.
56 Han var på det felt i fuld overensstemmelse med Ebner og de tyske medlemmer af det tysk-danske regeringsudvalg, selv om han forgæves havde søgt at blive dets formand (1: 143, 149, 162) og siden prøvede at hindre, at Hans Klausen Korff blev medlem af det (5: 156, 157, 208, 243, 248). Han var ikke udelukket fra indflydelse, men spillede sammen med bl.a. Alex Walter, Herbert Backe og Emil Ludwig.
57 Se Lauridsen 2012 med en udgivelse af Ebners indberetninger 1940-44.
58 Herom Gemzell 1965, s. 340f.

Danmark mod en fremmed invasion udeladt,[59] derimod ikke de politimæssige og civile dispositioner i samme sammenhæng. Hermed skal forstås, hvordan civilsamfundet og dets institutioner blev påvirket, f.eks. i form af tvangsflytninger, krav om arbejdskraft og materialer.

Endvidere medtages, hvordan man fra tysk side ville forholde sig over for dansk erhvervsliv ved en invasion, f.eks. over for fiskerflåden og for tyskerne vitale anlæg og virksomheder eller over for presse, radio og civilbefolkningen i det hele taget, herunder hvilke tyske aftaler, der var, såfremt det skulle komme til storstrejker, oprør og lignende.

Det samme gælder, hvilke foranstaltninger man fra tysk side ville træffe over for civilsamfundet i tilfælde af, at en tysk tilbagetrækning eller en kapitulation blev nødvendig.

Endvidere er medtaget de tyske militære og civile dispositioner i forbindelse med afvæbningen af de danske værn 29. august 1943, da de ikke kan udskilles fra den øvrige besættelsespolitik og i sig selv er væsentlige. Det er en nøglesituation på linje med f.eks. aktionen mod de danske jøder natten til 2. oktober, mødet 30. december 1943 hos Hitler og generalstrejken i København sommeren 1944, og de får derfor en fyldig kildemæssig dækning.

Dernæst omfatter udvalget af dokumenter alle former for tysk modstands- og sabotagebekæmpelse spændende lige fra propaganda vendt mod sabotagen til henrettelser, deportationer og modterror. Endelig medtages de dokumenter, hvor bl.a. tysk politi og militær i Danmark tager stilling til den rigsbefuldmægtigedes indstillinger og politik.

Så godt som alle Rüstungsstab Dänemarks indberetninger om dansk erhvervslivs bidrag til tysk rustningsproduktion og de dermed forbundne problemer er medtaget.

I de tilfælde, hvor der er lokaliseret skrivelser mellem AA og andre tyske ministerier på ministerniveau vedrørende Danmark, er de alle medtaget. Det samme gælder i vid udstrækning den øvrige korrespondance på højeste tjenstlige niveau lige under ministerniveau, der er lokaliseret mellem ministerierne vedrørende Danmark. Det drejer sig ofte om økonomiske spørgsmål.

Da de givne tjenesteveje af de tyske tjenestesteder blev fulgt, ikke mindst i vigtigere sager, vil det sige, at f.eks. den rigsbefuldmægtigede i anliggender med politiske implikationer i forhold til WB Dänemark skulle over AA, der skulle til OKW, der atter skulle indhente en indstilling fra WB Dänemark og derpå svare AA, der så kunne videregive svaret til den rigsbefuldmægtigede med sin egen konklusion. Det var meget tungt, og naturligvis blev de allerfleste sager afhandlet direkte mellem Best og von Hanneken, de havde fra august 1943 daglig telefonisk kontakt for at afstemme deres dagsindberetninger til deres respektive foresatte i Berlin.[60] Best søgte siden på samme måde at afstemme de daglige indberetninger til Berlin med Günther Pancke og Otto Bovensiepen, hvilket havde succes en tid, indtil interessemodsætningerne blev for store.[61] Af bl.a. samme grund er der kun bevaret en meget begrænset korrespondance internt mellem de tyske

---

59 Her henvises i stedet til Bonvig Christensen 1976 og Andersen 2007.

60 Best afhørt 23. oktober 1948 i sagen mod Weizsäcker (RA, Danica 234, pk. 88, læg 1157, s. 26.418), Kienitz/Drostrup 2001, s. 51. Se også Casper 1994, s. 352, 362.

61 Best afhørt 23. oktober 1948 i sagen mod Weizsäcker (RA, Danica 234, pk. 88, læg 1157, s. 26.418).

tjenesteder i Danmark i det hele taget. Kontakten var i vidt omfang mundtlig, og hvad der ikke var det, blev destrueret før 5. maj 1945.

Den tunge vej over AA gjaldt principielt også for den rigsbefuldmægtigedes håndtering af forholdet til de andre selvstændigt repræsenterede tyske instanser i Danmark. Således til HSSPF og BdS (Befehlshaber der Sicherheitspolizei) fra september/oktober 1943. I praksis blev samarbejdet oftest afviklet ved personlige møder, til april 1944 havde alle til huse i Dagmarhus, og selv efter tysk politis overflytning til Shellhuset vedblev den jævnlige mødekontakt.[62] Indholdet af møderne er vi derimod kun sporadisk orienteret om, oftest kun på grundlag af efterkrigsforklaringer, og hvad der måtte have været af samtidigt skriftligt materiale, blev destrueret før maj 1945.

Med mindre undtagelser må udvalget af tyske dokumenter vekslede mellem tyske tjenestesteder i Danmark og de foresatte i Tyskland ske på grundlag af arkiver, der var i behold uden for Danmark efter maj 1945.

For de tyske værns vedkommende er der bevaret et ret fyldigt materiale, som det vil fremgå af kildefortegnelsen i bind 10. Af OKWs krigsdagbog foreligger der alene et redigeret sammendrag, mens Seekriegsleitungs er udgivet i sin helhed (71 bind). For de militære tjenestesteder i Danmark foreligger der for både den tyske hær og Kriegsmarine sluttede rækker af krigsdagbøger omfattende tiden fra 1940 til ind i 1945 og rækkende fra værnsledelserne til afsnitskommandanter og havnekaptajner. Specielt skal nævnes krigsdagbogen for Höhere Kommando Kopenhagen. Luftwaffes krigsdagbøger er ikke lokaliseret. En del af krigsdagbøgerne er forsynet med 14-dages eller (oftere) månedsberetninger. Hertil kommer i et vist omfang bilag til krigsdagbøgerne samt korrespondance vekslet mellem tjenestestederne og deres umiddelbare foresatte. Det er et stort og væsentligt materiale, men desværre bærer krigsdagbøgerne, især på WB Dänemarks og admiral Dänemarks niveau, præg af at være enten redigerede eller forbundet med iøjnefaldende udeladelser. I hvert fald er der ofte tale om en væsentlig "forkortelse" af dagens hændelser. Det kan konstateres ved at sammenholde dagbøgerne med andet samtidigt materiale. Dog er de næppe så misvisende manipuleret, som de af officeren og historikeren (!) Percy Ernst Schramm for OKW førte og siden fremlagte krigsdagbøger.[63] Den meget store ordremængde fra OKW, der indbefattede Danmark, er det svært at få et fuldstændigt overblik over, da de relevante ordrer skal findes blandt titusinder af andre. Udgiver er på det rene med langtfra at have lokaliseret alle i henhold til udvalgskriterierne.

SS' kommunikation med tjenestesteder i Danmark foregik direkte fra RFSS' sekretariat, fra SS-Hauptamt (Gottlob Berger) og andre underorganisationer bl.a. Ahnenerbe. Modtagerne bl.a. var Germanische Leitstelle, Fürsorgeoffizier der Waffen-SS, HSSPF, det tyske mindretal og – Werner Best. Sidstnævnte havde forbindelse med RFSS og Berger, selv om det tjenstligt var mere end på kanten, hvad Best også fik indskærpet (2:66), men siden blev kontakten på betingelser accepteret af AA (3:208). Materialet er sporadisk bevaret,[64] men er af væsentlig betydning, da det bl.a. dokumenterer, at Best kom til Danmark med opbakning fra SS, en opbakning han mistede i oktober 1943.

---

62 Det fremgår af Bests kalenderoptegnelser.
63 Messerschmidt 2004, s. 434-443.
64 Der er en indgangsnøgle til RFSS' korrespondance i *Guide to German records microfilmed at Alexandria,*

Det tyske sikkerhedspoliti, der i september 1943 ankom til Danmark, var kun ganske kort tid om overhovedet underlagt den rigsbefuldmægtigede, men blev ledet af BdS direkte underlagt Ernst Kaltenbrunner i RSHA, mens det tyske ordenspoliti blev ledet af Befehlshaber der Ordnungspolizei (BdO) og heller ikke var underlagt den rigsbefuldmægtigede. Toppen af tysk politi i Danmark udgjorde HSSPF med stab og direkte underlagt RFSS.

BdS har næppe som BdO ført krigsdagbog,[65] men til gengæld har der været daglig rapportering til RSHA om modstandsaktiviteten i Danmark og bekæmpelsen deraf,[66] fulgt op af bl.a. månedsindberetninger om samme[67] og stemningsberetninger fra Danmark.[68] Af dagsindberetninger er et fåtal bevaret og udvalgte gengivet her. Om de er repræsentative, lader sig ikke afgøre. Hovedmassen af tysk politis arkiver vedrørende Danmark er borte både her og i Tyskland. De bevarede smuler er benyttet – der kan ikke engang tales om, at der er anlagt egentlige udvalgskriterier – og er ikke et dækkende aktmateriale for den politi- og terrorvirksomhed, der blev gennemført.[69]

Både Werner Best og hans stedfortræder Paul Barandon betegnede under efterkrigsafhøringer Rüstungsstab Dänemark som den fjerde hovedaktør i Danmark efter den rigsbefuldmægtigede, værnemagten og SS.[70] Udgiveren deler den opfattelse og har udvalgt et fyldigt materiale fra dette tyske tjenestested, der først var underlagt Rüstungsamt i OKW, men siden kom til Ministerium Speer, hvorefter Abteilung Wehrwirtschaft blev udskilt. Materialet udgøres af krigsdagbøger med bilag fra 1940 til februar 1945.[71] Det er især bilagene i form af månedsindberetninger[72] og brevene til Rüstungsamt, der er udnyttet, indberetningerne næsten i fuldt omfang, men også breve vekslede med andre. De synspunkter og vurderinger, der her kom til udtryk, er vidnesbyrd om, at der var en tæt og positiv kontakt mellem lederen af Rüstungsstab Dänemark, Walter Forstmann, og Det Tyske Gesandtskab fra april 1940 til maj 1945, først med Franz Ebner, siden også med Best. Det gav sig udslag i indberetninger til Rüstungsamt, der alt overvejende fulgte den rigsbefuldmægtigedes linje, men også bringer et væsentligt materiale om sabotagen og kampen mod den, foruden naturligvis om omfanget af den danske rustningsproduktion for Tyskland.

Va. Publ. by the American Historical Association, Committee for the Study of War Document, 1-94, Washington 1958-93.

65 BdOs krigsdagbog for tiden 1943-45 tillige med enkelte bilag er bevaret. Desuden lod BdO udarbejde et informationsblad om sabotageaktivitet, likvideringer m.m. for tiden 1943-45. Det er ligeledes bevaret i en gennemslagskopi i RA.

66 Karl Heinz Hoffmanns forklaring 12. november 1947, hvor de kaldes morgenrapporter (LAK, Best-sagen).

67 Nogle få er bevaret og trykt her.

68 Nogle få er bevaret og trykt her.

69 Se kildefortegnelsen.

70 Bests oversatte redegørelse "Hvorledes det tyske Udenrigsministerium har indvirket paa Situationen i Danmark i Tidsrummet 5.11.1942-5.5.1945", 21. marts 1948 (LAK, Best-sagen, s. 258) og Barandon 6. juli 1948 i sagen mod Steengracht (Danica 234, pk. 88, læg 1151, s. 11.172).

71 Fra april 1940 til oktober 1942 er der anlagt en egentlig sammenhængende og i den første periode ret fyldig krigsdagbog, derefter blev den kvartalsopdelt og langt mere knap.

72 For en oversigt over disse 1940-45 se bind 10.

På forskellige vigtige tidspunkter eller i visse kritiske perioder har det udvalgte sam-
tidige materiale ikke en karakter, så det hverken helt eller delvis kan afdække, hvad der
er foregået. Som eksempel kan tages Bests, von Hannekens og Panckes besøg i fører-
hovedkvarteret hos Hitler 30. december 1943, hvor de fik vigtige ordrer vedrørende
den politik, der skulle føres i Danmark. Sådan må det nødvendigvis være med den
givne overleveringssituation. Dog har jeg søgt at kompensere for fraværet af samtidigt
materiale vedrørende en række vigtige forhold ved at inddrage Werner Bests kalender-
optegnelser, der dog registrerer en mødeaktivitet, men så med udgangspunkt i dem at
gøre brug af enten efterkrigsforklaringer eller næsten samtidige beretninger om afholdte
møder. Bests kalenderoptegnelser indeholder ikke alle de af ham afholdte møder og slet
ikke samtaler ført pr. telefon, og endelig foreligger kalenderen ikke for 1945. Det har
fået udgiver til, i et *fåtal* af tilfælde, alligevel at bringe et samtalereferat af møder, der har
fundet sted, og i enkelte at bringe referater af møder og samtaler, der angiveligt (!) har
fundet sted. Fremgangsmåden er ikke uproblematisk, men dog finder jeg den accepta-
bel, da det øger kildeudgavens brugsværdi, stiller det angivelige materiale/telefonsamta-
len/hændelsen til diskussion i sig selv, og det i hvert enkelt tilfælde gøres umisforståeligt,
hvad der er samtidigt materiale og ikke.[73]

Især for året 1945 har det været nødvendigt for udgiver i en vis udstrækning at kom-
pensere for det stærkt begrænsede bevarede materiale vekslet mellem AA og Best samt
fra AA internt (se diagram 1).[74] Det har ført til en øget brug af efterkrigsforklaringer
og andet materiale end for de foregående år og måneder, ligesom værnemagtsakterne
fylder langt mere end tidligere (se diagram 2). Det har til dels kunnet begrundes med, at
krigen var rykket tættere på Danmark, de tyske forberedelser af en slutkamp og spørgs-
målet om en fredelig kapitulation, samt ankomsten af store mængder tyske flygtninge
og sårede soldater, som værnemagten i vid udstrækning kom til at tage sig af, selv om
Best formelt fik opgaven.

På baggrund af fraværet af dokumentation af visse forhold som netop angivet, har
udgiver indført begrebet "tomme dokumenter" som betegnelse for dokumenter, som
udgiveren ikke har lokaliseret, men ved har eksisteret og som er vurderet som betyd-
ningsfulde pga. af den sammenhæng, de bidrager med, og/eller deres indhold i den
form, indholdet på anden vis er kendt gennem referater fra andre kilder. De "tomme
dokumenter" er kronologisk placeret, hvor det ikke lokaliserede dokument skulle have
været anbragt med de henvisninger til, hvorfra der haves viden om det. Der er en over-
sigt over de fåtallige "tomme dokumenter" i tabel 3.

---

73 Som nævnt ved 4:30 kunne først Østre Landsret og senere Højesteret i 1950 godtage efterkrigsforkla-
ringer om en telefonsamtale, der skulle have fundet sted mellem Franz von Sonnleithner og Best 7. septem-
ber 1943, selv om der ikke er skyggen af samtidig dokumentation derfor – tværtimod – (jfr. Herbert 1996,
s. 363f.), og at efterkrigsforklaringerne uden tvivl blev synkroniseret. Det er en "kildetype", udgiveren
undtagelsesvis ikke har ment at kunne forbigå.

74 Det kan nævnes, at ADAP/E bind 8 kun bringer 21 dokumenter i alt fra 1945 for hele Europa.

Tabel 1: Brugen af Bests kalenderoptegnelser

4.12.43	(5:14)	her som bevis
30.12.43	(5:86)	her om mødetidspunkter og med hvem
7.1.44	(5:112)	anledning til anden dokumentation – Bovensiepens referat
26.1.44	(5:183)	her dokumentation af de tilstedeværende og sagsforløb
28.6.44	(6:248)	møde i Duckwitz' efterkrigsforklaring
30.6.44	(6:260)	kalender i Svenningsens referat 13. juli 1944
1.7.44	(7:14)	kalender i Svenningsens referat 13. juli 1944
3.7.44	(7:41)	kalender i Svenningsens referat 13. juli 1944
5.7.44	(7:63)	kalender i Svenningsens referat 13. juli 1944
27.11.44	(8:187)	kalender ved Barandons afsked

Tabel 2: Brugen af møde- og samtalereferater

Sonnleithner til Best 7.9.43	(4:30)	i Sonnleithners efterkrigsforklaring
Best-Svenningsen 1.7.44	(7:14)	kalender i Svenningsens referat 13. juli 1944
Best-Svenningsen 2.7.44	(7:25)	i Svenningsens referat 13. juli 1944
Best-Svenningsen 3.7.44	(7:41)	kalender i Svenningsens referat 13. juli 1944
Best-Svenningsen 4.7.44	(7:50)	i Svenningsens referat 13. juli 1944
Best-Svenningsen 5.7.44	(7:63)	kalender i Svenningsens referat 13. juli 1944
Casper-Herschend 2.2.45	(9:54)	i Herschends samtidige referat
Best-Svenningsen 21.2.45	(9:101)	i Svenningsens samtidige referat
Kaltenbrunner-Mohr/Hvass 8.3.45	(9:134)	i Mohrs referat
Best-Rosting 12.3.45	(9:144)	i Rostings samtidige referat
Best-Rosting 15.3.45	(9:149)	do.
Best-Fenger o.a. 16.3.45	(9:150)	i Fengers samtidige referat
Best-Rosting 4.4.45	(9:185)	i Rostings samtidige referat
Best-Duckwitz 13.4.45	(9:197)	genfortalt af Duckwitz 1945-46
Best-Kaufmann/Lohse 15.4.45	(9:203)	genfortalt af Duckwitz 1945-46
Best-Terboven/Quisling 20.-21.4.45	(9:206)	genfortalt af Duckwitz 1945-46 og af Best efter 1945
Best-Duckwitz 25.4.45	(9:212)	genfortalt af Duckwitz 1945-46
Duckwitz-Per Albin Hanson 28.4.45	(9:216)	genfortalt af Duckwitz 1945-46
Best-Bernadotte/Schellenberg 30.4.45	(9:218)	genfortalt af alle de implicerede efter 1945
Best-Adolf von Steengracht 6.5.45	(9:246)	i Bests efterkrigsforklaring 31.7.1945

Tabel 3: Brugen af "tomme dokumenter"

Med "tomme dokumenter" betegnes dokumenter, som udgiveren ikke har lokaliseret, men ved har eksisteret og som er vurderet som så betydningsfulde pga. af den sammenhæng, de bidrager med og/eller deres indhold i den form, indholdet på anden vis er kendt gennem referater fra andre kilder.

Führerbefehl 18.10.1942   (1:81) ikke tomt, blot ikke medtaget
von Hanneken an die höhere
Kommandobehörden 24.10.1942   (1:97)
Best til AA 6.5.1943   (3:18)
von Hanneken an OKW 24.8.1943   (3:259)
Sonnleithner til Best 7.9.1943   (4:30)
RAM til RFSS 31.12.1943   (5:87)
RFSS til RAM 4.1.1944   (5:99)
RFM til RAM 20.3.1944   (5: 353)
RFSS til Best og HSSPF 15.6.1944   (6:201)
Kaltenbrunners ordre 16.6.1944   (6:205)
Best til AA 18.7.1944   (7:91)
Herbert Backe til RAM 26.9.1944   (7:280)
KTB/OKW 8.11.1944   (8:108)
Best til AA 6.1.1945   (9:8)   Her er ingen bevis for, at telegrammet er sendt,
                                                                 men det er sandsynliggjort gennem både Bests
                                                                 og Bovensiepens efterkrigsforklaringer

Best til AA 25.2.1945   (9:111)
Steengracht til Best 6.5.1945   (9: 246)

2.2. Resultatet af fordelingen af de valgte akter i henhold til udvalgskriterierne
I tabel 4 er optalt alle de udvalgte akters procentvise fordeling på institutioner. Doku-
menterne fra Werner Best udgør som venteligt den største andel med godt 29 %,[75] tæt
fulgt af akterne fra AA med knapt 25 %. De tilsammen 54 % af akterne fra den tyske
udenrigstjeneste understreger, hvor tyngdepunktet i hele udgavens udvalg er lagt. Den
tyske hær og Kriegsmarine er tilsammen repræsenteret med godt 25 % af akterne, mens
SS og tysk politi er helt nede på 7,4 %. I diverse-gruppen på 10 % skjuler sig først og
fremmest et stor antal akter fra Rüstungsstab Dänemark, som der er gjort mere detalje-
ret rede for i bind 10, og så akterne fra en hel række ministerier og andre institutioner.
Den procentvise fordeling af akterne er ikke på nogen måde udtryk for de udvalgte
instanser relative betydning i forhold til hinanden (jfr. ovenfor), men værre endnu er
det udvalgte materiales kvalitative værdi for de udvalgte grupper også meget ulige: Selv
om der trods alt er 7,4 % akter fra SS og tysk politi, så er dette materiale hverken på
nogen måde repræsentativt eller kommer så tæt på disse organisationers virksomhed i
Danmark, som det er tilfældet for de øvrige udvalgte gruppers.

Tabel 4: Den procentvise fordeling af de udvalgte akter på institutioner

Navn	Antal	Procent
Dokumenter fra Best	848	29,3 %
Andre AA-dokumenter	713	24,6 %
Hær	409	14,1 %
Marine	334	11,5 %
Politi	215	7,4 %
Diverse-gruppe	378	13,0 %
Total	2.897	100,0 %

75 Endnu i 2006 havde udgiveren kun lokaliseret under 700 dokumenter fra Best (Lauridsen 2007a, s. 436).

I det følgende diagram 1 er en kronologisk oversigt over fordelingen af alle de udvalgte dokumenter måned for måned fra oktober 1942 til maj 1945 og fordelingen af Bests skrivelser til AA månedsvis i samme periode. Det er bemærkelsesværdigt og ikke tilsigtet, at det samlede materiale og akterne fra Best frem til april 1944 groft taget fluktuerer lige meget med det absolutte toppunkt i september og oktober 1943. Efter maj 1944 falder antallet af akter fra Best gradvist for at flade ud på meget lavt niveau fra januar 1945. Det samlede antal akter pr. måned til december 1944 svinger i nærheden af knapt hundrede for derefter at begynde at falde til det halve hele foråret 1945. Især for forårsmånederne 1945 er den samlede mængde materiale, der har været at foretage et udvalg fra, været drastisk formindsket.

Hvorfor Bests skrivelser er så ujævnt bevarede, vil der blive taget yderligere stilling til nedenfor, men her skal det påpeges, at Best holdt ferie i en del af juli 1943, hvilket kan forklare lavpunktet af skrivelser, og når dette dyk ikke gentog sig juli 1944, hang det sammen med, at Best var optaget af forsvaret for sin politik efter generalstrejken i København. Den store krise for Bests politik var i månederne august, september og begyndelsen af oktober 1943, en krise han i august reagerede på ved at rapportere på samme niveau, som han havde gjort i juni i stedet for at intensivere den.[76] Til gengæld indberettede han i september og oktober 1943 på et niveau så højt, som hverken før eller siden.

Diagram 1: Dokumenter i alt og fra Werner Best måned for måned 1942-45

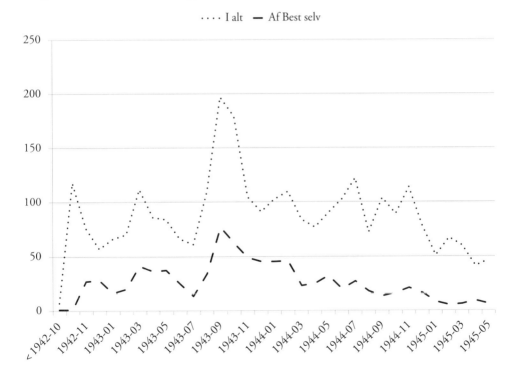

···· I alt   — Af Best selv

76 Til gengæld holdt han ikke inde med at rapportere, endsige indberettet mindre, som nogle synes at antyde.

I diagram 2 er der gjort mere detaljeret rede for den procentvise fordeling af dokumen-
ter inden for de seks udvalgskategorier. Det fremgår, at de procentvise svingninger er be-
tydelige for alle grupper med hæren som den kategori, hvor der er en vis stabilitet frem
til andet halvår 1944. Svingningerne for tysk politis vedkommende kan umiddelbart sy-
nes meget betydelige, men der skal tages højde for den i udgangspunktet ret begrænsede
mængde akter, så selv få akter kan ændre på procentsatsen. I tabel 6 kommer det mest
klart frem, hvor meget hærakterne procentvis dominerer i hele foråret 1945.

Diagram 2:
Den procentvise fordeling af akterne månedsvis fordelt efter de udvalgte kategorier

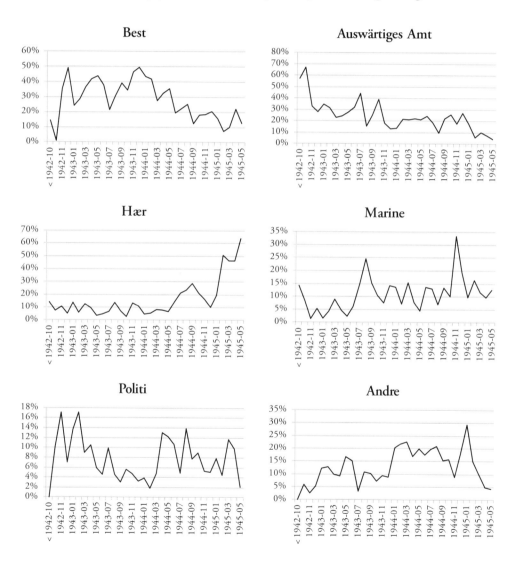

2.3. Omfanget af Werner Bests korrespondance med AA

Med den hensigt så vidt muligt at udgive den samlede korrespondance mellem Werner Best og AA kan der først stilles spørgsmålet: Hvor fyldestgørende er de lokaliserede og udgivne Best telegrammer og breve i forhold til, hvad der oprindeligt har eksisteret?

Det lader sig i dag alene gøre at opgøre minimumsomfanget af den rigsbefuldmægtigedes korrespondance med AA, mens alle andre dele af hans og gesandtskabspersonalets korrespondance, undtaget med danske myndigheder, forbliver en helt ubekendt størrelse. Det drejede sig om tusindvis af dokumenter.

Best blev under en afhøring den 22. oktober 1948 i sagen mod Weizsäcker spurgt, hvor mange telegrammer og andre skrivelser, han dagligt sendte til AA. Han svarede, at det svingede mellem 3 og 15 pr. dag, da det afhang af situationen.[77] Det svar er ikke urimeligt i betragtning af, hvor åbent spørgsmålet var, men der er en vej til at komme det lidt nærmere.

Dagen efter sin ankomst til København 5. november 1942, afsendte Best et første telegram til AA. Telegrammet har nr. 1644 og var en fortsættelse af rækken af telegrammer afsendt af hans forgænger i embedet, Cecil von Renthe-Fink. Den 31. december 1942 afsendte han telegram nr. 1936 til AA, hvilket vil sige, at der var blevet afsendt knapt 300 telegrammer på knapt 2 måneder, hvilket svarer til en skrivefrekvens på ca. 6 telegrammer hver dag, søn- og helligdage inklusive. Dertil kan lægges brevene til AA, som indeholdt længere redegørelser og beretninger, som ikke hastede, samt korrespondancen med andre ad tjenestevejene. På tilsvarende måder lader det sig gøre at rekonstruere Bests telegramvolumen 1943 og 1944:

I 1943 fik Best afsendt telegram nr. 1937, 1. januar 1943, før han fik korrigeret telegramnummereringen til nr. 1 (et telegram, som ikke er kendt). Da Best var i Berlin nogle dage i begyndelsen af det nye år, var det hans stedfortræder Paul Barandon, der i hans fravær afsendte det først kendte telegram nr. 18, 8. januar, mens vi skal helt frem til 20. januar for at have telegram nr. 72 bevaret fra Best selv. Det er ikke ensbetydende med, at Best ikke sideløbende kommunikerede pr. brev. Der er bevaret breve til AA fra ham 5., 9., 13., 15. og 16. januar.[78] Det er ikke helt gennemskueligt, hvornår telegram- og hvornår brevformen blev anvendt. Det var ikke kun hastende meddelelser, der blev givet pr. telegram, og vigtige meddelelser blev også sendt som brev og ikke telegram.

Telegrammerne blev sendt med vekslende hyppighed til årets udgang, hvor Best sluttede med telegram nr. 1599 den 27. december. Det svarer til en telegramfrekvens på ca. 4,8 pr. dag, en ikke ubetydelig tilbagegang i forhold til hans første måneder i embedet. Det til trods for, at han i slutningen af august 1943 fik ordre til at afgive en daglig melding til AA om situationen i Danmark, en ordre, der først blev ophævet i begyndelsen af marts 1944 på Bests initiativ.[79] Den nedadgående tendens fortsatte i 1944, hvorfra det først kendte telegram er nr. 3 fra 3. januar og det sidste, nr. 1417, fra 31. december, hvilket giver en telegramfrekvens på ca. 3,9 pr. dag.

For 1945 lader tilsvarende sikre regnestykker sig ikke opstille, da der næsten ingen telegrammer findes fra Best til AA. Der er kun overleveret en enkelt håndfuld, det første

77 RA, Danica 234, pk. 88, læg 1157, s. 26.369.
77 RA, Danica 234, pk. 88, læg 1157, s. 26.369.
78 2:60, 71, 77, 79, 85. Af disse breve blev f.eks. nr. 60 konciperet af den skibsfartssagkyndige og sendt i Bests navn, mens nr. 71 var et af Best selv håndskrevet brev til Weizsäcker.
79 Bests telegram nr. 302, 7.3.1944 (5:327).

er nr. 1 fra 1. januar og det sidste, nr. 145, fra 9. februar 1945.[80] Sidstnævnte er tilmed kun bevaret i en afskrift i OKWs arkiv. På de 40 dage sendte han ca. 3,6 telegram pr. dag, hvilket bekræfter den tendens, at kommunikationsstrømmen og mængden af telegrammer mellem AA og den rigsbefuldmægtigede var i fortsat aftagende. Det kan ikke dokumenteres, at andre kommunikationsformer trådte i stedet, idet telefonen hele tiden var et kommunikationsmiddel, der også blev benyttet, men i langt mere begrænset omfang. I AA blev der i reglen nedfældet et notat af telefonsamtalerne, det sidste af den slags kendte notater efter en samtale med Best er fra 15. maj 1945, da han stadig var på fri fod i København, beskyttet af den danske modstandsbevægelse.[81]

En delforklaring på kommunikationens indskrænkning kan være, at AA i august 1944 besluttede at minimere den "unødvendige" korrespondance under indtryk af, at den totale krigsmobilisering var gået ind i sin anden fase.[82] På den anden side indebar førerordren af 4. februar 1945, hvorved hundredtusinder af tyske flygtninge skulle føres til Danmark,[83] og at den rigsbefuldmægtigede skulle stå for opgaven, et stærkt øget behov for kommunikation med Berlin. Den næsten fuldstændige destruktion af AAs arkiver vedrørende Danmark for 1945 udelukker at følge bl.a. løsningen af denne store opgave i detaljer. Den kan blot følges sporadisk gennem OKWs arkiv, da von Hannekens efterfølger Georg Lindemann blev langt mere end parthaver i anbringelsen af flygtningestrømmen.[84] Det har givetvis tillige spillet ind, at kommunikationsmulighederne til Berlin blev forringet og i perioder var afbrudt i krigens slutfase. Duckwitz' fortæller i sine erindringer om et eksempel fra marts 1945 herpå, der kom Best meget belejligt.[85]

Hvis jeg antager, at telegramfrekvensen var uændret 1. januar til 30. april 1945, så kan det samlede omfang af Bests og gesandtskabets telegrammer opgøres således:

1942	ca.	300
1943		1.599
1944		1.417
1945	ca.	432
I alt	ca.	3.748

Der er i alt lokaliseret og gengivet 848 dokumenter fra Best, indbefattet telegrammer, breve og *Politische Informationen*. Et fåtal på under 50 telegrammer er udeladt, da de alene drejer sig om månedlige pengeoverførsler. Stadig er de 848 akter kun en ret begrænset mængde i forhold til de beregnede 3748 telegrammer alene, hvortil skal lægges brevene i et ukendt antal. Kan der da heraf sluttes, at væsentlige dele af Bests korrespondance med AA ikke er lokaliseret eller tabt? Det kan i hvert fald sluttes, at hovedparten af korrespon-

---

80 Der foreligger også enkelte telegrammer fra maj 1945 (9:222, 231), men de er uden for den tidligere nummerfølge.

81 9:266.

82 Adolf von Steengracht til forskellige 9. august 1944 (Giltner 1998, s. 224f. note 15).

83 9:56.

84 Også i den danske administrations arkiver afsatte den tyske organisering af flygtningestrømmen spor, selv om departementscheferne ikke ville beskæftige sig med sagen (Hæstrup, 2, 1971, kap. 9 og KB, Peder Herschends arkiv).

85 Duckwitz' erindringer u.å. kap. III, s. 21 (PA/AA, Nachlaß Georg F. Duckwitz, bd. 29).

dancen sandsynligvis er gået tabt, men om det også er den væsentligste del, er en anden sag. Der blev fra gesandtskabet sendt rigtigt mange telegrammer og breve til AA i rene rutinesager. Det drejede sig f.eks. om personalesager, herunder lønforhold, boligforhold og rejsetilladelser. Alle rejser til og fra Danmark krævede en tilladelse, og det gjaldt ikke kun gesandtskabets personale, og det resulterede i en omfattende korrespondance med AA.[86] Det er udgiverens bedømmelse, at en meget væsentlig del af de nu ikke lokaliserede akter for tiden før 1945 har drejet sig om mere banale rutinesager. Der er blandt de ikke lokaliserede dele af Bests korrespondance naturligvis også akter, som det ville være af betydning at kende indholdet af. Det kan sluttes alene af henvisningerne til disse i de kendte akter, men i rigtig mange tilfælde kan der sluttes til hovedindholdet i de ikke lokaliserede akter, fordi de indgår i en sagsbehandling med en kommunikationsstrøm, hvor der oftest refereres til indholdet i de forudgående telegrammer eller breve. Der kan naturligvis have været sager og sagsforløb, hvor slet ingen akter er bevaret hverken i AA eller andre ministerier eller institutioner, blot er deres eventuelle omfang ikke til at udtale sig om.

Det lader sig ikke på tilsvarende måde gøre at belyse omfanget af AAs telegrammer til den rigsbefuldmægtigede, og det er der tre grunde til, som til dels har været berørt ovenfor: For det første blev det i AA og af udenrigsminister Joachim von Ribbentrop ikke brugt at nummerere telegrammerne til København for sig. Ribbentrop var ofte fraværende fra AA for i stedet at være til stede i førerhovedkvarteret, hvilket indebar, at telegrammer lejlighedsvis blev sendt direkte derfra til Best. For det andet benyttede AA sig mere end Best af telefonkommunikation, og for det tredje er det langt mere begrænset, hvad der er bevaret fra AA til Best end omvendt. Det kan bl.a. hænge sammen med, at Best faktisk skrev flere telegrammer til AA, end AA gjorde til ham, men det er næppe hele forklaringen. Dokumentdestruktionen i AA var givetvis mere effektiv for den udgående korrespondance end for den indgående. Det bygger jeg på, at der for den udgående korrespondances vedkommende var kronologiske samlinger af gennemslag, eks. for Ribbentrop eget kontor (Büro RAM), men at sådanne kun undtagelsesvis er bevaret,[87] mens de indgåede telegrammer blev fordelt på de relevante afdelinger i AA og om nødvendigt og ofte blev kopieret i flere eksemplarer til fordeling. Det er bl.a. kopieringen og spredningen af Bests telegrammer i AA, vi kan takke for deres overlevering. Lejlighedsvis tilgik Bests telegrammer fra AA andre instanser, som OKW eller RSHA, når de indgik i en sagsbehandling, og her er en del bevaret. Selv havde Best ifølge kommandoreglerne ikke adkomst til direkte kontakt til andre rigsinstanser. Al hans korrespondance med Berlin skulle principielt gå via AA. Det kneb ham at overholde det helt, han fik flere gange en påtale for at kommunikere uden om AA, men telefonen kunne naturligvis tages i brug, når der skulle drives korridorpolitik, og materialet afslører, at Best flere gange fik politisk støtte fra især REM, mens spor af kommunikation fra Best til ministeriet ikke kan opdrives. Men den har naturligvis været der i en eller anden form. Det vil være naivt at tro andet.[88]

---

86 I RA, Vesterdals nye pakker, pk. 1-2 er eksempler på denne type korrespondance.

87 PA/AA R 28.888-28.889: Sonderzugakte bd. 35-36.

88 Sommeren 1948 nævnte Paul Barandon det tyske indenrigsministerium, Himmler og SS-kredse blandt Bests uofficielle forbindelser (Barandon afhørt i Nürnberg 6. juli 1948 i sagen mod Steengracht, (RA, Danica 234, pk. 88, læg 1151, s. 11.171)).

2.4. Udvalgets og akternes anvendelighed

Med de allerede udtrykte forbehold og begrænsninger med hensyn til udvælgelseskriterier kan den foreliggende kildeudgave med de tilføjede kommentarer og tillæg belyse hovedtræk af den tyske besættelsespolitik i Danmark. For Werner Bests vedkommende vil det først og fremmest sige, som han ønskede at fremstille den over for AA og over for de tyske tjenestesteder i Danmark. Hvordan han ønskede at fremstille den over for de danske myndigheder er en anden sag, hvilket skal understreges. Herom må henvises til hans korrespondance med Udenrigsministeriet (UM), samt Nils Svenningsens mange referater af møderne med Best. Dette materiale er lettilgængeligt på RA og benyttet adskillige gange, mest omfattende af Jørgen Hæstrup. Best søgte at skabe sig et spillerum i forhold til alle de instanser, han tjenstligt skulle samarbejde med, det være på tysk som på dansk side. Han førte ikke blot en tofrontstrategi med de danske myndigheder på den ene side og de tyske på den anden, men søgte at sikre sig handlemuligheder og indflydelse i forhold til alle andre myndigheder omkring sig. Det påvirkede hans embedsskrivelser, der til stadighed må analyseres i det lys.

I en erklæring afgivet af Werner von Grundherr 23. juni 1948 i forbindelse med retssagen mod Werner Best, kom han bl.a. ind på Bests indberetningspraksis til AA. Han skrev bl.a.: "Wollte Dr. Best aber seine Ziele erreichen, so mußte er im Einvernehmen mit Staatssekretär von Steengracht seinen Berichterstattung an Ribbentrop und Hitler so abfassen, daß er beiden gegenüber, die ihm wiederholt Weichheit und Nachgiebigkeit gegenüber den Dänen vorwarfen, als energische, harte, ja selbst brutale und rücksichtslose Persönlichkeit des 'schärfsten Durchgreifens' erscheinen. So ist es zu erklären, daß Dr. Best in seiner Berichterstattung vor übertreibenden, ja selbst direkt unwahren Berichten[89] über von ihm getroffene Gewaltmaßnahmen nicht zurückschreckte. Den Sacharbeitern in Ausw. Amt, wie Herrn von Steengracht, Herrn Unterstaatssekretär Hencke und mir war diese Tatsache selbstverständlich bekannt, und wir stellten sie entsprechend in Rechnung, natürlich ohne Ribbentrop hierüber aufzuklären." Og videre bl.a.: "In seiner Berichterstattung über die immer mehr zunehmenden dänischen Sabotage-Akte unterstrich Dr. Best das Argument, daß diese Akte vor allem von England gefördert und veranlaßt wurden, und das England offensichtlich damit beabsichtigte, scharfe deutsche Gegenmaßnahmen in Dänemark zu provozieren, da England die Lage in Dänemark 'zu ruhig' war. Best versuchte mit dieser Argumentation zu erreichen, daß Hitler und Ribbentrop von weiteren Gegenmaßnahmen Abstand nahmen. Auch pflegte er die Sabotage-Akte zu bagatellisieren und auf ihre verhältnismäßig geringe Zahl im Vergleich z.B. zu Norwegen und Holland hinzuweisen, sowie auf die Tatsache, daß diese Akte für die deutsche militärische Kriegsführung ohne irgendwelche Bedeutung waren."[90]

Det vil fremgå, at von Grundherr forsvarede Best, så godt han kunne. Det var på linje med de øvrige embedsmænd fra AA, som sluttede op om deres repræsentanter, når de blev stillet for retten. Der var et stærkt udtalt sammenhold.[91] Der kan med god

---

89 Allerede Wurmbach var 3. juli 1944 (7:39) inde på, at Bests indberetninger ikke stod til troende.
90 LAK, Best-sagen, s. 347-349.
91 Döscher 2005, Weitkamp 2008, Conze, Frei, Hayes, Zimmermann 2010, s. 375-439.

grund stilles spørgsmålstegn ved det forsvar, von Grundherr giver Best. Det fremgår af det samtidige materiale ikke i et eneste tilfælde, at man i AA havde de rette forstående briller på til at læse Bests indberetninger, som von Grundherr udlægger det i 1948.[92] Den påståede stiltiende forståelse mellem Best og AA-embedsmændene er en senere konstruktion, der alene skulle tjene til begges forsvar. Der er intet samtidigt belæg for, at Best indsendte usande rapporter om af ham trufne voldsforanstaltninger, og i øvrigt var sådanne foranstaltninger fra efteråret 1943 i hænderne på et tysk politi, der ikke var underlagt Best. Med hensyn til Bests indberetninger om sabotagen, så er det sandt, at han til stadighed bagatelliserede dens betydning, men pointen er, at han ikke sammenlignede med sabotagen i Norge eller Holland. Von Grundherrs erklæring er her, som i andre detaljer ukorrekt, men til gengæld havde han lært at reproducere et helt udvalg af de gode gerninger, som Best allerede i sommeren 1945 havde gjort til sit forsvar. De skal ikke gengives her.[93]

Det er senere blevet udtrykt tvivl om pålideligheden af Bests indberetninger, men dog på en helt anden baggrund af Hans Kirchhoff i 3. udgave af *Besættelsens hvem hvad hvor*, 1979, hvor han skriver, at "særlige tolkningsproblemer rejser den rigsbefuldmægtigedes indberetninger fra København, fordi de ofte er tilpasset adressaten i Berlin i en sådan grad, at deres virkelighedsbillede fremstår som ganske fortegnet."[94] Det formulerede han endnu stærkere i *Augustoprøret 1943* fra samme år: "Hvad jeg måske stærkere vil fremhæve er de diplomatiske indberetninger af politiske handlinger. Vurderet som *levning* er de et meget præcist udtryk for hvad den rigsbefuldmægtigede ønskede at meddele Berlin og tillader derfor indirekte slutninger om hans intentioner og planer. Derimod er de læst som *beretning* om dispositioner og forhold i Danmark oftest af meget ringe kildeværdi. De er tendentiøse, fra tid til anden groft løgnagtige, eller de kan være ganske tavse, således som tilfældet var i juli og august [1943]."[95]

Bjørn Rosengreen var i 1982 lidt mere afdæmpet i sin vurdering af Werner Bests indberetningspraksis: "Desuden er det klart, at den rigsbefuldmægtigede har været selektiv i sin indberetningspraksis, ligesom han har taget politiske (og personlige) hensyn ved udvælgelsen af informationer om den faktiske udvikling i Danmark. Dette kan for tidsrummet efter den militære undtagelsestilstand bedst illustreres ved den måde, hvorpå han informerede om samarbejdet med 'departementschefstyret'; i alt væsentligt indskrænkede meddelelserne sig til at være en viderebefordring af dets protester i tysk oversættelse."[96]

---

92 Det er ikke det samme som, at man ikke nogle gange havde blik for Bests manipulationer, se et eksempel herpå hos Lauridsen 2006b, s. 18f.

93 Von Grundherr reproducerede 10 punkter til gunst for Best, bl.a. afholdelsen af valget foråret 1943, den politiske eliminering af Frits Clausen, og at han påfølgende forsvandt fra Danmark, understregningen af det danske erhvervslivs betydning og vigtigheden af bøndernes leverancer til Tyskland for at hindre skærpede foranstaltninger mod Danmark fra Ribbentrops og Hitlers side, at der ikke blev indført tvangsarbejde i Danmark og advarslen til de danske jøder, da der blev udført en aktion mod dem (LAK, Best-sagen, s. 347-351).

94 Engberg/Kirchhoff 1979, s. 259.

95 Kirchhoff, 1, 1979, s. 19. Udhævelserne er Kirchhoffs. Nordlien 1998 er et ekko af denne opfattelse.

96 Rosengreen 1982, s. 179.

Dette sidste er nok sat på spidsen, og det kan tilføjes, at Best i den nævnte periode indberettede talrige andre forhold, der var af åbenbar betydning for AAs interessevaretagelse i Danmark, men her er det nok så væsentligt, at jeg tolker Rosengreens i forhold til Kirchhoff blødere formulering derhen, at den indberetningspraksis langt hen var den forventelige, dvs. at man må forvente af diplomatiske indberetninger, at de er både selektive og båret af visse interesser, idet der tages hensyn til modtageren. Er det ikke også sådan i dag? Spørgsmålet er snarere om Best gik ud over det forventelige i den henseende? Det synes Kirchhoff klart at mene, og Bests egne foresatte har måske haft en tendens til at mene det samme på flere tidspunkter. Det var ikke uden grund, at han gang på gang blev kaldt til Berlin for at stå skoleret, bl.a. når AA ikke mente sig tilstrækkeligt orienteret.[97]

Alligevel har det først og fremmest været Bests indberetninger, der har dannet grundlaget for AAs stillingtagen i de allerfleste sager, og der har trods alt været det tjek på Bests indberetninger, at han måtte påregne, at der kom informationer om forholdene i Danmark til Berlin ad andre kanaler end Det Tyske Gesandtskab i København, hvor meget han end prøvede at dæmme op derfor.[98] Det mener jeg, er tilstrækkeligt til at tillægge indberetningerne den værdi, der berettiger deres samlede udgivelse.

At indberetningerne samtidig er vidnesbyrd om Werner Bests evner som forvaltningskunstner, kan kun være et problem, hvis man har den indgangsvinkel til dem, at de alene skal være direkte udtryk "for dispositioner og forhold i Danmark". Det forekommer mig at være en noget ensidig tilgang, og i grunden et udpræget dansk synspunkt. Hvad jeg skrev i 2007, mener jeg fortsat ved vejs ende med dette projekt: "Som Best i sin samtid gav kolleger, forhandlingspartnere og foresatte et intelligent modspil, gav han siden anklagemyndigheden en udfordring, der i en uoverskuelig fremtid også vil omfatte historikerne. Best når man ikke uden videre til bunds i. Han var en embedsmand, bureaukrat og politiker, der altid tænkte mere end to træk frem."[99] Så kan han omgås sandheden nok så lemfældigt for at fremme sin politik.

De øvrige kildekategorier er ikke forbundet med helt de samme tendensproblemer. Værnemagten og Kriegsmarine i Danmark har ikke i samme omfang som Best været politiserende, men til gengæld er materialet fra disse og de foresatte i OKW og OKM så omfattende, at det er noget af en ørkenvandring gennem mængder af militærteknisk rutinemateriale at finde frem til de akter, der er relevante i forhold til udvalgskriterierne i denne udgave. I en række sammenhænge kan beslutningsprocesserne følges fra øverste niveau til deres effektuering på lokalt plan.[100] Det kan ske ved brug af både den telegrafiske kommunikation i det omfang, den foreligger; krigsdagbøgerne og aktivitetsberetningerne, de sidste foreligger både som 14-dages, måneds- og kvartalsberetninger og var forbundet med krigsdagbøgerne. Det var en tjenstlig forpligtelse for enhederne på alle

97 Se tillæg 16.
98 Påpeget af Bovensiepen afhørt 10. december 1946, hvor han nævnte værnemagten, Kriegsmarine, Rüstungsstab Dänemark og Duckwitz som forskellige kanaler, men ikke tysk politi! (LAK, Best-sagen, s. 170). Dertil kan bl.a. føjes udenlandsk radio, hvorfra AA flere gange fik nyheder fra Danmark, før Best havde viderebragt dem.
99 Lauridsen 2007a, s. 438f. Desværre giver Herbert 1996 ikke sin vurdering af Bests indberetningspraksis.
100 Det gælder frem for alt inden for Kriegsmarine. Se Lauridsen 2009 og 2010b.

niveauer at føre krigsdagbog, og værnene havde hver deres forskrifter for, hvordan det skulle ske.[101]

Det gælder for både krigsdagbøgerne og aktivitetsberetningerne, at de er redigerede; nogle forhold er medtaget, andre er udeladt. Det kan fastslås alene ved at sammenholde dem med den telegrafiske kommunikation, og udgaven her vil bringe talrige eksempler derpå. Som det er påpeget af Hans Kirchhoff, er det vigtigt at have for øje, at krigsdagbøgerne og aktivitetsberetningerne ikke er uforpligtende beretninger skrevet for skrivebordsskuffen eller historien, men tjenstlige aktiviteter og led i den militære beslutningsproces.[102] Der var en hensigt med, hvad der blev viderebragt til de overordnede, i første række at forsvare trufne beslutninger, eller at forklare, hvorfor en situation ikke var anderledes og ikke kunne være det.

Hvad der gælder for materialet fra værnemagten og Kriegsmarine er også gældende for Rüstungsstab Dänemark. Her blev ført krigsdagbog, afgivet måneds- og kvartalsindberetninger, samt ført korrespondance med Rüstungsamt. Måneds- og kvartalsindberetningerne drejede sig først og fremmest om indgåede rustningskontrakter, men kom i høj grad også ind på mangelen på råvarer og andre forsyningsproblemer, folkestemningen, produktiviteten og sabotagen, ligesom den politiske situation blev vendt igen og igen. Hvordan disse forhold blev fremstillet, var ikke ligegyldigt. Der var ikke tale om en fristil; det kunne få konsekvenser, hvad der blev skrevet og viderebragt. Der var visse succeskriterier og forventninger. Det var man udmærket klar over i Rüstungsstab Dänemark, og materialet må vurderes i det lys.[103]

For de øvrige kildegrupper gælder lignende forhold, de indgik i forvaltningen af og udøvelsen af magt i forskellige institutioner og partier, hvor den enkeltes placering i hierarkiet var af afgørende betydning, når en kildes anvendelighed og udsagnskraft skal vurderes. Der var i de fleste langt fra de besluttende til de eksekverende. Specielt for SS og tysk politi er der så godt som intet samtidigt materiale om beslutningsprocessen at knytte an til for Danmarks vedkommende. De fåtallige bevarede månedlige aktivitetsberetninger fra Befehlshaber der Sicherheitspolizei und des SD (BdS) var tjenstlige dokumenter, som de var det for værnene og for Rüstungsstab Dänemark og skulle gerne melde om resultater i kampen mod kommunismen, modstandsbevægelsen, fjendtlige agenter og spionagen. Det bærer beretningerne stærkt præg af, så det skal naturligvis tages med forbehold, når f.eks. kommunismen gang på gang erklæres for elimineret. Der var nogle foresatte at gøre tilpas, men samtidig rummer beretningerne kontante oplysninger om bestræbelserne på at komme modstanderne til livs, og de fortæller noget om den viden BdS på givne tidspunkter havde fået om modstandernes styrke, organisation og struktur.[104]

---

101 Se Gemzell 1965, Exkurs 2, s. 331-357.

102 Kirchhoff, 1, 1979, s. 20.

103 Der var en ikke ringe vilje til at koordinere indberetningerne fra Danmark hos flere af besættelsesorganerne.

104 Se Eckert 1995 om Gestapo-indberetningernes troværdighed.

3. Udgivelsesprincipper

De udgivne dokumenter er gengivet efter de forlæg, der har kunnet fremskaffes i form af affotograferinger af originaler, kopier, gennemslag, afskrifter (samtidige eller senere[105]), faksimiler, eller ved gengivelse fra trykte aktpublikationer. Det er begrundet i overleveringsforholdene. Endvidere har der måttet gøres brug af udkast til breve og telegrammer, hvor det endeligt afsendte ikke er kendt, og interne indstillinger og forslag til svar – i en del tilfælde med håndskrevne rettelser og eller tilføjelser[106] –, hvor heller ikke svaret er kendt. Atter er det begrundet i overleveringsforholdene, specielt for AAs vedkommende. Der er som nævnt lokaliseret en langt større mængde skrivelser fra Best og det tyske gesandtskab til AA end omvendt. For i et vist omfang at kompensere for det, har der måttet gribes til den nævnte type dokumenter med de problemer, det medfører i form af forbehold for, hvad der faktisk blev besluttet og givet ordre om.[107]

Der er bragt brevhoveder, fulde adressater og journalnumre, hvor det har været muligt. I de tilfælde, hvor anvendte og anerkendte aktudgaver ikke har fulgt den praksis, har udgiveren ikke konsekvent søgt at opspore det utrykte forlæg. Der kan derfor være tilfælde, hvor der her er et udførligere brevhoved i et udgivet dokument end i ADAP (eks. 2:139) og i andre ikke. Begrundelsen for at medtage f.eks. journalnumrene er, at det i mange tilfælde letter eller er den eneste mulighed for med sikkerhed at identificere en given sag, hvis der kun foreligger et kort notat. Som et karakteristisk eksempel på det sidste, kan henvises til von Thaddens meget korte notat 9. september 1943 vedrørende igangsættelsen af jødeaktionen.[108]

Talrige dokumenter har påstemplinger foretaget af modtager, f.eks. modtagelsesdato- og tidspunkt, hvem der skal have kopi af dokumentet, at dokumentet er hemmeligt, o.a. I hvert tilfælde har udgiver vurderet, om alle disse oplysninger skal medtages. Hemmelighedsstempling er altid medtaget, det er sagsbehandler også, hvis det ikke fremgår på anden vis, mens modtagelsestidspunkt alene er medtaget, hvis det er skønnet af betydning eller datering i øvrigt mangler. Det er også skønnet, om oplysningen (Verteiler) om alle de, der skulle have kopi af dokumentet, skal medtages. Det er også sket af pladshensyn. Således er de omfattende fordelingslister, der knytter sig til hver situationsberetning fra Rüstungsstab Dänemark og BdS, ikke medtaget hver gang. Igen har det også været et spørgsmål om pladsøkonomi, men udgiver har i fodnoter i kort form givet supplerende information, hvis der kom nye adressater til eller andre fragik.

En del telegrammer, breve, notater og udkast er forsynet med påtegninger, der angiver, hvordan der skulle svares i konkrete sager. Disse påtegninger er naturligvis medtaget, da de giver oplysninger, som i de fleste tilfælde ikke haves på anden vis og i enkelte

105 Der er i videst muligt omfang benyttet samtidige afskrifter, og kun i et par tilfælde er tekstgrundlaget alene en senere afskrift i LAK, Best-sagen.
106 På grundlag af det til rådighed værende kopimateriale har udgiver i en række tilfælde ikke kunnet læse det håndskrevne, hvilket er oplyst i hvert tilfælde. Udgiver er ikke i tvivl om, at en læsning af disse passager helt eller delvis vil kunne finde sted med brug af tilstrækkelig ressourcer. Dog vil det næppe ændre meningen i indholdet af det allerede udgivne.
107 Jfr. om denne problematik Rosengreen 1982, s. 178f.
108 4:40.

tilfælde er særdeles væsentlige (eks. 4:129, 7:282). Der er også enkelte eksempler på, at et afsendt brev er blevet genanvendt ved afsendelsen af svaret og kun er kendt på denne vis. I de tilfælde er det genanvendte brev lagt til grund for udgivelsen af det først afsendte brev (eks. 3:222).

Telegramnoter gengives som i de originale telegrammer, men de kan tillige være forsynet med en udgiveroplysning på dansk, hvilket vil fremgå umiddelbart. Denne form er valgt for ikke at forøge notetallet unødigt.[109] Telegrammer, der alene foreligger i form af den opklæbede telegramstrimmel med talrige forkortelser, som først skulle have været udskrevet af sekretærerne hos modtageren, er så vidt muligt udskrevet og forkortelserne opløst. Det drejer sig om et fåtal.

De allerfleste dokumenter er gengivet i deres helhed. Nogle få dokumenter er så lange, at det har været nødvendigt at foretage udeladelser, som er anført med […]. I andre er indholdet omhandlende Danmark så begrænset, at det er valgt at udgive det pågældende udsnit, idet dokumentets hoved og slutning er bibeholdt. Enkelte dokumenter er gengivet efter så dårlige og svært læselige forlæg, f.eks. svag fotografisk gengivelse, at gengivelsen er usikker. I hvert tilfælde er der gjort opmærksom derpå. Hvor der er et reelt teksttab, er det markeret med [xx]. Skarp parentes bruges endvidere, når indholdet er udgiverens, f.eks. når der tilføjes bogstaver eller ord, der ikke er i teksten, men sandsynligvis har skullet være der. Til gengæld markerer … uden skarp parentes, at der er tale om en udeladelse i forlægget.

I en række tilfælde er dokumenterne forsynet med et eller flere bilag. I de allerfleste tilfælde bringes bilagene i deres fulde omfang, men der har i enkelte tilfælde måttet gøres undtagelser, hvor bilagene er meget omfangsrige (eks. 2:112). Hvor der i originalteksten henvises til bilag, som ikke er lokaliseret, gøres der i hvert tilfælde opmærksom derpå (eks. 2:172) Nogle af bilagene foreligger i forvejen trykt enten i PKB eller især hos Alkil 1945-46 og er derfor som regel udeladt, når der det drejer sig om tyske henvendelser bragt i dansk presse. De indberetninger fra andre tyske instanser, som Best alene formidlede til AA med et i reglen ukommenteret følgebrev, er ikke betragtet som bilag, men bringes med ganske få undtagelser i deres helhed, idet udeladelserne er kommenteret på en måde, så læseren kan få en forestilling om, hvad det udeladte drejer sig om (eks. 6:103). Alle de indberetninger fra andre, som Best har videresendt til AA, er placeret under den dato som angivet i hans følgebrev uagtet, at indberetningerne har en anden datering (eks. 8:104). I enkelte tilfælde foreligger Bests følgebrev ikke, og indberetningen er i disse tilfælde placeret under den dato, som det er dateret (eks. 7:124).

De benyttede krigsdagbøger fra en række tyske militære instanser fra ledelsen i Berlin til de lokale kommandanter i Danmark har i sagens natur ikke kunnet udgives i deres helhed, men bygger udelukkende på uddrag. Det gælder også situationsberetningerne fra førerhovedkvarteret og Goebbels' dagbog, samt Bests kalenderoptegnelser 1942-44.

Kildeudgaven er som bl.a. ADAP konsekvent kronologisk opbygget. Alle dokumenter er placeret efter deres datering. Nogle få dokumenter er delvis udaterede, men i reglen kendes måned og år. Her er dateringen i nogle tilfælde fundet via andre dokumenter, men hvor det ikke er tilfældet, er dokumentet enten konsekvent anbragt

109 Se eks. på en telegramnote 1:9.

under månedens første dag, eller udgiver har helt undtagelsesvis argumenteret for en bestemt datering (eks. 8:210). For at lette overblikket og forfølge enkeltsager henvises der i reglen både frem og tilbage fra et konkret dokument til andre dokumenter i sagen.

Der er ikke taget hensyn til, at Herman von Hanneken og Hans-Heinrich Wurmbach begge skifter titel flere gange. Von Hanneken benævnes konsekvent WB Dänemark og Wurmbach Adm. Dänemark i kildehenvisningerne. Tilsvarende er Wehrwirtschaftsstab Dänemark, der februar 1943 omdøbes Rüstungsstab Dänemark, vedvarende betegnet som sidstnævnte i kommentarer og henvisninger og stavet både med et og to s-er, som i de tyske forlæg. Gustav Adolf Baron Steengracht von Moyland er konsekvent forkortet til Adolf von Steengracht i hoveder og kommentarer, som det også er gjort i det danske retsmateriale i Best-sagen, idet der angives det fulde korrekte navn i registret. Dokumenter, der ikke er fundet, betegnes konsekvent som ikke lokaliserede, men ikke som tabte, idet udgiveren har gjort den erfaring, at det skal man være meget varsom med at erklære. Der er eksempler nok i den foreliggende danske besættelsestidslitteratur på, at tabte eller tavse o. lign. dokumenter alligevel har ladet sig fremdrage.[110]

I nogle tilfælde forekommer det, at et telegram eller en skrivelse kun er kendt gennem en hel eller delvis gengivelse i et andet dokument ("skjult dokument"). I de tilfælde er udgiver gået en af to veje: I en række tilfælde angives det "skjulte dokument" på sin oprindelige kronologiske plads med afsender, modtager og dato, men uden indhold, idet der henvises til det dokument, hvor indholdet på den ene eller den anden måde er delvist gengivet eller refereret (eks. 6:201). Er det "skjulte dokument" omfattende nok og direkte gengivet i det senere dokument, har udgiver i enkelte tilfælde valgt at gengive det i sin helhed på dets egentlige kronologiske plads og i stedet henvise til, hvorfra det er hentet (eks. 7:155).

En helt særlig kategori af "dokumenter", der er optaget, er enkelte telefonsamtaler og dokumenter, der alene kendes fra de impliceredes efterkrigsforklaringer. Det er indlysende problematisk at medtage dem, men i kraft af deres betydning og den øvrige overleveringssituation er fire sådanne alligevel inddraget. De to er angivelige telefonsamtaler, den ene skulle have fået Best til at iværksætte jødeaktionen (Sonnleithner til Best 7.9.1943 (4:30)), den anden skulle have godtgjort hans betydning for, at det ikke kom til en slutkamp i Norden (Steengracht til Best 6.5.1945 (9: 246)). De to dokumenter er begge angivelige telegrammer fra Best til AA foråret 1945. Det ene er fra omkring 6. januar, hvor Best bilagt et brev fra DNSAPs fører C.O. Jørgensen søgte at formå AA til at hindre modterror i anledning af likvideringen af en af DNSAPs sysselledere (9:8), det andet er fra ca. 25. februar, hvor Best anmodede AA om at måtte genoptage retsforfølgelsen af pågrebne modstandsfolk (9:111).

Der er anvendt trykte dokumenter fra om ved en snes kildeudgaver. Fra de fleste er der aftrykt et fåtal dokumenter, og kun PKB og ADAP er benyttet i betydeligt omfang. Både PKB og ADAP er kildeudgaver af høj kvalitet og med medtagelse af så mange tekstinformationer, at de har kunnet danne grundlaget for en genudgivelse her på trods af, at udgivelsesprincipperne ikke har været fuldstændig de samme. Forskellene gælder

---

110 Se f.eks. Hæstrup, 2, 1966-71, s. 33 ("kilderne tier"), Poulsen 1970, s. 376 ("Her bryder akterne af") og Kirchhoff, 2, 1979, s. 324 ("Dokumentet, der turde være en hovednøgle til forståelse af efterårets tyske politik, er siden gået tabt"), hvilket ikke i nogen af tilfældene er korrekt.

især de oplysninger, der medtages om Verteiler (PKB) og om afsender og modtager (ADAP). ADAP har af økonomiske hensyn indskrænket oplysningerne om både Verteiler og udeladt adresser m.m. ved afsender og modtager.

EUHKs kildeudgave om Danmark og Norge (bd. 7, 1992 af Fritz Petrick) er til gengæld så vidt muligt ikke benyttet, da den ikke gengiver noget dokument fuldstændigt, idet brevhoveder, adressater og underskrifter konsekvent er udeladt, og dokumenterne i øvrigt oftest er forkortede, i en del tilfælde meget kraftigt.[111] Dertil kommer, at kildehenvisningerne nu i mange tilfælde er forældede (BA Potsdam, Film Nr.), og at brugeren derfor skal have fat i den konkordansnøgle, der findes i bd. 8, for at nå nærmere dokumenternes nuværende placering.[112] Endelig er der en række uheldige fejl, der svækker udgavens værdi, hvoraf skal fremhæves en enkelt: Dokument nr. 110 i EUHK er angiveligt et telegram fra Werner Best til RSHA, Referat IV B 4, af 2. oktober 1943. Det er i sig selv overraskende, at Best skrev direkte til RSHA, da det var helt uden for tjenestevejen, og udgiveren kender heller ikke andre eksempler derpå. Det viser sig imidlertid, at Bests telegram (nr. 1194) er til AA, men indeholder en besked fra Rudolf Mildner til RSHA, som Best beder AA videresende. Dette er for det første forbigået udgivers opmærksomhed, for det andet gøres en del af Mildners besked i stedet til Bests til RSHA, mens den resterende del i en fodnote gøres til Mildners tilføjelse.[113]

I begrænsede tilfælde har udgiver kunnet fremskaffe et bedre tekstgrundlag for en udgivelse af et dokument end i de foreliggende trykte kildeudgaver. Det bedste eksempel herpå er Prüfungsstelle für Wehrwirtschafts oversigt "Die finanziellen Leistungen der besetzten Gebiete bis 31. März 1944, 17. August 1944" (7:157), som første gang blev udgivet på engelsk i *Trials of War Criminals before the Nuremberg Military Tribunals*, 13, 1952 og siden på tysk af Hans Buchheim 1986. Begge udgivelser er på grundlag af en kopi i IfZG (Institut für Zeitgeschichte), der mangler både dokumenthoved, datering og dokumentets indledning. Imidlertid har Rigsarkivet ved sin Danica-affotografering i Moskva hjemtaget det fuldstændige dokument, som så her har kunnet lægges til grund for udgivelsen.

I den følgende tabel 5 er gengivet en oversigt over de mest benyttede kildeudgaver, der tidligere helt eller delvist har udgivet akter, som igen er blevet udgivet her i deres helhed. Det er ikke overraskende, at det er PKB og ADAP, der er de to absolutte topscorere, mens gengivelserne hos EUHK og Best 1988 kun helt undtagelsesvis er benyttet som forlæg. For EUHKs vedkommende med begrundelser som nævnt ovenfor, for Bests 1988s vedkommende, fordi gengivelserne bortset fra i faksimile-delen også er mindre teksttro end det originale materiale. Af de andre benyttede kildeudgaver er de unikke uddrag fra Joseph Goebbels dagbøger de oftest forekommende (26 gange), fulgt af Johan Hvidtfeldts kildeudgave af WB/Dänemarks krigsdagbog 20. april-26. maj 1945 (20 gange), hvor dog en kopi af den originale krigsdagbog tillige har været til rådighed.

Godt 16 % af dette værks dokumenter har tidligere været udgivet helt eller delvist, men kun et fåtal af dem har tidligere været udgivet i kommenteret form, hvilket turde være tilstrækkeligt til at begrunde denne nyudgivelse i en bredere kontekst.

111 Det har i et tilfælde været nødvendigt at gøre brug af EUHK, da det gengivne dokument ikke på anden vis har kunnet lokaliseres. Det er bd. 7:4.
112 Kaden 1996 med konkordansliste har således været uden værdi til lokalisering af EUHK, nr. 110.
113 Se Bests telegram nr. 1194, 2. oktober 1943 (8:215).

Tabel 5: Oversigt over de mest benyttede kildeudgaver, der tidligere helt eller delvist har udgivet akter, som igen er blevet udgivet her i deres helhed.

Tidligere trykt i alt	ca. 470
Heraf trykt i PKB	264
Heraf trykt i ADAP	82
Heraf trykt i EUHK 7	40
Heraf trykt i Lauridsen 2008a	48
Heraf trykt i Best 1988	37
Heraf trykt i andre	122

I tabel 6 er med udgangspunkt i PKB/ADAP givet en oversigt over de unikke dokumenter, der tilsammen er trykt i dem, idet der er taget højde for de dokumenter, der er trykt begge steder (fællesmængde: 38) og som ikke tælles med to gange. Denne foreningsmængde (308) er derefter sammenholdt med de øvrige mest benyttede kildeudgaver, og der er oplyst antal dokumenter, som er trykt i hver af dem, men ikke optræder i PKB/ADAPs fællesmængde.

Tabel 6: Oversigt over tidligere trykte akter i forskellige kildeudgaver

Tidligere trykt i både PKB og ADAP (fællesmgd.)	38
Tidligere trykt i enten PKB eller ADAP (foreningsmgd.)	308
Tidligere trykt i EUHK 7, men ikke i PKB/ADAP	30
Tidligere trykt i Lauridsen 2008a, men ikke i PKB/ADAP	39
Tidligere trykt i Best 1988, men ikke i PKB/ADAP	10
Tidligere trykt i andre, men ikke i PKB/ADAP	83
Tidligere trykt i alt, unikke (omtrentligt)	470

Endelig er der i tabel 7 en oversigt over antallet af dokumenter fra de arkiver, der har bidraget med hovedmassen af tekstforlæggene. Da en hel del dokumenter er lokaliseret flere steder, når antallet heraf naturligvis over de 2897 dokumenter, som er udgivet. Arkiver, der har bidraget med under 25 dokumenter, er ikke medtaget. Rigsarkivet har med sin affotografering af tyske dokumenter været hovedleverandør af forlæg, mens de 242 konsulterede akter fra Landsarkivet for Sjælland for de allerflestes vedkommende er afskrifter af dokumenter, som også er lokaliseret i andre arkiver. Der er fra AA hentet yderligere 1061 dokumenter, der naturligvis i en hel del tilfælde også er affotograferet i Rigsarkivet, hvilket også gælder de 794 akter fra Bundesarchiv, men det er i denne mængde på 1850 dokumenter, at de nyfundne skal findes. Deres antal er ikke søgt opgjort.

Tabel 7: Antal anvendte kilder fordelt på arkivinstitutioner

Fra Rigsarkivet (RA)	2.080
Fra Landsarkivet for Sjælland (LAK)	242
Fra PA/AA	1.061
Fra Bundesarchiv (BArch)	794
heraf fra Freiburg	509
heraf fra Berlin	188

4. Kommentering

Da udgaven retter sig både til et internationalt og et dansk fagligt publikum, har udgiveren fundet det nødvendigt at indoptage resultater fra den foreliggende forskning og at forklare og uddybe begivenheder og forhold, som i visse tilfælde muligvis forekommer den danske læser velkendte, hvis ikke overflødige. Omvendt er der ikke givet fyldigere informationer om hverken det danske regeringssystem eller det påfølgende departementsstyre eller de talrige tyske organisationers opbygning og udvikling. Det ville føre for vidt, og der er f.eks. en lettilgængelig oversigt over AAs opbygning i bl.a. PKB[114] og ADAP.[115] Ud over forskningen er inddraget efterkrigsforklaringerne af hovedaktørerne og nogle bipersoner i forbindelse med diverse afhøringer og retssager,[116] samt trykte som utrykte erindringer af samme.[117] Beretningsmaterialets kildeværdi er i høj grad diskutabelt, men på centrale punkter har en inddragelse af det som såvel kildemateriale (jfr. ovenfor) som til den uddybende kommentar været uomgængelig.

Kommenteringen er almindeligvis samlet i et "hoved" foran hvert dokument, hvori gives et kort indholdsreferat, dernæst eventuelle kontekstoplysninger ledsaget af henvisninger først til den foreliggende forskning, dernæst til andre relevante dokumenter i kildeudgaven eller i de anvendte arkivfonde. Sidst angives, hvor det pågældende dokument befinder sig, samt om det er trykt helt eller delvis tidligere og i hvilken eller hvilke publikation(er).

Henvisningerne gør ikke krav på at være udtømmende, men de skulle være tilstrækkelige til at hjælpe læseren videre. Udgiverens kommentar til det enkelte dokument vil ikke nødvendigvis svare til udlægningen i den foreliggende litteratur, hvilket der i reglen men ikke altid gøres opmærksom på. I fodnoterne er givet yderligere relevante oplysninger om enkeltforhold og henvisninger til andre dokumenter, der ikke hører hjemme i dokumentets indledende "hoved".

I mange tilfælde er det samme dokument fundet i adskillige arkiver. En grund til det er den tyske administrations brug af kopier, gennemslag og afskrifter i forbindelse med sagsbehandlingen. En anden er den omfattende efterkrigsaffotografering og kopiering af de tyske arkiver, som har spredt det samme dokument talrige steder og i visse tilfælde med det resultat, at dokumentet optræder under anden arkivangivelse og dermed "snyder" den forsker, der tror sig på sporet af noget nyt.[118]

Udgiveren har ikke søgt systematisk at finde alle de arkiver, hvori det samme dokument optræder, men har på den anden side heller ikke indskrænket sig til kun at give en enkelt kildehenvisning, når dokumentet er fundet flere steder. Her er en begrundelse, at det samme dokument kan have forskellige påskrifter og tilføjelser vedrørende den videre sagsgang, som kan være af ikke ringe betydning. Et godt eksempel herpå er Werner Bests samtalenotat 6. juli 1943, hvor kun et af de fundne eksemplarer af dokumentet er

---

114 PKB 13 Beretning, s. xiiff., s. 1-5.
115 I ADAP kan ændringerne i AAs opbygning i krigsårene følges.
116 Afhøringerne fandt sted i tiden 1945-60 og blev foretaget af bl.a. dansk politi og retsvæsen, CIS, SHAEF, ved Nürnberg-domstolen, Wilhelmstraße-processen og Eichmann-processen.
117 Se om erindringerne afsnit 6.2.
118 IfZG er særlig kendt for dette.

forsynet med de påtegninger til de svar, som Ribbentrop ønskede skulle gives (3:155). Endvidere kan det i sig selv være af betydning, at et givet dokument er fundet i et arkiv tilhørende en organisation, hvortil det ikke er stilet. Det gælder f.eks. korrespondancen mellem Terboven og Herbert Backe foråret 1944[119] eller de talrige kopier af Bests telegrammer, som cirkulerede hos bl.a. OKW og Kriegsmarine. Det kan også være af betydning, hvor der foreligger flere udkast til svar, at kunne afgøre, hvilket der er afsendt, ved at lokalisere det faktisk fremsendte dokument hos modtageren.[120] Et karakteristisk eksempel herpå er Horst Wagners brev til Rudolf Brandt 17. november 1944 (8:144). Desværre er det en fremgangsmåde, der oftest ikke lader sig benytte.

De talrigt forekommende personer er af indlysende grunde ikke alle medgivet supplerende oplysninger, men så vidt muligt er titel og fornavn også givet ud over efternavn. Det gælder såvel de mest kendte personer i Det Tredje Riges hierarki som de mere anonyme. Udvalgte personer er vedføjet oplysninger om deres tjenestested og funktionsområde af hensyn til forståelsen.

Det har været udgiveren magtpåliggende så vidt muligt at uddybe de tyske oplysninger og indberetninger vedrørende sabotagen og bekæmpelsen af modstandsbevægelsen, da disse oplysninger som regel er ret summariske. For Bests og von Hannekens vedkommende undlod de i hovedreglen i dagsindberetningerne at fortælle, hvilke konkrete sabotager, der havde fundet sted, mens Walter Forstmann fra Rüstungsstab Dänemark var mere konkret. Fraværet af dagsindberetningerne fra tysk sikkerhedspoliti gør det næsten umuligt at fastslå, om BdS var mere konkret i sin indrapportering (se efterfølgende ekskurs). Udgiveren har på den baggrund valgt at gøre brug af bl.a. de foreliggende trykte danske sabotagelister[121] og BdOs utrykte sabotageregistreringer 1943-45. For tillige at få overblik over den tyske modsabotage, clearingmordene og mordforsøgene har Henrik Lundtofte udarbejdet en så vidt mulig fuldstændig oversigt over disse (tillæg 3), hvortil der vil blive henvist løbende i dokumentkommentaren. Denne fremgangsmåde skulle sikre en klar adskillelse af dansk- og tyskinitierede aktioner. Tillige skal tillæg 3 være med til at råde bod på fraværet af samtidigt materiale fra tysk politi ved dog at registrere nogle af dets væsentlige handlinger (jfr. nærmere om tillæg og registre).

Ekskurs: Den tyske sabotageregistrering i Danmark
Indtil august 1943 fik de tyske myndigheder i Danmark oplysninger om sabotager og deres opklaring fra dansk politi. Disse blev sendt videre i tysk oversættelse til AA af Werner Best. Dog foretog tysk politi i beskedent omfang egne undersøgelser, men systematisk sabotageregistrering var der ikke tale om. Rüstungsstab Dänemark registrerede senest fra 1. januar 1943 sabotageaktioner, og fra 13. marts 1943 er kendt den første dagsindberetning om sabotage, som Rüstungsstab lavede. Dagsindberetningerne har givetvis også stået på siden senest 1. januar 1943. Med mellemrum sammenfattede

119 6:12, 6:112, 6:164, 6:204.
120 Der er nogle eksempler på, at PKB har aftrykt udkast, som ikke blev afsendt, se 8:43.
121 Sabotagelister: Fisker 1945, Hauerbach 1945, Alkil, 2, 1945-46, Pilgaard Jeramiassen 1974, Kirchhoff, 1979, Trommer 1979, Kieler 1993, Kjeldbæk 1997, Rimestad, 2, 1998-2000, Birkelund 2008. Aage Trommers liste over jernbanesabotager er trykt her i bind 10, som tillæg 18. Listerne er af stærkt svingende kvalitet. For kritikken af listen hos Alkil se Trommer 1971, s. 42ff. og 1979, s. 323 og 1:23.

Rüstungsstab Dänemark sabotagerne for en 14 dages periode. Den først kendte er for anden halvdel af august 1943. Rüstungsstab Dänemark registrerede alene sabotager, som faldt inden for dets interesseområde, industri, værksteder, værfter, lagre, men ikke jernbane- og kommunikationssabotage.

Værnemagten noterede i krigsdagbøgerne oplysninger om sabotager mod dets interesser, men fra september givetvis også om sabotager i øvrigt. Det er i hvert fald tilfældet fra november, da von Hannekens Tagesmeldungen foreligger for en længere periode.[122] Det vil sige, at værnemagten både registrerede egne iagttagne sabotager og andre, som den fik meddelelse om. Meddelelserne kunne komme fra Rüstungsstab Dänemark og/ eller fra tysk politi. Kriegsmarine i Danmark noterede sig først og fremmest sabotager, der var rettet mod dets eget interessefelt, skibe, værfter, kraner og lagre af brændstof og materiel. Det var Kriegsmarine, der i juli 1942 satte gang i den tyske intensivering af sabotagebekæmpelsen, og dermed af et tysk krav om dansk politis sabotageregistrering, da nogle tyske hurtigbåde bestemt for Kriegsmarine blev ødelagt på Nordbjerg & Wedells skibsværft i København.[123]

Da tysk politi i større omfang ankom til Danmark i september 1943, begyndte det en selvstændig registrering af sabotager. Fra det tysk ordenspoliti foreligger en sammenhængende sabotageregistrering for tiden 30. september 1943 til 30. marts 1945.[124] Heri er al sabotage registeret, også jernbanesabotage, men for jernbanesabotagens vedkommende drejer det sig kun om de meget betydelige enkeltaktioner. Størstedelen af jernbanesabotagen er ikke med.[125] Ordenspolitiet fik muligvis sine oplysninger fra Rüstungsstab Dänemark eller de delte oplysninger. Der er i hvert fald talrige nære overensstemmelser i oplysningernes indhold, men ikke fuldstændig overensstemmelse, og begge har ikke alle de samme aktioner med.

Der er ikke kendt sabotageregistrering for det tyske sikkerhedspolitis vedkommende. Muligvis var det alene ordenspolitiets opgave at indsamle de relevante oplysninger, som sikkerhedspolitiet så foretog de videre undersøgelser på grundlag af. I sine månedlige aktivitetsberetninger i 1944 opgiver Bovensiepen aldrig sabotagestatistik, Best heller aldrig til AA eller i *Politische Informationen*. Det kan skyldes kravet om hemmeligholdelse, men det var også en ømtålelig politisk information, der kunne skade meddelerne, så sådanne statistikker blev givetvis aldrig fremsendt. Blev de givet, var det ikke i en form, så tysk politi delte informationen med Best og AA, men var forbeholdt RSHA.[126] Det bygger jeg også på, at da OKW i februar 1945 fik udarbejdet en oversigt over jernbanesabotagen i Danmark, kom det til at bygge på en statistik hentet fra svenske blade![127] Det er ikke ensbetydende med, at man fra tysk side ikke var klar over, om antallet af

122 Tagesmeldungen for september og oktober 1943 (RA, Danica 1069, sp. 5), Tagesmeldungen WB Dänemark v. 26.11.1943-30.4.1944 (BArch, Freiburg, RH 2/505).

123 Lauridsen 2006c, s. 145-150.

124 RA, Centralkartoteket, Der Befehlshaber der Ordnungspolizei in Dänemark: Informationsblatt 1943-45.

125 Se tillæg 18.

126 Det indebærer, at Bovensiepens månedsberetninger var "officielle" på den måde, at de kunne tilstilles bl.a. AA og OWW, og var uden den egentlige sabotagestatistik.

127 9:76 med tilhørende kortbilag.

sabotager gik op eller ned, eller hvilke sektorer der i en periode særligt var udsat. Der kunne være talt op på grundlag af Rüstungsstab Dänemarks eller det tyske ordenspolitis registreringer sammenholdt med værnemagtens krigsdagbøger. Det synes på det kendte dokumentgrundlag bare ikke gjort til videreformidling til de foresatte i Berlin.

5. Om tillæg og registre

Bind 10 indeholder et bilag, en lang række tillæg, en forkortelsesliste samt emne- og navneregistre til hele værket. Bilaget rummer en række artikler og udtalelser af Werner Best fra den periode, hvor han var rigsbefuldmægtiget i Danmark. De viser den politik og forståelseshorisont, han ønskede at præsentere for den danske offentlighed og for rigstyskere i Danmark.

Flere af tillæggene er egentlige indgangsnøgler til værket, der supplerer registrene. Det gælder f.eks. tillæg 1 med en kronologi over tysk besættelsespolitik 1942-45 og tillæg 3 med oversigten over de tyske terroraktioner, med også tillæg 13 til 16. Dertil kan oversigterne over indholdet af *Politische Informationen* og over Rüstungsstab Dänemarks indberetninger betragtes som redskaber til udnyttelse af det fremlagte materiale.

Kildefortegnelsen tilstræber så vidt muligt fuldstændighed ned på pakkeniveau med angivelsen af pakkens navn og signatur. Der er ikke lavet en konkordansliste mellem arkiverne i Berlin og Freiburg med affotograferingerne i RA, men oftest afslører bindtitlerne, om der er tale om identisk materiale. Specielt for militærarkivet i Freiburg kan dog henvises til Jens Andersens konkordansliste fra 2007.[128]

Litteraturlisten omfatter al tekst anvendt i indledningen, kommentarerne og noterne, samt tillæggene i bind 10 og er ført op til efteråret 2011.

Der henvises i øvrigt til bind 10 vedrørende emneregistret og navneregistret.

128 Andersen 2007, s. 357f.

6. Tysk besættelsespolitik i Danmark – en forskningsoversigt

Den følgende oversigt skal alene tjene det formål at præsentere den væsentligste del af den videnskabelige litteratur, der har tysk besættelsespolitik i Danmark som hovedgenstandsområde eller som i væsentlig grad belyser området. Det er ikke hensigten at give udførlige referater og vurderinger af alle de nævnte arbejder, men i stedet at slå ned på nogle centrale hovedemner,[129] og at give et omrids af området snarere end at udvikle det i al sin kompleksitet, for dertil er forskningen i sig selv endnu ikke nået. Specielt litteraturen omkring det tyske angreb på Danmark og de påfølgende tysk-danske forhandlinger om besættelsesordningen er nedprioriteret,[130] da det er et i forvejen gennemdrøftet og præsenteret felt, der har haft en vis tendens til at hæmme eller blokere for, at tysk besættelsespolitik i Danmark også bliver diskuteret i et længere kronologisk perspektiv.

6.0. Generelt

"Große Forschungsdefizite gibt es in bezug auf Untersuchungen zur deutschen Seite, zu den deutschen Instanzen und Herrschaftsorgane, die wie die Wehrmacht, Gestapo und SS in Dänemark tätig waren; und es fehlt erstaunlicherweise überhaupt eine umfassende, gesamtheitliche Untersuchung der deutschen Besatzungspolitik in Dänemark."

Karl Christian Lammers 1997, s. 142.

Der foreligger kun en enkelt tilmed kursorisk generel forskningsoversigt specifikt om tysk besættelsespolitik i Danmark. Den er af Karl Christian Lammers 1997 og er på et fåtal sider, hvoraf en del tilmed bruges på faktuelle oplysninger om den tyske besættelse og ikke på forskningspræsentationen.[131] Det kan delvis forklares med, at det afspejlede selve forskningssituationen. Mens der er talrige – danske – forskningsbidrag, der anskuer den tyske besættelsespolitik ud fra en dansk synsvinkel, er der omvendt få og spredte, der inddrager den tyske – besætternes – synsvinkel. Som Aage Trommer konstaterede i 1995: "Det har været kendetegnende for den danske udforskning af besættelsestiden, at den har været introvert og koncentreret sig om os selv. Det samme gælder i øvrigt for alle de tyskbesatte lande."[132] Her søger Trommer også at give en forklaring på denne tingenes tilstand, og måske er det en generel tendens for de besatte lande, men der kan også være en mere konkret dansk forklaring.

Hans Kirchhoff skrev i 1985 i forbindelse med 40-års jubilæet for Danmarks befrielse en af de første og ubetinget den mest citerede oversigt over historieskrivningen om besættelsestidens historie,[133] der inddrog både den nationale historieskrivning og den

---

129 Der kunne være taget flere temaer op som f.eks. den tyske flygtningepolitik foråret 1945 og spillet om de deporterede kommunister, jøder og politifolk og deres hjemførsel.

130 Roslyng-Jensen 1991, samme 2001, s. 508-510.

131 Lammers 1997.

132 Trommer 1995b, s. 21. Den konstatering gør Giltner 1998, s. 8f. til sin. Jfr. også Henrik S. Nissen citeret i indledningen til afsnit 7 her.

133 Engberg 1965 havde mest karakter af litteraturvejledning, men med Engberg/Kirchhoff 1979 blev det en rigtig kilde-, litteratur- og forskningsvejledning, mens Bryld 1980 og Kirchhoff 1981 tog begyndelsen til de egentlige forskningsoversigter.

senere forskning.[134] I oversigten udgrænser Kirchhoff eksplicit den tyske besættelsespolitik i Danmark ved at anslå temaet konsensus og konflikt i synet på besættelsestidens historie og ved at genintroducere kollaborationsbegrebet, som han havde anvendt i disputatsen om augusturolighederne 1979. Temaet og det valgte begreb lægger i praksis vægt på den kollaborerende og ikke på den, der bliver kollaboreret med. Dermed dømmes f.eks. Henning Poulsens disputats om besættelsesmagten og de danske nazister helt ude, den falder uden for det af Kirchhoff anlagte tema for at citere Kirchhoff selv (s. 52), og Erich Thomsens (1971) og Bjørn Rosengreens (1982) bøger om tysk besættelsespolitik nævnes end ikke. Sidstnævnte bog hører heller ikke til de værker, Kirchhoff siden valgte konsekvent at henvise til, hvor det kunne være relevant.[135] Med disse prioriteringer bragte Kirchhoff sine egne arbejder, temaer og begreber i centrum, ligesom forskningsoversigten har fået en årelang betydning og har påvirket flertallet af de senere forskningsoversigter,[136] især Palle Roslyng-Jensens,[137] og en del af forskningen.[138] I Palle Roslyng-Jensens forskningsoversigter er tysk besættelsespolitik på intet tidspunkt et selvstændigt emne, og det gælder også næsten alle de øvrige forskningsoversigter, tre undtaget, men af dem er det alene den ovenfor af Lammers' nævnte, der giver plads til en nærmere præsentation. De to øvrige nøjes med at påpege fraværet af undersøgelser af tysk besættelsespolitik i Danmark.[139]

Til gengæld har kollaborationsbegrebet ført til både uenighed[140] og en vis begrebsdiskussion i en dansk kontekst,[141] men værdien heraf har været svær at spore, ikke mindst da begrebet i nogen grad synes uhensigtsmæssigt til beskrivelse af det dansk-tyske forhold på grund af dets bismag af landsforræderi à la Vichy.[142] Joachim Lund har argumenteret for fastholdelse af begrebet ved at nydefinere det i en politisk neutral betydning, men det er spørgsmålet, om den nuancering vil blive forstået og almindelig

134 Kirchhoff 1985, fulgt op i Kirchhoff 1998a.

135 F.eks. Kirchhoff 2001 og 2004.

136 Nissen 1988, Stræde 1990, Dethlefsen 1998. En forskningsoversigt for sig selv er "Kampen om historien" i Lidegaard 2005, s. 578-594, der i realiteten afgrænser forskningen til generationen til og med Kirchhoff, Henrik S. Nissen, Henning Poulsen og Aage Trommer, hvilket i mere end en forstand er utilstrækkeligt. Claus Brylds forskningsoversigter siden 1980 har konsekvent haft deres egen vinkling og har fortsat værdi. En oversigt over forskningsoversigterne er i Lauridsen 2002b med supplementer.

137 Roslyng 1995, 2001, 2002 og 2006.

138 Kirchhoff 2004, s. 170f. vedkender sig både tematiseringens store indflydelse og fastholder dens relevans.

139 Trommer 1995b, s. 17f., Tuchtenhagen 1997, s. 17.

140 Nissen 1988, s. 424, Trommer 1991, s. 381-398, Lidegaard 2003, Brandenborg Jensen 2005, s. 404-408 er blandt dem, der tager afstand fra brugen deraf, mens Henning Poulsen undlader at anvende det, idet han dog 2002, s. 31 og 2005, s. 25 bemærker, at den danske modstandsbevægelse aldrig brugte udtrykket kollaboration om samarbejdspolitikken. Det blev kun anvendt om personer, der af egen drift tjente tyske interesser. Dette sidste er i overensstemmelse med Jongs definition, som bliver nævnt nedenfor.

141 Dethlefsen 1989, 1990 og 1995.

142 Begrebet kan således ikke slås selvstændigt op i *Gads leksikon om dansk besættelsestid*, 2002, men Kirchhoff benytter det endnu i opslaget om Forhandlings- og samarbejdspolitikken, selv om han s. 156 synes at medgive, at begrebets anvendelse på danske forhold ikke er helt uproblematisk ("ydertilfælde"). Se også Kirchhoff 1998b, s. 101f. for en lignende formulering, og han fastholder begrebet endnu 2008.

accepteret.[143] Hvad angår den nyere besættelseslitteratur, så søges den blandt nogle forskere fortsat anskuet først og fremmest ud fra konsensus kontra konflikt-temaet,[144] og den forskning, der ikke lader sig indpasse i det paradigme får påhæftet betegnelser, der i bedste fald kan karakteriseres som lidet dækkende.[145]

Konsensus-konflikt indgangsvinklen vil ventelig træde mere i baggrunden i lighed med kollaborationsbegrebet, da også dets orienterings- og erkendelsesværdi synes noget udtyndet efter en generations anvendelse og andre forskningsområders opdukken. Der må flerstrengede ligeværdige tematiseringer til, bl.a. med internationalt perspektiv. I dansk sammenhæng må de forskellige interessenter på såvel tysk som dansk side i spil på deres egne præmisser, og deres indflydelse og muligheder må afvejes under skiftende politiske konjunkturer. For de forskellige tyske myndigheder såvel i som uden for Danmark var både de danske myndigheder og partier og organisationer brikker i deres spil, og de blev udnyttet og presset i varierende omfang.[146] Hvor gik grænserne for tysk pres, og hvad ville man fra dansk side acceptere? Det var ikke bare et spørgsmål om kollaboration eller ej. Der var hver gang flere parter i spil, ikke blot de danske. Der var den personlige og samfundsmæssige eksistens at tage i betragtning. Som den hollandske historiker Louis de Jong har formuleret det:

"Im Holländischen nennen wir Kollaborateure alle diejenigen, die ohne selber Nazis gewesen zu sein, die deutschen Kriegsanstrengungen *freiwillig* unterstützen. Fast die gesamte Bevölkerung des besetzen Europa unterstütze die deutschen Kriegsanstrengungen gegen ihren Willen. Die Menschen mußten arbeiten, um leben zu können und es war nicht zu vermeiden, daß die Nazis einen Teil ihrer Hände Arbeit für sich beschlagnahmten. Die Aufrechterhaltung der gesellschaftlichen Ordnung setze ein gewisses, vielleicht ein großes Maß administrativer Kollaboration voraus, die notwendigerweise zum Teil auch politischen Charakter hatte."[147] (min understregning, JTL).

Herefter kan så stilles bl.a. spørgsmålene om, hvordan danskerne på udvalgte områder blev behandlet i forhold til andre besatte lande. F.eks. forhandlingerne med den danske regering og senere administrationen, udnyttelsen af lokale nazister, håndtering af tyske mindretal, samarbejde med dansk erhvervsliv, benyttelse af dansk arbejdskraft, udnyttelse af råstoffer, industrianlæg o.m.a. (se nærmere i afsnit 8). Bliver svaret, at den

143 Lund 2005, s. 13-16. Se også Lund 1995a og b. Begrebet er også anvendt i Bundgård Christensen et al. 2005.

144 Lidegaard 2003 og 2005 bliver endnu bedømt ud fra denne synsvinkel, se Roslyng-Jensen 2006, s. 202 med henvisninger og Kirchhoff i *Historisk Tidsskrift*, 105, 2005, s. 289.

145 Palle Roslyng-Jensen betegner den forskning, der beskæftiger sig med besættelsens tabere eller de danske jøders flugt som "revisionistisk" (2001, s. 519, jfr. samme 2006, s. 199), hvilket er lidet træffende, da revisionistisk forskning i den internationale debat mest er af nynazistisk karakter med det formål at bagatellisere nazismens forbrydelser. Det er der på ingen måde tale om i en dansk sammenhæng.

146 Her er det værd at bemærke, at Hæstrup, 1, 1966-71, s. 13 udpeger fire hovedcentre for magt og indflydelse i Danmark fra 29. august 1943: de tyske myndigheder, modstandsbevægelsens organer, den danske administration og danske politiske kredse i uofficiel funktion. Når de tyske myndigheder tilsammen gøres til ét hovedcenter, er det en forenkling, der end ikke holder i Hæstrups egen fremstilling.

147 Jong 1957/1967, s. 251 (citat efter 1967 udg.). Kirchhoff, 1, 1979, s. 13f. citerer også Jong, dog en anden passage, og når en anden konklusion end jeg, der mener, at der ifølge Jong var det *nødvendige* samarbejde og dem, der frivilligt valgte kollaborationen eller modstanden, hvor Kirchhoff tolker Jong derhen, at han satte skel alene mellem modstand og kollaboration. Det holder ikke ud fra Jongs artikel.

tyske besættelsespolitik i Danmark var sådan, at man med fredsbesættelsen pr. defini-
tion i vidt omfang kan karakterisere det tysk-danske forhold som kollaboration, finder
jeg, at graden af tysk tvang under hensynet til den enkeltes og samfundets overlevelse,
er blevet undervurderet.

Det er paradoksalt, at udgrænsningen af tysk besættelsespolitik har kunnet finde
sted, da det næppe har været intentionen fra Kirchhoffs side, idet han netop selv er af
de få, der i mere seriøst omfang har inddraget besætternes holdninger og politik, også
selv om det i sidste ende mest har været med et dansk blik.[148] Det gælder en hel række
af hans arbejder mellem 1979 og 2001. Alligevel kan han 2004 i en status over besæt-
telsestidens historie blandt de emner, der endnu mangler udforskning, ikke nævne tysk
besættelsespolitik, der overhovedet kun omtales i forbindelse med Henning Poulsens ar-
bejde om besættelsesmagten og de danske nazister.[149] Måske hænger det sammen med,
at Kirchhoff med sin begrebsanvendelse overordnet har bedømt fortiden ud fra natio-
nalpolitiske kriterier, som Claus Bryld mener.[150] Der kan findes belæg for dette syns-
punkt hos Kirchhoff selv i den nævnte status fra 2004, hvor han skriver: "Vi var i vores
forskning optaget af de store politiske spørgsmål om nationens eksistens, om demokrati
og diktatur, om konfrontationen med den tyske imperialisme og om sammenstødet
mellem samarbejds- og modstandssynspunkter med alle de politiske og moralske og
eksistentielle konsekvenser, dette førte med sig."[151] Denne optagethed har i nogen grad
spærret for at kigge den tyske fjende i kortene på dens egne forudsætninger.

Konsensus/konflikt er en modstilling, der peger i retning af sort/hvid, diktatur/de-
mokrati eller samarbejde/modstand – og med samarbejde i sidste instans mod kollabo-
ration. Denne konfrontative opstilling peger værdimæssigt i en og kun en retning: Det
kan kun være rigtigt at vælge konflikttilgangen, og hvad der smager af samarbejde bliver
let til kollaboration. En konsekvens af netop denne tilgang er, at der bl.a. er vokset en
litteratur med moralsk tendens frem, for er der dengang valgt samarbejde, kan der i dag
fordømmes for samarbejde. F.eks. er *Krigens købmænd. Det hemmelige opgør med Rif-
felsyndikatet, A.P. Møller, Novo og den øvrige storindustri efter Anden Verdenskrig*, 2000,
skrevet af tre journalister,[152] båret af forargelse over de omtalte virksomheders arbejde
for og fortjeneste fra værnemagten.[153] Flere yngre historikere har i deres projekter været
drevet af samme tendens. Hans Kirchhoff bryder sig udtalt ikke om den moralske ten-
dens i besættelsesforskningen i sin status fra 2004,[154] men han kan *ikke* komme uden
om at selv at have fremmet den. Steen Andersen spurgte ham i et interview 2001, om

---

148 Han skrev 1998: "Der Schwerpunkt der Erforschung der Geschichte der Kollaboration hat auf dem
dänischen Aspekt gelegen, aber für die meisten Verfasser ist er mit der klaren Erkenntnis der Notwendig-
keit verbunden, die deutsche Seite mit ihren Zielen und Mitteln, Handlungslinien und Ergebnissen in der
Analyse mit einzubeziehen." (Kirchhoff 1998b, s. 117).
149 Kirchhoff 2004, s. 167.
150 Bryld 2001, s. 49.
151 Kirchhoff 2004, s. 174.
152 Jensen, Kristiansen og Nielsen 2000.
153 Se Poulsen 2002a, s. 20 for en fremhævelse af netop dette værk som eksempel på "forargelsen som hø-
jeste mode". Jfr. også Joachim Lunds træffende bemærkning om danske mediers håndtering af "skandaløse"
afsløringer af diverse besættelsestidsforhold (Lund 2006, s. 117f.).
154 Kirchhoff 2004, s. 174. Jfr. udførligere Kirchhoff 2002a, s. 12-15 sekunderet af Poulsen 2002a, s. 20f.

det ikke også var tilfældet, hvortil Kirchhoff svarede: "Det ville i så fald kun være i indirekte forstand, for det er næppe videnskaben, som har provokeret et moralsk opgør. Der er helt andre meget større kræfter på spil. Tidsånden har ændret sig i de seneste år, og moralisme præger mange andre områder end historiefortolkning."[155] Dette sidste har Kirchhoff ret i, men det hindrer ikke, at han har fremmet tendensen inden for besættelsesforskningen med sin optagethed af "de store spørgsmål".

6.1. Samlede fremstillinger

Der foreligger kun ganske enkelte samlede fremstillinger af tysk besættelsespolitik i Danmark. Pionerarbejdet er tyskeren Erich Thomsens *Deutsche Besatzungspolitik in Dänemark 1940-1945*, 1971, som på grundlag af betydelige dele af det utrykte materiale, især fra AA, trykte kilder og litteratur (herunder dansk), søgte at give en større samlet fremstilling (273 s.), hvor han kom omkring flest mulige af de deltemaer, der også siden er blevet grundigere behandlet i dansk forskning. Det skal han krediteres for, men når værket fortsat er det mest citerede internationalt, når det gælder tysk besættelsespolitik i Danmark, skyldes det ikke dets kvalitet, for alene alderen har gjort det stærkt forældet, men at det er fremkommet på tysk. Det kan nok så megen kvalificeret dansksproget forskning imidlertid ikke konkurrere med. Og tysk forskning har det i den grad skortet på.[156]

Når det for Thomsen bliver ved forsøget på at lave en holdbar fremstilling, skyldes det især tre forhold: For det første, at det i vid udstrækning ikke bliver en fremstilling af tysk besættelsespolitik ud fra et tysk synspunkt. For at citere Henning Poulsen må det beklages, at denne fremstilling ikke er tilstrækkelig tysk, men alt for dansk i sin problemstilling![157] Som eksempel kan tages omtalen af de danske nazister, der, bortset fra de faktuelle fejl, har en tendens, som skulle man tro, at afsnittet var skrevet i de første efterkrigsår i Danmark.[158] For det andet knækker fremstillingen over efter behandlingen af aktionen mod de danske jøder i oktober 1943, så den sidste periode fra oktober 1943 til maj 1945 behandles på blot 30 sider, mens der er brugt 190 sider på tiden siden 9. april 1940. I betragtning af, at tysk besættelsespolitik udspillede sig mere radikalt i det sidste godt halvandet år af besættelsen, og at konfrontationen mellem tysk politi og den danske modstandsbevægelse foregik i den periode, er prioriteringen uforståelig og uacceptabel. For det tredje er fokus i for høj grad blevet på AA og de rigsbefuldmægtigede og i mindre grad samspillet med de andre tyske myndigheder.

Henning Poulsen har flere gange i koncentreret artikelform sammenfattet sit syn på den tyske besættelsespolitik i Danmark 1940-45. Det er der hver gang kommet velturnerede, stimulerende og provokerende resultater ud af. Som eksempel: "In vielen praktischen Angelegenheiten wurde Dänemark als Ausnahme genannt. Zum Beispiel wurde nie Zwangsarbeit eingeführt. Aber insgesamt kann man die Zustände in Dänemark am besten dadurch charakterisieren, daß die Verhältnisse hier ungewöhnlich normal

155 *Weekendavisen*, Bøger, 14.-20. december 2001, s. 3.
156 Det fremgår bl.a. af henvisningerne i Hans Umbreits knappe fremstillinger af tysk besættelsespolitik i Danmark 1988, s. 46-50 og 1999, s. 13-17.
157 Anmeldelse i *Historie*. Ny Rk. 10, 1972-74, s. 152.
158 Jfr. Lauridsen 2003b, s. 340.

waren."[159] Ikke mindst den ret komprimerede og absolutte form, som synspunkterne bliver fremsat i, vækker til både eftertanke og et "kan det nu passe?" Det samme gælder afsnittene om tysk besættelsespolitik i hans fremstilling *Besættelsesårene 1940-1945*, 2002, der syntetiserer omkring en stribe af besættelseshistoriens hovedspørgsmål.[160] Her som i artiklerne har han en tendens til at prioritere de første besættelsesår på bekostning af de sidste og, når det gælder tysk besættelsespolitik, uden videre at forlænge situationen fra de første år til at gælde for de sidste. Han ser således ikke en magtkamp af betydning mellem den rigsbefuldmægtigede, værnemagten og tysk politi, ligesom han er af den opfattelse, at de tysk-danske handelsforhandlinger foregik autonomt i forhold til den øvrige politikdannelse.[161] Det er synspunkter, det er svært at dele på baggrund af både dele af den ældre forskning (Bjørn Rosengreen) samt i hvert fald den siden 2002 fremkomne (Henrik Lundtofte, Joachim Lund og Mogens R. Nissen). Hertil kan også føjes Ole Brandenborg Jensen, hvis resultater Poulsen i øvrigt i en vis udstrækning støtter,[162] idet Brandenborg Jensen indsætter Werner Best som mytemageren, der i alliance med Herbert Backe fra det tyske levnedsmiddelministerium pustede betydningen af dansk landbrugseksports betydning for Tyskland op.[163] Det kan da vist kaldes politisk indblanding? Men når det er udtrykt, skal det med, at Poulsen er en af dem, der har skrevet det hidtil mest inspirerende om tysk besættelsespolitik i Danmark.[164] Det hænger måske også sammen med, at han vanskeligt lader sig placere i den etablerede historiografiske skabelon for besættelsestidsforskningen, eller for at citere skabelonens pennefører Palle Roslyng-Jensen: "Fremstillingen er ikke styret af overordnede teser, og den lader sig heller ikke placere i skarpe konflikt- og konsensussammenhænge. Det er således en fremstilling, som det er nemt at overse, men som et bidrag til deltolkninger af besættelsestidens politiske problemstillinger er den svær at komme udenom."[165]

Den (øst)tyske historiker Fritz Petrick har siden 1970erne jævnligt skrevet artikler om dele af den tyske besættelsespolitik i Danmark[166] og har 1991, 1992 og 1997 skrevet tre bidrag samlet om hele perioden 1940-45. De er karakteristiske ved at være bygget hovedsageligt på trykte kilder og ved at være mere fremstillende end analyserende. Måske kræver de tyske læsere flere forudsætninger for at kunne være med, men resultaterne er i hvert fald, at der ikke som hos Henning Poulsen er synspunkter på temaet, der virker igangsættende. Det er sagsfremstilling med hyppig brug af ordet "fascistisk". Petrick har taget Kirchhoffs kollaborationsbegreb til sig og skærper det betydeligt ved

159 Poulsen 1991a, s. 369.

160 Poulsen 1985, 1991a og b, 1995, 1997, 1999, 2002, 2005.

161 Poulsen 1991a, s. 372, 378.

162 Poulsen 2005, s. 19. Her skriver Poulsen i øvrigt som i 1991a, s. 369, at der ikke kom en civil tysk forordningsret i Danmark, hvilket der gjorde i januar 1944, se Fuhrererlaß 20.1.1944 (5:161). Den blev taget i brug af Werner Best i april 1944.

163 Brandenborg Jensen 2005, s. 359ff., 364ff.

164 Claus Bryld har vurderet Poulsens bidrag sådan, at de vægter de specifikke træks betydning i den danske situation så stærkt, at der "må tales om et traditionsbrud eller måske ligefrem om et nyt paradigme." (Bryld 1997, s. 149). Så vidt vil jeg ikke gå, først og fremmest fordi Poulsen ikke selv gennem forskning har fulgt op på de af ham fremsatte synspunkter.

165 Roslyng-Jensen 2006, s. 207.

166 Se litteraturlisten.

sin gennemgang af det tysk-danske forhold, idet han i Danmark ser den komplicerede vekselvirkning mellem kollaboration og okkupation i en særligt tydeligt fremtrædende symbiose.[167] I forlængelse heraf ser Petrick eksempelvis den danske regerings tolerance af rekruttering til Frikorps Danmark 1941 som et vidnesbyrd om, hvor langt regeringen ville gå i "die antisowjetische Kollaborationsbereitschaft".[168] Petrick er trods antallet af artikler om tysk besættelsespolitik i Danmark sjældent citeret i dansk forskning, hvilket måske også kan skyldes artiklernes østmarxistiske indpakning.[169]

Der er en række arbejder, der i afdækningen af den danske politiske håndtering af besættelsen indbefatter behandlingen af større tidsrum af tysk besættelsespolitik i Danmark. Det gælder Henrik S. Nissen for tiden fra april 1940 og frem til januar 1941 med besættelsesordningens tilblivelse, de tyske løfter om forhandlinger og samarbejde, told- og møntunionsforhandlingerne samt efterårets og vinterens første politiske kriser.[170] Det var alle forhold, der tidligere havde været gransket i PKB, og hvortil der foreligger et omfattende trykt dansk og tysk kildemateriale. Herefter er der et spring frem til Telegramkrisen efteråret 1942, hvorefter der frem til augusturolighederne 1943 foreligger en samlet behandling af det dansk-tyske forhold af Hans Kirchhoff omfattende væsentlige dele af tysk besættelsespolitik, byggende på de tyske affotograferede akter.[171] For perioden derefter og til maj 1945 foreligger endelig en større fremstilling af Bjørn Rosengreen om Werner Best og tysk besættelsespolitik med en tilsvarende kildebasis.[172] Der er på den måde "et hul" i den dyberegående danske behandling af den generelle tyske besættelsespolitik i tiden januar 1941-september 1942, som trods flere undersøgelser af delemner mangler at blive fyldt ud. Hertil kan føjes Bjørn Rosengreens pionerarbejde trods dets væsentlige fortjenester har fået en for snæver forklaringsramme (nærmere herom i afsnit 7).

De større begivenheder 1941-42 så som det tyske angreb på Sovjetunionen, kommunistinterneringen og oprettelsen af Frikorps Danmark sommeren 1941[173] og Danmarks tilslutning til Antikominternpagten efter tysk pres efteråret 1941 er derfor blandt de emner, der overvejende er behandlet på grundlag af dansk materiale og ikke anskuet ud fra en tysk optik. Derfor vil de kun kort blive omtalt nedenfor.[174]

De samlede fremstillinger af Danmarks historie har indtil efter år 2000 ikke anskuet tysk besættelsespolitik som en del af Danmarks historie anskuet fra en tysk synsvinkel. Det ændrede sig med *Danmark besat*, 2005 af Claus Bundgård Christensen et al.[175] Nu fik besætternes intentioner mæle i den bredere nationale kontekst.

Dansk besættelsestidsforskning er blevet langt mindre introvert, end da Trommer

167 Petrick 1991, s. 757.
168 Petrick 1991, s. 762.
169 Det samme gælder for Bobert/Büttner 1962, Köller 1965 og Abraham 1979 og 1984. Jeg har valgt ikke særskilt at tage den østmarxistiske tolkning af tysk besættelsespolitik i Danmark op. Der henvises til Joachim Lunds forskningsoversigt (Lund 2005, s. 310f.).
170 Nissen 1969, 1973, desuden Kirchhoff 1991a.
171 Kirchhoff 1979 og 1993b, for telegramkrisen desuden Poulsen 1970, kap. 12.
172 Rosengreen 1982.
173 Poulsen 1970, kap. 10, Koch 1994, Bundgård Christensen et al. 1998, Kirchhoff 2001, kap. 6.
174 En omtale af Ossendorf 1990 er undladt, da den er vurderet for let (jfr. Lammers 1997, s. 142f.).
175 Bundgård Christensen et al. 2005.

gjorde status i 1995, som en række af de følgende forskningsfelter også vil vise. Det er tillige slået igennem i de allerseneste samlede fremstillinger.

Ekskurs: Faserne i tysk besættelsespolitik

Det er kendetegnende for den beskedne udforskning af tysk besættelsespolitik i Danmark, at der ikke er diskuteret hvilke faser, politikken kan opdeles i og hvilke kriterier, den i givet fald skal opdeles efter. Her skal først præsenteres de tre væsentligste eksempler på, hvordan det hidtil er grebet an.

Erich Thomsen har en femfaseopdeling: A. April 1940 til september 1942: kollaborationsbestræbelser, B. Telegramkrisen, C. Forsøg på forsoningspolitik, D. Militær undtagelsestilstand og E. I sammenbruddets tegn. Opdelingen er klart utilfredsstillende, da det er svært gennemskueligt, hvilke kriterier, der ligger til grund for en tysk besættelsespolitisk optik, og fase E kan bedst betegnes ved, at Thomsen helt har opgivet at definere den periode. Bjørn Rosengreens opdeling er ligeledes i fem faser, men omfatter kun tiden fra august 1943: 1. Den militære undtagelsestilstand, 2. Ændringer i sabotagebekæmpelsen indtil 1943/44, 3. Krigsretsforfølgelsen og dens ophør, 4. Interne stridigheder og politideportationen efteråret 1944, og 5. Sabotagebekæmpelse i besættelsens slutfase. Rosengreen retter overvejende optikken mod sabotagebekæmpelsen, dog falder hverken fase 1 eller 4 i den kategori, og Rosengreen ser helt bort fra tysk besættelsespolitiks øvrige elementer. Ulrich Herbert opdeler i sin biografi om Werner Best også sit afsnit om Danmark i fem faser begyndende med Bests ankomst til Danmark i november 1942: 1. Mønsterprotektoratet, 2. Augustoprør, 3. Jødeaktionen, 4. Modstand og modterror og 5. Krigsslutning. Afsnit 5 omhandler tiden fra juni 1944 til maj 1945, hvorved der tidligt tages forskud på krigens afslutning, og alene det gør det klart, at overskrifterne ikke meningsfuldt signalerer noget om Bests politik eller tysk besættelsespolitik, men er så forenklede overskrifter, at de end ikke er dækkende for afsnittenes indhold. Man skal ikke alene ind i underoveroverskrifterne, men til selve tekstindholdet for at søge at udlede hvilke faser, Herbert ser udviklingen i Danmark i.

Der er naturligvis ikke en og kun en måde at anskue besættelsespolitikkens faser på, det afhænger helt af de valgte kriterier herfor. Det er imidlertid nødvendigt konsekvent at fastholde den *tyske synsvinkel*, uanset hvor store ændringer man end fra et dansk synspunkt opfatter forskellige tyske indgreb som udtryk for.

Tages fredsbesættelsen alene som udgangspunkt, er der ingen overordnede faser fra april 1940 til maj 1945, da man fra tysk side fra først til sidst fastholdt fiktionen om Danmark som ikkebesat land, og et land som Tyskland ikke var i krig med.[176] Hvis f.eks. 29. august 1943 skal tages som et af udgangspunkterne, kan det ikke alene bygge på, at regeringen faldt bort som forhandlingspartner, og at departementchefsordningen kom i stedet, da det i sig selv ikke var udtryk for en ændring i tysk besættelsespolitik, der på alle punkter blev fortsat som hidtil, når der bortses fra den tyske overtagelse af og skærpelse af modstandsbekæmpelsen. Afvæbningen af de danske værn havde længe stået på den tyske værnemagts dagsorden, nu var anledningen der og det skete, men det

---

176 På dansk side har det været diskuteret, om Danmark var i krig med Tyskland, se bl.a. Hurwitz 1945 og Poulsen 1997 på både dansk og engelsk.

signalerede i øvrigt ikke en ny tysk politik. Det gjorde aktionen mod de danske jøder heller ikke, det havde hele tiden været hensigten, at de danske jøder skulle lide samme skæbne, som andre landes jøder, men under den militære undtagelsestilstand var en belejlig situation indtruffet. Det var i en tysk optik nødvendige operative indgreb, der i øvrigt skulle skade forholdet til den danske administration og den danske befolkning mindst muligt. Målet var fastholdelsen af størst mulig stabilitet i forholdet, ikke en ny politik, selv om der lejlighedsvis blev truet med hårdere midler.

De hårdere midler kom først i brug i begyndelsen af december 1943, hvor modterroren satte ind. Det skete efter ordre fra Berlin. Det er reelt set vendepunktet i tysk besættelsespolitik i Danmark mere end noget andet, mens f.eks. udskiftningen af den rigsbefuldmægtigede i forbindelse med telegramkrisen ikke var det: Best fulgte overordnet den hidtidige politik, blot blev DNSAP droppet, men det var ikke et kursskifte på et overordnet plan, DNSAP var for længst sat på pension. Tilmed havde SS aktuelle planer for et germansk SS i alle de besatte germanske lande, hvor der ikke længere var plads til egenrådige lokale nazipartier, planer som Best implementerede i Danmark. Det kom til at koste DNSAP pensionen. Tilsvarende var det tyske krav om en aktion mod DKP i juni 1941 et operativt indgreb, der ikke havde til formål i øvrigt at ramme de danske partier og interesseorganisationer, tværtimod, men af årsager, der lå uden for Danmark (operation "Barbarossa"), var en fjernelse af DKP politisk nødvendig. Det var i sig selv ikke et led i tysk besættelsespolitik i Danmark.

Det var til gengæld aktionen mod dansk politi 19. september 1944, som alene udsprang af overvejelser hos tysk politi i Danmark (se afsnit 6.13). Den aktion markerer en ny fase i tysk besættelsespolitik, som varigt forringede forholdet til den danske administration. En sidste faseændring i tysk besættelsespolitik indtræder omkring årsskiftet 1944/45, hvor det hidtidige tysk-danske aftalesystem ophørte med at have reel betydning, selv om det ikke formelt brød sammen. Såvel forhandlingerne i det tysk-danske regeringsudvalg som de danske myndigheders forhandlinger med Rüstungsstab Dänemark og den rigsbefuldmægtigede på en række områder med UM blev af formelt og ikke reelt indhold. Den begyndende opløsning i Tyskland gjorde sin virkning. Karakteristisk for situationen var bl.a., at Walter i januar ikke ønskede at fortsætte udvalgsarbejdet, når WB Dänemark og HSSPF alligevel gjorde, som det passede dem,[177] og UM ville ikke medvirke i arbejdet med de tyske flygtninge. Rekvisitioner og beslaglæggelser tog helt over i foråret 1945.[178]

Som disse eksempler skal illustrere, udspillede tysk besættelsespolitik sig sideløbende på forskellige planer med hver sine faser, og alt afhængigt af, hvilket plan og område, der sættes fokus på, kan der opstilles forskellige faser.[179] Der er f.eks. også forskellige faser i tysk propagandapolitik i Danmark eller i besættelsesmagtens forhold til det tyske mindretal. Det vil fremgå i det følgende.

---

177 Se 9:30, 31 og 69.

178 Hele dette område savner en nærmere undersøgelse.

179 Her skal nævnes Giltner 1998, s. 51, der skriver om foråret 1941, hvor de tyske myndigheder i Danmark (Ebner, Walter, Forstmann) var blevet overbevist om dansk økonomis levedygtighed, og at landet kunne være til hjælp for Tyskland og ikke en belastning: "This was the single greatest change in German policy towards Denmark during the entire occupation."

6.2. Hitlers mænd – de tyske aktører i Danmark

"… folk som Renthe-Fink, Paul Kanstein og Gustav Meissner burde tages under luppen."

Aage Trommer 1995b, s. 17f.

Der er kun et fåtal af de tyskere uanset tjenesteniveau og om de var civile eller militært personel, som gjorde tjeneste i Danmark under besættelsen, som siden har skrevet derom. Det kan være en tilfældighed, men det er iøjnefaldende, at der er flere af de tyske flygtninge i Danmark fra 1945-49, der har skrevet om deres flygtningeophold, end der er blandt besætterne.

Den skibsfartssagkyndige ved Det Tyske Gesandtskab, G.F. Duckwitz, synes at være den første, der 1945-46 skrev erindringer om sin tid i Danmark. Det blev til tre kapitler, der handlede om aktionen mod de danske jøder, generalstrejken i København sommeren 1944 og endelige om foråret 1945 og den tyske kapitulation i Danmark. I alle tre kapitler, der efter råd fra danske venner ikke blev udgivet, tillægger Duckwitz sig selv en fremtrædende rolle.[180] Disse erindringer blev i 1950erne fuldt op af et mere omfattende erindringsmanuskript, der foreligger i to versioner. Heller ikke disse er desværre udgivet, så der foreligger alene trykt en artikel 1949 fra Duckwitz' hånd, hvor han fortæller lidt om livet ved gesandtskabet.[181] Pålideligheden af Duckwitz' erindringer er med god grund anfægtet af Ulrich Herbert,[182] men mere lys over deres værdi vil der muligvis kunne kastes, når og hvis bl.a. Duckwitz' båndlagte dagbogsoptegnelser i PA/AA bliver almindeligt tilgængelige for forskere. De har ikke kunnet udnyttes her. Her er erindringerne først og fremmest kritisk benyttet i forbindelse med generalstrejken i København og i forbindelse med begivenhederne foråret 1945. I begge tilfælde er Duckwitz en god seliscenesætter, som han er det i forbindelse med jødeaktionen, ligesom han var meget loyal over for Best. Det kom dem begge til gode under retsopgøret. Hans Kirchhoff har i 1999 skrevet et mindre portræt af Duckwitz, hvor han stort set fastholder sin opfattelse fra tidligere,[183] at Duckwitz var "den gode tysker" blandt besætterne i Danmark.[184] Det bliver spændende at se, om den vurdering kan fastholdes i den biografi, som Kirchhoff har undervejs om Duckwitz.

Mens Werner Best sad fængslet i Danmark, skrev han dels en lang række notater og indlæg om sit virke i Danmark, der skulle danne elementer i hans forsvar, dels portrætter af nogle af de personer, han havde kendt på nærmere hold (Hitler, Himmler, o.a.). Notaterne og indlæggene dannede i 1950 grundlaget for det samlede manuskript, han skrev om sin tid i Danmark, der fremkom i 1988 på tysk med supplerende kildemateriale.[185] Værdien af Bests erindringer er blevet vurderet ret forskelligt. Hans Kirchhoff har fuldstændig afskrevet dem selvstændig værdi som beretning, da de ikke skulle bringe noget nyt, og at de Best'ske synspunkter i forvejen er velkendte.[186] Det første er

180 Kapitlet om kapitulationen 1945 er genfortalt på dansk af Kirchhoff 1978.
181 Duckwitz 1949.
182 Herbert 1996, s. 368 med note 134.
183 Kirchhoff 1978.
184 Kirchhoff 1999b.
185 En dansk uautoriseret oversættelse udkom 1981 og en ny autoriseret igen 1989 pga. Best 1988.
186 Kirchhoff 1988, 1991b og 1998b, s. 118 ("…als Bericht ist sie aber völlig wertlos").

ikke ganske korrekt, og det sidste skulle vel ikke hindre forskere i selv at stifte bekendt-
skab med dem i denne form. Peter Hopp har været mindre afvisende,[187] en opfattelse
som deles af udgiver, idet der er tale om de væsentligste erindringer skrevet af en helt
central placeret repræsentant for besættelsesmagten, der gengiver et tysk syn på udvik-
lingen, hvor fordrejet og forsvarende det så end måtte være. Bests erindringer kan med
fordel sammenholdes med Cecil von Renthe-Finks tre beretninger fra begyndelsen af
1960erne (uudgivne), der i sandhedsværdi ikke overgår Bests.[188]

En anden af Bests embedsmænd, der har skrevet erindringer, er presseattache Gustav
Meissner. Erindringerne kom 1990 på tysk og i en lettere ændret dansk udgave 1996
med supplerende oplysninger.[189] Desværre synes erindringerne stærkt styret af de i PKB
trykte akter, og der er kun lidt om det meget nære forhold til DNSAP og om den korte
tid (november 1942-marts 1943), hvor han fungerede under Best, og hvor han viger
uden om årsagerne til, at han blev lagt på is. I øvrigt synes han lidet vidende om en ræk-
ke forhold og vil ikke fortælle om andre, herunder hans arbejde med DNSAP og med
"jødespørgsmålet".[190] Der kan kastes perspektiv på Meissners vigtige rolle som presseat-
tache i København ved inddragelse af Peter Longerich: *Propagandisten im Krieg. Die
Presseabteilung des Auswärtigen Amtes unter Ribbentrop*. 1987 og Daniel Roth: *Hitlers
Brückenkopf in Schweden. Die deutsche Gesandtschaft in Stockholm 1933-1945*. 2009, der
både belyser AAs forventninger som opdraggiver, og hvordan opgaven blev håndteret i
et andet skandinavisk land, hvor man fra tysk side ønskede at bevare den bedst mulige
facade over for såvel offentlighed som den svenske regering.

Mindre betydende er beretningen/erindringerne af Chefrichter Ernst Kanter (skre-
vet 1970, ikke udgivet),[191] Standortältester Friedrich K. Biehl i Vejle (1981), chef for
Gestapo i Esbjerg og senere i Kolding, Thees Burfeind (skrevet 1948, ikke udgivet),[192]
Bests repræsentant hos von Hanneken i Silkeborg 1943-45 Wilhelm Casper (1994)[193]
og adjudant hos Hermann von Hanneken Walter Kienitz (2001),[194] idet de i bedste fald
kan bidrage med enkelte detaljer, men generelt er af underordnet eller endnu mindre
værdi, når det gælder tysk besættelsespolitik. Specielt for Kanters vedkommende synes
det sene nedskrivningstidspunkt at have medført betydelige erindringsforskydninger,
der påvirker kronologien af væsentlige forhold i ikke ringe grad. Det gælder også for
Franz von Sonnleithners erindringer (1989), at de er af ringe værdi, selv om han spillede
en ikke ringe rolle som repræsentant for AA i forbindelse med forsvaret af Best. Egent-
ligt står de fleste af disse erindringer informationsmæssigt tilbage for en del af de afhø-

---

187 Hopp 1990a og b.
188 Renthe-Finks beretninger er i hans arkiv i PA/AA og er ret kritikløst benyttet af Yahil 1967.
189 Meissner 1990 og 1996. Jfr. anm. af Joachim Lund i *Historisk Tidsskrift* 98, 1998, s. 233-235 og af
Henrik Skov Kristensen i *Historie* 1999:1, s. 138-143.
190 Se Lauridsen 2008b, nr. 37, 41 og især nr. 54 suppleret med 1:131 (hvor det tidligere manglende bilag
er kommet med).
191 Kanter var dommer i Danmark februar 1943-maj 1945. Manuskript i IfZG-1991/1-6. Om Kanter se
Schorn 1959, s. 313-323.
192 HSB, gr. 50, Aage Trommers forskningsarkiv, ks. 20 (52 s.).
193 Casper 1994 er indgående anm. af Henrik Skov Kristensen i *Historie* 1999:1, s. 138-143.
194 Kienitz/Drostrup 2001.

ringer og erklæringer, som blev til under forskellige retssager mod de tyske hovedaktører i de umiddelbare efterkrigsår.

Det er også kun ganske få af de tyske hovedaktører, der er blevet genstand for en biografisk fremstilling. Den betydeligste og bedste er Ulrich Herberts om Werner Best, hvor hovedanliggendet i forbindelse med Danmark ganske vist ikke er tysk besættelsespolitik, men om Best lykkedes med at realisere sine ideer om oversigtsforvaltning i Danmark, men alligevel giver bogen et vist komprimeret bidrag dertil. Der er til gengæld ikke meget om Bests sam- og modspil med andre tyske instanser i og uden for Danmark. De andre tyske myndigheder i Danmark spiller ikke nogen større rolle, men værket er især uundværligt ved at have afdækket den overbeviste nazist Bests ideologiske rødder og hans virke efter 1951. For Bests tid i militærforvaltningen i Paris 1940-42, og de erfaringer han høstede der, som baggrund for det senere virke i Danmark, må Herberts biografi suppleres med bl.a. Ahlrich Meyers bog om modstandsbekæmpelse og jødeforfølgelse i Frankrig.[195] Der er endvidere en del fejl vedrørende Danmark, der skæmmer Herberts fremstilling.[196]

Også en anden hovedaktør, værnemagtsøverstbefalende Hermann von Hanneken er blevet biografisk behandlet i *Den hæmmede kriger. Et portræt af general von Hanneken*. 1997. Det er Ole Drostrup, bistået af von Hannekens tidligere adjudant Walter Kienitz har gennemført arbejdet, der i vid udstrækning bygger på efterkrigsafhøringer, hovedpersonens arkiv, PKB og andet supplerende materiale, men mærkværdigvis ikke værnemagtens samtidige arkiver, hverken i form af kopimaterialet på RA eller fra Freiburg. Det hænger sammen med det anlagte ret snævre biografiske sigte. Det er et "portræt", hvor der langt hen citeres, hvad der er skrevet om von Hanneken, og hvor kritikere af von Hanneken får læst og påskrevet, mens det samtidige materiale til belysning af hans virke langt hen er ubenyttet. Det er en egenartet prioritering. Forfatteren er stærkt påvirket af Kienitz, for hvem det er meget om at gøre at "rense" sin tidligere foresatte. Til belysning af tysk besættelsespolitik i Danmark er arbejdet af beskeden værdi, og portrættet overbeviser ikke om, at det rådende negative syn på von Hannekens person (fladpandet og brutal militærmand) bør modereres.[197]

Gestapochefen i Danmark Karl Heinz Hoffmann kan også karakteriseres som en hovedaktør. Som det fremgår af Niels-Birger Danielsen og Suzanne Wowern Rasmussens bog om ham, er det alligevel ikke så let at skrive om en person, hvor der er så lidt samtidigt materiale at bygge på, og at retsopgørets materiale helt har måttet træde i stedet sammen med senere interviews med familien og andet tertiært materiale. De talrige anekdoter, der bringes, er et godt indicium for, hvor svært det er at skrive meget om en person, hvis politimæssige virke er så lidt konkret belyst.[198]

195 Meyer 2000 suppleret med Meyer 1992, 1997 og 2005.
196 Blot nogle af mange eksempler: Frøslevlejrens åbningstidspunkt opgives forkert (s. 384), Schalburgkorpset tillægges sprængningen af Tivoli! (s. 386), ukritisk gengives, at Best skulle have truet med et bombardement af København i juni 1944 (s. 386), politiaktionen benævnes Taifun! (391, 393), Himmler krævede indgreb mod værftssabotagen efter anslag i *tyske* havne! (s. 395). Der synes at være tale om mere end sjuskefejl, og de falder i passager meget tæt.
197 Hans Kirchhoff i *Hvem var hvem 1940-1945*, 2005, s. 129f. Jfr. Kirchhoff, 1, 1979, s. 45f. og Joachim Lunds anmeldelse i *Historisk Tidsskrift*, 98, 1998, s. 464-466.
198 Danielsen og Wowern Rasmussen 2011.

HSSPF Günther Pancke har fået skrevet en skitse om sit virke i Danmark i Ruth Bettina Birns nyttige bog om alle Himmlers stedfortrædere i Det Tredje Rige og det besatte Europa,[199] men dansk forskning (Rosengreen) og det danske retsmateriale har ikke været benyttet, og skitsen er overhalet af senere fremkommet dansk forskning (Lundtofte).

De øvrige biografiske arbejder om besættelsesmagtens repræsentanter er mere beskedne af omfang,[200] og de fleste er samlet i *Hvem var hvem under besættelsen* (2005), hvor en lang række tyskere bliver præsenteret og biograferet for første gang, bl.a. så centrale personer som Walter Forstmann, Alex Walter og Franz Ebner. Der gives en vurdering af den enkeltes virke og betydning i Danmark, som venteligt vil komme kommende arbejder til gode. Når en række tyske aktører først sent er kommet mere frem i lyset, hænger det givetvis bl.a. sammen med den beherskede interesse for tysk besættelsespolitik, men også at de sidste godt 15 års forskning har skaffet en del mere viden om denne personkreds.[201]

Hvad Aage Trommer i 1995 efterlyste med hensyn til biografier af nogle af Hitlers mænd i Danmark, er altså kommet i gang, men der er langt igen.[202]

Der savnes helt kollektivbiografier af det embedsmandsapparat, der bemandede Det Tyske Gesandtskab, og af de militære kommandanter, der administrerede afsnittene og byerne, Kriegsmarines kommandanter, af lederne af det tyske sikkerheds- og ordenspoliti, samt tysk politis netværk af meddelere.[203] Hvilke erfaringer kom de med? Havde hærens, Kriegsmarines og politiets ledere forudgående været indsat ved fronterne i vest eller øst, eller var det skrivebordsadministratorer, der overvejende eller mest blev sendt til det fredelige Danmark? Der kom tysk ordenspoliti til Danmark østfra i maj 1943,[204] ligesom BdS Rudolf Mildner havde friske østerfaringer ved sin ankomst til Danmark.[205] Men var der en konsekvent tysk politik på området? Var Danmark et rekreationsområde for tyske tropper, der kom fra og skulle tilbage til fronterne? Og de kamptropper, der kom hertil, herunder tropper af ikke-tysk nationalitet,[206] hvordan reagerede de da på de fredelige danske forhold? Det kunne være af interesse at få belyst. Stiftsamtmand Peder Herschend i Silkeborg fik erfaringer med mange af de tyske kommandanter og tysk politis ledere i de større byer i Jylland og på Fyn 1943-45. Ud fra hans vurderinger synes det at have været en broget flok, spændende fra de stedse samarbejdsvillige til de stadigt

---

199 Birn 1986, s. 288-297, 342, 350ff.

200 Der er et enkelt speciale om Renthe-Fink af Martin Lindø Westergaard 2000 og et om Paul Kanstein af Jane Søndergård Gude 2000 (der for det samtidige materiales vedkommende mest trækker på PKB, enkelte akter fra Berlin og efterkrigsafhøringer). På grundlag af SS-Hauptsturmführer Hans Hermannsens egen beretning har Hans Priemé skrevet en artikel om denne Gestapo-officers dobbeltspil (Priemé 2010).

201 Eksempelvis dukker Walter Forstmann første gang op hos Jensen 1971, og det mest i noterne, men med Giltner 1998 kom hans rolle for alvor frem i lyset. Af ubekendte grunde henviser Brandenborg Jensen 2005 ikke til Giltner 1998.

202 Der er en større antologi om *Hitlers mænd i Danmark* redigeret af John T. Lauridsen og Henrik Lundtofte under udarbejdelse, hvor bl.a. Cecil von Renthe-Fink, Paul Kanstein, Franz Ebner, Walter Forstmann og Gustav Meissner og mange flere vil blive udførligere biograferet på grundlag af primærstudier.

203 Se for gruppen af meddelere (V-Leute) Mallmann 1995.

204 2:314.

205 Henrik Lundtofte i *Hvem var hvem 1940-1945*, 2005, s. 253.

206 Se hertil Roslyng-Jensen 1975 og Sørensen 2005, hvor spørgsmålet om forholdet til befolkningen imidlertid ikke er et hovedspørgsmål.

konfliktskabende, men de enkeltes baggrund kunne være oplysende som forklaring på deres fremfærd, selv om de stod med forskellige lokale udfordringer.[207]

6.3. Angrebet på og besættelsen af Danmark 9. april 1940. Besættelsesordningen

"Vi bryder os ikke om at skylde den mand noget. Men faktisk var de lempelige vilkår i Danmark Hitlers ide."

Henning Poulsen 1995, s. 9.

For forståelsen af den tyske besættelsespolitik i Danmark 1940-45 er viden om baggrunden for selve angrebet af afgørende betydning. Danmark var ikke af Hitler og kredsen omkring ham udset som et land, der skulle give plads for en udvidelse af det tyske rige og genbosættelse med folketyskere. Danmarks betydning lå på det mere beskedne plan. Det afspejler sig i den førte udenrigspolitik over for Danmark 1933-40 og i den sene tyske beslutning om at inddrage Danmark i verdenskrigen.

I 1952 fremlagde Walter Hubatsch det grundlæggende værk *"Weserübung". Die deutsche Besetzung von Dänemark und Norwegen 1940*, der kom i andet udvidede oplag 1960. Det var i en årrække standardværket om emnet i som uden for Tyskland. Der blev forfægtet det hovedsynspunkt, at angrebet på Norge og Danmark var af defensiv karakter, idet man fra tysk side angiveligt skulle have sikre meldinger om, at England forberedte en landgang i Norge. Altså var angrebet af rent præventiv natur. Det var det synspunkt, storadmiral Erich Raeder havde forsvaret sig med under Nürnbergprocessen i 1946, men alligevel blev han idømt livsvarigt fængsel for at være ophavsmand til angrebet. Hubatschs apologetiske tendens og punktvis svigtende kildebehandling var en del af årsagen til, at værket blev stærkt anfægtet. Blandt kritikerne var Carl-Axel Gemzell, der i 1965 fremlagde sine undersøgelser af Kriegsmarines planer i efteråret og vinteren 1940, herunder Raeders strategiske opfattelse i tiden før krigsudbruddet. Dermed ville Gemzell give angrebet på Norge og Danmark dets rette proportioner og svare definitivt på spørgsmålet, om der var tale om et offensivt eller defensivt udspil. Spørgsmålets besvarelse nåede han gennem en intensiv udnyttelse af Kriegsmarines arkiv. Der argumenteres overbevisende for, at Raeder arbejdede intensivt for at overbevise Hitler om, at der skulle et revideret oprustningsprogram til, baseret på ubådsvåbenet, og at dette skulle have støttepunkter i Norge. Dette fik Raeder ikke inden for den af Gemzell valgte tidsramme for undersøgelsen, 14. december 1939 med Quislings besøg i Berlin. Imidlertid er det hævet over al tvivl, at der var tale om en *offensiv* planlægning, Raeder ønskede baser i Norge længe før, der kunne have foreligget engelske planer om en landgang i Norge.[208]

Det ligger også klart, at Danmark oprindeligt ikke indgik i de tyske planer, men først i februar 1940 blev Ålborg lufthavn udset til at spille en central rolle, idet OKW mente at kunne tvinge den danske regering til at give sig råderet over lufthavnen gennem diplomatisk pres. Lufthavnen skulle være et tysk springbræt til Norge. Det øvrige Danmark var uden strategisk interesse. Imidlertid gik OKW 26. februar fra denne plan,

---

207 KB, Herschends dagbog 1943-45 med tilhørende arkiv med bilag på RA. Jfr. Lauridsen 2010d.
208 Gemzell 1965.

derefter var det *hele Danmark*, der skulle besættes, og der blev lagt op til en fredsbesættelse, idet de danske institutioner, regeringen, retsvæsenet m.m. skulle fortsætte med få begrænsninger. Dette er udredt flere gange fra tysk side, senest af Hans-Martin Ottmer: *"Weserübung". Der deutsche Angriff auf Dänemark und Norwegen im April 1940*, 1994,[209] og sammenfattet af Jens Andersen 2007 på grundlag af den tyske primærlitteratur.[210]

Ved siden af den militære planlægning gjorde OKW sig overvejelser om den danske erhvervsmæssige situation ved en tysk besættelse, og hvordan problemerne i den forbindelse skulle tackles. Der var bekymring for, om danskerne kunne brødføde sig selv, når det engelske marked faldt bort. Disse overvejelser hindrede dog ikke, at man også udså sig de industrier og industrigrene, det ville være hensigtsmæssigt at inddrage i den tyske rustningsproduktion. Henning Poulsen 1970 og Sigurd Jensen tangerede 1971 en omtale af denne tyske økonomiske planlægning,[211] men det var først tyskerne Harald Winkel[212] og Hans-Erich Volkmann[213] og siden canadieren Philip Giltner, der har gjort udførligere rede derfor.[214] Giltner påpeger, at Norge og Danmark nok blev behandlet ens under den økonomiske planlægning af Weserübung, begge blev tilbudt en fredsbesættelse, men at det satte skel, da Danmark gik ind på fredsbesættelsen og Norge samtidig sagde fra. Det var den afgørende baggrund for, hvorfor der blev ført en forskellig besættelsespolitik i de to lande. For Danmarks vedkommende skulle erhvervslivet behandles *"In the Friendliest Manner"*.[215] Et synspunkt Giltner 1998 gennemfører overbevisende, men på et for ensidigt grundlag. Dog er der ikke tvivl om, at han har ret i, at de negative tyske forventninger til Danmarks evne til fortsat at brødføde sig selv påvirkede REM til en lempelig økonomisk besættelsespolitik.[216] Nærmere om Winkels, Volkmanns og Giltners arbejder nedenfor i afsnit 6.5.

Selve angrebet og de påfølgende tysk-danske forhandlinger om fredsbesættelsen og den påfølgende besættelsesordning er på danske præmisser ofte nok behandlet og skal ikke præsenteres her.[217]

6.4. Told- og møntunionsforhandlingerne sommeren 1940. Danmark i det tyske "storrum"

De i sommeren 1940 gennemførte told- og møntunionsforhandlinger mellem Tyskland og Danmark var et af de forhold, der blev undersøgt af PKB.[218] Forhandlingerne blev

209 Hertil Ottmer 1991. Ottmer lægger helt vægten på de konkrete militære planer og en detaljeret gennemgang af selve landingsoperationernes gennemførelse. Se også Umbreit 1988, s. 46-50.
210 Andersen 2007, s. 17-20. Clemmesen 2010 har et enkelt kapitel om Weserübung Süd, der ikke tilfører nyt, men har det lange perspektiv bagud.
211 Eichholz, 1, 1969-96, kap. 1, Poulsen 1970, s. 77, Jensen 1971, s. 282 note 27. Se endvidere Petrick 1974 med aftryk af dokument.
212 Winkel 1976, s. 128 med brug af utrykt materiale fra Reichsamt für wehrwirtschaftliche Planung i BArch.
213 Volkmann 1984 med anvendelse af kilder fra BArch, Freiburg.
214 Nissen 2005, kap. 5 vender indgående tilbage til problematikken.
215 Se 1:2. Jensen 1971 havde været opmærksom på dette, men gjorde ikke noget ud af det, hvor til gengæld Poulsen 1985, s. 129 påpegede det.
216 Giltner 1998.
217 Nissen 1969 og 1973, s. 20-140, Roslyng-Jensen 1991 (oversigt), Kirchhoff 1991a og 2002, kap. 2, Lidegaard 2003.
218 PKB, 5 med tilhørende tysk akter i PKB, 13, nr. 67-95.

dels hemmeligholdt, dels syntes regeringserklæringen af 8. juli 1940 at være den direkte anledning til, at der fra tysk side blev taget dette initiativ. PKBs undersøgelse førte ikke til, at der blev rejst anklage mod nogle af de danske involverede, men det har siden været et tilbagevendende emne i dansk forskning, idet det er blevet opfattet som en første test på den danske regerings muligheder for at sige fra over for besættelsesmagtens krav, hvilket, hvis det ikke havde været muligt, kunne have betydet, at Danmark mistede sin selvstændighed.[219] Når forhandlingerne også siden har haft betydelig tysk interesse, må det ses på baggrund af, at her blev der for første gang luftet og søgt realiseret de planer, der på tysk side var for et europæisk storrum.[220]

Initiativet til forhandlingerne blev taget i AA, hvor Karl Ritter stod for formuleringen af de planer, der skulle slutte de europæiske stater sammen i en told- og møntunion. Forhandlingerne med Danmark skulle danne mønster for de kommende forhandlinger med andre stater. Som det er indgående analyseret af Henrik S. Nissen, stødte planerne på dansk side på massiv modstand både blandt politikere og erhvervsfolk, både af økonomiske og især nationale grunde, dog synes enkelte politikere som Gunnar Larsen mindre negativ end andre. Det endte med et nej til AA 23. august, hvorefter man på dansk side var yderst spændt på den tyske reaktion. En reaktion udeblev, danskerne kunne trække sig ud uden at blive tvunget til at underskrive noget som helst.

Forklaringen var, at der på tysk side ikke var enighed om storrumsplanerne, hvem der skulle være initiativtager og have kompetencen i det videre forløb. Det gav anledning til strid, som nærmere dokumenteret af Joachim Lund.[221] AA havde været tidligt ude, og told- og møntunionen var ikke et specifikt led i tysk besættelsespolitik i Danmark, derfor var modstanden så meget større fra det tyske økonomiministerium, hvis chef Walther Funk 25. juli 1940 for det internationale pressekorps fremlagde sine planer for den europæiske nyordning. De lå nemlig i hans regi, efter bemyndigelse fra Hermann Göring, der efter Frankrigs nederlag havde fået ansvaret for den økonomiske nyordning af Europa. AA skulle ikke blande sig deri.

Danmarks videre rolle i de tyske storrumsplaner og den europæiske nyordning er især blevet undersøgt af Steen Andersen for tiden 1940-41[222] og af Joachim Lund sammen med andre emner for 1940-43, herunder ikke mindst det såkaldte østrumsudvalgs rolle.[223] Det kom først og fremmest til at dreje sig om samhandelsaftaler og om involvering af danske virksomheder i tyske byggeaktiviteter. Særlige planer drejede sig om udbygningen af kommunikationsnettet i Danmark, så Tyskland og Danmark på den vis blev bundet tættere sammen. Endelig var der danske firmaers etablering i de baltiske lande, hvor virksomheder som F.L. Schmidt & Co. fik den ejendom igen i Estland, som i 1940 var blevet nationaliseret af Sovjetunionen. Denne etablering blev først stærkt tilskyndet fra tysk side, men siden bremsede man op, og i takt med det tyske tilbage-

---

219 Thomsen 1971, s. 21-33, Nissen 1973, s. 262-402, Sjøqvist 1973, s. 86-107, Lund 2005, Andersen 1998 og 2003.
220 Thomsen 1971, s. 21-33, Schumann 1973, Winkel 1976, Petrick/Abraham 1987, Schröter 1997, Eichholz 1979, Buggeln 2002, s. 65ff.
221 Lund 2005, kap. 6.
222 Andersen 1998 og 2003. Desuden Andersen 2005, der dog er mindre væsentlig i denne sammenhæng.
223 Lund 1995a og b, 2005, kap. 12. Jfr. Helk 1987-87.

tog blev dette danske erhvervsfremstød til intet. Joachim Lund kan dokumentere, at der blev brugt tvangsarbejdere på F.L. Schmidt & Co.s cementfabrik Port Kunda, et (enkeltstående?) eksempel på at tidens tyske erhvervsmoral smittede af, hvor danske virksomheder ville være med.[224]

Diskussionen af storrumsplanerne ebbede ud og trådte i baggrunden på tysk side fra sommeren 1941 på en måde, så vi ikke ved, hvordan Danmarks stilling ville være blevet efter en endelig tysk sejr. De tyske erhvervskredses overvejelser om Danmarks fremtidige stilling i efteråret 1940 lovede imidlertid ikke godt for fremtiden. Det blev bl.a. andet forudset, at landet økonomisk og erhvervsmæssigt gradvist ville miste mere og mere terræn, og at man fra tysk side skulle udnytte kontrollen over råstofleverancerne til at svække danske virksomheder, der konkurrerede med tyske, hvis de ikke i stedet blev overtaget, og at råstoftildelingen også skulle være et middel til ariseringen af dansk erhvervsliv. Det blev ved overvejelserne, som er behandlet af Dietrich Eichholz og Joachim Lund.[225]

Selv om Danmarks fremtidige status i det nazistiske storrige forbliver uvis, er Henning Poulsens konklusion næppe til diskussion: "Der er ingen grund til at tvivle om, at den tyske fører anså sit herredømme over erobrede lande som varigt, selv om den måde, det skulle effektueres på, for ham var juridiske detaljer af mindre interesse."[226] Det er så en ringe trøst, at Danmark i mellemtiden som et samarbejdsvilligt germansk land ikke blev udsat for samme besættelsespolitik, som fra starten var tiltænkt lande som Polen og Sovjetunionen.

6.5. Danmark i den tyske krigsøkonomi

"Laut Entscheidung des Führers kann die rüstungswirtschaftliche Heranziehung des Landes Dänemark auf freundschaftlichster Basis ohne jeden Druck beginnen, d.h. es können Aufträge nach Dänemark auf dem Verhandlungswege mit den in Betracht kommenden dänischen Firmen abgeschlossen werden."

OKW 18. april 1940 (1:2).

Tysklands udnyttelse – eller udplyndring – af Danmark som led i den tyske krigsførelse er et emne, der optog danskerne meget i de første efterkrigsår, hvorefter der skulle gå lang tid, før det igen kom op til diskussion i en forskningsmæssig sammenhæng. Grundlaget blev lagt især af cand.polit.erne Jens Otto Krag og Erik Ib Schmidt i de samleværker, der kom efter den tyske besættelses ophør.

Krag var på det rene med, at det ikke var økonomiske motiver, der lå bag besættelsen af Danmark, men den strategiske beliggenhed. Han beskrev nærmere "Den tyske

---

224 Lund 2001a og b, 2005, kap. 13. Jfr. Jessen 2002.
225 Eichholz, 1, 1969-96, s. 164-168 og tillæg V, Eichholz 2006, Lund 2004 og 2005, s. 57-63. Også Poulsen 1985, s. 123f. Jfr. Lauridsen 2008a, nr. 4 og 7 med uddrag af beretningerne om Danmark af rigsgruppe industri og rigsgruppe handel.
226 Poulsen 2002, s. 19. Den 5. maj 1940 ytrede Hitler i en snæver kreds: "Die Form, in den wir Dänemark in unseren Hoheitsbereich einbeziehen, läßt sich noch nicht übersehen." (Halder 1962, s. 279), mens han i begyndelsen af oktober 1942 over for von Hanneken under et vredesudbrud skulle have udtalt, at han ville gøre Danmark til en tysk provins, fordi han havde brug for Norge (1:20, jfr. Umbreit 1988, s. 50), men udtalelsen kan ikke tillægges større vægt. Hitler besindede sig, og nogen beslutning fremkom aldrig.

Linie", som han kaldte den tyske inddragelse af Danmark i tysk krigsøkonomi, idet han stillede to spørgsmål: Var der tale om en systematisk udplyndring af Danmark? Var de tysk-danske forhandlinger om ydelser til Tyskland udelukkende et skin?

Til det første svarede han et utvivlsomt "ja",[227] idet han mente, at det i begyndelsen skete med velberegnet forbehold. Tyskland tilegnede sig ikke mere af landbrugsproduktionen end, at befolkningen kunne opretholde en tålelig ernæringstilstand. Det var ikke for danskernes skyld, men for at overskudproduktionen ikke skulle forsvinde, hvis bønderne gik hen og mistede leveringslysten. Det blev der fra tysk side taget hensyn til. På endnu et område tog tyskerne hensyn, idet de medvirkede til, at der gennem UM og Direktoratet for Vareforsyning blev etableret en kontrol med priserne på de ydelser, der leveredes til tyske aftagere, samt en kontrol med de materialer, der forbrugtes. Så er der det andet spørgsmål, var der tale om en tilsløret udplyndring? Det mente Krag ikke at kunne besvare med et klart "ja". "Faktisk opretholdt Tyskland hele Perioden igennem efter Omstændighederne betydelige Vareleverancer til Danmark." Hovedresultatet var dog en udnyttelse. Den tyske udsugning undergravede dag for dag dansk økonomi.[228] Han opgjorde det danske samfundsøkonomiske tab ved besættelsen til omtrent 1 ½ års førkrigs-nationalindkomst. "Det Tab er stort", lød vurderingen.[229]

Erik Ib Schmidt så et af de mulige tyske motiver til besættelsen af Danmark i, at man kunne være interesseret i en udnyttelse af Danmarks forsyningsmæssige muligheder. "Dette Synspunkt maatte navnlig træde i Forgrunden, da Besættelsen først var en Realitet og veje tungere efterhaanden som Tysklands økonomiske Vilkaar blev ringere."[230] Han pegede specielt på betydningen af den danske overskudsproduktion af landbrugsvarer, dansk metalindustris høje stade og den danske arbejdskraftreserve. Alt sammen noget det havde vist sig, at besættelsesmagten gjorde brug af. Hans artikel har den sigende titel "Tysk fremtrængen og dansk modværge", en titel, der er typisk for tiden og for artiklens tendens. Schmidt fandt det karakteristisk for den tyske økonomiske politik over for Danmark, at man søgte at bevare skinnet af, at alle ydelser byggede på gensidighed, og at grundlaget var forhandling eller handel under normale former. Han medgiver også, at der ikke blev foretaget direkte overgreb, som det skete i andre besatte lande, og måtte konstatere, at de danske ydelser til Tyskland principielt havde den form, at der var tale om regulært køb og salg, og at det foregik efter aftaler mellem danske og tyske myndigheder, selv om tyskerne til enhver tid havde kunnet gøre, som de ville. De havde imidlertid en interesse i at bevare skinnet af, at der var tale om ganske normale forretninger, mens det økonomiske nettoresultat blev "de velkendte kolossale Merydelser fra dansk side".[231] De kolossale danske merydelser kom til at indgå som en vedtaget kendsgerning i de følgende årtier i den danske offentlighed.

227 Der er i DDR-forskningen en massiv tilslutning til, at der var tale om en udplyndring af Danmark (Bobert/Büttner 1962, Köller 1965, Röhr 1996 og i Petricks arbejder).

228 Krag 1947, s. 22-26.

229 Krag 1947, s. 47-49.

230 Schmidt 1948a, s. 25. Se tillige Schmidt 1948b.

231 Schmidt 1948a, s. 26f. I Schmidts senere erindringer er den opfattelse forladt, at der var tale om skinforhandlinger: "Det blev en central opgave for de danske forhandlere at presse de størst mulige forsyninger ud af tyskerne. Her fejrede forhandlingspolitikken sine største triumfer." (Schmidt 1993, s. 210f.). Det er i

Den indgik også i Erich Thomsens beskrivelse i kapitlet med titlen "Die Nutzbar-machung der dänischen Wirtschaft", hvor han skrev om den "ungeheure Summe", men i øvrigt viede landbrugseksportens store betydning for Tyskland og de danske tysklandsarbejdere særlig opmærksomhed. Det var hans vurdering, at "Der bedeutende wirtschaftliche Beitrag Dänemarks zur deutschen Kriegswirtschaft gab der dänischen Regierung die Möglichkeit, die Deutschen immer wieder auf die dänischen Wünsche und Belange Rücksicht nehmen zu lassen." Hans grundlag for den vurdering var, at Renthe-Fink og Best i deres indberetninger altid vendte tilbage til det argument, at man måtte være tilfreds med de øjeblikkelige forhold i Danmark, hvis man ikke ville påvirke den danske eksport til Tyskland.[232] Her skrives ikke et ord om tysk pres og fremtrængen, men til gengæld at der blev taget hensyn til de danske ønsker i økonomisk henseende.

Med Sigurd Jensen: *Levevilkår under besættelsen. Træk af den økonomiske og sociale udvikling i Danmark under den tyske besættelse 1940-45*, 1971, blev tråden fra arbejder som Krags og Schmidts taget op, idet de tyske krav og det tyske tryk vendte tilbage som ingredienser fremstillingen igennem. Bogen gør sig bemærket ved, at hverken hoved- eller undertitel dækker indholdet,[233] og at tiden efter 29. august 1943 ikke har haft forfatterens interesse, hvorfor den bliver spist af med knapt 40 sider, mens tiden forud tildeles 216 sider. Indholdsmæssigt er omdrejningspunktet de tysk-danske regeringsud-valgsforhandlinger, som der bliver gjort relativt detaljeret rede for, og hvor det kommer frem, at der trods det tyske tryk blev vist forståelse for den danske situation fra de tyske forhandleres (teknokrater med økonomisk indsigt) side, især Alex Walters og Waldemar Ludwigs, og at REM og RWM (Reichswirtschaftsministerium) stod fuldt bag dem. Bl.a. var man fælles om bestræbelsen på at undgå inflation i Danmark. Rüstungsstab Däne-marks chef, Walter Forstmann hørte også til kredsen, der var dansk erhvervsliv positivt indstillet.[234] Det er også Jensens vurdering, at Renthe-Fink bidrog "til den fornuftsbeto-nede afbalancering af forholdene i Danmark. Best var på teknokraternes side og lagde så længe som muligt en bremse på generalerne." Både før og efter 29. august 1943 og under de politiske stormes rasen forblev de tyske teknokrater og de danske forhand-lere siddende ved forhandlingsbordet,[235] og det danske produktionsapparat vedblev at

sig selv et relevant aspekt, hvordan aktørerne på dansk side (f.eks. Scavenius 1948) og siden danske histori-kere har villet fremstille den tyske besættelsespolitik.

232 Thomsen 1971, s. 58f. Kapitlet er næsten udelukkende skrevet på grundlag af trykt materiale, mest fra PKB, og rækker kun på et fåtal punkter ud over 1942.

233 Titlen er mere end "lettere misvisende", som Per H. Hansen 1996, s. 34 mener.

234 Jfr. Kirchhoff, 1, 1979, s. 106.

235 De danske forhandleres rolle er taget op af Mark Mau (2002, 2003 og 2004), men han beskæftiger sig også kort med de tyske forhandleres politik. Det er hans opfattelse, at man fra tysk side prioriterede det danske hjemmemarked højere end det tyske marked, da man "frygtede en for stærk voksende mod-standsbevægelse, især da man i 1943 og 1944 måtte regne med en allieret invasion i Danmark. Man havde dog et simpelt og effektivt middel til hånden for at forhindre en ukontrolleret udvikling: fødevarer. [...] Landbrugsproduktionen blev derfor tyskernes mest effektive middel til at fastholde ro og orden i landet – når man har spist går man ikke og laver revolutioner. Derfor forblev den danske modstandsbevægelse en eliteorganisation, og derfor kunne Danmark forvaltes af blot 200 embedsmænd." (Mau 2002, s. 52f.). Synspunktet er egenartet, og der er i øvrigt ikke i det tyske kildemateriale belæg for, at der var noget større frygt for den danske modstandsbevægelse, og da slet ikke i et omfang, så man hellere ville mindske de tyske fødevarerationer end røre ved de danske. De tidligere givne forklaringer på, at det danske hjemmemarked fastholdt en høj fødevareandel, er klart mere dækkende (se f.eks. Poulsen 1985 citeret her nedenfor).

producere og eksporten videreførtes.[236] Jensen vurderer også udgifterne forbundet med de ubudne gæsters besøg, og her skal særligt fremhæves, hvordan han vurderede de 5 milliarder kroner, "som det tyske militær pinte ud af Danmark", som han formulerer det. De repræsenterer en sum af varer og tjenesteydelser, som blev unddraget Danmark, men i forbindelse med bygning af flyvepladser, fæstningsanlæg m.m., betjente besættelsesmagten sig i vidt omfang af dansk arbejdskraft, som ellers ikke ville have fundet beskæftigelse.[237] Underforstået at de uproduktive penge delvis kom det danske samfund til nytte indirekte. Betydningen af den danske eksport vurderer han ikke selvstændigt, men gengiver Rüstungsstab Dänemarks opgivelse af fiskerieksportens store betydning 31. marts 1944. Ifølge den udgjorde de danske fiskerileverancer rygraden i de tyske storbyers forsyning med frisk fisk.[238] Jensen var ikke opmærksom på, at denne vurdering var overtaget fra en indberetning af Franz Ebner fra 22. marts 1944,[239] og af gode grunde kunne han heller ikke vide, at her var ammunition til en historikerdebat, der skulle rase mere end tre årtier senere. Det skal endvidere bemærkes, at vurderingen af Renthe-Finks rolle og endnu mere af Bests rolle er utilstrækkeligt dokumenteret og kun fremkommer i kapitlet "Slutbemærkninger". Ret så væsentligt er det, at Sigurd Jensen i modsætning til Krag og især Schmidt hele vejen igennem betragter de tysk-danske forhandlinger som reelle og ikke som skinforhandlinger, selv om der var tale om krav og pres. Jensen fremdrog dokumentationen for, at der fra dansk side var noget at handle med, hvis der skulle ydes noget til gengæld.

I 1976 publicerede Harald Winkel den første større behandling af Tysklands erhvervsmæssige forhold til Danmark 1940-45 overvejende på grundlag af tysk materiale.[240] Den adskiller sig fra både Erich Thomsens og Sigurd Jensens arbejder i såvel tilgangsvinkel som arkivbenyttelse. Winkel fandt ikke den "plakative Wirkung" af henholdsvis begrebet udnyttelse og udplyndring tilfredsstillende, men stilede mod et mere differentieret udtryk. Det fandt han hos Dietmar Petzina, der havde skelnet mellem to tyske erhvervsmæssige politikker, der var blevet gennemført i de besatte lande. På den ene et i forbindelse med Vest- og Nordeuropa anvendt begreb "Restaurierung der wirtschaftlichen Kapazitäten" og på den anden siden det i Polen og Sovjetunionen realiserede begreb "direkter wirtschaftlicher Ausbeutung." Winkel ville afprøve den differentierede analyse på det tysk-danske forhold, idet han bemærkede, at det ville forhindre en detaljeret forståelse, hvis begrebsanvendelsen blev indskrænket til det globale "udplyndring" i forbindelse med det ofte spinkle kildemateriale, og føjede til: "Hinzu kommt, daß von deutscher Seite eine Größtmögliche Ausnutzung der besetzten Gebiete zur Durchführung kriegswirtschaftlicher Aufgaben offen angestrebt und nicht bestritten wurde."

Til det kan der spørges, om dette måske blev nået i størst muligt omfang, og Winkels konklusion er klar: Det blev det ikke. Tyskland udnyttede de danske ressourcer dårligt

---

236 Jensen 1971, s. 256f.
237 Jensen 1971, s. 255f.
238 Jensen 1971, s. 181.
239 Se 5:362 og 387.
240 Her ses bort fra Köllers diss. 1965, der ikke blev trykt og kun har fundet meget ringe udbredelse. Winkel havde kun få forudgående tyske arbejder at støtte sig til.

under krigen. Det var ikke specielt et resultat af tysk besættelsespolitik i Danmark, men havde sin baggrund i, at den tyske krigsøkonomi i det hele taget ikke var blevet total, at man ikke fra starten af krigen havde planer for ekspansion og total mobilisering.[241] For Danmarks vedkommende havde de tyske krigsøkonomiske studier ved krigens start vist landets store afhængighed af import og råstoffer, og skulle Danmark inddrages i tysk planlægning, måtte der tages højde derfor ved en langsigtet planlægning. Det blev der ikke, og det var på intet tidspunkt fra tysk side muligt at levere tilstrækkelige mængder af råstoffer, så dansk erhvervsliv kunne udnyttes optimalt på alle områder, end ikke for rustningsproduktionens vedkommende. "Der für Dänemarks Wirtschaft feststellbare zunehmende Produktivitätsverlust, die wachsende Minderauslastung unzerstörter Kapazitäten, aber auch der ohne gravierende Störungen weiterlaufende Außenhandel mit den nordischen Staaten – darunter das neutrale Schweden – lassen es nicht mehr zu, von einer 'planvollen und systematischen Ausbeutung' zu reden."[242] Uden at gå i yderligere i detaljer skal det med, at Winkel giver en tysk vinkel på adskillige forhold, som hidtil har været savnet. F.eks. hans betragtning, at Tyskland gav et betragteligt bidrag til dansk beskæftigelsespolitik. Hvor der i 1940 havde været en meget stor arbejdsløshed, var den praktisk taget væk i 1944 takket være besættelsesmagtens talrige igangsatte arbejder (s. 172).

Winkels pionerarbejde er først udnyttet efter fortjeneste af danske forskere fra 1990'ernes anden halvdel, og selv om adskillige synspunkter kan anfægtes og langt mere kildemateriale er til rådighed, er her det første seriøse tyske bud på, hvordan det tysk-danske økonomiske forhold kan anskues.

Hans-Erich Volkmann tog i 1984 igen forholdet til Danmark op i afhandlingen "Landwirtschaft und Ernährung in Hitlers Europa 1939-1945", hvor alle de tyskbesatte lande blev inddraget.[243] Her kommer igen den bekymring frem fra OKW, som også Winkel havde fremdraget på et andet kildegrundlag, om Danmark kunne holde sit erhvervsliv i gang selv, og om befolkningen selv kunne skaffe sig sine ernæringsmidler ved en tysk besættelse. Forudsætningerne for det blev i midten af 1940 bedømt til at være dårlige. Volkmann gennemgår de principper, hvorefter Tyskland ville udnytte de besatte og andre lande inden for sit magtområde. Arten og omfanget af de agrarpolitiske indgreb og omfanget af udbytningen var forskellig alt efter det enkelte lands politiske stilling til Tyskland. Han sammenfatter det på følgende måde: "Die deutsche agrarwirtschaftliche Versorgung im Krieg hing weitgehend von der Möglichkeit, dem Willen und dem Erfolg ab, die befreundeten, beherrschten und okkupierten Gebiete zwar auszunutzen, sie aber gleichzeitig in jeder Weise lieferfähig und -bereit zu halten. Im Widerstreit dieser beiden agrarpolitischen Notwendigkeiten obsiegte mit sich verschlechternder Kriegslage eindeutig das Prinzip radikaler Ausbeutung."[244] Volkmann er af den opfattelse, at det er ørkesløst at strides om, om Danmark med et overvejende agrart erhvervsliv blev udbyttet af besættelsesmagten. Når man fra tysk side for Danmarks vedkommende så

241 Her trækker Winkel på Kaldor 1946, hvis synspunkter siden er taget op af bl.a. Alan S. Milward.
242 Winkel 1976, s. 162, 173f. Winkel er den første til at introducere Christian Breyhan og Hans Clausen Korff i dansk besættelsestidshistorie.
243 Det er den udvidede version af Volkmanns afhandling fra 2003, der henvises til her.
244 Volkmann 2003, s. 379-381, 387, 389.

bort fra en radikal udbytning, så var det efter mottoet: "Länder, deren Wirtschaft und öffentliches Leben intakt sind, sind für uns ergiebiger als unruhige Länder." Mottoet er hentet fra en rapport fra RWM fra 1944, men Volkmann følger selv op med kommentaren, at under sådanne betingelser kunne landbrugsproduktionen på mange områder endog stige, og han må konkludere, at Danmark var det besatte land, der var bedst forsynet med levnedsmidler under krigen – også bedre end Tyskland. Han er også af den opfattelse, at Tysklands forringede militære situation siden mindskede den danske leveringslyst, og at man derfor fra tysk side gik over til tvangsforanstaltninger som beslaglæggelser.[245] Det er heller ikke ganske forkert, blot skal vi helt ind i foråret 1945, før den situation rigtigt opstod, og det fremgår ikke af den knappe tekst, heller ikke at det ikke gjaldt landbrugsprodukter.[246]

Da Volkmanns afhandling omhandler alle de besatte lande, er det ikke at forvente en mere nuanceret fremstilling for Danmarks vedkommende, og det er der heller ikke et kildegrundlag for. Det væsentligste er, at Danmark er vurderet i den internationale kontekst.[247] I lighed med Thomsen og Winkel vil Volkmann nødig betegne Danmark som udbyttet, og at det ikke kun er en tysk tendens, vil fremgå af det følgende.

I 1985 skrev Henning Poulsen et kort bidrag om "Danmark i tysk krigsøkonomi", som viste sig at blive den første af en række kortere artikler om Danmark under besættelsen,[248] hvor også emnet fra den første artikel i rækken indgår og afsluttende med bogen *Besættelsesårene 1940-1945*. 2002. Med hensyn til krigsøkonomien bidrager Poulsen ikke med nye undersøgelser, men stiller en række i dansk sammenhæng nye spørgsmål og anlægger andre synspunkter og perspektiver end hidtil. De søges sammenfattet her. Poulsen har hentet sin inspiration fra den internationale forskning, og selv fremhæver han 1985 specielt Alan S. Milwards *War, Economy and Society*. 1977, mens de ovennævnte tyske forskere, Thomsen undtaget, ikke nævnes, og tysk forskning i øvrigt synes at have spillet en ret begrænset eller i hvert fald ikke direkte rolle.

For det første vil Poulsen torpedere den opfattelse, at Danmark led et stort tab eller blev udnyttet eller udplyndret af Tyskland under besættelsen i større omfang. Han anfægter de beregninger, der blev foretaget i de første efterkrigsår og hæfter sig i stedet ved, at det tysk-danske handelsforhold under krigen må forstås ud fra den erkendelse, at det var sælgers marked, og at der under de givne forhold blev betalt til landbruget, hvad der måtte betegnes som markedsprisen. Det er langt fra Krags og Schmidts vurderinger, og en skærpelse af Sigurd Jensens. Poulsen er også langt fra den opfattelse, at der var tale om skinforhandlinger, men anskuer dem som udpræget realistiske fra både tysk og dansk side. På tysk side havde man behov for den danske landbrugsproduktion, på dansk side måtte man ubetinget skaffe sig råvarer og især kul. Betalingen for landbrugs-

---

245 Volkmanns eneste belæg for dette er i øvrigt WB Dänemarks Feldwirtschaftsoffiziers situationsrapport 15. oktober 1944, trykt her 8:39. Situationen spidsede først til ved årsskiftet. Peder Herschend noterede 14. december 1944, at der var sket et astronomisk højt antal beslaglæggelser i den sidste tid (KB, Peder Herschends dagbog, nr. 301).

246 Volkmann 2003, s. 390f., 435.

247 Det sker også hos bl.a. Milward 1977, s. 272f. og Eichholz, 2, 1969-96, s. 500, 501-005 på et snævert grundlag.

248 Poulsen 1985, 1991a og b, 1995, 1997, 2002, 2002a og 2005.

varerne var "krigens kurante valuta, som ikke var penge, men varer. Hermed er ikke sagt, at der var balance i vareudvekslingen, men snarere at differencen er uinteressant i forhold til den samlede varestrøm, som tilgik begge parter."

Poulsen vil også forklare, at Danmark havde højere levnedsmiddelrationer end de tyske med, at det var markedssituationen, der gjorde sig gældende, og at de tyske forhandlere var klar over, at det var en del af prisen for den danske leveringslyst, og for at landbrugsprodukterne for en dels vedkommende ikke gik til den sorte børs i stedet. Dernæst stiller Poulsen spørgsmålet om, hvorfor Danmarks økonomiske formåen i så ringe grad blev udnyttet af Tyskland, at nettoudbyttet kun svarede til 15 % af nationalproduktet, hvor det for Norges vedkommende var 50 %. Han svarer først og fremmest ved at henvise til, at behovet for militære anlægsarbejder var forholdsvis begrænset. For det andet, at den usammenhængende tyske rustningspolitik i de første år ikke befordrede en omstilling af dansk industri til rustningsformål, som den ikke havde tradition for og endelig, at den særlige danske situation, hvor man fra tysk side skulle forhandle sig frem med danskerne, kan have svækket den tyske appetit i forhold til Danmark.

Sluttelig vil Poulsen demontere den opfattelse, at Danmark havde nogen større betydning for den tyske krigsførelse. Der var ud over arbejder og militære leverancer i Danmark kun én krigsvigtig post, de "ekstraordinære industrileverancer" til ca. 1 milliard kroner omfattende ordrer til den tyske værnemagt.[249] Det finder støtte hos Dietrich Eichholz, der opgiver Danmarks andel i den samlede tyske rustningsproduktion 1943 således (i procent): Våben 0,3; køretøjer 0,3; skibsbyggeri 1,5; flyvemaskiner 0,1; lytteudstyr 0,5.[250]

Et sidespørgsmål Poulsen tager op er, hvad der var den snævreste flaskehals i tysk økonomi, råvarer eller arbejdskraft, hvor han står for den opfattelse, at det var arbejdskraft, man manglede mest. "Det var derfor en klar fordel ved at sende råstoffer til forarbejdning i Danmark, hvor der var ledige hænder." Her kan det modspørgsmål stilles, om det så håndfast lader sig gøre at udpege arbejdskraften, som det Tyskland manglede mest. Det var snarere begge dele, landet i høj grad manglede, ingen af dem kunne undværes, og det blev i stigende omfang et problem, hvilket også gjorde sig gældende i forholdet til Danmark, og netop det kan inddrages, når det skal besvares, hvorfor Danmark kun bidrog med 15 % af sit af nationalproduktet til Tyskland og, ikke mindst, hvorfor de "ekstraordinære industrileverancer" til ca. 1 milliard kroner ikke blev større. Fra tysk side blev der anbragt langt flere ordrer i Danmark, end man fra tysk side kunne honorere ved også at levere de lovede råvarer. Og de råvarer, dansk industri fik, blev mere og mere forsinkede og ankom ikke i det lovede omfang. Det tilsiger i det mindste det omfattende materiale, der er bevaret fra netop dette område af krigsøkonomien. Der kan ses markante eksempler herpå i Hansa-skibsbygningsprogrammet eller i den danske lokomotivproduktion for Tyskland.[251] Nok så mange ledige hænder i Danmark kom ikke i beskæftigelse, hvis ikke de modtog råvarer til forarbejdning. Fra andet halvår 1944 kan føjes de stærkt stigende problemer med brændstofforsyningen, idet selve transporten til

249 Poulsen 1985, s. 129f. og 1991, s. 379f. Jfr. Kirchhoff, 1, 1979, s. 106f.
250 Eichholz, 2, 1969-96, s. 508. Jfr. Umbreit 1999, s. 187.
251 Der henvises til registret og Nørgaard Olesen 2005.

og fra Danmark blev et stort problem. Til sidst kan der spørges til Poulsens udsagn om, at behovet for militære anlægsarbejder var forholdsvis begrænset i Danmark. I forhold til hvad? Til Norge måske? Uagtet svaret, så er det foreliggende tyske materiale for Danmarks vedkommende et klart vidnesbyrd om, at de tyske forsvarsanlæg var utilstrækkelige, forblev utilstrækkelige, og at der ikke var tilstrækkelige tyske ressourcer til at gøre noget ved det, mens der godt kunne skaffes befæstningsarbejdere.

Per H. Hansen har siden opponeret mod Henning Poulsens opfattelse på to områder. Han mener for det første: "Det med de normale former må nu tages med et gran salt, idet de meget omfattende handelsforhandlinger, der under hele besættelsen fandt sted mellem danske og tyske myndigheder, næppe kvalificerer til betegnelsen normal." For det andet: når Poulsen karakteriserer vareudvekslingen mellem Tyskland og Danmark som markedsbaseret, "må det derfor i det mindste understreges, at det gælder i en noget andet forstand end den gængse."[252] På disse som flere andre områder har Poulsen en tendens til at understrege normaliteten for stærkt i sin jagt på pointer. Det gælder også i forhold til besættelsestidens dagliglivs mange nye problemer.[253]

Fra midten af 1990'erne er der kommet rigtig gang i udforskningen af det tysk-danske økonomiske forhold med arbejder af Joachim Lund, Philip Giltner, Steen Andersen, Ole Brandenborg Jensen og Mogens R. Nissen. Joachim Lund har i bogen *Hitlers Spisekammer*, 2005, givet en inspirerende oversigt over denne forskning, hvor det blandt meget andet påpeges, at det nazistiske polykrati hidtil har fyldt alt for lidt i udforskningen af det tysk-danske økonomiske forhold, hvilket han tillægger en særlig betydning i sine arbejder.[254] Det var også Joachim Lund, der i mere end en forstand lagde for i 1995 med de to allerede omtalte artikler om dansk erhvervslivs indsats i "østrummet", som alene skal trækkes frem igen, fordi de markerer, at her trådte en dansk forsker frem, som havde vendt blikket mod arkiverne i Tyskland. Han blev siden fulgt af de lige nævnte. Joachim Lund samlede siden sine arbejder i *Hitlers spisekammer*, 2005,[255] hvor der er et enkelt kapitel, der også er dækkende for bogens titel, nemlig kapitel 17: Danske fødevarer til den tyske hjemmefront, hvor han argumenterer for, at den danske fødevareeksport var det vigtigste konkrete bidrag til tysk krigsøkonomi, at det definerede Danmarks stilling i den europæiske nyordning og spillede en afgørende rolle for den tyske besættelsespolitik over for Danmark. Han fremlægger såvel statistik som nogle af de samtidige tyske aktørers udsagn om eksportens vigtighed. Det skorter på materiale, især tyske udsagn, efter foråret 1944, og man kan med rette spørge eller i hvert fald problematisere, om eksporten forblev en afgørende faktor i det sidste kaotiske krigsår. I hvert fald ville

---

252 Hansen 1996, s. 42. Endvidere Hansen 1997 og 2002.

253 I sin afskedsforelæsning på Århus Universitet i 2001 fremdrog Poulsen Mogens Klitgaards roman *Elly Petersen*, 1940, som karakteristisk for Danmark i 1940.

254 Lund 2005, s. 308-14. Det skal bemærkes, at bl.a. Poulsen 1970 ligeledes tog højde for det nazistiske "polykrati", men blot ikke kendte begrebet endnu, da det først blev introduceret af Peter Hüttenberger 1976! Se også Thamer 1997 og indledningen til Lauridsen 2012.

255 Hoveddelen rummer Lunds ph.d.-afhandling fra Københavns Universitet, der forelå i 1999 med titlen *Danmark i den europæiske nyordning. Det nazistiske regime og Danmarks plads i den tyske Großraumwirtschaft 1940-42*.

Hitler under en konflikt om Danmark i oktober 1944 ikke have, at HSSPF Günther Panckes synspunkter blev tilsidesat med henvisning til den danske eksport.[256]

Ole Brandenborg Jensen har blandt meget andet i sit omfattende værk *Besættelsestidens økonomiske og erhvervsmæssige forhold. Studier i de økonomiske relationer mellem Danmark og Tyskland 1940-1945*, 2005, også taget spørgsmålet om den danske landbrugseksports betydning op i kapitel 12: Danmarks betydning for den tyske krigsøkonomi. Han retter et frontalangreb på Lunds (og Mogens R. Nissens) opfattelse deraf, idet han mener, at de samtidige tyske vurderinger af eksportens betydning hviler på mytemageren Werner Bests overdrevne udlægninger, og at han var i en alliance med Herbert Backe fra REM i den henseende. Brandenborg Jensen angriber også det anvendte statistiske grundlag som irrelevant og udarbejder sit eget med det resultat, at eksportens omfang bliver noget reduceret og betydningen dermed. De øvrige 11 kapitler i Brandenborg Jensens bog behandler vidt forskellige aspekter af det tysk-danske erhvervsforhold, mange behandlet for første gang på et primært kildegrundlag, mens enkelte allerede er velbelyste (engagementet i østrummet i kapitel 6), og det kan ikke siges, at de alle er lige væsentlige eller har været lige lette at gennemføre. Det sidste gælder f.eks. pionerarbejdet i kapitel 2 om "Ariseringen", hvor kildematerialet dels er ret spinkelt, dels inddrages kulturlivet ikke, selv om det kunne være relevant nok pga. de økonomiske implikationer. Interessant er konstateringen af, at man fra tysk side placerede ordrer hos danske virksomheder stort set uanset ejernes jødiske herkomst (s. 113f.).[257] Bogen er i passager præget af en del spekulationer og antagelser, hvor det er svært at følge med, og specielt er der en række påstande, hvor det foreliggende kildemateriale peger i andre retninger eller et kildegrundlag helt mangler.[258] Den rolle, der tildeles Werner Best, vil blive taget op i afsnit 7.

Ligeledes i 2005 fremkom Mogens R. Nissens *Til fælles bedste – det danske landbrug under besættelsen*, som har samme omslagsillustration som Brandenborg Jensens bog, men dermed hører lighederne også op. Hos Nissen er der som hos Sigurd Jensen og Henning Poulsen den opfattelse, at de tysk-danske forhandlinger var reelle, de blev gennemført under ordnede forhold, som Nissen skriver (s. 234), og i denne sammenhæng er særligt kapitlerne 5-6 og 10-11 af interesse, hvor besættelsespolitikken er i fokus. Med hensyn til den tyske prispolitik blev den planlagt i REM i maj 1940 og realiseret i løbet af det følgende år. Det indebar en prisfastsættelse på fødevarer, som svarede til den tyske, og den stod siden ikke til at ændre trods danske ønsker om prisstigninger. Her spillede også den tyske interesse i at undgå inflation i Danmark ind. I kapitel 10 gennemgår Nissen de tysk-danske handelsforhandlinger, som havde været hovedanliggendet hos Sigurd Jensen, men her gøres der retfærdigvis mere ud af de sidste to års for-

---

256 Se 8:35.

257 Det passer godt med Paul Hennigs efterkrigsforklaring, hvor han gjorde opmærksom på, at hans undersøgelse for Det tyske Handelskammer af danske forretningsfolks jødiske afstamning ikke medførte at den tyske handel med dem, der viste sig at være jøder, ophørte (*Højesteretstidende* 1949, s. 199f.).

258 Se endvidere Roslyng-Jensens positive omtale 2006, s. 220-223 (hvor det bemærkes, at hverken Brandenborg Jensen eller Nissen 2005 passer i de valgte historiografiske "kasser") og Lauridsen 2008a, s. 568 note 87. Hverken Lund 2005, Nissen 2005 eller Brandenborg Jensen 2005 er blevet selvstændigt anmeldt i *Historisk Tidsskrift*.

handlinger. Derfor kommer han også til delvis andre konklusioner for den periode end Jensen, idet den sidste periode er præget af andet end sikring af ressourcer og leverancer til Danmark. Med dansk politis fjernelse blev megen kontrol umulig, og i takt med Tysklands manglende evne til at tildele ressourcer ophørte også drøftelserne af dansk eksport. Der var ikke længere noget at bytte med.

Størst interesse i denne sammenhæng har kapitel 11: "Eksport og besættelsespolitik", hvor landbrugseksportens betydning for Tyskland igen er i centrum. Det er atter en kombination af de samtidige tyske indberetninger, eksportstatistik og den tyske rationering, der er i centrum. Nissen kan tilbagevise den rolle, som Brandenborg Jensen tildeler Best som mytemager, idet udsagnene om dansk eksports store betydning var fremkommet længe før Bests ankomst til Danmark. Nissen er noget mere forsigtig, men dog entydig med hensyn til at konkludere om landbrugseksportens betydning end Joachim Lund, idet han skelner mellem to niveauer. Det ene er hvilken *generel indflydelse* de danske fødevareleverancer havde på den generelle besættelsespolitik i Danmark. Den var efter al sandsynlighed væsentlig, vurderer Nissen. Så var der den *faktuelle betydning:* "Man kan opgøre den faktuelle betydning af fødevareleverancerne på flere forskellige måder. Vælger man, som det blev gjort i de forskellige tyske rapporter og indberetninger, at sætte de løbende leverancer i forhold til civilbefolkningens fødevareforbrug, fik den danske fødevareeksport i krigens sidste to-tre år ganske stor betydning for den tyske befolknings ernæringssituation. Sættes leverancerne i forhold til Wehrmachts forbrug af fødevarer, udgjorde de hvert besættelsesår et meget betydeligt bidrag."[259]

I en artikel i *Historisk Tidsskrift* 2008 stillede Brandenborg Jensen spørgsmålstegn ved, om Danmark var Hitlers spisekammer med et frontalangreb på Lunds og Nissens arbejder.[260] Til formålet udarbejdede han på grundlag af tysk materiale sin egen statistik over de tyske fødevarerationer og satte dem i forhold til de danske fødevarers omfang for udvalgte produkters vedkommende. Det førte ham til samme resultat, som han var nået til i 2005. Både Lund og Nissen har påfølgende samme år givet svar på tiltale uden at opgive deres tidligere konklusioner.[261]

Debatten er næppe slut hermed, men i hvert fald er Brandenborg Jensens konklusioner og kildebrug i sagen i 2005 kritisable, ligesom han ikke synes at vide tilstrækkeligt om forretningsgangen mellem de tyske myndigheder. Herbert Backe tillægges f.eks. synspunkter, som er Franz Ebners. Jeg har 2012 udgivet Franz Ebners beretninger, som står centralt i debatten og forsynet dem med en kritisk indledning, især møntet på Brandenborg Jensen.[262] Ebner havde høj status og var *den* tyske ekspert i Danmark på erhvervsområdet, udsendt af REM og tilknyttet Det Tyske Gesandtskab i København. Det var ham, der udarbejdede de indberetninger om erhvervssituationen i Danmark, der blev sendt til AA, hvad enten det skete i den rigsbefuldmægtigedes eller i hans eget navn. Det er i realiteten hans vurderinger, som Brandenborg Jensen anfægter, vurderinger, der blev taget alvorligt i såvel AA, som hos REM, RWM, RFM (Reichsfinanz-

259 Nissen 2005, s. 266f.
260 Brandenborg Jensen 2008.
261 Lund 2008 og Nissen 2008.
262 Lauridsen 2012.

ministerium) og hos andre tyske myndigheder. Skulle der være tale om alliancer eller konspiration, så har de været meget omfattende. Tog Ebner fejl i sine vurderinger, og har Brandenborg Jensen ret, så har den tyske inkompetence på erhvervsområdet været udbredt. Ebner var ikke en tilfældig propagandist, men selvfølgelig havde han, men ikke han alene, bl.a. den dagsorden at sikre tyske leverancer til Danmark, men derfra og til at gøre sig skyld i de manipulationer, han tillægges, er der et stykke.

Brandenborg Jensen er den første danske historiker siden Sigurd Jensen, der i større omfang gør brug af Rüstungsstab Dänemarks arkiv i sine studier i form af RAs affotograferinger. Derfor er det så meget mere bemærkelsesværdigt, at han ikke anvender eller henviser til Philip Giltner: *"In the Friendliest Manner". German-Danish Economic cooperation during the Nazi Occupation of 1940-45*, 1998, der har stabens arkiv i Freiburg som en væsentlig del af sit kildegrundlag. Bogen har på tysk side Rüstungsstab Dänemark og dens chef Walter Forstmann som hovedaktør, og det er stabens virke i Danmark, der er bogens hovedanliggende. Forstmann ankom til Danmark i april 1940 og virkede her til maj 1945. Han fik 18. april 1940 fra OKW besked om, at det var Hitlers ordre, at han kunne begynde at afslutte kontrakter med danske virksomheder, men at det skulle ske på den venligste måde og uden pres. Den ordre fulgte Forstmann fra først til sidst, og når han blev sat under pres fra tysk side (!), gentog han den førerordre, han havde fået.[263] Alt i alt blev der afsluttet omkring 12.000 kontrakter og omsat for ca. 1 milliard kroner. Giltner beskriver Forstmann som "the chief German economic actor in Denmark" (s. 170), hvilket turde være en sandhed med modifikationer, hvad Giltner også selv er inde på to sider senere, hvor han skriver: "The activity of the Wehrwirtschaftsstab Dänemark was strikingly limited, and this office tapped only a small fraction of Danish industrial capacity," men at stabens virke hidtil har været underbelyst og underspillet, er der ikke tvivl om. Når de tyske myndigheders generelle hensyntagende behandling af Danmark på det økonomiske område skal forklares, henholder Giltner sig ikke til førerordren, men har heller ingen anden enkeltforklaring. Han ser bort fra, at racehensyn kan spille ind, for Norge fik en hård økonomisk politik at føle, og heller ikke Best kan bruges i rollen som den moderate politiker efter fremkomsten af Herberts Best-biografi ifølge Giltner (s. 169). Det sidste argument turde være uden værdi, da den moderate tyske politik var lagt fast længe før Bests ankomst til Danmark.

I stedet tyr Giltner til en kombination af forskellige forklaringer på, at fredsbesættelsen fungerede i Danmark og kun her.[264] Han første forklaring er, at OKW og Rüstungsamt vidste for lidt om forholdene i Danmark, og planlæggerne af besættelsen ville have forventet mere af Danmark, hvis de havde gjort det. Det er i nogen grad et argument, der bærer præg af bagklogskab, for var der nogen, der på forhånd kunne vide i hvilket omfang dele af dansk produktion kunne omstilles med det resultat, som senere viste sig? For det andet stiller Giltner spørgsmålet, hvorfor Danmark blev behandlet anderledes end andre småstater. Hans svar er enkelt: "the Danes clearly collaborated with Germans in keeping the country quiet and, therefore, also fairly comfortable." Alle anså det for

263 Se 1:2 kommentaren med henvisninger.
264 Giltner 1998, s. 170-174. Jfr. påfølgende Schröter 2006, s. 36.

det klogeste ikke at provokere tyskerne på nogen måde. Noget overforsimplet forekommer det synspunkt.

Det fører ham til det tredje element i forklaringskomplekset. Hvordan gik det med det samarbejde, danskerne havde indstillet sig på? Det gav det resultat, at samarbejdet viste sig at give muligheder for den svagere part, og at disse muligheder kunne føre til resultater, som den stærkere part ikke havde fundet. Således blev dansk industrikapacitet kun udnyttet i begrænset omfang. Han nævner som eksempel, at værftskapaciteten kun blev halvt udnyttet. Det skyldtes ifølge Giltner, at Tyskland med fredsbesættelsen allerede havde opnået, hvad de ville, og var tilfredse med situationen.[265] Dog skulle tyskerne holde Danmark fredeligt og roligt, og det kunne gøres ved at holde økonomien kørende. "This task fell to the Wehrwirtschaftsstab, which focused its attention on specific industries ..." Her som i adskillige andre tilfælde fokuserer Giltner for snævert på rustningsproduktionen, hverken den eller dansk industri i øvrigt var lig med dansk økonomi, hvor landbruget fortsat spillede en meget fremtrædende rolle, og i denne periode ikke mindst for Tyskland. Hans udsagn om Rüstungsstab Dänemarks centrale rolle for økonomien som sådan holder ganske enkelt ikke. Det er til gengæld interessant, at Giltner som bl.a. Henning Poulsen vurderer, at den danske industrikapacitet langtfra blev søgt udnyttet, men forklaringen derpå er til gengæld utilstrækkelig. Giltner forfølger dog årsagen til den manglende udnyttelse af dansk industri senere, idet han anfører, at industriordrerne var begrænsede, fordi der var en moderat interesse for de produkter, som Danmark kunne levere. Også dette var Poulsen inde på, forstået sådan, at dansk industri skulle være omstillet, hvis der i større omfang skulle være arbejdet for tysk rustningsproduktion.

På trods af, at Giltners kildegrundlag er ret enstrenget omkring en del af det økonomiske samarbejde, finder han alligevel plads til udførligt at tage den rigsbefuldmægtigedes, især Bests, rolle op (s. 151-154). Ifølge Giltner var Best altid uden for de kredse, hvor de økonomiske og militære beslutninger blev taget. Han blev holdt væk fra den økonomiske politik og var i bedste fald koordinator og i værste fald en ren frontfigur i de økonomiske og militære beslutningsprocesser. "This purely symbolic power was in fact symptomatic of the German Foreign Ministry's fundamental position in forming occupation policy in Denmark" ... "...the Plenipotentiary was never at the centre of German policy, but was always instead only one actor among several." Med et lidt større kendskab til tysk besættelsespolitik i Danmark havde Giltner ikke afskrevet både AA og den rigsbefuldmægtigede som centrale aktører, og heller ikke gjort allerede kendte indsigter til nye, men det er symptomatisk for de talrige fejl og misforståelser, som har sneget sig ind i afhandlingen.[266] Trods det er det et pionerarbejde, som inden for sin snævrere ramme er værd at diskutere med. Indtil videre er den uomgængelig på sit felt.

---

265 Her kunne Giltner have citeret general Georg Thomas fra Rüstungsamt, der så Danmark som først og fremmest et landbrugsland, hvilket gav en begrænset interesse i at udnytte dansk industri (Giltner 1998, s. 23).

266 Se Joachim Lunds anmeldelse i *Scandinavian Journal of History*, 26, 2001, s. 350-353.

Ekskurs: Pålideligheden af Franz Ebners oplysninger om omfanget af den danske landbrugseksport til Tyskland

Der er mulighed for at kontrollere pålideligheden af Ebners oplysninger om omfanget af den danske landbrugseksport til Tyskland på en måde, som hidtil ikke er blevet benyttet. I stedet for at sammenholde dem med den efterkrigsstatistik, som Lund, Nissen og Brandenborg Jensen betjener sig af, kan de sammenholdes med de oplysninger om samme, som UM fremsendte til AA og andre tyske instanser 1943-44, og som jeg publicerede 2010. Sammenligningen kan foretages på grundlag af tabel 8 (Ebners tal) og tabel 9 (UMs tal), idet man skal være opmærksom på, at der optræder hele tre forskellige årsopdelinger: høstår, kalenderår og tiden 1. april til 31. marts. Endvidere indgår der anslåede mængder for eksporten i både Ebners og UMs angivelser. Ebners opgivelser kunne være yderligere udnyttet, hvis han ikke i flere tilfælde for kødeksportens vedkommende vælger at opgive omfanget i antal dyr i stedet for i tons. Med forsigtig hensyntagen til kvartalsforskydningerne, er forskellene mellem tallene ikke iøjnefaldende, når bortses fra smøreksporten 1942/43, som af Ebner opgives væsentligt højere end den var. Det kan skyldes en fejl, da tallet nærmere svarer til den samlede produktion end eksportdelen. Det ville have været overraskende, hvis der ikke havde været nogenlunde overensstemmelse mellem Ebners og UMs tal. Han betjente sig af det tilgængelige danske statistiske materiale, og det var også det, der blev brugt i de tysk-danske regeringsudvalgsforhandlinger.[267]

I tabel 10 er yderligere gengivet den statistik, som Brandenborg Jensen har sammenstykket af senere officiel dansk og tysk statistik samt Winkel 1976. Også her er der sammenligningsproblemer, men ikke iøjnefaldende uoverensstemmelser.

Tabel 8: Danske levnedsmiddelleverancer til Tyskland 1940-44 (i tons) ifølge Franz Ebner.[268]

Høstår	Svinekød	Oksekød	Smør	Æg	Heste	Fisk
H 1940/41 [269]	159.686	97.384	83.668	59.361		73.000
K 1941			52.500	24.900	14.900	90.800
1941/42 [270]			31.500	9.100	17.000	80.000
1942/43	80.000 (kød i alt)		51.000		27.000	92.000
1943/44 [271]	145/150.000 (kød i alt)		51.000		38.000	102.000 [272]

267 Den danske statistik blev også benyttet af Rüstungsamt, hvilket fremgår af, at den danske trykte statistik ligger i dets arkiv. Alle Walter Forstmanns opgørelser om den danske eksport af landbrugsvarer til Tyskland er modtaget fra Ebner, så her er ikke en uafhængig kilde. Den 23. november 1943 blev ikke kun AA ramt af ødelæggende allieret luftbombardement, men også andre ministerier og institutioner, der beskæftigede sig med importen fra Danmark, bl.a. REM, RWM og en del af de tyske Reichsstellen (Mau 2002, s. 149-151). Det gik ud over arkiverne. Betydningen heraf i forhold til overblikket over importen fra Danmark lader sig næppe opgøre.

268 Lauridsen 2012 og 3:330 (Ebner 10. august 1943), 4:317 (Ebner 20. oktober 1943), 4:362 (Ebner 28. oktober 1943), 5:81 (Schnurre 26. december 1943), 5:234 (Ebner 10. februar 1944), 5:362 (Ebner 22. marts 1944). Best lod følge op i Politische Informationen 1. april 1944 (6:1), men kun procenter blev opgivet, ikke totaltal.

I et anonymt tysk notat dateret København 20. juli 1942 er den danske eksport til Tyskland opgjort således, idet tallene for 1942/43 er anslåede (BArch, Freiburg, RW 19:Wi I E1: Dänemark. Tallene og tidsperioderne er identiske med indholdet i et anonymt notat fra juli 1942, som kan tilskrives Ebner, og som er udgivet i Lauridsen 2012):

Tabel 9: Danske levnedsmiddelleverancer til Tyskland 1940-44 (i tons) ifølge UM 1943/44.[273]

Kalenderår	Svinekød	Oksekød	Smør	Æg	Heste	Fisk
1940/41 [274]	112.879	61.929	61.000	57.240	10.749	70.498
1941/42	41.306	54.979	51.100	23.179	15.786	97.104
1942/43	59.023	17.199	31.000	5.312	30.344	80.424
1943/44	110.000	28.000	42.000	2.739	25.000[275]	99.281
1944			42.000			12.382[276]

Tabel 10: Danske levnedsmiddelleverancer til Tyskland 1940-44 (i tons) I.[278]

Høstår	Svinekød	Oksekød[278]	Smør	Æg	Heste	Fisk
1940/41	95.400	68.400	80.800	57.240		72.290
1941/42	62.100	63.400	51.100	23.179		105.405
1942/43	17.900	18.700	26.800	5.312		94.595
1943/44	62.600	35.100	40.500	2.739		99.281
1944	92.300	39.082[279]	40.300			

Der kan endvidere inddrages den tyske statistik, som Dietrich Eichholz publicerede i 1985 (tabel 11). Han har delvis andre talstørrelser, da han bl.a. har udnyttet andre samtidige tyske myndigheders og kilders oplysninger. Forskellene kan kun søges forklaret, hvis originalmaterialet fremdrages og undersøges.[280] Det hindrer ikke, at Ebners pålidelighed mht. eksportens omfang ikke kan anfægtes, heller ikke at eksporten af en række forskellige samtidige tyske myndigheder blev betragtet som betydelig, men hvor stor en del den udgjorde af det tyske forbrug, overlader jeg det til andre at afgøre. Blot vil jeg fastholde, hvad jeg skriver i indledningen til Ebners indberetninger 1940-44: "Det er nok så meget den danske tysklandseksports *politiske vægt*, jeg mener, der skal

Tid	Smør (to)	Æg (to)	Kvæg (antal)	Svin (antal)
1.4.40.-30.9.40	48.000	39.600	202.000	1.520.000
1.10.40.-30.9.41	59.000	32.400	285.000	1.590.000
1.10.41.-30.9.42	29.500	9.000	290.000	540.000
1.10.42.-30.9.43	25-30.000	5-7.000	200-250.000	350-400.000

Håndskrevet er under kvæg tilføjet 42-52.000 to og under svin 35-40.000 to, tilsammen lig 77-92.000 to.

269 For tiden april 1940 til marts 1941.

270 I:181.

271 Alle størrelser er anslået af Ebner.

272 Dette tal er ligeledes opgivet i et anonymt tysk notat 27. januar 1944 om Jyllands særlige betydning for eksporten fra Danmark (BArch, Freiburg, RW 19:Wi I E1: Dänemark).

273 Lauridsen 2010a.

274 For tiden oktober til september.

275 Anslået af UM.

276 Til 31. marts 1944.

277 Brandenborg Jensen 2005, s. 242f., 245, 247f.

278 Inklusive værnemagtens forbrug fra 1941.

279 Kalenderår.

280 Brandt 1953, s. 308 bringer atter andre danske eksporttal rækkende helt frem til april 1945, der dog også inkluderer leverancerne til de tyske tropper i Danmark, og dermed afskærer fra en yderligere sammenligning. Tallene er hentet fra *Monatliche Nachweise zur Statistik des Deutschen Reiches*, upublicerede, Berlin (sst. s. 311).

fokuseres på, selv om det også kan diskuteres, hvor stor den vægt var. Den politiske vægt er en historisk kendsgerning."[281]

Tabel 11: Danske levnedsmiddelleverancer til Tyskland 1940-44 (i tons) II.[282]

Høstår	Kød	Smør	Ost	Fisk
1940/41	190.000	64.600	5.600	101.000
1941/42	183.000	35.800	4.800	113.000
1942/43	62.000 [283]	37.900	2.700	93.000
1943/44	150.000	52.000	4.000	104.000

Der er sket meget siden 1995, da Joachim Lund åbnede den forskningsbaserede danske beskæftigelse med Danmark i tysk krigsøkonomi, og der er få områder, hvor der siden er sket mere. Men det er ønskeligt med en samlet forskningsbaseret fremstilling, der ikke alene samler de mange temaer, problemstillinger og diskussioner, der har været fremme og føjer nye til, men også graver dybere. En hel del er ikke nået ud over diskussionsstadiet.

6.6. Besættelsesmagten og de danske nazister
Tysk besættelsespolitik i forhold til de danske nazister var et af de første emner, hvor besættelsespolitikken blev behandlet som en ligeværdig part. Henning Poulsen tog sig af opgaven ved at skrive om forholdet og samspillet mellem de nazistiske kredse og tyske myndigheder med tyngdepunktet i de første krigsår. Det blev undersøgt, hvilke interesser og hensigter de tyske myndigheder havde med at støtte DNSAP politisk og økonomisk.

En første frugt af det arbejde var hans afhandling om den nazistiske avis *Fædrelandet* og den tyske økonomiske støtte til nazistiske aviser i Danmark. På grundlag af det eksisterende aktmateriale kunne Poulsen både dokumentere omfanget af og, lige så interessant, varigheden af den tyske økonomiske støtte til den nazistiske avisdrift i Danmark.

Det første nazistiske dagblad *Fædrelandet* var startet i januar 1939 med store forventninger til fremtiden på et økonomisk urealistisk grundlag. Foretagendet røg ud i betydelige økonomiske problemer i løbet af nogle måneder og søgte støtte i Tyskland til at afhjælpe dem. Den kom ikke – trods mange gode ord fra nogle tyske myndighedsrepræsentanter. Hvad der fra tysk side blev ydet af økonomisk støtte til de danske nazisters avisdrift før sommeren 1940, var ganske begrænset. Rollefordelingen er også klar: det var de danske nazister, som var kommet til de tyske i håb om støtte, ikke tyskerne der af egen drift havde tilbudt deres hjælp. Tysk økonomisk støtte til DNSAP som parti før besættelsen synes der heller ikke at have været tale om. Det gode forhold til den danske regering blev af tyskerne prioriteret højere end de danske nazister.

Efter 9. april ændrede dette forhold sig gradvist. Poulsen nåede til det resultat, at der i løbet af krigen og besættelsen i alt blev ydet en tysk støtte på omkring 6 ½ millioner

281 Jfr. også Paul Barandon 27. marts 1942 om landbrugseksportens betydning (1:4).
282 Eichholz, 2, 1969-9196, s. 502-504.
283 80.000 ifølge den rigsbefuldmægtigede. Kommentar i Eichholz' materiale, der også tilføjer, at der er stærkt afvigende tal i både op- og nedgående retning fra den rigsbefuldmægtigede.

kroner til danske dagblade. Den altovervejende del var til *Fædrelandet* i besættelsesåre-
ne.[284] Støtten var i begyndelsen et middel til at forsøge at påvirke opinionen i retning
af en nazistisk magtovertagelse. Senere blev propagandaen mindre offensiv og tjente i
stedet til videregivelse af nazistiske synspunkter og forsvar af tyske dispositioner. For be-
sættelsesmagten var propagandaen gennem DNSAP, dets skrifter og blade og andre tysk
finansierede blade en måde at få sine holdninger og budskaber ud pr. stedfortræder på.
Rabiate antisemitiske synspunkter kom f.eks. på den vis ikke direkte fra besættelsesmag-
tens repræsentanter, og skulle findes først og fremmest (men ikke kun) i *Kamptegnet*, der
til gengæld var tysk finansieret (jfr. afsnittet om tysk propaganda).

Hvor store midler, der præcis tilflød DNSAP i øvrigt som partiorganisation, lader
sig næppe opgøre. Det har dog været betydeligt mere, end den nazistiske presse fik. En
opgørelse fra april 1943 angiver, at DNSAP siden efteråret 1940 havde fået godt 7 mil-
lioner kroner i tysk støtte.[285] Dette betragtelige beløb var den væsentligste forudsætning
for, at partiet kunne opretholde både et partiapparat og en propagandaaktivitet på et
niveau ude af proportioner med dets tilhængerskare.

1970 udkom *Besættelsesmagten og de danske nazister. Det politiske forhold mellem
tyske myndigheder og nazistiske kredse i Danmark 1940-43.* Henning Poulsen slog fra
starten fast: "Bogens problemstilling er politisk, og den vil kun vise, hvordan parterne
søgte at varetage egne eller fælles interesser" (s. 11). Afhandlingens tyngdepunkt ligger
tidsmæssigt i efteråret 1940, hvor risikoen for en dansk-nazistisk marionetregering var
størst. Dog behandles tiden før besættelsen også kort, og det gøres klart, at der ikke er
grundlag for den opfattelse, at DNSAP vidste noget om den kommende tyske besæt-
telse eller havde leveret informationer i forbindelse med planlægningen.[286] Poulsen viser
dernæst, hvordan overordnede hensyn hos besættelsesmagten, nemlig at få en så smidig,
omkostningsfri og gnidningsfri besættelsessituation som muligt, fik den til at undlade
at indsætte Frits Clausen som statsminister. Men muligheden blev stående åben både i
forhold til den danske samlingsregering og over for nazisterne. Der blev spillet på det
frem til foråret 1943, hvor de danske nazister blev opgivet – Werner Best gav senere sig
selv æren for at have likvideret DNSAP som politisk faktor[287] –, og Frits Clausen gav op.
DNSAP havde da både ved martsvalget 1943 demonstreret sin ringe folkelige opbak-
ning og udtjent sig som hverveinstrument for SS (jfr. nedenfor 6.1.9. om hvervningen).

Da det var en relation mellem danske nazister og tyske myndigheder, det drejede sig
om, måtte Poulsen i sagens natur sætte sig grundigt ind i magtforholdene og kompeten-
cestridighederne på tysk side, og vi følger bogen igennem magtspillet mellem SS, AA og
dets repræsentanter både i Tyskland og Danmark på så nært hold, som det til rådighed
værende materiale tillod.

Poulsen afbrød sin fremstilling med Schalburgkorpsets oprettelse i foråret 1943 og
valgte ikke at følge DNSAPs videre forhold til besættelsesmagten. Det har udgiveren til

284 Poulsen 1965.
285 Poulsen 1970, s. 382.
286 Jørgensen 1987 er siden nået til samme resultat.
287 Poulsen 1970, s. 350ff., Best 1989, s. 60f., 316f., Herbert 1996, s. 334, jfr. Kirchhoff, 1, 1979, s. 112
og 1993, s. 196.

gengæld gjort i artiklen "En storm i et meget lille glas vand. 'Problemet' Frits Clausen og elimineringen af DNSAP 1943-44", 2003,[288] hvor udviklingen også kort trækkes tilbage til slutningen af 1942. Det analyseres, hvordan Werner Best bevidst afviklede det nære forhold til DNSAP. Det var hensigtsmæssigt både i forhold til samarbejdet med den danske regering og for at fremme Schalburgkorpset som tysk projekt. Her var Frits Clausen en anstødssten ved at forbyde DNSAP-medlemmer at gå ind i Schalburg-korpset. Med den kurs kom Clausen i unåde hos Best, og det førte både til Clausens politiske lammelse, til hans afrejse som frivillig til Minsk efteråret 1943 og hans deroute som politiker gennem en angivelig skandaløs optræden som frivillig i Minsk. I Clausens fravær søgte Best at få tilnærmet DNSAP og Schalburgkorpset, men opnåede kun at splitte de danske nazister. De blev først samlet igen i foråret 1945 – tilskyndet af den rigsbefuldmægtigede.

Artiklen er delvis forældet for førstedelens vedkommende med Bests ankomst, som Poulsens disputats er det vedrørende Schalburgkorpsets for- og tidlige historie, da der er fremdraget nyt materiale publiceret her. Det nye materiale har også betydning for Andreas Monrad Pedersen: *Schalburgkorpset – historien om korpset og dets medlemmer*, 2000, der synes at underspille, at Schalburgkorpset var et instrument i den tyske besæt-telsespolitik og ikke et selvstændig dansk korps. Initiativet til det kom fra Himmler og blev fremmet med effekt af Gottlob Berger fra SS-Hauptamt over for AA. Korpset skul-le opsamle hjemkomne danske frivillige, der havde været i tysk krigstjeneste, og gøre det til et instrument, der stod til besættelsesmagtens rådighed. Paradoksalt nok endte korpset med at blive tillagt skylden for den terror, som andre af tysk politi initierede grupper i 1944-45 udførte. Fra tysk side blev det ikke forsøgt at rette den fejlopfattelse i offentligheden, tværtimod, så korpset kom på den måde til at tjene et formål, der ikke var forudset eller intenderet.

6.7. Besættelsesmagten og det tyske mindretal

Det tyske mindretals forhold og politiske ageren under besættelsen var også blandt de emner, der blev taget op af PKB, og resultatet forelå 1953 med to tykke bind dokumenter og en beretning på knapt 200 sider skrevet af landsarkivar Johan Hvidtfeldt.[289] Opgaven blev vanskeliggjort af, at det tyske mindretals ledelse havde ladet store dele af dets arkiver tilintetgøre, så emnet måtte i vid udstrækning undersøges på grundlag af de bevarede og affotograferede dele af AAs arkiv og arkiver af ekstern proveniens, herunder de talrige retsakter og afhøringer efter maj 1945 af medlemmer af mindretallet. Hvidtfeldts beretning henholder sig ret snævert til kommissoriet, politisk virksomhed under besættelsen, der skønnes at indeholde anslag mod folkestyret og den hidtidige statsretlige praksis, dvs. at det er en sagsfremstilling sat sammen af en blanding af samtidige dokumenter og mange senere beretninger. De senere beretninger skulle for flertallets vedkommende tjene som forsvar for mindretallets handlinger, de var blevet til i retssammenhæng, og da næsten alle retssager mod mindretallet var afsluttet på det tidspunkt, hvor Hvidtfeldt skrev beretningen, kunne han afholde sig fra at dømme:

288 Lauridsen 2003b.
289 Hvidtfeldt 1953 med PKB, 14.

der var allerede fældet dom over bl.a. Jens Møller og de andre mindretalsledere, og de
var løsladt igen. Af både beretningens hovedtekst og kommentarerne i fodnoterne fås
det indtryk, at beretningen ikke ville bidrage til at skade forholdet mellem det tyske
mindretal og den øvrige befolkning, så tonen var afdæmpet og i talrige tilfælde blev
givne forklaringer taget for pålydende, da det samtidige materiale var destrueret. Werner
Best afgav bl.a. forklaringer, hvilket faldt ud til både mindretallets fordel og hans egen,
og var der endelig forhold, hvor ansvaret for en beslutning eller et givet initiativ skulle
findes, så søgtes det bragt hen i det uvisse. Det forstod Best sig på.

Det fremgår af Hvidtfeldts beretning, at der var et nært og positivt forhold mellem
det tyske mindretals ledelse og Det Tyske Gesandtskab i alle fem besættelsesår. Mindre-
tallet blev favoriseret på talrige områder og støttet økonomisk, og stillede til gengæld
soldater til tysk krigstjeneste. Mindretallets største skuffelse var, at der ikke skete en
ændring af den dansk-tyske grænse, selv om det havde næret meget store forhåbninger
dertil i juni 1940. At der ligefrem skulle have været planer om at fremtvinge en grænse-
revision, fandt Hvidtfeldt ikke belæg for, en konklusion der har fundet støtte af senere
historikere.[290]

I 1955 gav Troels Fink en mere usminket opfattelse af det tyske mindretals historie
under besættelsen, som han sammenfattede således: "De politiske bestræbelser havde
dels til formål at fremkalde en situation, der kunne gøre det storpolitiske problem om
grænsen akut, dels at skaffe den tyske folkedel en begunstiget retsstilling i det danske
samfund, således at lederne kunne virkeliggøre de totalitære principper indadtil i folke-
delen og udadtil i forhold til det danske statsapparat til trods for, at dette var opbygget
efter demokratiske linjer."[291]

Denne vurdering satte Johan Peter Noack i 1975 over for en anden sammenfattende
vurdering, som Best 1947 havde givet om det tyske mindretals politiske situation under
besættelsen. Med undtagelse af 1940 opfattede Best den sådan: "Fra da af befandt den
[mindretalsledelsen] sig i en faktisk afhængighed, som tvang den til at opfatte ethvert
ønske fra tyske myndigheders side som en befaling og til at udføre det som en sådan,
hvis ikke de handlende personer ville udsætte sig for de alvorligste sanktioner."[292] Med
disse to diametralt modsatte synspunkter som udgangspunkt formulerede Noack en
række problemstillinger, hvor undersøgelsen af forholdet mellem mindretallet og de ty-
ske myndigheder er af afgørende betydning til forståelsen af den hjemmetyske partile-
delses situation. Det valgte udgangspunkt er klart med vægten på mindretalsledelsen,
men alligevel gives der vigtige analyser af, hvordan besættelsesmagten håndterede min-
dretallet og hvor vide rammer, det ville give mindretalsledelsen, og hvad der blev krævet
til gengæld.

Mindretallets organisationer var nazificerede før den tyske besættelse og havde flere
gange rejst kravet om en grænserevision. Selv ikke i den periode, hvor den tyske sejrs-
rus var størst i sommeren 1940 efter Frankrigs nederlag, kunne mindretallet imidlertid
presse en grænserevision igennem, mens det til gengæld accepterede hvervningerne til

---

290 Poulsen 1970, Noack 1975 og Lauridsen 2008b.
291 Fink 1955, s. 131.
292 Noack 1975, s. 10. Bests notat af 16.12.1947 "Die rechtliche, politische und faktische Stellung der
deutschen Volksgruppe in Nordschleswig in den Jahren 1940-45" er i PKB, 14, nr. 143.

Waffen-SS.[293] Skulle mindretallet opnå indrømmelser i forhold til den danske stat, først og fremmest planerne fra efteråret 1941 om at opnå en mere autonom status for mindretallet, så kunne det kun ske med hjælp fra de tyske myndigheder. Det var med Werner Bests hjælp, at der i foråret 1943 blev oprettet det tyske kontor under Statsministeriet, men videre kom mindretallets autonomibestræbelser knapt. Som påpeget af Noack (s. 178) var der det problem med disse bestræbelser, at de berørte AAs domæne og påvirkede den rigsbefuldmægtigedes handlemuligheder i forhold til den danske regering og senere til departementschefstyret. Det var et potentielt tysk-dansk konfliktområde, hvor Best først viste sig en smule mere imødekommende over for mindretallets ønsker, end Renthe-Fink havde gjort, for efter 29. august 1943 at være mere tilbageholdende. På en række felter, hvor det til gengæld gjaldt mindretallets forhold til Tyskland, valgte Best gang på gang at støtte mindretallets interesser frem for at trumfe givne ordrer fra Berlin igennem. Det gjaldt bl.a. i forhold til de frivilliges opretholdelse af dansk statsborgerskab. Til gengæld sluttede mindretalsledelsen tæt op om Bests politik, det gjaldt efter 29. august 1943 og igen efter generalstrejken i København sommeren 1944. Begge gange skrev Jens Møller til Volksdeutsche Mittelstelle med ønske om, at hans breve kom videre til Heinrich Himmler. Møller ønskede ikke en skærpelse af den tyske besættelsespolitik ved politirepressalier.[294]

Da grænsespørgsmålet er vægtet højt, fokuserer bogen mere på den første end den sidste del af besættelsen, og som det påpeges, gives der intet dækkende eller udtømmende billede af mindretallets historie i perioden. Adskillige forhold, der blev relevante i de sidste krigsår, er derfor uomtalt, herunder spørgsmålet om mindretallets stilling ved en tysk tilbagetrækning og holdningen til de tyske flygtninge. Det vil også være ønskeligt med en nærmere undersøgelse af mindretallets økonomiske udnyttelse af den tyske besættelsesmagts tilstedeværelse, den finansielle støtte til mindretalsorganisationerne og mindretallets profitering på værnemagtsordrer, bl.a. gennem Deutsche Berufsgruppen in Nordschleswig og Liefergemeinschaft. Begge de nævnte organisationers virke behandles kort hos Hvidtfeldt 1953.[295]

Det har siden Noacks arbejde været yderst sparsomt med forskningsbidrag, der analyser det tyske mindretal som element i tysk besættelsespolitik. Hverken Henrik Becker-Christensens bidrag om NSDAP-N[296] eller Henrik Skov Kristensens biografi om Jens Møller[297] har valgt også den indgangsvinkel. Det har til gengæld allersenest Steffen Werther i februar 2012 med ph.d.-afhandlingen *SS-Vision und Grenzland-Realität. Vom Umgang dänischer und volksdeutscher Nationalsozialistischen in Sönderjylland mit der großgermanische Ideologie der SS*,[298] hvor han, som titlen angiver, ikke alene undersøger det tyske mindretals nazisters forhold til SS' storgermanske ideologi, men også de

293 Om hvervningen Lumans 1990, s. 119ff. og 1993, s. 241-243.
294 For det førstnævnte brev fremgår det hos Noack, mens han ikke kender det andet. Begge breve er trykt her, se 4:165 og 7:134.
295 Hvidtfeldt 1953, s. 103-113. Fra Liefergemeinschaft foreligger bl.a. omfattende årsberetninger, se 2:113 og Osoboj Archiv, Moskva: 1458/21/57 (halvårsberetning 1943/44).
296 Henrik Becker-Christensen 2003.
297 Henrik Skov Kristensen 2007d.
298 Werther 2012. Venligst tilsendt af forfatteren.

danske nazisters. Det er hans konklusion, at både de tysksindede og de dansksindede nazister reagerede negativt på SS' ideologiske fremstød, på trods af SS' magt, på trods af løfter om en høj racemæssig prestige i Det storgermanske Rige, og endelig på trods af den frivillige krigstjeneste i Waffen-SS' "germanske" enheder. Werther forklarer det med, at SS' forsøg på at bruge en racebaseret ideologi til at komme ud over modsætninger mellem de to nazipartier, der skilte Sønderjylland, faldt til jorden på grund af partiernes fundamentalt nationalistiske identiteter. Hvor det tyske mindretals nazister ville have en grænserevision, var de danske nazisters mål en uafhængig dansk nazistisk stat.

Med undersøgelsen har det været Werthers hensigt at sætte fokus på de ideologiske modsætninger, og ikke som hidtil at gøre det til alene et spørgsmål om realpolitik. Det er en inspirerende undersøgelse, der burde kunne vække debat. Den hviler på en anden læsning af allerede kendt stof og på fremdragelse af meget nyt. For Frits Clausens og DNSAPs vedkommende er den fremdragne ideologiske modsætning til SS allerede kendt, men den er trukket klarere op end hidtil. Imidlertid er det ikke ensbetydende med, at realpolitikken ikke også spillede en lige så væsentlig rolle for DNSAP.

6.8. Tysk propaganda og tysk censur

Der er gjort sørgeligt lidt ud af den tyske propaganda og censur under besættelsen som led i den tyske besættelsespolitik, ligesom den kulturpropaganda, der fra Det Tredje Riges side blev rettet mod Danmark i mellemkrigsårene, stort set er uudforsket. Omvendt er der fra dansk side adskillige værker, der beskæftiger sig med de tyske censurtiltag og forbud 1940-45, når det gælder radioen,[299] pressen,[300] filmen,[301] teatret,[302] litteraturen,[303] og sporten,[304] blot er der ingen af dem, der har den tyske politik på områderne som en af indgangsvinklerne, endsige ser en forståelse af den politik og de konjunkturer, den var underlagt, som nødvendig. Der kan hentes masser af stof til belysning af tysk besættelsespolitik på censurområdet ud af disse værker, men arbejdet skal gøres forfra,[305] og det skal fra starten medtænkes, at nok var Danmark AAs særlige domæne, men det udelukkede ikke, at andre tyske ministerier ønskede at øve indflydelse på eller at overtage den tyske propaganda i Danmark, især Goebbels propagandaministerium. Heller ikke var der blandt de tyske myndigheder i Danmark fodslag om propagandastrategien, og Best og Pancke sloges formeligt om kontrollen med radioen og censuren i forbindelse med politiaktionen 19. september 1944, ligesom Pancke oprettede sit eget pressekontor i august 1944 og udsendte meddelelser og indlagde tvangsartikler og radioudsendelser,

299 Christiansen og Nørgaard 1945, Christiansen 1950, Boisen Schmidt 1965. Hertil materialet hos Schnabel 1967, s. 320-336.

300 Bindsløv Frederiksen 1960 og en række avismonografier. Hertil KB, Bergstrøms dagbog 1940-45.

301 Dinnesen og Kau 1983.

302 Kvam 1992.

303 For litteraturens vedkommende har det i reglen drejet sig om forbuddet mod enkelte bøger eller tidsskrifter (Lauridsen 1998, s. 247-255).

304 Bonde 2006.

305 End ikke UMs Pressebureaus virksomhed som organ for den tyske censur er blevet undersøgt. Gad Gunbak og Winther Christiansen 1997 og 1999 behandler trods afhandlingernes titler i realiteten kun Vilh. la Cour-sagen. Se i øvrigt Kirchhoff 1993c.

som den rigsbefuldmægtigede ikke via censuren kunne kontrollere. Denne interne tyske propagandakrig er ikke udforsket.

Når der er skrevet ret begrænset om den tyske propagandavirksomhed i Danmark under besættelsen kan det hænge sammen med, at det var en "uvigtig randvirksomhed", som Erich Thomsen konkluderede i 1971.[306] Han anvendte blot halvanden side i alt på "Werben um die Gunst der Bevölkerung",[307] men indskrænkede det i alt væsentligt til at være en kulturpropaganda, der ikke omfattede radiopropagandaen og de senere indlagte tvangsartikler i aviserne, begge medier som nåede ud til den største del af befolkningen. Mest gør han ud af Nordische Gesellschafts og Deutsches Wissenschaftliches Instituts virksomhed. Mens førstnævnte stod under rigsleder Alfred Rosenbergs overhøjhed, var det videnskabelige institut AAs opfindelse; lignende institutter blev etableret i andre europæiske hovedstæder. Rosenbergs bestræbelser på at fremme Nordische Gesellschafts virke i Danmark nød ikke AAs fremme, men heller ikke det videnskabelige institut blev nogen succes. Det kunne Thomsen konstatere uden nærmere undersøgelse, men hvilende på et brev fra instituttets sidste direktør, Otto Höfler. Siden har både Manfred Jakubowski-Tiessen og Frank Rutger Hausmann undersøgt instituttets virksomhed fra oprettelsen i 1941 til 1945 nærmere på grundlag af det spinkelt bevarede materiale og er nået frem til samme konklusion, men med fremdragelse af fyldigere dokumentation af de forgæves bestræbelser, man gjorde sig fra tysk side på via instituttet at nå ud til danske videnskabelige kredse, der ikke var nazistisk orienterede. De udfoldede bestræbelser var på intet tidspunkt en succes, og i sommeren 1943 – før augusturolighederne – stod det også instituttets ledelse klart, at de heller ikke ville blive det, men virksomheden blev fortsat til det sidste af prestigegrunde.[308]

Et af de første danske forsøg på et nærmere studie af dele af den tyske propaganda er Peter Søgaard Olesens speciale *Danmark i Neuropa? Den tyske propaganda fra den 9. april 1940 til juli 1941*, hvor en stribe tysksponsorerede tidsskrifter, radio, presse, litteratur, film, presse og kultur (herunder sporten) undersøges i tiden frem til det tyske angreb på Sovjetunionen. Der er tillige et kapitel om propagandaens virkning vurderet af besættelsesmagten på grundlag af den tyske værnemagts stemningsberetninger. En af konklusionerne er, at den tyske propaganda i Danmark blev indrettet efter den særstatus, som Danmark indtog blandt de tyskbesatte lande, hvorfor den blev tilpasset danskerne i både form og indhold for ikke at støde de mange. Det indebar bl.a., at antijødisk propaganda kun forekom i ringe omfang, ligesom den ikke var aggressiv eller massiv. I stemningsberetningerne erkendte man, at propagandaen ikke virkede på danskerne, der primært var pro-britiske.[309]

Blandt de tyske tidsskrifter, som Søgaard Olesen analyserede, var den danske udgave af det meget udbredte og populære illustrerede *Signal*, der udkom i Danmark 1940-45.

---

306 Det ville hverken Renthe-Fink eller Best have været enige i. Se blev førstnævntes udkast til halvårsberetning 22. marts 1941 (PKB, 13, nr. 161). Umbreit 1988 strejfer kun lige en omtale af Danmark (s. 304) i sin oversigt over den tyske propaganda i de besatte områder.

307 Thomsen 1971, s. 40f.

308 Jakubowski-Tiessen 1994/1998 og Hausmann 2001, s. 183-210. De har ikke haft ganske det samme materiale som grundlag. Se endvidere her bl.a. 3:178 og 9:3.

309 Søgaard Olesen 1991.

Signal var allerede i 1976 emnet for et speciale,[310] og i 1979 kom et udvalg af artikler derfra med en indledning af Viggo Haarløv.[311] Det er imidlertid først med Martin Molls artikel "'Signal'. Die NS-Auslandsillustrierte und ihre Propaganda für Hitlers 'Neues Europa'", at der gives en indgående undersøgelse af ideerne bag, planlægningen af og udbredelsen af denne tyske propagandasucces i udlandet. Der er adskilligt stof af interesse i en dansk sammenhæng, og for udbredelsen borger, at det danske oplag i 1940 var 44.210 eksemplarer.[312]

I 1998 publicerede Karl Christian Lammers en artikel med den lovende titel "Kultur- und Kunstpolitik in Dänemark", der trods titlen benytter den mindste del af siderne til emnet, og det meste på en generel indledning. Det bliver i afsnittet om tysk kulturpolitik og propaganda i Danmark (s. 114-120) også klart hvorfor: Lammers havde kun en meget begrænset litteratur at henvise til og havde ikke selv foretaget primærstudier.[313]

Helt anderledes forholder det sig med to studier, der også fremkom 1997-98. Martin Moll publicerede afhandlingen "Die deutsche Propaganda in den besetzten "germanischen Staaten" Norwegen, Dänemark und Niederlande 1940-1945. Institutionen – Themen – Forschungsprobleme.", hvori han sammenlignede den tyske propaganda i de tre lande.[314] Han indledte med at give en grov skitse (hans egen formulering s. 219) af propagandaorganisationerne og måtte konstatere, at forholdene på det område var meget anderledes i Danmark end i de to andre lande, idet AA og Det Tyske Gesandtskab fastholdt grebet om den tyske propaganda i Danmark bortset fra i de første besættelsesmåneder, hvor værnemagten og propagandaministeriet blandede sig.

For Danmarks vedkommende var propagandaindgrebene få og censuren blev indtil august 1943 udført af UM. Moll anvender til dels kendt stof, men suppleret med en række vigtige nye akter fra PA/AA, hvorfra blot skal fremhæves en 80 siders aktivitetsberetning fra gesandtskabets radioafdeling fra slutningen af 1940.[315] Moll dokumenterer også Standarte "Kurt Eggers" opdukken som propagandaorgan for SS i Danmark i oktober 1944, men af en eller anden grund er han ikke klar over, at RMVP havde en repræsentant, Heinrich Gernand, ved gesandtskabet fra maj 1943 til slutning af 1944.[316] Langt svagere er gennemgangen af propagandaapparatets virksomhed for Danmarks vedkommende end for de andre to lande. Det fylder også kun en brøkdel, givetvis pga. manglende selvstændige kildeundersøgelser (s. 241f.) og tjener knapt til at danne grundlag for en sammenligning.[317] Imidlertid er afhandlingens måske væsentligste betydning, at den giver begreber og redskaber til at arbejde med den tyske propaganda på både ved at differentiere den indholdsmæssigt og kronologisk og ved at diskutere problemerne

310 Duschek 1976.
311 Haarløv 1979.
312 Moll 1986.
313 Lammers 1998.
314 Moll 1997, der bygger på hans utrykte dissertation fra Graz i 1986, som det ikke har været muligt at låne. Den er til gengæld benyttet af Nordlien 1998 via personlig kontakt.
315 Disse og akterne anvendt hos Nordlien 1998 bør skaffes i kopi til Danmark.
316 Se 3:59. Goebbels havde i sommeren 1942 forgæves forsøgt, at få en Promi-attaché tilknyttet gesandtskabet (*Joseph Goebbels Tagebücher*, Teil II:4, s. 508, 12.6.1942).
317 Moll 1999 er et vidnesbyrd om, at det ikke er for Danmark, han har fundet det mest anvendelige materiale.

med at vurdere propagandaens virkning og gennemslagskraft, herunder hvad de tyske stemnings- og situationsberetninger kan bruges og ikke bruges til (s. 243f.).

Der er ingen tvivl om, at Niels-Henrik Nordlien med *Træk af den tyske propaganda- og kulturpolitik i Danmark 1940-1943. En analyse af besættelsesmagtens forsøg på at fremme en tyskvenlig opinion i Danmark*, 1998,[318] er inspireret af Molls tilgang, begrebsdannelse og problemstillinger, og det er der kommet det første egentlige bud på en seriøs beskæftigelse med emnet på dansk grund ud af. Selv om der alene er tale om "træk", så behandles dog helt centrale emner: 1) den tyske politik over for presse og radio, 2) filmpolitik som propaganda, 3) Dansk-Tysk Forening og foredragspropaganda, 4) videnskab og sprogpolitik (Det tyske Videnskabelige Institut, Deutsche Akademie) for sluttelig at spørge 5) var der en tysk politik? De udvalgte områder undersøges på grundlag af arkiver i såvel Danmark som Tyskland og den foreliggende litteratur, idet den foreliggende internationale ditto om nazistisk propaganda er medtænkt. Umiddelbart forekommer område 3) Dansk-Tysk Forening som det mest problematiske valg, men da foreningen trods alt indgik i den tyske foredragspropaganda, kan den til nød medtages, oplagt er det dog ikke, mens der er mere mening i under samme overskrift at behandle Nordische Gesellschaft og Nordische Verbindungsstelle.

Blandt Nordliens konklusioner er, at AA overlod det til Det Tyske Gesandtskab at udvikle strategien for den tyske propaganda i Danmark. Propagandaen skulle sikre en protysk holdning i den danske befolkning, en propaganda der grundlæggende byggede på den forudsætning i 1941, at verdenskrigen ville ende med en tysk sejr. Der blev fra tysk side bevidst sondret mellem masseopinionen og den elitære opinion, hvilket afspejlede sig i påvirkning af både presse, radio og film på den ene side og eliten på den anden på den anden med foredrag og videnskabelige sammenkomster. Der var en stadig forsigtighed og tilbageholdenhed i den tyske propaganda frem til august 1943, hvilket gentagne gange stødte på kritik fra såvel AA som Goebbels' propagandaministerium.

Der blev indledt offensivt i 1941 med alt det, som det nye Tyskland kunne byde på kulturelt, industrielt og materielt. Det skete bl.a. ved store udstillinger beregnet for den brede danske offentlighed og åbnet af den rigsbefuldmægtigede. Besøgstallet til de første udstillinger var pænt. I takt med, at det blev stadigt sværere at forsøge at sikre en protysk opinion og den tyske krigslykke vendte, kunne man fra tysk side ikke længere forvente, at et stemningsskift blandt danskerne ville *komme af sig selv* i forventning om den endelige tyske sejr. Der blev da i stedet i propagandaen slået på de materielle fordele, som Danmark havde af samarbejdet med Tyskland. Det bragte den tyske propaganda fra offensiven til defensiven. Det var situationen i august 1943, hvor afhandlingen slutter.

Det kan både beklages, at undersøgelsen har måttet afbrydes med august 1943, og at den ikke er blevet udgivet i redigeret form.

For tiden efter august 1943 savnes arbejder om den tyske propagandapolitiks videre udvikling. Henrik Lundtofte har analyseret to danske propagandister, der tjente den tyske sag i den periode på hver deres måde, Ejnar Krenchel og Axel Høyer. Den første agiterede mod sabotagen af et ærligt hjerte og på en facon, som efterhånden kom til at modvirke, hvad der skulle have været hensigten, mens Høyer var den professionelle

318 Utrykt speciale, Københavns Universitet 1998.

propagandist, der formåede at tilpasse sig de tyske ønsker.[319] For Det Tyske Gesandtskab var problemet, at det blev sværere og sværere at få danskere, der var tilstrækkeligt kvalificerede, til at lægge navn, stemme og pen til den tyske propaganda.

Med hensyn til censuren som led i propagandaen mangler der fuldstændigt forarbejder set fra et tysk perspektiv. Der er ingen tvivl om, at påvirkningspropagandaen og censuren var led i den samme politik, men at man fra tysk side også var klar over, at der var grænser for, hvor langt man kunne gå, hvis man overhovedet skulle opnå noget som helst. I og med at der var uhindret adgang til at høre udenlandsk radio, hvortil kom den illegale presse, var der ikke mulighed for at skabe et massemedie*monopol*. Det kunne kun søges opnået ved at inddrage radioapparaterne, som det skete i bl.a. Norge, og det var på tale for Danmarks vedkommende bl.a. i august 1943,[320] men blev ikke realiseret. Det var utvivlsomt Det Tyske Gesandtskab, der var imod. Best havde sin helt egen opfattelse af, hvordan man bekæmpede fjendtlig propaganda, hvilket bl.a. kommer frem i hans *Politische Informationen*, udsendt 1942-45 og beregnet for de tyske tjenestesteder i Danmark. I *Politische Informationen* bliver den fjendtlige propaganda i hvert nummer modgået til sidst ved gengivelse af talrige udvalgte eksempler, der viste, hvor fejlagtig, løgnagtig, uvidende og latterlig den propaganda var. Eksemplerne skulle være umiddelbart gennemskuelige for de fleste. Den rette forståelse af tysk politik blev tjenestestederne givet i særskilte afsnit forud. Jeg har tilladt mig at karakterisere den form for bekæmpelse af fjendtlig propaganda for "moderne", idet jeg ikke kender til, at den blev benyttet i andre besatte lande, og slet ikke så konsekvent.[321]

Et led den tyske propagandavirksomhed var at invitere udvalgte grupper af danskere til Tyskland og at foranstalte kulturarrangementer med danske kunstnere i Tyskland, eventuelt med tysk genbesøg. Disse aktiviteter kan ses som en videreførelse af det dansk-tyske samkvem, som i vidt omfang var blevet gennemført i 1930'erne uanset den nazistiske magtovertagelse, hvor bl.a. Det Kongelige Teater var på gæsteoptræden i Tyskland,[322] og der var årligt dansk deltagelse ved Nordische Gesellschafts arrangementer i Lübeck. Dette samkvem måtte nødvendigvis få en anden karakter efter 9. april, og den tyske interesse for det skærpedes som led i de øvrige tilnærmelsesbestræbelser. Imidlertid er området knapt og sporadisk undersøgt. Gerhard Beier og Fritz Petrick har set på dansk fagbevægelses delegationsrejser til Tyskland, hvad allerede PKB, 8 gjorde, og hvor initiativet angiveligt skulle være udgået fra formand for DsF Laurits Hansen i efteråret 1940 (Gustav Meissners udsagn 1940), idet Hansen ønskede at omlægge dansk fagbevægelse efter tysk mønster. Det bestred Hansen heftigt i 1946, og en sådan omlægning fandt heller ikke sted, men i alt tre rejser til Tyskland blev det til 1940-41.[323] Danske avisredaktører og journalister og grupper af kunstnere blev på lignende vis inviteret til Tyskland. Interessen for at deltage i sådanne rejser faldt hen i 1941, og værdien af

319 Lundtofte 2006a og 2008.
320 3:222 og 283.
321 Lauridsen 2006c, s. 157.
322 Bay-Petersen 2003.
323 PKB, 8, Beretning s. 26 og akt. nr. 16, samt ref. s. 43, Jensen 1971, s. 89f., Beier 1973, Petrick 1994, s. 102-109. Det var på den sidste af disse tre rejser, at Harald Bergstedt skrev en artikelserie, der førte til hans afsked fra *Social-Demokraten* (Bindsløv Frederiksen 1960, s. 163f.).

besøgene for tysk propaganda lader sig næppe måle. I hvert fald gjorde de ikke de tyske møder med de danske dagbladsredaktører for at belære dem om, hvad de burde og ikke burde skrive, overflødige, hverken i 1941 eller 1944.[324] De tyske forsøg på at influere på de danske korrespondenter i Berlin er et kapitel for sig, der ikke er skrevet, men hvor en stribe erindringsbøger venter på at blive udnyttet.[325]

Ahnenerbe indtog en helt speciel rolle i det tyske kulturarbejde i Danmark. Organisationen havde i 1942 fået overdraget alt videnskabeligt arbejde inden for SS af Himmler, herunder arbejdet i de germanske randstater i Nord- og Vesteuropa. Dog var Ahnenerbe i gang der længe inden. Lars Schreiber Pedersen har i flere artikler undersøgt dette arbejde for Danmarks vedkommende 1940-45. Det bestod først og fremmest i, at Ahnenerbe sendte en repræsentant til Danmark, der skulle forestå beskyttelsen af de danske (germanske) fortidsminder mod værnemagtens ødelæggelser. Valget faldt på den tyske arkæolog og SS-mand Karl Kersten (1909-92), der 1940-44 var på jævnlige besøg for at varetage denne opgave og søgte kontakt til danske arkæologer og museumsfolk. Der hersker ikke enighed om, hvor store resultater Kersten opnåede, men han undervurderede ikke selv deres betydning og kunne siden føle sig smigret over at blive tildelt både Dannebrogsordenen 1957 og Worsaaemedaillen 1985. Schreiber vurderer, at Ahnenerbes aktiviteter i Danmark var begrænsede og succeserne få, hvormed han ikke helt afskriver Kerstens indsats betydning.[326]

Einsatzstab Reichsleiter Rosenberg søgte også at vinde fodfæste i Danmark. Der er hidtil ikke skrevet derom, men aktiviteten kan spores fra september 1943 til slutningen af 1944 i det her gengivne kildemateriale. En repræsentant for Einsatzstaben, H.W. Ebeling, var hos Werner Best i dagene omkring gennemførelsen af aktionen mod de danske jøder.[327] Formentligt med det formål at få overdraget jødiske kulturværdier, som var en del af stabens opgaver, hvilket han dog ikke fik held med. Der var allerede fra tysk side i Danmark truffet andre dispositioner.[328] Siden blev Ebeling permanent stationeret i København indtil hen i efteråret 1944, hvor han bl.a. indkøbte nazistisk litteratur fra alle germanske folk og skandinaviske bøger om kommunismen og jødedommen til brug for Rosenbergs superuniversitet (Hohe Schule) og formidlede propagandalitteratur til en dansk nazistisk organisation, sandsynligvis Schalburgkorpset.[329] På et møde med Best 20. marts 1944 blev Ebelings foresatte belært om, at han ikke på Einsatzstab Reichsleiter Rosenbergs vegne kunne tilegne sig jødisk ejendom i Danmark. Ebeling måtte *købe*, hvad han ville have at fremsende til staben i Tyskland.[330]

Givetvis har adskillige andre tyske "kulturelle" organisationer søgt at gøre sig gæl-

---

324 Bindsløv Frederiksen 1960, s. 185f., 317, 366, 370, 399 og Kirchhoff, 1, 1979, s. 314f. om de tyske møder med dansk presse. Desuden 3:239, afsnit VI.

325 Se Lauridsen 2002b under del 3.20.1 og de senere tillæg.

326 Schreiber Pedersen 2002, 2005, 2007a og 2008. Schreiber Pedersen har også undersøgt Reichsbund für Deutsche Vorgeschichtes beskedne forsøg på ved Hans Reinerth (1900-1990) at vinde fodfæste i Danmark: De var helt fejlslagne (2005, s. 166-171).

327 Bests kalenderoptegnelser 27. september og 6. oktober 1943.

328 Se 4:317.

329 Se 5:274 og Ebeling i navneregistret.

330 For mødet med Best se 5:365.

dende i Danmark i en periode, selv om der endnu ikke er lokaliseret spor efter dem. For dem alle gjaldt, at de både skulle have indrejsetilladelse og bevilget den nødvendige valuta. Begge dele kunne hver for sig sætte stop for mangt et initiativ. Det er senest Joachim Lunds undersøgelse af "Aktion Ritterbuschs" forgæves forsøg på at øve propaganda i Danmark 1940-42 et godt eksempel på.[331]

Når der er gjort så lidt ud af den tyske propaganda i Danmark, indebærer det også, at det er alt for tidligt at udtale sig om, hvordan den propaganda forholdt sig til propagandapolitikken, der blev udstukket og praktiseret fra Berlin. Det er næppe tænkeligt, at den tyske propaganda i Danmark har udfoldet sig helt i sit eget rum, men har været praktiseret i en på visse områder modereret udgave af hjemlandets og på andre har været helt den samme. Det sidste kunne f.eks. gælde krigsmålspropagandaen, hvor storrumsplanerne blev modificeret til "Wirtschaftsgemeinschaft"[332] og propagandaen, der rettede sig mod at skaffe frivillige soldater.

Det er afslutningsvis værd at påpege, at de tyske propagandatiltag i Danmark, når undtages censuren i besættelsens senere del, ikke førte til, at danske foreninger og organisationer blev søgt intimideret eller overtaget, og at eksemplerne på, at tidsskrifter blev forbudt, er få, mens aviser alene blev lukket for kort tid, hvis de havde forbrudt sig mod de givne regler. I stedet støttede besættelsesmagten den danske nazistiske presse og udgav selv et antal publikationer i forsøget på at skabe en nazistisk og tyskvenlig offentlighed – oven i de indlagte tvangsartikler i den øvrige presse. Så fulgte endelig perioden, hvor danske aviser blev terrormål, men da var der ikke længere tale om propaganda.

Ekskurs: De tyske stemningsberetninger fra Danmark
Der foreligger et stort antal stemningsberetninger fra forskellige tyske myndigheder i Danmark, dels i form af fortløbende særskilte rapporteringer, dels rapporteringer i forbindelse med aktivitetsberetninger og til krigsdagbøgerne for både hæren og Kriegsmarine. Hertil kommer nogle af de talrige tyske besøgende i Danmark, som påfølgende skrev om deres indtryk. Særskilt skal nævnes Det Tyske Gesandtskabs mange indberetninger med oplysninger om den rådende stemning, rækken af indberetninger fra henholdsvis WB Dänemarks propagandaofficer for tiden oktober 1940-december 1942[333] og efterretningsofficer for perioden 1940-43,[334] samt Rüstungsstab Dänemarks indberetninger juni 1940-maj 1941 med særlige afsnit om befolkningens stemning.[335] Derimod synes der ikke at foreligge stemningsberetninger fra Abwehr.[336] Fra RSHA er et fåtal også bevaret (og udgivet) for Danmarks vedkommende.[337] Stemningsberetningerne

---

331 Lund 2012.

332 Müller 1999, s. 498-502.

333 RA, AA, pk. 450, se 1:159.

334 F.C. von Heydebreck (hvis notater er kendt for at være noget nær ulæselige (Kjeldbæk 1973, s. 76 note 10, Kirchhoff mundtlig oplysning)) (RA, Danica 1969, sp. 9-10).

335 BArch, Freiburg, RW 27/19, 20 og 21 med et par uddrag i PKB,13, nr. 151 (15. januar 1941) og 157 (15. februar 1941). Senere kommenterede Forstmann lejlighedsvis den folkelige stemning, som det vil fremgå i udgaven her.

336 Abwehr i Danmark blev ledet af Albert Howoldt 1940-43, og RA har ikke registreret stemningsberetninger fra ham.

337 Boberach 1984, Paul 1997, nr. 94. Her 2:175 og 6:193.

har kun været meget sporadisk benyttet af forskningen, det er særligt værnemagtsberetningerne, som på grund af deres omfang har været af interesse,[338] selv om beretningerne fra forskellige instanser som helhed er et vidnesbyrd om, at besættelsesmagten fulgte intenst med i, hvordan den danske befolkning forholdt sig til den.[339]

Esben Kjeldbæk har benyttet bl.a. stemningsberetninger fra WB Dänemarks efterretningsofficer von Heydebreck til at undersøge om det pres, som Renthe-Fink og Paul Kanstein i begyndelsen af juni 1941 lagde på de danske myndigheder for at få dansk politi omorganiseret med henvisning til, at værnemagten ellers ville gribe til skrappe foranstaltninger i anledning af krænkende adfærd fra dansk side, havde en reel baggrund. Hverken stemningsberetningerne eller generalstabschefens skrivelser ved denne tid tyder i den retning, så den nærliggende konklusion er, at Renthe-Fink og Kanstein brugte værnemagten i forsøget på at bevæge de danske myndigheder. Ikke mindst da Renthe-Fink heller ikke i sine indberetninger til AA gav indtryk af, at det tyske militær ved den tid stillede videregående fordringer.[340] Tilfældet er et skoleeksempel på, hvordan inddragelsen af et bredt materiale fra både forskellige tyske myndigheder og dansk side vil være frugtbare.

Henning Poulsen har i et historisk essay givet en enkelt prøve på udnyttelsen af værnemagtsberetningerne for tiden 1940-41,[341] men der venter et langt større og bredere, men spredt materiale på udnyttelse. I den forbindelse vil det være nødvendigt mere indgående metodisk at diskutere, hvordan og i hvilke kontekster beretningerne meningsfuldt kan indgå, hvis de skal udgøre andet end citat- og eksempelsamlinger på, hvad givne instanser på et tidspunkt udtrykte. Havde de overhovedet nogen virkning i Berlin, hos hvem og på hvilke områder (f.eks. RMVP og propagandaens virkning)? Her vil der være inspiration at hente i de tyske forskeres udredninger omkring kravene til beretningernes indhold og tilblivelse, samt hvad de blandt andet kan bruges til.[342] Der er et stykke fra indberetningerne til *opinionen* i Danmark, og til hvilke konsekvenser eller ikke de fik hos diverse instanser i Berlin.[343]

6.9. Danmark som redskab i kampen mod verdenskommunismen

Som en konsekvens af aftalen om fredsbesættelsen i april 1940 kunne Danmarks Kommunistiske Parti (DKP) uhindret fortsætte sin aktivitet. Det faldt i tråd med den tysk-sovjetiske ikke-angrebspagt fra august 1939, men på ingen måde med den skæbne, der

---

338 Benyttet af bl.a. Kjeldbæk 1973, Kirchhoff 1979, Søgaard Olesen 1991, Poulsen 1991, Nordlien 1998.

339 Se Palle Roslyng-Jensen: Opinionen under besættelsen i *Gads leksikon om dansk besættelsestid*, 2002, s. 360-362.

340 Kjeldbæk 1973, s. 60-74.

341 Poulsen 2000, hvor der skrives (s. 320), at stemningsberetningerne fra årsskiftet 1942/43 er mindre værdifulde, fordi deres vurderinger havde rod i de stigende sabotagetal. Da værnemagtens propagandaofficers indberetninger ikke er bevaret efter december 1942, og Abwehrs ikke foreligger, er det ikke gennemskueligt, hvad udsagnet bygger på, hvis ikke der er tale om Heydebrecks ovennævnte materiale. I *Tyske arkivalier om Danmark 1848-1945*, 2, 1978-97, s. 182 betegnes Heydebreck fejlagtigt som Abwehr-officer.

342 Indledningerne hos Boberach 1968 og 1984 og hos Paul 1997, Eckert 1995.

343 Den danske opinion set fra en dansk synsvinkel er senest belyst af Roslyng-Jensen 2007 pga. samtidigt dagbogsmateriale.

blev kommunistpartierne i andre tysk-besatte lande som bl.a. Frankrig til del i som-
meren 1940. Der blev al kommunistisk virksomhed øjeblikkeligt forbudt og kommu-
nister forfulgt.[344] Det vil ikke sige, at der ikke straks fra tysk side (Abwehr) blev rettet
opmærksomhed mod DKP som organisation, dets medlemmer og antal, hvilket ledte
til en tysk registrering af danske kommunister og til et tysk-dansk politisamarbejde på
dette område af fælles interesse. PKB tog indgående dette spørgsmål op på grundlag af
et beskedent samtidigt materiale og de involveredes tilsyneladende ringe hukommelse
derom.[345] Det er også næsten udelukkende på dette beskedne og utilstrækkelige grund-
lag, at Erich Thomsen kort tog spørgsmålet op som indledning til en behandling af
Danmarks diplomatiske brud med Sovjetunionen 1941.[346] Derved overså han, at DKP
blev af stærkt stigende interesse for både Abwehr og tysk politi i takt med, at planerne
for operation "Barbarossa" (angrebet på Sovjetunionen) blev udviklet og deres realise-
ring nærmede sig. Skæbnens ironi ville, at DKP blev interessant af en helt anden grund
i forbindelse med angrebsforberedelserne. Der havde været foretaget sabotage mod to
spanske trawlere i Frederikshavn i 1938, hvor medlemmer af DKP var involveret som
led i Kominterns illegale virksomhed. Den hændelse skulle nu fra tysk side indgå i be-
grundelsen for at gennemføre angrebet på Sovjetunionen. Det var et klart eksempel på
den internationale kommunistiske sabotage, der kunne tjene til at demonstrere dens ar-
nesteds, Sovjetunionens, farlighed. I den forbindelse kom tre tyske politikfolk i februar
1941 til København for at se nærmere på den sag, som det udførligt er dokumenteret
først af journalist Erik Nørgaard: *Krig og slutspil. Gestapo og dansk politi mod Kominterns
"bombefolk"*, 1986,[347] og senere kort taget op af Henrik Stevnsborg.[348] Det førte til ar-
restationer af bombemændene og deres hjælpere, de blev dømt ved dansk ret, det blev
slået stort op i aviserne i begyndelsen af juli, og der var den nødvendige propagandaam-
munition til at begrunde det foretagne tyske angreb ikke kun i Danmark, men globalt:
Kominterns internationale terrorisme.

    De danske kommunister kom som sådan først sent i skudlinjen, og det var af ekster-
ne årsager. Esben Kjeldbæk er på grundlag af de affotograferede tyske akter på RA nået
frem til, at de tyske myndigheder i Danmark først i maj 1941 kom med åbenlyse krav
til de danske myndigheder om en effektivisering af bestræbelserne med henblik på kom-
munistbekæmpelsen. Nærmere bestemt drejede det sig om interneringerne i forbin-
delse med operation Barbarossa.[349] Effektueringen af de tyske krav er udredt af Henning
Koch, og selvom selve effektueringen kom som en pludselig ordre 22. juni i forbindelse
med andre krav, så stod dansk politi rede med et kommunistkartotek, der var mere om-

344 Reinhard Heydrich udtrykte marts 1941 sin forbavselse over, at der endnu fandtes et lovligt kom-
munistparti i Danmark over for politiinspektør Fritz v. Magius, men forventede at det kun ville være et
spørgsmål om kort tid, før det ophørte (Revsgaard 1981, s. 84, jfr. Koch 1994, s. 247).
345 PKB, 7:2.
346 Thomsen 1971, s. 79.
347 Nørgaard 1986, passim (udvidet udgave af Nørgaard 1975) (journalist Wilhelm Bergstrøm kan fra 14.
februar 1941 berette om de tre Gestapomænds samarbejde med politikommissær C.M.J. Bjerring på politi-
gården (KB, Bergstrøms dagbog 14. februar, 6., 12., 22. og 27. marts, 19. og 31. maj), Koch 1994, s. 244.
348 Stevnsborg 1992, s. 321-329.
349 Kjeldbæk 1977, s. 73f., 79-83. Udgiver har fundet yderligere materiale i Berlin, der ikke afkræfter
Kjeldbæks resultat.

fattende end det tyske, og som blev anvendt ved anholdelserne. Statsminister Thorvald Stauning tog også ad notam, at tre kommunistiske medlemmer af det danske folketing skulle pågribes. På dansk side fulgte man endvidere det tyske krav om afbrydelsen af de diplomatiske forbindelser med Sovjetunionen, og i august vedtog det danske folketing uden ståhej en lov, der forbød kommunismen i Danmark, og som fandt bred billigelse i dansk presse.[350] Loven blev ikke vedtaget på tysk initiativ eller efter tysk krav. Der mangler stadig en tysk vinkel på dette forløb, som har været stærkt omdiskuteret i en dansk kontekst.

Operation Barbarossa var også anledningen til, at den hvervning af danske statsborgere til tysk krigstjeneste, som hidtil havde fundet sted i det skjulte via det tyske mindretal og DNSAP, efter tysk krav blev offentlig, idet fjenden nu var udpeget: Sovjetunionen og bolsjevismen. Det indebar, at den danske regering blev tvunget til at acceptere oprettelsen af Frikorps Danmark, og at danske officerer kunne indtræde deri uden at tabe givne rettigheder. Fra tysk side overlod SS hvervningen til DNSAP, som også fik afgørende indflydelse på Frikorps Danmark. Bortset fra den økonomiske støtte til DNSAP var det den største indrømmelse partiet på noget tidspunkt fik fra tysk side. Forklaringen herpå er ikke umiddelbart at øjne i de foreliggende undersøgelser af korpsets oprettelse hos henholdsvis Henning Poulsen og Claus Bundgård Christensen et al., hvis man ser bort fra, at det nazistiske miljø naturligvis var hovedrekrutteringsgrundlaget.[351] Dog passer det smukt ind i det mønster, at man fra tysk side i Danmark på en række områder valgte at agere pr. stedfortræder. Med DNSAP som hverveinstans satsede SS på det parti, som i øvrigt var udset til at bære nazismen frem i Danmark. DNSAP stod for hvervningen til efteråret 1943, hvorefter den blev overtaget af Waffen-SS.[352]

Den imødekommenhed fra dansk side, der blev udvist i forbindelse med bekæmpelsen af verdenskommunismen blev strakt helt frem til begyndelsen af november 1942. Først tilsluttede den danske regering efter tysk pres sig Antikominternpagten i november 1941, hvad dansk forskning har brugt en del energi på at udrede og i enkelte tilfælde at bagatellisere,[353] mens en tysk udenrigspolitisk vinkel savnes, også hos Erich Thomsen, der heller ikke behandler interneringen af kommunisterne, hvervningen til tysk krigstjeneste og tilslutningen til Antikominternpagten som en del af samme sag.[354] Imidlertid kan der tages afsæt i nogle formuleringer af Henning Koch, som ikke er uden perspektiver, idet han skriver: "Det kan næppe undre, at de tyske myndigheder ved underretningen om det danske folkestyres vedtagelse af en kommunistlov har set spørgsmålet om en dansk tilslutning til den internationale vendetta mod kommunismen som en naturlig og uproblematisk følge af aktionerne i juni og loven i august 1941. Den danske

350 Sjøqvist 1973, s. 148-151, Stevnsborg 1992, s. 315-321, 329-332, Koch 1994, s. 254-266, 273-290, Bindsløv Frederiksen 1960, s. 216-225.

351 Sjøqvist 1973, s. 151-153, Poulsen 1970, kap. 5 og 10 og 2008 (kildeudgave), Bundgård Christensen et al. 1998, s. 46-51, 348-350, Lauridsen 2002a, s. 347-357. Jfr. Thomsen 1971, s. 95-98.

352 Hvervningen er senest undersøgt af Aagaard 2012 for hele perioden 1940-45, og hovedkonklusionen er, at DNSAP koncentrerede hvervningen til sit eget miljø af nazister og antikommunister, mens Waffen-SS efterfølgende søgte bredere ud.

353 Bjørneboe 1965, Sjøqvist 1973, s. 168-189, Kirchhoff 1998b, s. 109f. og 2001, kap. 7, Lidegaard 2003, s. 474-483. Koch 1994, s. 302-305 stiller sig mere kritisk.

354 Thomsen 1971, s. 82-87.

regering blev således spundet ind i sin egen letsindighed ved netop at gennemføre en lovgivning."[355] Med andre ord, at den danske regering selv havde svækket sine politiske muligheder for at sige fra. Over for det står Hans Kirchhoffs synspunkt, at der fra tysk side var tale om "nazistisk revolverdiplomati"[356], men han er i øvrigt klar i mælet med hensyn til, hvad der drev den danske regerings politik: "Die Aktivierung der Kollaboration geschah vom Sommer 1941 ab unter deutschem Druck, aber sie wurde durch den Haß gegen und die Furcht von dem Kommunismus gefördert. Die Zustimmungen kulminierten mit dem Beitritt zum Antikominternpakt…".[357]

De opsigtsvækkende sabotager, der fandt sted fra sommeren 1942, satte de tyske myndigheder i gang med forberedelsen af en mere systematisk sabotagebekæmpelse, som er udredt delvis af PKB,[358] udførligere af Hans Kirchhoff og senest mig selv.[359] Et led i de tyske foranstaltninger var, at nogle af de potentielle hovedmistænkte, nemlig visse kommunister og tidligere spaniensfrivillige, efter tysk krav til den danske regering skulle interneres. Kravet blev accepteret fra dansk side, og aktionen blev gennemført 2. og 7. november 1942 af dansk politi. De senest pågrebne (158+91 personer) blev anbragt i Horserød-lejren sammen med de i forvejen internerede kommunister og overvåget af danske myndigheder til 29. august 1943.[360]

Kampen mod verdenskommunismen var det politiske område, hvor de tyske myndigheder tidligst stillede særligt stålsatte krav, som ikke havde noget med tysk besættelsespolitik i Danmark at gøre, men også fra regeringens side blev der vist den største imødekommenhed over en længere periode. Fra dansk side var man villig til at betale en høj politisk pris for det påtvungne samarbejde på dette bestemte område, som for eftertiden har været særligt iøjnefaldende, da det var en politisk modstander, der allerede var bragt i defensiven, og nu beleiligt kunne elimineres helt. Det viste sig dog ikke helt så enkelt. Modstanderen blev ikke elimineret, og det blev senere et større problem.

6.10. Augustrøret 1943. Afvæbningen af de danske værn

I august 1943 blev den tyske besættelsespolitik i Danmark for første gang udfordret af en række strejker i jyske og fynske byer, som de danske myndigheder ikke formåede at få stoppet, selv om både regeringen, partierne og interesseorganisationerne støttede bestræbelserne helhjertet. Strejkerne var udtryk for et stemningsskred i dele af den danske befolkning på baggrund af de seneste tyske nederlag, og det mundede ud i den danske regerings afgang. Hele forløbet er meget indgående undersøgt af Hans Kirchhoff med inddragelse af de tyske aktører. Det er værd at bemærke, at hans undersøgelse er uden forskningsoversigt, og reelt set var der heller ikke forud foretaget videnskabelige studier af emnet.[361] Imidlertid kan Erich Thomsens fremstilling af hele forløbet i 1971 tjene

---

355 Koch 1994, s. 303. Jfr. også Lund 2005, s. 97-100 om den danske regerings "nye muligheder for at aktivere sit kollaborationsberedskab".

356 Kirchhoff 2001, s. 99.

357 Kirchhoff 1998b, s. 110.

358 PKB, 7, nr. 7, 271, 272.

359 Kirchhoff, 1, 1979, s. 43-45 og Lauridsen 2006c, s. 149-152.

360 Koch 1994, s. 294, 298.

361 Se dog Andersen 1977 på baggrund af sammes diss. 1972, hvilke arbejder knapt har været benyttet i dansk forskning.

som eksempel på de forud rådende forestillinger. Thomsens kildegrundlag var næsten udelukkede PKB, men han havde også interviewet bl.a. Werner Best og G.F. Duckwitz, hvilket i høj grad kom til at præge skildringen af den tyske politik. Ifølge Thomsen var det von Hanneken, der 23. august med sin stærkt foruroligende meddelelse til OKW fik situationen til at tilspidses på tysk side, mens Best samtidig over for den danske regering opfordrede til og pressede på for at få urolighederne indstillet. Bests anstrengelser var forgæves, han blev kaldt til førerhovedkvarteret og fik dikteret krav til den danske regering, som var uantagelige for denne. Thomsen konkluderede: "Die Stunde des Generals war gekommen" (s. 165). Ikke alene kom von Hanneken af med de danske værn ved en tysk militær operation "Safari" 29. august,[362] men der blev også indført militær undtagelsestilstand. Best måtte nu træde i anden række. Det havde hele tiden været von Hannekens mål, ifølge Thomsen (s. 168).

Von Hanneken havde fra sin ankomst til Danmark også ønsket at få den danske hær og flåde afvæbnet, da han så en trussel i dem i tilfælde af en invasion. Indtil hans ønske blev opfyldt, havde han på forskellig vis søgt og fået stækket de danske værn, hvilket er udredt af Palle Roslyng-Jensen 1980.[363] Det måls opfyldelse var en sidegevinst, hvortil planlægningen var begyndt samme sommer.

Hans Kirchhoffs undersøgelse kom til et ganske andet resultat. Ifølge den faldt Best som offer for sin egen politik. Best havde for det første knyttet en tæt alliance med den danske regering personificeret i Erik Scavenius,[364] for det andet ønskede han de fredelige og rolige forhold i Danmark fortsat, som havde sikret ham ros efter det første halve år. Det indebar, at han i august ikke rapporterede til AA om det stigende antal sabotager og om de danske strejker, før han efter von Hannekens melding til OKW blev tvunget dertil. Sagen var imidlertid, at von Hanneken heller ikke tidligere havde meldt om den stigende sabotage og urolighederne i Danmark i loyalitet over for Bests politik. Han gjorde det først, da han blev det afkrævet af OKW. Så rullede lavinen i dobbelt forstand, fordi Berlin ikke løbende var blevet orienteret, men blev konfronteret med en pludselig krise, der umiddelbart skulle tages stilling til. Hitler greb ind. Det var først og fremmest Bests ansvar, at det nåede dertil, et ansvar som han såvel samtidigt, som i sine senere erindringer søgte at tørre af på von Hanneken, mens han søgte at skjule sine egne intentioner om at blive reel rigskommissær.[365]

Kirchhoffs resultater er almindeligt anerkendt,[366] og Ulrich Herbert har i store træk fulgt dem i sin biografi af Best. Imidlertid er det værd af hæfte sig ved, at Herbert ikke gør 29. august til et afgørende vendepunkt for tysk besættelsespolitik i Danmark. I stedet formulerer han det sådan, at 29. august tilbageskuende var et vendepunkt i den nyere danske historie, væk fra 70 års neutralitet og tilbagevenden til vesten (s. 354). Det er også et spørgsmål, om der kan sættes lighedstegn mellem et nederlag for Bests politi-

---

362 For det militære forløb af "Safari" se Hendriksen 1993 (hæren), Wessel-Tolvig 1993 (flåden) og Laub 1993 (flåden).

363 Roslyng-Jensen 1980, s. 126-148.

364 Særskilt om dette Kirchhoff 1993a.

365 Kirchhoff 1979 og 2001 kap. 16.

366 H.P. Clausen: Historie som fortælling. *Historie* Ny Rk., 13:3, 1980, s. 113-132, Hæstrup i *Historisk Tidsskrift*, 80, 1980, s. 570-577, Roslyng-Jensen i *1066. Tidsskrift for historisk Forskning* 9:6, 1979, s. 3-14.

ske mål for besættelsespolitikkens form og tysk besættelsespolitik som sådan.[367] Herbert giver ikke umiddelbart svaret, idet han ikke gør meget ud af Bests forhold til departementschefstyret, og hvordan det var i forhold til den tidligere Scavenius-regering. Det bliver forhåbentlig et af de spørgsmål, en fremtidig forskning med tysk vinkel vil tage stilling til. I hvert fald er det tankevækkende, at Hitler i førerhovedkvarteret den 28. august satte spørgsmålstegn ved aktion "Safaris" nødvendighed, men lod den løbe af stablen ud fra den betragtning, at den alligevel skulle gennemføres før eller siden.[368] Større rolle spillede krisen i Danmark ikke.

Krisen var heller ikke så stor, at Best blev fjernet, eller at der kom et tysk besættelsesstyre som i Norge eller Holland. Strejkerne var ikke en trussel mod Tyskland, og at få dem stoppet, var en politiopgave.[369] Bests afgang i anledning af nogle strejker i den danske provins ville have været et tysk prestigetab, især for AA, og at han ikke blev rigskommissær hverken formelt eller reelt, kan alene skyldes modstand fra AA og Ribbentrop, men at han var i spil som sådan fremgår af de her fremlagte dokumenter.[370] Om han fik den støtte fra Himmler, han anglede efter i denne sag, er usikkert,[371] men at han fortsat bejlede til RFSS' gunst frem til oktober er givet. Én af måderne at gøre det på var at tage initiativet til gennemførelse af jødeaktionen.[372]

Best blev den 29. august 1943 beordret til at blive på sin post, og desuden fik han 1. september besked om, at det fortsat var hans opgave at varetage de tyske økonomiske og erhvervsmæssige interesser, men han skulle også søge at få dannet en ny dansk regering. Det fik ham til straks at gå i offensiven på en række områder for at styrke sin stilling og for at få en række ubekvemme sager ryddet af vejen under den militære undtagelsestilstand. Det var ikke blot spørgsmålet om tilførsel af mere tysk politi under hans kommando og om gennemførelse af jødeaktionen, som den hidtidige forskning har kredset om. Disse tiltag indgik i et kompleks af initiativer, hvor aktiveringen af Schalburgkorpset var et tredje og Frits Clausens eliminering et fjerde, ligesom Best på det økonomiske område bl.a. tog initiativet med hensyn til tysk politis finansiering og tog spørgsmålet, om Danmark skulle betale et krigsbidrag eller ikke, op.[373]

Det er uden videre af flere forskere blevet slået fast, at Bests politik led nederlag 29. august 1943, og for så vidt det drejede sig om alliancen med Scavenius, er det uomtvisteligt. Det er også uimodsigeligt, at den tyske besættelsesmagt påfølgende måtte ind-

---

367 29. august 1943 var for den tyske besættelsespolitik ikke det store brud, som Poulsen 1991, s. 369, 372 er inde på og også Kirchhoff 1994b, men helt sådan vurderede Kirchhoff det ikke i 1979, hvor han skriver, at oprøret august 1943 slog Best over ende, og at han aldrig nåede at høste frugterne af at have fået gennemført departementschefordningen i forhold til WB Dänemark, men at hans fald blev dybere, end man i de sidste septemberdage kunne ane, da der skulle komme en ligestillet HSSPF til Danmark (Kirchhoff, 2, 1979, s. 472f.). Bests dybe fald vil der blive argumenteret imod i afsnit 7.

368 3:285.

369 Det blev fra flere tyske myndigheders side påpeget, at det danske politi havde svigtet sin opgave under strejkerne.

370 3:242, 260, 282 og 283. Heraf fremgår det også, at han søgte at imødekomme RAM/AA derved, at han godt fortsat ville have sin nye charge som reel rigskommissær underlagt AA, hvor de andre rigskommissærer stod direkte under Hitler. Jfr. Best til Svenningsen 5. september 1943 (Kirchhoff, 2, 1979, s. 468f.).

371 3:252 og 311.

372 Se kommentaren til 4:210.

373 Der henvises til de trykte dokumenter september 1943 og 4:210.

sætte flere ressourcer i form af tysk politi, men ud over det skete der ikke en ændring
eller udvidelse i de tyske myndigheders administrative apparat. Best måtte med hensyn
til det tyske politi bide i det sure æble, det var en reel ressourceforøgelse, tilmed en res-
source, der ikke kom under hans kontrol, men han tabte ikke dermed sit overordnede
mål fra ankomsten til Danmark, at landet skulle forvaltes med færrest mulige ressourcer
med størst mulig fordel for Tyskland. Forhandlingspartneren var nu departementschef-
styret, så Best kunne fortsat udøve oversigtsforvaltning via Det Tyske Gesandtskab.

Til en indbudt tysk kreds redegjorde Best i august 1944 for besættelsessituationen,
herunder at større tyske indgreb i det danske samfund ikke kunne komme på tale. I gi-
vet fald skulle de være sket allerede fra 1940.[374] Nu var det for sent. Han fastholdt status
quo som det mest hensigtsmæssige, som han havde gjort forud, men det var nu blevet
mere nødvendigt at forsvare standpunktet over for kritiske tyske røster. Det gjorde han
sidste gang i Berlin 5. marts 1945.[375]

Sådan har Herbert ikke vurderet forløbet efter 29. august 1943, idet han ikke alene
mener, at "mønsterprotektoratet" ophørte, men også at Bests mål, at udøve oversigtsfor-
valtning, led skibbrud.[376] Det uagtet at Best fortsatte samarbejdet med departements-
chefstyret med en begrænset forvaltning frem til maj 1945, og at den danske eksport
til Tyskland fortsat havde et stort omfang til begyndelsen af 1945. Herbert har vægtet
tilstedeværelsen af tysk politi og dets selvstændige rolle så højt, at han betragtede Bests
projekt for Danmark som slået fejl. Det mente Best ikke selv, da han så tilbage på tiden
i Danmark, og det er et spørgsmål, om han ikke havde ret.

6.11. Besættelsesmagten og "jødespørgsmålet" [377]
Fra tysk side blev "jødespørgsmålet" ikke rejst over for de danske myndigheder før i
slutningen af 1942, og gang på gang gjorde Renthe-Fink fra april 1940 og til kort før
sin fratræden i sine indberetninger til AA opmærksom på, at hvis det blev taget op, ville
det få meget alvorlige konsekvenser for det tysk-danske forhold.[378] Emnet er indgående
og grundlæggende behandlet af Leni Yahil 1967 som optakt til undersøgelsen af den
tyske aktion mod de danske jøder og den påfølgende flugt til Sverige. Det fremgår klart
heraf, at Danmark med hensyn til jøderne ikke var et "særtilfælde", og at de optræder
på Wannseekonferencens liste over de europæiske landes jøder i januar 1942, men
at en indgriben mod dem på det tidspunkt ikke var umiddelbart forestående. Det
var efter indstilling fra Martin Luther i AA, men at der fra da kom forøget fokus på
"jødespørgsmålet" fremgår af, at man i Det Tyske Gesandtskab i København ansatte
Lorenz Christensen til at registrere danske jøder.[379] Det var i september 1942, at der
blev taget initiativ både i AA og i RSHA til at indlede foranstaltninger mod de danske
jøder,[380] men de kom i første omgang ikke videre, sandsynligvis fordi det skulle afvente

374 7:148.
375 9:121.
376 Herbert 1996, s. 351f. og 531-533.
377 En udførligere forskningsdiskussion for dele af dette emne findes hos Bak 2001 og 2002.
378 Renthe-Finks indberetninger vedrørende "jødespørgsmålet" 1940-42 er udgivet af Lauridsen 2008a.
379 Lauridsen 2008a, nr. 30 og her 8:45, 211, 264 og 9:15.
380 Lauridsen 2008a, nr. 43-47, 49-50 og her 1:27 og 49.

Renthe-Finks afløsers tiltræden. Best fulgte imidlertid den af Renthe-Fink lagte linje, hvad enten det var forventet eller ikke, at det ville være ødelæggende for det tysk-danske forhold at indlede indgreb mod de danske jøder. Han argumenterede adskillige gang for det i løbet af første halvår 1943, og opnåede 30. juni Himmlers tilsagn om, at der indtil videre ikke skulle indledes foranstaltninger.

Alligevel var det også Best, der med telegram nr. 1032, 8. september 1943 foreslog AA, at en aktion mod de danske jøder blev gennemført, men påfølgende også tillod, at viden om den forestående aktion gik videre til dem, der var udset til at være dens ofre. Hvorfor denne handlemåde? Yahil var den første – bortset fra Best selv – til at søge at besvare dette spørgsmål, der er blevet et af de mest omdiskuterede vedrørende tysk besættelsespolitik i Danmark. Det gjorde hun på et tysk kildegrundlag, som ingen af dem, der siden har beskæftiget sig med det, har overtrumfet.[381] Yahil påviste, at tele- grammet 8. september kom overraskende i AA, og at det blev forelagt både Ribbentrop og Hitler, før Hitler 16. september gav grønt lys for aktionen.[382] Det var klart Bests initiativ, en konklusion som har stået stort set urokket siden blandt historikere, danske som udenlandske. Yahil forklarer Bests handlemåde med, at Best efter nederlaget for det tætte samarbejde med den danske regering 29. august ville demonstrere i Berlin, at han kunne være mere radikal i sin politiske håndtering af situationen i Danmark. Dertil skulle han have det nødvendige tyske politi tilført, så han kunne klare en situation som den i august uden hjælp fra værnemagten, som han også ville styrke sin position i for- hold til. Når Best samtidig forhandlede om dannelsen af en ny dansk regering, var det på skrømt. Hans mål var at blive rigskommissær og regere via departementscheferne. Jø- deaktionen skulle skaffe ham politiet, og så snart den var bevilget, havde aktionen tjent sit mål, og Best kunne lade oplysninger om den afsløre, så den ikke kom til at belaste hans fremtidige virke i Danmark.

Hans Kirchhoff anmeldte bogen ved dens fremkomst og var med rette meget kritisk mht. Yahils viden om danske forhold, men roste hende for for første gang systematisk at have gennemgået aktpakkerne i AA. Han refererede hendes teser om Bests rolle under jødeaktionen, og kommenterede dem således: "Alligevel tør man ikke følge dr. Yahil, når hun konkluderer, at Best – *og han alene* – var ansvarlig for at jødeaktionen kom i stand (s. 119). Trods alt var forholdet næppe så enkelt." Ifølge Kirchhoff måtte Best efter 29. august have været klar over, at en jødeaktion nu kunne ventes hver dag.[383]

Synspunktet forfulgtes ikke på dette tidspunkt, men Kirchhoff tog igen hendes ho- vedsynspunkter op i 1994 og fremførte nu tre problemer ved dem. For det første gæl- der det tidspunktet for, hvornår Best fik tilkommanderet mere tysk politi. Her støtter Kirchhoff sig til Bjørn Rosengreen (se nedenfor), der mener at have afdækket, at dette godt kunne være sket før telegrammet af 8. september blev afsendt. I hvert fald var chefen for BdS Rudolf Mildner øjensynligt udnævnt 7. september. Dette styrker ifølge

---

381 Det bemærker Yahil indirekte selv 1998, s. 460.
382 AA blev orienteret dagen efter, se 7:77. Vilhjálmsson 2006, s. 83 skriver, at dette telegram nr. 1265 gik tabt ved krigens slutning!
383 Kirchhoff i *Historisk Tidsskrift*, 12.IV, 1969-70, s. 277.

Kirchhoff ikke Yahils tese.[384] Spørgsmålet er dog også, om det svækker den, da udnævnelsen jo ikke nødvendigvis blev Best bekendt, før han afsendte telegram nr. 1032.

For det andet anker Kirchhoff over, at Yahil godtog "den af Best iscenesatte myte om den rigsbefuldmægtigedes fald den 29. august indsvøbt i samarbejdspolitikkens rødhvide dug." Kirchhoff påpeger, at Best kom "stærkt tilbage" med støtte fra Ribbentrop og Hitler og fik "nye og omfattende fuldmagter", der satte von Hanneken til vægs. Altså tyder det ikke på "nogen afgørende desavouering", der gjorde en så dramatisk indsats som jødeaktionen nødvendig. Her er det nødvendigt at have Kirchhoffs formuleringer nøje for øje: Et er udfaldet mod Bests mytemageri, noget andet er, om ikke det er alt for kraftigt udtrykt, at Best kom stærkt tilbage, selv om der ikke var tale om nogen afgørende desavouering. Best var sat på plads med den "støtte", der kan lægges deri, og når politikken skulle føres videre uden ansigtstab for AA, kan det ikke undre, at han fik nye direktiver vedrørende en dansk regeringsdannelse, som måske kan kaldes en omfattende fuldmagt, ellers var hans opgaver som hidtil – også på de øvrige områder, herunder det økonomiske.[385] Best kunne måske godt have brug for at manifestere sig.

For det tredje finder Kirchhoff det problematisk, at Yahil mener, at Himmler skulle have reageret negativt eller tøvet med at sende tysk politi til København. Der er intet i kilderne, der indicerer dette, skriver han, og derfor var der heller intet behov for at trumfe 8. september-telegrammet igennem og iværksætte den store gambling, som jødeaktionen tog sig ud som. Ud fra det foreliggende og her trykte kildemateriale fremgår det imidlertid, at Best flere gange måtte rykke AA for svar på sit telegram nr. 1001 af 1. september med ønsket om et eget eksekutivapparat i form af tysk politi.[386] Han rykkede med telegram nr. 1010, 3. september, med nr. 1051, 13. september og med nr. 1072, 16. september, og først 18. september vidste AA, at der af Himmler var bevilget to politibataljoner til Best, og i denne skrivelse *refereres der direkte tilbage til Bests anmodning fra 1. september*.[387] Der er måske ikke tale om en tøven, men i hvert fald fik Best ikke besked fra den ene dag til den anden, og mest væsentligt: han havde efter min vurdering ikke fået besked 8. september.[388] Dette er uden i øvrigt at støtte Yahils argumentation fra min side.

Lige forud for fremkomsten af Yahils bog på dansk, havde Jørgen Hæstrup i *Til landets bedste*. 1. 1966, i kapitel 5: "Aktionen mod de danske jøder" givet en fremstilling, der bl.a. hviler på de forklaringer, som Werner Best og G.F. Duckwitz i de umiddelbare efterkrigsår havde givet derom. Kort fortalt havde Best underhånden fået at vide, at Hitler havde besluttet, at aktionen i Danmark skulle gennemføres. Derfor sendte Best telegrammet 8. september, der nok opfordrede til at sætte aktionen i gang, men hvis egentlige formål var at demonstrere alle de problemer, det ville medføre. Det havde ingen virkning i Berlin, og Best afslørede derfor aktionen til Duckwitz for at få den saboteret. Hæstrups fremstilling er bemærkelsesværdig ved den ukritiske tiltro til især Duck-

384 Kirchhoff 1994b, s. 61.
385 Se 4:3 og 4.
386 4:1.
387 4:87.
388 Rosengreen 1982, s. 44 daterer telegrammet 18. september til 19. september, selv om det er underskrevet af Geiger den 18., men først noteret set af statssekretæren og understatssekretæren den 19.

witz, som også havde leveret udskrifter fra sin dagbog til værket. Dog kan det til nød forklares med, at det har vist sig vanskeligt i det hele taget at kigge Duckwitz i kortene for hans rolle under besættelsen.[389] Mere bemærkelsesværdigt er det, at tyske historikere som bl.a. Heinz Höhne og Erich Thomsen ukritisk har skrevet af efter Bests erindringer, naturligvis stillet til rådighed af Best selv![390] De nåede derfor "resultater" som Hæstrups, der var forældede straks ved fremkomsten.

Bjørn Rosengreen tog også spørgsmålet om jødeaktionens iværksættelse op i sin undersøgelse af Best politik. Han afviste Hæstrups forklaring, at Best med sit telegram 8. september reelt ville afværge en jødeaktion, men godtog Duckwitz' rolle som formidler af aktionens afsløring. Han havde på et punkt en alvorlig anke mod Yahils forklaring, idet han mener at kunne dokumentere, at beslutningen om at føre mere tysk politi til Danmark var taget endnu før Best afsendte telegrammet 8. september. Hans hovedargument er, hvad han udleder af Bests telegram nr. 1010, 3. september. Best bad om i forlængelse af *og med henvisning* til sit telegram til Ribbentrop 1. september om hurtigst muligt at få tilsendt en BdS, hvilket Rosengreen får til: "Der kan heraf udledes, at Best i dagene 1.-3. september må have fået oplysning om, at der skulle oprettes en sådan post i Danmark, eller i det mindste at en sådan var planlagt. Meddelelsen er kun logisk, hvis Best havde modtaget en melding om, at de tyske politifolk også ville blive kommanderet til Danmark, og det fordrede en chefpost som 'Befehlshaber der Sicherheitspolizei'."[391] Han pointerer det yderligere to sider senere: "Dog må det antages, at der allerede den 3. september 1943 har foreliggt et foreløbigt tilsagn fra SS, ellers ville Bests telegram den 3. september ingen mening have haft."[392] Jeg kan ikke se logikken eller den manglende mening, idet Best brugte den fremgangsmåde at presse på for en beslutning ved at foregribe dens resultat. Det gentager sig 13. september, da han sendte et telegram til AA med ønske om en særlig konto til de midler, der skulle anvendes bl.a. til det tyske politi, der ville komme. Rosengreen konkluderer hertil: "Den 13. september vidste Best helt præcist, at det tyske politis ankomst til København var umiddelbart på trapperne. Han må have modtaget en definitiv meddelelse kort før."[393] Det er en formodning, der ikke kan sluttes ud fra telegrammet. I telegrammet 3. september henviser han til sit eget telegram i samme sag fra 1. september og ikke til nogen der imellem modtaget meddelelse. Skulle Rosengreens logik følges, havde det været det tjenstlig korrekte at henvise til den meddelelse derom, som var modtaget. Det var almindelig praksis i telegrammerne mellem AA og Best. Heller ikke Bests telegram 13. september indeholder henvisning til nogen meddelelse om, at der ville komme tysk politi. Jeg slutter deraf, at han ikke havde fået nogen tjenstlig meddelelse derom endnu. Og hvorfor skulle AA først 18. september

389 Det kan langt hen begrundes med karakteren af nogle af Duckwitz' aktiviteter, de var farlige for ham selv og hans omgivelser og ikke et led i almindelig embedspligt, men alligevel skaber hans senere håndtering af sit eftermæle mistro, herunder at hans dagbog ikke har kunnet benyttes (Kirchhoff 1994b, s. 65), og så at han beviseligt og selv har indrømmet at have løjet til Bests fordel vedrørende kapitulationsforhandlingerne i maj 1945.

390 Höhne 1967, s. 366f., Thomsen 1971, s. 180f. (Thomsen har ikke gjort brug af Yahil 1967 eller 1969). Jfr. Herberts bemærkning 1994, s. 100.

391 Rosengreen 1982, s. 41.

392 Rosengreen 1982, s. 43

393 Rosengreen 1982, s. 42.

få meddelelsen derom fra RFSS, hvis Best allerede var tjenstligt orienteret? Hvad han eventuelt måtte være underrettet om underhånden, ved vi ikke noget om, det vil være gætteri, og Best selv kunne heller ikke have udnyttet en sådan viden.

Endelig er der Mildners udnævnelse. Derom haves en skrivelse til SS-Personalhauptamt 18. september 1943, hvor det nævnes, at Himmler efter samråd med Kaltenbrunner har udnævnt Mildner til BdS i Danmark med virkning fra 7. september. Selv daterede Mildner i en efterkrigsforklaring sin udnævnelse til 15. september, mens Rosengreen ikke har kunnet give nogen forklaring på, at det blev 7. september.[394] Det er næppe heller nødvendigt. Jeg kan ikke i materialet se indicier for, at Best havde en positiv tilbagemelding om tysk politi senest 3. september, og det er også uden betydning, såfremt det ikke var politispørgsmålet, der var drivkraften for Best.

Rosengreen lægger i sin forklaring på iværksættelsen af jødeaktionen vægten på, at undtagelsestilstanden var det mest velegnede tidspunkt set ud fra Bests optik, idet Best var klar over, at en jødeaktion før eller siden var uundgåelig. Et ikke nyt, men relevant synspunkt. Rosengreen sætter sit synspunkt i perspektiv ved at skrive: "Der findes faktisk ingen holdepunkter for, at Best skulle nære synderlige anti-semitiske følelser."[395] Det har givetvis skullet sætte trumf på Rosengreens standpunkt, at jødeaktionen var et velkalkuleret træk i Bests politiske skakspil med den hensigt at sabotere muligheden for en regeringsdannelse definitivt.[396] Best i rollen som den passionsløse politiske skakspiller har vist sig ikke at kunne holde, hvad Ulrich Herbert klart har dokumenteret.

Den dokumentation har Tatiana Berenstein i artiklen "The historiographic Treatment of the abortive Attempt to deport the Danish Jews" i *Yad Vashem Studies* 1986 ikke haft brug for, idet hun uden videre gik ud fra, at Best udløste jødeaktionen, fordi han var nazist og antisemit. Meget enkelt. Det indebærer også, at hun må give en anden forklaring end hidtil på, hvorfor Best sidenhen afslørede, at aktionen skulle finde sted: nemlig at Best pludselig den 21. september fandt ud af, at han ikke ville få tilført den mængde politifolk, han havde regnet med, og at han derfor ikke havde en tilstrækkelig politistyrke til at imødegå det oprør, man frygtede jødeaktionen kunne fremkalde.[397]

Der er ikke skygge af samtidigt belæg for, at Best 21. september fik en sådan meddelelse, og værre bliver det, når hun efterfølgende bl.a. konstruerer en plan udarbejdet af Best, Mildner, Eichmann og Himmler selv, der skulle gøre Danmark jødefrit uden at deportere jøderne, men i stedet at fordrive dem til Sverige. Heri indgår Duckwitz' advarsel 28. september som det, der fik jøderne til at flygte fra hus og hjem. De talrige øvrige detaljer og spekulationer skal der ikke gås ind på her. I stedet henvises til Hans Kirchhoffs grundige svar på konstruktionerne, som også er interessant ved, at det gav ham anledning til at forsvare Duckwitz over for nogle af Berensteins postulater og at tage stilling til "Duckwitz som aktør og historiker": "Duckwitz havde både mod og moralsk gehalt til at handle. Derfor hører han med rette til de retfærdige i Holocausts europæiske mørke."[398]

---

394 Rosengreen 1982, s. 45.
395 Rosengreen 1982, s. 52, 54f.
396 Rosengreen 1982, s. 49 note 3.
397 Berenstein 1986 og artiklens første del på dansk 1993.
398 Kirchhoff 1994b, citatet er fra s. 72. Tilsvarende store ord i Kirchhoff 1993b, s. 89.

Trods det åbenlyst problematiske ved konstruktionerne i Tatiana Berensteins arti-
kel, har den mødt en vis genklang hos tyske forskere som Hermann Weiss og Ulrich
Herbert, som begge inddrager dele deraf. Weiss har to gange behandlet jødeaktionen
og finder det udtrykkeligt begge gange svært at analysere Bests bevæggrunde og moti-
ver, men refererer meget knapt dele af den foreliggende litteratur og lader Best anse 8.
september for det mest velegnede tidspunkt til at foreslå aktionen for at forbedre sin
anseelse. "Möglicherweise sah er sich in jedem Fall als Gewinner. Sollte sein Vorschlag
abgelehnt werden, konnte man ihm nicht mehr vorwerfen, vor harten Maßnahmen
zurückzuschrecken. Im Falle der wahrscheinlichen Annahme würden die Polizeiverstär-
kungen, [...] einen beachtlichen Zugewinn an exekutiver [...] bedeuten." Hvorfor Best
påfølgende røbede aktionen, tilskriver Weiss hans hidtil ambivalente adfærd.[399] De to
artikler er materialerige, men det skorter på analyser.

Herbert er noget mere konkret i sine forklaringer, der må ses på baggrund af, at
han har sat sig som mål at spore Bests ideologiske rødder, nærmere bestemt det völki-
sche element, som han vurderer som det centrale for Bests omverdensopfattelse. Det
völkische (der ikke lader sig oversætte) indebar en antisemitisme, der ikke indebar had
til den enkelte jøde eller jøder som jøder, men som et truende fremmedelement. Det
indebar, at jøderne skulle udskilles fra det tyske folkelegeme, udskillelsen kunne være
fordrivelse eller tilintetgørelse. Best så akademisk eller lidenskabsløst på den måde, det
skulle ske. Anskuet på den baggrund var Best først og fremmest drevet af et ideologisk
projekt,[400] da han iværksatte jødeaktionen, og iværksættelsen skete på et tidspunkt, da
de barrierer, der hidtil havde holdt ham tilbage, var faldet bort, nemlig det gode forhold
til regeringen Scavenius, og at der ikke var udsigt til dannelsen af nogen ny dansk rege-
ring. Når Herbert påfølgende skal forklare, hvorfor han lod Duckwitz vide, at en aktion
skulle finde sted og hvornår, bliver det nu mere kompliceret, da den ideologisk drevne
forklaring vanskeligt lader sig forene med en pragmatisk magtpolitisk. Det er da heller
ikke det, Herbert gør. Først stiller han spørgsmålstegn ved Duckwitz' pålidelighed, han
finder ikke dennes skildring af Bests rolle helt overbevisende og søger at pille ved det
kronologiske forløb.[401] Dernæst gør han det til en kendsgerning, at Best og Mildner fra
ca. 20. september var overbevist om, at aktionen var afsløret på grund af henvisninger
til flugtforberedelser, og at aktionen derfor ville slå fejl, og at kun få jøder ville blive
grebet af tysk politi. Det var i den erkendelse, at han forud rapporterede til AA. Hvis
man skulle til at foretage razziaer og finkæmme Danmark for at finde jøderne på deres
gemmesteder, kunne det tage lang tid og føre til urolige tilstande efter den militære und-
tagelsestilstands ophævelse, hvorfor Best valgte at lade aktionen afsløre via Duckwitz
for at skabe den panik, der forcerede den igangværende flygtningestrøm og få jøderne
ud af landet på kort tid. På den måde blev det ideologiske mål nået; at Danmark blev
jødefrit.[402]

399 Weiss 1991, s. 174f. og 1999, s. 44 og 49f.
400 "Für Best aber, wie für die meisten anderen SS-Führer, war die Entfernung der Juden aus dem deut-
schen Machtbereich ein politisches Ziel sui generis; es bedurfte dazu keiner anderweitigen Absichten, für
die die 'Aktion' gegen die Juden instrumentalisiert wurde." (Herbert 1994, s. 102).
401 Herbert 1994, s. 108f. og 1995, s. 368f.
402 Herbert 1995, s. 367f.

Herberts ideologisk rettede forklaring har fundet tilslutning hos Peter Longerich, som betegner den som frugtbar,[403] mens Leni Yahil er mere skeptisk. Hun slår ned på argumentet om, at jødeaktionen forud var dømt til at mislykkes, som Best prøvede på at fremstille det. Det finder hun ikke overbevisende. Der fandt ikke kaos og masseflugt sted blandt jøderne før i de allersidste dage, da advarslen var givet. "In fact, Herbert bases himself on a premise that lacks adequate evidentiary and focuses on one factor alone: Rumors. I doubt that we will ever be able to answer unequivocally the question of what considerations influenced Best."[404]

Herberts forklaringer er også blevet kritiseret af Kirchhoff for bl.a. at være for fokuseret på Bests ideologiske baggrund, når de konkrete politiske tiltag skal forklares, og specielt slår Kirchhoff ned på, at der er et element af efterrationalisering i Herberts argumentation, når han bruger panikken blandt jøderne som undskyldning for det ringe resultat af aktionen: Det var en panik, som Best selv havde været med til at fremkalde.[405]

Både Yahils og Kirchhoffs indvendinger har vægt og især synes Herberts tendens til næsten at ophæve nødvendigheden af en forklaring på Bests handlinger i september 1943, fordi Best havde den verdensopfattelse, han havde, som meget utilfredsstillende. Det kan kun være det generelt vigtige grundlag for en bedre forståelse af Best, men det ophæver ikke nødvendigheden af specifikke forklaringer i konkrete politiske situationer. Det endte Herbert også i sidste ende med at komme til at give.

Hans Kirchhoff har flere gange givet sit syn på aktionen mod de danske jøder og selv sammenfattet det komplicerede forløb således: "Det er at Best med sin Gestapofortid og sit kendskab til Endlösung fra Frankrig, og med sin viden om det permanente tryk der lå på Danmark, måtte operere *med en til vished grænsende sandsynlighed for* at regeringens fald ville udløse jødeforfølgelsen fra Berlin. […] Nu da det en uge inde i september stod klart at en ny regering ikke lod sig danne udløste han aktionen uden skrupler, for at få den gennemført på det mest belejlige tidspunkt, dvs. under undtagelsestilstanden, hvor den tyske magt stod stærkest, og hvor forbitrelsen ville falde på general v. Hanneken. Men parallelt hermed søgte han at afbøde dens virkninger på den danske opinion og på de danske statsorganer han var tvunget til at samarbejde med, ved gennem indiskretioner at give jøderne mulighed for at unddrage sig deportationen og gå under jorden i stedet. Det var det scenario der måtte tegne sig som det mest realistiske i september, hvor man ikke kunne forudse nogen masseflugt til Sverige, og som vel også ville virke mindst provokerende over for Berlin. Og det var en udgang der harmonerer med hans egen konception om et jødefrit Danmark."[406]

Forklaringen er i sin koncentrerede form meget overbevisende og meget langt fra, hvad Kirchhoff selv havde ment, da han anmeldte Leni Yahils bog i 1968: At det næppe kunne være så enkelt, at Best og Best alene var ansvarlig for jødeaktionens igangsættelse. Det var Best, der var den eneansvarlige for både initiativet og forpurringen, men at få den forklaring med alle dens led og elementer sat sammen har ikke været og er fortsat

---

403 Longerich 1997, s. 10.
404 Yahil 1998, s. 462f.
405 Kirchhoff 1994b, s. 68f. Jfr. for det belejlige allerede Reitlinger 1953 (tysk udg. 1956 benyttet), s. 394.
406 Kirchhoff 1994, b, s. 70. Jfr. Kirchhoff 1993b, 1994a, 2002 og 2003.

ikke så enkel. Der vil fortsat kunne diskuteres mange detaljer i det komplicerede forløb, men overordnet synes denne tese mest holdbar.[407] Blandt indvendingerne skal nævnes, at aktionens gennemførelse under den militære undtagelsestilstand ikke ville rette forbitrelsen mod von Hanneken. Den ville i den brede offentlighed under alle omstændigheder først og fremmest blive rettet mod de tyske myndigheders øverste politiske repræsentant, Werner Best. Anderledes var det i forhold til den danske administration i og med, at den fik kendskab til de afbødende tiltag fra tysk side (bl.a.: døre blev ikke brudt op hos jødiske familier og deres formuer ikke konfiskeret). Dog bør Kirchhoffs tese og jødeaktionen i det hele placeres som blot et væsentligt element i den større helhed, som var Bests politik for Danmark fra 1. september 1943, da han vidste, at han skulle forblive på sin post i Danmark.

Med hensyn til om jødeaktionen var en succes eller fiasko, er der, som det fremgår ovenfor, delte meninger mellem forskerne. Best selv erklærede 2. oktober aktionen som en succes over for Ribbentrop, idet Danmark var blevet jødefrit,[408] men der blev fra AAs siden spurgt ind til selve forløbet,[409] og Best måtte forklare sig,[410] ligesom Franz Six fra AA kom på besøg i København i den anledning 20.-22. oktober. Det førte ikke til en kritik af Best for jødeaktionen, alene forklaringer på forløbet.[411] Der var også 16. oktober et møde mellem Legationsrat von Thadden og Gestapochef Heinrich Müller om bl.a. aktionen, hvor der ikke blev udtalt nogen kritik. I stedet blev ansvaret fordelt mellem AA og RSHA.[412] Dog var admiral Hans-Heinrich Wurmbach 2. oktober ikke i tvivl om, at aktionen var slået fejl ("ein Fehlschlag"),[413] det var AA heller ikke 6. oktober ("Mißerfolg"),[414] og det måske bedste bevis for det er, at forholdet mellem Himmler og Best var varigt forringet. Det var slut med de breve, hvor Best søgte RFSS' støtte. Når flere forskere har villet gå så langt at forklare HSSPF Günther Panckes sideordning med Best, da Pancke blev udnævnt i oktober, som Himmlers straf for jødeaktionens fiasko, er det at gå for vidt.[415] Som påvist af Ruth Bettina Birn og fulgt op af Henrik Lundtofte var det et udslag af Himmlers generelle europæiske magtbestræbelser og organisationsidéer ved denne tid. HSSPF-embedet skulle være så uafhængigt af andre tyske magtinstanser som muligt og være RFSS' personlige lokale stedfortræder.[416]

Uanset dette var det, som påpeget af Rosengreen, først og fremmest et nederlag for Best, at tysk politi blev sideordnet ham,[417] men man kan samtidig stille spørgsmålet, hvordan Best som SS-Gruppenführer og med kendskab til bl.a. indsættelsen af en HSSPF i Frankrig i 1942, kan have forestillet sig, at han kunne have fået en sådan un-

---

407 Kreth og Mogensen 1995 har fokus på de danske jøders flugt og behandler kun knapt forløbet forud på grundlag af den eksisterende litteratur, men har betydning mht. det tyske politi (se afsnit 6.13).

408 4:212.

409 4:237.

410 4:242.

411 4:343.

412 4:331.

413 4:223.

414 4:247.

415 Yahil 1967, s. 175 og Kirchhoff i *Besættelsens Hvem Hvad Hvor*, 1979, s. 271.

416 Birn 1986, Lundtofte 2003, s. 51f. Kirchhoff har i *Hvem var Hvem*, 2005, s. 34 fulgt denne opfattelse.

417 Rosengreen 1982, s. 47.

derlagt i Danmark. Var det troen på de nære relationer til RFSS, som han havde forsøgt at gøre tilpas, eller havde han mistet kontakten med, hvad der foregik i SS? Endelig kunne Best da ikke have forestillet sig, at AA ville have accepteret, at han fik en HSSPF under sig? Ribbentrop afviste 2. oktober kategorisk en sådan løsning.[418]

Adolf Eichmann havde 2. november 1943 et møde med Best i København, hvilket bl.a. Leni Yahil,[419] Hans Sode-Madsen og Hans Kirchhoff tager til efterretning, mens Ulrich Herbert forklarer det med, at det skete efter kraftig dansk intervention.[420] Det er bemærkelsesværdigt, at der ikke er gravet dybere i det spørgsmål i kraft af, hvor vidtrækkende konsekvenser mødets resultat fik for de til Theresienstadt deporterede jøder. Af de her fremlagte dokumenter fremgår det, at det løfte Best 5. oktober gav Nils Svenningsen vedrørende hvilke retningslinjer, der skulle gælde for at deportere jøder,[421] ikke af Best selv blev kommunikeret videre til AA, og at AA 25. oktober måtte erfare derom i et memorandum fra UM.[422] AA reagerede på Bests egenrådige handlemåde ved øjeblikkeligt at afkræve ham en forklaring.[423] Han var i forvejen kaldt til møde i Berlin ang. indsættelse af en HSSPF i Danmark,[424] men nu kom der et nyt dagsordenspunkt til. Resultatet af det møde blev, at Best fik ordre om selv at lave en aftale med RSHA, når han i København havde afgivet løfter til dansk side, som helt og holdent var RSHAs område.[425] Det var årsagen til, at Best fik et direkte møde med Eichmann, hvilket var ganske uden for den sædvanlige tjenestevej, men tilfældet var også særligt. På mødet lykkedes det Best bl.a. at overbevise Eichmann om, at de deporterede jøder skulle *forblive* permanent i Theresienstadt og hvilke retningslinjer, der skulle gælde ved fremtidige deportationer af jøder.[426] En ikke ringe præstation, der skulle tjene Bests politik i Danmark.

Blandt det meget, der kan diskuteres, er Duckwitz-Best-forholdets pålidelighed, hvilket er sket af Gunnar S. Paulsson i 1995 og igen af Vilhjálmur Örn Vilhjálmsson 2006. Paulsson ville afglorificere redningen af de danske jøder og stillede i den forbindelse bl.a. spørgsmålstegn ved Duckwitz' troværdighed ved at pille ved det kronologiske forløb på grundlag af Berensteins tidligere omtalte artikel, idet han mente, at der var yderligere beviser i den sag (Paulssons artikel hviler ikke på primærundersøgelser). Paulssons hovedtese er, at det var med Himmlers viden og billigelse, at jødeaktionen i Danmark blev saboteret. Jødeaktionen var derfor en succes og ikke mislykket. Kirchhoffs svar samme år fik form af en gendrivelse af en række af de fremsatte synspunkter, idet det blev åbenlyst, at de ikke bygger på et grundigere kendskab til emnet endsige

418 4:218. Jfr. Rosengreen 1982, s. 46.

419 I en note angiver Yahil dog hovedformålet med Eichmanns rejse til København som "opklaring af de åbne spørgsmål, som krævede en afgørelse, og bestemmelse af fremtidige forholdsregler." (Yahil 1967, s. 447 note 42).

420 Yahil 1967, 258f., Sode-Madsen 1993b, s. 277, Kirchhoff 1993b, s. 104, Herbert 1996, d. 372. I den ikke-faglige litteratur findes adskillige grundløse forklaringer på Eichmanns besøg i København.

421 Hæstrup, 1, 1966-71, s. 182f., Yahil 1967, s. 176.

422 Yahil 1967, s. 257f. med note 40 s. 447. Jfr. sst. s. 428f. note 147.

423 4:357.

424 4:345, 350.

425 4:364, 368.

426 4:281, 385, 395.

havde et samtidigt materialegrundlag. Men Paulsson havde "tolket kreativt", som han selv træffende formulerede det.

Vilhjálmsson er den første, der har haft en kildekritisk undersøgelse af Duckwitz' rolle for redningen af de danske jøder som hovedemne. På den ene side er behovet for en afklaring heraf relevant, på den anden side godtgør artiklen, hvorfor ingen hidtil er gået i dybden med emnet: Det er overmåde vanskeligt at kontrollere Duckwitz' senere fremstillinger ved hjælp af samtidigt materiale. Tilmed fremkommer Vilhjálmsson med den antagelse, at et materiale, der udgiver sig for at være samtidigt, nemlig Duckwitz' dagbog, faktisk ikke er det. Eller sagt på en anden måde: Duckwitz har også konstrueret det materiale, hans senere beretninger først og fremmest skulle holdes op imod efter 1945. Det taler for Vilhjálmssons antagelse, at nogle af indførslerne virker noget efterrationaliserede og andet synes ulogisk, ligesom den ensformighed uden rettelser, den er ført med, kan virke mistænkelig. Der er også enkelte samtidige forhold, der kan belyses fra andet samtidigt materiale, der ikke stemmer med Duckwitz' "materiale", ligesom hans erindringers skiftende indhold er til diskussion. Vilhjálmsson har kunnet rejse berettiget tvivl om Duckwitz' materiales pålidelighed, men ikke om den rolle, han kom til at spille fra 28. september 1943. Den er dokumenteret på anden vis, selv om Vilhjálmsson vil bestride det.[427]

I de senere år er andre sider af "jødespørgsmålet" i Danmark under besættelsen blevet undersøgt. Det gælder for det første den danske flygtningepolitik, som forfatterne til det detaljerede værk derom, Hans Kirchhoff og Lone Rünitz, har givet den sigende titel *Udsendt til Tyskland*. Selv om værket er om *dansk* politik, så er der væsentlige oplysninger om, hvordan de tyske myndigheder håndterede sager med mennesker i Danmark, som af den ene eller anden grund var i landet uden at være danske statsborgere, og hvordan det samvirke foregik med den danske administration. Det drejer sig om gruppen af flygtninge, herunder jøder, illegalt indvandrede, desertører, krigsfanger, tyskfjendtlige landes statsborgere, statsløse, o.a. Det er den klare konklusion, at de tyske udleveringskrav sjældent blev mødt med modstand fra dansk side, eller at man fandt det belejligt at gå i forhandling. "Undtagelser var de tilfælde hvor manden var blevet dansk gift, og suveræniteten kom i klemme. Her fik man flere gange forhindret deportation. Modsat lykkedes det også at få tyskerne til at overtage flygtninge, som de ikke havde bedt om."[428] Der blev i alt udleveret 20 jødiske flygtninge til Gestapo, hvoraf to overlevede. Af de 20 havde tyskerne angiveligt kun bedt om de fem. De danske myndigheder fulgte uændret den stramme flygtningepolitik, som havde rådet siden 1930'erne, og nemt var det i øvrigt heller ikke at komme tilbage til Danmark efter 1945.

Vilhjálmsson har 2005 skrevet en bog om delvis samme emne som Kirchhoffs og Rünitz', og den er båret af en sådan indignation, at budskabet skæres ud i pap på en måde, der virker modsat hensigten.

Jacob Halvas Bjerre har senest skrevet en afhandling om UMs viden om forfølgelsen af de europæiske jøder 1938-45, som på en måde ligger i forlængelse af Kirchhoffs og Rünitz' undersøgelse, idet afhandlingen bl.a. beskæftiger sig med de udenlandske jøder,

427 Vilhjálmsson 2006.
428 Kirchhoff/Rünitz 2007, s. 477.

der søgte kontakt til den danske udenrigstjeneste for at få hjælp, og danske forretnings-
folk og firmaer med interesser i Tyskland, der søgte bistand, når de kom ud for chikane
og problemer fra tysk side, fordi der var jøder eller jødisk kapital indblandet. UM opnå-
ede en detaljeret og udførlig viden om langt de fleste tiltag, der blev rettet mod jøderne
i Europa. Dog var det næsten uden undtagelse alene jøder med dansk statsborgerskab,
der kunne gøres noget for at hjælpe mod forfølgelsen.

I denne sammenhæng er det af særlig interesse, at man gennem henvendelserne til
UM får et indblik i, hvordan man fra tysk side forsøgte en arisering af forretningssam-
kvemmet mellem Tyskland og Danmark.[429] Det er et område, hvor vor konkrete viden
fortsat er meget begrænset (jfr. ovenfor). I de tilfælde, hvor man fra tysk side ved direkte
kontakt søgte at lægge pres på forretningslivet, kulturlivet og andre områder for at få
jøderne fjernet eller udelukket, og det er sket uden om det danske statsapparatet, er det
svært at komme det nærmere, men der blev forsøgt noget sådant, og nogen gav efter for
presset.[430] Blot mangler det at blive undersøgt. Muligvis har danske nazister også her
spillet en rolle som stedfortrædere, selv om de naturligvis havde deres egen dagsorden
for at forfølge jøder, men spørgsmålet er, om de også gjorde det efter tysk "vejledning"
eller ordre i konkrete tilfælde.[431]

6.12. Invasionsforsvaret og det danske samfund

Det tyske invasionsforsvar i Danmark blev første gang i større omfang behandlet af Arne
Bonvig Christensen i 1976,[432] siden udførligere af Knud Hendriksen 1983,[433] men begge
er siden blev afløst af Jens Andersens afhandling fra 2007, der både kort karakteriserer
den tidligere forskning på området og på grundlag af omfattende studier i danske og
tyske arkiver har givet en detaljeret fremstilling af de tyske planer og aktiviteter,[434] der
tillige er suppleret med talrige detailstudier af enkelte forsvarsanlæg spredt i en række
tidsskrifter over mere end 10 år.[435]

I sig selv er det tyske invasionsforsvar ikke her betragtet som en del af tysk besæt-
telsespolitik i Danmark, men alle de afledte virkninger af opbygningen af den enorme
atlantvold er det i høj grad, ligesom foranstaltningerne i forbindelse med de andre for-
svarsanlæg fra efteråret 1944, samt de forberedelser som blev truffet i fald, en tysk til-
bagetrækning pludselig blev nødvendig. Befæstningsbyggeriet involverede voldsomme
økonomiske, materielle og menneskelige ressourcer og affødte flere gange dramatiske
krav fra WB Dänemark. Den tyske håndtering af befæstningsbyggeriet, dets organise-
ring og praktiske udførelse, bl.a. gennem OT, og dets virkninger på lokalsamfundene er

429 Halvas Bjerre 2011.

430 Se artiklen "Vort demokrati – og jøderne" i *Frit Danmark* juni 1943. Man var i samtiden i høj grad
opmærksom på problematikken.

431 I 1944 var det en kombination af bombetrusler og tysk pres, der fik Det Kongelige Teater til at tage
operaen "Porgy og Bess" af plakaten (Bak 2004, s. 276).

432 Bonvig Christensen 1976, der blev udgivet på grundlag et historisk speciale.

433 Hendriksen 1983, der har udvidet kildegrundlag i forhold til Bonvig Christensen ved bl.a. at benytte
Kriegsmarines krigsdagbøger.

434 Andersen 2007.

435 Se Lauridsen 2002b med tillæg, afsnit 3.14.6 for denne litteratur.

slet ikke eller meget sparsomt undersøgt. Der foreligger en enkelt fremstilling fra 1997, *Dansk arbejde*, af Claus Bundgård Christensen et al.,[436] der er et godt første udgangspunkt, som man kun kan håbe vil blive fulgt op på basis af videregående kildestudier, og med skærpet fokus på emnet anskuet fra tysk side. Hvordan den danske administration reagerede på værnemagtens fremfærd, er Jørgen Hæstrup inde på,[437] og der foreligger et meget omfattende materiale til belysning heraf fra stiftamtmand Peder Herschends såkaldte Silkeborgkontor.[438]

Hvordan fik man mest muligt ud af de danske arbejdsgivere, arbejdere og danske ressourcer uden at tage skridtet til tvang, som det skete i andre lande ved i større omfang at indføre krigsfanger og civile fra andre besatte lande som arbejdere ved byggeriet? Et muligt svar kunne være det økonomiske incitament. Der blev fra tysk side ikke taget videre hensyn til omkostningerne, når det gjaldt invasionsforsvaret. Dansk erhvervslivs lukrering på de tyske fæstningsbyggerier er et delemne for sig, idet man fra tysk side ansporede og tiltrak danske entreprenører, vognmænd og arbejdere med favorable priser, takster og lønninger, som andre ikke kunne hamle op med. Der blev fundet mange måder at omgå de givne danske kontrolsystemer på. Her hjalp bl.a. hemmeligholdelse af hensyn til, at det drejede sig om militære anlæg. Der savnes konkrete historiske analyser på feltet, men der er nogle samtidige tyske stikprøveundersøgelser, der kan tages udgangspunkt i.[439]

Som det vil fremgå af kildematerialet publiceret her, voldte det omfattende tyske befæstningsbyggeri i Danmark stor bekymring og kritik hos andre tyske myndigheder både i Danmark og Tyskland. Blandt de bekymrede var Franz Ebner hos den rigsbefuldmægtigede, Alex Walter fra REM og Waldemar Ludwig fra RWM, foruden rigsfinansminister Lutz Schwerin von Krosigk.[440] Det kunne skade den økonomiske balance i Danmark og i værste fald true den danske valuta og eksport til Tyskland. Den tyske bekymring og kritik fandt ikke overraskende genklang hos den danske administration, men at det resulterede i en tysk opfordring til UM om at udarbejde et memorandum til en række tyske ministerier, hvor kritikken i detaljer blev fremført, er mere forbløffende. Tilmed blev memorandummet diskuteret i udkast mellem både den danske og tyske side, før den officielle danske overrækkelse i Berlin i juni 1944.[441] Her kunne de tyske myndigheder blandt meget andet indledningsvis få at vide, at UM anså sabotagen i Danmark som betydningsløs. Sagen er fremdraget af udgiveren 2010.[442]

Werner Best var ikke alene om at indberette den "betydningsløse" danske sabotage til Berlin.

---

436 Bundgård Christensen et al. 1997 er desværre uden noteapparat, hvilket i nogen grad svækker brugsværdien.
437 Hæstrup, 1, 1966-71, s. 497-532 og 2, s. 45-49. Nu tillige Leth 2009, der fokuserer på værnemagtens krav om fremskaffelse af dansk arbejdskraft til befæstningsbyggeriet.
438 Både RA og KB har Herschends kontordagbog 1943-45, mens bilagene alene er på RA (Lauridsen 2010d).
439 Se bl.a. 5:362, 6:103 og 8:5.
440 Se bl.a. 6:103.
441 6:199.
442 Lauridsen 2010a.

6.13. Gestapo og den tyske modstandsbekæmpelse

I betragtning af hvor meget Gestapos virksomhed i Danmark fylder i erindringslitteraturen, i flere Danmarkshistorier og på film er det overraskende, at den videnskabelige beskæftigelse med tysk politi har været så længe om at komme fra start. Det ikke mindst i betragtning af, hvor ringe viden den første besættelseslitteratur havde om et emne, den angav at have noget at fortælle om. Som karakteristisk eksempel kan tages oldtidshistorikeren Carsten Høegs bidrag til *Frit Danmarks Hvidbog* 1946 om "Gestapo og dets danske Hjælpere", hvis indhold ikke er en historiker værdig, om man så nok så meget tager tiden i betragtning. I mangel af historiske undersøgelser har der kunnet florere allehånde udsagn i erindringslitteraturen og modstandsberetninger om et allestedsnærværende Gestapo fra 1940 på trods af, at tysk politi i større omfang først kom til landet i september 1943.[443] Den første vederhæftige information blev givet af Hans Kirchhoff i *Besættelsens hvem hvad hvor*, 1965 om "Tysk politi og sikkerhedstjeneste", men dette og senere videnskabelige bidrag synes til dato ikke at have påvirket hovedparten af erindringslitteraturen i nævneværdig grad.

Vi skal frem til 1995, før Robert Bohn på 18 sider gav "Ein solches Spiel kennt keine Regeln. Gestapo und Bevölkerung in Norwegen und Dänemark", hvor der for første gang på et spinkelt kildegrundlag og med hovedvægten på Norge, blev givet en skitse af Gestapos aktivitet i Danmark,[444] som, hvordan man end vender og drejer det, ikke kunne være tilfredsstillende. Artiklen er heller ikke blevet citeret i Danmark før 2003, men det kan måske forklares med, at emnet først kom op her efter år 2000, da tendensen til at beskæftige sig med dem på "den anden side" var kommet i gang.

Der er dog en side af tysk politis aktivitet, der længe har haft en særlig bevågenhed. Det er dets indsats i forbindelse med aktionen mod de danske jøder. Yahil behandlede tysk politi under den synsvinkel, at Werner Best fik iværksat jødeaktionen for at få tilført et tysk politi, og på lignende måde sammenkædede hun indsættelsen af en HSSPF sideordnet Best med jødeaktionen, idet det angiveligt skulle være en sanktion over for Best for aktionens ringe resultat. Disse teser stillede Bjørn Rosengreen 1982 sig kritisk over for, da kildematerialet ikke gav indicier i den retning (jfr. ovenfor).[445] Rasmus Kreth og Michael Mogensen inddrog også tysk politi i forbindelse med deres undersøgelse af *Flugten til Sverige*, 1995, hvor de nøjere daterede de tyske politibataljoners ankomst og angav deres styrke, ligesom de belyste deres fremfærd under selve aktionen.[446]

Det er Henrik Lundtofte, der med *Gestapo. Tysk politi og terror i Danmark 1940-45*, 2003, med et slag både fejede tidligere forestillinger om emnet til side og på et forsvarligt kildegrundlag og med inddragelse af international forskning gav en klar og tematisk fremstilling af tysk politis virke i Danmark. I tiden indtil august 1943 var de fåtallige tyske politifolks aktivitet indskrænket til at presse på over for dansk politi og bistå, vejlede og stille krav til det for at sætte ind mod modstandsarbejde og sabotageaktivitet. Lundtofte har kun haft et spinkelt samtidigt materiale til rådighed, da væsentlige sagsakter

---

443 Se Lundtofte 2003a, s. 224-234: "Gestapo i litteratur og kilder."
444 Bohn 1995, der indgår i en antologi med adskillige andre bidrag af interesse for danske forhold.
445 Rosengreen 1982, s. 43, hvilket Lundtofte 2003a, s. 228 tilslutter sig. Se samme 2003b.
446 Kreth/Mogensen 1995, s. 22-34.

mangler og lysten fra dansk side til at grave i dette tema har været afdæmpet, selv om PKB måtte tage emnet op. Kildesituationen er ikke meget bedre fra september 1943, da større mængder tysk politi indfinder sig for at overtage modstandsbekæmpelsen fra dansk politi. Akter fra AA må supplere det begrænset bevarede materiale fra tysk politi og hoveddelen baseres på efterkrigsafhøringer. Der gives en karakteristik af både politi-ledelsen og de menige, der alt overvejende bestod af almindelige politifolk med traditio-nelle karriereforventninger. De danske medlemmer af Gestapo er et kapitel for sig, de var uundværlige på grund af deres sproglige kunnen og lokalkendskab, men det var også dem, der mest stod for f.eks. mishandlinger og tortur. Det er endnu et område, hvor der fra tysk side blev handlet pr. stedfortræder. Tilskuddet af danske håndlangere var ikke tilstrækkeligt til at dække behovet. Gestapo i Danmark var permanent underbemandet og i takt med, at voldsudøvelsen mellem Gestapo og modstandsbevægelsen eskalerede, blev der taget stadig grovere midler i brug. Det er Lundtoftes brutaliseringstese, en an-den formulering af, hvad Henning Poulsen 1995 betegnede som "gradvis forråelse".[447] Modterroren som politisk kampmiddel er viet et kapitel for sig, også her vises det, at den først og fremmest var uden forebyggende virkning på modstandsbevægelsen, men i stedet påvirkede de midler, den som reaktion tyede til. En pointe er, at modterrorpo-litikken blev indledt på et tidspunkt (begyndelsen af december 1943), hvor der endnu ikke kunne forventes resultater af tysk politis modstandsbekæmpelse, og at kravet derom (gentaget i førerhovedkvarteret 30. december) ikke hang sammen med utilfredshed med politiets resultater, men at modstandsbevægelsens "terrormetoder" (mord og sabotage) skulle besvares med de samme midler ("Gegenterror"). I den forbindelse argumenterer Lundtofte både mod Henning Poulsen og Robert Bohn (s. 160-164). Når Hitler havde beordret *anonym* terror i Danmark, tolker Henning Poulsen det med de moderate ty-ske handlingsmønstre, besættelsesformen havde skabt, og at tyskerne i Danmark stadig gerne ville anses som ordentlige mennesker. Lundtofte finder intet belæg derfor hos de tyske myndigheder i Danmark, men fastholder det som Hitlers egen løsning, idet Hitler havde indset, at massenedskydninger af gidsler ville virke mod hensigten, og Danmark desuden stadig var et særtilfælde. Hertil kan føjes, hvad Lundtofte påfølgende kommer ind på, at anonymiseringen af terroren kun holdt ganske kort, hvorefter ingen var i tvivl om, fra hvilken lejr afsenderen kom. Den slutning deler udgiver.[448] Når Poulsen alligevel har en pointe, så består den alene i, at de tyske myndigheder ikke offentligt vedkendte sig allerede begåede repressalier, men det ændrer ikke det forhold, at med den viden derom alle havde uanset lejr, var den stadige terrortrussel et reelt virkemiddel over for den almindelige befolkning.

Robert Bohn hævdede 1995, at påbegyndelsen af den anonyme terror gjorde Dan-mark til et eksperimentarium for en ny terrorform.[449] Det har Lundtofte klart kunnet afvise med henvisning til, at det hollandske SS sammen med Gestapo fra september 1943 udførte repressaliedrab for drab på hollandske nazister.[450]

---

447 Poulsen 1995, s. 14.
448 Jfr. Lauridsen 2006c, s. 182 med note 89.
449 Bohn 1995, s. 478.
450 Jfr. Longerich 2008, s. 676.

I de sidste måneder udviklede der sig en regulær "bandekrig" mellem tysk politis danske grupper, HIPO o.a. og modstandsbevægelsen, hvor man gik efter hinanden som mål i sig selv. Trods dette er det, i lighed med Henning Poulsen, Lundtoftes konklusion, at Gestapo i Danmark udviste en relativ moderation i sin fremfærd. Det bygger han bl.a. på en sammenligning med Gestapos fremfærd andre steder i det besatte Europa, men også at der var modererende forhold i Danmark. Dels blev landet (flødeskumsfronten) ikke behandlet som f.eks. Polen, dels søgte andre tyske myndigheder i Danmark at dæmpe tysk politis fremfærd. Dette sidste er senest taget op af Lauridsen 2006 med udgangspunkt i Bests rolle.[451]

I en stribe artikler har Lundtofte fulgt op på de emner, han tog hul på i *Gestapo*. Bl.a. om Gestapo i Kolding og Gestapochefen i Esbjerg og om Gestapos rolle under jødeaktionen,[452] ligesom han har leveret en stribe biografier om tysk politi til *Hvem var hvem 1940-1945*. 2005. Særskilt har han givet et portræt af den "fremtrædende" danske terrorist i tysk tjeneste, Henning Brøndum, i et forsøg på at nå bag om mandens selvbillede for at finde ud af, hvad der drev ham.[453] Som optakt til en kommende afhandling om HIPO som led i tysk modstandsbekæmpelse har han senest publiceret artiklen "'Vi er ikke forbrydere...' Legitimeringsstrategier og selvbilleder blandt HIPO- og ET-folk."[454]

Den tyske terror og de danske hjælpere i tysk politis tjeneste har fået stigende interesse i de seneste år.[455] Andreas Skov har skrevet om den tyske terror på Fyn,[456] der er skrevet en stor bog om terroristen Ib Birkedal Hansen og personkredsen omkring ham, hvor der svælges i de mere slibrige detaljer,[457] og også *Den aarhusianske massemorder* (bogens titel), Bothildsen Nielsen, er biograferet,[458] og det samme gælder stikkerne m.v. Grethe Bartram, Jenny Holm og Max Pelving,[459] ligesom der er skrevet historiske specialer om enkelte af terrorgrupperne. Om det skyldes, at der fortsat er interesse for dem "på den anden side", om Lundtoftes bog har virket igangsættende eller om det skyldes den internationale terrorisme i dag, får stå hen. Måske er det en kombination af alle tre dele. Og der er i enkelte – for få – tilfælde hentet inspiration fra den tyske gerningsmandsforskning ("Täterforschung"), hvor der bl.a. fokuseres på de selvbilleder og forklaringsmodeller eller mønstre, som de belastede benyttede for at forklare og bortforklare sig – eller til slet ikke ville vedkende sig begåede gerninger.[460] Henrik Lundtofte har i flere omgange ladet sin tilgang til tysk politi og dets danske hjælpere se i det lys. Det kommer der af at arbejde så meget med afhøringsmateriale! I øvrigt er de forskellige bøger og artikler om de danske håndlangere i Gestapos tjeneste i meget varierende grad

---

451 Lauridsen 2006c.
452 Lundtofte 2002, 2003b og 2006b.
453 Lundtofte 2007b. Brøndum havde tidligere fået udgivet en beretning om sit liv (Bergstrøm 1977).
454 Lundtofte 2011.
455 Her ses der bort fra rækken af ikke-forskningsbaserede bøger om emnet.
456 Skov 2005 og 2011.
457 Øvig Knudsen 2004.
458 Kaiser og Tange Rasmussen 2011.
459 Skov Kristensen 2007a, b og c. 2007a er tillige udkommet særskilt 2010.
460 Se Mallmann/Paul 2004 med en udførlig forskningsoversigt over gerningsmandsforskningen s. 1-32.

1944

15. April 1944.   Kamp og Problemer.

Dagmarhus!

Vi havde vænnet os til Synet. Efterhaanden irriterede det os ikke
saa meget. Det, at der stod danske Betjente udenfor Afspærringen, rørte
os ikke, "for saadan var Forholdene jo nu engang". Dog er vi i den sidste
Tid ved at blive rasende, naar vi kører forbi Bygningen. De forskellige
Afsløringer, der er kommet frem om Mordene paa gode danske Mænd, der in-
tet andet havde gjort, end at de var danske, har vakt Harmen hos alle.
De mange utvetydige Bevis for, at det er en organiseret Bande, der er paa
Spil, og som ledes direkte fra Dagmarhus, har faaet Blodet til at koge i
os. Vel vidste vi, at Gestapo brugte alle Midler til at knægte Folkene i
de Lande, der var blevet okkuperet af Tyskerne. Vi havde hørt om deres
Rædselsherredømme i Tjekoslovakiet, Polen og Norge, men Beretningerne om,
hvad de foretog sig andet Steds, kan ikke vække de samme Følelser til Li-
ve i os, som naar det er noget, vi direkte oplever. Og nu har vi oplevet,
hvad Gestapos Terror betyder. Snart kender vi alle een, der sidder inde-
spærret i tysk Fængsel eller Koncentrationslejr. Her eller nede i Tysk-
land. Alle kender en eller anden, der har maattet flygte til Sverige el-
ler gaa under Jorden, fordi Gestapo jagede ham.

Det illegale blad *1944* bragte 15. april 1944 et foto af Dagmarhus med en ledsagende tekst, der
fortalte, hvilke følelser af harme og afsky, som synet af bygningen og Gestapos terror fremkaldte
hos danskerne. Det var forbudt at fotografere bygningen, der var forsynet med maskingeværreder
på taget (Det Kongelige Bibliotek).

Die illegale Zeitung *1944* brachte am 15. April 1944 ein Foto vom Dagmarhaus mit einem
Begleittext, in dem geschildert wurde, welche Gefühle von Empörung und Abscheu das Gebäude
und der Terror der Gestapo bei den Dänen hervorriefen. Es war verboten, das Gebäude zu
fotografieren, auf dessen Dach Maschinengewehre postiert waren (Det Kongelige Bibliotek).

eller slet ikke givende med hensyn til hvilke strategier, der lå bag den tyske modstands-
bekæmpelse.

I august 1943 havde besættelsesmagten ikke været forberedt på at skulle tage sig af
strejkebekæmpelsen i Danmark. Anderledes var det i sommeren 1944, da der udbrød
generalstrejke i København. Der var udarbejdet en plan, kaldet "Monsun", for, hvordan
en sådan indre uro skulle nedkæmpes i en storby.[461] København blev ved hjælp af tyske
tropper afskåret fra omverdenen, der blev indført militær undtagelsestilstand, og der blev
lukket for el, gas og vand til hele byen. Tysk politi besatte de lokale værker, mens med-
lemmer af Rüstungsstab Dänemark tog sig af den tekniske side sammen med danske
ansatte. Blokaden varede kun kort, det kom til en politisk løsning, hvori Duckwitz har
tiltaget sig og er blevet tillagt en betydelig rolle.[462] Derfor blev "Monsun" ikke udsat for
en afgørende test. Generalstrejkeforløbet er adskillige gange blevet analyseret. Der har
været enighed om at lægge skylden for generalstrejkens udbrud på Werner Best, idet han
alene er blevet givet ansvaret for 26. juni at have indført civil undtagelsestilstand med
spærretid fra kl. 20 i en i forvejen varm sommer og anspændt situation. Dette indgreb
blev ganske vist lempet 29. juni, men havde forinden ført til strejker og demonstratio-
ner, og offentliggørelsen af henrettelsen af otte modstandsfolk gjorde generalstrejken til
en realitet. Dette fik Best til at stille betingelser for at ophæve den den 30. juni indførte
tyske blokade af København, betingelser som han gradvist frafaldt under flere dages for-
handlinger med Nils Svenningsen. Til gengæld lovede han at fjerne Schalburgkorpset fra
København. Generalstrejken ophørte da delvis 4. juli og var forbi dagen efter.

Jørgen Hæstrup har behandlet generalstrejken i to omgange, men giver ikke nogen
forklaring på, hvorfor Best valgte at bøje af. Til gengæld bringes der flere dramatiske
elementer ind, så som truslen om et bombardement af København, som der savnes
et pålideligt tysk belæg for.[463] Erich Thomsen er af den opfattelse, at udgangen på ge-
neralstrejken, som han kalder et kompromis, sikkert var mere et nederlag, end en sejr
for besættelsesinstitutionen, "der Reichsbevollmächtigte konnte ihn jedoch als einen
persönlichen Erfolg buchen. Er hatte durch sein Zurückweichen eine schwere Beein-
trächtigung der wirtschaftlichen Leistungen Dänemarks für die eingeengte deutsche
Kriegswirtschaft vermieden, und er hatte seine persönliche Stellung als politisch verant-
wortlicher Reichsvertreter der ganzen Krise aufrechterhalten können."[464]

Bjørn Rosengreen har en helt anden opfattelse af Bests tilbagetog, nemlig at den
udsprang af den reaktion, generalstrejken udløste i førerhovedkvarteret hos Hitler. De
meldinger, der tilgik førerhovedkvarteret fra København, fik Hitler til at tro, at de af
ham givne ordrer ikke blev fulgt. Det fik ham til 1. juli at forbyde al krigsretsforfølgelse
af civile personer i de besatte områder i hele Europa. Og Best blev beordret til førerho-
vedkvarteret for at stå skoleret.[465] Der er ingen tvivl om, at de reaktioner på generalstrej-
ken, som Best modtog fra Ribbentrop, påvirkede ham i retning af at få krisen afsluttet
hurtigst muligt.

461 Ifølge Poulsen 1995, s. 15 var planen oprindeligt udarbejdet med det formål at håndtere uro i tyske byer.
462 Det vil ikke blive nærmere diskuteret her, men se kommentarerne til 6:248, 260 og 264 og 7:14.
463 Hæstrup, 1, 1959, s. 299-315 og samme 1, 1966-71, s. 503-532. Herbert 1996, s. 385-387 følger helt
og ukritisk Hæstrup, 1, 1966-71 med tilføjelse af egne fejl og misforståelser.
464 Thomsen 1971, s. 205.
465 Rosengreen 1982, s. 106-109.

Herbert har ikke selvstændigt forholdt sig til generalstrejken, men hovedsageligt anvendt den udførlige danske forskning til sin fremstilling og formulerer også konklusioner stærkt påvirket deraf: "...in der Tat handelte es sich um ein in dieser Form seltenes Stück autonomen Massenwiderstandes, in dem große Entslossenheit und Risikobereitschaft sich mit Kreativität, Witz und Spottlust mischten und bei dem der deutschen Seite eine Niederlage beigebracht wurde, die um so bemerkenswerter war, als hier eine unbewaffnete Bevölkerung einem hochgerüsteten Besatzungsapparat gegenüberstand."[466] Det kunne lige så godt være skrevet umiddelbart efter 1945.

Det er Kirchhoff, der med en givende sammenligning har givet den hidtil mest omfattende forklaring på, hvorfor generalstrejken endte med et tysk tilbagetog. "Det kan nok undre, når vi betænker, at tyskerne til enhver tid kunne have knust opstanden i blod, således som man kort efter gjorde det med Warszawa. Undtagelsestilstanden demonstrerede klart hvor effektivt militære magtmidler var, og afspærringen af byen ville i løbet af ganske få dage have slået benene væk under strejkebevægelsen. [...] Først og sidst var København ikke Warszawa og Danmark ikke Polen – for nu at blive i sammenligningen." Den sammenligning uddyber Kirchhoff ved at påpege, at der lå bånd og restriktioner på besættelsesmyndighederne i Danmark, som ikke gjorde sig gældende i Polen. I Danmark var der et tysk politi sideordnet de mere konservative diplomater, og de var derfor tvunget til at koordinere indsatsen. Generalstrejken i København var en politisk magtkamp, der krævede en politisk løsning. I Warszawa skulle værnemagten kastes ud af byen. Hertil samarbejdede man i Danmark med myndighederne – modsat i Polen – og havde gjort det hele tiden, og også generalstrejken gjorde det klart, at de danske myndigheder ikke var mod-, men medspillere. Hertil føjer Kirchhoff yderligere tre momenter: Der var for det første begyndt at brede sig sympatistrejker, for det andet blandede Hitler sig i krisen med et voldsomt udfald mod Best, hvad der meget vel kan have motiveret Best til for næsten enhver pris at afbryde konflikten (her er Kirchhoff på linje med Rosengreen), og for det tredje var der hensynet til strejkens rustningsøkonomiske virkning. Det moment vurderer Kirchhoff imidlertid ikke har haft stor betydning i betragtning af dansk industris beskedne bidrag til den tyske krigsproduktion.[467]

Slående er det ved Kirchhoffs i øvrigt overbevisende argumentation, at de mulige konsekvenser for dansk landbrugseksport end ikke bliver omtalt. Ville de danske bønder have leveret som hidtil, hvis der var blevet foretaget en blodig massakre på den københavnske befolkning? I hvert fald ville samarbejdet med departementschefstyret være ophørt. Der kan også stilles spørgsmålstegn ved, om sammenligningen med Warszawa er den mest oplagte og rimelige. Det havde måske været mere frugtbart, at sammenligne generalstrejken i København med den tyske strejkebekæmpelse i de "germanske" lande Holland og Norge, hvor summariske henrettelser bragte alle tilløb til folkelig uro til ophør.[468] Den repressalieform blev fravalgt i København, så Danmark var heller ikke Norge eller Holland, hvilket måske er mere sigende. Tysk besættelsespolitik i Polen var i en anden og ekstrem kategori.

---

466 Herbert 1996, s. 385f.
467 Kirchhoff 2001, s. 247f.
468 Dahl 1992, s. 239-241, Umbreit 1999, s. 21, Longerich 2008, s. 676, Poulsen 1995, s. 14.

Generalstrejken i København førte til en varig forværring af forholdt mellem Best og tysk politi, Bests eftergivenhed blev betragtet som for stor, og selv om "Monsun" fortsat var det tyske instrument til strejkebekæmpelse resten af besættelsen, så overgik gennemførelsen af den i efteråret 1944 i København til tysk politi, mens den forblev hos værnemagten i de større provinsbyer. Tysk politi ville ikke endnu en gang se til. Jeg har i 2007 nærmere undersøgt de tyske erfaringer med anvendelsen af "Monsun" samt dens skærpede variant "Taifun" ved strejkebekæmpelsen i Danmark.[469] De tyske erfaringer var ikke ubetinget positive. Under generalstrejken i København ramte lukningen af el, gas og vand bl.a. også værnemagtens egne indkvarteringssteder, og så krævede lukningen en særlig ekspertise, hvis ikke der skulle ske uoprettelig skade på anlæggene. Det var man ikke interesseret i fra tysk side. Ved generalstrejken i Esbjerg i september 1944 medførte anvendelsen af "Monsun", at talrige andre byer i Vestjylland mistede strømmen, fordi de fik deres strøm fra Esbjergs kraftværk. Det førte til såvel danske som tyske klager! Der var moderation i Danmark, også når det gjaldt den tyske strejkebekæmpelse.

Den største enkeltaktion, som tysk politi var involveret i Danmark i samarbejde med værnemagten, var arrestationen af knapt to tusinde danske politifolk 19. september 1944 og deres påfølgende deportation til Tyskland. Det var et større indgreb i det danske samfund end jødeaktionen, og det skabte større afstand mellem tyske og danske myndigheder end nogen anden begivenhed siden 29. august 1943. Det bragte departementschefstyret på randen af opløsning.[470] Hvor vidt der fra tysk side var kalkuleret med dette, er uvist. Men det var højt spil i betragtning, hvad man fra tysk side opnåede: Talrige funktioner, som dansk politi havde varetaget og som tillige var i tysk interesse, ophørte. En del af de ikke deporterede politifolk gik under jorden og tilsluttede sig den illegale bevægelse. Den danske administrations vilje til samarbejde blev varigt ringere uden at der i mange tilfælde var noget at stille op. Politiets forsvinden spillede den danske administration det argument i hænde, at den havde mistet det eksekutivinstrument, der skulle sikre ordrens udførelse, og et vedvarende krav var fra nu af politifolkenes tilbageførelse. De var at betragte som uskyldige.

Aktionen svækkede Bests forhandlingsmuligheder, selv om han kom til at fremstå som holdt uden for aktionen af Hitler og Himmler, hvad enten han var det eller ej.[471] Aktionen havde også til følge, at tysk politi forhandlede mere og mere direkte med den danske administration og udenom Best. Det gjaldt bl.a. i spørgsmålet om tilbageførsel af de deporterede danske politimænd.[472]

Der er stort set enighed blandt forskerne om de forhold, der førte til aktionen: Der havde gennem længere tid været ført forhandlinger om det danske politis funktioner, som var mislykkedes. Det gav tysk utilfredshed. Der havde også i længere tid været mistanke til politiet for at være i ledtog med modstandsbevægelsen, hvilket var bevist i konkrete enkelttilfælde. Med den stigende invasionsfare var der frygt for, at det danske politi i givet fald skulle falde den tyske hær i ryggen, som det var sket i Paris, hvilket før-

469 Lauridsen 2007b og her tillæg 14.
470 Møller 1945, s. 186, Hæstrup, 2, 1966-71, s. 83, Koch 1994, s. 400, Kirchhoff 2001, s. 263.
471 Lauridsen 2007c i diskussion af Strand 2006.
472 Hæstrup, 2, 1966-71, s. 163, 168f., 180f., 186f., 196, 199.

te til et tysk ønske om dets afvæbning. Der er også enighed om, at initiativet til aktionen var Günther Panckes,[473] og der er i den forbindelse af Rosengreen og Lundtofte blevet peget på, at han med initiativet ønskede at genvinde tilliden hos Himmler efter at have været på kanten af en forflyttelse.[474] Til det føjes af Thomsen og Herbert, at det også var Panckes hensigt at provokere modstandsbevægelsen frem.[475] Om det sidste var tilfældet, er udokumenteret, men det havde været hensigten lige forud op til årsdagen for 29. august.[476] Tysk politis holdning var tydeligvis skærpet efter sommerens generalstrejke.

Politiaktionen omfattede ikke hele det danske politi, men kun knapt 2.000 af de i alt 10.000 betjente, og det havde ikke været Panckes hensigt, at politiet som helhed skulle opløses, men planerne for en videreførelse blev i det omfang, de forelå, fra starten forkludret under den politimæssige undtagelsestilstand, således at det endte med et beskedent dansk hjælpepoliti (HIPO) og Efterretningstjenesten, ET,[477] som på ingen måde kunne være en erstatning for det korps, der var forsvundet. Især Hæstrup og Rosengreen, men også Lundtofte, har berørt de tyske planer for et reorganiseret dansk politi, men en mere indgående analyse må afvente fremkomsten af Lundtoftes afhandling om HIPO-korpset.[478]

Ekskurs: Tyske repressalieformer anvendt i Danmark 1943-45
– Udgangsforbud/spærretid
– Gidseltagning
– Bod
– Massedeportationer
– Uofficielle henrettelser/skudt under flugtforsøg
– Offentligt fremsatte trusler
– Mishandling/tortur
– Drab på udvalgte danskere og tilfældige danskere
– Sprængning af bygninger af samfundsmæssig eller social betydning
– Lukning af forlystelsessteder for kortere perioder
– Henrettelse af allerede dødsdømte modstandsfolk som gengæld for sabotage
– Afbrydelse af vand, gas og el og indeslutning af by
– Sprængning af ejendomme anvendt i forbindelse med modstandsaktivitet
– Modstandsfolk anbringes på tog for at hindre sabotage
– Tilbageholdelse af pårørende til eftersøgte modstandsfolk
– Beslaglæggelse af færger (et tilfælde)
– Nedskydning af modstandsfolk på stedet
– Afbrænding af ejendom som gengæld for jernbanesabotage (et tilfælde)

473 Hæstrup, 2, 1966-71, s. 64-70, Koch 1994, s. 400, 402.
474 Rosengreen 1982, s. 127, Lundtofte 2003a, s. 178-180.
475 Thomsen 1971, s. 210, Herbert 1996, s. 393.
476 Hæstrup, 2, 1966-71, s. 26f., 28ff., Rosengreen 1982, s. 121f.
477 Herom Stevnsborg 1992, s. 463f.
478 Hæstrup, 2, 1966-71, s. 69-71, Rosengreen 1982, s. 127-130, Lundtofte 2003, s. 180f.

6.14. Slutkamp i Danmark? Den tyske kapitulation

I takt med at de tyske tropper i foråret 1945 over en bred front måtte trække sig tilbage, meldte spørgsmålet sig på tysk side, om det ville komme til en slutkamp i Danmark, og hvordan de tyske myndigheder i Danmark, civile som militære, skulle stille sig dertil. For værnenes vedkommende udgik der ordrer vedrørende anlæg, der i givet fald skulle ødelægges, først og fremmest havnene. Men skulle ordrerne følges? Hvordan ville rigsledelsen stille sig? Der gik et spil i gang, hvor de tyske aktører med udsigt til det uundgåelige nederlag søgte at positionere sig også i forhold til tiden derefter.

Johan Hvidtfeldt var den første, der på grundlag af de affotograferede akter i RA fra OKWs og AAs arkiver samt andet materiale 1969 påtog sig at udrede spillet.[479] Af forskellige grunde udkom hans afhandling først i 1985, så både Erich Thomsen og Bjørn Rosengreen nåede at komme med deres bidrag først.[480] Thomsens i alt knapt halvanden side om kapitulationen er symptomatisk for de kildeproblemer, der er forbundet med at udrede situationen omkring og lige forud for kapitulationen. Nogle af de væsentlige initiativer, der angiveligt skulle være taget, hviler udelukkende eller overvejende på efterkrigsforklaringer, hvor igen Duckwitz og Best vil tiltage sig en hovedrolle, specielt når det gælder beslutningen om, at det ikke kom en slutkamp. Det indgik i Bests forsvar under retssagen mod ham. Det samtidige materiale er for enkelte udsagns vedkommende åbne for fortolkninger, så det gør ikke sagen meget lettere. Imidlertid er hverken Thomsen, Rosengreen, Hvidtfeldt eller endnu Herbert i 1996 forbeholdne over for Duckwitz' erindringer og Best forklaringer og erindringer.[481] De bruges i alle tilfælde til næsten det samme. Forklaringerne reproduceres ukritisk og er ikke søgt bekræftet ad anden vej.[482] I Herberts tilfælde bliver det ikke bedre af, at han yderligere henviser til Thomsen, som også bygger på de samme beretninger af Duckwitz og Best. Mon "kapitulationen" er et kapitel, der blot har skullet overstås, så almindelige metodiske principper har kunnet sættes ud af kraft?

I kommentarerne til de her udgivne dokumenter fra foråret 1945 er der gjort nærmere rede for kildeproblemerne, så den foreliggende forskning af de fire ovennævnte historikere skal efter fortjeneste kun refereres kort.

I midten af april 1945 enedes Gauleiter Karl Kaufmann i Hamburg og bl.a. Best om at arbejde for en kapitulation uden kamp i deres respektive områder. Mellemmand var Duckwitz. Best rejste også til Oslo, men fik ikke Terboven med på samme holdning. Duckwitz var i Stockholm 26.-29. april, hvor han bl.a. talte med statsminister Per Albin Hansson, som han siden over for Best refererede for den holdning, at Sverige ville intervenere, hvis det kom til slutkamp i Danmark. Parentetisk bemærket indrømmer Best

---

479 Hvidtfeldt 1985, s. 13-49.

480 Thomsen 1971, s. 218f. Rosengreen 1982, s. 165-167.

481 Herbert 1996, s. 398-400, hvor kildegrundlaget er Best og Duckwitz med yderligere henvisning til Thomsen 1971 (og Steinert 1967 for mødet i Mürwik). Det foregående afsnit s. 396-98 om de tyske flygtninge er af lignende kvalitet.

482 Det er i sig selv ikke tilstrækkeligt at dokumentere at et møde faktisk har fundet sted. Indholdet af mødet må der også dokumentation til for. Forklaringer som alene Best og Duckwitz er enige om, kan der ikke fæstes større lid til.

i sine erindringer, at det referat ikke var korrekt,[483] men han er nødt til at fastholde, at han har sagt det, da den resterende del af den fabrikerede historie ellers ikke går op. Der var nemlig møde i Mürwik 3. maj med den nye rigskansler Karl Dönitz, hvor bl.a. Best, Georg Lindemann, Terboven, Franz Böhme, finansminister Lutz Schwerin von Krosigk m.fl. var til stede. På dagsordenen var bl.a., om der skulle kæmpes eller kapituleres i de forskellige lande. Lindemann var parat til at kæmpe, Terboven ligeledes, men Best var imod af hensyn til de mange tyske flygtninge og sårede, men han oplyste også, at han lige før sin rejse havde fået meddelelse om, at Sverige ville intervenere, såfremt det kom til kamp i Danmark og Norge. Mødedeltagerne skiltes uden at der var taget en beslutning. Påfølgende besluttede Dönitz sig for kapitulation uden kamp.[484] Nogle dage efter den 5. maj ringede Steengracht fra AA til Best og meddelte ham, at det var hans indstilling ved mødet i Mürwik, der var trængt igennem. Duckwitz skærpede det til, at det var oplysningen om den mulige svenske intervention, der var afgørende.

Støtte for dele af deres beretninger fik Duckwitz og Best senere fra Schwerin von Krosigk, men desværre kunne de øvrige deltagere ved mødet i Mürwik ikke erindre, at Best havde talt om svensk intervention, og der blev også stillet spørgsmålstegn ved, hvor kraftigt Lindemann tilsluttede sig en slutkamp. For detaljerne henvises til kommentaren i bind 9, dokument 226.

Den kritiske stillingtagen til slutkampsspørgsmålet (men ikke Bests og Duckwitz' beretninger) daterer sig til 1995, da både Thomas Pedersen og Martin Moll udgav artikler, der beskæftigede sig med, hvad der egentligt blev sagt på mødet i Mürwik.

Thomas Pedersen refererede Hvidtfeldt, hvad angik Bests udtalelser på mødet, herunder muligheden for svensk intervention, men stillede spørgsmålstegn ved, at Lindemann skulle have opfordret Dönitz til at slå det sidste anstændige slag i Nordslesvig, idet det alene hvilede på Schwerin von Krosigks erindringer og "ikke lod sig fastslå på baggrund af de øvrige mødedeltageres samtidige eller senere beretninger om mødet". (s. 45). Thomas Pedersen argumenterer for, at Lindemann ikke var slet så krigerisk i slutfasen, som han er blevet gjort til. Lindemann havde ganske vist 24. april over for sine divisionskommandanter udtalt at ville kæmpe til sidste patron; en udtalelse senere forskning har fæstnet sig ved,[485] men udtalelsen var primært rettet indadtil og var et udtryk for et forsøg på at holde ro og orden i Danmark og at opretholde moralen og ikke mindst i den tyske styrke i en svær situation (s. 45). Om Pedersens vurdering af Lindemanns indstilling i april-maj 1945 kan holde, vil måske vise sig, når Jens Andersens analyse af Lindemanns virke som WB Dänemark foreligger. I hvert fald er det positivt, at der kom hul på en kritik af beretningsmaterialet.

Martin Moll har i artiklen "Kapitulation oder heroischer Endkampf in der "Festung Norwegen"? Die Entscheidung für ein friedliches Ende der deutschen Okkupation Dänemarks und Norwegens im Frühjahr 1945" på over 40 sider dybtgående behandlet,

---

483 Duckwitz' erindringer u.å., kap. x, s. 32 (PA/AA, Nachlaß Georg F. Duckwitz, bd. 29), jfr. Hvidtfeldt 1985, s. 26.

484 Man kan kun tilslutte sig Poulsens bemærkning: "Dennoch – für Dänemark war wohl der Beschluß Dönitzs zur bedingungslosen Kapitulation am 5. Mai 1945, der auch von Werner Best unterstützt wurde, einer der wichtigsten, der von deutschen Behörden gefaßt worden war." (Poulsen 1991, s. 378).

485 Se 9:209.

om Norge som "fæstning" skulle danne rum for den tyske rigsledelses kamp og Hitler flytte sit hovedkvarter dertil, eller om der skulle kapituleres. Danmark er inddraget i begrænset omfang, men artiklen er af væsentlig interesse ved nærgående at redegøre for Hitlers, OKWs og OKMs opfattelse af Norges og Danmarks rolle i krigens sidste fase. Moll konkluderer, at Hitler ikke brugte megen opmærksom på de to lande til sidst, og der ikke lå nogen beslutning om, hvad der skulle ske der militært, da Karl Dönitz 1. maj overtog embedet som rigskansler. Det blev først besluttet, efter at Dönitz havde indhentet situationsrapporter fra Böhme og Lindemann 1. maj og mødet i Mürwik var afholdt. Lindemann havde i sin rapport 1. maj bl.a. meddelt, at samtlige tropper havde begrænset kampværdi, men at han havde dem i sit faste greb. I tilfælde af en invasion måtte man regne med, at modstandsbevægelsen ville gøre oprør, ligesom værnemagten var belastet af at forsørge 200.000 flygtninge og sårede. Dog regnede han for tiden ikke med en invasion (s. 70f.).[486] Som optakt til mødet i Mürwik omtaler Moll, at Best 19.-20. april havde været i Oslo for at få Terboven til at være med på en kampløs overgivelse, og Moll tilføjer i en note, at dette alene bygger på Bests eget udsagn og ikke lader sig efterprøve gennem samtidige kilder (s. 59 med note 93). Samme kildekritiske tilgang har han til selve mødet i Mürwik, da han tørt konstaterer, at der som baggrund for den beslutning om Norges og Danmarks skæbne, der blev taget efter mødet, alene foreligger en 20 linjers nedskrift i OKWs krigsdagbog[487] og en række modstridende efterkrigsforklaringer fra de overlevende deltagere. Moll gennemgår derpå de af ham kendte forklaringer fra Best, Schwerin von Krosigk og Dönitz' adjudant Walter Lüdde-Neurath og Dönitz selv. Især Schwerin von Krosigk forklaringer hæfter han sig ved, da de har nye formuleringer over tid, og den fhv. minister gerne betjente sig af "direkte" citater. Moll konkluderer, at det møde, som mange skandinaviske forskere har tillagt udslagsgivende betydning for krigsafslutningen i Norden, overvejende ukritisk er blevet behandlet på grundlag af erindringslitteraturen (s. 73f.).[488] Derefter gennemfører han en analyse af de forhåndenværende skildringers troværdighed, og hvordan de stemmer overens med den umiddelbare forhistorie og efterfølgende historie. Her skal alene resultatet for Danmarks vedkommende rekapituleres. Moll betvivler det udsagn og den holdning, som Lindemann tillægges på mødet i Mürwik, idet han stiller spørgsmålet, hvorfor Lindemann inden for 48 timer først skulle give en ret pessimistisk rapport om den militære situation i Danmark 1. maj og derpå en fuldstændig modsat opfattelse af troppernes kampkraft og forsvarsmulighederne den 3. maj (s. 74f.).

Desværre gennemfører Moll ikke en tilsvarende kildekritisk analyse af Bests beretninger om mødet i Mürwik (han kender dem ikke), men holder sig alene til Bests erindringer 1988, hvor den hurtige kapitulation anbefales, og det er med, at en svensk intervention truede (s. 72). Bests erindringer om mødet foreligger også i flere variationer.[489] Trods det er det et stimulerende bidrag, som Moll har givet på et område, der ikke er blevet behandlet tilstrækkeligt kritisk og efter fortjeneste.

---

486 Jfr. 9:220.
487 Her 9:226.
488 For Danmarks vedkommende nævnes Thomsen 1971, Rosengreen 1982 og Petrick 1991.
489 Se herom 9:226.

Det kom ikke til slutkamp i Danmark – og dog. På Bornholm udviklede situationen sig helt anderledes. Der måtte sovjetiske bombardementer til af Rønne og Nexø, før den tyske kommandant Gerhard von Kamptz kapitulerede. Der har været givet afvigende forklaringer på hans handlemåde, og på hvorfor der ikke kom engelske styrker til Bornholm maj 1945 som til det øvrige Danmark. Forklaringerne skal ikke alle gennemgås her, men svaret på sidstnævnte spørgsmål er entydigt givet af Bent Jensen 1996, efter at han har gennemgået en række tidligere bud på svar derpå: De vestallierede havde i deres militære planlægning af Danmarks befrielse udtrykkeligt undtaget Bornholm, men ikke fordi der eksisterede nogen aftale med Moskva derom. Der forelå endnu 7. maj ingen beslutning vedrørende Bornholm, men nævnte dag forbød Eisenhower, at der blev sendt en engelsk styrke til Bornholm (s. 68-71).[490]

Det sætter mere end noget andet det dilemma, som von Kamptz i majdagene ifølge Jørgen Barfod befandt sig i, i relief: Von Kamptz ville gerne kapitulere til englænderne, men da våbenhvilen ikke gjaldt russerne, måtte han fortsætte forsvaret af øen mod en russisk landgang, ligesom han 6. maj skal have modtaget en meddelelse om kun at kapitulere efter opfordring fra vestmagterne – ikke fra danskerne. Den fik han ikke.[491] (s. 264f.). Det har senere på grundlag af tyske akter kunnet afdækkes, at von Kamptz handlede efter ordre om ikke at overgive sig til sovjetiske styrker, men kun til engelske.[492] Ordren blev fulgt til det sidste. Et sandt dilemma, der kostede det bornholmske samfund dyrt.

6.15. Retsopgøret med de tyske krigsforbrydere

Retsopgøret med det tyske besættelsesstyres ledende mænd – Werner Best, Hermann von Hanneken, Günther Pancke og Otto Bovensiepen – tysk politi i øvrigt og dets danske hjælpere var et opgør med den af Tyskland førte besættelsespolitik i Danmark 1943-45.[493] På udvalgte punkter ganske vist. Dermed blev der også for første gang taget stilling til en række til dels helt centrale forhold, som den senere forskning igen har beskæftiget sig med.

De talrige store og små processer kastede et vældigt materiale af sig i form af afhøringer, notater og kopier af samtidige dokumenter. Hermed kunne visse hovedtræk i besættelsespolitikken tegnes og talrige konkrete gerninger kortlægges. Der blev også samlet et meget omfattende baggrundsmateriale ind, bl.a. hentet i Tyskland. Alligevel var det først og sidst et *opgør*, et opgør der måtte fokusere på de forhold, der kunne føre til domfældelse, ellers var et retligt forløb meningsløst. Det betyder, at de ganske mange elementer af tysk besættelsespolitik, der ikke kunne kategoriseres som en forbrydelse,

---

490 Telegrammet fra Eisenhower er gengivet hos Jensen 1996, s. 71 og er også trykt hos Hornemann 2006, nr. 136.

491 Barfod 1976, s. 264f.

492 Bent Jensen i *Hvem var hvem 1940-1945*, 2005, s. 199. Jfr. Jens Andersen om von Kamptz i Lauridsen/Lundtofte (kommende).

493 For sagen mod Best se Herbert 1996, s. 403-433, for sagen mod von Hanneken se Drostrup 1997, kap. 5, for sagerne mod tysk politi og dets danske hjælpere se Lundtofte 2003a, kap. 12 og 2011. Sagerne mod det tyske mindretals ledelse bliver ikke inddraget her; der henvises i stedet til afsnittet om mindretallet ovenfor, idet besættelsesmagtens rolle i forbindelse dermed kun i mindre grad kom frem (Tamm 1984, s. 430f. og Lorek 1998, kap. 10).

slet ikke kom frem eller blev nedprioriteret. Det blev forsvarernes opgave, med hjælp af de anklagede, at få nogle af de angiveligt positive ting omtalt, men meget blev ignoreret.

Ditlev Tamm har i *Retsopgøret efter besættelsen*, 1984, et kapitel 10 om de tyske krigs-forbrydere i Danmark,[494] hvor han beskriver de problemer, der var med at få skabt en retlig ramme for processerne, at det tog en del tid, og at man fra anklagemyndighedens side helst havde været fri for at føre proces mod Werner Best samt at der blev gjort for-søg på at få både England, Frankrig og USA til at overtage denne sag, men forgæves. Disse forsøg havde som baggrund, at man havde vanskeligt ved at overskue kompe-tenceforholdene i Det Tredje Rige. Selvom Best var den øverste politiske repræsentant, havde han så ansvaret for alt det skete? Nogle havde en fornemmelse af, at det trods den hårde tyske kurs kunne være gået langt værre, og at det ikke mindst skyldtes indflydelse fra Best, at man havde undgået de værste excesser. Hvis det også var den slutning, domstolene ville nå til, kunne det føre til en straf, der stod i et sådant misforhold til for-ventningerne hos en stor af den danske offentlighed og måske også i udlandet, at man måtte forudse inden- og udenrigspolitiske problemer (s. 632f.).

Det endte med en fælles proces mod Best, von Hanneken, Pancke og Bovensiepen, idet man under forundersøgelserne havde fået kompetenceforholdene fastlagt så nogen-lunde mellem Best, Pancke og Bovensiepen. Det var et resultat i sig selv, selv om an-klagemyndigheden gerne ville placere Best som den centrale figur, og Bovensiepen som det mere tilfældige eksekutive organ (s. 635). Processen blev først og fremmest et opgør omkring jødeaktionen, forberedelserne til aktionen, hvem havde beordret den, hvem der havde beordret terrorpolitikken, og hvem der havde ansvaret for dens udførelse, tillige hvem der kunne udpege terrormål. Endelig var dem, der lagde bomberne eller trykkede på aftrækkeren: Det var ofte danske i tysk tjeneste med tyske ledsagere. Besæt-telsesmagten førte "krig pr. stedfortræder", og det er et spørgsmål, om det alene skyld-tes manglende ressourcer. Med hensyn til jødeaktionen nåede den højeste retsinstans en anden konklusion end den senere forskning (jfr. ovenfor), mens terrorpolitikken og kompetenceforholdene i den forbindelse blev afklaret og er bekræftet af den senere forskning (Kirchhoff, Rosengreen, Lundtofte). Hertil kom de angiveligt formildende omstændigheder, der kom de anklagede til gode ifølge Højesteret 1950. Også de er værd at trække frem i et forskningsperspektiv:[495]

For Bests vedkommende bl.a.:
– dannelsen af en dansk regering uden nazistisk deltagelse (*)[496]
– tilladelse til at afholde valg i marts 1943
– at begrænse følgerne af jødeaktionen *mest muligt* (min udhævelse, JTL)[497]
– holdt uvidende om politiaktionen, da RFSS ikke havde tillid til ham efter jødeaktionen

---

494 Emnet er siden særskilt og udførligere end hos Tamm blevet taget op af Winther Hansen 2003.
495 Dommene ved Østre Landsret og Højesteret over de fire er (foruden byretsdommen) trykt i PKB, 13, nr. 65b og 66b.
496 Best tiltog sig fra 1945 æren heraf, men han havde givetvis RFSS', Gottlob Bergers og VOMIs opbak-ning hertil med fra Berlin i november 1942.
497 Det er ret bemærkelsesværdigt, at Best både kunne blive frikendt for at have iværksat aktionen og samtidig høste kredit for at have begrænset følgerne mest muligt.

– begrænset beslaglæggelsen af danske skibe
– hindret beslaglæggelse af flydedokker
– fået Wurmbach til at opgive ødelæggelse af danske havne 1945*
– talt stærkt for en kapitulation i Danmark på mødet i Mürwik 3. maj 1945

For Bests, Panckes og Bovensiepens vedkommende bl.a.:
– protesteret energisk mod, at de deporterede danske politifolk blev anbragt i koncentrationslejr i Tyskland,[498] Best ville have dem tilbageført, Pancke og Bovensiepen overført til krigsfange- eller interneringslejr

For Bests og Bovensiepens* vedkommende:
– antages at have afværget krav om overførsel til Tyskland af arbejdere, bl.a. fra saboterede fabrikker, og om tvangsudskrivning af arbejdere til befæstningsarbejderne i Jylland og civilpersoner til bevogtning af jernbaner[499]

For Bovensiepens vedkommende:
– antages at have saboteret en ordre fra RFSS februar 1944 om i særlige tilfælde at arrestere eftersøgte personers pårørende*
– antages at have saboteret en ordre om efter bombardementet af Shellhuset at foretage overførsel til Tyskland af 50 fanger, som skulle have været skudt på vejen dertil*
– antages flere gange at have fremsat krav til Pancke om at få Hipokorpset underlagt tysk sikkerhedspoliti for at kunne føre kontrol med korpset*

Med * er anført de forhold, hvor der ikke er samtidigt materiale som grundlag for ud-sagnenes rigtighed, og hvor heller ikke forskningen har kunnet nå til samme resultat. Det siger ikke så meget om forholdet mellem retssystemets og den historiske forsknings forskellige muligheder og tilgange, som det siger om, at det retlige opgør var et gengæl-delsesopgør, der strakte sig over en så lang periode, at ændrede politiske konjunkturer nåede at øve sin indflydelse, det vil sige, at den kolde krig og forholdet til forbundsre-publikken Tyskland kom til at gøre sig gældende. De formildende "antagelser" vægtedes tungere i 1950 end i 1945. Hvordan kan det ellers forklares, at besættelsesmagtens dan-ske håndlangere blev straffet hårdt – her faldt dødsstraffene tidligere – mens deres tyske foresatte og ansvarlige nok senere blev straffet, men at Best kunne forlade Danmark 1951 og Pancke og Bovensiepen i 1953 som frie mænd? Og andre tyske forbrydere med dem, en del af dem blev hverken fundet eller straffet. Retsopgøret bar i sig selv næring til en senere generations moraliserende historieopfattelse.[500]

498 Der er ikke samtidigt belæg for, at Pancke og Bovensiepen protesterede.
499 Dette lader sig ikke bekræfte for Bovensiepens vedkommende.
500 Se som eksempel Høgh-Sørensen 2004.

6.16. Perspektiver

"Aber insgesamt kann man die Zustände in Dänemark am besten dadurch charakterisieren,
daß die Verhältnisse hier ungewöhnlich normal waren."

Henning Poulsen 1991, s. 369.

Der er fortsat mange og uudnyttede frugtbare muligheder i dansk besættelsestidsforsk-
ning, herunder om tysk besættelsespolitik i Danmark. Det vil være ønskeligt om den
tematiske indsnævring i form af konsensus/konfliktvinklen, der i realiteten har været af
besættelsestidsforskningen, vil blive ophævet.[501] Som allerede H.P. Clausen påpegede
i en anmeldelse af første bind af Jørgen Hæstrups *Til landets bedste...* i 1967, så er
det for snævert at bruge en tvedeling i forhandlings- og samarbejdspolitik, når man vil
give en beskrivelse af, hvordan de enkelte faktorer fungerede i samspil og modspil i det
danske samfund under besættelsen.[502] Hertil kan føjes, at der ingen støtte er at hente
hos Louis de Jong for en tvedeling kollaboration/modstand. Han så mere nuanceret på
besættelsessituationen, der var grader mellem disse to yderpunkter, der gav rum for det
påtvungne og nødvendige samarbejde for samfundets videreførelse i et besat land. Så
kan det diskuteres, hvad der var påtvunget og nødvendigt, men den diskussion vil i sig
selv være et fremskidt og nuancerende i forhold til det rådende danske forskningspara-
digme vedrørende besættelsestiden. Men ligefrem at forvente et snarligt paradigmeskifte
er måske for meget.

En ændret tilgangsvinkel vil også kunne bibringe en anderledes meningsfuld struk-
tureret historiografisk indgang til hele feltet, der vil åbne yderligere for nye problemstil-
linger og indsigter såvel som andre emner, der ikke er omfattet af det givne paradigme.
Nyt kildemateriale venter på at blive udnyttet, og andet skal vendes på ny ud fra andre
synsvinkler end hidtil. Af det foregående vil det fremgå, hvor der bl.a. er huller eller
utilstrækkeligt dækkede emner. Det kan f.eks. være overraskende, hvor lidt der er gjort
ud af den tyske censur. Det synes som om, at det blot er taget til efterretning, at den var
der.

Henning Poulsen har flere gange og fra forskellige udgangspunkter pointeret, hvor
usædvanligt normale forholdene var i Danmark under besættelsen. Synspunktet har
mødt berettiget kritik, hvad angår de tysk-danske handelsforhandlinger, men er i øvrigt
blevet mødt med tavshed. Underforstået hos Poulsen er, at forholdene i Danmark var
usædvanligt normale set i forhold til andre besatte lande. Alligevel vil det være af værdi
i den fremtidige forskning at få differentieret, hvilke forhold der var "usædvanligt" nor-
male og hvilke ikke, idet den påtvungne besættelsessituation i sig selv var alt andet end
normal. Støtte for sit synspunkt på det politisk/administrative område med samt inte-
resseorganisationerne og kun dette har Poulsen hos H.P. Clausen i den ovenfor nævnte

501 I *Historisk Tidsskrift*, 105, 2005, s. 289 skriver Hans Kirchhoff, at konfliktparadigmet "kom til at do-
minere forskningen i en sådan grad, at det i midten af 90'erne blev dømt til at have 'sejret ad helvede til'."
Hvis det er en sejr, er der også betalt en pris for den, ligesom dem, der mener anderledes, ikke rigtigt har
talt med. Det skal her bemærkes, at Claus Bryld tog fejl, når han i 1997 mente, at konsensus/konflikt ikke
længere blev anset som så interessant blandt forskere, men at han til gengæld havde ret i, at der gradvist var
opstået et "behov for at differentiere eller dekonstruere besættelseshistorien med nedslag i forskellige grup-
pers eller institutioners vilkår og adfærd." (Bryld 1997, s. 146f.)
502 *Historie*. Ny Rk. 7:3, 1967, s. 477f.

anmeldelse af Hæstrup, hvor Clausen om departementschefsstyret skriver: "Det kan være rimeligt nok at understrege det ekstraordinære i, at regering og rigsdag ikke mere fungerede. Men spørgsmålet er, hvor langt det går at sætte situationen op som unormal, når man skal fremhæve det karakteristiske ved den. Det forbløffende er vel snarere, at så meget forblev normalt, trods det ekstraordinære i det ydre. I ministerierne og andre grene af administrationen fortsattes arbejdet; det danske samfund fungerede videre; interesseorganisationerne inddroges som før i administrationen og udvidelsen af den gældende lovgivning; forhandlingerne mellem danske og tyske myndigheder foregik nu som før gennem udenrigsministeriet osv."[503] Her over for kan stilles det grundlæggende unormale i, at demokratiet var sat ud af kraft, den fri meningsdannelse ophævet, og at anderledes tænkende blev forfulgt og fik hårde straffe. Der var tysk terror og syv måneder uden politi. Eller formuleret på en anden måde: Normalitetssynsvinklen har indbygget i sig udsigten fra den administrative tops vinduer. Det indebar ikke nødvendigvis, at situationen blev oplevet som "usædvanligt normal" på gaderne, arbejdspladserne og i hjemmene.[504] Hvilke udsigtspunkter skal forholdene i Danmark under besættelsen egentligt anskues ud fra? Mere end et i hvert fald.

Blandt meget andet vil det være ønskeligt, at dansk erhvervslivs rolle i forhold til besættelsesmagten kom mere i fokus, lige fra hele erhvervsgrene ned til enkelte brancher (værfterne f.eks.) og til enkelte virksomheder, så deres forskellige vilkår og muligheder kan blive undersøgt med en tysk besættelse som overordnet rammevilkår, og at der også blev taget hensyn til de regionale forskelle.[505]

Et andet så godt som uopdyrket felt er samvirket mellem besættelsesmagten og lokalsamfundet, såvel hvad angår lokale, danske myndigheder som erhvervene og lokalbefolkningen, og ikke mindst ville det være ønskeligt at eventuelle forskelle i dette samvirke i forskellige egne blev undersøgt. Sidst men ikke mindst vil fortsatte udblik til det øvrige besatte Europa kunne give yderligere inspiration, selv om sådanne sammenligninger er gjort adskillige gange, for der sker fortsat meget i udenlandsk forskning.

Dette ønske er ofte fremført før, og der kan måske spores en vis træthed over det, når Palle Roslyng-Jensen i 1995 i anledning af Henning Poulsens seneste komparative bidrag ytrede, at det er meget godt med den internationale sammenligning og påpegning af forskellene mellem Danmark og de andre besatte lande, men hvad med lighederne, det der var fælles.[506] Han har en pointe deri, at der er blevet fokuseret mere på forskel-

503 Sst. s. 475. Hertil tilsvarende for Norge: "Hele den norske sentrale og lokale forvaltningen fortsatte sin virksomhet under tysk og NS-norsk ledelse. Det norske samfunnet måtte administreres om det ikke skulle ende i kaos, og et stort sett intakt og langt på vei ikke-nazistisk byråkrati stod for denne administrasjonen." (Grimnes 1991, s. 51).
504 F.eks. ville kriminalreporter Vilhelm Bergstrøm ved *Politiken* i de sidste besættelsesår ikke kunne skrive under på, at der herskede usædvanlig normalitet, men hans specielle fagområde giver forklaringen i sig selv (KB, Bergstrøms dagbog og Bergstrøm 1946 og 2005).
505 Her må både værnemagersagerne og arkivet på RA fra revisionsudvalget for tyske betalinger kunne udnyttes, foruden erhvervsorganisationernes lokalarkiver i det omfang, de er bevaret.
506 Roslyng-Jensen 1995, s. 395 i anledning af Poulsen 1995. Når Roslyng-Jensen ønsker beskæftigelse med det, der for Danmark var fælles med andre besatte lande, kan det opfattes sådan, at han vil have fokus væk fra særtilfældet, da det udskriver Danmark af den store europæiske antinazistiske kamp og formindsker konsensus/konflikt-modsætningens eksistentielle nationale betydning ved flødeskumsfronten. Grundlæggende er de nationalt engagerede modstandsfolk og historikere ikke glade for, at Henning Poulsen udfor-

lene end det fælles. Det er nu ikke noget specielt dansk fænomen med det fokus (se afsnit 8), og der er mange gode grunde til det, men at der også var en række grundvilkår, der var fælles for alle de tyskbesatte lande, er uomtvisteligt. Følelsen af at være udsat for en besættelsesmagts påtvungne tilstedeværelse og krav for eksempel. Den følelse kan være forskningsmæssigt svær at operationalisere, som den var svær at håndtere for de samtidige aktører, men den var ikke desto mindre en væsentlig faktor. Det er national eller regional stolthed i det hele taget, og den stolthed kan et lands egen regering også komme til at træde under fode i det nære samarbejdes navn.[507] Det samme er vi også vidner til i dagens globaliserede verden, hvor fremmede magter uanset begrundelse og intentioner griber ind i et andet lands indre forhold og påtvinger det deres tilstedeværelse og måske også værdier.

drende har sat den opfattelse på spidsen, at det var normaliteten, der var særkendet i Danmark under den tyske besættelse.
507 Jfr. Cornelius J. Lammers 1997, s. 66f.

7. Werner Best og tysk besættelsespolitik i Danmark

Werner Best skrev efter knapt to en halv måneds fængsel i 1945 en fire siders optegnelse om sin rolle i tysk besættelsespolitik 1942-45, herunder om hvilke tyske foranstaltninger i Danmark han først og fremmest havde hindret gennemførelsen af, selv om de var planlagt eller forlangt af de tyske instanser. Han strukturerede sin politik i to faser: Den første fase med det tætte samarbejde med regeringen Scavenius fra 5. november 1942 til 29. august 1943, den anden fase fra 29. august 1943 til 5. maj 1945, hvor han førte en *tofrontskrig* mod modstandsbevægelsen og andre tyske myndigheder for at opretholde den danske suverænitet. Hans politik i første fase blev sprængt i luften, og forsøgene på at fortsætte den i anden fase var en fortvivlet kamp med hans egne ord.

Det er indlysende, at optegnelsen indgik i det forsvar, som han var i gang med at opbygge omkring sit virke som rigsbefuldmægtiget, men den er i sig selv interessant ved de områder, som han valgte at slå ned på. Det er også værd at kontrastere de områder med de forhold, som den senere forskning har fokuseret på, når det gælder Bests virke og rolle i Danmark. Er der overensstemmelse eller store forskelle i de forhold, der er blevet betragtet som de vigtige? Det vil være afsættet til kort at diskutere Bests rolle og betydning for tysk besættelsespolitik i Danmark, som der er noget divergerende meninger om blandt tyske og danske forskere.

Bests optegnelse, der også blev strukturerende for hans erindringer og som egentligt er en udvikling deraf, bringes efterfølgende i uddrag, idet alene de 18 anførte punkter, hvor han mente at have øvet indflydelse gengives her på dansk, mens hele optegnelsen er bragt til sidst på tysk:[508]

Bests optegnelse af 31. juli 1945

"[…] Såvidt jeg erindrer – hvilket måske kræver nærmere uddybelse – har jeg først og fremmest forhindret følgende forholdsregler og deres gennemførelse, som for Danmarks vedkommende var planlagt eller forlangt af de tyske instanser:

1.) Danske nationalsocialisters optagelse i statens ledelse (jeg minder om den ministerliste, som rigsudenrigsminister von Ribbentrop i slutningen af oktober eller i begyndelsen af november 1942 overrakte den danske udenrigsminister Scavenius i Berlin, og som jeg afveg fra, da jeg gav mit samtykke til sammensætningen af regeringen Scavenius uden at spørge Berlin).

2.) Forbud mod folketingsvalg i marts 1943 (for at tilsløre de danske nationalsocialisters svaghed, som jeg netop ønskede at demonstrere ved hjælp af valget).

3.) Oprettelsen af en permanent militæradministration under general von Hanneken efter den 29.8.1943.

4.) Deportering af de den 29.8.1943 internerede danske soldater til Tyskland (jeg har i stedet for gennemført deres frigivelse).

---

508 RA, Bests privatarkiv, pk. 9 (kopi af afskrift lavet af Best). Best skrev en ny version med de 18 punkter 2. august 1945 (sst.). Optegnelsen af 31. juli 1945 er gengivet i sin helhed på dansk i *FV-Bladet* marts/april 1990, s. 75-79.

5.) Beslaglæggelse af jødernes formuer i Danmark efter den 1.10.1943. (Jeg har gennem bevidste indiskretioner muliggjort de fleste jøders flugt).

6.) Arrestation og henrettelse af gidsler.

7.) Skydning af danske arrestanter som repressalie for attentater på tyske.

8.) Tvang overfor befolkningen til bevogtning af banestrækninger o.s.v.

9.) Befolkningens tvangsarbejde til fordel for befæstningsarbejder.

10.) Tvangsrekruttering af danske arbejdere til arbejde i Riget.

11.) Beslaglæggelse og borttransport af alle danske skibe, dokker og flydekraner.

12.) Beslaglæggelse og borttransport af alle køredygtige (og i brug værende) automobiler og cykler.

13.) Forvandling af de danske værnemagtsforskud fra Nationalbanken til endeligt krigsomkostningsbidrag fra den danske stat.

14.) Nedsættelse af levnedsmiddelrationerne i Danmark.

15.) Positiv sindelagstvang overfor den danske presse (f.eks. egne protyske ledere).

16.) Overtagelse af den danske Statsradiofoni i tysk regi.

17.) Fjernelse af befolkningens radioapparater.

18.) Tvangsindkvartering af tyske flygtninge i danske privathjem.

Alle disse forholdsregler (med undtagelse af den sidste) er blevet gennemført i de fleste af de besatte lande. At Danmark er blevet forskånet herfor, har under hele krigen givet det en særstilling i forhold til de ved krigshandlinger besatte lande, hvori dog må ses et delvist resultat af den af mig førte politik til bevarelse af den danske suverænitet og integritet. […]"

Senere tilkomne "gode gerninger" kan tilføjes ud fra Bests erindringer:[509]

19.) Ville hindre 29.8.1943, der ikke var nødvendig, von Hanneken var den skyldige

20.) Afværge virkninger af aktionen mod de danske jøder (jfr. pkt. 5)[510]

21.) Hindrede/talte imod modterroren; sidste forsøg februar 1945 med genoptagelse af henrettelser efter domfældelse

22.) Arbejdede for hjemførelse af deporteret dansk politi

23.) Talte med held imod repressalier for værftssabotage

24.) Talte med held imod havneødelæggelser

25.) Talte imod slutkamp i Danmark

Det er tilsyneladende på et bredt felt, at Best har hindret eller medvirket til at hindre tvangsforanstaltninger i Danmark. I slutningen af optegnelsen afslører Best ikke overraskende endvidere, at han har kendskab til de tvangsforanstaltninger, der blev anvendt i de fleste tyskbesatte europæiske lande, men som ikke kom til anvendelse i Danmark.

På grundlag af det nu foreliggende aktmateriale lader det sig i vidt omfang afgøre,

509 Best 1988, s. 19-98.
510 Best formulerede det i erindringerne således: "...entschloß er [Best] sich zu einem außergewöhnlichen Schritt, um wenigstens das Ergebnis der Aktion, der er grundsätzlich und vom Standpunkt des wohlverstandenen deutschen Interesse verwarf, nach Möglichkeit zu verringern." (Best 1988, s. 48).

om Best har ret i, at han har hindret eller medvirket til at hindre de nævnte foranstalt-
ninger. For punkterne 2, 5, 6, 8-18, 20, og 22-25 kan det med forskellige forbehold
godtgøres, at Best optrådte i den af ham selv beskrevne rolle. Hvad angår pkt. 2 gælder
det, at nok fik Best gennemtrumfet valget, dog ikke med den angivne begrundelse, men
for at styrke sit forhold til den danske regering. For pkt. 11 og 12 gælder det, at han
ikke forhindrede, at *alle* de nævnte objekter blev borttransporteret, men at han søgte
at begrænse omfanget af beslaglæggelserne. Med hensyn til pkt. 13 og 14 var Best ikke
ene om at søge at undgå dette, han havde medspillere i Berlin (bl.a. REM, RWM og
RFM). Det er især interessant, at han nævner nedsættelsen af levnedsmiddelrationerne
som punkt, idet det er et gebet, hvor forhandlingerne og beslutningerne lå i det tysk-
danske regeringsudvalg, der er ikke tvivl om, at han var i overensstemmelse med den af
de tyske forhandlere førte politik og bevidst støttede den, også udadtil, hvad *Politische
Informationen* vidner om.

Så er der de punkter, hvor det er svært eller umuligt at følge Best, når han har villet
demonstrere sin moderate politik i Danmark. Her er pkt. 1 et kardinalpunkt, ofte nok
nævnt af Best selv, og af historikere siden udråbt til et diplomatisk mesterstykke (Hans
Kirchhoff). Hvad Kirchhoff og andre ikke har kunnet vide, og hvad Best ikke nævner,
er, at Best ikke ankom til København uden at have tilslutning i Berlin til en politik,
der kunne føre til DNSAPs eliminering. Den var at finde i SS. Det kom an på, om
Frits Clausen ville holde op med at gøre sig ud til bens og opgive sin modstand mod et
germansk korps i Danmark, som ikke var under hans kontrol. RFSS' og SS-Hauptamts
planer for germanske korps i dele af det tyskbesatte Europa havde Best påtaget sig at
være banebryder for i Danmark. Det fremgår klart af det her fremlagte materiale. Da
Frits Clausen under de første dages møder med Best under de igangværende regerings-
forhandlinger ikke levede op til Bests forventninger, lod Best en DNSAP-regerings-
deltagelse helt ude af betragtning. Det ville yderligere have kompliceret oprettelsen af
det germanske korps i Danmark (der siden blev til Schalburgkorpset). Dette er min
slutning på baggrund af det nu til rådighed stående materiale. Hertil kommer, hvor
helhjertet ønsket var i AA om at få nazister i den danske regering. Det kan der stilles
spørgsmålstegn ved. Under alle omstændigheder er Bests "mesterstykke" komponeret af
flere elementer, hvor han i hvert fald ikke gik enegang med sin politik fra starten, som
han siden har villet fremstille det.

Med hensyn til pkt. 3, er der ikke tvivl om, at Best ikke ønskede oprettelse af en
permanent militæradministration i Danmark efter august 1943 og sikkert også har
modarbejdet den efter bedste evne, men her blev beslutningen taget tidligt i førerhoved-
kvarteret, og der er ingen dokumentation for, at Bests opfattelse har spillet nogen som
helst rolle.

Deportering af de internerede danske soldater var på tale i september 1943, som Best
skriver i pkt. 4, og at han gik imod det, er også rigtigt. Endda i to omgange, da Himm-
ler også blandede sig og ville have et større antal soldater ført til Tyskland med henblik
på hvervning. Himmlers initiativ var Best ikke ene om at være imod, og Best havde også
von Hannekens støtte, da han første gang modsatte sig ideen om en deportation. Det
er imidlertid værd at bemærke, hvilke argumenter Best tog i brug, da han 4. september
1943 talte imod en deportation første gang. Han skrev: "Ich erwiderte, daß ich es zur

folgerichtigen Durchführung des neuen Kurses für notwendig halte, die Angst um das Schicksal dieser Internierten als Druckmittel gegenüber der dänischen Bevölkerung zu benützen. Die Internierung müsse deshalb bis auf weiteres, möglichst bis zur Beendigung des Ausnahmezustandes, aufrecht erhalten werden."[511] Det var ikke de interneredes ve og vel, der lå ham på sinde, men hvordan de kunne udnyttes i hans magtspil, og han kan ikke alene tilskrive sig æren for, at en deportation ikke blev realiseret.

Når Best i pkt. 7 vil tiltage sig æren for at have forhindret, at danske arrestanter blev skudt som repressalie for attentater på tyskere, så kan en stillingtagen dertil blive et spørgsmål om ordvalget. Der er ikke tvivl om, at mange danske statsborgere faldt som offer for modterroren i tilfælde, hvor det var gengæld for drab på en tysker eller en dansker i tysk tjeneste. Best selv lod fra slutningen af april 1944 effektueringen af dødsdomme over modstandsfolk ske som direkte gengæld for *sabotage* og gjorde forud opmærksom, at det ville ske. Det kan konkluderes, at Best i pkt. 7 formulerede sig på en måde, så han på et tvivlsomt grundlag kunne tiltage sig æren for at have "forhindret", at danske arrestanter blev skudt som repressalie, for det blev de nemlig. Og det som led i en *af ham selv valgt* politik.

Best ville både i samtiden og siden gøre WB Dänemark til den skyldige i, at det kom til 29. august, værnenes opløsning og den danske regerings afgang (pkt. 19). Det skulle angiveligt være von Hanneken, der gav førerhovedkvarteret så alarmerende meldinger, at førerhovedkvarteret greb ind. Som allerede omtalt ovenfor (afsnit 6.10) var det ikke tilfældet, men det har skullet skjule tilbageslaget for Bests egen politik og ikke mindst, at han havde mistet kontrollen over situationen.

Best gjorde ikke overraskende efter maj 1945 meget ud af, at han havde været modstander af modterrorpolitikken og havde talt imod den over for Hitler og Himmler (pkt. 21). Han ønskede i stedet politimæssige undersøgelser for at finde frem til de skyldige. De øvrige hovedanklagede bedyrede, at de havde været enige med Best deri, men havde måttet handle efter ordre. Imidlertid godtgør det samtidige materiale i spørgsmålet dels, at Best frem til sommeren 1944 var involveret i modterroren på den måde, at han forud kendte til konkrete aktioner, dels at han efter sommeren 1944 talte kraftigere imod en skærpelse af terrorpolitikken, da det gjaldt bekæmpelsen af værftssabotagen. I den sag kom det imidlertid også i et telegram fra OKW i august frem, at man to gange tidligere havde stiftet bekendtskab med Bests synspunkter på terrorpolitikken og ikke havde yderligere kommentarer.[512] Underforstået at der var en førerordre at holde sig til, og OKW derfor ikke ville forholde sig til Bests indstilling. Det kan med andre ord påvises, at Bests modstand ikke først og fremmest er en efterkrigsforklaring.[513] I slutningen af 1944 demonstrerede han over for AA også mere og mere sin modvilje mod modterroren. Men derfra og til at frikende ham for medansvar for terrorpolitikken er der imidlertid et stykke, når han ifølge efterkrigsforklaringer fra Bovensiepen i første halvår 1944 var med til at udpege enkelte terrormål og havde klare præferencer for hvilke danske personkredse, der ikke måtte blive omfattet af clearingmord. Der skulle

511 4:19.
512 7:181.
513 Dette i modsætning til Rosengreen 1982, s. 84f., der finder det usandsynligt, at der 30. december 1943 hos Hitler skulle være opponeret direkte mod ordren om modterror.

tages de nødvendige politiske hensyn. Det var et hensyn, som Best ikke valgte at lade sig kreditere for i juli 1945.

Så er der de gerninger, som Best enten ikke selv vælger at nævne eller som han medtager, men som siden er vurderet anderledes. Her kan der passende tages udgangspunkt i nogle af de hovedpunkter,[514] der er trukket frem af den snævre kreds af historikere, som mest indgående har beskæftiget sig med Bests embedsperiode og karriere i Danmark 1942-45, nemlig Jørgen Hæstrup, Erich Thomsen, Hans Kirchhoff, Bjørn Rosengreen og Ulrich Herbert.[515] Det vil give et omrids af, hvilken betydning for den tyske besættelsespolitik i Danmark Best er blevet tillagt.

De fem historikere kommer i varierende omfang (Hæstrup og Thomsen slet ikke)[516] ind på Bests ideer om at føre oversigtsforvaltning i Danmark med en minimal indsats af et tysk embedsapparat.[517] Det indebar et tæt samarbejde med den danske regering og var ifølge Best og Ribbentrop udtryk for en "elastisk" besættelsespolitik. I forbindelse med det følgende skal det påpeges, at ingen af de nævnte historikere skelner mellem Bests overordnede mål, maksimal udnyttelse af danske ressourcer med en minimal tysk forvaltning, og midlet dertil, et nært samarbejde med danskerne. Med den manglende skelnen er bedømmelsen af f.eks. Bests rolle i forbindelse med 29. august 1943 blevet så negativ: "den første fiasko" og lignende udtryk er anvendt. Best led imidlertid kun et tilbageslag for så vidt angik samarbejdet med den danske regering, i stedet kom samarbejdet med den danske centraladministration i stand – en opgave Best løste optimalt, er Kirchhoffs vurdering, et nyt mesterstykke kalder han det – og Bests overordnede mål kunne fortsat forfølges en lang tid endnu, vil jeg tilføje. Derfor er jeg heller ikke enig i meldingerne om, at Bests program var dømt til at mislykkes (atter Kirchhoff), for efter hvilke kriterier foretages den bedømmelse? Det kan ikke være Bests egne, for godt nok var der siden kommet et par hundrede tyske politifolk og tre politibataljoner til Danmark (godt 1.500 mand),[518] men ud over det var der fortsat kun en beskeden stab af medarbejdere på Det Tyske Gesandtskab indtil maj 1945, som næsten indtil det sidste havde kunnet stå for det centrale tysk-danske samarbejde, selv om andre små stabe medvirkede. Det noterede Best sig som en succes for sin politik i Danmark i forbindelse med, at han i 1951 skrev om sin tid i Frankrig, og han havde allerede trukket det frem i *Politische Informationen* 1. februar 1945.[519] Her er pointen alene, at især danske historikere har været vel hurtige med at tillægge tysk besættelsespolitik i Danmark det ene nederlag

---

514 Der ses stort set bort fra de emner, der allerede er taget op i kapitel 6, først og fremmest jødeaktionen.

515 Der ses bort fra skitserne af Werner 1993 og Petrick 2000, da de er lidet givende vedrørende Bests tid i Danmark. Petrick 1991 og 1992a (indledningen) er bevidst fravalgt, da det vil føre for vidt at komme ind på de faktuelle fejl.

516 I stedet henviser Hæstrup, 1, 1966-71, s. 24f. og Thomsen 1971, s. 116 alene til Bests erfaringer fra Frankrig.

517 Kirchhoff, 1, 1979, s. 113 og i biografierne af Best i *Besættelsens hvem var hvem* i alle udgaver og i *Hvem var hvem 1940-1945*, 2005, Rosengreen 1982, s. 17, Ulrich 1996, s. 325f. og henvisningerne ved 1:3.

518 Den ene af de tre bataljoner blev trukket hjem senere i efteråret 1943, men det tyske politi voksede siden igen betydelig i antal frem til maj 1945. Se 9:244.

519 Werner Best: Erinnerungen aus dem besetzten Frankreich 1940-1942, ms. 1951, s. 50 (BArch, B 120/359), 9:52.

efter det andet. Disse talrige "nederlag" hindrede ikke, at danske landbrugsvarer længe og i stigende omfang tilflød Tyskland, og at de tyske tvangsmidler, der blev taget i brug i modstandsbekæmpelsen, var relativt moderate. Det kan udtrykkes sådan, at nederlagene for den tyske politik i Danmark er af en noget egenartet beskaffenhed, hvis man ikke i stedet skal kalde dem noget andet. Nok led besættelsesmagten visse nederlag, men den relativt moderate politik gav i det lidt længere perspektiv noget igen til Tyskland.

Efter disse indledende bemærkninger vil jeg i hurtig rækkefølge behandle en række enkeltemner. Der er for det første den allerede omtalte regeringsdannelse i november 1942, hvor der har været unison ros til Best for, at han "trodsede sine instruktioner" og leverede en dansk regering uden nazistisk deltagelse.[520] Det diplomatiske mesterstykke har fået tilstrækkeligt med kommentarer, men blot skal tilføjes en betragtning af Henning Poulsen, der omtaler, at "instruksen" til Best måske snarere var et forhandlingsoplæg og ikke en facitliste.[521]

Dernæst er der elimineringen af DNSAP, som hidtil er blevet udlagt sådan, at partiet stod i vejen for Bests tilstræbte alliance med den danske regering og især statsminister Erik Scavenius, og derfor måtte væk (betonet af bl.a. Kirchhoff). Dertil kommer, at DNSAP med Martin Luthers pludselige styrt, havde mistet sin væsentligste støtte i AA, ligesom Frits Clausen havde gjort sig uheldigt bemærket hos SS, hvis forsøg på fremtrængen i Danmark foruroligede ham (betonet af Poulsen).[522] De nu fremdragne supplerende dokumenter tegner et klart billede af, at Best kom med et mandat fra SS til at gennemtrumfe skabelsen af et germansk korps i Danmark uanset, hvad DNSAP måtte mene derom. Dette mandat var ikke givet til Best af Himmler ad omveje, som antaget af Henning Poulsen,[523] men blev fra starten lagt hos Best ved åben konfrontation med AA. Da Frits Clausen satte sig til modværge, måtte han af vejen. Det var altså ikke ene og alene et spørgsmål om, at Best ville besegle sin alliance med Scavenius eller om SS' snigløb på Clausen.

Gennemførelsen af valget i marts 1943 var til gengæld en besegling af alliancen med Scavenius, et valg som blev gennemført trods betænkeligheder eller endog direkte modstand i AA, det sidste er både Thomsens, Kirchhoffs og Herberts opfattelse. Forud var både Ribbentrops og Hitlers accept af valgets afholdelse indhentet.[524] Med Herberts ord var valgets gennemførelse en politisk og propagandamæssig succes.[525]

Der var endnu et område, hvor Best i foråret 1943 viste sin handlekraft. Det var i forhold til von Hanneken, som havde fået sig etableret i interregnummet før Bests ankomst. Systematisk satte Best sig for at modvirke von Hannekens ønske om afvæbning af de danske værn, det ville skade den politik, han selv ønskede at føre, ligesom han ville

---

520 Thomsen 1971, s. 123-128, Kirchhoff, 1, 1979, s. 45-85 og i biografierne af Best i *Besættelsens hvem var hvem* i alle udgaver og i *Hvem var hvem 1940-1945*, 2005, Rosengreen 1982, s. 15f., Herbert 1996, s. 334-336.

521 Poulsen 1970, s. 348.

522 Poulsen 1970, kap. 13, Thomsen 1971, s. 139-145, Kirchhoff, 1, 1979, s. 112 (hvor DNSAPs endelige likvidering dateres til martsvalget!) og samme i de korte biografier af Best nævnt ovenfor, Herbert 1996, s. 340 (ved martsvalget viste DNSAP sig som udtjent).

523 Poulsen 1970, s. 374.

524 Thomsen 1971, s. 135-139, Kirchhoff, 1, 1979, s. 195f., Herbert 1996, s. 339.

525 Herbert 1996, s. 340.

have indskrænket von Hannekens muligheder for selvstændigt at tage direkte kontakt til den danske regering og administration. Magtkampens forløb er nøjere beskrevet af Thomsen og Kirchhoff, og der er enighed om resultatet, at Best i slutningen af april løb af med en foreløbig sejr. Von Hanneken blev bremset i sine bestræbelser.[526] Ved denne tid stod Best på højdepunktet af sin politiske karriere, vurderer Herbert. Det er en opfattelse, der kan udledes også af Kirchhoffs arbejder, og muligvis har Best delt den selv.[527] I hvert fald oser hans første og eneste halvårsberetning til AA fra begyndelsen af maj 1943 af politisk selvsikkerhed og stolthed over resultaterne af tysk – læs Bests – besættelsespolitik i Danmark.[528]

Så fulgte augustrøret og den danske regerings afgang. Det er med den ovennævnte differentiering mellem det overordnede mål og midlerne til at nå det med rette af Hans Kirchhoff karakteriseret som Bests første fiasko.[529] Hæstrup går videre og kalder det "et skibbrud" for Bests politik, hvormed må menes, at den ophørte, hvilket ikke er min opfattelse, og jeg kan slet ikke følge ham, når han skriver: "Fra natten til d. 29. august havde den tyske terror fået frie tøjler i Danmark."[530] Terroren fulgte først fra december 1943, og da havde den ikke frie tøjler, men fulgte afstukne rammer. Hæstrup har svært ved at se den tyske politik fra andet end en meget dansk optik, hvorved konklusionerne sine steder bliver noget fortegnede og formuleringerne vel "patriotiske".[531]

Bjørn Rosengreen griber også til en maritim metafor for at beskrive Bests politik efter augustrøret. Der var tale om et definitivt forlis for den politik, og det var en svækket Best, der fremstod efter den militære undtagelsestilstands ophør, også fordi han havde mistet støtten hos SS. Svækkelsen blev til endnu et nederlag, da Best fik tilført en sideordnet HSSPF.[532] De sidste to synspunkter deles af Kirchhoff, der til gengæld finder, at Best løste opgaven med at få samarbejdet med departementscheferne i gang optimalt, og at det var endnu et diplomatisk mesterstykke.[533] Det kommer Rosengreen til gengæld slet ikke ind på, mens Hæstrups undersøgelse deraf naturligvis er indgående. Hæstrup er af den opfattelse, at Best helhjertet søgte at få dannet en ny dansk regering, at det var "hans private mål" og "personlige ønske". (s. 83, 93), men at han til sidst erklærede sig forholdsvis tilfreds med det, der i stedet blev resultatet (s. 111).

Der kan stilles spørgsmålstegn ved, om Best havde en ny dansk regering som mål. I hvert fald er der ikke fremdraget udtrykkelige skriftlige vidnesbyrd derom, snarere tværtimod. Det løb var kørt. Hans forhandlinger derom med Svenningsen virker mere end halvhjertede, og indberetningerne til AA vidner heller ikke om, at han havde det

526 Thomsen 1971, s. 145-150, Kirchhoff, 1, 1979, s. 118-126. Jfr. Roslyng-Jensen 1980, s. 126-148.

527 Herbert 1996, s. 341.

528 3:13.

529 Kirchhoff om Best i *Besættelsens hvem hvad hvor* i alle tre udgaver, mens formuleringen ikke anvendes i *Hvem var hvem 1940-1945*, 2005, hvor til gengæld samarbejdspolitikken "sprængtes i luften", og altså dermed den af Best førte politik.

530 Hæstrup, 1, 1966-71, s. 24-29, 48 (citat herfra).

531 Se eksempelvis s. 111, hvor Hæstrup skriver, at den danske *befolkning* i september 1943 var i færd med at udvikle en *hårdnakket modstandskamp*. Udhævelsen er min.

532 Rosengreen 1982, s. 20,

533 Kirchhoff i 3. udgave af *Besættelsens hvem hvad hvor*, 1979 og i *Hvem var hvem 1940-1945*, 2005 ("optimalt" er udtrykket her).

som mål. Hans mål var i stedet at udstyre den rigsbefuldmægtigede med øgede beføjelser og eget eksekutivapparat. Det fik han ikke, som det allerede flere gange er fremgået. Det var en varig begrænsning af hans politiske muligheder. Til gengæld kunne han konstatere, at den danske produktions- og leveringslyst ikke led et tilbageslag på grund af hverken begivenhederne i august eller begyndelsen af oktober, som han og andre tyske myndigheder havde frygtet, men også havde tilstræbt at undgå. Der var fortsat muligheder for at føre oversigtsforvaltning, nu med departementschefstyret.

Ulrich Herbert har vurderet Bests "program" til at være "durchaus realistisch und politisch nicht ungeschickt" efter undtagelsestilstandens ophør med den forudsætning, at Best også fik kontrollen over tysk politi (s. 376). Da Best ikke fik det, og da sabotagen tillige igen tog til, blev der krævet skærpede foranstaltninger fra Berlin, hvilket igen førte Best ind i den "tofrontskamp" (Zweifrontenkampf) mod den danske modstandsbevægelse på den ene side og den tysk ledelse på den anden, som han havde oplevet det i Frankrig. Det er Herberts udlægning (s. 378). Hos Best selv, der som nævnt tillige først har formuleret sin tofrontskamp,[534] begyndte den allerede 29. august 1943 og varede til 5. maj 1945, og det var en tofrontskamp, der på den ene side rettede sig mod at afbøde virkningen af modstandsbevægelsens angreb på tyske interesser, som den opfattede dem. "Andererseits versuchte er [Best], die sich mehrenden Eingriffe des Führerhauptquartiers *und anderer deutschen Stellen* in die dänischen Verhältnisse abzuwehren oder mindestens abzuschwächen, soweit sie den außenpolitischen Verpflichtung des Deutschen Reiches – besonders der Garantie der Souveränität Dänemarks – und den richtig verstandenen deutschen Interessen widersprachen."[535] (udhævelsen er min, JTL).

Bests definition af sin tofrontskamp er mere dækkende end Herberts, idet det lader sig påvise, at Best ikke kun søgte at afbøde følgen af givne ordrer fra førerhovedkvarteret, men også fra andre myndigheder i Berlin, herunder AA (!), og andre tyske myndigheder i Danmark. Det gjorde han ud fra den opfattelse, som han lige er citeret for, at han mente at vide, hvordan de rigtige tyske interesser skulle forstås. Han forsøgte med andre ord at føre en politik i Danmark, der tjente Det Tredje Rige bedst, som han som overbevist nazist selv opfattede det. Det var baggrunden for "de gode gerninger" i Danmark, moderationen; den var ikke udsprunget af en særlig hensyntagen til danskerne eller Danmark. Forsvaret af dansk suverænitet gjorde Best sig også offentligt til talsmand for i den danske presse i samtiden,[536] så vi skal ikke frem til optegnelsen af 31. juli 1945 for at finde det formuleret første gang.

Herbert er ikke den eneste, der har taget tofrontskampen som begreb til sig, det gælder f.eks. allerede Leni Yahil og senere Tatiana Brustin-Berenstein,[537] men det er spørgsmålet, om det ikke i for høj grad er at gå Bests ærinde og følge vel meget op på hans efterkrigsforsvar. Best førte også en kamp med de danske myndigheder, pres og trusler indgik lejlighedsvis i forhandlingerne, bl.a. voldsomme trusler om, at andre tyske myndigheder end han greb ind. Oversigtsforvaltningens forhandlinger foregik ikke

534 Det sker vist første gang i notatet 31. juli 1945, selv om Best ofte nok belærte Nils Svenningsen om sin "klemte" position.
535 Best 1988, s. 43.
536 Se 10:bilaget.
537 Yahil 1967, s. 135, 1969, s. 146 og 1998, s. 464f., Brustin-Berenstein 1986, s. s. 209, 211.

mellem ligestillede parter, selv om magtbalancen langsomt ændrede sig. Det var her en tredje selvstændig "front" mellem to parter. Dertil kommer, at Best ikke førte sine frontkampe alene. Hverken Best eller de historikere, der siden har taget begrebet til sig, kommer ind på, at Best førte flere af sine frontkrige med nære alliancepartnere. Han stod ikke alene, men kunne mobilisere bl.a. Rüstungsstab Dänemark, REM, RWM og RFM; lejlighedsvis også WB Dänemark, HSSPF og BdS. Best forstod at udnytte det nazistiske polykrati.

På den baggrund finder jeg det lidet hensigtsmæssigt med Herbert at behandle hele perioden januar-juni 1944, hvor modterrorpolitikken var i fuld gang, under overskriften "Zweitenfrontenkampf", og det endda meget knapt. Der blev udpræget drevet mere end tofrontskamp. I den periode tog Best flere initiativer, der skulle tilstræbe at fastholde den relative ro i landet, men de blev overskygget af to andre selvstændige politiske tiltag fra hans side, som i højere grad har indskrevet ham i dansk besættelsestidshistorie. Hæstrup var den første til videnskabeligt at behandle den såkaldte "april-krise" i 1944, hvor Best reagerede meget voldsomt på sabotagernes pludselige opblussen og likvideringen af hans chauffør. Det skete efter en forudgående relativt rolig periode, hvor sabotagen havde været neddæmpet (sabotagestop), hvilket havde fået Best til at tro, at den tyske politik i Danmark havde gjort sin virkning.[538] Der blev indført en række drakoniske indgreb i forlystelseslivet o.a., men nok så væsentligt blev dødsdømte modstandsfolk taget som gidsler, for at der ikke blev foretaget yderligere sabotager. Samtidig oprettede Best sin egen domstol med hjemmel i en af Hitler 30. december 1943 givet forordningsret og uden forudgående samtykke fra AA. Best behandlede under krisen den danske administration hensynsløst og hånende, han truede og udløste ifølge Hæstrups fremstilling sin uligevægtige vrede over de danske forhandlere. Det blev ikke ved truslerne, henrettelser fulgte løbende i de næste to måneder, da truslerne ikke fik sabotagen til at ophøre.[539] Thomsen tangerer kun aprilkrisen,[540] mens Bjørn Rosengreen er den, der har undersøgt den mest indgående, idet han lige så vel ser den som et led i den interne tyske magtkamp, som i den stigende tyske invasionsfrygt. Best handlede under april-krisen uden ordre eller nogen krav om skrappe foranstaltninger fra Berlin, og hans selvstændige optræden blev taget meget unådigt op af Ribbentrop; ikke mindst, at Best havde indført sin egen domstol uden forudgående godkendelse, og heller ikke forud havde indhentet AAs tilladelse til at lade henrettelser eksekvere. Opfølgende blev det pålagt Best selv at forsøge at få SS og OKW til at acceptere den indførte domstol, mens han undgik at komme til at stå skoleret i AA ved at henvise til HSSPFs øjeblikkelige fravær. Det er Rosengreens vurdering, at Best i april reagerede langt voldsommere end situationen begrundede,[541] en opfattelse jeg deler og som også fremgår af Hæstrups fremstilling. Best søgte efterfølgende over for AA at forklare eller rettere skjule sin voldsomme reaktion med, at WB Dänemark ellers havde grebet ind.[542] Det er der ikke belæg

538 Jfr. Hæstrups træffende bemærkninger 1, 1966-71, s. 433f. på grundlag af hovedsageligt de danske forhandleres indtryk, som bekræftes af det tyske materiale.

539 Hæstrup, 1, 1966-71, s. 443-446.

540 Thomsen 1971, s. 202f.

541 Rosengreen 1982, s. 87-98.

542 6:88.

for; Best måtte betjene sig af endnu en nødløgn for at forklare en af sine handlinger i det forår, der lige havde forekommet mere fredeligt og fået ham til at udsende en anonym forståelsesartikel i pressen 9. april med "åbenhjertige ord om Danmarks stilling".[543]

Herbert beskriver kun kort april-krisen og dens følger, og det er især værd at citere hans træffende opfølgende bemærkninger: "Nun mutet dieser Streit über die 'richtige' Art der Bekämpfung des Widerstands als ebenso absurd wie makaber an, weil es schließlich einigermaßen unwichtig erscheint, ob die dänischen Delinquenten von SS-Leuten in Uniform oder in Zivil erschossen wurden. Aber für Best war dieser Unterschied deswegen von Bedeutung, weil er sich seit jeher dafür eingesetzt hatte, daß die nationalsozialistische Terrorpolitik in legalistische Formen gekleidet war und dadurch einen gewissermaßen 'ordentlichen' Charakter annahm."[544]

Henrettelserne af dødsdømte modstandsfolk blev fortsat frem til slutningen af juni 1944 og var medvirkende til at udløse generalstrejken i København, der er nærmere omtalt ovenfor i afsnit 6.13.

Bests flerfrontskrig skulle skabe ham et spillerum til at føre en selvstændig besættelsespolitik, og hans initiativer under aprilkrisen og under generalstrejken i København skulle demonstrere hans handlekraft i forhold til ikke mindst HSSPF og bag ham RFSS. Det havde han ikke større held med, og det varede også frem til foråret 1945, før han forsøgte sig igen. I mellemtiden stod for ham – med Herberts udtryk – skadesbegrænsningen på dagsordenen (s. 389), og det er i sig selv en politik.

I slutningen af februar 1945 fik Best Hitlers tilladelse til at genoptage henrettelserne i Danmark. Rosengreen har delvist redegjort for forløbet,[545] men bl.a. ikke fået med, at Josef Terboven forud i Norge i samme måned havde fået en tilsvarende tilladelse.[546] Sideløbende fortsatte modterroren. For Best var det en sejr igen at kunne bekæmpe modstandsbevægelsen på en "rigtig" og "legal" vis, men med Herberts ord citeret ovenfor var det igen lige så absurd og makabert som i første halvår 1944.

Generalstrejken i København fik europæiske følger i og med, at Hitler dekreterede forbud mod henrettelser over hele Europa.[547] Det er det eneste eksempel på, at begivenheder i Danmark fik konsekvenser i andre tyskbesatte lande.

Til gengæld greb krigsudviklingen ude i Europa mere og mere ind i Danmark. Det var først og fremmest invasionstruslen, der gjorde sig gældende. Hitler dekreterede flere gange udbygningen af forsvarsanlæggene i Danmark, og det førte både i slutningen af 1943 og i efteråret 1944 til krav fra WB Dänemark om, at der med kort varsel blev stillet et meget stort antal danske arbejdere til rådighed. I begge tilfælde lå det i luften, at der kunne blive tale om tvang, men begge gange blev det afværget ved Bests indgriben,

---

543 Se 10, bilaget.
544 Herbert 1996, s. 384.
545 Rosengreen 1982, s. 155-164. Jfr. Hæstrup, 2, 1966-71, s. 234-239. Hverken Thomsen 1971, Kirchhoff i biografierne af Best eller Herbert 1996 beskæftiger sig hermed trods emnets betydning.
546 Se Bohn 2000, s. 112 og her 9:64 og 108,
547 Jfr. især Rosengreen 1982, kap. IV.5.

som der er redegjort grundlæggende for af Jørgen Hæstrup.[548] Best afværgede også krav fra Berlin juli 1944 om, at danske arbejdere blev tvunget til at arbejde i Tyskland.[549]

Det er også Hæstrup, der var den første, der videnskabeligt beskæftigede sig med besættelsesmyndighedernes håndtering af den flygtningestrøm, der i foråret 1945 begyndte at komme til Danmark. Det var Best, der med en førerordre 4. februar 1945 fik opgaven, en opgave som Det Tyske Gesandtskab umiddelbart søgte at vælte over på den danske administration, men forgæves. UM modstod alle krav om at medvirke, og stillede i stedet krav om hjemførelse af de til Tyskland deporterede politifolk.[550] Situationen forblev fastlåst, men som det fremgår af det her fremlagte materiale, var det Bests flygtningepolitik, der stort set blev accepteret på tysk side. Den blev støttet af Jens Møller fra det tyske mindretal, mens Günther Pancke blev desavoueret. Pancke ville have de tyske flygtninge tvangsmæssigt anbragt privat i danske hjem, mens Best ville have dem samlet i lejre, så de var mindre udsat for risiko for danske overgreb.[551] Det meste arbejde med flygtningeanbringelsen måtte overlades til værnemagten, da Bests administration ikke havde de nødvendige ressourcer. Best forherligede sin flygtningeindsats i erindringerne og har fundet delvis ørenlyd derfor hos bl.a. Ulrich Herbert.[552]

Bests sidste rolle i tysk besættelsespolitik i Danmark var ifølge ham selv at bidrage til at undgå en slutkamp i Danmark. Han og Duckwitz har søgt at konstruere et billede, der endog skulle have givet ham en afgørende indflydelse på, at Dönitz traf beslutningen om at kapitulere. Det er et billede, der ikke har vundet plads i forskningen, og det kan bl.a. eller alene forklares med, at de to mytemagere ikke har fået deres skriverier derom tilstrækkeligt udbredt. Måske er dog Hans Kirchhoff påvirket af dem, når han 1965 og endnu 1979 mente, at Best i majdagene 1945 syntes at have genvundet noget af sin gamle styrke.[553] Det er en styrke, der ikke lader sig påvise ad anden vej. Således var det i majdagene WB Dänemark, der fik HSSPF Pancke underlagt i den tolvte time og netop ikke Best.[554]

Trods dette og andre uenigheder blandt historikere – danske som tyske – om Werner Bests succeser og nederlag med at føre besættelsespolitik i Danmark, er næsten ingen af dem i tvivl om, at han i mange, hvis ikke i de fleste tilfælde, var den tyske myndighed i Danmark, der spillede den største rolle ved denne politiks realisering. Det skulle lige være Hans Kirchhoff, der i den afsluttende perspektivering i *Augustoprøret 1943*, 1979, for det første gjorde Dagmarhus til et ekspeditionskontor for generalerne på Silkeborg Bad efter 29. august 1943, idet de militære krav nu herskede uindskrænket i Danmark,

548 Hæstrup, 1, 1966-71, kap. 7 og 2, kap. 2. Jfr. Thomsen 1971, s. 213-216.
549 Best 1988, s. 74-76 og her 7:139.
550 Hæstrup, 2, 1966-71, kap. 9.
551 9:127.
552 Best 1988, s. 96f., Herbert 1996, s. 396-398, mens Thomsen 1971, s. 217 og Rosengreen 1982, s. 165f. har forholdt sig mere neutralt dertil. Se også her 9:127.
553 Kirchhoff i *Besættelsen hvem, hvad, hvor*, 1. udg. 1965, s. 390, 3. udg. 1979, s. 271. Kirchhoff har siden opgivet denne vurdering i *Hvem var hvem 1940-1945*, 2005, s. 35.
554 9:226, 249 og 256. Duckwitz kolporterede i sine erindringer, at det var Best, der fik HSSPF underlagt! (ABA, Duckwitz 1945-46c, s. 17). Jfr. Rosengreen 1982, s. 167, der også videregiver oplysningen med Duckwitz som kilde. Beslutningen om detroniseringen af Pancke må være truffet senest 2. maj 1945, da Dönitz ikke indkaldte ham til mødet i Mürwik.

og for det andet fra oktober 1943 mente, at AA gradvist blev malet i sønder mellem tysk politi og militær.[555] Det er en meget stærk udlægning af de ændrede magtforhold mellem de væsentligste tyske myndigheder i Danmark efter den militære undtagelsestilstands ophør og frem til maj 1945. Den udlægning savner fundering i det til rådighed stående materiale, og det er ikke kun et dårligt billede at karakterisere Dagmarhus som postkontor for de generaler, der først flyttede til Silkeborg Bad i november 1943, det er direkte misvisende. De militære krav fik stærkt stigende betydning hen mod krigsafslutningen, men derfra og til Kirchhoffs konklusion er der trods alt et stykke. Det samme gælder i forhold til AA, der ubetvivleligt tabte mere og mere terræn til OKW og SS, men det var ikke lig med, at dets repræsentant i Danmark, Best, blev malet sønder. Han tabte terræn, det er også ubetvivleligt, men blev aldrig udspillet. Det var mindre på grund af hans magtbasis end argumenternes gennemslagskraft og hans eminente evne til det politiske spil. Opgøret om de mest hensigtsmæssige repressalieformer i forbindelse med værftssabotagerne, hvor Best i december 1944 fik Ernst Kaltenbrunners tilslutning til sin opfattelse deraf og afværgelsen af beslaglæggelse af danske dokker og kraner kort derefter trods en udtrykkelig førerordre, er eksempler herpå.[556] Ikke underligt, at HSSPF og BdS valgte at rette ind efter Bests synspunkt med hensyn til værftssabotagen, når Best havde opnået Kaltenbrunners tilslutning.

Der er andre eksempler fra samme periode, hvor såvel WB Dänemark som HSSPF og BdS tilsluttede sig en politik, som først blev formuleret af Best. Der må også skelnes mellem HSSPF og BdS; Bovensiepen var ikke underlagt Pancke, men Kaltenbrunner, og førte sin egen politik, f.eks. når det gjaldt de deporterede danske politifolk. Fronterne var ikke trukket så stærkt op, som Kirchhoff gerne har villet gøre det, der var flere nuancer, men nogle grundlæggende modsætninger var der naturligvis fortsat. Det kunne næsten ikke være andet, når terrorpolitikken fortsat *skulle* videreføres, og selv her synes der fra begyndelsen af marts 1945 at være indtrådt en vis ændring, idet tysk sikkerhedspoliti herefter i meget høj grad overlod det til danske håndlangere alene at effektuere den.[557] Det skyldtes næppe Bests indflydelse, men at også BdS kunne se en ende på det hele.

Tilbage står spørgsmålet om, i hvor høj grad det også var Best, der formede dele af besættelsespolitikken 1942-45. Det er sværere at svare på, især da han på helt centrale områder arvede en allerede fastlagt politik og videreførte den konsekvent. Dertil kommer, at antallet af instrukser til ham fra AA og fra førerhovedkvarteret er relativt få. Enten fik han instrukser med en ramme, han kunne handle inden for, og det vurderer jeg som det mest sandsynlige, eller en hel del af instrukserne til ham er gået tabt. Det bevarede materiale indikerer dog ikke og henviser ikke til talrige nu ubekendte instrukser.[558]

555 Kirchhoff, 2, 1979, s. 463f. og 473. Kuriøst nok genfindes den samme opfattelse med en anden formulering hos Rich, 2, 1974, s. 117.
556 Se 8.233 og 276 med videre henvisninger.
557 Se tillæg 3. Tak til Henrik Lundtofte for bl.a. at have påpeget dette.
558 Det kan måske bl.a. tages som et tegn på Ribbentrops begrænsede interesse for Danmark, at biografierne af ham ikke beskæftiger sig med Danmark (Weitz 1992, Bloch 1993), og Seabury 1954 om AA heller, og det er også et vidnesbyrd om den begrænsede udenlandske interesse for de tyske relationer med Danmark. Det har ændret sig efter fremkomsten af Herbert 1996, således at bl.a. Longerichs biografi af Himmler har et tekstafsnit om forholdet til Best og Danmark (Longerich 2008, 674f., 677).

I begyndelsen af juli 1944 bebrejdede Hitler i førerhovedkvarteret i nedladende ven-
dinger Best hans selvstændige ageren i Danmark og gjorde ham opmærksom på, at han
skulle udføre den politik, han fik besked på og ikke andet. Det er sådan, Best siden
refererede mødet for at stille sig i positur.[559] Trods tendensen er der ikke tvivl om, at
Best ikke var typen, der kunne lade være med at søge at skaffe sig et politisk spillerum,
der gav mulighed for selvstændigt at handle, og han handlede selvstændigt såvel før som
efter juli 1944. Det blev bl.a. muliggjort af, at AA i de fleste tilfælde fulgte de indstil-
linger, som Best skrev vedrørende mange spørgsmål. Der var langt færre tilfælde, hvor
det ikke skete, og der var endelig et ret beskedent antal tilfælde, hvor AA havde truffet
afgørelse i sager, hvor Best ikke var hørt først. Det kan også hænge sammen med, at især
det sidste førte til problemer.[560] Best forstod at skabe problemer, hvis han mente, at det
tjente et formål.[561] Efter politiaktionen 19. september 1944 støttede Ribbentrop Best i
magtkampen med HSSPF og BdS, men det var også sidste gang. Derefter blev det svæ-
rere og sværere at få opbakning i et gradvist mere svækket AA, og det hjalp kun lidt, at
man i AA lige så lidt som Best glemte ydmygelsen i forbindelse med politiaktionen.[562]
Der var ikke megen politisk kraft i AA at sætte bag indtagne positioner i besættelsens
sidste seks måneder, heller ikke når det gjaldt om at få Best til at rette ind omkring
årsskiftet 1944/45, da Ribbentrop ville have ham til at makke ret vedrørende bekæm-
pelsen af skibssabotagen.[563] På det tidspunkt var Best for længst begyndte at søge støtte
andetsteds med henblik på det forudsigelige tyske nederlag, bl.a. hos Karl Kaufmann i
Hamburg.[564] Det fortsatte ind i 1945, så vidt det kan følges på grundlag af et spinkelt
materiale.

Endvidere havde Best påbegyndt sit efterkrigsforsvar sekunderet af G.F. Duckwitz.

Ekskurs: Werner Bests optegnelse 31. juli 1945.
Abschrift

Kopenhagen, den 31.7.1945.

Aufzeichnung

Während meiner Amtszeit als Reichsbevollmächtigter in Dänemark habe ich mich in
meinem politischen Handeln von zwei Prinzipien leiten lassen, die zu den Grundsäulen
meiner Weltanschauung gehören:

Das erste ist das völkische Prinzip, das in jedem Volke die Verwirklichung eines
göttlichen Schöpfungsgedankens erblickt und deshalb jedem Volke gleiche Würde und
gleiches Lebensrecht zuerkennt.

---

559 Se 7:63.
560 Et udpræget eksempel herpå er aftalen af 22. november 1943 mellem AA og OKM vedrørende konfi-
skationen af danske skibe (5:9), som Best siden konsekvent modarbejdede, se Lauridsen 2010b.
561 Se Lauridsen 2006b om cykelkonfiskationen 26. oktober 1944, hvor Best helt bevidst eskalerede
sagen.
562 Se 9:97.
563 8:241 og 9:2.
564 8:255 og 9:197.

Das zweite ist das Prinzip der Vertragstreue, das mit meiner Überzeugung zusammentritt, daß das Moralische auf weite Sicht stets auch das politisch Richtige ist.

Nach diesen Prinzipien entschloß ich mich bei meinen Amtsantritt in Kopenhagen am 5.11.1942, vor allem die vom Deutschen Reiche am 9.4.1940 garantierte Souveränität und Integrität des Dänischen Staates zu erhalten und zu schützen. Dieser Absicht gab ich durch meine Zusammenarbeit mit der Regierung des Staatsminister von Scavenius sichtbaren Ausdruck. Ich bin noch heute der Überzeugung, daß diese Zusammenarbeit bis zum Ende des Krieges hätte fortgesetzt werden können, wenn sie nicht im ersten Halbjahr 1943 von der dänischen Widerstandsbewegung in die Luft gesprengt worden wäre. In richtiger Spekulation auf die Mentalität gewisser Stellen der deutschen Wehrmacht und der deutschen politischen Führung reizte die Widerstandsbewegung durch ihren Kleinkrieg diese Stellen so lange, bis die Explosion vom 29.8.1943 erfolgte. Die Widerstandsbewegung erstrebte diese Verschärfung der Lage in Dänemark, um ihrem Lande einen Platz in den Reihen der Alliierten zu erkämpfen. Nach dem Siege der Alliierten muß natürlich festgestellt werden, daß die Widerstandsbewegung recht behalten und ihr Ziel erreicht hat. Im Jahre 1943 aber lag der Kleinkrieg in Dänemark und die durch ihn provozierte Verschärfung der Lage weder im Interesse der dänischen Bevölkerung noch im Interesse des Deutschen Reiches. Ich wehrte mich deshalb mit aller Kraft gegen die Nervosität und Empfindlichkeit, mit der der Wehrmachtbefehlshaber Dänemark und das Führerhauptquartier auf die (im Einzelfall wirklich nicht besonders schädlichen) Sabotageakte reagierten. Ich konnte mich aber gegen die militärischen Gesichtspunkte ("Dänemark ist die strategische Brücke nach dem Norden, die unbedingt sicher sein muß") und gegen den Prestigestandpunkt nicht durchsetzen. So kam es zum 29. August 1943.

Nach dem militärischen Ausnahmezustand und nach dem Wegfall der Regierung Scavenius war es für mich natürlich viel schwerer als vorher meine Politik der Erhaltung der dänischen Souveränität und Integrität fortzusetzten. Denn auf dänischer wie auf deutscher Seite neigten gewisse Kreise nunmehr dazu, die beiden Länder als einander feindlich oder gar als mit einander im Kriege befindlich zu betrachten. Jene deutschen Kreise wünschten, daß Dänemark politisch und wirtschaftlich den kriegerisch besetzten Ländern gleich behandelt werden solle – und die erwähnten dänischen Kreise wünschten das Gleiche und taten alles, um eine solche Behandlung zu provozieren. Dazwischen stand ich und führte einen verzweifelten Zweifrontenkrieg um die Fortführung der von mir gewollten Politik. Unter diesen Umständen konnte ich nicht alle deutschen Maßnahmen verhindern, die ich ablehnte und die den deutsch-dänischen Vereinbarungen vom April 1940 widersprachen. Solche Maßnahmen wurden gegen meinen Widerspruch befohlen. Gehorsamsverweigerung hätte nichts genützt. Über die Frage meines Rücktritts werde ich weiter unten etwas sagen.

Dennoch gelang es mir eine Reihe schwerwiegender Maßnahmen, die von maßgebenden deutschen Stellen nach dem Vorbild der übrigen besetzten Gebiete auch für Dänemark gefordert wurden, durch meinen Widerspruch und durch meine Gegenargumente zu verhindern. Ich darf heute abschließend feststellen, daß Dänemark in zahlreichen sehr wichtigen Punkten anders behandelt worden ist als alle anderen besetzten

Länder und daß dies das Ergebnis meines 2 ½ jährigen Kampfes um die von mir ge-
wollte – leider nicht in allen Punkten verwirklichte – Politik ist.

Persönlich setzte ich mich mit meiner Politik zwischen alle Stühle. In Dänemark er-
kannte man nicht an, was ich für das Land tat, weil man meist garnicht wußte, was ich
von dem Lande abgewendet hatte; vielmehr machte man mich für alle Maßnahmen, die
gegen meinen Widerspruch durchgeführt wurden, mit verantwortlich. Im Reich aber
galt ich als einseitiger Vorkämpfer dänischer Interessen gegen die deutschen Interessen
und erregte in steigendem Masse den Zorn der obersten Spitze. Anfang Juli 1944 wurde
mir auf dem Obersalzberg von Hitler in einer höchst erregten Scene vorgeworfen, daß
ich nicht energisch genug die Reichsinteressen in Dänemark verträte. Im Frühjahr 1945
bezeichnete er mich vor Anderen als "Biest", als ihm Telegramme vorgelegt wurden, in
denen ich wieder irgendwelchen Maßnahmen betreffend Dänemark in rücksichtsloser
Deutlichkeit widersprach.

Nach meiner Erinnerung, die vielleicht noch einiger Ergänzungen bedarf, sind es
vor allem die folgenden Maßnahmen, die von deutschen Stellen für Dänemark geplant
oder gefordert waren und deren Durchführung ich verhindert habe:

1.) Einschaltung der dänischen Nationalsozialisten in die Leitung des Staates. (Ich
erinnere an die Ministerliste, die der Reichsminister von Ribbentrop Ende Ok-
tober oder Anfang November 1942 in Berlin dem dänischen Außenminister von
Scavenius übergab und von der ich dann bei meiner Zustimmung zur Zusammen-
setzung der Regierung Scavenius abwich, ohne Berlin zu fragen.)

2.) Verbot der Folketingswahl vom 23.3.1943 (um die Schwäche der dänischen Na-
tionalsozialisten zu verschleiern, die ich gerade durch die Wahl demonstrieren
wollte).

3.) Einrichtung einer dauernden Militärverwaltung unter dem General von Hanne-
ken nach dem 29.8.1943.

4.) Verbringung der am 29.8.1943 internierten dänischen Soldaten in das Reich. (Ich
habe statt dessen ihre Freilassung durchgesetzt.)

5.) Einziehung der Vermögen der Juden in Dänemark nach dem 1.10.1943. (Ich habe
durch absichtliche Indiskretionen die Flucht der meisten Juden ermöglicht.)

6.) Festsetzung und Exekution von Geiseln.

7.) Erschießung dänischer Häftlinge als Repressalie für Attentate auf Deutsche.

8.) Zwang gegen die Bevölkerung zur Bewachung von Bahnstrecken usw.

9.) Arbeitszwang gegen die Bevölkerung für die Befestigungsarbeiten.

10.) Zwangsrekrutierung dänischer Arbeiter zur Arbeit im Reich.

11.) Beschlagnahme und Wegführung aller dänischen Schiffe, Docks und Schwimm-
kranen.

12.) Beschlagnahme und Wegführung aller gebrauchsfähigen (und im Gebrauch be-
findlichen) Kraftwagen und Fahrräder.

13.) Umwandlung der Wehrmacht-Vorschüsse der Nationalbank in endgültige Kriegs-
beiträge des dänischen Staates.

14.) Herabsetzung der Lebensmittelrationen in Dänemark.

15.) Positiver Gesinnungszwang gegen die dänische Presse (zum Beispiel zum Schrei-
ben eigener prodeutscher Leitartikel).

16.) Übernahme des dänischen Staatsrundfunks in volle deutsche Regie.
17.) Wegnahme der Rundfunk-Empfangsgeräte der Bevölkerung.
18.) Zwangseinquartierung deutscher Flüchtlinge in dänische Privathäuser.

Alle diese Maßnahmen (mit Ausnahme der letzten) sind in den meisten besetzten Ländern durchgeführt worden. Daß Dänemark von ihnen verschont blieb, hat dem Lande während des ganzen Krieges eine Sonderstellung gegenüber den kriegerisch besetzten Ländern gegeben, in der immerhin ein Teilerfolg meiner Politik der Erhaltung der dänischen Souveränität und Integrität erblickt werden darf. Ich habe ja auch bei jeder Maßnahme, die in innere dänische Verhältnisse eingriff und die ich nicht verhüten konnte, der Dänischen Regierung oder Zentralverwaltung die Erklärung abgegeben, daß die Maßnahme auf Grund eines Kriegsnotstandes erfolgte und ein Präjudiz für die Souveränität des Dänischen Staates sei.

Soweit gegen meinen Widerspruch von der Reichsregierung Maßnahmen befohlen wurden, die ich nicht billigte, stand ich vor der Frage, ob ich aus diesem Grunde von meinem Posten als Reichsbevollmächtigter zurücktreten solle. Ich habe diese Frage öfter mit dem Staatsminister von Scavenius und mit dem Direktor Svenningsen besprochen. Das Ergebnis war stets, daß es für das deutsch-dänische Verhältnis und für das Land Dänemark besser sei, wenn ich auf meinem Posten bliebe, als wenn ich durch einen Anderen ersetzt würde. Daß ich übrigens nicht nach meinem Willen zurücktreten konnte, beweist die Ablehnung meines Rücktrittsgesuches vom September 1944. Nachdem ohne mein Wissen und gegen meinen Willen die dänische Polizei abgelöst und teilweise interniert worden war, bat ich über den Reichsaußenminister um Abberufung von meinem Posten. Trotz der starken Brüskierung, die ich erlitten hatte, lautete die Entscheidung Hitlers, daß ich auf meinem Posten zu verbleiben hätte. Ein eigenmächtiges Verlassen des Postens hätte schwerste Bestrafung nach sich gezogen.

Dr. Werner Best

8. "Særtilfældet" – tysk besættelsespolitik i Danmark i europæisk perspektiv

"Der er behov for at sætte den danske besættelsestidsforskning ind i dens internationale sam-
menhæng og anstille sammenligninger. Der har, ikke blot i Danmark, været en stærk tendens
til national provinsialisme i historieskrivningen om den 2. verdenskrig."

Henrik S. Nissen 1988, s. 425.

Henrik S. Nissens udsagn er fremsat for snart 25 år siden, men har ikke mistet sin aktu-
alitet. For Danmarks vedkommende er der ganske vist både lavet flere sammenlignende
generelle oversigter[565] og sammenligninger på enkeltområder,[566] men det gælder med
én undtagelse,[567] at det har været sammenligninger med andre enkeltlande. Man skal
til udlandet for at finde de oversigter, der har inddraget flere lande eller alle tyskbesatte
europæiske lande i én sammenligning. Den største og hidtil mest ambitiøse af dem er
den under Werner Röhrs ledelse udgivne serie *Europa unterm Hakenkreuz* (EUHK) med
aktstykker fra en række besatte lande forsynet med indledninger om samme, hvorefter
Röhr selv i 1996 gav en meget omfattende komparativ fremstilling,[568] der 1998 blev
fulgt op af et bind specielt omhandlende kollaborationen i de tyskbesatte lande,[569] hvor-
til Hans Kirchhoff bidrog med en artikel om den danske "statskollaboration".[570]

Før dette og andre videnskabelige komparative projekter de tyskbesatte lande imel-
lem nærmere præsenteres og vurderes på en dansk baggrund, skal den danske "forhisto-
rie" kort ridses op.

Endnu i efteråret 1940 begyndte man fra tysk side at tale om, at Danmark indtog en
særstilling eller var et særtilfælde blandt de tyskbesatte lande, og det blev oftere nævnt
i de følgende år fra vidt forskellige tyske myndigheder i og uden for Danmark. Et ka-
rakteristisk eksempel er diplomaten Paul Barandons tale 27. marts 1942,[571] et andet
admiral Raul Mewis meddelelse 1. marts 1943,[572] for bare at fremhæve et par stykker
i kildeudgaven her. Da Werner Best efter en rundrejse i de besatte lande i efteråret
1941 lavede en rapport om de forskellige former for tysk besættelsesstyre (uddrag her
i 1:3, hvortil henvises),[573] kom han også til det resultat, at Danmark var noget for sig,
idet Danmark var det tyskbesatte land, der blev administreret med færrest mulige res-
sourcer ved hjælp af landets egen regering og administration. Han karakteriserede det
blandt sine "Aufsichtsverwaltungen" ikke direkte som "Bündnisverwaltung", men det

---

565 Trommer 1995a (Norge, Danmark og Holland), Petrick 1998 (Norge og Danmark). Desuden Poul-
sen 1999.
566 Molin et al. 1979 (forskellige emner: Skandinavien), Yahil 1969a og 1989 (jødeaktion: Holland og
Danmark), Grimnes 1972 (sabotagen: Norge og Danmark), Nissen 1983 (forskellige emner: Skandina-
vien), Bak 1999 (jødeaktion: Danmark og Italien).
567 Poulsen 1985 og især 1997/1999, selv om bidragene er korte.
568 Röhr 1996.
569 Röhr 1998a.
570 Kirchhoff 1998b.
571 1:4.
572 2:198. Endvidere 8:265.
573 Se endvidere bl.a. Röhr 1996, s. 137-139 og Benz 1998, s. 20-22. Bests typologisering er blevet "for-
billede" for alle senere typologiseringer.

var det, der kom nærmest.[574] Det blev siden hans mål som rigsbefuldmægtiget at videreføre denne ordning i Danmark. På et ophedet møde med Nils Svenningsen og Eivind Larsen 26. maj 1944 om det danske politis rolle fremdrog Best også i sin argumentation Danmarks særstilling, en særstilling han havde været og stadig var talsmand for med sin mildere kurs, men denne særstilling var truet af yderliggående kræfter i Tyskland. Det ville være en støtte for Bests stilling, hvis man fra dansk side viste sin gode vilje ved en aktiv politiindsats.[575] Det er åbenbart, at Best benyttede den angivelige særstilling som pressionsmiddel, idet han spillede på, at han var ude i en magtkamp med andre tyske myndigheder, men uagtet det, var den danske særstilling en realitet for ham. Han var vidende om, hvordan situationen var i andre tyskbesatte lande og ikke alene i Frankrig.

Danske historikere har efterhånden taget denne opfattelse af Danmarks særstilling til sig. Henning Poulsen var en af dem, der tidligst formulerede det eksplicit,[576] men siden er opfattelsen blevet mere udbredt, hvilket i 2003 gav sig udslag i en konference på Det Kongelige Bibliotek, hvor Danmarks særstilling fra forskellige synsvinkler, politisk, økonomisk, kulturelt, blev præsenteret.[577] Anderledes forholder det sig uden for historikernes kreds, hvor erindringslitteraturen i reglen ikke overraskende og forståeligt fortsat indskriver Danmark i verdenskrigens historie, som var der ikke forskel på forholdene i Polen og Danmark.

Ude i verden var historikerne langt tidligere fremme med at påpege den danske særstilling.[578] I 1944 udsendte den polsk-amerikanske jurist Raphaël Lemkin det omfattende værk *Axis rule in occupied Europe*, hvor kapitel 16 var om Danmark fra april 1940 til august 1943. Længere rakte hans materiale ikke på det tidspunkt. Lemkin fokuserede på lovgivningen i de tyskbesatte lande og regeringssystemet, men foretog ingen sammenfattende sammenligning. Dog fremgår det klart i kapitlet om Danmark, at han hæftede sig ved, at regeringen og administrationen grundlæggende fortsatte uændret til august 1943, at lovgivningen blev vedtaget af den danske regering, og at der var valg i marts 1943. Censuren blev også varetaget af de danske myndigheder med tysk vejledning. De danske værn fik også lov til at bestå. De tyske indgreb og krav formede sig som pres på den danske regering, der på den konto bl.a. udleverede et antal torpedobåde i begyndelsen af 1941, og indførte en antikommunistisk lovgivning, ligesom landet tilsluttede sig

---

574 Det er bemærkelsesværdigt, at Werner Best i sine skrifter ikke på noget tidspunkt direkte udpeger Danmark til at være et land med "Bündnisverwaltung" (heller ikke efter 1945), og han har som tidligere nævnt engang i 1943 udarbejdet planer for Danmark med en "Aufsichtsverwaltung". I litteraturen udpeges Danmark både til at være et land med "Bündnisverwaltung" (bl.a Petrick 1998, s. 190, Herbert 1996, s. 326 (den reneste form for "Bündnisverwaltung"), Benz 1998, s. 22, Lauridsen 2006c, s. 153) og et land med "Aufsichtsverwaltung" (Werner 1993, s. 31). Begge dele er overordnet korrekt, idet Bests manuskript fra efteråret 1941 har titlen "Die deutschen Aufsichtsverwaltungen in Frankreich, Belgien, den Niederlanden, Norwegen, Dänemark und im Protektorat Böhmen und Mähren. Vergleichende Übersicht". Best benyttede altså "Aufsichtsverwaltungen" både som overbegreb og som en særlig type af forvaltning.

575 Hæstrup, 1, 1966-71, s. 487f.

576 Poulsen 1995, passim og 2002, s 19.

577 Konferencen fandt sted 3. maj 2003, hvor John T. Lauridsen, Bo Lidegaard, Joachim Lund, Hans Hertel, Sofie Bak, Henrik Lundtofte og Henrik Skov Kristensen medvirkede. Konferencebidragene er med en undtagelse (Skov Kristensen 2005) ikke blevet trykt.

578 Her skal retfærdigvis tilføjes, at enkelte historikere har søgt at gøre andre vesteuropæiske lande til sær-tilfælde. Det gælder f.eks. Jay Howard Geller 1999 for Belgiens vedkommende.

Antikominternpagten i november 1941. Danske arbejdere blev tvunget til at acceptere at arbejde i Tyskland, idet de ellers blev truet med at miste understøttelsen. Tyske krav om en jødelovgivning blev fra dansk side kategorisk afvist, især da kong Christian 10. var imod.[579]

Lemkin havde fokus på, at de politiske forhold og strukturer, herunder at lovgivningsarbejdet stort set fortsatte uændret, hvad han ikke kunne skrive om de øvrige besatte lande. Da han ikke havde materiale om tiden efter august 1943, kunne han ikke skrive nærmere derom og trække ligheder og forskelle til tiden forud op.

De forhold, som Lemkin fremdrog om det besatte Danmark frem til august 1943, har stort set været retningsgivende for den efterfølgende internationale behandling af Danmark i europæisk perspektiv. Dog faldt kong Christian 10.s påståede indflydelse på, at det ikke kom til en jødelovgivning i Danmark, bort, men at der ikke kom en jødelovgivning, er blevet nævnt igen og igen.

Den amerikanske historiker Clifton J. Child fremlagde i 1954 den første systematiske kategorisering af forskellige typer af tyske besættelsesadministrationer. Det skete inden for rammerne af stort anlagt projekt om "Hitlers Europa" under Arnold Toynbees ledelse, hvor først den politiske, dernæst den økonomiske struktur i Hitlers Europa generelt blev præsenteret af en række fagfolk, hvorefter der fulgte en række opfølgende kapitler om de enkelte lande, herunder Danmark. På trods af tilblivelsestidspunktet og den endnu begrænsede forskning og kildeadgang har værket fortsat værdi.

Child tog udgangspunkt i de besatte områders folkeretlige/krigsretlige status i slutningen af 1943 og nåede frem til følgende kategorier:

1.) Annekterede områder (områder i Østeuropa, dele af Belgien).
2.) Områderne anbragt under leder af en civil administration (dele af Jugoslavien, Frankrig, Luxembourg, Bialystok).
3.) Tilknyttede territorier (Generalgouvernementet, Rigskommissariat Ukraine, Generalbezirk Hviderusland, Rigskommissariat Ostland, Protektoratet Böhmen og Mähren).
4.) Besatte områder (Belgien, Frankrig, Grækenland, den serbiske del af Jugoslavien, Norge, Holland og Danmark).
5.) De såkaldte "krigszoner" (dele af Italien). (s. 91-97).

Især for kategori 5s vedkommende (Operationszonen) skal bemærkes, at kategorierne er opstillet med udgangspunkt i slutningen af 1943, og at Child daterer krigszonernes etablering med Italiens sammenbrud fra september 1943 (s. 96). Kategori 5 kan især forekomme konstrueret, men er konsekvent nok i henhold til den valgte logik, selv om de reelle krigszoner var mange flere.

Danmarks placering i kategori 4 er indlysende og indiskutabel, og Child præsenterer det danske tilfælde som ikke alene enestående (outstanding), men også som mønsterprotektoratet, idet den militære besættelse blev kombineret med en kun begrænset indblanding i de lokale forhold. Kontrollen blev i stedet udøvet med diplomatiske midler

---

579 Lemkin 1944, s. 157-164.

gennem den tyske rigsbefuldmægtigede i København. Det resulterede i, at det danske parlament ikke alene fungerede videre, men også at den danske hær forblev intakt, selv om den var henvist til bestemte dele af landet. Der blev krævet vigtige ændringer i dansk udenrigspolitik, især efter angrebet på Sovjetunionen, da Danmark blev tvunget til at afbryde de diplomatiske forbindelser til Sovjetunionen og at tilslutte sig Antikom-internpagten. Endvidere måtte Danmark tillade oprettelsen af Frikorps Danmark og forbyde DKP.

Situationen blev ændret fra augustkrisen 1943 for så vidt som den danske hær og regering forsvandt og den rigsbefuldmægtigede fik indskrænket sin indflydelse i og med, at der kom en sideordnet HSSPF til landet, så Danmark i de to sidste år blev kontrolleret af tre forskellige tyske instanser: von Hanneken, Best og Pancke. "Denmark consequently reached the ironical position of continuing theoretically to retain her 'autonomy', with her Constitution still in force, and her diplomatic representatives abroad, in some cases, *en post*, while in practice her affairs were probably subject to closer German SS and police scrutiny than those of any other Western European Country" (s. 105f.). Af en fodnote fremgår det endvidere, at Child var af den opfattelse, at eksperimentet med at kontrollere landet med diplomatiske midler fejlede.

Da Childs beskæftigelse med Danmark indgik i en systematisk beskrivelse ud fra de fem kategorier, måtte han udelade mange mellemregninger og i stedet gang på gang henvises til den udførligere fremstilling af de danske forhold skrevet af Viscount Chilston senere i værket. Denne har især påvirket Childs opfattelse, for så vidt angår det tyske politis rolle, idet Chilston havde en ret radikal opfattelse af denne for tiden efter Bests dårlige håndtering af den københavnske generalstrejke 1944: "Early in August, therefore, the Gestapo took over the judicial power in Denmark from the German courts martial and a new wave of terror was inaugurated by their chief, Günther Pancke, who now became the dominant power in the land."[580] Chilstons vurdering kan et langt stykke af vejen forklares med, at han i meget høj måtte grad måtte bygge sin fremstilling af forholdene 1944-45 på samtidigt især engelsk og til en vis grad tysk avismateriale.

På trods af, at Child nåede til den konklusion, at det diplomatiske eksperiment mislykkedes, og at AAs rolle blev så begrænset, at det ikke lykkedes først og fremmest at kontrollere Danmark derigennem, tysk politi tog over i stedet, så slog han også ned på, at Danmark bevarede sin forfatning og en art "autonomi".

Childs kategorisering er blevet kritiseret af bl.a. Werner Röhr, der mener, at den er for lidet præcis, og at mange områder gik fra at høre hjemme i en af de opstillede kategorier for at ende i en anden. Selv Danmark endte med at komme i kategori fem, krigszone, tilføjer han for at sætte trumf på.[581] Kritikken er ikke ubegrundet, men Röhr synes at overse, at Child udtrykkeligt tager udgangspunkt i situationen efteråret 1943. Havde udgangspunktet været efteråret 1944 var rubriceringen af de enkelte lande blevet en anden, men det er spørgsmålet, om det havde været hensigtsmæssigt for en dækkende kategorisering at vælge et så sent tidspunkt, hvor krigen var i sin slutfase.

Der gik mange år, før Childs arbejde blev fulgt op i 1979 af den polske historiker

580 Chilston 1954, s. 531.
581 Röhr 1996, s. 139f. og 1997, s. 16.

Czeslaw Madajczyk, der forud havde skrevet et tobindsværk om tysk besættelsespolitik i Polen.[582] Madajczyk tog eksplicit afsæt dels i de overvejelser, som de nazistiske teoretikere (læs Best) havde gjort sig om forskellige besættelsestyper, dels nogle knappe formuleringer af Karl Dietrich Bracher om, at der var tre former af nazistiske herredømme: det barbariske regime med slavegørelse og decimering i Polen og det besatte Sovjetunionen, militærregeringerne og kollaborationsregimerne i Vest- og Nordeuropa og endelig en hegemonipolitik over for skinalliancepartnerne i satellitlandene i Sydøsteuropa.[583] Det var dog Madajczyks egen forskning i det tyske besættelsessystem og især dets hovedkomponent, "das steuernde Subsystem", som han kaldte det, der dannede hovedgrundlaget. Det førte ham til at opstille forskellige besættelsestyper ud fra ligheder i mål med besættelsen, metoderne med hvilke de undertvungne lande blev behandlet, eller også den måde hvorpå de besatte befolkninger blev opfattet af besættelsesmagten:

Den første type omfattede de ved magt annekterede lande: Østrig og Sudeterlandet. Denne type adskilte sig fra de andre former for besættelse ved, at besættelsessituationen ikke blev opfattet som sådan af tyskerne, men at de besatte skulle indgå i Tyskland.

Den anden type omfattede Polen og de som tysk "Lebensraum" udsete områder af Sovjetunionen, hvor der blev tilstræbt en fuldstændig ødelæggelse af de politiske, økonomiske og samfundsmæssige strukturer og det kulturelle liv.

Den tredje type var de som "germanske" ansete lande, der blev forberedt til at skulle indgå i det stortyske rige med udnyttelse af de lokale fascistiske bevægelser: Norge, Holland, Belgien og Danmark. "Eine Ausnahme bildete die dem kleinen Dänemark gegenüber angewandte Taktik, wo trotz der militärischen Besetzung die Respektierung seiner Souveränität vorgetäuscht wurde. Dies sollte sozusagen die Visitenkarte angesichts der neutralen Staaten sein; im entsprechenden Moment hätte dieses kleine Land unschwer zur Aufgabe seiner Unabhängigkeit gezwungen werden können."

Den fjerde type var det efter militære grundsætninger forvaltede Frankrig.

Den femte type omfattede det af Tyskland og Italien fællesforvaltede Jugoslavien og Grækenland – hvor det militært forvaltede Serbien udgjorde en undtagelse.

Den sjette type inkluderede de tidligere allierede og siden besatte lande: Italien, Ungarn, Slovakiet, der i større eller mindre grad blev stillet opretholdelsen af deres selvstændighed i udsigt. Her fungerede en militærforvaltning som i et fremmed land.

Madajczyk gennemgik opfølgende "das steuernde Subsystem", hvilket ikke nærmere skal præsenteres her, idet Danmarks rolle deri er yderst beskedent medtaget. Det er Danmarks rolle i Madajczyks typologisering i øvrigt også,[584] og når den alligevel er præsenteret, er det først og fremmest for at få det europæiske perspektiv frem. Der er meget, meget langt mellem de mål og midler, Tyskland tog i anvendelse i de forskellige besatte lande, svimlende langt hvis Polen og Danmark tages som eksempler. Fra et land hvor de politiske, økonomiske og samfundsmæssige strukturer og det kulturelle liv søgtes ødelagt og dets befolkning formindskes eller fordrives til et land, hvor de samme strukturer og det kulturelle liv fortsatte som hidtil i et helt andet omfang. Det sætter

582 Madajczyk 1979 fulgt op af samme 1985, 1997 og1998 efter et langt livs forskning i tysk besættelsespolitik.
583 Bracher 1972, s. 440.
584 Det er uvist på hvilket litteraturgrundlag, Danmark inddrages.

Madajczyks typologisering i relief, selv om den er blevet kritiseret for at blande formelle kriterier med programmatiske og pragmatiske.[585] Det gør den nok, men sammenlignet med Childs kategorisering får den på en helt anden fundamental måde frem, hvad der foregik i de enkelte lande, herunder konsekvenserne for befolkning og samfund. Sammenligningerne har ikke i sig selv til formål at være en akademisk øvelse, men at gribe dem analytisk an på en måde, der giver mening i forhold til de forskellige besættelses-virkeligheder. På det punkt kan der nås videre end hos Madajczyk, men han har sat en dagsorden for, hvad der i hvert fald bør indgå ved fremtidige sammenligninger. Dernæst kommer så opgaven, hvorfor den tyske besættelsespolitik var så forskellig i de besatte lande. Det vil jeg sluttelig vende tilbage til.

En anden polsk historiker, Waclaw Dlugoborski, var samtidig med kollegaen og samarbejdspartneren Madajczyk i gang med at typologisere tysk besættelsespolitik i det besatte Europa.[586] Dlugoborski havde på den 7. internationale kongres om økonomisk historie i Edinburgh 1978 leveret oplægget "Economic Policy of the Third Reich in occupied and dependent Countries 1938-1945. An Attempt at a Typology", som i udvidet udgave blev publiceret 1980. Den typologisering ændrede han året efter til at omfatte tysk besættelsespolitik i det hele taget i en artikel med den dengang hidtil mest omfattende kilde- og litteraturanvendelse (på såvel de vestlige som de østeuropæiske sprog). Han diskuterede både meget udførligt en lang række faktorer, der måtte tages i betragtning og tidligere typologiseringer, før han kom med sine egne typer. Han opdelte besættelsespolitikken efter dens intensitet og retning, men også i forskellene i den samfundsmæssige udvikling, herunder den sociale forandring de besatte og afhængige områder imellem, som den tyske indgriben medførte. Derved kom han frem til følgende skelnen (s. 42f.):

1.) Indførelse af det retsløse, klasseløse samfund (det annekterede polske område og de slaviske dele af det besatte Sovjetunionen).

2.) Vidtgående deformerede, men ikke fuldstændigt underkastede samfund (Generalgouvernementet, de baltiske sovjetrepublikker, Serbien).

3.) De "germanske" samfund, der skulle efterligne det tyske folkefællesskab, ændringer i den retning blev indledt; "die sozialen Strukturen aus der Vorkriegszeit (nicht aber die politischen, mit Ausnahme Dänemarks) bestanden jedoch weiter" (Holland, Norge, den flamske del af Belgien).

4.) De vesteuropæiske, ikke-germanske industrisamfund, der såvel under krigen som senere skulle beholde deres hidtidige struktur under den "nye ordning" (Frankrig, den wallonske del af Belgien).

5.) De sydeuropæiske agrarsamfund, hvis industrialisering blev hæmmet eller ødelagt. Samtidig forsøgte man at bremse eller mildne ændringer som følge af besættelsen afhængig af, om landene deltog i den tyske krigsførelse (Kroatien, Rumænien, Slovakiet, Ungarn og delvis Bulgarien).

---

585 Umbreit 1988, s. 98, Röhr 1996, s. 142f.

586 Dlugoborski og Madajczyk skrev sammen: Ausbeutungssysteme in den besetzten Gebieten Polens und der UdSSR. F. Forstmeier und H.E. Volkmann (Hg.): *Kriegswirtschaft und Rüstung 1939-1945*. Düsseldorf 1977, s. 375-416.

I den efterfølgende uddybning af de enkelte typer vil jeg alene kort komme nærmere ind på type 3, og forud blot med Dlugoborski konstatere, at type 1 og 2 var dem, der var stærkest udsat for de direkte og indirekte følger af den tyske besættelse. For type 3 (og 4-5) betød den tyske besættelse en stigende afhængighed af Tyskland, men ingen dybtgående indgreb i den sociale struktur. De ændringer i de sociale forhold, der blev forsøgt af besættelsesmagten var enten af ubetydeligt omfang (udelukkelsen af jøderne), en biomstændighed ved den tyske erhvervspolitik (stigende rustningsopgaver, begrænsning af råstoftildelingen til konsumindustrien med deraf følgende ændring af arbejdersammensætningen) eller de havde kun forbigående karakter som tvangsflytningen af arbejdere til Tyskland. På skole- og kulturområdet blev der kun grebet ind på bestemte felter, politisk for at fremme den fascistiske ideologi, tyskundervisningen og racetanken. I Danmark var der slet ingen indgreb. Der var et langt bredere spektrum af legale institutioner, der fik lov til fortsat at bestå i de vestlige og nordlige lande end østpå. "Sogar die Gewerkschaften, wenn auch in totalitärer Prägung (in Dänemark auch die Sozialdemokratische Partei) durften weiter bestehen, was unter den Arbeitnehmern, jedenfalls zu Anfang der Besatzung, den Schein erweckte, daß auch ihre Interessen wahrgenommen wurden."

Som det vil fremgå, er typologien ikke uproblematisk, da forskellen mellem type 1-2 og type 3-5 er så udtalt afgrænset, at det bliver sværere at få en meningsfuld sammenligning og differentiering inden for de to "blokke". For Danmarks vedkommende er det også tydeligt, at det selv med en placering som type 3 udviser ret store forskelle i forhold til de andre lande, som det er kommet i gruppe med.[587] Derfor skal der et ret overordnet niveau til for at betegne det som menings- og indsigtsfuldt, og i forlængelse heraf er det trods Dlugoborski sympatiske bestræbelser på med de valgte typologiseringskriterier at få de faktiske resultater af besættelsesmagtens indgreb frem, kun lykkedes i et vist omfang. Der savnes flere nuancer landene imellem. Alligevel er den omfattende diskussion af problemerne i forbindelse med beskæftigelsen med og sammenligning af tysk besættelsespolitik frugtbar og perspektivrig.[588]

Den tyske historiker Hans Umbreit har leveret to monografilange bidrag til værket *Das Deutsche Reich und der Zweite Weltkrieg* om den tyske besættelsespolitik i Europa, og i den forbindelse har han også opstillet en differentiering af de forvaltningsstrukturer, der blev taget i brug i de besatte områder.[589] Han går overordnet ud fra en tredeling i rigsforvaltning, civilforvaltning og militærforvaltning, hvortil føjer sig undergrupper:[590]

Rigsforvaltningen omfattede:
1.1.)   De formelt annekterede områder ledet af rigsstatholdere eller overpræsidenter
        (Danzig-Vestpreussen, Warthegau, Sydøstpreussen, Østerøvreschlesien),

---

587 Dlugoborski synes for Danmarks vedkommende udelukkende at have benyttet Thomsen 1971.
588 Det skal bemærkes, at Dlugoborski har valgt ikke at medtage Østrig og Sudeterlandet i typologiseringen (jfr. Röhr 1996, s. 141).
589 Umbreit 1981 (tiden 1939-41), spec. s. 95-102, hvor også tidligere typologiseringer diskuteres og 1999 (tiden 1942-45). Se desuden Umbreit 1997 og 1998.
590 Umbreit 1981, s. 100.

1.2.) De områder, der blev behandlet som rigsområder, selv om de ikke formelt var annekterede og blev ledet af civilforvaltningschefer (Elsass, Lothringen, Luxembourg, Untersteiermark, de besatte områder af Kärnten og Krain, Bialystok).

Civilforvaltninger eller civile overvågningsorganer blev anvendt, hvor der efter karakteren af besættelsen måtte tages politiske hensyn eller, at der var tale om en anden politisk interesse:

2.1.) Stater, hvor Tyskland havde påtaget sig "beskyttelsen" under en rigsbefuldmægtiget (Danmark).[591]

2.2.) Stater med en "germansk" befolkning, der skulle være en del af det storgermanske rige under rigskommissærer (Norge, Holland).

Militærforvaltninger blev bibeholdt med henblik på den videre krigsførelse eller af mangel på politiske interesse under

3.1.) Militær- og værnemagtsøverstbefalende (Belgien, Frankrig med de britiske kanaløer, i sydøst (Serbien, Saloniki, Sydgrækenland med Kreta)).

3.2.) Hærgruppers og armeers øverstbefalende i de tilbageværende hær- og armegruppeområder (Sovjetunionen).

Her skal alene punkt 2.1. om Danmark nærmere uddybes. Umbreit skriver: "Unter den durch eine zivile Verwaltung oder Aufsicht beherrschten Gebieten bildete Dänemark eine Ausnahme. Mit Rücksicht auf die Landesregierung, die gegen den deutschen Einmarsch lediglich protestiert hatte, begnügte sich die Besatzungsmacht mit einer Kontrolle auf Regierungsebene durch den mit zusätzlichen Personal ausgestatteten Gesandten als Bevollmächtigten des Reiches. Dänemark blieb eine Domäne des Auswärtigen Amtes, Aufsicht und Einflußnahme vollzogen sich auf diplomatischen Wege. Das Land zahlte keine Besatzungskosten und war für die Deutschen eine Art Visitenkarte von propagandistischen Wert für den Umgang mit 'einsichtigen' Großraumvölkern germanischer Abstammung; für Best der Idealfall einer Bündnisverwaltung."[592] I afsnittene om den tyske besættelsespolitik i Danmark udvikler Umbreit dette på grundlag af den spinkle tilgængelige tysksprogede forskning og egne kildeundersøgelser (det sidste især for tiden til 1942),[593] men der skal ledes i andre dele af hans afhandlinger for at finde flere områder frem, hvor Danmark var en undtagelse. Det gjaldt bl.a. brugen af tvangsarbejdere.[594]

Umbreits typologisering er blevet kraftigt kritiseret af Werner Röhr, der bl.a. ikke mener, at den lever op til formålet med en videnskabelig typologisering: "Denn deren abstrahierendes Vorgehen zielt gerade nicht darauf ab, die institutionelle Vielfalt auszuschöpfen, sondern wesentliche Grundzüge und Formen auf den Begriff zu

591 I en fodnote nævner Umbreit, at der også var rigsbefuldmægtigede i Böhmen og Mähren og i Grækenland, men lader det ikke påvirke rubriceringen, da der i disse områder i øvrigt var tale om en anden magtstruktur (Umbreit 1981, s. 100, note 354).
592 Umbreit 1981, s. 101.
593 Umbreit 1981, s. 46-50 og 1999, s. 13-17.
594 Umbreit 1999, s. 214f.

bringen."[595] Det er et standpunkt, der kan testes på grundlag af den typologisering, som Röhr selv har foretaget, og det vil blive gjort nedenfor, men det er for det første et spørgsmål om en række typologiseringer med forskellige kriterier og indgangsvinkler ikke er hensigtsmæssige, og for det andet om Umbreits typologisering er mindre videnskabelig end andres.

Dette kan illustreres med den hollandske sociolog Cornelis J. Lammers' bidrag til det komparative studium af tysk besættelsespolitik fra 1995, hvor udgangspunktet er besættelsespolitikken i Holland, og hvor Polen og Danmark bruges som de andre hovedeksempler til sammenligning, men hvor formålet er radikalt anderledes end f.eks. Umbreits. Lammers vil sammenligne *niveauer af kollaboration* (samarbejde) mellem en besættelsesmagt og de lokale myndigheder. Kollaboration definerer han i den brede og neutrale betydning deraf, som Gerhard Hirschfeld har brugt i sin analyse af tysk besættelsespolitik i Holland: "cooperation with the enemy."[596] Til formålet opstiller Lammers to sammenhængende problemstillinger (hans metode): for at kunne sammenligne niveauer af samarbejde mellem besættelser fokuseres på samarbejdets "effektivitet" set fra besættelsesmagtens synspunkt og på "omgængeligheden" set fra de besattes synspunkt. Han er sig udmærket bevidst, at det ideelt set vil kræve en materialemængde og et antal sager i et omfang fra forskellige lande, som han ikke har til rådighed. Han vælger alligevel at komme med nogle plausible hypoteser "on the basis of reasonably well-founded impressions." (s. 57). Der er altså tale om en historisk-sociologisk makroanalyse, og det tjener Lammers til ære, at han ligeud skriver, at hans viden om Danmark stammer fra en artikel af Aage Trommer 1983, Gustav Meissners erindringer 1990 og en artikel af Ole P. Kristensen fra 1991 (s. 62 note 12).

De tre udvalgte lande er Holland, Polen og Danmark. Holland er valgt, fordi der 1940-45 var tale om et samarbejde på mellemniveau ("meso-level"), mens der i Polen i samme periode fra tysk side blev valgt kun at udnytte samarbejdet på laveste niveau, og endelig er Danmark med, fordi "the crucial collaboration took place at the top level of the State." (sst.).

Ud fra en systemteoretisk tilgang postulerer Lammers, at en besættelses autoritet må tilvejebringe:

1.) et optimalt input af ressourcer (menneskelige, finansielle, materielle og legitime) til de lokale systemer, ressourcer der også har betydning for besættelsesmagten enten direkte eller indirekte.

2.) et vist spillerum for de lokale systemer til at opretholde deres traditionelle rutiner, dvs. en vis respekt for deres kultur, identitet og integritet.

På den anden side må besættelsesautoriteten være i stand til at være afhængig af:

3.) et loyalt samarbejde fra ledelsen af de systemer, der skal kontrolleres med hensyn til input, throughoutput [sic!] og output i henhold til de retningslinjer og planer, som besættelsesmagten har givet (s. 52).

---

595 Röhr 1996, s. 140f. Umbreit har ikke svaret direkte på denne kritik, se Umbreit 1997.
596 Lammers 1997 (der henvises til optrykket af Lammers' artikel her og i det følgende), s. 49, Hirschfeld 1984, s. 7.

Dette tredelte system er det nødvendigt at have præsent ved gennemgange af samar-bejdsniveauet i de tre valgte lande. Her vil jeg indskrænke mig til at demonstrere Lam-mers' konkrete tilgang ud fra det danske eksempel (s. 62, 64): Indtil august 1943 stod de tyske repræsentanter over for en dansk regering, som der skulle forhandles med. Det gav kun lidt tysk indflydelse på de politiske beslutninger og deres virkninger på såvel det offentlige bureaukratis som det private erhvervslivs niveau. Der kunne kun øves pres, og besættelsesmagten var ikke i stand til at tvinge danskerne til at omstrukturere deres regeringssystem og industrielle relationer. Danmark opretholdt sin selvstændighed (2) i meget højere grad end Holland, mens den tyske politik også indebar, at Danmark i det mindste fik adgang til lige så mange ressourcer (1) som Holland. Takket være fredsbesættelsen kunne Tyskland regne med et loyalt samarbejde med den danske elite (3), lige så meget, hvis ikke mere end med den hollandske. Efter august 1943 ændrede situationen sig i Danmark, da regeringen trådte tilbage. Som en konsekvens heraf blev spillerummet for systemerne (2) i Danmark reduceret, og det samme gjorde den danske elites villighed til at samarbejde loyalt (3). Da Lammers' materiale i øvrigt er så begræn-set, skal det danske eksempel ikke refereres yderligere.

Lammers gør sig bl.a. nogle interessante overvejelser vedrørende besættelsens effekti-vitet i henholdsvis Danmark og Holland. Han er ikke sikker på, at besættelsen af Hol-land var mindre effektiv for Tyskland end besættelsen af Danmark. På den ene side kan besættelsesmagten spare ressourcer ved at støtte sig på en økonomis "normale" effektivi-tet gennem et indirekte styre i forhold til at gøre brug af et direkte styre. På den anden side kan en regering i en vasalstat forhandle ud fra en position, der er mindre svag end topembedsmænds. Han forsøger ikke at give svaret ved den konkrete sammenligning og har heller ikke materiale dertil.

I den afsluttende konklusion tilføjes en række interessante betragtninger, hvis man ønsker at arbejde videre ad den vej, som Lammers har skitseret og afstukket, ligesom han i et skema sammenfatter sine hypoteser om samarbejdsniveauer og deres omkost-ninger og fordele. Den bringes her (s. 66).

Omkostninger og fordele ved samarbejde

samarbejdsniveau hovedkontrolmidler vilkår for lokale systemer	lokalt/regionalt terror illegalitet	topembedsmænd halvautoritet begrænset autonomi	regering autoritet mere autonomi
"effektivitet" (for besætter)	–	+	+ eller ++
"omgængelighed" (for besatte)	–	+	++
militærstrategisk risiko (for besætter)	lav	mellem	høj
politisk og moralsk risiko (for besatte)	lav	mellem	høj

Den tyske historiker Wolfgang Benz er den, der senest har opstillet en typologi over de anvendte besættelsesformer i de områder under anden verdenskrig, der var under tysk indflydelse. Det skete på en konference afholdt på Syddansk Universitet i Odense i 1997, og resultatet blev publiceret året efter. Benz betjener sig af to tilgange, en med stats- og folkeretslige kategorier orienteret typologi og en differentieret beskrivelse ud fra et historisk-politisk perspektiv. Da især sidstnævnte beskrivelse er relativt omfangs-rig, vil fokus her blive ret snævert på det danske tilfælde.

Ud fra stats- og folkeretslige kategorier skelner Benz mellem følgende typer:

1.) De af Tyskland formelt annekterede områder (Østrig, Sudeterlandet, Memel, Danzig-Vestpreussen, Warthegau, Sydøstpreussen, Østerøvreschlesien).
2.) Områder underlagt en civilforvaltningschef og de-facto annekterede (Elsass, Lothringen, Luxembourg, Untersteiermark, Bialystok).
3.) Besættelse med en militærforvaltning (Belgien, Nordfrankrig, de britiske kanaløer, Serbien, Grækenland, de tilbageværende hærområder i Sovjetunionen).
4.) Områder med forskelligt praktiserede tyske civilforvaltninger (Danmark, Norge, Holland, Böhmen og Mähren, Generalgouvernementet, rigskommissariaterne Ostland og Ukraine).
5.) Særformer af besættelse mellem annektering og besættelse (en lang række lande og områder efter Italiens kapitulation, "operationszoner").

For fuldstændighedens skyld var der også andre områder med særlige former for besæt-telse (Frankrig efter totalbesættelsen i slutningen af 1942 bl.a.).

Herefter anlægger Benz det historisk politiske perspektiv i form af fem fyldige punkter, hvoraf kun de to første inddrager Danmark, og referatet her indskrænkes dertil, idet læseren i øvrigt henvises til Benz' tekst. Pkt. 1 omhandler alene Danmark, hvor det nævnes, at den danske regering blev siddende til 29. august 1943, og at en tysk rigs-befuldmægtiget med et ringe antal embedsmænd agerede som diplomat, mens pkt. 2 omhandlende Norge og Holland også kommer ind på Danmark, idet det bliver disku-teret, i hvor høj grad besættelsesmagten kunne betjene sig af lokale nazistpartier og de traditionelle eliter. Hverken i Norge eller Holland fik de lokale nazister overladt magten, som samarbejdspartnere blev de lokale eliter foretrukket, hvilket i tilfældet den franske Vichy-regering gav betydelige resultater, og hvor der i Danmark også i en vis periode var ansatser til visse fordele. "Dänemark stellt aber auch einen einzigartigen Sonderfall dar, der kaum vergleichbar ist mit einem anderen Territorium unter deutscher Besatzungs-herrschaft." (s. 16f.).

Senere i artiklen vender Benz tilbage til Danmarks stilling i det tyske magtsystem i forbindelse med en præsentation af Werner Bests typer af "Aufsichtsverwaltung", hvor Benz placerer Danmark som værende i "Bündnisverwaltung". "Die Okkupation die-ses Landes war in vieler Beziehung ein Sonderfall." Den legitime danske regering blev siddende efter den tyske invasion, men var derefter hverken en marionetregering eller et kollaborationsregime. Det tyske udenrigsministerium varetog forbindelsen til Dan-mark, værnemagtens opgaver var indskrænket til varetagelse af den militære sikkerhed. Forholdene med en konge i landet og en selvstændig regering med eget eksekutiv fort-satte nogenlunde stabilt til telegramkrisen efteråret 1942, og det fortsatte derefter un-der en ny rigsbefuldmægtiget, der dog skulle sørge for at have midlerne i hænde til at afgøre Danmarks indre udvikling, indtil hans stilling en dag måske blev en anden. "Der weitere Weg der 'Bündnisverwaltung' Dänemarks war damit vorgezeichnet: Ver-stärkter deutscher Druck auf die dänische Exekutive, militärischer Ausnahmezustand nach vermehrten Widerstand, Rücktritt der dänischen Regierung, schließlich Terror zur Aufrechterhaltung der Okkupation." (s. 22f.).

Benz' stats- og folkeretslige kategorier har mange lighedspunkter med Hans Umbreits, og for Danmarks vedkommende synes Umbreit mere konsekvent end Benz, idet han anbringer Danmark i en kategori for sig selv (2.1. hos Umbreit), mens Benz indplacerer Danmark sammen med en række andre lande, herunder Norge og Holland, og alligevel udpeger Danmark som særtilfælde og nok så bemærkelsesværdigt ikke mener, at Danmark lader sig sammenligne med noget andet land. Dermed kunne Benz med større ret have argumenteret for at kategorisere Danmark for sig. I hvert fald kunne der være brugt vægtigere argumenter derfor end Umbreits, at Danmark var under tysk beskyttelse.

Selvom Benz for Danmarks vedkommende alene synes at have Erich Thomsens bog fra 1971 og Ulrich Herberts Best-biografi som grundlag, er det alligevel overraskende, hvor misvisende forholdene i Danmark efter august 1943 endnu kan blive beskrevet selv i en knap tekst som denne. At der skulle anvendes tysk terror for at opretholde besættelsen i Danmark i de sidste besættelsesår, var der ikke tale om. Besættelsesmagten kunne udmærket have opretholdt sin kontrol uden terror – terroren var dikteret som gengæld fra Berlin, og hverken Thomsen eller Herbert kan tillægges den af Benz fremsatte påstand.

Hermed er jeg tilbage ved Werner Röhr og hans typologisering af de tyske besættelsesformer samt ikke mindst hans samlede oversigt over fællestrækkene for alle de besatte områder, som han har sammenfattet dem på grundlag af alle bindene i serien EUHK. Ikke mindst sammenfatningen har betydelig interesse alene af den grund, at der ikke tidligere har været tilvejebragt et så omfattende materiale som grundlag for en konkluderende sammenligning.

Röhr opstiller en typologisering, der er i overensstemmelse med et flertal af de foregående typologier (Lammers' undtaget, som han ikke har forholdt sig til), hvad han også selv vedkender sig, men han giver den nogle begrundelser med på vejen, som det er vanskeligt helt at genkende i det endelige resultat. Han skriver, at af typologien "lassen sich folgende Ländergruppen unterscheiden, für die Zielprogramm und Herrschaftsmethoden, besatzungsrechtlicher Status und Art der Inferenz bei der inneren 'Neuordnung' des Landes miteinander korrelieren:"[597]

1.) De officielt annekterede områder.
2.) De faktisk, men ikke formelt annekterede områder.
3.) De som fremtidige "tysk livsrum" behandlede lande under civilforvaltning.
4.) De som fremtidige dele af et storgermansk rige ansete og ved civil forvaltning behandlede lande.
5.) Lande, der forblev under militærforvaltning, hvor der ikke forud var taget endelig stilling til deres fremtidige status.
6.) De i løbet af krigen besatte lande, der havde været tidligere allierede.

---

597 Röhr 1997, s. 31f.

Röhr nævner ikke navnene på de lande, han vil placere i de enkelte kategorier, men det kan læses forskellige steder i hans tekst. Danmark hører hjemme i kategori 4, og også han udpeger Danmark til at have en særstilling, idet der her ikke blev opbygget en selvstændig tysk besættelsesforvaltning, men at den danske regering fortsatte, de danske væbnede styrker bibeholdtes, og Danmark officielt ikke var besat. Der skulle øves indflydelse ad de officielle diplomatiske kanaler, ligesom Danmark heller ikke skulle betale besættelsesomkostninger. Imidlertid ophørte særtilfældet i august 1943, og besættelsesmagten gik derefter over til åbent at gribe ind (s. 21, 24, 41).[598]

Herefter vil jeg citere Röhrs koncentrerede sammenfatning af en stribe bind om tysk besættelsespolitik i det besatte Europa:

"In den Bänden der Reihe 'Europa unterm Hakenkreuz' wurde dokumentiert, daß all die unterschiedlichen deutschen Okkupationsregimen in diesem oder jenem Masse bestimmte Grundzüge ausprägten, die entscheidend durch das imperialistische deutsche Kriegszielprogramm und durch die Spezifik faschistischer Herrschaft bestimmt waren. Dazu gehörten *in alle Ländern*

- die terroristische Unterdrückung jeglichen Widerstandes gegen die Okkupationsmacht,
- die Sicherung von „Ruhe und Ordnung" für die Ausplünderung des Landes;
- die gewaltsame Zerschlagung der revolutionären Arbeiterbewegung, voran der Kommunistischen Parteien, aber auch aller demokratischen und antifaschistischen Kräfte;
- die Diskriminierung, Verfolgung und Ermordung der jüdischen Bürger der besetzten Länder;
- die zunehmend rücksichtslosere Ausbeutung der Ressourcen der besetzten Länder für die deutschen Kriegswirtschaft;
- die Bestrebungen, die Verfügungsgewalt über die wichtigsten Rohstoffe, Kapitalien und Industrieunternehmungen zu erlangen;
- die Deportation von Millionen Zwangsarbeitern aus allen besetzten Ländern nach Deutschland."[599] (udhævelsen er min, JTL).

Det er værd at understrege, at Röhr ikke kun her, men flere steder skriver, at der er tale om nogle *grundtræk*, som gik igen i *alle* de forskellige tyske besættelsesregimer.

Med et dansk udgangspunkt er en del af konklusionerne iøjnefaldende, da de svarer meget lidt eller slet ikke til tysk besættelsespolitik i Danmark. Det er ikke kun nuancer, der er tale om.

For det første blev al modstand mod besættelsesmagten i Danmark ikke, heller ikke i det sidste besættelsesår, slået ned gennem terroristisk undertrykkelse.

For det andet blev alle demokratiske og antifascistiske kræfter i Danmark ikke slået ned med vold på noget tidspunkt, især ikke de demokratiske, som i stort set fuld målestok kunne fortsætte deres virke til maj 1945.

For det tredje er det for Danmarks vedkommende fortsat et åbent spørgsmål, om der

---

598 Jfr. Röhr 1996, s. 131 og 1998, s. 32.
599 Röhr 1996, s. 143 og 1997, s. 19f.

var tale om en i stigende grad hensynsløs udbytning af ressourcerne til fordel for den tyske rustningsproduktion. Den foreliggende forskning tyder ikke i den retning.

For det fjerde søgte besættelsesmagten ikke at overtage kontrollen med vigtige danske råstoffer, formuer eller industriforetagender. Forsøgene på at vinde indpas var på et beskedent niveau.

Endelig var der ikke danske tvangsarbejdere, hverken ved arbejde i Danmark eller deporterede til Tyskland.

Resultat og perspektiv

Den internationale diskussion af, hvordan Danmark skal placeres blandt de tyskbesatte lande og hvordan besættelsesstyret skal karakteriseres, er præget af, at kendskabet til den danske besættelsessituation fortsat er ret overordnet, og at selv nogle af dem, der har stiftet et nærmere bekendtskab dermed, stadig mest forholder sig til nogle få ydre forhold (Fritz Petrick og Wolfgang Benz f.eks.). Der synes stadig ikke at være det helt store kvalitative spring fra Childs oversigt i 1954 til 1990ernes diskussion af besættelsestypologier. Det er dog hævet over enhver tvivl, at Danmark var et særtilfælde, men at Danmark ikke er sammenligneligt med noget andet land, som Wolfgang Benz mener, er paradoksalt, da den slutning kun kan være draget netop ved en sammenligning og desuden heller ikke er korrekt. Trods store forskelle er komparationen stadig en frugtbar vej for at rejse spørgsmål og tilvejebringe proportioner, hvad angår det danske (sær)tilfælde.

Den internationale forskning har stort set beskæftiget sig med Danmark under anden verdenskrig uafhængigt af den nyere og nyeste danske forskning på området, og dansk forskning har i et vist omfang gjort det samme omvendt. I begge tilfælde er der enkelte undtagelser, men det præger generelt de internationale sammenligninger af besættelsestyper, at Danmark enten bliver behandlet på grundlag af en ældre og forældet tysksproget litteratur eller, at den beskedne nyere tysksprogede litteratur ikke bliver udnyttet efter fortjeneste. Særligt iøjnefaldende er det, at Werner Röhr kunne skrive en sammenfatning omfattende besættelsesstyrerne i alle tyskbesatte lande på grundlag af alle bind i EUHK, og så alligevel undlade at drage nytte af indholdet i Petricks bind 3, hvorved nogle af de åbenlyse fejltagelser kunne være undgået. Fra dansk side er der ikke gjort meget for at få dansk forskning om emnet ud på tysk, end ikke i formidlingsform. Det kunne med henblik på fremtiden være en del af løsningen.

Dansk forskning står fortsat i den vanskelige situation, som Henning Poulsen i 1995 beskrev således: "I dansk besættelseshistorie er der mangt og meget, der er vanskeligt at forklare en polak eller blot en nordmand. Vi samarbejdede politisk med besættelsesmagten, fik først de bedste og frieste levevilkår i det besatte Europa, dernæst en modstandsbevægelse til halv pris og blev til slut allieret uden at komme i krig."[600]

Vurderet fra 2012 synes den mangeårige internationale diskussion af tyske besættelsestyper og -former kun at have øvet en meget begrænset eller ingen indflydelse på den løbende forskning. Der henvises sjældent dertil, og begrebsapparatet derfra har heller ikke fundet vej til forskningen i andet end beskedent omfang, hvis overhovedet. Sat på spidsen kan det have udviklet sig til en disciplin for sig selv. Det kan lyde lidt pessimi-

---

600 Poulsen 1995, s. 17.

stisk, men er det ikke, for set fra "særtilfældet" Danmark er sammenligningerne vigtige, blot skal de kvalificeres mere.

På den ene side er en generel sammenligning mellem alle besatte lande relevante for at placere faktorers betydning i forhold til hinanden i alle lande, på den anden side er sammenligning derefter som andet led med nogle specifikke lande mere relevant end med andre, f.eks. til besvarelse af spørgsmålet: Hvis den danske regering havde gjort som den norske, hvad så? Endelig vil det også være relevant at sammenligne med andre lande under verdenskrigen, som havde en helt anden status, her er det neutrale Sverige nærliggende, såvel som det på tysk side krigsførende Finland. De fire nordiske lande udgør et relevant komparativt kredsløb med hinanden, også når forudsætninger før krigen og perspektiver derefter skal trækkes op, hvordan gik det forskelligt, hvad forblev alligevel det samme, omkostningerne ved at have været inddraget på forskellig vis og ved at stå uden for krigen? Sådanne sammenligninger kan også kun gøres meningsfulde ud fra forud opstillede fælles kriterier og et kvalificeret materialegrundlag.

Tysk besættelsespolitik i Danmark har ikke fyldt meget i egen ret i dansk historisk forskning, og det har sine grunde, men den europæiske vinkel er en tilskyndelse til at gøre mere ved det. For – og her får Henning Poulsen igen ordet, det sidste – "… ser vi Danmarks besættelse i europæisk perspektiv, er det mest bemærkelsesværdige, at der her, midt i Hitlers imperium og midt i krigens ragnarok overlevede en ikke uvæsentlig del af de former og regulerede handlemåder, vi betegner som civilisation."[601]

---

601 Poulsen 1997, s. 266f.

Inhaltsverzeichnis

Das Register für das gesamte Werk befindet sich in Band 10.

Vorwort der Herausgeberinstitutionen

In den vergangenen 20 Jahren war die Besatzung Dänemarks 1940-1945 einer der Themenbereiche, auf den die *Dänische Königliche Bibliothek* einen wesentlichen Teil ihrer Forschungs- und Editionstätigkeit konzentriert hat. Die Absicht war und ist, eine qualifizierte Grundlage für die laufende Diskussionen in Fachkreisen und in der Öffentlichkeit zu bieten, für die dieser Abschnitt der dänischen Geschichte noch immer Anlaß gibt.

Mit der gleichen Intention hat die *Gesellschaft für die Veröffentlichung der Quellen der dänischen Geschichte (Selskabet for Udgivelse af Kilder til Dansk Historie*, kurz: Kildeskriftselskabet), deren Aufgabe die Veröffentlichung von Quellen und Hilfsmitteln zum Studium der dänischen Geschichte ist, bereits eine Reihe von Quellensammlungen über diesen Zeitraum herausgegeben, darunter 1995 (Tagebücher von Christmas Møller 1941-1945), 2000 (Tagebuch von Vizeadmiral H. Rechnitzer über die Tätigkeit der Flotte 1939-40) und 2001 (Dokumente über die Aktivitäten der Dänischen Kommunistischen Partei und der Widerstandsbewegung Frit Danmark 1939-1943/44), und sie bereitet darüber hinaus eine Reihe von neuen Quellensammlungen vor.

Die Aktivitäten der Königlichen Bibliothek in diesem Bereich sind vielfältig. Sie umfassen die Bereitstellung der notwendigen *bibliographischen Werkzeuge*, um sich innerhalb der umfangreichen Literatur über die Zeit von 1940 bis 1945 zu orientieren, die Organisation und Beteiligung an der Veröffentlichung von *Lexika und Nachschlagewerken*, die den vorhandenen Forschungsstand in konzentrierter Form resümieren, die Veröffentlichung von *Monographien* mit neuen Forschungsergebnissen und schließlich die Mitarbeit an *neuen wissenschaftlichen Quelleneditionen* auf der Grundlage der eigenen Bestände der Bibliothek und von anderen. Zur letzten Kategorie zählen, neben Band 26 in der vorliegenden Reihe über den Parteiführer der dänischen Nationalsozialisten Frits Clausen, den Tagebüchern 1939-1945 des Journalisten Vilhelm Bergstrøm und einer Reihe von kleineren, in *Fund og Forskning i Det Kongelige Biblioteks Samlinger* erschienenen Veröffentlichungen, vier große Quellenausgaben in der Zeitschrift *Danske Magazin*, die in den Jahren 2006 (Bericht von Frits Clausen über die Zeit nach dem 9. April 1940), 2008 (deutsche Akten über die "Judenfrage" in Dänemark 1940-1943), 2010 (dänische Akten über den Handel mit Deutschland 1943-1944) und 2012 (Berichte des Beauftragten für Wirtschaftsfragen Franz Ebner an das Auswärtige Amt 1940-1944). In näherer Zukunft werden darüber hinaus die umfangreichen Tagebücher von Gunnar Larsen, Verkehrsminister 1940-1943, herausgegeben.

Der Kulminationspunkt dieser Aktivitäten ist nun mit dieser monumentalen Veröffentlichung der Korrespondenz des Reichsbevollmächtigten Werner Best nach Berlin und von anderen Akten zur deutschen Besatzungspolitik in Dänemark 1942-1945 erreicht. Diese Arbeit hat nahezu zehn Jahre in Anspruch genommen. Die Grundlagen hierzu wurden nach einer Pilotuntersuchung 2003 mit einem befristeten Stipendium durch das dänische Kulturministerium 2004 gelegt. Danach hat die Königliche Bibliothek die Arbeit an dieser Edition vom Beginn der Untersuchungen in dänischen und ausländischen Archiven und Bibliotheken bis zur Fertigstellung des Registers im Frühjahr 2012 finanziert. Die Edition ist so vollständig, wie es die Überlieferung und

Rekonstruktion des Quellenmaterials möglich gemacht hat. Die bewußte Archivzerstörung durch die Deutschen, die Verheerungen durch Luftangriffe, das Auseinanderreißen von zusammengehörenden Archiven nach 1945 u. a. stellen eine Quellenedition wie die vorliegende vor die ungeheuer umfangreiche Aufgabe, die Archive zu rekonstruieren. Hierfür gibt es unterschiedliche Vorgehensweisen. Es liegt in der Sache der Natur, daß die Akten daher auch auf einmal und nicht Band für Band veröffentlicht werden.

Der unterzeichnende Herausgeber der Schriftenreihe, in der die Veröffentlichung erscheint, hat von Anfang an in Absprache mit dem Forschungsleiter und Herausgeber, Dr.phil. John T. Lauridsen, die Entscheidung getroffen, daß die Edition *keine Auswahl* sein sollte, sondern im Rahmen ihrer Möglichkeiten auf eine größtmögliche Vollständigkeit abzielen sollte, wie sie durch den Wissensstand und die neuen Erkenntnisse über die Fund- und Überlieferungssituation aus dem Pilotprojekt 2003 möglich geworden ist, und zwar ganz unabhängig von den finanziellen Konsequenzen.

Die Königliche Bibliothek hat es in diesem Zusammenhang als selbstverständlich angesehen, eine Kooperation mit der Gesellschaft für die Veröffentlichung der Quellen der dänischen Geschichte aufzunehmen mit der Absicht, den Königlichen Historiograph des Ordenswesens Prof. Dr.phil. Knud J.V. Jespersen und den Rektor i.R. Dr.phil. Aage Trommer dazu zu bewegen, die nicht unbeträchtliche Aufgabe zu übernehmen, die Veröffentlichung als wissenschaftlichen Beirat zu begleiten. Hierfür danken wir ganz herzlich, und ebenso danken wir allen Institutionen und Einzelpersonen, die mit Anmerkungen und Kommentaren oder in anderer Weise diese Edition unterstützt haben.

Veröffentlichungen dieser Art und dieses Umfangs sind heute ohne die umfangreiche Unterstützung durch dänische Stiftungen nicht möglich. Der Druck wird vom *Carlsbergfonds* und der Vertrieb vom *Oticon Fonds* durch ungewöhnlich großzügige Beträge finanziert, die die Richtigkeit der Entscheidung unterstreichen, auf Vollständigkeit statt auf eine Auswahl abzuzielen, welche in der weiteren Forschung immer Anlaß zu Diskussionen über Auswahl und Auslassungen geben würde. Beiden Stiftungen gilt unser herzlichster Dank.

Erland Kolding Nielsen   Sebastian Olden-Jørgensen
Dänische Königliche Bibliothek   Kildeskriftselskabet
Direktor   Universitätslektor, Vorsitzender

Vorwort des Herausgebers

Die Ausarbeitung dieser Quellenedition hat nicht ohne das Entgegenkommen und die Hilfe von vielen Seiten stattfinden können. Deshalb gebührt vielen unser Dank.

Der Anfang wurde im Frühjahr 2003 gemacht, als eine Pilotuntersuchung feststellen sollte, wie viele der zwischen Werner Best und dem Auswärtigen Amt in den Jahren 1942-1945 gewechselten Dokumente mit einer gewissen Sicherheit als Fotografien von deutschen Akten in den Beständen des Dänischen Reichsarchivs (Rigsarkivet) zu finden seien. Der damalige Reichsarchivar Dr.phil. Johan Peter Noack gab bereitwillig die Genehmigung, daß die Fotografien des Reichsarchivs zur Verfügung gestellt und in der Königlichen Bibliothek genutzt werden könnten. Diese Genehmigung wurde danach auf den gesamten Zeitraum bis zum Abschluß der Quellenedition ausgedehnt. Hierfür schulde ich dem Leiter des Reichsarchivs sowie dem Personal, das die Aktenbündel und Mikrofilme herausgesucht hat, einen sehr großen Dank für das Vertrauen und den sehr guten Service. Ohne dieses Entgegenkommen hätte die Veröffentlichung noch viel mehr Zeit und Geld verschlungen.

Die Pilotuntersuchung 2003 resultierte 2004 in einem Antrag an das dänische Kulturministerium, in dem eine Förderung für die Ausarbeitung einer Quellenedition der Korrespondenz von Werner Best mit dem Auswärtigen Amt 1942-45 auf der Grundlage der Fotografien des Reichsarchivs beantragt wurde. Dem Antrag wurde entsprochen, und dies war die Grundlage dafür, daß mit der Arbeit begonnen werden konnte. Ich danke hierfür vielmals dem Forschungsausschuß des Kulturministeriums.

2006 war die Textbasis für diese Arbeit so weit fortgeschritten, daß eine erste Archivreise nach Berlin vorgenommen werden konnte, um im Politischen Archiv im Auswärtigen Amt und im Bundesarchiv in Lichterfelde zu untersuchen, ob die Fotografien im Reichsarchiv eine hinreichende Grundlage für eine Herausgabe der Korrespondenz von Werner Best bieten. Beide Archive stellten hierfür bereitwillig Archivalien zur Verfügung und es wurde auch Auskunft über die nicht ganz transparente Verteilung der außenpolitischen Akten zwischen den beiden Archiven gegeben. Das Entgegenkommen und der weitere Service waren für die Durchführung der Arbeit unverzichtbar. Daher gebührt beiden Institutionen großer Dank.

Das Ergebnis dieser ersten Archivuntersuchung war nicht nur, daß die Fotografien im Reichsarchiv um neues Material aus den Archiven in Berlin ergänzt werden mußten, um eine so weit wie möglich vollständige Quellenedition von Bests Korrespondenz zu erreichen – so gab es in Berlin mehr Best-Schreiben u. a. als in Kopenhagen –, sondern daß die Ausgabe auch um anderes Quellenmaterial *erweitert* werden mußte, um so weit wie möglich den Entscheidungsprozessen bei der Besatzungspolitik und anderen, von den Deutschen durchgeführten Maßnahmen in Dänemark folgen zu können. Eine Konsequenz hieraus waren Archivuntersuchungen im Militärarchiv in Freiburg 2009, die beinahe vergebens gewesen wären, da ein Wolkenbruch einen Wasserschaden bei den vorbestellten Dokumenten verursachte. Nur dank des guten Willens und der außerordentlichen Einsatzbereitschaft der Archivmitarbeiter gelang es, unter einem gewissen Zeitdruck eine positive Ausbeute des Besuchs zu erzielen.

Eine Reihe anderer Institutionen haben Quellenmaterial beigesteuert, das der Herausgabe zugute gekommen ist. Dies gilt u. a. für das Landesarchiv Seeland (Landsarkivet for Sjælland), das Landesarchiv Nordschleswig (Landsarkivet for Sønderjylland), das Landesarchiv Nordjütland (Landsarkivet for Nørrejylland), das Freiheitsmuseum (Frihedsmuseet), die Historische Sammlung für die Besatzungszeit 1940-1945 (Historisk Samling fra Besættelsestiden, Esbjerg), Bibliothek und Archiv der Arbeiterbewegung (Arbejderbevægelsens Bibliotek og Arkiv), das Institut für Zeitgeschichte (München) und die Reichsarchive in Oslo und Stockholm. Allen sei vielmals gedankt.

Zahlreiche Fachkollegen haben ebenfalls Quellenmaterial zur Verfügung gestellt, das ihrer jeweiligen Beschäftigung mit Aspekten der Besatzungszeit entsprungen ist. Dies gilt für Museumsleiter Jens Andersen, Ph.D. (Museumscenter Hanstholm), Oberarchivar i.R. Dr.phil. Hans Chr. Bjerg, Lektor Joachim Lund, Ph.D. (Copenhagen Business School), Archivleiter Henrik Lundtofte, Cand.mag. (Historische Sammlung für die Besatzungszeit 1940-1945) und Archivar Lars Schreiber Pedersen, Cand.mag. (Stadtarchiv Frederiksberg). Ihnen allen sei herzlich gedankt. Jens Andersen, Joachim Lund und Lektor Claus Bundgård Christensen, Ph.D. (Universität Roskilde) sei außerdem gedankt für ihre Kommentare zum einleitenden Forschungsüberblick.

Da das Quellenmaterial, abgesehen von den gedruckten Quellensammlungen, nur ausnahmsweise zum Einscannen geeignet war, mußte es zum großen Teil neu erfaßt werden, was einige Jahre in Anspruch nahm. Diese Arbeit ist zu 90 Prozent von Geschichtsstudierenden und einem Bibliothekswissenschaftsstudierenden ausgeführt worden: Malene Karner Jacobsen, Trine Wehnert, Morten Møller, Niels Henrik Vejen Jespersen, Sara Dinesen, Gunnvá Bak Mortensen, Ingeborg Kofoed Brodersen, Lisbet Crone Jensen, Malte Möller-Christensen und Anna Lund Nielsen. Sara Dinesen, Ingeborg Kofoed Brodersen, Lisbet Crone Jensen, Malte Möller-Christensen und Forschungsbibliothekar Lene Eklund-Jürgensen, Cand.mag., haben außerdem Korrektur gelesen und Ingeborg Kofoed Brodersen und Lisbet Crone Jensen darüber hinaus die Sachregisters Namensregisters angefertigt. Sie alle haben mit großer Geduld ihre anstrengenden Aufgaben erfüllt und dafür danke ich ihnen vielmals. Es war eine eigenartige Erfahrung, ein regelrechtes Sekretariat dafür zu haben, Telegramme auszudrucken, als wäre es das Auswärtige Amt oder das Führerhauptquartier in den Jahren 1942-45. Jesper Jakobsen, Cand.mag., hat als Zivildienstleistender die Inhaltsverzeichnisses von *Politische Informationen* erstellt, wofür ich ihm danke.

Meinem vor kurzem verstorbenen Kollegen, dem Forschungsbibliothekar Willy Dähnhardt, Cand.mag., schulde ich großen Dank für seine ständige Bereitschaft, bei der Lösung einer Reihe von sprachlichen Problemen sowie beim Lesen von undeutlichen Kopien und handschriftlichen Ergänzungen und Korrekturen zu helfen. Diese Hilfsbereitschaft kennzeichnete seine ganze Persönlichkeit.

Ein Dank sei auch an den wissenschaftlichen Beirat gerichtet, Prof. Dr.phil. Knud J.V. Jespersen und Rektor i.R. Dr.phil. Aage Trommer, die diese Aufgabe im Namen der Gesellschaft für die Veröffentlichung der Quellen der dänischen Geschichte übernommen haben. Ebenso sei der Gesellschaft für die Veröffentlichung der Quellen der dänischen Geschichte und ihrem Vorsitzenden Lektor Sebastian Olden-Jørgensen, Ph.D., gedankt, als Mitherausgeber zu fungieren. Ein ganz besonderer Dank gilt Aage Trommer für seine Erlaubnis zur Veröffentlichung der "Übersicht über die Eisenbahnsabotageakte", die er in Zusammenhang mit seiner Dissertation über Eisenbahnsabotage in Dänemark in der Zeit des Zweiten Weltkriegs erarbeitet hat, für die er damals jedoch keine Mittel für eine Publikation erhalten hatte!

Dank einer namhaften Finanzierung durch den Carlsbergfonds konnte die Herausgabe in Druck gehen, während der Oticon Fonds den Vertrieb finanziert hat. Beiden Stiftungen gebührt mein ganz besonderer Dank.

Diese Arbeit erscheint in erster Linie dank des sehr großen Wohlwollens und der Langmut meines Arbeitgebers, der Dänischen Königlichen Bibliothek. Die Königliche Bibliothek hat die meisten der sehr beträchtlichen personellen und finanziellen Ressourcen zur Verfügung gestellt, die es ermöglicht haben, daß eine Arbeit wie diese durchgeführt werden konnte. Damit hat mir die Bibliothek ein Vertrauen erwiesen, wie es, so glaube ich, bei einem anderen Arbeitgeber nicht größer hätte sein können.

Eine Editionsarbeit von diesem Charakter kann nicht durchgeführt werden, ohne daß dem Herausgeber bewußt ist, daß er auf die Arbeiten von mehreren Generationen dänischer und internationaler Forscher aufbaut. Diese haben Baustein für Baustein die Informationen und Ergebnisse zusammengetragen, auf die sich Anmerkungen und Fußnoten stützen konnten. Ich führe hier keine einzelnen Namen auf, möchte aber allen ganz herzlich danken.

Wenn eine Editionsarbeit so lange läuft und schließlich zu einem solchen Umfang wie bei der vorliegenden Ausgabe führt, sind ein kontinuierlicher fachlicher Austausch, konstruktive Kritik und Aufmunterung von einem Kollegen, der die fachlichen Probleme und das Quellenmaterial kennt, von ausschlaggebender Bedeutung. Dies hat Henrik Lundtofte geleistet, und er hat zudem die große Arbeit übernommen, den umfangreichen Anhang 3 in Band 10 anzufertigen: Übersicht über die deutschen Gegenterroraktionen 1943-45. Das Ergebnis wäre nicht dasselbe ohne sein uneigennütziges Engagement. Dafür kann ich ihm nicht genug danken.

Ein Kollege war von Anfang an bei der ganzen Arbeit dabei: Zuerst als studentische Hilfskraft, dann als Forschungsbibliothekar hat Jakob K. Meile, Cand.mag., alle Aspekte des technischen Prozesses und der praktischen Fragen in Bezug auf das Entstehen dieser Edition umsorgt. Dies erstreckte sich auch auf die Planung und Durchführung der Archivreisen und die oft ermüdende Arbeit mit der Bestellung von Tausenden von Kopien. Ich kann mir keinen effektiveren und geduldigeren Partner beim gesamten Prozeß vorstellen. Dafür schulde ich ihm den größten Dank. Und für die unvermeidlichen Fehler und Mängel trage einzig ich die volle Verantwortung.

Ein langjähriger Freund, Berater Per Christensen, Cand.mag., hat den dänischen Textteil Korrektur gelesen. Vielen Dank dafür. Bereichsbibliothekarin Lotte Philipson war eine geduldige Begleiterin während der gesamten Arbeit, hat zugehört, ist mitgereist und hat einen Teil des dänischen Textes Korrektur gelesen. Auch hierfür möchte ich danken.

Ole Klitgaard hat die Arbeit am Satz des größten Teils der Edition mit der gewohnten Sorgfalt und Professionalität versehen. Leider muß der Dank an ihm postum bleiben, denn er verstarb kurz vor Abschluß der Arbeit.

Abschließend sei der Wunsch ausgedrückt, daß diesem Werk ein entsprechendes über die Zeit davor folgt. Zumindest für den Zeitraum 1939-42 sollten die deutschen

Archive auf relevantes Quellenmaterial für diese wichtigen Jahre der dänischen Ge-
schichte durchsucht werden und dieses Material dann, gern in digitaler Form, zugäng-
lich gemacht werden.

John T. Lauridsen
Leiter der Forschungsabteilung, Dr.phil.
Mai 2012

Übersicht über die Bände 1-10

1: Einleitung. Akten zu den deutsch-dänischen Verhandlungsgrundlagen. Oktober-November 1942
2: Dezember 1942-April 1943
3: Mai-August 1943
4: September-November 1943
5: Dezember 1943-März 1944
6: April-Juni 1944
7: Juli-September 1944
8: Oktober-Dezember 1944
9: Januar-Mai 1945
10: Anlage. Anhänge. Quellen- und Literaturverzeichnis. Abkürzungsverzeichnis. Inhaltsübersichten. Register.

Tabellenverzeichnis

Diagrammverzeichnis

1. Einleitung

1.1. Zweck der Herausgabe

Werner Bests Zeit als Reichsbevollmächtigter für Dänemark von November 1942 bis Mai 1945 fällt in den dramatischsten Zeitabschnitt der deutschen Besatzung Dänemarks und der dänischen Geschichte des 20. Jahrhunderts insgesamt. Werner Best personifizierte für seine Zeitgenossen mehr als irgendjemand sonst die Besatzungspolitik. Sein Name wurde mit Hinrichtungen, der Deportation der Juden, dem Terror, den Schalburgkorps, den Vergeltungsmorden und der Deportation der dänischen Gefangenen in die deutschen Konzentrationslager verbunden. Zusammen mit dem Wehrmachtsbefehlshaber für Dänemark, General Hermann von Hanneken, und dem höheren SS- und Polizeiführer in Dänemark Günther Pancke war Best einer der am meisten verhaßten Deutschen in der dänischen Bevölkerung. Maßstab waren die Leiden, die Angst und die Entbehrungen, denen die Dänen ausgesetzt waren.

Best stand natürlich auch im Mittelpunkt der *"Rechtsabrechnung"* ("Retsopgør") mit den führenden Vertretern der Besatzungsmacht, in deren Zuge zahlreiche Umstände ans Tageslicht kamen, die der Öffentlichkeit aufgrund der Besatzungssituation sowie aufgrund von Zensur und Geheimhaltung bis dahin nicht bekannt waren. Die Einzelheiten über die Taten der von Deutschen finanzierten Terrorgruppen prägten den Eindruck von der Brutalität und Unmenschlichkeit der Besatzungspolitik, durch die viele Unschuldige ums Leben gekommen waren. Es war das dänische Rechtswesen, das die erste Untersuchung von Teilen der deutschen Besatzungspolitik in Dänemark vornahm, in erster Linie von Teilen, die Anlaß geben konnten, Anklage wegen strafbarer Handlungen zu erheben. Seither hat die Forschung Schritt gehalten. Zahlreiche dänische und in einem geringeren Maße deutsche Historiker haben verschiedene Teile der deutschen Besatzungspolitik in Dänemark untersucht, während Best an deren Spitze stand. Es wäre heute falsch zu behaupten, daß wesentliche Aspekte der deutschen Besatzungspolitik vollkommen unbeschrieben oder unbekannt seien. Sowohl im Blick auf die Hauptlinien als auch auf Detailebene sind die vorliegenden Kenntnisse auf vielen Feldern sehr hoch.

Dennoch existieren weiterhin so beträchtliche Mengen an nicht genutztem Quellenmaterial, daß nicht nur die vorliegende Forschung nuanciert werden könnte, sondern auch neue Hauptlinien gezogen werden könnten. Dies wird am Ende von Kapitel 8 näher dargelegt, während in Kapitel 6-7 ein Forschungsüberblick gegeben wird.

Im kurzen, dramatischen Zeitraum 1942-45 geschahen so viele für die dänische Geschichte bedeutungsvolle Ereignisse, daß die deutschen Entscheidungen und die großen Begebenheiten, von denen die Schriftstücke Zeugnis ablegen, es auf nicht absehbare Zeit lohnend machen werden, direkt zu den Quellen gehen zu können. Dies wird neue Gesichtspunkte und Perspektiven für die Forschung eröffnen, und ebenso kann es für diesen Abschnitt der dänischen Geschichte als äußerst bedeutsam angesehen werden, daß nicht ausschließlich Historiker mit Zugang zu den Archiven in Dänemark und im Ausland direkte Einsicht in die Abläufe des deutschen Besatzungsapparates in Dänemark sowie in dessen Verhältnis zu den Befehlshabern in Berlin erhalten. Alle Dänen, die über deutsche Sprachkenntnisse verfügen, können selbst die Beschlüsse nachlesen, die zur Jagd auf Kommunisten, zur Verhaftung und Deportation von Juden, zur Hinrichtung von Widerstandskämpfern, zur Schließung von Firmen in jüdischem Besitz oder zum Krisenmanagement während Streiks führten. Alles dies ist chronologisch geordnet, damit der Leser entweder die Entwicklung in den zahlreichen Bereichen Tag für Tag nachvollziehen oder stattdessen bei bestimmten Daten oder Zeitabschnitten nachschlagen kann, um die Entwicklung aus der Sicht des "Dagmarhaus" oder "Shellhaus" (deutsche Hauptquartiere in Kopenhagen), von Silkeborg Bad (Hauptquartier der deutschen Streitkräfte), des "Hotel Phønix" (Oberkommando der Marine in Kopenhagen), des Rüstungsstabs Dänemark oder in geringerem Maße auch aus Sicht der Wilhelmsstraße in Berlin oder von Reichsaußenminister Joachim von Ribbentrop im Führerhauptquartier oder vom Reichsführer-SS (RFSS) und vom Reichssicherheitshauptamt (RSHA) nachzuverfolgen. Mit der Herausgabe sind mit anderen Worten Forschungs- und Vermittlungsaspekte gleichermaßen verbunden.

Hinzu kommt, daß eine große Menge bislang unbekanntes oder nicht genutztes Quellenmaterial vorgelegt wird, das neue Bausteine in das bekannte Bild einfügt und dieses damit verschiebt oder in anderen Fällen verändert und ebenso neue Seiten der Besatzungspolitik ans Licht bringt. Und drittens verfolgt die Herausgabe die Absicht, dazu beizutragen, die deutsche Besatzungspolitik in Dänemark in einer europäischen Perspektive zu betrachten. Mehr als 65 Jahre nach Ende der Besatzung wird dies immer noch vernachlässigt, wofür weniger die Historiker die Verantwortung tragen als eine Öffentlichkeit, der es schwer fällt, das Schwarz-Weiß-Denken der damaligen Zeit aufzugeben, und die Dänemark gern als ein Opfer des Dritten Reichs auf dem Niveau anderer europäischer Länder ansieht. Ein solches war Dänemark nicht.

1.2. Zerstörung und Rekonstruktion der Archive

Bevor die deutsche Besatzungsmacht in Dänemark im Mai 1945 kapitulierte, versuchte sie, ihre schriftlichen Spuren so weit wie möglich zu verwischen. Das galt für die deutsche Gesandtschaft, die Wehrmacht, den Rüstungsstab Dänemark und die Organisation Todt ebenso wie für die deutsche Polizei und andere deutsche Organisationen. Die geschah auf Befehl aus Berlin.[1] Ein verbrecherisches Regime wollte nicht für seine Taten geradestehen, sondern versuchte, seine vielen Führungspersonen und Beamten zu schützen. Es besteht die groteske Situation, daß Werner Best im Abstand von wenigen Wochen zunächst befahl, das umfangreiche Quellenmaterial der Gesandtschaft für die Zeit von 1939 bis 1945 zu vernichten,[2] und sich danach bereitwillig dazu verhören ließ, was in demselben Material stand, und zwar nicht ohne es in einigen Fällen zu seinem eigenen Vorteil zu entstellen – natürlich. Aus der deutschen Gesandtschaft in Kopenhagen sind in Dänemark für die Zeit von Oktober 1942 bis Mai 1945 nur wenige Schriftstücke erhalten, die Best persönlich gehörten oder in den letzten Maitagen 1945 hinzukamen, wodurch sie vor der Vernichtung bewahrt blieben, und die danach gestohlen oder konfisziert wurden, um schließlich teilweise in öffentlichen Besitz zu kom-

---

1 Aus dem Auswärtiges Amt erging am 10. April 1945 der telefonische Befehl, alle wichtigen Akten aus der Hitlerzeit zu vernichten (Gemzell 1965, S. 362).
2 Hvidtfeldt 1953, S. 9.

men.[3] Von einigen seiner Mitarbeiter in der Gesandtschaft und draußen im Land sind ebenfalls Archivreste bewahrt geblieben.[4] Ähnliches gilt in entsprechendem Umfang für die übrigen deutschen Instanzen.[5]

Wäre die Situation in Deutschland nicht eine andere gewesen, würde kein zeitgenössisches Material mehr vorhanden sein, auf die eine Quelledition heute aufbauen könnte. Damit soll nicht gesagt sein, daß das deutsche Material vollständig oder auch nur halbwegs vollständig erhalten ist. Das ist bei weitem nicht der Fall. Die deutschen staatlichen Institutionen und die Parteiorgane der NSDAP hatten ebenfalls den Befehl zur Vernichtung des Quellenmaterials gegeben, doch schon bevor dieser Befehl im Frühjahr 1945 definitiv erteilt wurde, hatten die alliierten Luftangriffe auf Berlin und andere Städte die Archivbestände bereits ausgedünnt. Die Archive erlitten weitere Schäden durch die deutschen Evakuierungen und die Auslagerungen, und im Frühjahr 1945 wurden sie schließlich in alle Winde verteilt. Auf diese Weise verlor sich einiges im Dunkeln, während die verbliebenen Teile unter den Alliierten aufgeteilt wurden, je nachdem, wer welche Teile zuerst entdeckte. Amerikaner, Russen und Engländer hatten eigene Geheimdienstgruppen, deren einzige Aufgabe es war, das Archivmaterial des Dritten Reichs im Hinblick auf die kommenden Kriegsverbrecherprozesse und anderen Prozesse aufzuspüren – neben dem militärischen Interesse, dem geschlagenen Feind über die Schultern zu schauen. Damit war klar, daß das einstmals vorhandene Material entweder für immer verschwunden oder stark desorganisiert und auf die Siegermächte verteilt war, wobei es von den neuen politischen Konstellationen des Kalten Kriegs abhängig war, ob man in die Nähe dieses Materials kommen konnte.

Das Auswärtige Amt (im Folgenden AA) erlitt sehr ernste Verluste in Folge der Kriegshandlungen. Das Ministeriumsgebäude in der Wilhelmsstraße wurde beim Bombardement von Berlin im November 1943 getroffen,[6] mehrere Abteilungen wurden ausgelagert,[7] hinzu kommt zudem, daß mit Fortlauf des Krieges eine zunehmende Desorganisation eintrat. Reichsaußenminister Joachim von Ribbentrop kam seit dem Angriff auf die Sowjetunion im Sommer 1941 für sehr lange Zeiten nicht in das Ministerium, sondern hielt sich in der Nähe des Führers im Führerhauptquartier auf.[8] Die Kommunikation zwischen dem AA und dem Reichsaußenminister verlief in zunehmendem Maße entweder auf telefonischem oder schriftlichem Weg (Telegramm oder

---

3 Das Freiheitsmuseum ist in Besitz eines Großteils dieses Materials. Eine bemerkenswerte Ausnahme sind die originalen Kalenderaufzeichnungen 1943-44 von Werner Best, die 1945 bei den Verhören von Best verwendet wurden, danach aber in Privatbesitz kamen.

4 Dies gilt für das Material im RA, die neuen Bündel Vesterdals 1-2 von den Gesandtschaftsangestellten und das Material vom Konsulat in Åbenrå (RA, AA, Nr. 392 und 393) und für Bests Außenstelle in Åbenrå, das zum Teil in LAS, Det Tyske Mindretals Arkiv (Archiv der deutschen Minderheit) zu finden ist, da die Minderheit Kopien von Teilen der Korrespondenz mit Kopenhagen erhielt.

5 Siehe hierzu *Tyske arkivalier om Danmark 1848-1945*, 1-4, 1978-97. Hrsg. v. Dänischen Reichsarchiv.

6 Der Verlust von Akten ist mehrmals ersichtlich (Bsp. 4:400), die Evakuierung von Akten ebenfalls (Bsp. 8:211).

7 Das gilt u. a. für Teile von Inland II (Weitkamp 2008, S. 107). Die Akten wurden nach Osten und in Schlösser und Burgen im Harz verlegt (Kröger/Thimme 1999, Biewer 2005, S. 144).

8 Rosengreen 1982, S. 178. Best erklärte am 22. Oktober 1948 im Prozeß gegen von Weizsäcker, daß die Abwesenheit Ribbentrops bedeutete, daß er relativ wenige direkte Anweisungen aus dem Ministerium erhielt (RA, Danica 234, Bündel 88, Mappe 1157, S. 26.363).

Brief), da die Entscheidungen des Ministers natürlich in schriftlicher Form vorliegen mußten. Dies könnte auf den ersten Blick aus einer Überlieferungsbetrachtung als Vorteil erscheinen, doch da eine physische Aufspaltung zwischen den entscheidenden, den beratenden und den archivierenden Instanzen erfolgte, war dies nicht der Fall. Ein sehr bedeutender Teil der Archive, die während der letzten Kriegsjahre im Umfeld des Reichsaußenministers entstanden, scheinen verloren gegangen zu sein, während etwas mehr vom AA in Berlin erhalten ist. Während also viele Kopien von schließlich getroffenen Entscheidungen verschwunden sind, sind viele Empfehlungen und Ratschläge an den Reichsaußenminister erhalten. Empfehlungen entsprechen nicht unbedingt den endgültigen Beschlüssen, doch angesichts der gegebenen Quellenverhältnisse kann von ihnen nicht abgesehen werden.

Diese Archivsituation gilt mehr oder weniger für die gesamte Amtszeit von Werner Best. Die Befehle und Direktiven, die er erhalten hat, sind oft nicht direkt oder überhaupt nicht bekannt, während umgekehrt seine Korrespondenz mit dem AA in einem bedeutend größeren Umfang bekannt ist und im AA vorliegt. Dies erklärt sich dadurch, daß Best seine gesamte Korrespondenz an das AA schicken sollte, wo sie zentral behandelt wurde. Häufig bekamen verschiedene Büros Abschriften von seinen Berichten, in vielen Fällen ging sie auch anderen Instanzen außerhalb des AA zu, während der Reichsaußenminister im Führerhauptquartier in den meisten Fällen nur eine Zusammenfassung und eine Empfehlung erhielt, falls Bests Berichte überhaupt die Ministerebene erreichten.[9] Bests Schreiben kamen dorthin, wo die höchste Wahrscheinlichkeit bestand, daß sie erhalten blieben. Hinzu kam, daß die Abschriften diese Wahrscheinlichkeit zusätzlich erhöhten, obwohl die Archivbestände später verstreut wurden. Umgekehrt kann man davon ausgehen, daß sich das Interesse der obersten Leitung des AA an der Vernichtung des Quellenmaterials in erster Linie auf das am meisten belastende Material gerichtet hat, nämlich die Beschlüsse, die auf Ministerebene getroffen wurden. In jedem Fall sind die Kopiebücher aus dem Büro des Reichsaußenministers (Büro RAM) mit einzelnen Ausnahmen nicht erhalten.[10]

Das Material aus dem AA dünnt im Allgemeinen zum Jahresende 1944 stark aus, doch was das Verhältnis zu Dänemark angeht, so kommt es darauf an, um welche deutsche Abteilung des AA es sich handelt. Bei einige Abteilungen und Büros ist das Material weitaus besser überliefert als bei anderen. Das heißt, daß wir bei bestimmten Abteilungen bis in den Januar 1945 kommen, bis das Material im Großen und Ganzen abbricht. Bei einzelnen Funktionen gibt es bis zum Mai 1945 geringe Materialbestände, doch im Allgemeinen ist das Material aus dem AA aus den letzten vier Kriegsmonaten sehr spärlich.[11]

Für die deutsche Wehrmacht in Dänemark ist die Quellenlage etwas besser in dem

---

9 Bei der Befragung vom 23. Oktober 1948 im Prozeß gegen von Weizsäcker äußerte Best die Ansicht, daß Bests längere Berichte weder von Ribbentrop noch von Hitler gelesen wurden (RA, Danica 234, Bündel 88, Mappe 1157, S. 26.418). Es gibt auch im zeitgenössischen Material Beispiele dafür, daß Best kürzere Zusammenfassungen für den Gebrauch durch die höheren Stellen schrieb (Bsp. 6:2 und 8:281).
10 Vgl. Einleitungen zu ADAP/D, 1-4. Rosengreen 1982, S. 178.
11 Deshalb kann ich Weitkamp 2008, S. 39, nicht ganz folgen, wenn er schreibt, daß die Akten in Inland II, die auch Akten aus der Abteilung D enthalten, nahezu vollständig erhalten sind.

Sinne, daß die Quellen reicher fließen. Erhalten sind eine große Zahl von Kriegstagebüchern sowohl vom Wehrmachtbefehlshaber (WB) Dänemark als auch vom Admiral Dänemark und deren (vorgesetzten und) Unterabteilungen, in einem gewissen Umfang auch Korrespondenz mit den Befehlshabern, während das Material von der Luftwaffe weitaus begrenzter ist. Obwohl das Material umfangreich ist, so ist es doch weitaus unergiebiger, sofern das Interesse nicht ein speziell militärhistorisches ist. Das Kriegstagebuch 1943-45 des WB Dänemark ist z. B. eine unverzichtbare Quelle und gleichzeitig in vielerlei Hinsicht nur wenig ergiebig, da es nachweislich einen recht stark bearbeitete Wirklichkeit enthält, die darzustellen es vorgibt. Auf der anderen Seite bieten die Kriegstagebücher auf allen Ebenen in Verbindung mit den ausgetauschten Nachrichten und Kriegstagebuchanhängen die Möglichkeit, ein Gesamtbild davon zusammenzusetzen, was geschah und wie und auf welcher Grundlage die Beschlüsse getroffen wurden. Hier sei besonders darauf aufmerksam gemacht, daß ein großer Teil von Werner Bests Telegrammen nur in den Wehrmachtsarchiven erhalten ist. Sie sind dort bewahrt worden, weil der Reichsbevollmächtigte das Recht hatte, sich zu allen Maßnahmen von deutscher Seite zu äußern, die eine politische Dimension haben könnten, ein Recht, das Best eifrig ausnutzte. Das hatte u. a. zur Folge, daß wir heute die Entstehung von bedeutenden Teilen der deutschen Besatzungspolitik nachvollziehen können, selbst in einer Reihe von Fällen, bei denen das AA kaum oder überhaupt nicht beteiligt war oder bei denen das Material nicht mehr erhalten ist.

Die SS und die deutsche Polizei waren zusammen der dritte bedeutende Machtfaktor in Dänemark, auch wenn sie getrennte Einheiten darstellten. Die hatten den RFSS als oberste Instanz und traten nach Herbst 1942 im Land immer spürbarer in Erscheinung. Erhalten ist eine außerordentlich umfangreiche Korrespondenz des RFSS und in geringerem Umfang von einigen unteren Instanzen. Hierin findet sich ein verstreutes, begrenztes, aber bedeutendes Material zu Dänemark, das insbesondere die Bestrebungen beleuchtet, dänische Freiwillige für die SS anzuwerben. Ebenso ist es sehr ergiebig, was den Umgang mit der DNSAP (Dänische Nationalsozialistische Arbeiterpartei) und dem Schalburgkorps betrifft. Dieses ist zum Teil gründlich genutzt worden, insbesondere von Henning Poulsen (DNSAP, Schalburgkorps) und Claus Bundgård Christensen, Niels Bo Poulsen und Peter Scharff Schmidt (die Freiwilligen), anderes von Lars Schreiber Pedersen (Ahnenerbe). Doch wie noch gezeigt wird, enthält das Material andere und in bestimmten Fällen überraschende Beiträge zur dänischen Besatzungsgeschichte.

Was speziell das RSHA und die Tätigkeit der deutschen Polizei in Dänemark angeht, ist die Situation die, daß das allermeiste deutsche Quellenmaterial in Dänemark und Deutschland für die Zeit von Sommer 1943 bis 1945 vernichtet ist. Erhalten ist Material aus der Zeit davor, doch danach gibt es nur unbedeutende Überreste in Dänemark und einzelne Reste in Deutschland, die zudem als Kopie in anderen deutschen Archiven erhalten sind. In diesem Bereich muß mehr als bei allen anderen Bereichen auf die Erklärungen der Beteiligten auf dänischer und deutscher Seite aus der Zeit nach dem Krieg aufgebaut werden. Dieses Fehlen von Material gibt dieser Quellenedition eine Schieflage, die nicht ausgeglichen werden konnte, und die aufgenommenen Polizeiakten haben einen eher exemplarischen Charakter, als daß sie die eigentlichen Abläufe beleuchten könnten.

Die vierte bedeutende deutsche Instanz in Dänemark war der Rüstungsstab Dänemark, der nicht ein Machtfaktor wie die drei vorherigen war, sondern der durch seine Tätigkeit in allen Besatzungsjahren daran mitwirkte, dafür zu sorgen, daß die dänische Industrie ihren Beitrag zur deutschen Rüstungsproduktion leistete. Hinzu kam, daß der Rüstungsstab Dänemark ein stabilisierendes und tragendes Element in der Besatzungsordnung war, die in der ersten Zeit nach April 1940 aufgebaut wurde und an der der Leiter des Stabes im ganzen Zeitraum, Walter Forstmann, in einem Zusammenspiel mit dem Reichsbevollmächtigten, zunächst Cecil von Renthe-Fink und später Werner Best, festhielt. Hätte der Rüstungsstab Dänemark auf eine Eskalation der Verhältnisse in Dänemark hinwirken wollen, hätte er die Möglichkeit dazu gehabt. Das umfangreiche Archiv des Rüstungsstabs Dänemark ist für die Zeit bis zum März 1945 weitgehend intakt. Darunter befindet sich das vollständige Verzeichnis der ca. 12.000 Verträge mit dänischen Unternehmen, die direkt an die deutsche Rüstungsindustrie oder die Wehrmacht lieferten.[12]

Keine anderen deutschen Akteure in Dänemark hatten eine entsprechende Bedeutung für die deutsche Besatzungspolitik in Dänemark, doch einzelne außerhalb des Landes übten einen ebenso großen Einfluß aus und verschiedene andere versuchten, sich mit wechselndem Erfolg geltend zu machen. Hierbei ist natürlich die oberste deutsche Führung gemeint, die sich allerdings nur zu seltenen Gelegenheiten mit Dänemark beschäftigte, jedoch dafür jedes Mal auf eine Weise eingriff, die große Konsequenzen hatte. Dies gilt für den Befestigungsbau, Maßnahmen im Verhältnis zur dänischen Armee und Polizei, Polizeirepressalien oder deutsche Flüchtlinge. Das begrenzte Material von der Reichsführung ist soweit wie möglich in vollem Umfang aufgenommen worden. Ebenso hinzugefügt sind die Tagebuchaufzeichnung von Joseph Goebbels über Dänemark, da diese die wechselnden Haltungen zu Dänemark in der Reichsführung widerspiegeln.

Ein Deutscher, der außerhalb Dänemarks lebte, hatte eine Bedeutung für die deutsche Besatzungspolitik in Dänemark, die der nahe kommt, die von der obersten Reichsführung ausgeübt wurde. Es handelt sich um Alex Walter, Ministerialdirektor und Leiter der handelspolitischen Abteilung im Reichsministerium für Ernährung und Landwirtschaft. Walter war der Hauptarchitekt hinter der deutschen Handelspolitik gegenüber Dänemark im gesamten Besatzungszeitraum. Es liegt auch umfangreiches Material über die Verhandlungen mit der dänischen Gegenseite und deren Ergebnisse vor. Diese Umstände sind jedoch bereits mehrfach gründlich untersucht worden, weshalb das Material über die Handelsverhandlungen weitgehend weggelassen wurde.[13] Das begrenzte Material, das aufgenommen wurde, war bislang unbenutzt und sollte aufgenommen werden, um die allgemeinen Zusammenhänge darzustellen.

Mehrere weitere deutsche Ministerien versuchten, sich in Dänemark geltend zu machen. Neben dem Reichsministerium für Ernährung und Landwirtschaft waren dies das Reichswirtschaftsministerium, das Reichsfinanzministerium und das Reichsministe-

---

12 Das Originalmaterial befindet sich hauptsächlich im BArch, Freiburg, und Kopien wurden für das RA erworben, außerdem weiteres Material für die KB in Verbindung mit dieser Herausgabe.
13 Jensen 1971 und Nissen 2005.

rium für Volksaufklärung und Propaganda, außerdem u. a. der Einsatzstab Reichsleiter Rosenberg. Das Material von diesen Ministerien und vom Einsatzstab in Bezug auf Dänemark ist von sehr wechselhaftem Umfang und von unterschiedlicher Bedeutung, doch es legt Zeugnis ab davon, daß es verschiedene deutsche Akteure gab, die sich in Dänemark engagieren wollten und dies auch taten, insbesondere und ausschließlich als Partner in einer Allianz mit anderen.

Es gab noch weitere deutsche Handlungsträger in Dänemark, die aufgenommen werden müßten. Ich möchte u. a. auf die Organisation Todt verweisen, die 1944-45 der größte Baukonzern in Dänemark war, die aber nicht eine Organisation war, für die nach den bisherigen Archivuntersuchungen ein allgemeines Material vorliegt, d. h. in Form einer Kommunikation mit den Befehlshabern in Berlin.[14]

Die Sicherung, Erhaltung und Zugänglichmachung des Quellenmaterials des Dritten Reichs war in der ersten Nachkriegszeit ein internationales Anliegen. Deutsches Quellenmaterial wurde aus Deutschland ins Ausland gebracht und/oder auf Mikrofilm aufgenommen und in einem bis dahin ungekannten Umfang an Interessierte vertrieben. Nach dem Fall des Eisernen Vorhangs und der deutschen Wiedervereinigung ist dies jedoch in erster Linie wieder ein deutsches Anliegen geworden. Die Wiedervereinigung hat auch Archive zusammengeführt, die mehr als ein halbes Jahrhundert lang getrennt waren.[15]

Dänemark war eines der vielen Länder, die nach Ende des Zweiten Weltkriegs ihr Interesse an einer Untersuchung der deutschen Archive im Hinblick auf die kommenden Prozesse, aber ebenso aus einem historischen Interesse anmeldeten. Der vollständige Zusammenbruch Deutschlands und die Besatzung durch die vier Siegermächte bot einzigartige Möglichkeiten, um dem nächsten Nachbarn Dänemarks in die Karten zu schauen, von der fernen Vergangenheit bis zum Mai 1945.

Die dänische Untersuchung des deutschen Archivmaterials wurde formell von der durch das dänische Parlament eingesetzten Parlamentarischen Kommission eingeleitet. Diese Kommission erhielt die Genehmigung der Behörden der Westalliierten zur Durchführung von Archivuntersuchungen und Vertreter der Kommission waren beim ersten Besuch in Berlin anwesend. Tatsächlich wurde die Arbeit aber vom Reichsarchiv ausgeführt. In seinem Namen waren fachkundige Historiker beim ersten Besuch beteiligt, und das Reichsarchiv steht allein für die darauffolgenden Archivuntersuchungen in Berlin 1948 und 1953. Während des ersten Besuchs wurden nur Kopien von deutschen Dokumenten aus den Jahren 1939-45 zur Verwendung durch die Parlamentarische Kommission mitgenommen. Ein Großteil davon wurde später in den Berichten der Kommission (PKB genannt) veröffentlicht. Abschriften von Teilen dieses Materials wurden anscheinend auch im Prozeß gegen Werner Best, Hermann von Hanneken,

---

14 Der oberste Leiter der OT in Dänemark saß in Oslo, und von dort hat das RA Kopien in einem bescheidenen Umfang erworben (RA, Danica 630), während die OT in Dänemark die meisten ihrer Archive im Mai 1945 vernichtete (u. a. wurde das Archiv von Hjørring gerettet (KB, Herschends Arkiv, Telefontelegramm Nr. 138, 8. Mai 1945)), was jedoch nicht verhindert hat, daß umfangreiches, aber nicht erschlossenes Material erhalten ist (*Tyske civile og militære myndigheder og tyske partiinstitutioner 1934-1947*, 1972. Hrsg. vom Dänischen Reichsarchiv, S. 6).

15 Über den Wettlauf um die deutschen Archive, deren Verteilung und die spätere Rückführung nach Deutschland siehe u. a. Brather 1958, Wolfe 1974, Boberach 1977, Eckert 2004.

Günther Pancke und Otto Bovensiepen verwendet. Die beiden folgenden Archivuntersuchungen in Berlin konzentrierten sich darauf, ältere deutsche historische Archivalien zu sichern. Die erste dieser Untersuchungen mit umfassenden Abfotografierungen wurde vom Carlsbergfonds finanziert, während die letzte Untersuchung 1953 auf Initiative und auf Kosten des Reichsarchivs erfolgte. Diese fand in London statt, wohin die betreffenden deutschen Archivalien zu diesem Zeitpunkt verlegt worden waren.

Das gesamte, während dieser Archivuntersuchungen kopierte Material gelangte ins Reichsarchiv, da die Parlamentarische Kommission nach Beendigung ihrer Arbeit 1955 ihre Kopien der deutschen Archivalien dem Reichsarchiv übergab.[16] Das Reichsarchiv hat seither Verzeichnisse über deren Inhalt veröffentlicht,[17] und nicht zuletzt das Material aus der Zeit von 1940-45 wird von dänischen, einzelnen deutschen und anderen Historikern fleißig genutzt. Seit den 1960er Jahren bildet es die Hauptgrundlage für die Erforschung der deutschen Besatzungspolitik in Dänemark.

Dieses Material ist seither auf verschiedene Weise ergänzt worden. 1960 führte der damalige Landesarchivar Johan Hvidtfeldt deutsche Militär- und Parteiarchive mit Bedeutung für Dänemark nach einer Archivreise in die USA und nach England zurück. In den 1970er Jahren folgte eine Rückführung von Material aus dem deutschen Militärarchiv in Freiburg und dem Bundesarchiv, das sich damals in Koblenz befand.

Parallel und zeitgleich wurden verschiedene ausländische Aktenveröffentlichungen herausgegeben, darunter vor allem die *Akten zur Deutschen Auswärtigen Politik* (ADAP), die eine Reihe von Dänemark betreffende Dokumenten enthalten, auch für die Jahre 1942-45,[18] die hier im Mittelpunkt stehen.[19] Vor diesem Hintergrund stellt sich die Frage, warum eine neue Aktenveröffentlichung notwendig ist, da zum einen ein teilweise sorgfältig verzeichnetes Aktenmaterial in Kopenhagen vorliegt, und zum anderen vieles in weit verbreiteten Quellensammlungen.[20]

Die Antwort hierauf setzt sich aus mehreren Umständen zusammen.

Erstens und am wichtigsten: Das Reichsarchiv schrieb 1958 über das vom Archiv versammelte deutsche Quellenmaterial: "Bei der Benutzung sei jedoch daran erinnert, daß die Fotografien der deutschen Dokumente nach Ermessen von zwei Archivbeamten ausgeführt wurden. Es lag außerhalb der Möglichkeiten, alles abzufotografieren."[21] Daß es sich um Ermessen handelte, scheint von den Benutzern seither vergessen worden zu sein, wie hier nachgewiesen werden soll. Vielleicht hat daran auch die Parlamentarische Kommission mitgewirkt, die im Berichtsteil von Band 13, Seite x, schreibt: "*Nichts im entgegengenommenen* Material, das für die Umstände der Besatzungszeit von wesentlicher Bedeutung ist, ist weggelassen." (Hervorhebung durch den Verfasser, JTL.) Hin-

---

16 *Meddelelser om Rigsarkivet for årene 1921-55*, 1958, S. 59f.

17 *Fortegnelse over fotografier fra Auswärtiges Amt, SS-kontorer m.v.* Hrsg. v. Dänischen Reichsarchiv, 1965, und *Tyske arkivalier om Danmark 1848-1945*, 1-4, 1978-97 (wobei Bd. 4 den auswärtigen Dienst behandelt und S. 90-118 die Jahre 1940-45 betrifft).

18 Es handelt sich um die Serie ADAP/E.

19 Unter den anderen sind IMT, NORD, EUHK. Siehe ansonsten das Literaturverzeichnis.

20 Die vierbändige Ausgabe von RA ist nicht mit einem systematischen Einstieg versehen und bietet nur eine notdürftige Hilfe.

21 *Meddelelser om Rigsarkivet for årene 1921-55*, 1958, S. 60.

zugefügt sei, daß der Band, ebenso wie die Bände 12 und 14, deutsche Akten enthält, die die Umstände der Besatzungszeit beleuchten sollen. Zu der Aussage ist nur zu sagen, daß sie zum Zeitpunkt, als sie niedergeschrieben wurde, ebenso unzutreffend war, wie sie es heute ist, falls "Umstände der Besatzungszeit" nicht in einem unbekannten, eingeschränkten Sinne verstanden werden soll, der nichts mit der genannten Kommission zu tun hat. Die Auswahl von deutschen Dokumenten, darunter nicht zuletzt die zahlreichen Auslassungen in einzelnen Dokumenten, ist vollkommen intransparent, und der Leser erhält auch keine Hinweise durch die dazugehörigen Berichte. Es handelt sich keinesfalls um eine wissenschaftliche Quellenedition. Quellenhinweise und Kommentare fehlen fast vollständig[22] (mit Ausnahme von Band 14, in dem eine eigentliche Quellenübersicht enthalten ist, siehe S. xxi-xxv),[23] doch auch wenn man dies als politische Publikation ansieht, haben die Herausgeber ihr Ziel verfehlt. Die Politiker verteidigen sich gegen Kritik von der DKP und versuchten, die DNSAP zum Prügelknaben zu machen. Für die Nachwelt erscheint es unzweckmäßig, daß die Dokumentenauswahl in einem solchen Grad ohne sachliche Begründung erscheint, da es bereits zu diesem Zeitpunkt klar gewesen sein muß, daß die Benutzer letzten Endes vor allem Historiker sein würden.[24]

Zweitens weckte der Fall des Eisernen Vorhangs und die deutsche Wiedervereinigung die Erwartung, daß sich in den in der früheren DDR aufbewahrten Teilen des Archivs des AA neues Material über die dänische Besatzungszeit befinden könnte. Teile von folgenden Abteilungen im AA, die für die Zeit von 1940-45 von Interesse sein könnten, waren nach Potsdam gekommen: Rechtsabteilung, Kulturpolitische Abteilung, Nachrichten- und Presseabteilung und Rundfunkpolitische Abteilung, außerdem bedeutende Teile von großen, wichtigen Ministerien wie dem Reichswirtschaftsministerium und dem Reichsministerium für Ernährung und Landwirtschaft.[25] Bereits an dieser Stelle soll klar gemacht werden, daß sich die Erwartungen nur in einem begrenzten Umfang erfüllt haben, insofern als daß in diesen Archiven nur wenig Material über die allgemeine deutsche Besatzungspolitik gegenüber Dänemark zu holen war. Hingegen konnten sie und können sie auch künftig in bedeutendem Umfang für Untersuchungen über die deutsch-dänische wirtschaftliche Zusammenarbeit genutzt werden.

Hingegen zeigte sich, daß sich in der zusammengebrochenen Sowjetunion große Archivmengen aus dem Dritten Reich befanden, die nach der deutschen Kapitulation nach Moskau gebracht worden waren und deren Existenz bis etwa 1990 ein Geheimnis war. Dieses Material ist seither besonders von amerikanischen und deutschen Historikern fleißig genutzt worden, und da sich dort auch umfangreiches Material über das Verhältnis der dänischen Kommunisten zu Moskau u. a., über die dänischen Freiwilligen an der Ostfront u. a. befindet, haben auch dänische Historiker mehrfach Moskau besucht. Ebenso hat das Reichsarchiv sich Kopien von großen Mengen an Akten über

---

22 Es werden nur Angaben dazu gemacht, inwieweit Anhänge weggelassen wurden oder fehlen.
23 Hier wird auch angegeben, ob es sich um Originale, Konzepte, Durchschläge, Kopien oder Abschriften handelt.
24 Vgl. meine konkrete Kritik in Lauridsen 2003b, S. 339f.
25 Helmut Lötzke, Hans-Stephan Brather (Hrg.): *Übersicht über die Bestände des Deutschen Zentralarchivs Potsdam*, Berlin 1957, S. 49f., 88f., 95.

dänische Angelegenheiten gesichert, darunter auch für die Jahre 1940-45.[26] Es gibt aber immer noch einiges Material von Bedeutung für Dänemark, das noch nicht kopiert worden ist, auch über die Besatzungszeit.[27]

Das meiste neue Material stammt jedoch aus den vom Reichsarchiv zuvor untersuchten Archiven und aus anderen Teilen der Archive des AA. Das hat den Herausgeber überrascht, obwohl das Reichsarchiv von Anfang an klar gemacht hat, daß die Auswahl des Materials 1947, 1948 und 1953 nach Ermessen erfolgte. Als Historiker sollte man sich eigentlich nicht überraschen lassen, wenn er schon im Voraus die Angabe erhalten hat. Daß sich die Überraschung in einem gewissen Grad gehalten hat, liegt daran, daß das "Ermessen" dazu geführt hat, daß einige Akten in einem Vorgang abfotografiert wurden, in manchen Fällen sogar mehrfach, während andere ebenso "wichtige" oder "wichtigere" Dokumente im selben Vorgang nicht berücksichtigt wurden. Das mag z. B. auf die Arbeitsbedingungen zurückzuführen sein, unter denen die Archivuntersuchungen vorgenommen wurden, auf Zeitdruck, das Fehlen eines leicht handhabbaren Katalogapparats, das Fehlen von Überblicksmöglichkeiten u. a. Es ist zu leicht, aus heutiger Sicht mit Unverständnis auf diese Situation zu blicken.

Schwerer ist es zu verstehen, daß es dänische Historiker nach der klaren Darstellung durch das Reichsarchiv 1958 nicht für nötig erachtet haben, auf originalen Quellenmaterial des AA und der anderen deutschen Organisationen zurückzugreifen, als die Mitglieder der Udgiverselskabet for Danmarks Nyere Historie (Herausgebergesellschaft für die dänische neuere Geschichte) und andere in den 1960er Jahren und danach ihre Untersuchungen vornahmen.[28] Jørgen Hæstrups grundlegende Darstellung der Verwaltung durch die Staatssekretäre 1943-45 verwendet die Fotografien vom AA durch das Reichsarchiv ohne weitere Anmerkungen, was dadurch erklärt werden kann, daß die Hauptabsicht nicht eine allgemeine Darstellung der deutschen Politik, sondern der Verwaltung durch die Staatssekretäre war.[29] Dasselbe gilt für die Mehrzahl der weiteren Veröffentlichungen der Herausgebergesellschaft, bei denen Fotografien verwendet wurden, jedoch nicht für Henning Poulsen: *Besættelsesmagten og de danske nazister*, 1970, Sigurd Jensen: *Levevilkår under Besættelsen*, 1971 und Henrik S. Nissen: *1940*, 1973, die sich in ihren Untersuchungen alle direkt mit der deutschen Besatzungspolitik beschäftigen. Von den drei Autoren ist es nur Henning Poulsen, der das abfotografierte deutsche Material vom AA und der SS und dessen Verwendungsmöglichkeiten und Begrenzungen erörtert. Zu dessen Repräsentativität und Vollständigkeit nimmt er keine Stellung und konnte das auch nicht, weil er keine Reise zum Originalmaterial unternommen hat.[30] Auch Hans Kirchhoff nimmt in seinem sehr breiten, tiefgehenden Werk *Augustoprøret 1943* Stellung zum abfotografierten deutschen Aktenmaterial, insbesondere aus den Wehrmachtsarchiven, und dessen Verwendungsmöglichkeiten. Doch auch er ist nicht

26 *Danica i Rusland. Kilder til Danmarks historie efter 1917 i russiske arkiver: Resultater af et forskningsprojekt.* 1994.

27 Rybner 2004, Frederichsen 2011.

28 Die Herausgebergesellschaft für die dänische neuere Geschichte hatte zu keinem Zeitpunkt Pläne, ein Werk über die deutsche Besatzungspolitik in Dänemark herauszugeben (vgl. Brunbech 2002, S. 175).

29 Hæstrup 1966-71.

30 Poulsen 1970, S. 14-17.

im Bundesarchiv oder im Militärarchiv Freiburg gewesen, um zu untersuchen, ob das in Dänemark vorliegende abfotografierte Material eine hinreichende Abdeckung gewährt. Aus jedem der beiden Archive verwendet er nur einen einzelnen, weniger bedeutenden Bestand,[31] und das Politische Archiv des AA wird überhaupt nicht erwähnt.[32]

Jedoch war ihm bewußt, daß ein allgemeines methodisches Problem darin lag, daß das deutsche Material nur eine Auswahl ausmachte und daß es aus Kopien bestand, die von anderen Forschern und mit einem in manchen Fällen breiteren, in anderen Fällen engeren Forschungsinteresse als dem seinen angefertigt wurden. Dennoch kam er rasch zu dem folgenden Schluß: "Jedoch habe ich nur in zwei Fällen über die Literatur Akten ermitteln können, von denen gesagt werden kann, daß sie die Bestände des Reichsarchivs nennenswert ergänzt haben."[33] Es handelt sich um die bereits erwähnten Akten, doch in der angefügten Fußnote wird ferner angegeben, daß die ersten Sammlungen des Reichsarchivs in Berlin und Washington durch eine systematische Überprüfung des *Guide to German records microfilmed at Alexandria* kontrolliert wurden.[34] Das Resultat dieses Abgleichs wird nicht erwähnt, so daß der Leser schließen muß, daß sie positiv ausgefallen ist. Dieser Abgleich hätte zumindest um das ebenso relevante Werk von George A. Kent: *A Catalog of Files and Microfilms of the German Foreign Ministry Archives 1920-1945*[35] ergänzt werden sollen, wodurch die Aufmerksamkeit ebenso auf die Originalakten im Politischen Archiv des AA gelenkt worden wäre. Ob der weitere Abgleich die Konklusion verändert hätte, ist eine andere Frage.[36]

Es ist ein Historiker außerhalb der Herausgebergesellschaft, der als erster und bislang einziger explizit Stellung dazu genommen hat, ob die Fotografien der deutschen Archivalien im Reichsarchiv ausreichend sind. Das ist Bjørn Rosengreen in *Dr. Werner Best og tysk besættelsespolitik i Danmark 1943-1945*, 1982, im Kapitel "Das Archivmaterial". Die Vorgangsweise ist erneut die eines Abgleichs mit dem veröffentlichten Verzeichnis der amerikanischen Fotografien vom deutschen Quellenmaterial, dem *Guide to German records microfilmed at Alexandria* und *A Catalog of Files and Microfilms of the German Foreign Ministry Archives 1920-1945*, und eines Abgleichs dieser Verzeichnisse mit den Fotografien des Reichsarchivs. Dies wurde um einen Besuch in Deutschland ergänzt, um weiteres Material aus der Provenienz der SS und der Polizei aufzuspüren, was nichts Neues ergab. Es wird nicht erwähnt, welche deutschen Bestände durchsucht wurden, und im Quellenverzeichnis sind keine deutschen Archive angegeben. Der Autor zieht

---

31 Kirchhoff, 1, 1979, S. 19-21 und 3, S. 58. Die verwendeten Akten sind Paul Kansteins Denkschrift vom 17.1.1945 und WFSts Feindlageberichte 1943.

32 Das Politische Archiv des AA wird bei Nissen 2005 und Brandenborg 2005 vollständig übersehen, obwohl beide Akten aus diesem Archiv verwenden, die im Bundesarchiv lagern. Siehe zum Politischen Archiv Biewer 2005.

33 Kirchhoff, 1, 1979, S. 21.

34 Kirchhoff, 3, 1979, S. 87 Fußnote 2.

35 1-4. Stanford/California 1962-72.

36 Johan Peter Noack charakterisiert in seinem Buch über die deutsche Minderheit in Nordschleswig während der Besatzung das Archiv des AA als gut erhalten und reichhaltig und zusammen mit dem Archiv des deutschen Konsulats als die unbedingt "zentralste Quellengruppe für die Untersuchung" (Noack 1975, S. 15). Benutzt werden die Fotografien aus dem AA im RA, doch er nimmt keine Stellung zu deren Vollständigkeit.

den Schluß, daß der allgemeine Eindruck der Danica-Sammlung des Reichsarchivs sei, daß diese überaus hinreichend sei. Ohne entscheiden zu können, wie weitgehend und detailliert die Vergleiche zwischen den amerikanischen Verzeichnissen und den Fotografien des Reichsarchivs vorgenommen wurden, kann jedoch festgestellt werden, daß es nicht über Archivbündelebene hinaus vorgenommen worden sein kann. Sie konnten nicht den Inhalt der einzelnen Bündel umfaßt haben.

Die wenigen ausländischen Historiker, die sich mit der deutschen Besatzungspolitik in Dänemark beschäftigt haben, haben zumeist das deutsche Originalmaterial verwendet, allerdings mit einer markanten, bemerkenswerten Ausnahme, dem Deutschen Erich Thomsen, der für die bislang größte Monographie über die deutsche Besatzungspolitik in Dänemark 1940-45 überwiegend die Fotografien des Reichsarchivs und nur in einem geringeren Maße deutsche Archive (Bundesarchiv, Politisches Archiv des AA und Institut für Zeitgeschichte) nutzte.[37] Er geht nicht auf seine Schwerpunktsetzung bei der Quellenverwendung ein, doch es muß eine Bedingung gewesen sein, daß er Vertrauen darin hatte, daß die dänischen Fotografien hinreichend sind.

Hätten sich dänische Historiker vergewissern wollen, daß die Fotografien des Reichsarchivs nicht ausreichend sind, hätten sie nicht nach Deutschland reisen müssen. Sie hätten sich mit einer Stichprobenuntersuchung begnügen und Leni Yahils grundlegende Abhandlung *Et demokrati på prøve. Jøderne i Danmark under besættelsen* konsultieren können, die 1967 auf Dänisch auf der Grundlage eines Manuskripts in hebräischer Sprache von 1964 erschienen ist. Hierin werden deutsche Akten mit einer wesentlichen Bedeutung für den deutschen Umgang mit der "Judenfrage" in Dänemark genutzt und auf sie verwiesen, die nicht als Fotografien im Reichsarchiv vorhanden sind.[38] Ich möchte als Beispiel nur Renthe-Finks Brief vom 15. September 1942 an das AA über die Frage erwähnen, wie man den jüdischen Einfluß in den dänischen Handwerksbetrieben ausschließen könnte, und im Übrigen auf meine Herausgabe aus dem Jahr 2008 von deutschen Akten zur "Judenfrage" in Dänemark bis August 1943 verweisen, in der sich eine Reihe von Akten befinden, die nicht als Fotografien im Reichsarchiv vorliegen.[39] Diese wurden überwiegend bereits von Leni Yahil 1964/67 verwendet. Das Paradoxe ist, daß Yahil ebenfalls nicht die Originalakten des AA, sondern Mikrofilme davon verwendet hat, doch hierbei handelt es sich um die entsprechenden Bestände im Archiv von Yad Vashem – außerdem Mikrofilme vom AA im Reichsarchiv. Dennoch kann geschlossen werden, daß Yahil Zugang zu anderem und zu mehr Material hatte, als im Reichsarchiv zu finden war. Seither erschienene deutsche Werke[40] und eine einzelne amerikanische Untersuchung von Philip Giltner von 1998 über die deutsch-

37 Thomsen 1971, S. 267-269.

38 Yahil reichte das Manuskript 1964 als Dissertation an der Hebräischen Universität in Jerusalem ein. Die dänische Ausgabe wurde von Hans Kirchhoff in *Historisk tidsskrift* 12. IV, S. 269-277, scharf kritisiert, dennoch ist ihre Darstellung der deutschen Besatzungspolitik unübertroffen, da niemand dieselbe deutsche Quellengrundlage zur Verfügung hatte.

39 Lauridsen 2008a.

40 Dies gilt besonders für einige Beiträge zu *Das Deutsche Reich und der Zweite Weltkrieg* (Maier 1979, Müller 1999, Umbreit 1979, 1988a und b, 1998 und 1999), außerdem für Köller 1965, Schumann 1973, Winkel 1976, einige Artikel von Petrick und zu einem geringeren Maße für Herberts Arbeiten über Dänemark.

dänische wirtschaftliche Zusammenarbeit bestätigen umfassend, daß das abfotografierte deutsche Material im Reichsarchiv umfangreich, aber nicht ausreichend ist, und daß es nicht Besuche in deutschen Archiven ersetzen kann.

Eine neue Generation dänischer Historiker hat seit den 1990er Jahren daraus Konsequenzen gezogen. Als notwendigen Teil der Beschäftigung mit dem deutsch-dänischen Verhältnis in den Besatzungsjahren haben sie entweder Kopien von neuem Quellenmaterial angefertigt oder sie haben die Reise in deutsche und andere ausländische Archive angetreten. Letzteres ist recht schnell zum Regelfall geworden. Erwähnt seien hier Joachim Lund 1995ff., Niels-Henrik Nordlien 1998, Claus Bundgård Christensen et al. 1997ff., Mikkel Kirkebæk 2004 und 2008, Ole Brandenborg Jensen 2005, Mogens R. Nissen 2005ff., Lars Schreiber Petersen 2005ff., Henrik Lundtofte 2005ff., John T. Lauridsen 2006ff. und Jens Andersen 2007ff. Es ist jedoch bemerkenswert, daß nur einer von ihnen (Joachim Lund)[41] thematisiert, ob die Fotografien des Reichsarchivs hinreichend sind. Sich diese Frage zu stellen erübrigte sich, da sie bei den ausländischen Archivbesuchen feststellen konnten, daß sie nicht ausreichend waren.[42]

Hier sei die Beobachtung ergänzt, daß auch die amerikanischen Mikrofilme von deutschen Archivalien anscheinend nicht immer dasselbe enthalten wie die originalen Bündel. Ich habe hierfür nur ein einzelnes Beispiel, betrachte dies aber als hinreichend dafür, daß auch die originalen Bündel durchgesehen werden sollten, wenn man nur den geringsten Verdacht hat, daß bei den Fotografien etwas fehlt oder sonst etwas eigenartig erscheint. Im konkreten Fall handelt es sich um Material aus dem Archiv des Rüstungsamtes in Freiburg sowie die Mikrofilme desselben Materials: Walter Forstmann, Leiter des Rüstungsstabs Dänemark, erarbeitete 1942 eine Darstellung der Geschichte des Rüstungsstabs Dänemark bis Ende 1941 mit dazugehörigen Anhängen für denselben Zeitraum. Das Original befindet sich im BArch, RW 27/24, die Mikrofilme im RA, Danica 1000, T-77, Mappe 697. Jedoch enthält die Mikrofilmausgabe den Anhang zur Darstellung bis zum Herbst 1944, anders als das Material im originalen Bündel, in dem der Anhang nicht über 1941 hinaus reicht. Das kann ein Zufall sein, macht jedoch nachdenklich.

Dies bringt mich zum dritten und letzten Grund für die Herausgabe: Zum ersten Mal wird strukturiertes, organisiertes Quellenmaterial über die deutsche Besatzungspolitik auf der höchsten politischen Ebene in Dänemark während der Amtszeit von Werner Best vorgelegt. Ich habe nicht die Erwartung, sämtliches heute noch vorhandene, relevante Quellenmaterial erfaßt zu haben, selbst unter dem Vorbehalt der Abgrenzungen, die ich mir selbst auferlegt habe. Sowohl innerhalb des umfangreichen Archivs des AA als auch außerhalb davon dürfte weiteres Material zu und von Werner Best in Dänemark zu finden sein, und dasselbe gilt für die übrigen deutschen Instanzen. Weiteres Material zur Beleuchtung der Rolle der Wehrmacht in Dänemark dürfte beispielsweise in Freiburg vorhanden sein. In diesem Werk wird bereits veröffentlichtes Material, abfotografiertes Material und völlig neues Material aus den Archiven in Deutschland

---

41 Lund 2005, S. 309, stellt fest, daß sie es nicht sind, eine Einsicht, die er seit einigen Jahren hat.
42 Der Überblick ist in einigen Fällen nicht größer, da das angebliche "neue Fundstück" oder die angeblich unbeachtete Akte seit Jahrzehnten publiziert waren. Besonders das ADAP schien übersehen worden zu sein. Siehe z. B. Lauridsen 2008a, Nr. 60.

und Moskau vorgelegt, das in erster Linie die Grundlage für neue Darstellungen, Problemstellungen und Archivuntersuchungen bilden kann. In einem Überblick über die dänische Forschung zur Besatzungszeit schreibt Aage Trommer 1995, daß "die deutsche Politik in Dänemark, die Wechselwirkung zwischen dem Auswärtigen Amt in Berlin und der Gesandtschaft in Kopenhagen, das Verhältnis zwischen den Diplomaten und der Wehrmacht usw. immer noch ein oder zwei Untersuchungen wert sein könnten".[43] Dem kann ich nur zustimmen, nur daß eine oder zwei Untersuchungen nicht ausreichen dürften.

Die Materialgrundlage für die vorliegende Quellenedition sind die Bestände des AA in Berlin, eine Auswahl von wenigen Beständen aus dem Bundesarchiv in Berlin und Freiburg sowie die Kopiebestände in Dänemark, also die zahlreichen Fotografien des Reichsarchivs, die neu hinzugekommenen Kopien aus Moskau, die Abschriften vom Prozeß gegen Werner Best u. a. sowie Abschriften und Kopien aus der Historischen Sammlung für die Besatzungszeit. Einzelne Original-Telegramme aus den Maitagen 1945 und andere Dokumente stammen aus dem Freiheitsmuseum sowie einzelnen weiteren Archiven im In- und Ausland.

---

43 Trommer 1995b, S. 18.

2. Die Auswahlkriterien

2.1. Auswahlkriterien

Bei der Auswahl der Dokumente wurden über die bloße Frage des Umfangs hinaus vier Sachverhalte in Betrachtung gezogen:

Erstens wurde in Dänemark, anders als in anderen besetzten Ländern, keine deutsche Besatzungsverwaltung aufgebaut. Stattdessen wurde die Anzahl der Beamten in der deutschen Gesandtschaft in bescheidenem Umfang erhöht,[44] und obwohl der deutsche Gesandte zum Reichsbevollmächtigten ernannt wurde, bedeutete dies nicht automatisch, daß er die Oberhoheit über die sonstigen deutschen Instanzen hatte, die in das Land einzogen. Der Reichsbevollmächtigte war die höchste deutsche politische Gewalt im Land, hatte jedoch keine Befugnis gegenüber WB Dänemark, Kriegsmarine, Luftwaffe, Germanischer Leitstelle und Rüstungsstab Dänemark, die alle selbständig in ihren jeweiligen Bereichen agierten. Hinzu kam ab Oktober 1943 eine selbständige deutsche Polizei.[45]

Dies zeigt, daß es nicht hinreichend ist, sich bei der Beschäftigung mit der deutschen Besatzungspolitik in Dänemark nur auf die Korrespondenz des Reichsbevollmächtigten zu konzentrieren.

Zweitens gab es zu keinem Zeitpunkt eine allgemeine, geschweige denn zusammengefaßte und ausformulierte deutsche Besatzungspolitik für Dänemark. Es gab bestimmte Pläne für die Integration Dänemarks in den deutschen Großraum oder Neuropa 1940, doch nachdem die Pläne fallen gelassen wurden, waren es einzig konkrete deutsche Forderungen und Erwartungen an die dänische Regierung, die die Politik im Rahmen der Fiktion einer "friedlichen Besetzung" und der deutschen Versprechen vom April 1940 prägten. Die Besatzungspolitik wurde von Fall zu Fall oder im Takt mit den aufkommenden deutschen Wünschen, Bedürfnissen oder Problemen und nicht nach einer im Voraus festgelegten Zielsetzung entwickelt. Diese Entwicklung setzte sich nach dem Abtritt der dänischen Regierung im August 1943 fort, als die Regierung durch die Verwaltung durch die Staatssekretäre ersetzt und diese von den Deutschen danach als Regierung angesehen wurde.

Dies bedeutet, daß nicht einige bestimmte Schlüsseldokumente als Ausdruck für die Besatzungspolitik, die in Dänemark verfolgt wurde, herausgenommen werden können, sondern daß die politische Entwicklung als Prozeß untersucht werden muß.

Drittens und in Fortführung der beiden ersten Voraussetzungen für die Auswahl der Dokumente gab es in Berlin keine zentrale, koordinierende Instanz, die die Besatzungspolitik in Dänemark oder den anderen besetzten Ländern wahrnahm.[46] Hitler griff nur selten ein und die Beschäftigung der deutschen Reichsführung mit dänischen Fragen war nur sporadisch und von Stellungnahmen zu konkreten Fragen und Problemen ge-

---

44 Siehe 1:4 und Anhang 4.
45 Vgl. Bests Bericht "Wie das Auswärtige Amt im Zeitraum vom 5.11.1942-5.5.1945 auf die Lage in Dänemark einwirkte", 21. März 1948 (LAK, Best-Prozeß, S. 257ff.).
46 Röhr 1996, S. 105f.

prägt. Dänemark stand als besetztes Land nicht im Fokus, jedoch wirkten sich viele Führerbefehle auch auf das Verhalten der Deutschen in Dänemark aus.[47]

Auch dies bedeutet, daß keine bestimmten Schlüsseldokumente als Ausdruck für die Besatzungspolitik, die aus Sicht Berlins in Dänemark verfolgt werden sollte, herangezogen werden können.[48]

Das Auswärtige Amt handelte innerhalb des diplomatisch festgesetzten Rahmens und hielt die Fiktion von Dänemark als nicht besetztem Land aufrecht. Zwischen den beiden Ländern wurde über die jeweiligen Außenministerien verhandelt,[49] und das Auswärtige Amt konnte nur versuchen, seinen Status gegenüber den anderen deutschen Instanzen zu erhöhen, die in Dänemark mit anderen Zielen aktiv waren. Die deutschen Interessengegensätze mußten unter diesen Spielregeln angesichts der Ankunft der deutschen Polizei und eines eigenen Höherer SS- und Polizeiführer (HSSPF), dem Kriegsverlauf, der steigenden Invasionsgefahr und eines zunehmenden dänischen Widerstands beständig zunehmen.[50]

Unter diesen Voraussetzungen kann die Dokumentauswahl nicht auf die Korrespondenz des Reichsbevollmächtigten mit dem AA begrenzt werden. Dies würde ein schiefes Bild von der Entstehung der Besatzungspolitik in Dänemark geben. Die anderen Hauptakteure müssen einbezogen werden, doch bevor diese näher vorgestellt werden, sei erneut darauf hingewiesen, daß ein erheblicher Teil der Schreiben des Reichsbevollmächtigten nur in anderen deutschen Archiven als dem des Auswärtigen Amtes gefunden wurden. Dies ist auf die Überlieferungssituation zurückzuführen und kann nicht überraschen. Um den Dienstweg einzuhalten, mußte das AA in zahlreichen Fällen andere deutsche Instanzen konsultieren, wenn ein Vorschlag des Reichsbevollmächtigten vorlag, und häufig wurde das Schreiben des Reichsbevollmächtigten als Kopie oder Abschrift beigefügt. Daher muß ein Teil von Werner Bests Telegrammen außerhalb des AA gesucht werden, und nur dort. Die Antworten anderer deutscher Instanzen an das AA auf Bests Telegramme sind in vielen Fällen nur als Durchschlag o. Ä. zu finden, erneut aus Gründen der Überlieferungssituation. Es gibt einen Kontext bei der Entstehung von Beschlüssen, der nur durch die Einbeziehung der anderen Hauptakteure sichtbar wird – und von deren Archiven. Als Beispiel hierfür seien Bests gelungene Bestrebungen genannt, die Versuche des HSSPF Günther Pancke zur Einführung einer Deportation von Arbeitern als Reaktion auf die Streiks im August 1944 einzudämmen, und wie der Vorgang an das Oberkommando der Wehrmacht (OKW) gelangte, bevor er abgeschlossen wurde. Der Vorgang ist nur dank der Archive der *Kriegsmarine* so gut dokumentiert (7:155, 168, 172, 181)!

Werner Bests Korrespondenz mit dem AA ist das Fundament der Quellenedition, mit den dazugehörigen Sachbearbeitungsakten im Ministerium.[51] In diesem Bereich

---

47 Siehe Anhang 13.

48 Hier soll auch erwähnt werden, daß zentrale Befehle betreffend die Politik in Dänemark nur mündlich gegeben wurden; dies gilt u. a. für die Direktiven an von Hanneken und Best bei ihrem Antritt 1942 und beim Treffen mit Hitler am 30. Dezember 1943.

49 Vgl. Poulsen 1997 in dänischer und englischer Ausgabe und ders. 2001, S. 18-23.

50 Gegensätzliche Meinung bei Poulsen 2001, S. 21-23, der u. a. auch meint, daß die deutsch-dänischen Handelsverhandlungen keinen Anlaß für Reibungen auf deutscher Seite gaben und abgetrennt von der sonstigen Politik geführt wurden!

51 Die Sachbearbeitungsakten wurden entweder abgedruckt oder im Textkopf oder den Fußnoten referiert.

wurde im Großen und Ganzen keine Auswahl getroffen, da so gut wie alle lokalisierten Schreiben zwischen Best und dem AA aufgenommen wurden. Da Best alle bedeutsamen Schreiben der Gesandtschaft abzeichnen mußte, war es eine leichte Entscheidung. Selbst in den Fällen, in denen das AA Schreiben an die deutsche Gesandtschaft richtete, steht im Regelfall Bests Unterschrift unter der Antwort.[52] Das bedeutet natürlich nicht automatisch, daß er selbst die Sachbearbeitung leitete, doch ihm mußten gemäß des vorgesehenen Dienstwegs in der Gesandtschaft die meisten Schreiben, die abgeschickt werden sollten, vorgelegt werden.[53] Weggelassen sind nur Bests monatliche Standarderschen an das Auswärtige Amt über Geldzahlungen und einzelne unbedeutende Kleinigkeiten wie ein bescheidener Diebstahl, der von einem Angestellten im Deutschen Wissenschaftlichen Institut begangen wurde. Mit diesen wenigen Vorbehalten kann die Herausgabe von Bests Korrespondenz mit dem AA auch als Rekonstruktion der wesentlichen Korrespondenz der deutschen Gesandtschaft vom November 1942 bis Mai 1945 betrachtet werden, da die Rekonstruktion auf den Archiven des AA und anderer deutscher Organe beruht.[54]

Mit der vorherigen Genehmigung durch den Reichsbevollmächtigten schrieben andere Mitarbeiter der Gesandtschaft an das Auswärtige Amt, wenn es um weniger bedeutsame, konkrete Fragen ging. Beispiele hierfür sind aufgenommen. Dabei handelt es sich oft um Mahnschreiben an andere deutsche Behörden und Lieferanten, die nicht das lieferten, was sie versprochen hatten. In vielen von diesen Fällen mußte Best schließlich selbst schreiben, um der Mahnung ein politisches Gewicht im AA und bei den schließlichen Empfängern des Schreibens zu geben. Mehrere dieser Vorgangstypen seien hervorgehoben.[55] Insbesondere sind alle Berichte von Franz Ebner über die Lage von Wirtschaft und Handel in Dänemark aufgrund ihrer Bedeutung – auch für den Reichsbevollmächtigten – aufgenommen worden. Dieser beschränkte sich nicht nur darauf, die deutsch-dänischen Handelsverhandlungen mitzuverfolgen, sondern förderte sie auch.[56] Daß Best diese Berichte nicht unterzeichnet hat, lag nicht etwa an deren untergeordneter Bedeutung, sondern an Ebners hoher Stellung als Angestellter im Reichsernährungsministerium (REM), der ans Auswärtige Amt abgeordnet wurde. Auch in der Amtszeit von Cecil von Renthe-Fink als Reichsbevollmächtigter hatte Ebner diese Berichte unterzeichnet – natürlich nachdem diese dem Reichsbevollmächtigten vorgelegt worden waren.[57]

In vollem Umfang aufgenommen wurden alle bekannten Ausgaben der *Politischen*

---

52 Zu Bests Korrespondenz werden auch Mitteilungen gezählt, die in seinem Namen von dem Stellvertreter Paul Barandon sowie in einzelnen Fällen von dessen Stellvertreter abgeschickt wurden.

53 Siehe Anhang 5.

54 Eine Vorgehensweise, die der von Heiber 1983 entspricht.

55 U. a. ist einige Korrespondenz mit der Außenstelle des Reichsbevollmächtigten in Åbenrå erhalten. Diese ist nur in begrenztem Umfang und insbesondere aus der Zeit vor 1945 aufgenommen worden, wenn das Material vom Reichsbevollmächtigten im Übrigen versiegt. Vgl. unten.

56 In diesem Bereich stimmte er voll mit Ebner und den deutschen Mitgliedern des deutsch-dänischen Regierungsausschusses überein, obwohl er vergebens versuchte, dessen Vorsitzender zu werden (1: 143, 149, 162) und danach zu verhindern versuchte, daß Hans Klausen Korff ein Mitglied des Ausschusses wird (5: 156, 157, 208, 243, 248). Er war nicht ohne Einfluß, sondern kooperierte u. a. mit Alex Walter, Herbert Backe und Emil Ludwig.

57 Siehe Lauridsen 2012 mit einer Herausgabe der Berichte von Ebner 1940-44.

Informationen für die deutschen Dienststellen in Dänemark des Reichsbevollmächtigten vom November 1942 bis April 1945, die eine Hauptquelle dafür darstellen, wie Best die Wahrnehmung von der Lage und von seiner Politik in den deutschen Dienststellen zu lenken versuchte. Darüber hinaus sind sie ein Ausdruck für die moderne Form seiner Versuche, der feindlichen Propaganda entgegenzuwirken. Zudem beleuchtet das Informationsblatt zahlreiche weitere deutsche Maßnahmen (siehe 1:181 und die Übersicht über den Inhalt in Band 10).

Kopien oder Abschriften von Bests Telegrammen befinden sich u. a. in den Archiven von OKW, OKM (Oberkommando der Kriegsmarine), SS (SS-Hauptamt, RSHA) und Rüstungsamt oder bei deren Vertretern in Dänemark. Alle diese Instanzen nahmen von Zeit zu Zeit Stellung zu seinem Handeln. Die Beschäftigung dieser vier oberen Instanzen mit der deutschen Besatzungspolitik in Dänemark und damit, wie man sich von deutscher Seite verhalten sollte, muß einbezogen werden, obwohl hier bei weitem nicht von derselben Quellenabdeckung wie zur Tätigkeit des Reichsbevollmächtigten die Rede sein kann. Deshalb handelt es sich hierbei weitgehend um eine Auswahl, wofür allein die zahlreichen und umfangreichen Kriegstagebücher sprechen, die alle deutschen Teilstreitkräfte auf vielen Dienstebenen obligatorisch führen mußten.[58]

Weggelassen wurden in erster Linie die allermeisten militärischen Verfügungen zur Verteidigung von Dänemark gegen eine fremde Invasion,[59] nicht hingegen die polizeilichen und zivilen Verfügungen im selben Zusammenhang. Das soll ein Verständnis dafür wecken, inwieweit die Zivilgesellschaft und deren Institutionen z. B. durch Zwangsumsiedlungen und die Anforderung von Arbeitskräften und Material betroffen war.

Darüber hinaus wurde Material zur Frage aufgenommen, wie man sich von deutscher Seite bei einer Invasion gegenüber der dänischen Wirtschaft verhalten sollte, z. B. gegenüber der Fischereiflotte und der für die Deutschen lebenswichtigen Anlagen und Unternehmen oder gegenüber Presse, Rundfunk und Zivilbevölkerung insgesamt, u. a. welche deutschen Vereinbarungen es gab, falls Massenstreiks, Aufstände oder Ähnliches auftreten würden.

Dasselbe gilt dafür, welche Vorkehrungen man von deutscher Seite gegenüber der Zivilgesellschaft getroffen hatte für den Fall, daß ein deutscher Rückzug oder eine Kapitulation erforderlich würde.

Ferner sind die deutschen militärischen und zivilen Verfügungen in Verbindung mit der Entwaffnung der dänischen Teilstreitkräfte am 29. August 1943 aufgenommen, da diese nicht von der übrigen Besatzungspolitik abgetrennt werden können und an sich von großer Bedeutung sind. Dies ist eine Schlüsselsituation entsprechend z. B. der Aktion gegen die dänischen Juden in der Nacht zum 2. Oktober, dem Treffen bei Hitler vom 30. Dezember 1943 und dem Generalstreik in Kopenhagen im Sommer 1944, und daher wird diese Situation voll von den Quellen abgedeckt.

Außerdem umfaßt die Auswahl der Dokumente alle Formen der deutschen Widerstands- und Sabotagebekämpfung, die von der Propaganda gegen Sabotage bis zu

---

58 Siehe Gemzell 1965, S. 340f.
59 Hier sei stattdessen auf Bonvig Christensen 1976 und Andersen 2007 verwiesen.

Hinrichtungen, Deportationen und Gegenterror reicht. Schließlich sind Dokumente aufgenommen, in denen u. a. die deutsche Polizei und das Militär in Dänemark Stellung zu den Empfehlungen des Reichsbevollmächtigten und zu dessen Politik nehmen.

Aufgenommen wurden auch so gut wie alle Berichte des Rüstungsstabs Dänemark zum Beitrag der dänischen Wirtschaft zur deutschen Rüstungsproduktion und die damit verbundenen Probleme.

In den Fällen, in denen Dänemark betreffende Schreiben zwischen dem Auswärtigen Amt und anderen deutschen Ministerien auf Ministerebene gefunden wurden, sind diese aufgenommen worden. Dasselbe gilt in weitem Umfang für sonstige Korrespondenz in Bezug auf Dänemark auf höchster dienstlicher Ebene direkt unterhalb der Ministerebene, die zwischen den Ministerien geführt wurde. Dabei handelte es sich oft um wirtschaftliche Fragen.

Da die vorgegebenen Dienstwege in den deutschen Dienststellen vor allem bei wichtigen Fragen befolgt wurden, bedeutet das, daß z. B. der Reichsbevollmächtigte bei Anliegen mit politischen Implikationen im Verhältnis zum WB Dänemark den Weg über das Auswärtige Amt wählen mußte, das sich an das OKW wandte, welches wiederum eine Stellungnahme vom WB Dänemark anforderte und danach dem Auswärtigen Amt antwortete, das anschließend die Antwort mit eigenen Konklusionen an den Reichsbevollmächtigten weitergab. Das war sehr aufwändig, und natürlich wurden die allermeisten Fragen direkt zwischen Best und von Hanneken abgehandelt. Beide standen ab August 1943 in einem täglichen telefonischen Kontakt, um ihre Tagesberichte an den jeweiligen Vorgesetzten in Berlin abzustimmen.[60] Best versuchte danach auf dieselbe Weise, seine Tagesberichte nach Berlin mit Günther Pancke und Otto Bovensiepen abzustimmen, was eine Zeitlang gelang, bis die Interessengegensätze zu groß wurden.[61] U. a. aus demselben Grund ist die interne Korrespondenz zwischen den deutschen Dienststellen in Dänemark insgesamt nur in sehr begrenztem Umfang erhalten. Der Kontakt verlief weitgehend mündlich, und was sonst vorhanden gewesen sein mag, wurde vor dem 5. Mai 1945 vernichtet.

Der schwere Weg über das Auswärtige Amt galt prinzipiell auch für den Umgang des Reichsbevollmächtigten mit den anderen selbständig vertretenen deutschen Instanzen in Dänemark, etwa zum HSSPF und BdS (Befehlshaber der Sicherheitspolizei) ab September/Oktober 1943. In der Praxis wurde die Zusammenarbeit oft bei persönlichen Treffen besprochen. Bis April 1944 hatten alle ihren Sitz im Dagmarhaus, doch auch nach dem Umzug der deutschen Polizei ins Shellhaus blieben die regelmäßigen Sitzungskontakte bestehen.[62] Über den Inhalt der Sitzungen sind wir hingegen nur sporadisch orientiert, oft nur auf der Grundlage von Erklärungen aus der Nachkriegszeit. Was es an zeitgenössischem schriftlichen Material gegeben haben muß, wurde vor Mai 1945 vernichtet.

Mit wenigen Ausnahmen mußte die Auswahl der deutschen Dokumente, die zwischen den deutschen Dienststellen in Dänemark und den Vorgesetzten in Deutschland

60 Befragung von Best am 23. Oktober 1948 im Prozeß gegen von Weizsäcker (RA, Danica 234, Bündel 88, Mappe 1157, S. 26.418), Kienitz/Drostrup 2001, S. 51. Siehe auch Casper 1994, S. 352, 362.
61 Befragung von Best am 23. Oktober 1948 im Prozeß gegen von Weizsäcker (RA, Danica 234, Bündel 88, Mappe 1157, S. 26.418).
62 Das geht als Bests Kalenderaufzeichnungen hervor.

ausgetauscht wurden, auf der Grundlage von Archiven erfolgen, die nach Mai 1945 außerhalb Dänemarks erhalten waren.

Was die deutschen Teilstreitkräfte betrifft, ist recht umfangreiches Material erhalten, wie aus dem Quellenverzeichnis in Band 10 hervorgeht. Vom Kriegstagebuch des OKW liegt nur eine bearbeitete Zusammenfassung vor, während das der Seekriegsleitung in seiner Gesamtheit herausgegeben wurde (71 Bände). Für die militärischen Dienststellen in Dänemark liegen für das deutsche Heer und die Kriegsmarine geschlossene Reihen von Kriegstagebüchern für die Zeit von 1940 bis 1945 vor, die von den Truppenführungen bis zu den Abschnittskommandanten und Hafenkapitänen reichen. Besonders erwähnt sei das Kriegstagebuch des Höheren Kommandos Kopenhagen. Die Kriegstagebücher der Luftwaffe sind nicht lokalisiert worden. Ein Teil der Kriegstagebücher ist mit 14-täglichen oder häufiger mit Monatsberichten versehen. Hinzu kommen in einem gewissen Umfang Anhänge zu den Kriegstagebüchern sowie Korrespondenz, die zwischen den Dienststellen und deren unmittelbaren Vorgesetzten ausgetauscht wurde. Es ist ein großes, wesentliches Material, doch tragen die Kriegstagebücher, insbesondere auf der Ebene des WB Dänemark und des Admirals Dänemark, Züge einer nachträglichen Bearbeitung oder scheinen von augenfälligen Auslassungen geprägt zu sein. In jedem Fall handelt es sich oft um eine wesentliche "Verkürzung" der Ereignisse des betreffenden Tages. Dies kann durch Vergleich der Tagebücher mit anderem wesentlichen Material festgestellt werden. Dennoch sind sie nur selten so verfälschend manipuliert worden wie die von dem Offizier und Historiker (!) Percy Ernst Schramm für das OKW geführten und später vorgelegten Kriegstagebücher.[63] Es ist sehr schwer, einen Überblick über die sehr große Menge an Befehlen vom OKW, die Dänemark inbegriffen, zu bekommen, da die entsprechenden Befehle unter Zehntausenden herausgesucht werden müssen. Der Herausgeber ist sich bewußt, bei weitem nicht alle in Bezug auf die Auswahlkriterien lokalisiert zu haben.

Die Kommunikation der SS mit den Dienststellen in Dänemark verlief direkt vom Sekretariat des RFSS aus, vom SS-Hauptamt (Gottlob Berger) und anderen Unterorganisationen, darunter dem Ahnenerbe. Empfänger waren u. a. die Germanische Leitstelle, der Fürsorgeoffizier der Waffen-SS, HSSPF, die deutsche Minderheit und – Werner Best. Letzterer hatte Verbindung mit dem RFSS und mit Berger, obwohl das seine dienstlichen Befugnisse überschritt. Dies wurde Best auch eingeschärft (2:66), doch später stimmte das AA dem Kontakt unter Auflagen zu (3:208). Das Material ist lückenhaft erhalten,[64] ist aber von wesentlicher Bedeutung, da es u. a. dokumentiert, daß Best mit Unterstützung der SS nach Dänemark kam, ein Rückhalt, den er im Oktober 1943 verlor.

Die deutsche Sicherheitspolizei, die im September 1943 nach Dänemark kam, unterstand, wenn überhaupt, nur sehr kurze Zeit dem Reichsbevollmächtigten und wurde stattdessen vom BdS geführt, der direkt Ernst Kaltenbrunner im RSHA unterstand, während die deutsche Ordnungspolizei dem Befehlshaber der Ordnungspolizei (BdO)

---

63 Messerschmidt 2004, S. 434-443.

64 Ein Eingangsschlüssel zur Korrespondenz des RFSS befindet sich im *Guide to German records microfilmed at Alexandria*, Va. Publ. by the American Historical Association, Committee for the Study of War Document, 1-94, Washington 1958-93.

und damit ebenso wenig dem Reichsbevollmächtigten unterstand. Die Spitze der deutschen Polizei in Dänemark machte der HSSPF mit Stab aus, der direkt dem RFSS unterstand.

Anders als der BdO hat der BdS kaum ein Kriegstagebuch geführt,[65] doch dafür gab es tägliche Berichte an das RSHA über die Widerstandsaktivitäten in Dänemark und deren Bekämpfung,[66] worauf u. a. Monatsberichte über Bekämpfung[67] und "Stimmungsberichte aus Dänemark"[68] folgten. Von den Tagesberichten sind wenige erhalten und hier in Auswahl wiedergegeben. Ob sie repräsentativ sind, läßt sich nicht entscheiden. Die Hauptmasse der Dänemark betreffenden Archive der deutschen Polizei in Dänemark und Deutschland sind verschwunden. Die erhaltenen Reste sind erschlossen – es kann nicht die Rede davon sein, daß Auswahlkriterien im eigentlichen Sinn angelegt wurden – und sie bieten kein erschöpfendes Aktenmaterial für die Polizei- und Terroraktionen, die durchgeführt wurden.[69]

Werner Best und sein Stellvertreter Paul Barandon bezeichneten den Rüstungsstab Dänemark in den Verhören nach Kriegsende übereinstimmend als den vierten Hauptakteur in Dänemark nach dem Reichsbevollmächtigten, der Wehrmacht und der SS.[70] Der Herausgeber teilt diese Auffassung und hat reichhaltiges Material von dieser deutschen Dienststelle ausgewählt, die zunächst dem Rüstungsamt beim OKW unterstand, dann aber zum Ministerium Speer kam, von dem danach die Abteilung Wehrwirtschaft abgetrennt wurde. Das Material besteht aus Kriegstagebüchern mit Anhang von 1940 bis Februar 1945.[71] Genutzt wurden insbesondere die Anhänge in Form von Monatsberichten[72] und Schreiben an das Rüstungsamt, die Berichte nahezu in vollem Umfang, doch auch die Briefe, die mit anderen gewechselt wurden. Die Kommentare und Einschätzungen, die hier zum Ausdruck kommen, zeugen davon, daß ein enger und positiver Kontakt zwischen dem Leiter des Rüstungsstabs Dänemark, Walter Forstmann, und der deutschen Gesandtschaft von April 1940 bis Mai 1945 bestand, zunächst mit Franz Ebner, dann auch mit Best. Dies fand seinen Niederschlag in Berichten an das Rüstungsamt, die überwiegend der Linie des Reichsbevollmächtigten folgten, doch neben Angaben zum Umfang der dänischen Rüstungsproduktion für Deutschland auch wesentliches Material über die Sabotage und deren Bekämpfung enthalten.

Zu verschiedenen wichtigen Zeitpunkten oder in gewissen kritischen Zeiträumen

---

65 Das Kriegstagebuch des BdO für die Zeit 1943-35 mit einzelnen Anhängen ist erhalten. Außerdem ließ der BdO ein Informationsblatt über die Sabotagetätigkeit, Liquidierungen u. a. für die Zeit 1943-45 erstellen. Dieses ist ebenso in einer Durchschlagskopie im RA erhalten.

66 Karl Heinz Hoffmanns Erklärung von 12. November 1947, in der sie Morgenberichte genannt werden (LAK, Best-Prozeß).

67 Einige wenige sind erhalten und hier abgedruckt.

68 Einige wenige sind erhalten und hier abgedruckt.

69 Siehe Quellenverzeichnis.

70 Bests übersetzter Bericht "Wie das Auswärtige Amt im Zeitraum vom 5.11.1942-5.5.1945 auf die Lage in Dänemark einwirkte", 21. März 1948 (LAK, Best-Prozeß, S. 257ff.) und Barandon am 6. Juli 1948 im Prozeß gegen Steengracht (Danica 234, Bündel 88, Mappe 1151, S. 11.172).

71 Von April 1940 bis Oktober 1942 wurde ein eigentlich zusammenhängendes und in der ersten Zeit recht ausführliches Kriegstagebuch geführt, das dann aber quartalsweise aufgeteilt und weitaus knapper geführt wurde.

72 Für eine Übersicht über diese in den Jahren 1940-45 siehe Band 10.

ermöglicht die Auswahl des zeitgenössischen Materials weder eine vollständige noch eine teilweise Aufdeckung der Vorgänge. Als Beispiel kann der Besuch von Best, von Hanneken und Pancke im Führerhauptquartier bei Hitler am 30. Dezember 1943 gelten, bei dem sie wichtige Befehle für die Politik, die in Dänemark geführt werden sollte, erhielten. Dies ergibt sich notwendigerweise aus der gegebenen Überlieferungssituation. Ich habe aber versucht, das Fehlen von zeitgenössischem Material über eine Reihe von wichtigen Sachverhalten dadurch auszugleichen, daß ich Werner Bests Kalenderaufzeichnungen einbezogen habe, die die Sitzungsaktivität verzeichnen, und auf deren Grundlage dann entweder Erklärungen aus der Nachkriegszeit oder nahezu zeitgenössische Berichte über abgehaltene Sitzungen benutzt habe. Bests Kalenderaufzeichnungen enthalten nicht alle von ihm abgehaltenen Sitzungen und überhaupt keine Telefongespräche; außerdem liegt kein Kalender für 1945 vor. Aus diesem Grund hat der Herausgeber in *wenigen* Fällen trotzdem ein Gesprächsprotokoll von Sitzungen, die tatsächlich stattgefunden haben, und in Einzelfällen Protokolle von Sitzungen und Gesprächen, die angeblich (!) stattgefunden haben, aufgenommen. Die Vorgehensweise ist nicht unproblematisch, ich finde sie jedoch akzeptabel, da sie den Nutzwert der Quellenedition steigert, das angebliche Material/Telefongespräch/Ereignis an sich zur Diskussion stellt und in jedem einzelnen Fall unmißverständlich klar gemacht wird, was zeitgenössisches Material ist und was nicht.[73]

Insbesondere für das Jahr 1945 erachtete es der Herausgeber als nötig, einen Ausgleich für das stark begrenzte Material zu finden, das zwischen dem AA und Best ausgetauscht wurde und intern aus dem AA stammte (siehe Diagramm 1).[74] Dies hat zu einem stärkeren Gebrauch von Erklärungen aus der Nachkriegszeit und anderem Material als bei den vorherigen Jahren und Monaten geführt. Ebenso nehmen die Wehrmachtsakten weitaus mehr Raum ein als früher (siehe Diagramm 2). Dies kann zum Teil dadurch begründet werden, daß der Krieg näher an Dänemark herangerückt war, durch die deutschen Vorbereitungen auf einen Endkampf und die Frage einer friedlichen Kapitulation sowie durch die Ankunft von großen Mengen deutscher Flüchtlinge und verletzter Soldaten, um die sich weitgehend die Wehrmacht kümmern mußte, obwohl es formell die Aufgabe von Best war.

Vor dem Hintergrund des Fehlens einer Dokumentation von bestimmten Umständen, wie sie gerade beschrieben wurden, hat der Herausgeber den Begriff "leere Dokumente" als Bezeichnung für Dokumente eingeführt, die der Herausgeber nicht lokalisiert hat, die jedoch existiert haben und als bedeutungsvoll angesehen werden. Diese Bedeutungszuschreibung erfolgte aufgrund ihrer Folgen und/oder ihres Inhalts, insofern er auf andere Weise, z. B. durch Bezüge aus anderen Quellen, bekannt ist. Die "leeren Dokumente" sind chronologisch dort eingefügt, wo das nicht lokalisierte Doku-

---

73 Wie bei 4:30 erwähnt, akzeptierte zuerst das Östliche Landesgericht (Østre Landsret) und später das Oberste Gericht 1950 die Erklärung aus der Nachkriegszeit über ein Telefongespräch, das zwischen Franz von Sonnleithner und Best am 7. September 1943 stattgefunden haben soll, obwohl es nicht eine Spur von einem zeitgenössischen Nachweis dafür gibt, es von keinem anderen zeitgenössischen Material unterstützt wird – ganz im Gegenteil – (vgl. Herbert 1996, S. 363f.), und die Erklärungen nach dem Krieg ohne Zweifel abgestimmt wurden. Dies ist ein "Quellentyp", von dem der Herausgeber meinte, daß er an ihm ausnahmsweise nicht vorbeigehen konnte.

74 Erwähnt sei, daß ADAP/E Band 8 nur insgesamt 21 Dokumente für 1945 aus ganz Europa enthält.

ment hätte angebracht werden müssen, mit einem Hinweis, woher die entsprechenden Kenntnisse stammen. Eine Übersicht über die wenigen "leeren Dokumente" findet sich in Tabelle 3.

Tabelle 1: Verwendung von Bests Kalenderaufzeichnungen

4.12.43	(5:14)	als Beleg
30.12.43	(5:86)	über Sitzungszeitpunkte und -teilnehmer
7.1.44	(5:112)	Anlaß zu anderer Dokumentation – Bovensiepens Protokoll
26.1.44	(5:183)	Dokumentation der Anwesenden und des Sachverhalts
28.6.44	(6:248)	Sitzung laut Duckwitz' Erklärung nach dem Krieg
30.6.44	(6:260)	Kalender im Protokoll von Svenningsen 13. Juli 1944
1.7.44	(7:14)	Kalender im Protokoll von Svenningsen 13. Juli 1944
3.7.44	(7:41)	Kalender im Protokoll von Svenningsen 13. Juli 1944
5.7.44	(7:63)	Kalender im Protokoll von Svenningsen 13. Juli 1944
27.11.44	(8:187)	Kalender bei Barandons Abschied

Tabelle 2: Verwendung der Sitzungs- und Gesprächsprotokolle

Sonnleithner an Best 7.9.43	(4:30)	in Sonnleithners Erklärung nach dem Krieg
Best-Svenningsen 1.7.44	(7:14)	Kalender im Protokoll von Svenningsen 13. Juli 1944
Best-Svenningsen 2.7.44	(7:25)	in Svenningsens Protokoll 13. Juli 1944
Best-Svenningsen 3.7.44	(7:41)	Kalender im Protokoll von Svenningsen 13. Juli 1944
Best-Svenningsen 4.7.44	(7:50)	in Svenningsens Protokoll 13. Juli 1944
Best-Svenningsen 5.7.44	(7:63)	Kalender im Protokoll von Svenningsen 13. Juli 1944
Casper-Herschend 2.2.45	(9:54)	in Herschends zeitgenössischem Protokoll
Best-Svenningsen 21.2.45	(9:101)	in Svenningsens zeitgenössischem Protokoll
Kaltenbrunner-Mohr/Hvass 8.3.45	(9:134)	in Mohrs Protokoll
Best-Rosting 12.3.45	(9:144)	in Rostings zeitgenössischem Protokoll
Best-Rosting 15.3.45	(9:149)	dto.
Best-Fenger o.a. 16.3.45	(9:150)	in Fengers zeitgenössischem Protokoll
Best-Rosting 4.4.45	(9:185)	in Rostings zeitgenössischem Protokoll
Best-Duckwitz 13.4.45	(9:197)	wiedergegeben von Duckwitz 1945-46
Best-Kaufmann/Lohse 15.4.45	(9:203)	wiedergegeben von Duckwitz 1945-46
Best-Terboven/Quisling 20.-21.4.45	(9:206)	wiedergegeben von Duckwitz 1945-46 und von Best nach 1945
Best-Duckwitz 25.4.45	(9:212)	wiedergegeben von Duckwitz 1945-46
Duckwitz-Per Albin Hanson 28.4.45	(9:216)	wiedergegeben von Duckwitz 1945-46
Best-Bernadotte/Schellenberg 30.4.45	(9:218)	wiedergegeben von allen Beteiligten nach 1945
Best-Adolf von Steengracht 6.5.45	(9:246)	in Bests Erklärung nach dem Krieg 31.7.1945

Tabelle 3: Verwendung von "leeren Dokumente"

Mit "leeren Dokumenten" werden Dokumente bezeichnet, die der Herausgeber nicht lokalisiert hat, die jedoch existiert haben und aufgrund des Kontextes, zu dem sie beigetragen haben, und/oder wegen ihres Inhalts als bedeutungsvoll angesehen werden. Dabei wird auf den Inhalt auf andere Weise geschlossen, nämlich durch Bezüge aus anderen Quellen.

Führerbefehl 18.10.1942	(1:81)	nicht leer, nur nicht aufgenommen
von Hanneken an die höheren		
Kommandobehörden 24.10.1942	(1:97)	
Best an AA 6.5.1943	(3:18)	
von Hanneken an OKW 24.8.1943	(3:259)	
Sonnleithner an Best 7.9.1943	(4:30)	
RAM an RFSS 31.12.1943	(5:87)	
RFSS an RAM 4.1.1944	(5:99)	
RFM an RAM 20.3.1944	(5: 353)	
RFSS an Best und HSSPF 15.6.1944	(6:201)	
Kaltenbrunners Befehl 16.6.1944	(6:205)	
Best an AA 18.7.1944	(7:91)	
Herbert Backe an RAM 26.9.1944	(7:280)	
KTB/OKW 8.11.1944	(8:108)	
Best an AA 6.1.1945	(9:8)	Es gibt keinen Beweis, daß das Telegramm abgeschickt wurde, aber dies ist wegen der Erklärungen von Best und Bovensiepen nach dem Krieg wahrscheinlich
Best an AA 25.2.1945	(9:111)	
Steengracht an Best 6.5.1945	(9:246)	

2.2. Resultat der Verteilung der nach den Auswahlkriterien ausgewählten Akten

In Tabelle 4 ist die prozentuale Verteilung von allen ausgewählten Akten auf die Institutionen aufgeführt. Die Dokumente von Werner Best machen erwartungsgemäß den größten Anteil mit gut 29 % aus,[75] dicht gefolgt von den Akten aus dem AA mit knapp 25 %. Der Anteil von zusammen 54 % der Akten des deutschen Auswärtigen Dienstes unterstreicht, wo der Schwerpunkt der Auswahl dieser Herausgabe gelegt wurde. Das deutsche Heer und die Kriegsmarine sind zusammen mit gut 25 % der Akten vertreten, während SS und deutsche Polizei nur bei 7,4 % liegen. In der Gruppe mit Verschiedenen mit einem Anteil von 10 % verbergen sich in erster Linie eine große Anzahl Akten vom Rüstungsstab Dänemark, die in Band 10 detaillierter dargestellt sind, sowie die Akten von einer ganzen Reihe von Ministerien und anderen Institutionen. Die prozentuale Verteilung der Akten ist in keiner Weise ein Ausdruck von der relativen Bedeutung der ausgewählten Instanzen im Verhältnis zueinander (vgl. oben). Der qualitative Wert des ausgewählten Materials ist darüber hinaus sehr unterschiedlich: Obwohl trotz allem 7,4 % der Akten von der SS und der deutschen Polizei stammen, so ist dieses Material weder auf irgendeine Weise repräsentativ noch kommt es der Tätigkeit dieser Organisationen in Dänemark so nahe, wie es bei den übrigen ausgewählten Gruppen der Fall ist.

Tabelle 4: Prozentuale Verteilung der ausgewählten Akten auf die Institutionen

Name	Anzahl	Anteil
Dokumente von Best	848	29,3 %
Andere AA-Dokumente	713	24,6 %
Heer	409	14,1 %
Marine	334	11,5 %
Polizei	215	7,4 %
Verschiedene	378	13,0 %
Gesamt	2.897	100,0 %

75 Noch 2006 hatte der Herausgeber nur weniger als 700 Dokumente von Best lokalisiert (Lauridsen 2007a, S. 436).

Im folgenden Diagramm 1 ist eine chronologische Übersicht über die Verteilung von allen ausgewählten Dokumenten Monat für Monat von Oktober 1942 bis Mai 1945 und die Verteilung der Schreiben von Best an das AA im gleichen Zeitraum zu sehen. Es ist bemerkenswert und nicht beabsichtigt, daß das gesamte Material und die Akten von Best bis April 1944 grob genommen genau gleich fluktuieren, mit einem absoluten Höhepunkt im September und Oktober 1943. Nach Mai 1944 sinkt die Anzahl der Akten von Best schrittweise, um ab Januar 1945 auf ein sehr niedriges Niveau abzuflachen. Die gesamte Anzahl Akten pro Monat bis Dezember 1944 schwankt in der Nähe von fast 100, um danach für das ganze Frühjahr 1945 bis auf die Hälfte abzusinken. Insbesondere für die Frühjahrsmonate 1945 ist die Gesamtmenge an Material, aus der eine Auswahl getroffen werden sollte, drastisch verringert.

Zu der Frage, warum Bests Schreiben so unregelmäßig erhalten sind, wird unten ausführlicher Stellung genommen. Hier soll erwähnt werden, daß Best in einem Teil des Juli 1943 in Urlaub war, was den Tiefpunkt bei den Schreiben erklären kann. Daß dieser Tiefpunkt sich im Juli 1944 nicht wiederholte, hing damit zusammen, daß Best damit beschäftigt war, seine Politik nach dem Generalstreik in Kopenhagen zu verteidigen. Die große Krise von Bests Politik lag in den Monaten August, September und Anfang Oktober 1943. Auf diese Krise reagierte er im August, indem er auf demselben Niveau wie im Juni Berichte schrieb, statt seine Schreiben zu intensivieren.[76] Im September und Oktober 1943 schrieb er dann aber auf einem so hohen Niveau Berichte, wie es vorher und nachher nie wieder erreicht wurde.

Diagramm 1: Dokumente gesamt und von Werner Best, monatsweise 1942-45

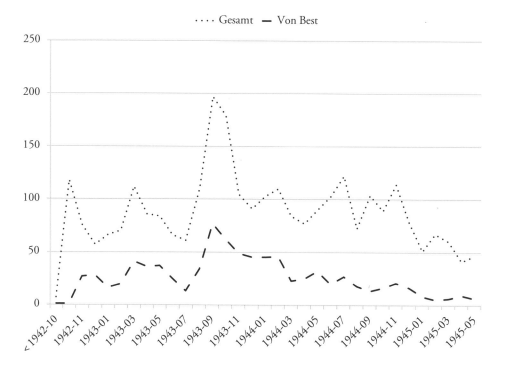

76 Er hörte aber auch nicht auf zu berichten oder berichtete weniger, wie manche andeuten.

In Diagramm 2 ist die prozentuale Verteilung der Dokumente innerhalb der sechs Auswahlkategorien detaillierter dargestellt. Daraus geht hervor, daß die prozentualen Schwankungen bei allen Gruppen beträchtlich sind, wobei das Heer die Kategorie ist, bei der bis zum zweiten Halbjahr 1944 eine gewisse Stabilität vorherrscht. Die Schwankungen bei der deutschen Polizei können auf den ersten Blick sehr beträchtlich erscheinen, wobei jedoch die zunächst recht begrenzte Menge an Akten berücksichtigt werden sollte, so daß selbst wenige Akten den Prozentsatz ändern können. In Tabelle 6 tritt deutlich hervor, wie stark die Heeresakten im ganzen Frühjahr 1945 prozentual dominieren.

Diagramm 2: Prozentuale Verteilung der Akten, monatsweise, verteilt nach den ausgewählten Kategorien

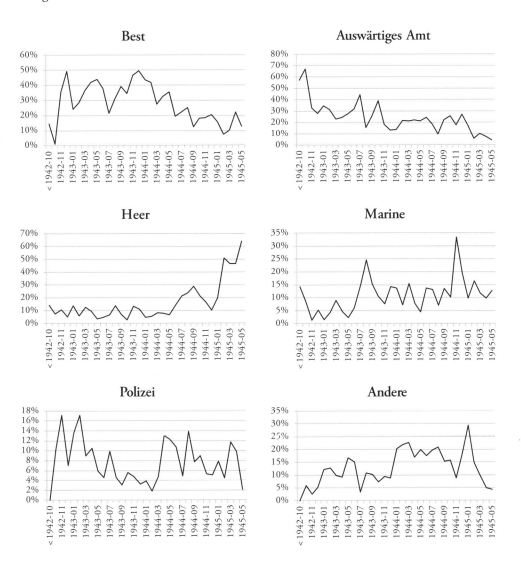

2.3. Umfang der Korrespondenz von Werner Best mit dem AA

Im Hinblick darauf, die gesamte Korrespondenz zwischen Werner Best und dem AA so weit wie möglich herauszugeben, kann zunächst die Frage gestellt werden, wie umfassend die lokalisierten und herausgegebenen Telegramme und Briefe von Best im Vergleich dazu sind, was ursprünglich existiert hat.

Heute läßt sich nur noch der Minimalumfang der Korrespondenz zwischen dem Reichsbevollmächtigten und dem AA berechnen, während alle anderen Teile seiner Korrespondenz und der des Gesandtschaftspersonals, ausgenommen die mit dänischen Behörden, eine vollkommen unbekannte Größe bleiben. Es handelt sich um Tausende Dokumente.

Während einer Befragung am 22. Oktober 1948 im Prozeß gegen von Weizsäcker wurde Best gefragt, wie viele Telegramme und andere Schreiben er täglich an das AA schickte. Er antwortete, daß es zwischen 3 und 15 Mal pro Tag schwankte, abhängig von der jeweiligen Lage.[77] Diese Antwort ist nicht unglaubwürdig angesichts der Tatsache, wie wenig konkret die Frage war, doch sie bietet einen Weg, um der Sache näher zu kommen.

Am Tag nach seiner Ankunft in Kopenhagen am 5. November 1942 schickte Best ein erstes Telegramm an das AA. Das Telegramm hat die Nr. 1644 und war eine Fortführung einer Reihe von Telegrammen, die sein Amtsvorgänger Cecil von Renthe-Fink abgeschickt hatte. Am 31. Dezember 1942 schickte er Telegramm Nr. 1936 an das AA, was bedeutet, daß in den knapp zwei Monaten fast 300 Telegramme abgeschickt wurden, was einer Schreibfrequenz von ca. sechs Telegrammen pro Tag entspricht, einschließlich Sonn- und Feiertagen. Hinzu kommen die Briefe an das AA, die längere Darstellungen und Berichte enthielten, die keine Eile hatten, sowie die Korrespondenz mit Anderen auf dem Dienstweg. Auf entsprechende Weise läßt sich das Telegrammvolumen von Best 1943 und 1944 rekonstruieren:

1943 schickte Best am 1. Januar 1943 das Telegramm Nr. 1937 ab, bevor er die Nummerierung auf Nr. 1 korrigierte (ein Telegramm, das nicht bekannt ist). Da sich Best zu Beginn des neuen Jahres einige Tage in Berlin aufhielt, war es sein Stellvertreter Paul Barandon, der am 8. Januar in seiner Abwesenheit das erste bekannte Telegramm Nr. 18 abschickte, während das erste erhaltene, von Best selbst verfaßte Telegramm erst vom 20. Januar stammt; es handelt sich um das Telegramm Nr. 72. Das bedeutet nicht automatisch, daß Best nicht parallel per Brief kommunizierte. Erhalten sind von ihm Briefe an das AA vom 5., 9., 13., 15. und 16. Januar.[78] Es ist nicht ganz transparent, wann die Telegramm- und wann die Briefform gewählt wurde. Es waren nicht nur eilige Mitteilungen, für die das Telegramm gewählt wurde, und wichtige Mitteilungen wurden auch per Brief und nicht per Telegramm übermittelt.

Die Telegramme wurden mit wechselnder Häufigkeit bis zum Ende des Jahres abgeschickt, bis Best am 27. Dezember das letzte Telegramm Nr. 1599 abschickte. Dies entsprach einer Telegrammfrequenz von ca. 4,8 Mal pro Tag, ein nicht unbedeutender Rückgang im Verhältnis zu seinen ersten Monaten im Amt. Und dies, obwohl er Ende August 1943 den Befehl erhielt, eine tägliche Meldung an das AA über die Lage in

---

77 RA, Danica 234, Bündel 88, Mappe 1157, S. 26.369.
78 2:60, 71, 77, 79, 85. Von diesen Briefen wurde z. B. Nr. 60 vom Schifffahrtssachkundigen konzipiert und in Bests Namen abgeschickt, während Nr. 71 ein von Best selbst per Hand geschriebener Brief an von Weizsäcker war.

Dänemark abzugeben, ein Befehl, der erst Anfang März 1944 auf Bests Initiative aufgehoben wurde.[79] Die rückläufige Tendenz setzte sich 1944 fort. Das erste bekannte Telegramm aus diesem Jahr ist Nr. 3 vom 3. Januar, das letzte Nr. 1417 vom 31. Dezember. Dies ergibt eine Telegrammfrequenz von ca. 3,9 pro Tag.

Für 1945 lassen sich entsprechende Berechnungen nicht anstellen, da es fast keine Telegramme von Best an das AA gibt. Überliefert sind nur eine Handvoll; das erste ist Nr. 1 vom 1. Januar, das letzte Nr. 145 vom 9. Februar 1945.[80] Das letztgenannte ist nur in einer Abschrift im Archiv des OKW erhalten. In diesen 40 Tagen schickte er ca. 3,6 Telegramme pro Tag, was die Tendenz bestätigt, daß der Kommunikationsstrom und die Menge an Telegrammen zwischen AA und dem Reichsbevollmächtigten weiter abnahm. Es kann nicht nachgewiesen werden, daß andere Kommunikationsformen an diese Stelle traten. Das Telefon war die ganze Zeit hindurch ein Kommunikationsmittel, das auch benutzt wurde, jedoch in weitaus begrenzterem Umfang. Im AA wurde in der Regel eine Gesprächsnotiz über Telefonate angelegt. Die letzte uns bekannte Notiz dieser Art nach einem Gespräch mit Best stammt vom 15. Mai 1945, als er in Kopenhagen unter der Bewachung der dänischen Widerstandsbewegung noch auf freiem Fuß war.[81]

Eine Teilerklärung für die Einschränkung der Kommunikation kann sein, daß das AA im August 1944 unter dem Eindruck, daß die Mobilisierung für den totalen Krieg in ihre zweite Phase eingetreten war, beschloß, die "unnötige" Korrespondenz zu verringern.[82] Auf der anderen Seite brachte der Führerbefehl vom 4. Februar 1945, wonach Hunderttausende deutsche Flüchtlinge nach Dänemark gebracht werden sollten[83] und der Reichsbevollmächtigte diese Aufgabe umzusetzen hatte, einen stark erhöhten Kommunikationsbedarf mit Berlin mit sich. Die nahezu vollständige Vernichtung der Dänemark betreffenden Archive des AA für 1945 machen es unmöglich, u. a. die Umsetzung dieser großen Aufgabe im Detail nachzuvollziehen. Dies kann nur sporadisch durch das Archiv des OKW versucht werden, da von Hannekens Nachfolger Georg Lindemann weit mehr als ein Nebenbeteiligter bei der Organisation des Flüchtlingsstroms war.[84] Jedoch hat ebenso eine Rolle gespielt, daß sich die Kommunikationsmöglichkeiten nach Berlin verringert hatten und diese in der Endphase des Krieges zeitweise ganz abbrachen. Duckwitz berichtet in seinen Erinnerungen von einem Beispiel hierfür aus dem März 1945, das Best sehr gelegen kam.[85]

Unter der Annahme, daß die Telegrammfrequenz vom 1. Januar bis 30. April 1945 unverändert war, läßt sich der Gesamtumfang der Telegramme von Best und der Gesandtschaft folgendermaßen berechnen:

---

79 Bests Telegramm Nr. 302, 7.3.1944 (5:327).
80 Es liegen einzelne Telegramme vom Mai 1945 vor (9.222, 231), doch diese sind außerhalb der früheren Nummerierung.
81 9:266.
82 Adolf von Steengracht an Verschiedene, 9. August 1944 (Giltner 1998, S. 224f., Fußnote 15).
83 9:56.
84 Auch in den Archiven der dänischen Verwaltung hinterließ die deutsche Organisation des Flüchtlingsstroms Spuren, obwohl sich die Abteilungsleiter nicht mit der Frage beschäftigen wollten (Hæstrup, 2, 1971, Kap. 9 und KB, Peder Herschends Archiv).
85 Duckwitz' Erinnerungen Kap. III, S. 21 (PA/AA, Nachlaß Georg F. Duckwitz, Bd. 29).

1942	ca.	300
1943		1.599
1944		1.417
1945	ca.	432
Gesamt	ca.	3.748

Insgesamt wurden 848 Dokumente von Best lokalisiert und wiedergegeben, darunter Telegramme, Briefe und die *Politischen Informationen*. Weniger als 50 Telegramme wurden weggelassen, da es in ihnen einzig um die monatlichen Geldüberweisungen ging. Diese 848 Akten sind dennoch nur eine recht begrenzte Menge allein im Verhältnis zu den berechneten 3748 Telegrammen, wozu noch Briefe in unbekannter Zahl hinzugerechnet werden müssen. Kann hieraus der Schluß gezogen werden, daß wesentliche Teile von Bests Korrespondenz mit dem AA nicht lokalisiert oder verloren sind? Auf jeden Fall kann der Schluß gezogen werden, daß der Hauptteil der Korrespondenz wahrscheinlich verloren gegangen ist, doch ob dies auch der wesentlichste Teil davon war, steht auf einem anderen Blatt. Von der Gesandtschaft wurden sehr viele Telegramme und Briefe zu reinen Routinefragen an das AA geschickt. Dabei handelte es sich z. B. um Personalfragen, Lohn- und Wohnungsfragen und Reisegenehmigungen. Alle Reisen von und nach Dänemark erforderten eine Genehmigung, und dies betraf nicht nur das Personal der Gesandtschaft. Dies verursachte eine umfangreiche Korrespondenz mit dem AA.[86] Der Herausgeber vertritt die Einschätzung, daß sich ein sehr wesentlicher Teil der nicht lokalisierten Akten für die Zeit vor 1945 auf banale Routinefragen bezog. Unter den nicht lokalisierten Teilen von Bests Korrespondenz sind natürlich auch Akten, bei denen es von Bedeutung wäre, den Inhalt zu kennen. Darauf lassen allein die Verweise auf diese in den bekannten Akten schließen. In sehr vielen Fällen kann aber auf den Inhalt der nicht lokalisierten Akten geschlossen werden, da sie Teil einer Sachbearbeitung in einem Kommunikationsstrom waren, bei dem oft der Inhalt der vorherigen Telegramme und Briefe referiert wurde. Es kann natürlich Vorgänge und Sachvorgänge geben, für die im AA oder in anderen Ministerien oder Institutionen überhaupt keine Akten mehr erhalten sind. Über deren eventuellen Umfang läßt sich aber keine Aussage treffen.

Auf entsprechende Weise läßt sich der Umfang der Telegramme aus dem AA an den Reichsbevollmächtigten nicht beleuchten. Hierfür gibt es drei Gründe, die zum Teil oben bereits behandelt wurden: Erstens wurden die Telegramme nach Kopenhagen vom AA und von Reichsaußenminister Joachim von Ribbentrop nicht eigens nummeriert. Ribbentrop war häufig abwesend und hielt sich stattdessen im Führerhauptquartier auf, was bedeutete, daß Telegramme gelegentlich direkt von dort an Best geschickt wurden. Zweitens nutzte das AA mehr als Best die Telefonkommunikation, und drittens ist sehr viel weniger Material erhalten, das Schreiben vom AA an Best umfaßt, als umgekehrt. Das kann u. a. damit zusammenhängen, daß Best tatsächlich mehr Telegramme an das AA geschrieben hat als das AA an Best, doch dies ist kaum die ganze Erklärung. Die Aktenvernichtung im AA war für die ausgehende Korrespondenz bestimmt effektiver als für die eingehende. Ich baue darauf auf, daß für die ausgehende Korrespondenz

---

86 I RA, die neuen Bündel Vesterdal 1-2 sind Beispiele für diesen Typ an Korrespondenz.

chronologische Sammlungen von Durchschlägen existierten, z. B. für das Büro von Ribbentrop (Büro RAM), diese jedoch nur ausnahmsweise erhalten geblieben sind,[87] während die eingehenden Telegramme auf die betreffenden Abteilungen im AA verteilt und gegebenenfalls kopiert und in mehreren Exemplaren verteilt wurden. Dieser Vervielfältigung und Verteilung von Bests Telegrammen im AA verdanken wir auch ihre Überlieferung. Gelegentlich gingen Bests Telegramme vom AA auch anderen Instanzen wie dem OKW oder dem RSHA zu, wenn diese am betreffenden Vorgang beteiligt waren, und hiervon ist einiges erhalten. Best selbst hatte nach dem vorgeschriebenen Dienstweg keinen Anspruch auf direkten Kontakt zu anderen Reichsinstanzen. Seine sämtliche Korrespondenz mit Berlin sollte grundsätzlich über das AA laufen. Es fiel ihm schwer, sich daran zu halten, und er erhielt mehrfach einen Tadel, weil er am AA vorbei kommunizierte. Doch das Telefon wurde natürlich verwendet, wenn Best Lobbyismus betreiben wollte, und das Material zeigt, daß Best mehrfach politische Unterstützung insbesondere aus dem Reichsministerium für Ernährung und Landwirtschaft erhielt, obwohl von der Kommunikation von Best zum Ministerium keine Spuren mehr aufgetrieben werden können. Doch diese muß auf die eine oder andere Weise existiert haben. Es wäre naiv, anders zu denken.[88]

2.4. Anwendbarkeit der Auswahl und der Akten

Unter den bereits ausgedrückten Vorbehalten und Begrenzungen hinsichtlich der Auswahlkriterien kann die vorliegende Quellenedition zusammen mit ihren Kommentaren und Anhängen die Hauptzüge der deutschen Besatzungspolitik in Dänemark beleuchten. Oder, was Werner Best betrifft, die Art und Weise, wie er diese gegenüber dem AA und den deutschen Dienststellen in Dänemark darstellen wollte. Wie er sie gegenüber den dänischen Behörden darstellen wollte, ist eine andere Frage, was unterstrichen werden muß. Hierbei muß auf seine Korrespondenz mit dem UM (Udenrigsministeriet – das dänische Ministerium des Äußeren) sowie auf die vielen Protokolle der Sitzungen mit Best von Nils Svenningsen verwiesen werden. Dieses Material ist im RA leicht zugänglich und wurde bereits mehrfach genutzt, am umfangreichsten von Jørgen Hæstrup. Best versuchte, sich einen Spielraum im Verhältnis zu allen Instanzen zu verschaffen, mit denen er dienstlich zusammenarbeiten mußte, auf deutscher wie auf dänischer Seite. Er betrieb nicht nur eine Zweifrontenstrategie mit den dänischen Behörden auf der einen und den deutschen auf der anderen Seite, sondern versuchte auch, sich Handlungsspielräume und Einfluß auf alle anderen behördlichen Stellen in seinem Umfeld zu sichern. Dies beeinflußte seine Amtsschreiben, weshalb eine Untersuchung davon immer diesen Aspekt vor Augen haben muß.

In einer Erklärung, die Werner von Grundherr am 23. Juni 1948 in Verbindung mit dem Prozeß gegen Werner Best abgab, kommentierte er u. a. auch Bests Berichtspraxis gegenüber dem AA. Er schrieb u. a.: "Wollte Dr. Best aber seine Ziele erreichen, so mußte er im Einvernehmen mit Staatssekretär von Steengracht seine Berichterstattung

---

87 PA/AA R 28.888-28.889: Sonderzugakte Bd. 35-36.

88 Im Sommer 1948 nannte Paul Barandon das Reichsministerium des Innern, Himmler und SS-Kreise zu den inoffiziellen Verbindungen von Best (Befragung von Barandon in Nürnberg, 6. Juli 1948, im Prozeß gegen Steengracht (RA, Danica 234, Bündel 88, Mappe 1151, S. 11.171)).

an Ribbentrop und Hitler so abfassen, daß er beiden gegenüber, die ihm wiederholt Weichheit und Nachgiebigkeit gegenüber den Dänen vorwarfen, als energische, harte, ja selbst brutale und rücksichtslose Persönlichkeit des 'schärfsten Durchgreifens' erscheinen. So ist es zu erklären, daß Dr. Best in seiner Berichterstattung vor übertreibenden, ja selbst direkt unwahren Berichten[89] über von ihm getroffene Gewaltmaßnahmen nicht zurückschreckte. Den Sacharbeitern in Ausw. Amt, wie Herrn von Steengracht, Herrn Unterstaatssekretär Hencke und mir war diese Tatsache selbstverständlich bekannt, und wir stellten sie entsprechend in Rechnung, natürlich ohne Ribbentrop hieruber aufzuklären." Und weiter u. a.: "In seiner Berichterstattung über die immer mehr zunehmenden dänischen Sabotage-Akte unterstrich Dr. Best das Argument, daß diese Akte vor allem von England gefördert und veranlaßt wurden, und daß England offensichtlich damit beabsichtigte, scharfe deutsche Gegenmaßnahmen in Dänemark zu provozieren, da England die Lage in Dänemark 'zu ruhig' war. Best versuchte mit dieser Argumentation zu erreichen, daß Hitler und Ribbentrop von weiteren Gegenmaßnahmen Abstand nahmen. Auch pflegte er die Sabotage-Akte zu bagatellisieren und auf ihre verhältnismäßig geringe Zahl im Vergleich z. B. zu Norwegen und Holland hinzuweisen, sowie auf die Tatsache, daß diese Akte für die deutsche militärische Kriegsführung ohne irgendwelche Bedeutung waren."[90]

Es wird ersichtlich werden, daß von Grundherr Best, so gut er konnte, verteidigen wollte. Dies entsprach den übrigen Beamten des AA, die mit ihren Repräsentanten zusammenrückten, wenn diese vor Gericht gestellt wurden. Der Zusammenhalt war stark ausgeprägt.[91] So kann aus gutem Grund ein Fragezeichen hinter die Verteidigung gesetzt werden, die von Grundherr Best gewährt. Aus dem zeitgenössischen Material geht in keinem einzigen Fall hervor, daß man im AA ein richtiges Verständnis für die Lektüre der Berichte von Best hatte, wie von Grundherr es 1948 auslegt.[92] Das behauptete stillschweigende Verständnis zwischen Best und den AA-Beamten ist eine spätere Konstruktion, die einzig der Verteidigung von beiden galt. Es gibt keinen zeitgenössischen Beleg dafür, daß Best unwahre Berichte über die von ihm getroffenen Gewaltmaßnahmen einsandte, und im Übrigen waren derartige Maßnahmen ab Herbst 1943 in den Händen der deutschen Polizei, die nicht Best unterstand. Was Bests Berichte über die Sabotageakte betrifft, so trifft es zu, daß er deren Bedeutung stets bagatellisierte, doch die Pointe ist, daß er keinen Vergleich zur Sabotage in Norwegen oder den Niederlanden zog. Von Grundherrs Erklärung ist hier wie in anderen Details unzutreffend, doch andererseits hatte er gelernt, eine ganze Auswahl an guten Taten wiederzugeben, die Best bereits im Sommer 1945 zu seiner Verteidigungslinie gemacht hatte. Diese sollen hier nicht wiedergegeben werden.[93]

---

89 Schon Wurmbach war am 3. Juli 1944 (7:39) überzeugt, daß Bests Berichten nicht zu trauen war.

90 LAK, Best-Prozeß, S. 347-349.

91 Döscher 2005, Weitkamp 2008, Conze, Frei, Hayes, Zimmermann 2010, S. 375-439.

92 Das ist nicht gleichbedeutend damit, daß man nicht mitunter einen Blick für Bests Manipulationen hatte, siehe ein Beispiel hierfür bei Lauridsen 2006b, S. 18f.

93 Von Grundherr gab zehn Punkte zugunsten von Best an, u. a. die Abhaltung der Wahl im Frühjahr 1943, die politische Eliminierung von Frits Clausen und darauffolgend dessen Verschwinden aus Dänemark, die Hervorhebung der Bedeutung der dänischen Wirtschaft und der Wichtigkeit der Lieferungen

Später wurden Zweifel an der Zuverlässigkeit von Bests Berichten geäußert, jedoch vor einem vollkommen anderen Hintergrund, nämlich von Hans Kirchhoff in der 3. Auflage von *Besættelsens hvem hvad hvor*, 1979, wo er schreibt: "Besondere Auslegungsprobleme gibt es in Bezug auf die Berichte des Reichsbevollmächtigten aus Kopenhagen, weil diese oft in einem solchen Grad an den Adressaten in Berlin angepaßt sind, daß ihr Wirklichkeitsbild ziemlich verzerrt erscheint."[94] Dies formulierte er in *Augustoprøret 1943* aus demselben Jahr noch stärker: "Was ich vielleicht stärker hervorheben möchte, sind die diplomatischen Berichte über politische Handlungen. Als *levn* (historisches Dokument) bewertet sind sie ein sehr präziser Ausdruck dafür, was der Reichsbevollmächtigte nach Berlin mitzuteilen wünschte, und sie erlauben daher indirekte Schlüsse über seine Intentionen und Pläne. Wenn sie hingegen als *beretning* (Darstellung der Geschichte) über Dispositionen und Verhältnisse in Dänemark gelesen werden, sind sie oft von sehr geringem Quellenwert. Sie sind tendenziös, von Zeit zu Zeit grob verlogen, oder sie können auch ziemlich wortkarg sein, wie es im Juli und August [1943] der Fall war."[95]

Bjørn Rosengreen war 1982 zurückhaltender bei seiner Bewertung der Berichtspraxis von Werner Best: "Außerdem ist klar, daß der Reichsbevollmächtigte bei seiner Berichtspraxis selektiv war und ebenso politische (und persönliche) Rücksichtnahmen bei der Auswahl der Informationen über die tatsächliche Entwicklung in Dänemark vorliegen. Dies kann für den Zeitraum nach dem militärischen Ausnahmezustand am besten durch die Art und Weise illustriert werden, wie er über die Zusammenarbeit mit der 'Verwaltung durch die Staatssekretäre' informierte; im Wesentlichen beschränkten sich die Mitteilungen auf eine Weiterleitung von deren Proteste in deutscher Übersetzung."[96]

Letzteres ist auf die Spitze getrieben, und es kann ergänzt werden, daß Best im genannten Zeitraum über zahlreiche andere Umstände berichtete, die von offensichtlicher Bedeutung für die Wahrnehmung der Interessen des AA in Dänemark waren. Für diesen Zusammenhang ist es aber von offensichtlicher Bedeutung, daß ich Rosengreens im Vergleich zu Kirchhoff weichere Formulierung dahingehend interpretiere, daß die Berichtspraxis weitgehend erwartbar war, d. h. daß diplomatische Berichte zu erwarten waren, die sowohl selektiv als auch von bestimmten Interessen getragen waren, wobei stets der Empfänger berücksichtigt wurde. Gilt das nicht bis zum heutigen Tag? Die Frage ist eher die, ob Best in dieser Hinsicht über das Erwartbare hinausging. Kirchhoff scheint eindeutig dieser Auffassung zu sein, und Bests Vorgesetzten tendierten vielleicht ebenfalls an mehreren Zeitpunkten zu dieser Meinung. Es war nicht ohne Grund, daß

der Bauern nach Deutschland, um schärfere Maßnahmen gegen Dänemark seitens von Ribbentrops und Hitlers zu verhindern, daß in Dänemark keine Zwangsarbeit eingeführt wurde und die Warnung an die dänischen Juden, als eine Aktion gegen sie durchgeführt werden sollte (LAK, Best-Prozeß, S. 347-351).

94 Engberg/Kirchhoff 1979, S. 259. Die Begriffe "levn" und "beretning" sind Spezialbegriffe aus der dänischen Geschichtswissenschaft. Mit "levn" wird bezeichnet, daß ein Dokument aus einer bestimmten historischen Situation entstammt und Teil davon ist, während der Bedeutungsgehalt des Dokuments in der bestimmten Situation, "beretning", etwas anderes ist, da dieser die Intentionen, Haltungen, Behauptungen usw. darüber, wie etwas war, wiedergibt, und daher nicht unbedingt, wie es war.

95 Kirchhoff, 1, 1979, S. 19. Hervorhebungen von Kirchhoff. Nordlien 1998 ist ein Echo auf diese Auffassung.

96 Rosengreen 1982, S. 179.

er wiederholt nach Berlin zitiert wurde, um dort zurechtgewiesen zu werden, u. a. weil sich das AA nicht ausreichend orientiert fühlte.[97]

Dennoch waren es in erster Linie Bests Berichte, die die Grundlage für die Stellungsnahmen des AA in den allermeisten Vorgängen bildeten. Bests Berichte wurden jedoch überprüft, so daß er damit rechnen mußte, daß Informationen über die Verhältnisse in Dänemark auch über andere Kanäle als über die deutsche Gesandtschaft in Kopenhagen flossen, wie sehr er auch versuchte, dies einzudämmen.[98] Dies, so meine ich, ist hinreichend, um den Berichten den Wert beizumessen, der eine Herausgabe in ihrer Gesamtheit rechtfertigt.

Daß die Berichte zugleich ein Zeugnis über die Fähigkeiten von Werner Best als Verwaltungskünstler ablegen können, kann nur dann als Problem angesehen werden, wenn man sich ihnen mit der Perspektive nähert, sie allein bringen "Dispositionen und Verhältnisse in Dänemark" zum Ausdruck. Dies schiene mir aber ein sehr einseitiger Zugang und im Grunde eine ausgeprägt dänische Perspektive zu sein. Was ich bereits 2007 schrieb, kann ich nun am Ende des Weges bei diesem Projekt nur unterstreichen: "Wie Best in seiner Zeit ein intelligenter Gegenspieler für seine Kollegen, Verhandlungspartner und Vorgesetzten war, so bot er anschließend den Anklagebehörden eine Herausforderung, die für eine unabsehbare Zeit auch die Historiker umfaßt. Die Figur Best erschließt sich einem nicht ohne weiteres vollständig. Er war ein Beamter, Bürokrat und Politiker, der immer mehr als zwei Züge voraus dachte."[99] So konnte er ziemlich nachlässig mit der Wahrheit umgehen, um seine Politik zu fördern.

Die übrigen Quellen sind nicht mit denselben Tendenzproblemen verbunden. Wehrmacht und Kriegsmarine in Dänemark waren nicht in demselben Umfang wie Best politisiert, stattdessen ist das Material von diesen und von den Vorgesetzten im OKW und OKM so umfangreich, daß die Durchsicht der Mengen an militärtechnischem Routinematerial einer Wanderung durch die Wüste glich, um schließlich diejenigen Akten zu ermitteln, die in Bezug auf die Auswahlkriterien für diese Ausgabe relevant sind. Bei einer Reihe von Zusammenhängen können die Entscheidungsprozesse von der obersten Ebene bis zu deren Umsetzung auf lokaler Ebene verfolgt werden.[100] Dies kann durch die Verwendung der telegrafischen Kommunikation in dem Umfang, in dem sie vorliegt, sowie durch Kriegstagebücher und Tätigkeitsberichte erfolgen. Letztere liegen als 14-tägige, monatliche und vierteljährliche Berichte vor, die mit den Kriegstagebüchern verbunden waren. Es war eine dienstliche Verpflichtung für die Einheiten auf allen Ebenen, ein Kriegstagebuch zu führen, und die Teilstreitkräfte hatten jeweils eigene Vorschriften dafür, wie diese auszusehen hatten.[101]

Für Kriegstagebücher und Tätigkeitsberichte gilt gleichermaßen, daß sie bearbeitet

---

97 Siehe Anhang 16.

98 Hinweis von Bovensiepen im Verhör vom 10. Dezember 1946, wo er Wehrmacht, Kriegsmarine, Rüstungsstab Dänemark und Duckwitz als verschiedene Kanäle nannte, aber nicht die deutsche Polizei! (LAK, Best-Prozeß, S. 170). Ergänzt werden kann dies u. a. um den ausländischen Rundfunk, über den das AA mehrfach Nachrichten aus Dänemark erhielt, bevor Best diese übermittelte.

99 Lauridsen 2007a, S. 438f. Leider gibt Herbert 1996 keine Bewertung von Bests Berichtspraxis.

100 Dies gilt vor allem für die Kriegsmarine. Siehe Lauridsen 2009 und 2010b.

101 Siehe Gemzell 1965, Exkurs 2, S. 331-357.

wurden. Manche Umstände wurden aufgenommen, andere ausgelassen. Dies kann nur durch Vergleich dieser Dokumente mit der telegrafischen Kommunikation ermittelt werden, und die vorliegende Herausgabe enthält hierfür zahlreiche Beispiele. Wie Hans Kirchhoff hingewiesen hat, muß man sich vor Augen halten, daß die Kriegstagebücher und Tätigkeitsberichte keine unverbindlichen Berichte waren, die für die Schublade oder die Geschichtsschreibung verfaßt wurden, sondern dienstliche Aktivitäten und ein Element des militärischen Entscheidungsprozesses.[102] Was an die Vorgesetzten weitergegeben wurde, wurde immer mit Absicht ausgewählt, in erster Linie um getroffene Entscheidungen zu verteidigen oder um zu erklären, warum eine Lage nicht anders war oder sein konnte.

Was für das Material der Wehrmacht und Kriegsmarine gilt, gilt auch für den Rüstungsstab Dänemark. Auch hier wurden Kriegstagebücher geführt, Monats- und Quartalsberichte abgegeben und Korrespondenz mit dem Rüstungsamt geführt. In den Monats- und Quartalsberichten ging es in erster Linie um abgeschlossene Rüstungsverträge, sie behandelten aber in einem hohen Grad auch den Rohstoffmangel und andere Versorgungsprobleme, die Stimmung im Volk, Produktivität und Sabotage, und außerdem wurde immer wieder die politische Lage hin- und hergewendet. Wie diese Verhältnisse dargestellt wurden, war nicht gleichgültig. Von einer Freistilübung konnte keine Rede sein; was geschrieben und weitergeleitet wurde, konnte Konsequenzen haben. Es gab bestimmte Erfolgskriterien und Erwartungen. Dem war man sich im Rüstungsstab voll bewußt, und das Material muß in diesem Lichte betrachtet werden.[103]

Für die übrigen Quellengruppen gelten vergleichbare Verhältnisse. Sie waren Elemente der Verwaltung und Ausübung der Macht in verschiedenen Institutionen und Parteien, bei denen die Stellung des Einzelnen in der Hierarchie von entscheidender Bedeutung ist, wenn die Anwendbarkeit und Aussagekraft einer Quelle bewertet werden soll. Es war zumeist ein weiter Weg von den Entscheidungsträgern bis zu den ausführenden Organen. Insbesondere für die SS und die deutsche Polizei gibt es so gut wie kein zeitgenössisches Material über den Entscheidungsprozeß, an das man für Dänemark anknüpfen könnte. Die wenigen erhaltenen monatlichen Tätigkeitsberichte vom Befehlshaber der Sicherheitspolizei und des SD (BdS) waren dienstliche Dokumente, ebenso wie die für die Teilstreitkräfte und für den Rüstungsstab Dänemark. Ihre Aufgabe war es, Ergebnisse im Kampf gegen den Kommunismus, die Widerstandsbewegung, feindliche Agenten und Spione zu vermelden. Davon sind die Berichte stark geprägt, weshalb es natürlich unter Vorbehalt betrachtet werden muß, wenn z. B. der Kommunismus ein ums andere Mal für ausgerottet erklärt wird. Hiermit wurde versucht, es den Vorgesetzten recht zu machen. Doch gleichzeitig enthalten die Berichte verläßliche Angaben über die Bestrebungen, Widerstandskämpfer aufzuspüren, und sie geben Auskunft über die Kenntnisse, die der BdS zu bestimmten Zeitpunkten über die Stärke, Organisation und Struktur des Widerstands hatte.[104]

102 Kirchhoff, 1, 1979, S. 20.
103 Es gab bei vielen der Besatzungsorgane einen nicht geringen Willen, die Berichte aus Dänemark zu koordinieren.
104 Siehe Eckert 1995 über die Glaubwürdigkeit der Gestapo-Berichte.

3. Editionsprinzipien

Die herausgegebenen Dokumente sind nach den Vorlagen wiedergegeben, die in Form von Fotografien von Originalen, Kopien, Durchschlägen, Abschriften (zeitgenössische oder spätere[105]), Faksimiles oder durch Wiedergabe von gedruckten Aktenveröffentlichungen. Dies ist durch die Überlieferungsverhältnisse bedingt. Darüber hinaus mußten Entwürfe für Briefe und Telegramme hinzugezogen werden, bei denen die schließlich abgeschickte Fassung nicht bekannt ist, sowie interne Empfehlungen und Antwortentwürfe – in einigen Fällen mit handschriftlichen Berichtigungen und/oder Hinzufügungen[106] –, bei denen die Antwort ebenfalls nicht bekannt ist. Auch dies liegt in den Überlieferungsverhältnissen begründet, insbesondere in Bezug auf das AA. Wie erwähnt wurden weitaus mehr Schreiben von Best und der deutschen Gesandtschaft an das AA lokalisiert als Schreiben in umgekehrter Richtung. Um dies in einem gewissen Umfang auszugleichen, mußte auf die genannten Dokumenttypen zurückgegriffen werden, mit dem damit verbundenen Problem, daß vorbehalten ist, was tatsächlich entschieden wurde und welche Befehle erteilt wurden.[107]

Es wurden Briefköpfe, volle Adressate und Aktenzeichen vorgelegt, bei denen es möglich war. In den Fällen, bei denen angewandte und anerkannte Aktenausgaben dieser Praxis nicht gefolgt sind, hat der Herausgeber nicht konsequent versucht, die ungedruckten Vorlagen aufzuspüren. Es kann daher Zufall sein, daß es in einem herausgegebenen Dokument wie in ADAP (Bsp. 2:139) einen ausführlicheren Briefkopf gibt und in anderen nicht. Die Begründung dafür, z. B. die Aktenzeichen anzuführen, ist, daß dies in vielen Fällen die Identifikation eines bestimmten Vorgangs erleichtert oder hierfür sogar die einzige Möglichkeit ist, wenn nur eine kurze Notiz vorliegt. Als ein charakteristisches Beispiel für Letzteres kann auf von Thaddens sehr kurze Notiz vom 9. September 1943 über die Einleitung der Judenaktion verwiesen werden.[108]

Zahlreiche Dokumente tragen Stempel, die vom Empfänger angebracht wurden, z. B. mit dem Empfangsdatum und -zeitpunkt, wer eine Kopie des Dokuments erhalten soll, daß das Dokument vertraulich ist usw. In jedem Fall hat der Herausgeber bewertet, ob diese Angaben aufgenommen werden sollen. Der Vertraulichkeitsstempel wird in jedem Fall angegeben, ebenso wie der Sachbearbeiter, falls dieser nicht auf andere Weise hervorgeht, während der Empfangszeitpunkt nur dann aufgenommen wurde, wenn dieser als wichtig erachtet wurde oder eine Datierung im Übrigen fehlt. Abgeschätzt wurde auch, ob der Verteiler für Kopien des Dokumentes aufgenommen werden sollte. Dies war auch aus Platzgründen erforderlich. Daher sind die umfangreichen Verteilerlisten, die mit jedem Lagebericht vom Rüstungsstab Dänemark und dem BdS verbun-

---

105 So weit wie möglich wurden zeitgenössische Abschriften verwendet und nur in einigen Fällen ist die Textgrundlage allein eine spätere Abschrift in LAK, Best-Prozeß.

106 Auf der Grundlage des zur Verfügung stehenden Kopienmaterials hat der Herausgeber in einer Reihe von Fällen das Handgeschriebene nicht entziffern können, was in jedem Fall angegeben ist. Der Herausgeber zweifelt nicht daran, daß durch Verwendung von hinreichenden Ressourcen eine Entzifferung dieser Passagen ganz oder teilweise möglich wäre. Dies würde jedoch den Sinn des Inhalts des bereits Herausgegebenen kaum ändern.

107 Vgl. zu dieser Problematik Rosengreen 1982, S. 178f.

108 4:40.

den waren, nicht in jedem Fall aufgenommen worden. Auch hier war dies eine Frage des Platzes, doch der Herausgeber hat in Fußnoten ergänzende Angaben in Kurzform gemacht, falls neue Adressaten hinzukamen oder andere verschwanden.

Eine Reihe von Telegrammen, Briefen, Notizen und Entwürfen sind mit Vermerken versehen, die angeben, wie auf konkrete Vorgänge geantwortet werden soll. Diese Vermerke sind natürlich aufgenommen worden, da sie Angaben machen, die in den meisten Fällen nicht auf andere Weise zu erhalten und in einzelnen Fällen sehr wichtig sind (Bsp. 4:129, 7:282). Es gibt auch einzelne Beispiele dafür, daß ein abgeschickter Brief beim Versand der Antwort wiederverwendet wurde und nur auf diese Weise bekannt ist. In diesen Fällen ist der wiederverwendete Brief der Herausgabe des zuerst abgeschickten Briefes zugrunde gelegt (Bsp. 3:222).

Anmerkungen zu Telegrammen werden wie in den originalen Telegrammen wiedergegeben, doch sie können ebenso mit einer Herausgeberangabe in dänischer Sprache versehen sein, was direkt zu ersehen ist. Diese Form wurde gewählt, um die Anzahl der Fußnoten nicht unnötig zu erhöhen.[109] Telegramme, die einzig in Form des aufgeklebten Telegrammstreifens mit zahlreichen Abkürzungen vorliegen, die erst von den Sekretärinnen des Empfängers ausgeschrieben wurden, sind so weit wie möglich ausgeschrieben und die Abkürzungen aufgelöst worden. Dabei handelt es sich um eine geringe Anzahl.

Die allermeisten Dokumente sind vollständig wiedergegeben. Einige wenige Dokumente sind so lang, daß es notwendig war, Auslassungen vorzunehmen, die mit [...] angegeben sind. Bei anderen ist der Inhalt, der sich auf Dänemark bezieht, so begrenzt, daß nur der betreffende Ausschnitt wiedergegeben ist, wobei der Kopf und das Ende des Dokuments beibehalten wurde. Einzelne Dokumente wurden nach so schlechten und schwer entzifferbaren Vorlagen wiedergegeben, z. B. wegen einer schwachen fotografischen Wiedergabe, daß die Wiedergabe unsicher ist. Dies ist in jedem Fall vermerkt. Wo eine Textlücke vorliegt, ist diese mit [xx] vermerkt. Eckige Klammern wurden ferner verwendet, wenn der Inhalt der des Herausgebers ist, z. B. wenn Buchstaben oder Wörter ergänzt wurden, die nicht im Text standen, wahrscheinlich aber dort sein sollten. Hingegen zeigt ... ohne eckige Klammern an, daß es sich um eine Auslassung in der Vorlage handelt.

In zahlreichen Fällen sind die Dokumente mit einem oder mehreren Anhängen versehen. In den allermeisten Fällen wurden die Anhänge in vollem Umfang aufgenommen, doch mußten in Einzelfällen Ausnahmen gemacht werden, bei denen die Anhänge sehr umfangreich waren (Bsp. 2:112). Wo im Originaltext auf einen Anhang verwiesen wird, der nicht lokalisiert wurde, ist dies in jedem Fall vermerkt worden (Bsp. 2:172). Einige der Anhänge liegen bereits gedruckt vor, entweder im PKB oder insbesondere bei Alkil 1945-46, und sind daher in der Regel weggelassen worden, wenn es sich um deutsche Aufrufe in der dänischen Presse handelt. Die Berichte von anderen deutschen Instanzen, die Best allein an das AA mit einem in der Regel unkommentierten Begleitschreiben übermittelte, wurden nicht als Anhang angesehen, sondern mit sehr wenigen Ausnahmen vollständig aufgenommen, wobei Auslassungen auf eine Weise kommen-

109 Siehe z. B. die Anmerkung zum Telegramm 1:9.

tiert wurden, daß der Leser eine Vorstellung davon bekommt, worum es in den Auslassungen ging (Bsp. 6:103). Alle Berichte von Anderen, die Best an das AA weiterleitete, sind unter dem Datum eingeordnet, das in seinem Begleitschreiben angegeben ist, ungeachtet dessen, daß die Berichte eine andere Datierung haben können (Bsp. 8:104). In einzelnen Fällen liegt das Begleitschrieben von Best nicht vor; in diesen Fällen ist der Bericht unter dem Datum eingeordnet, mit dem er datiert wurde (Bsp. 7:124).

Die verwendeten Kriegstagebücher einiger militärischer Instanzen von der Führung in Berlin bis zur örtlichen Kommandantur in Dänemark konnten der Natur der Sache wegen nicht vollständig herausgegeben werden, sondern basieren ausschließlich auf Auszügen. Dies gilt auch für die Lageberichte aus dem Führerhauptquartier und für Goebbels' Tagebuch sowie Bests Kalenderaufzeichnungen 1942-44.

Die Quellenedition ist wie z. B. das ADAP konsequent chronologisch aufgebaut. Alle Dokumente sind nach ihrer Datierung eingeordnet. Einige wenige Dokumente sind teilweise undatiert; in der Regel fehlt die Angabe des Tages in einem bestimmten Monat. Hier wurde die Datierung in einigen Fällen über andere Dokumente ermittelt, doch wo dies nicht der Fall ist, ist das Dokument entweder konsequent unter dem ersten Tag des Monats eingeordnet oder der Herausgeber hat ausnahmsweise für eine bestimmte Datierung argumentiert (Bsp. 8:210). Um den Überblick zu erleichtern und einzelne Vorgänge verfolgen zu können, wird in der Regel von einem konkreten Dokument auf andere Dokumente desselben Vorgangs vor und zurück verwiesen.

Obwohl Herman von Hanneken und Hans-Heinrich Wurmbach ihre Titel häufig wechselten, wurde dies nicht berücksichtigt. In den Quellenhinweisen wird von Hanneken konsequent als WB Dänemark und Wurmbach als Adm. Dänemark bezeichnet. Entsprechend wird der Wehrwirtschaftsstab Dänemark, der im Februar 1943 in Rüstungsstab Dänemark umbenannt wird, in Kommentaren und Anmerkungen fortlaufend mit der letzteren Bezeichnung angegeben und mit einem oder zwei s buchstabiert, wie in den deutschen Vorlagen. Gustav Adolf Baron Steengracht von Moyland wird konsequent mit Adolf von Steengracht in Köpfen und Kommentaren abgekürzt, wie es auch im dänischen Rechtsmaterial beim Best-Prozeß gemacht wurde, wobei der volle, korrekte Name im Register angegeben ist. Dokumente, die nicht gefunden wurden, werden konsequent als nicht lokalisiert bezeichnet, aber nicht als verloren, da der Herausgeber die Erfahrung gemacht hat, daß man mit dieser Angabe sehr zurückhaltend umgehen muß. Es gibt genügend Beispiele in der vorliegenden dänischen Besatzungsliteratur, daß sich verlorene, schweigende o. Ä. Dokumente dennoch haben auffinden lassen.[110]

In manchen Fällen kommt es vor, daß ein Telegramm oder ein Schreiben nur durch eine teilweise Wiedergabe oder ein Referat in einem anderen Dokument bekannt ist ("verborgenes Dokument"). In diesen Fällen hat der Herausgeber einen von zwei Wegen gewählt: In einer Reihe von Fällen wird das "verborgene Dokument" an seinem ursprünglichen chronologischen Ort mit Absender, Empfänger und Datum, aber ohne Inhalt angegeben, wobei auf das Dokument verwiesen wird, in dem der Inhalt auf die

---

110 Siehe z. B. Hæstrup, 2, 1966-71, S. 33 ("die Quellen schweigen"), Poulsen 1970, S. 376 ("Hier brechen die Akten ab") und Kirchhoff, 2, 1979, S. 324 ("Das Dokument, das ein Hauptschlüssel zum Verständnis der deutschen Politik im Herbst sein könnte, ist verloren gegangen"), was in keinem der genannten Fälle zutrifft.

eine oder andere Weise teilweise wiedergegeben oder referiert wurde (Bsp. 6:201). Ist das "verborgene Dokument" umfangreich genug und direkt im späteren Dokument wiedergegeben, hat der Herausgeber dieses in einzelnen Fällen an seinem eigentlichen chronologischen Ort vollständig wiedergegeben und stattdessen darauf hingewiesen, von wo es stammt (Bsp. 7:155).

Eine ganz spezielle Kategorie von "Dokumenten", die aufgenommen wurden, sind einzelne Telefongespräche und Dokumente, die einzig aus den Erklärungen aus der Nachkriegszeit von den Beteiligten bekannt sind. Es ist offensichtlich problematisch, diese aufzunehmen, doch kraft ihrer Bedeutung und wegen der sonstigen Überlieferungssituation sind vier "Dokumente" dieser Art dennoch aufgenommen worden. Zwei davon sind angebliche Telefongespräche; in einem davon soll Best aufgefordert worden sein, die Judenaktion einzuleiten (Sonnleithner an Best 7.9.1943 (4:30)), das andere soll Bests Bedeutung belegen, daß es nicht zu einem Endkampf im Norden gekommen ist (Steengracht an Best 6.5.1945 (9: 246)). Die beiden weiteren Dokumente sind angebliche Telegramme von Best an das AA im Frühjahr 1945. Das eine stammt aus den Tagen um den 6. Januar, wobei Best einen Brief von dem Führer der DNSAP, C. O. Jørgensen, beifügte und bat, das AA möge Gegenterror aus Anlaß der Liquidierung eines der Gauleiter (Sysselledere) der DNSAP verhindern (9:8), das andere stammt ca. vom 25. Februar, in dem Best das AA dazu aufforderte, die Rechtsverfolgung von festgenommenen Widerstandskämpfern wieder aufnehmen zu dürfen (9:111).

Verwendet wurden gedruckte Dokumente aus etwa 20 Quelleneditionen. Aus den meisten davon wurden nur wenige Dokumente abgedruckt; nur das PKB und ADAP wurden in bedeutendem Umfang genutzt. Das PKB und ADAP sind Quelleneditionen von hoher Qualität und enthalten so viel Textinformationen, daß sie die Grundlage für ihre Wiederherausgabe in dieser Edition bilden konnten, obwohl die Editionsprinzipien nicht ganz dieselben waren. Die Unterschiede betreffen vor allem die Angaben, die über den Verteiler (PKB) und über Absender und Empfänger (ADAP) aufgenommen wurden. Das ADAP hat aus ökonomischen Gründen die Angaben über den Verteiler eingeschränkt und Adressen u. a. bei Absender und Empfänger weggelassen.

Die Quelledition von EUHK über Dänemark und Norwegen (Bd. 7, 1992, von Fritz Petrick) ist hingegen so weit wie möglich nicht verwendet worden, da sie keine Dokumente vollständig wiedergibt, Briefköpfe, Adressaten und Unterschriften konsequent wegläßt und die Dokumente im Übrigen häufig kürzt, in einigen Fällen sehr stark.[111] Hinzu kommt, daß die Quellenhinweise in vielen Fällen veraltet sind (BA Potsdam, Film Nr.) und daß der Benutzer daher den Konkordanzschlüssel gebrauchen muß, der in Bd. 8 enthalten ist, um den heutigen Ort des Dokuments zu finden.[112] Schließlich schwächen eine Reihe von unglücklichen Fehlern den Wert der Herausgabe, von denen einer hervorgehoben werden soll: Dokument Nr. 110 in EUHK ist angeblich ein Telegramm von Werner Best an das RSHA, Referat IV B 4, vom 2. Oktober 1943. Es ist an sich überraschend, daß Best direkt an das RSHA schrieb, da dies

---

111 In einem Fall war es notwendig, das EUHK zu verwenden, da das wiedergegebene Dokument sich auf andere Weise nicht lokalisieren ließ. Es handelt sich um Bd. 7:4.

112 Kaden 1996 mit Konkordanzliste war somit ohne Wert für die Lokalisierung von EUHK, Nr. 110.

vollkommen außerhalb des Dienstwegs war, und der Herausgeber kennt auch keine weiteren Beispiele hierfür. Es zeigt sich jedoch, daß Bests Telegramm (Nr. 1194) an das AA gerichtet ist, aber eine Nachricht von Rudolf Mildner an das RSHA enthält; Best bittet das AA, diese an das RSHA weiterzuleiten. Dies ist erstens der Aufmerksamkeit des Herausgebers entgangen, und zweitens wird ein Teil von Mildners Nachricht stattdessen zu Bests Nachricht an das RSHA, während der restliche Teil in einer Fußnote zu einer Hinzufügung durch Mildner wird.[113]

In begrenzten Fällen konnte der Herausgeber eine bessere Textgrundlage für die Herausgabe eines Dokuments als bei den vorliegenden gedruckten Quelleneditionen ermitteln. Das beste Beispiel hierfür ist die Übersicht "Die finanziellen Leistungen der besetzten Gebiete bis 31. März 1944, 17. August 1944" (7:157) der Prüfungsstelle für Wehrwirtschaft, die zum ersten Mal auf Englisch in *Trials of War Criminals before the Nuremberg Military Tribunals*, 13, 1952, und danach auf Deutsch von Hans Buchheim 1986 herausgegeben wurde. Beide Herausgaben basierten auf der Grundlage einer Kopie im Institut für Zeitgeschichte (IfZG), auf der der Dokumentkopf, die Datierung und die Einleitung des Dokuments fehlten. Das Reichsarchiv hat jedoch bei seinen Danica-Fotografien in Moskau das vollständige Dokument erfaßt, das somit der Herausgabe zugrundegelegt werden konnte.

In der folgenden Tabelle 5 ist eine Übersicht über die am häufigsten verwendeten Quelleneditionen wiedergegeben, die ganz oder teilweise Akten herausgegeben haben, welche hier wieder vollständig herausgegeben werden. Es überrascht nicht, daß das PKB und ADAP an der Spitze liegen, während die Wiedergaben aus dem EUHK und von Best 1988 nur ausnahmsweise als Vorlage benutzt wurden. Was das EUHK betrifft, so wurden die Gründe dafür oben bereits genannt, was Best 1988 angeht, so liegt es daran, daß die Wiedergaben abgesehen vom Faksimile-Teil weniger texttreu sind als das Originalmaterial. Von den anderen verwendeten Quelleneditionen kommt der Auszug aus den Tagebüchern von Joseph Goebbels am häufigsten vor (26 Mal), gefolgt von Johan Hvidtfeldts Quellenedition des Kriegstagebuchs 20. April-26. Mai 1945 des WB/Dänemark (20 Mal), für die eine Kopie des originalen Kriegstagebuchs zur Verfügung stand.

Gut 16 % der in der vorliegenden Ausgabe herausgegebenen Dokumente sind bereits früher ganz oder teilweise veröffentlicht worden, doch nur wenige davon sind zuvor in kommentierter Form erschienen. Dies sollte als Begründung ausreichen, um ihre Neuedition in einem breiteren Kontext zu begründen.

Tabelle 5: Übersicht über die am häufigsten verwendeten Quelleneditionen, die bereits früher Akten ganz oder teilweise herausgegeben haben, die hier wieder vollständig veröffentlicht werden.

Früher gedruckt, gesamt	ca. 470
Hiervon gedruckt in PKB	264
Hiervon gedruckt in ADAP	82
Hiervon gedruckt in EUHK 7	40
Hiervon gedruckt in Lauridsen 2008a	48
Hiervon gedruckt in Best 1988	37
Hiervon gedruckt in Andere	122

---

113 Siehe Bests Telegramm Nr. 1194, 2. Oktober 1943 (8:215).

In Tabelle 6 wird auf der Grundlage von PKB/ADAP eine Übersicht über die einmaligen Dokumente gegeben, die zusammen darin abgedruckt sind, wobei die Dokumente berücksichtigt werden, die an beiden Orten enthalten sind (Schnittmenge: 38) und nicht zweifach mitgezählt werden. Diese Gesamtmenge (308) wird danach mit den anderen am häufigsten verwendeten Quelleneditionen verglichen und es wird die Anzahl an Dokumenten angeben, die in jeder dieser Editionen wiedergegeben, aber nicht in der Schnittmenge von PKB/ADAP enthalten sind.

Tabelle 6: Übersicht über früher abgedruckte Akten in verschiedenen Quelleneditionen

Früher abgedruckt in PKB und ADAP (Schnittmenge)	38
Früher abgedruckt entweder in PKB oder ADAP (Gesamtmenge)	308
Früher abgedruckt in EUHK 7, aber nicht in PKB/ADAP	30
Früher abgedruckt in Lauridsen 2008a, aber nicht in PKB/ADAP	39
Früher abgedruckt in Best 1988, aber nicht in PKB/ADAP	10
Früher abgedruckt in Andere, aber nicht in PKB/ADAP	83
Früher abgedruckt gesamt, einmalige (ungefähr)	470

In Tabelle 7 wird schließlich eine Übersicht über die Anzahl der Dokumente aus anderen Archiven gegeben, die die Hauptmenge an Textvorlagen beigesteuert haben. Da viele Dokumente an mehreren Orten lokalisiert wurde, erreicht die Anzahl davon natürlich mehr als die 2897 Dokumente, die angegeben sind. Archive, aus denen weniger als 25 Dokumente stammen, sind nicht aufgenommen worden. Das Reichsarchiv war mit seinen Fotografien von deutschen Dokumenten der Hauptlieferant für die Vorlagen, während die 242 konsultierten Akten aus dem Landesarchiv Seeland in den allermeisten Fällen Abschriften von Dokumenten waren, die auch in anderen Archiven lokalisiert wurden. Aus dem AA stammen weitere 1061 Dokumente, die natürlich in einigen Fällen auch im Reichsarchiv abfotografiert vorliegen, was auch für die 794 Akten aus dem Bundesarchiv gilt. Doch in dieser Menge an 1850 Dokumenten sind auch die neu entdeckten enthalten. Deren Anzahl wurde nicht eigens angeführt.

Tabelle 7: Anzahl der verwendeten Akten, verteilt auf Archivinstitutionen

Aus dem Reichsarchiv (RA)	2.080
Aus dem Landesarchiv (LAK)	242
Von PA/AA	1.061
Vom Bundesarchiv (BArch)	794
Hiervon aus Freiburg	509
Hiervon aus Berlin	188

4. Kommentierung

Da sich die Herausgabe sowohl an ein internationales als auch an ein dänisches Fachpublikum richtet, erachtete es der Herausgeber als notwendig, vorhandene Forschungsergebnisse aufzunehmen und vertiefende Erläuterungen zu Ereignissen und Umständen zu geben, die dem dänischen Leser in manchen Fällen wohlvertraut und vielleicht überflüssig erscheinen. Auf der anderen Seite werden keine ausführlichen Informationen über das dänische Regierungssystem oder die darauffolgende Verwaltung der Staatssekretäre oder die Organisation und Entwicklung der zahlreichen deutschen Organisationen gegeben. Dies hätte zu weit geführt. Zudem gibt es z. B. eine leicht zugängliche Übersicht über den Aufbau des AA u. a. im PKB[114] und ADAP.[115] Neben der Forschung sind auch die Erklärungen aus der Nachkriegszeit von den Hauptakteuren und einigen Nebenpersonen während verschiedener Verhöre und Befragungen[116] sowie veröffentlichte und unveröffentlichte Erinnerungen derselben[117] einbezogen. Der Quellenwert des Berichtsmaterials ist in einem hohen Grad diskutabel, doch bei zentralen Punkten war die Einbeziehung dieses Materials als Quellenmaterial (vgl. oben) sowie für den vertiefenden Kommentar unumgänglich.

Die Kommentierung ist im Allgemeinen in einem "Kopf" vor jedem Dokument angegeben. Darin wird eine kurze Zusammenfassung des Inhalts gegeben, gefolgt von eventuellen Angaben zum Kontext, begleitet von Hinweisen erstens zur vorliegenden Forschung und zweitens zu anderen relevanten Dokumenten in der Quellenedition oder in den verwendeten Archivbeständen. Zuletzt wird angegeben, wo sich das betreffende Dokument befindet, sowie ob es bereits ganz oder teilweise in früheren Veröffentlichungen enthalten war und um welche Veröffentlichung(en) es sich handelt.

Die Hinweise erheben nicht den Anspruch, erschöpfend zu sein, sollten jedoch ausreichen, um dem Leser weiterzuhelfen. Der Kommentar des Herausgebers zu den einzelnen Dokumenten entspricht nicht in jedem Fall der Deutung in der vorhandenen Literatur, worauf in der Regel, aber nicht in jedem Einzelfall hingewiesen wird. In den Fußnoten werden weitere relevante Angaben über einzelne Umstände und Verweise zu anderen Dokumenten gegeben, die nicht in den einleitenden "Kopf" der Dokumente gehören.

In vielen Fällen wurde dasselbe Dokument in verschiedenen Archiven gefunden. Ein Grund hierfür ist die Verwendung von Kopien, Durchschlägen und Abschriften bei der Sachbearbeitung durch die deutsche Verwaltung. Ein weiterer ist die umfangreiche Abfotografierung und Vervielfältigung des Materials in den deutschen Archiven nach dem Krieg, wodurch die Dokumente auf viele Orte verstreut wurden, was in manchen Fällen dazu geführt hat, daß Dokumente unter anderen Archivangaben auftreten und den Forscher täuschen können, die glauben, etwas Neues aufgespürt zu haben.[118]

114 PKB 13 Bericht, S. xiiff., S. 1-5.
115 Im ADAP können die Veränderungen im Aufbau des AA in den Kriegsjahren mitverfolgt werden.
116 Die Verhöre fanden in der Zeit von 1945 bis 1960 statt und wurden u. a. von der dänischen Polizei und Justiz, dem CIS, dem SHAEF, vor dem Nürnberger Gerichtshof, beim Wilhelmsstraßen-Prozeß und Eichmann-Prozeß durchgeführt.
117 Siehe zu den Erinnerungen Abschnitt 6.2.
118 IfZG ist besonders bekannt hierfür.

Der Herausgeber hat nicht versucht, systematisch alle Archive zu finden, in denen dieselben Dokumente auftauchen, hat sich auf der anderen Seite aber auch nicht darauf beschränkt, nur eine einzelne Quellenangabe zu geben, wenn das Dokument an mehreren Orten gefunden wurde. Die Begründung hierfür ist, daß dasselbe Dokument entsprechend dem Verlauf des Vorgangs verschiedene Vermerke und Ergänzungen tragen kann, was durchaus von Bedeutung sein kann. Ein gutes Beispiel hierfür ist Werner Bests Gesprächnotiz vom 6. Juli 1943, bei der nur eines der gefundenen Exemplare des Dokuments mit den Vermerken über die Antworten versehen ist, die Ribbentrop gegeben werden sollten (3:155). Darüber hinaus kann es an sich von Bedeutung sein, daß ein bestimmtes Dokument im Archiv einer Organisation gefunden wurde, an das es nicht gerichtet war. Dies gilt z. B. für die Korrespondenz zwischen Terboven und Herbert Backe im Frühjahr 1944[119] oder die zahlreichen Kopien von Bests Telegrammen, die u. a. im OKW und bei der Kriegsmarine zirkulierten. Wenn mehrere Antwortentwürfe vorliegen, kann es, um entscheiden zu können, welcher davon abgeschickt wurde, durchaus wichtig sein, das tatsächlich abgeschickte Dokument beim Empfänger zu lokalisieren.[120] Ein charakteristisches Beispiel hierfür ist Horst Wagners Brief an Rudolf Brandt vom 17. November 1944 (8:144). Leider ist dies eine Vorgehensweise, die sich häufig nicht nutzen läßt.

Aus offensichtlichen Gründen konnten nicht für alle der zahlreich vorkommenden Personen ergänzende Angaben eingefügt werden, doch so weit wie möglich sind neben dem Nachnamen auch der Vorname und der Titel angegeben. Dies gilt ebenso für die bekanntesten Personen in der Hierarchie des Dritten Reichs wie für die anonymeren. Bei ausgewählten Personen sind aus Verständnisgründen Angaben über deren Dienstort und den Funktionsbereich ergänzt worden.

Dem Herausgeber war sehr daran gelegen, so weit wie möglich die deutschen Angaben und Berichte über Sabotage und die Bekämpfung der Widerstandsbewegung zu vertiefen, da diese Angaben in der Regel recht summarisch sind. Was Best und von Hanneken betrifft, unterließen sie es in der Regel, in ihren Tagesberichten darzustellen, welche konkreten Sabotageakte stattgefunden haben, während Walter Forstmann vom Rüstungsstab Dänemark sich konkreter äußerte. Das Fehlen von Tagesberichten der deutschen Sicherheitspolizei macht es beinahe unmöglich, zu entscheiden, ob der BdS in seinen Berichten konkreter war (siehe nachfolgender Exkurs). Der Herausgeber hat sich vor diesem Hintergrund dazu entschlossen, u. a. die vorliegenden veröffentlichten dänischen Sabotagelisten[121] und die unveröffentlichte Registrierung der Sabotage 1943-45 des BdO aufzunehmen. Um einen Überblick über die deutsche Gegensabotage, die Vergeltungsmorde und Mordversuche zu bekommen, hat Henrik Lundtofte eine so weit

119 6:12, 6:112, 6:164, 6:204.
120 Es gibt einige Beispiele dafür, daß das PKB Entwürfe abgedruckt hat, die nicht abgeschickt wurden, siehe 8:43.
121 Sabotagelisten: Fisker 1945, Hauerbach 1945, Alkil, 2, 1945-46, Pilgaard Jeramiassen 1974, Kirchhoff, 1979, Trommer 1979, Kieler 1993, Kjeldbæk 1997, Rimestad, 2, 1998-2000, Birkelund 2008. Aage Trommers Verzeichnis der Sabotageakte gegen die Eisenbahn ist hier in Band 10 als Anhang 18 abgedruckt. Die Listen sind von stark schwankender Qualität. Für die Kritik der Liste bei Alkil siehe Trommer 1971, S. 42ff. und 1979, S. 323 und 1:23.

wie möglich vollständige Übersicht darüber erstellt (Anhang 3), worauf in den Kommentaren zu den Dokumenten laufend verwiesen wird. Diese Vorgehensweise sollte eine klare Trennung der von Dänen und von Deutschen initiierten Aktionen sicherstellen. Ebenso soll Anhang 3 dazu beitragen, dem Fehlen von zeitgenössischem Material seitens der deutschen Polizei abzuhelfen, indem doch einige von deren wesentlichen Handlungen registriert werden (vgl. Näheres über Anhänge und Register).

Exkurs: Die deutsche Registrierung der Sabotage in Dänemark

Bis August 1943 erhielten die deutschen Behörden in Dänemark Angaben über Sabotageakte und deren Aufklärung von der dänischen Polizei. Diese wurden von Werner Best in deutscher Übersetzung an das AA weitergeleitet. Die deutsche Polizei unternahm jedoch in bescheidenem Umfang eigene Untersuchungen, doch von einer systematischen Registrierung der Sabotage konnte keine Rede sein. Der Rüstungsstab Dänemark registrierte spätestens ab 1. Januar 1943 Sabotageaktionen, und vom 13. März 1943 ist der erste Tagesbericht über Sabotage bekannt, der vom Rüstungsstab angefertigt wurde. Die Tagesberichte wurden auch zweifellos spätestens ab 1. Januar 1943 angefertigt. Mit Abständen faßte der Rüstungsstab Dänemark die Sabotageakte in 14-tägigen Zeiträumen zusammen. Der erste bekannte Bericht bezieht sich auf die zweite Hälfte des August 1943. Der Rüstungsstab Dänemark verzeichnete nur Sabotageakte, die in seinen Interessenbereich fielen, also Industrie, Werkstätten, Werften, Lager, aber nicht Eisenbahn- und Kommunikationssabotage.

Die Wehrmacht notierte in den Kriegstagebüchern Angaben über Sabotageakte gegen deren Interessenbereiche, ab September sicherlich auch sonstige Sabotage. In jedem Fall gilt dies für November, für den von Hannekens Tagesmeldungen für einen längeren Zeitraum vorliegen.[122] Das bedeutet, daß die Wehrmacht selbst wahrgenommene Sabotageakte und andere, von denen sie Mitteilung erhielt, registrierte. Solche Mitteilungen konnten vom Rüstungsstab Dänemark und/oder der deutschen Polizei kommen. Die Kriegsmarine in Dänemark notierte in erster Linie Sabotageakte, die gegen die eigene Interessensphäre gerichtet waren, also Schiffe, Werften, Kräne und Treibstoff- und Materiallager. Es war die Kriegsmarine, die im Juli 1942 die deutsche Sabotagebekämpfung intensivierte und die deutsche Forderung einer Registrierung der Sabotage durch die dänische Polizei erhob, nachdem einige deutsche Schnellboote, die für die Kriegsmarine bestimmt waren, auf der Nordbjerg & Wedells Schiffswerft in Kopenhagen zerstört wurden.[123]

Als die deutsche Polizei im September 1943 in größerem Umfang nach Dänemark kam, begann sie eine selbständige Registrierung von Sabotageakten. Von der deutschen Ordnungspolizei liegt eine zusammenhängende Registrierung der Sabotage für den Zeitraum 30. September 1943 bis 30. März 1945 vor.[124] Darin sind alle Sabotageakte verzeichnet, auch Eisenbahnsabotage, doch bei Eisenbahnsabotage nur die sehr bedeuten-

---

122 Tagesmeldungen für September und Oktober 1943 (RA, Danica 1069, Spule 5), Tagesmeldungen WB Dänemark v. 26.11.1943-30.4.1944 (BArch, Freiburg, RH 2/505).
123 Lauridsen 2006c, S. 145-150.
124 RA, Centralkartoteket, Der Befehlshaber der Ordnungspolizei in Dänemark: Informationsblatt 1943-45.

den Einzelaktionen. Der größte Teil der Eisenbahnsabotageakte ist nicht enthalten.[125] Die Ordnungspolizei erhielt ihre Angaben möglicherweise vom Rüstungsstab Dänemark, oder sie tauschten ihre Angaben untereinander aus. Jedenfalls gibt es zahlreiche nahe Übereinstimmungen im Inhalt der Angaben, jedoch keine vollständige Übereinstimmung, und beide enthalten nicht dieselben Aktionen.

Eine Registrierung der Sabotage durch die deutsche Sicherheitspolizei ist nicht bekannt. Möglicherweise war es nur die Aufgabe der Ordnungspolizei, die entsprechenden Angaben zu sammeln, auf deren Grundlage die Sicherheitspolizei die weiteren Untersuchungen durchführte. In seinen monatlichen Tätigkeitsberichten aus dem Jahr 1944 gibt Bovensiepen nie die Sabotagestatistik an, ebenso wenig wie Best an das AA oder in den *Politischen Informationen*. Das kann an der Geheimhaltungspflicht liegen, doch es handelte sich auch um heikle politische Informationen, die dem Mitteilenden schaden konnten, so daß derartige Statistiken niemals übersandt wurden. Wenn diese übermittelt wurden, dann nie in der Form, daß die deutsche Polizei die Informationen mit Best und dem AA austauschte. Dies war stattdessen dem RSHA vorbehalten.[126] Ich baue auch darauf, daß das OKW, als es im Februar 1945 eine Übersicht über die Eisenbahnsabotage in Dänemark erstellen ließ, diese auf einer Statistik aufbaute, die aus schwedischen Blättern stammte![127] Das bedeutet nicht automatisch, daß man sich auf deutscher Seite nicht darüber klar war, ob die Anzahl der Sabotageakte anstieg oder sank, oder welche Bereiche zu einem Zeitpunkt besonders der Sabotage ausgesetzt waren. Dies konnte auf Grundlage der Verzeichnisse des Rüstungsstabs Dänemark oder der deutschen Ordnungspolizei im Vergleich mit den Kriegstagebüchern der Wehrmacht ermittelt werden. Dies wurde aber auf der Grundlage der bekannten Dokumente nur nicht an die Führung in Berlin weitergegeben.

125 Siehe Anhang 18.
126 Das bedeutet, daß Bovensiepens Monatsberichte in gewisser Weise "offiziell" waren und u. a. dem AA und dem OWW zugestellt wurden, und daß sie die eigentliche Sabotagestatistik nicht enthielten.
127 9:76 mit dazugehörigem Kartenanhang.

5. Über Anhänge und Register

Band 10 enthält eine Anlage, eine lange Reihe von Anhängen, ein Verzeichnis der Abkürzungen sowie das Sach- und Namensregister für das gesamte Werk. Die Anlage umfaßt eine Reihe von Artikeln und Aussagen von Werner Best aus der Zeit, als er Reichsbevollmächtigter in Dänemark war. Sie illustrieren die Politik und den Verständnishorizont, den er gegenüber der dänischen Öffentlichkeit und den Reichsdeutschen in Dänemark zeigen wollte.

Mehrere der Anhänge können als Zugangsschlüssel zum Werk dienen, als Ergänzung zu den Registern. Dies gilt z. B. für Anhang 1 mit einer Chronologie der deutschen Besatzungspolitik 1942-45 und Anhang 3 mit einer Übersicht über die deutschen Terroraktionen, aber auch für die Anhänge 13 bis 16. Ebenso können die Übersichten über den Inhalt der *Politischen Informationen* und über die Berichte des Rüstungsstabs Dänemark als Werkzeuge zur Benutzung des vorgelegten Materials betrachtet werden.

Das Quellenverzeichnis strebt so weit wie möglich eine Vollständigkeit bis auf die Bündelebene an, mit Angabe des Namens und der Signatur des Bündels. Eine Konkordanzliste zwischen den Archiven in Berlin und Freiburg und den Fotografien im RA wurde nicht angefertigt, doch oft zeigen die Bandtitel, daß es sich um identisches Material handelt. Speziell für das Militärarchiv in Freiburg kann jedoch auf Jens Andersens Konkordanzliste von 2007 verwiesen werden.[128]

Das Literaturverzeichnis umfaßt alle für die Einleitung, Kommentare und Fußnoten sowie die Anhänge in Band 10 verwendeten Texte und reicht bis Herbst 2011.

Im Übrigen sei auf Band 10 für das Sach- und das Namensregister verwiesen.

128 Andersen 2007, S. 357f.

6. Deutsche Besatzungspolitik in Dänemark 1940-45 – ein Forschungsüberblick

Der folgende Überblick dient einzig dem Zweck, die wesentlichsten Teile der wissenschaftlichen Literatur vorzustellen, die sich mit der deutschen Besatzungspolitik in Dänemark als Hauptgegenstand beschäftigt oder einen Schwerpunkt auf diesen Bereich legt. Beabsichtigt ist nicht, ausführliche Referate und Beurteilungen von allen genannten Arbeiten zu geben, sondern stattdessen einige zentrale Hauptthemen herauszugreifen[129] und einen Abriß davon zu geben. Diese Themen werden nicht in all ihrer Komplexität wiedergegeben, weil das die Forschung an sich noch nicht geleistet hat. Insbesondere die Literatur über den deutschen Angriff auf Dänemark und die darauffolgenden deutsch-dänischen Verhandlungen über die Besatzungsordnung wurde nachrangig behandelt,[130] da dies ein ohnehin schon umfangreich behandeltes Themenfeld ist, das zudem tendenziell verhindern oder blockieren könnte, die deutsche Besatzungspolitik in Dänemark auch in einer längeren chronologischen Perspektive zu behandeln.

6.0. Allgemeines

"Große Forschungsdefizite gibt es in Bezug auf Untersuchungen zur deutschen Seite, zu den deutschen Instanzen und Herrschaftsorganen, die wie die Wehrmacht, Gestapo und SS in Dänemark tätig waren; und es fehlt erstaunlicherweise überhaupt eine umfassende, gesamtheitliche Untersuchung der deutschen Besatzungspolitik in Dänemark."

Karl Christian Lammers 1997, S. 142.

Es liegt nur ein einzelner, zudem kursorischer Forschungsüberblick vor, der sich speziell mit der deutschen Besatzungspolitik in Dänemark befaßt. Er stammt von Karl Christian Lammers (1997) und umfaßt wenige Seiten, von denen einige sich mit Faktenangaben über die deutsche Besatzung beschäftigen und nicht mit der Forschungspräsentation.[131] Eine Teilerklärung hierfür ist, daß dies die Forschungssituation selbst widerspiegelt. Während es zahlreiche – dänische – Forschungsbeiträge gibt, die die deutsche Besatzungspolitik aus einem dänischen Blickwinkel veranschaulichen, gibt es umgekehrt nur wenige verstreute Beiträge, die den deutschen Blickwinkel – den des Besatzers – einbeziehen. Wie Aage Trommer 1995 feststellte: "Für die dänische Erforschung der Besatzungszeit war kennzeichnend, daß sie introvertiert war und sich auf uns selbst konzentrierte. Dasselbe gilt im Übrigen für alle von den Deutschen besetzten Länder."[132] Hier versucht Trommer auch, eine Erklärung hierfür zu geben. Vielleicht ist es eine allgemeine Tendenz für die besetzten Länder, doch es könnte auch eine konkretere Erklärung für Dänemark geben.

Hans Kirchhoff schrieb 1985 in Verbindung mit dem 40. Jahrestag der Befreiung

---

129 Es hätten noch weitere Themen erwähnt werden können, wie z. B. die deutsche Flüchtlingspolitik im Frühjahr 1945 und die Frage der deportierten Kommunisten, Juden und Polizisten und deren Rückführung.

130 Roslyng-Jensen 1991, ders. 2001, S. 508-510.

131 Lammers 1997.

132 Trommer 1995b, S. 21. Diese Feststellung machte sich Giltner 1998, S. 8f., zu eigen. Vgl. auch Henrik S. Nissen, zitiert hier in der Einleitung zu Abschnitt 7.

Dänemarks einen der ersten und zweifellos den am häufigsten zitierten Überblick über die Historiografie der Besatzungszeit,[133] der die nationale Geschichtsschreibung ebenso einbezog wie die spätere Forschung.[134] In seinem Überblick grenzt Kirchhoff ausdrücklich die deutsche Besatzungspolitik in Dänemark ab, indem er Konsens und Konflikte bei der Sicht auf die Geschichte der Besatzungszeit thematisiert und den Begriff Kollaboration wieder einführt, den er 1979 in seiner Dissertation über die Augustunruhen verwendete. Das Thema und die gewählte Begrifflichkeit legt in der Praxis das Gewicht auf den Kollaborateur und nicht auf den, mit dem kollaboriert wird. Damit wird z. B. Henning Poulsens Dissertation über die Besatzungsmacht und die dänischen Nazis außen vor gelassen. Diese fällt nicht in das von Kirchhoff abgegrenzte Thema, um Kirchhoff selbst (S. 52) zu zitieren. Erich Thomsens (1971) und Bjørn Rosengreens (1982) Bücher über die deutsche Besatzungspolitik werden ebenso wenig erwähnt. Das letztgenannte Buch gehört auch nicht zu den Werken, auf die Kirchhoff später konsequent hinwies, wo immer es relevant war.[135] Mit diesen Schwerpunktsetzungen rückte Kirchhoff seine eigenen Arbeiten, Themen und Begriffe ins Zentrum. Der Forschungsüberblick hatte jahrelang eine hohe Bedeutung und beeinflußte die Mehrzahl der späteren Forschungsüberblicke,[136] insbesondere die von Palle Roslyng-Jensen,[137] sowie einen Teil der Forschung.[138] In Palle Roslyng-Jensens Forschungsüberblicken ist die deutsche Besatzungspolitik zu keinem Zeitpunkt ein eigenständiges Thema, und dies gilt für nahezu alle anderen Forschungsüberblicke auch, mit drei Ausnahmen, von denen jedoch nur der oben erwähnte von Lammers dem Thema Raum für eine nähere Betrachtung gibt. Die beiden übrigen begnügen sich damit, das Fehlen von Untersuchungen über die deutsche Besatzungspolitik in Dänemark hervorzuheben.[139]

Andererseits hat der Kollaborationsbegriff Widerspruch[140] und eine gewisse Begriffsdiskussion in einem dänischen Kontext erzeugt,[141] doch der Wert hiervon ließ sich nur

133 Engberg 1965 hatte mehr den Charakter einer Literaturempfehlung, Engberg/Kirchhoff 1979 war eine Quellen-, Literatur- und Forschungsempfehlung, während Bryld 1980 und Kirchhoff 1981 erste richtige Forschungsüberblicke vorlegten.

134 Kirchhoff 1985, weiterverfolgt in Kirchhoff 1998a.

135 z. B. Kirchhoff 2001 und 2004.

136 Nissen 1988, Stræde 1990, Dethlefsen 1998. Ein Forschungsüberblick eigener Art ist "Kampen om historien" (Der Kampf um die Geschichte) in Lidegaard 2005, S. 578-594, wo die Forschung zur Generation von Kirchhoff, Henrik S. Nissen, Henning Poulsen und Aage Trommer abgegrenzt wird, was in mehr als einer Hinsicht unzureichend ist. Claus Brylds Forschungsüberblicke seit 1980 verfolgen konsequent einen eigenen Ansatz und sind immer noch wertvoll. Ein Überblick über die Forschungsüberblicke bietet Lauridsen 2002b mit Anhängen.

137 Roslyng 1995, 2001, 2002 und 2006.

138 Kirchhoff 2004, S. 170f., erkennt den großen Einfluß der Themensetzung an und hält an deren Relevanz fest.

139 Trommer 1995b, S. 17f., Tuchtenhagen 1997, S. 17.

140 Nissen 1988, S. 424, Trommer 1991, S. 381-398, Lidegaard 2003, Brandenborg Jensen 2005, S. 404-408 zählen zu denen, die Abstand nehmen von der Benutzung des Begriffs, während Henning Poulsen es vermeidet, ihn zu verwenden, während er jedoch 2002, S. 31, und 2005, S. 25, anmerkt, daß die dänische Widerstandsbewegung nie den Begriff Kollaboration für die Zusammenarbeitspolitik verwendete. Er wurde nur für Personen verwendet, die aus eigenem Antrieb deutschen Interessen dienten. Dies stimmt mit Jongs Definition überein, die unten erwähnt wird.

141 Dethlefsen 1989, 1990 und 1995.

schwer ermitteln, nicht zuletzt weil der Begriff zur Beschreibung des dänischen-deutschen Verhältnisses wegen des Beigeschmacks eines Landesverrat à la Vichy unzweckmäßig erscheint.[142] Joachim Lund hat für ein Festhalten am Begriff argumentiert, indem er ihn mit einer politisch neutralen Bedeutung neudefiniert, doch ist es fraglich, ob diese Nuancierung verstanden und allgemein angenommen wird.[143] Was die neuere Besatzungsliteratur betrifft, so wird unter einigen Forschern immer noch in erster Linie der Zugang über das Konsens-versus-Konflikt-Thema gesucht,[144] und der Forschung, die sich in dieses Paradigma nicht einpassen läßt, werden Bezeichnungen angeheftet, die im besten Fall als wenig abdeckend charakterisiert werden können.[145]

Die Konsens-Konflikt-Perspektive wird vermutlich stärker in den Hintergrund rücken, ebenso wie der Kollaborationsbegriff, da auch dessen Orientierungs- und Erkenntniswert nach der über eine Generation andauernden Verwendung sowie dem Auftauchen von anderen Forschungsbereichen verblaßt ist. Erforderlich sind mehrsträngige, gleichwertige Thematisierungen, u. a. mit einer internationalen Perspektive. Im dänischen Zusammenhang müssen die verschiedenen Interessengruppen auf deutscher wie auf dänischer Seite mit ihren jeweiligen Prämissen ins Spiel kommen und ihre Einflußmöglichkeiten unter wechselnden politischen Konjunkturen abgewogen werden. Für die verschiedenen deutschen Behörden in und außerhalb von Dänemark waren die dänischen Behörden, Parteien und Organisationen Spielsteine, die in wechselndem Umfang ausgenutzt und unter Druck gesetzt wurden.[146] Wo verliefen die Grenzen des Drucks von deutscher Seite, und wo die Grenzen auf dänischer Seite, was zu akzeptieren man bereit war? Dies war nicht nur eine Frage von Kollaboration. In jedem Fall waren mehrere Seiten im Spiel, nicht nur die dänische. In Betracht gezogen werden müssen die persönliche und die gesellschaftliche Existenz. Der niederländische Historiker Louis de Jong hat es folgermaßen formuliert: "Im Holländischen nennen wir Kollaborateure alle diejenigen, die ohne selber Nazis gewesen zu sein, die deutschen Kriegsanstrengungen *freiwillig* unterstützen. Fast die gesamte Bevölkerung des besetzten Europa unterstützte die deutschen Kriegsanstrengungen gegen ihren Willen. Die Menschen mußten

---

142 Der Begriff kann somit nicht selbständig im *Gads leksikon om dansk besættelsestid*, 2002, nachgeschlagen werden, doch Kirchhoff verwendet ihn dennoch im Artikel über die Verhandlungs- und Zusammenarbeitspolitik, obwohl er auf S. 156 einzuräumen scheint, daß der Gebrauch des Begriffs im dänischen Kontext nicht ganz unproblematisch ist ("Extremfall"). Siehe auch Kirchhoff 1998b, S. 101f., für eine ähnliche Formulierung; noch 2008 hält er am Begriff fest.

143 Lund 2005, S. 13-16. Siehe auch Lund 1995a und b. Der Begriff wird auch verwendet in Bundgård Christensen et al. 2005.

144 Lidegaard 2003 und 2005 wird auch unter diesem Blickwinkel bewertet, siehe Roslyng-Jensen 2006, S. 202 mit Anmerkungen, und Kirchhoff in *Historisk Tidsskrift*, 105, 2005, S. 289.

145 Palle Roslyng-Jensen bezeichnet die Forschung, die sich mit den Verlierern der Besatzung oder der Flucht der dänischen Juden beschäftigt, als "revisionistisch" (2001, S. 519, vgl. ders. 2006, S. 199), was nur wenig treffend erscheint, da revisionistische Forschung in der internationalen Debatte zumeist von neonazistischem Charakter ist und das Ziel verfolgt, die Nazi-Verbrechen zu bagatellisieren. Davon kann im dänischen Kontext nicht die Rede sein.

146 Hier sei erwähnt, daß Hæstrup, 1, 1966-71, S. 13, vier Hauptzentren für Macht und Einfluß in Dänemark nach dem 29. August 1943 ermittelt: die deutschen Behörden, die Organe der Widerstandsbewegung, die dänische Verwaltung und die dänischen politischen Kreise in inoffizieller Funktion. Wenn die deutschen Behörden zu einem Hauptzentrum zusammengefaßt werden, ist das eine Vereinfachung, die auch in Hæstrups eigener Darstellung nicht haltbar ist.

arbeiten, um leben zu können, und es war nicht zu vermeiden, daß die Nazis einen Teil ihrer Hände Arbeit für sich beschlagnahmten. Die Aufrechterhaltung der gesellschaftlichen Ordnung setzte ein gewisses, vielleicht ein großes Maß administrativer Kollaboration voraus, die notwendigerweise zum Teil auch politischen Charakter hatte."[147] (meine Hervorhebung, JTL).

Hiernach kann u. a. gefragt werden, wie die Dänen in verschiedenen Bereichen im Vergleich zu anderen besetzten Ländern behandelt wurden, z. B. bei den Verhandlungen mit der dänischen Regierung und der späteren Verwaltung, dem Einsatz der örtlichen Nazis, dem Umgang mit der deutschen Minderheit, der Zusammenarbeit mit der dänischen Wirtschaft, dem Einsatz von dänischen Arbeitskräften, der Ausbeutung von Rohstoffen und Industrieanlagen u. a. m. (siehe Abschnitt 8). Lautet die Antwort, daß die deutsche Besatzungspolitik in Dänemark solcherart war, daß man das deutsch-dänische Verhältnis der friedlichen Besatzung per Definition als Kollaboration charakterisieren kann, dann meine ich, daß der Grad an deutschem Zwang im Hinblick auf das Überleben der Einzelnen und der Gesellschaft unterbewertet wird.

Es ist paradox, daß die deutsche Besatzungspolitik so stark abgegrenzt werden konnte, da dies kaum der Intention von Kirchhoff entsprechen konnte, zählte doch gerade er zu den wenigen, die in einem größeren Umfang die Haltungen und die Politik der Besatzer einbezogen hat, wenn auch letzten Endes unter einem dänischen Blickwinkel.[148] Dies gilt für zahlreiche seiner Arbeiten zwischen 1979 und 2001. Dennoch erwähnt er 2004 in einem Sachstandbericht über die Geschichte der Besatzungszeit unter den Themen, bei denen eine Erforschung noch aussteht, nicht die deutsche Besatzungspolitik, die überhaupt nur in Verbindung mit Henning Poulsens Arbeit über die Besatzungsmacht und die dänischen Nazis erwähnt wird.[149] Vielleicht hängt das damit zusammen, daß Kirchhoff mit seiner Begriffsverwendung die Vergangenheit generell aus nationalpolitischen Kriterien heraus beurteilt hat, wie Claus Bryld meint.[150] Für diese Sichtweise können bei Kirchhoff selbst im genannten Sachstandbericht von 2004 Belege gefunden werden, wenn er schreibt: "Wir waren in unserer Forschung auf die großen politischen Fragen über die Existenz der Nation, über Demokratie und Diktatur, über die Konfrontation mit dem deutschen Imperialismus und den Zusammenstoß zwischen Zusammenarbeits- und Widerstandsaspekten fixiert, mit allen politischen, moralischen und existenziellen Konsequenzen, die dies mit sich brachte."[151] Diese Fixierung hat zu

---

147 Jong 1957/1967, S. 251 (Zitat nach Ausg. 1967). Kirchhoff, 1, 1979, S. 13f., zitiert ebenso Jong, jedoch eine andere Passage, und kommt zu einem anderen Schluß als ich. Nach meiner Auffassung unterscheidet Jong notwendige Zusammenarbeit von der freien Wahl zwischen Kollaboration und Zusammenarbeit, wobei Kirchhoff Jong dahingehend interpretiert, daß er einzig zwischen Widerstand und Kollaboration unterscheidet. Dies ist auf der Grundlage von Jongs Artikel nicht haltbar.
148 Er schrieb 1998: "Der Schwerpunkt der Erforschung der Geschichte der Kollaboration hat auf dem dänischen Aspekt gelegen, aber für die meisten Verfasser ist er mit der klaren Erkenntnis der Notwendigkeit verbunden, die deutsche Seite mit ihren Zielen und Mitteln, Handlungslinien und Ergebnissen in die Analyse mit einzubeziehen." (Kirchhoff 1998b, S. 117).
149 Kirchhoff 2004, S. 167.
150 Bryld 2001, S. 49.
151 Kirchhoff 2004, S. 174.

einem gewissen Maß verhindert, dem deutschen Feind nach dessen eigenen Bedingungen in die Karten zu schauen.

Konsens/Konflikt ist eine Gegenüberstellung, die auf Schwarz/Weiß, Diktatur/ Demokratie oder Zusammenarbeit/Kollaboration weist. Und mit Zusammenarbeit dadurch in letzter Instanz auf Kollaboration. Diese konfrontative Gegenüberstellung weist, was die Bewertung betrifft, nur in eine Richtung: Es konnte nur richtig sein, den Konflikt zu wählen, und alles, was nach Zusammenarbeit riecht, konnte leicht zu Kollaboration werden. Die Folge eines solchen Zugangs ist, daß eine Literatur mit einer moralischen Tendenz herangewachsen ist, weil hat sich damals für Zusammenarbeit entschieden, kann man dafür heute verurteilt werden. So ist z. B. das Buch *Krigens købmænd. Det hemmelige opgør med Riffelsyndikatet, A.P. Møller, Novo og den øvrige storindustri efter Anden Verdenskrig*, (Händler des Krieges. Der heimliche Vertrag mit dem Riffelsyndikat, A. P. Møller, Novo und der andere Großindustrie nach dem Zweiten Weltkrieg), 2000, verfaßt von drei Journalisten,[152] von Entrüstung über die Zusammenarbeit der genannten Unternehmen mit der Wehrmacht und deren Gewinne aus diesen Geschäften getragen.[153] Mehrere jüngere Historiker wurden in ihren Projekten von derselben Tendenz angetrieben. Hans Kirchhoff kümmert sich in seinem Sachstandbericht von 2004 ausdrücklich nicht um die moralische Tendenz in der Besatzungsforschung,[154] doch es kann ihm *nicht* abgesprochen werden, diese selbst gefördert zu haben. Steen Andersen fragte ihn 2001 in einem Interview, ob dies der Fall sei, woraufhin Kirchhoff antwortete: "Wenn dem so wäre, dann nur in einer indirekten Weise, denn es war nicht die Wissenschaft, die einen moralischen Aufstand provoziert hat. Da sind ganz andere, große Kräfte im Spiel. Der Zeitgeist hat sich in den letzten Jahren gewandelt und der Moralismus prägt ganz andere Bereiche als die Geschichtsschreibung."[155] Hiermit hat Kirchhoff Recht, doch das ändert nichts daran, daß er diese Tendenz in der Besatzungsforschung mit seiner Fixierung auf "die großen Fragen" gefördert hat.

6.1. Gesamtdarstellungen
Es liegen nur sehr wenige Gesamtdarstellungen der deutschen Besatzungspolitik in Dänemark vor. Die Pionierarbeit ist *Deutsche Besatzungspolitik in Dänemark 1940-1945*, 1971, des Deutschen Erich Thomsen, die auf der Grundlage von bedeutenden Teilen des ungedruckten Aktenmaterials insbesondere aus dem AA, von gedruckten Quellen und Literatur (darunter in dänischer Sprache) versucht, eine größere Gesamtdarstellung (273 Seiten) zu geben, in der er so viele Teilthemen wie möglich ansprach, die seither auch in der dänischen Forschung gründlicher behandelt wurden. Das ist sein Verdienst. Doch daß das Werk immer noch das am meisten zitierte international ist, wenn es

---

152 Jensen, Kristiansen und Nielsen 2000.

153 Siehe Poulsen 2002a, S. 20, für eine Hervorhebung von genau diesem Werk als Beispiel für "Entrüstung als höchstem Modus". Vgl. auch Joachim Lunds treffende Bemerkung über den Umgang der dänischen Medien mit "skandalösen" Enthüllungen über verschiedene Sachverhalte aus der Besatzungszeit (Lund 2006, S. 117f.).

154 Kirchhoff 2004, S. 174. Vgl. ausführlicher Kirchhoff 2002a, S. 12-15, sekundiert von Poulsen 2002a, S. 20f.

155 *Weekendavisen*, Bøger, 14.-20. Dezember 2001, S. 3.

um die deutsche Besatzungspolitik in Dänemark geht, dann ist dies nicht der Qualität
des inzwischen stark veralteten Werkes zu verdanken, sondern der Tatsache, daß es in
deutscher Sprache erschienen ist. Damit kann selbst die qualifizierteste Forschung in
dänischer Sprache nicht konkurrieren. Und an weiterer deutscher Forschung hat es auf
diesem Gebiet gemangelt.[156]

Daß es bei Thomsen beim Versuch bleibt, eine haltbare Darstellung zu bieten, liegt
insbesondere an drei Umständen: Erstens handelt es sich weitgehend nicht um eine
Darstellung der deutschen Besatzungspolitik aus einer deutschen Perspektive. Um Hen-
ning Poulsen zu zitieren, sei es zu beklagen, daß diese Darstellung nicht ausreichend
deutsch, sondern in ihrer Problemstellung zu dänisch sei![157] Als Beispiel sei die Be-
schreibung der dänischen Nationalsozialisten genannt, die, abgesehen von sachlichen
Fehlern, eine Tendenz hat, daß man meinen möchte, dieser Abschnitt sei in den ersten
Nachkriegsjahren in Dänemark geschrieben worden.[158] Zweitens bricht die Darstellung
nach der Behandlung der Aktion gegen die dänischen Juden im Oktober 1942 ab, so
daß der letzte Zeitraum von Oktober 1943 bis Mai 1945 auf nur 30 Seiten abgehandelt
wird, während für die Zeit seit dem 9. April 1940 ganze 190 Seiten verwendet wurden.
Angesichts der Tatsache, daß sich die deutsche Besatzungspolitik in den letzten gut an-
derthalb Jahren der Besatzung auf eine radikalere Weise abspielte und die Konfrontation
zwischen der deutschen Polizei und der dänischen Widerstandsbewegung in genau die-
ser Zeit erfolgte, ist diese Schwerpunktsetzung unverständlich und unakzeptabel. Und
drittens liegt der Fokus stark auf dem AA und dem Reichsbevollmächtigten und nur in
einem geringeren Grad auf dem Zusammenspiel mit den anderen deutschen Behörden.

Henning Poulsen hat mehrere Male in konzentrierter Artikelform seine Sicht auf
die deutsche Besatzungspolitik in Dänemark 1940-45 zusammengefaßt. Dies hat jedes
Mal zu fein abgestimmten, anregenden und provozierenden Ergebnissen geführt. Zum
Beispiel: "In vielen praktischen Angelegenheiten wurde Dänemark als Ausnahme ge-
nannt. Zum Beispiel wurde nie Zwangsarbeit eingeführt. Aber insgesamt kann man die
Zustände in Dänemark am besten dadurch charakterisieren, daß die Verhältnisse hier
ungewöhnlich normal waren."[159] Nicht zuletzt die recht komprimierte, absolute Form,
in der die Ansichten vorgelegt werden, regen zum Nachdenken und zu der Frage an, ob
die These stimmen kann oder nicht. Dies gilt auch für die Abschnitte über die deutsche
Besatzungspolitik in seiner Darstellung *Besættelsesårene 1940-1945* (Die Besatzungs-
jahre 1940-1945), 2002, die sich aus einer Reihe von Hauptfragen zur Besatzungsge-
schichte zusammensetzt.[160] Wie in seinem Artikeln hat er auch hier eine Tendenz, einen
Schwerpunkt auf die ersten Besatzungsjahre auf Kosten der letzten zu legen, und, was
die deutsche Besatzungspolitik betrifft, die Situation aus den ersten Jahren auch auf die
letzten Jahre zu verlängern. Er sieht somit keinen bedeutenden Machtkampf zwischen
dem Reichsbevollmächtigten, der Wehrmacht und der deutschen Polizei, und ebenso

---

156 Dies geht u. a. aus den Anmerkungen in Hans Umbreits knappen Darstellungen der deutschen Besat-
zungspolitik in Dänemark hervor, vgl. 1988, S. 46-50 und 1999, S. 13-17.
157 Rezension in *Historie. Ny Rk.* 10, 1972-74, S. 152.
158 Vgl. Lauridsen 2003b, S. 340.
159 Poulsen 1991a, S. 369.
160 Poulsen 1985, 1991a und b, 1995, 1997, 1999, 2002a, 2005.

ist er der Auffassung, daß die deutsch-dänischen Handelsverhandlungen autonom im Verhältnis zur übrigen Politik verliefen.[161] Diesen Ansichten läßt sich vor dem Hintergrund eines Teils der älteren Forschung (Bjørn Rosengreen) sowie auf jedem Fall der seit 2002 hinzu gekommenen Forschung (Henrik Lundtofte, Joachim Lund und Mogens R. Nissen) nicht zustimmen. Ergänzt werden kann auch Ole Brandenborg Jensen, dessen Ergebnisse Poulsen im Übrigen weitgehend unterstützt.[162] Brandenborg Jensen stellt Werner Best als Mythenbildner dar, der in Allianz mit Herbert Backe vom Reichsministerium für Ernährung und Landwirtschaft die Bedeutung der dänischen Agrarexporte für Deutschland aufblies.[163] Dies kann gewiß eine politische Intervention genannt werden. Und dennoch sei unterstrichen, daß Poulsen einer der Autoren war, die die bislang anregendsten Beiträge zur deutschen Besatzungspolitik in Dänemark geschrieben haben.[164] Das hängt vielleicht auch damit zusammen, daß er sich nur schwer in das etablierte historiografische Schema bei der Besatzungsforschung einordnen läßt, oder um den Schriftführer dieses Schemas, Palle Roslyng-Jensen, zu zitieren: "Die Darstellung ist nicht von allgemeinen Thesen gelenkt und läßt sich auch nicht in scharfe Konflikt- und Konsenskontexte einfügen. Es ist somit eine Darstellung, die leicht übersehen werden kann, doch als Beitrag zur Interpretation der politischen Problemstellungen der Besatzungszeit ist an ihr nur schwer vorbeizukommen."[165]

Der (ost)deutsche Historiker Fritz Petrick hat seit den 1970er Jahren regelmäßig Artikel über Teilbereiche der deutschen Besatzungspolitik in Dänemark geschrieben[166] und 1991, 1992 und 1997 drei Beiträge über den gesamten Zeitraum 1940-45 verfaßt. Es zeichnet sie aus, daß sie hauptsächlich auf gedruckten Quellen basieren und eher darstellend als analysierend sind. Vielleicht haben deutsche Leser nicht so viele Vorkenntnisse, so daß einige Voraussetzungen erwähnt werden müssen, damit sie der Darstellung folgen können. Das Ergebnis ist indes, daß anders als bei Henning Poulsen neue, anregenden Blickpunkte auf das Thema fehlen. Es handelt sich um eine Sachdarstellung, in der sehr häufig das Wort "faschistisch" auftaucht. Petrick hat auch Kirchhoffs Kollaborationsbegriff übernommen und verschärft ihn bei seiner Betrachtung des deutsch-dänischen Verhältnisses. Die komplizierte Wechselwirkung zwischen Kollaboration und Okkupation sieht er in Dänemark in einer besonders deutlich hervortretenden Symbiose.[167] In Verlängerung hiervon sieht Petrick beispielsweise die Toleranz der dänischen Regierung gegenüber der Rekrutierung zum Frikorps Danmark (Freikorps Dänemark) 1941 als Zeugnis dafür an, wie weit die Regierung bei ihrer "antisowjetischen Kolla-

---

161 Poulsen 1991a, S. 372, 378.

162 Poulsen 2005, S. 19. Hier schreibt Poulsen im Übrigen wie in 1991a, S. 369, daß es für Dänemark kein ziviles deutsches Verordnungsrecht gab, wozu es aber im Januar 1944 kam, siehe Führererlass 20.1.1944 (5:161). Es wurde im April 1944 von Werner Best eingeführt.

163 Brandenborg Jensen 2005, S. 359ff., 364ff.

164 Claus Bryld hat Poulsens Beiträge so beurteilt, daß diese die Bedeutung der speziellen Züge für die Lage in Dänemark so stark gewichten, daß "von einem Traditionsbruch oder vielleicht sogar von einem neuen Paradigma" gesprochen werden müsse (Bryld 1997, S. 149). So weit würde ich nicht gehen, vor allem weil Poulsen nicht durch eigene Forschungen die von ihm vorgelegten Ansichten untermauert hat.

165 Roslyng-Jensen 2006, S. 207.

166 Siehe Literaturverzeichnis.

167 Petrick 1991, S. 757.

borationsbereitschaft" ging.[168] Petrick wird trotz der großen Zahl an Artikeln über die deutsche Besatzungspolitik in Dänemark in der dänischen Forschung nur selten zitiert, was an der marxistischen Verpackung seiner Artikel liegen kann.[169]

Eine Reihe von Arbeiten, die sich mit der dänischen Politik während der Besatzungszeit befassen, thematisieren auch die deutsche Besatzungspolitik in Dänemark in bestimmten Zeitabschnitten. Dies gilt für Henrik S. Nissen, der sich für die Zeit von April 1940 bis Januar 1941 mit der Entstehung der Besatzungsordnung, den deutsch-dänischen Verträgen über Verhandlungen und Zusammenarbeit, den Verhandlungen für eine Zoll- und Währungsunion sowie den ersten politischen Krisen im Herbst und Winter beschäftigt.[170] Dies waren alles Sachverhalte, die bereits zuvor im PKB behandelt wurden, und wozu umfangreiches dänisches und deutsches gedrucktes Quellenmaterial vorlag. Hiernach gibt es einen Sprung bis zur Telegrammkrise im Herbst 1942. Von hier an bis zu den Augustunruhen 1943 liegt eine Gesamtdarstellung des dänisch-deutschen Verhältnisses von Hans Kirchhoff vor, die wesentliche Teile der deutschen Besatzungspolitik auf der Basis von abfotografierten deutschen Akten umfaßt.[171] Für die Zeit danach bis Mai 1945 liegt schließlich eine größere Darstellung von Bjørn Rosengreen über Werner Best und die deutsche Besatzungspolitik auf einer entsprechenden Quellenbasis vor.[172] Somit gibt es eine "Lücke" in der tiefergehenden dänischen Behandlung der allgemeinen deutschen Besatzungspolitik in der Zeit von Januar 1941 bis September 1942, die trotz mehrerer Untersuchungen zu Teilthemen noch nicht ausgefüllt ist. Erwähnt sei auch, daß Bjørn Rosengreens Pionierarbeit trotz ihrer Verdienste einen zu engen Erklärungsrahmen hat (Näheres hierzu in Abschnitt 7).

Die großen Ereignisse 1941-42 wie der deutsche Angriff auf die Sowjetunion, die Internierung der Kommunisten und die Errichtung des Frikorps Danmark im Sommer 1941[173] sowie der Anschluß Dänemarks an den Antikominternpakt auf deutschen Druck im Herbst 1941 zählen daher zu den Themenbereichen, die überwiegend auf der Grundlage von dänischem Material behandelt und nicht aus einer deutschen Sichtweise betrachtet wurden. Daher seien sie unten in Kürze besprochen.[174]

Die Gesamtdarstellungen der dänischen Geschichte haben bis über das Jahr 2000 hinaus die deutsche Besatzungspolitik als Teil der dänischen Geschichte nie aus einem deutschen Blickwinkel betrachtet. Dies änderte sich mit *Danmark besat* (Dänemark besetzt), 2005, von Claus Bundgård Christensen et al.[175] Jetzt bekamen die Intentionen der Besatzer eine Stimme in einem breiteren nationalen Kontext.

Die dänische Forschung über die Besatzungszeit ist inzwischen weitaus weniger

168 Petrick 1991, S. 762.
169 Dasselbe gilt für Bobert/Büttner 1962, Köller 1965 und Abraham 1979 und 1984. Ich habe die ostdeutsch-marxistische Interpretation der deutschen Besatzungspolitik in Dänemark nicht eigens aufgegriffen. Verwiesen sei auf Joachim Lunds Forschungsüberblick (Lund 2005, S. 310f.).
170 Nissen 1969, 1973, außerdem Kirchhoff 1991a.
171 Kirchhoff 1979 und 1993b, für die Telegrammkrise außerdem Poulsen 1970, Kap. 12.
172 Rosengreen 1982.
173 Poulsen 1970, Kap. 10, Koch 1994, Bundgård Christensen et al. 1998, Kirchhoff 2001, Kap. 6.
174 Eine Besprechung von Ossendorf 1990 ist weggelassen worden, da diese für zu leicht bewogen wurde (vgl. Lammers 1997, S. 142f.).
175 Bundgård Christensen et al. 2005.

introvertiert, als es Trommer noch 1995 beschrieb, was zahlreiche der folgenden For-
schungsfelder auch zeigen werden. Dies hat sich ebenso in den allerneuesten Gesamt-
darstellungen niedergeschlagen.

Exkurs: Die Phasen der deutschen Besatzungspolitik
Kennzeichnend für die bescheidene Erforschung der deutschen Besatzungspolitik in
Dänemark ist, daß nicht diskutiert worden ist, in welche Phasen die Politik unterteilt
und nach welchen Kriterien sie in einem solchen Fall aufgeteilt werden soll. Hier sol-
len zunächst die drei wichtigsten Beispiele dafür vorgestellt werden, wie dieses Thema
bislang behandelt wurde.

Erich Thomsen hat eine Aufteilung in fünf Phasen: A. April 1940 bis September
1942: Kollaborationsbestrebungen, B. Telegrammkrise, C. Versuch einer Versöhnungs-
politik, D. Militärischer Ausnahmezustand und E. Im Zeichen des Zusammenbruchs.
Dies ist eindeutig unbefriedigend, da es schwer nachvollziehbar ist, welche Kriterien
für diese Sichtweise der deutschen Besatzungspolitik zugrundegelegt werden. Phase E
läßt sich am besten dadurch beschreiben, daß Thomsen ganz aufgegeben hat, diesen
Zeitraum zu definieren.

Bjørn Rosengreens Unterteilung erfolgt ebenfalls in fünf Phasen, umfaßt aber nur
die Zeit nach August 1943: A. Der militärische Ausnahmezustand, B. Veränderungen
bei der Sabotagebekämpfung bis 1943/44, C. Verfolgung unter dem Kriegsrecht und
dessen Aufhebung, D. Interne Streitigkeiten und die Polizeideportation im Herbst
1944 und E. Sabotagebekämpfung in der Endphase der Besatzung. Rosengreen richtet
seine Aufmerksamkeit überwiegend auf die Sabotagebekämpfung, jedoch fallen weder
Phase A noch Phase D in diese Kategorie. Ansonsten sieht Rosengreen vollkommen ab
von den übrigen Elementen der deutschen Besatzungspolitik. Ulrich Herbert unterteilt
in seiner Biographie über Werner Best seine Abschnitte über Dänemark ebenfalls in
fünf Phasen, beginnend mit Bests Ankunft nach Dänemark im November 1942: A.
Das Musterprotektorat, B. Augustunruhen C. Die Judenaktion, D. Widerstand und
Gegenterror und 5. Kriegsende. Abschnitt E behandelt die Zeit von Juni 1944 bis Mai
1945, wobei sehr früh auf das Ende des Krieges verwiesen wird. Allein dies macht deut-
lich, daß die Überschriften nicht etwas Sinnvolles über Bests Politik oder die deutsche
Besatzungspolitik signalisieren möchten, sondern so vereinfachte Überschriften sind,
daß sie den Inhalt der Abschnitte keinesfalls abdecken. Man muß nicht nur die Unterü-
berschriften, sondern den Textinhalt selbst betrachten, um ableiten zu können, welche
Phasen Herbert in der Entwicklung in Dänemark sieht.

Es gibt natürlich nicht nur eine Sichtweise auf die Phasen der Besatzungspolitik.
Diese hängt völlig von den hierfür ausgewählten Kriterien ab. Es ist jedoch nötig, kon-
sequent an der *deutschen Sichtweise* festzuhalten, ungeachtet dessen, wieviel Bedeutung
die verschiedenen deutschen Eingriffe von einer dänischen Sichtweise beigemessen wer-
den kann.

Wenn man allein die friedliche Besetzung als Grundlage nimmt, gibt es von April
1940 bis Mai 1945 keine allgemeinen Phasen, da man von deutscher Seite aus von
Anfang bis Ende an der Fiktion von Dänemark als nichtbesetztem Land und als Land,

das nicht mit Deutschland im Krieg war, festhielt.[176] Falls z. B. der 29. August 1943 als Wendepunkt genommen werden soll, dann kann dies nicht allein darauf aufbauen, daß die Regierung als Verhandlungspartner entfiel und stattdessen die Verwaltung der Staatssekretäre entstand, da dies an sich kein Ausdruck für eine Veränderung bei der deutschen Besatzungspolitik war. Diese blieb in allen Punkten wie zuvor, wenn man die Übernahme der Widerstandsbekämpfung durch die Deutschen und deren Verschärfung ausnimmt. Die Entwaffnung der dänischen Streitkräfte hatte seit langem auf der Tagesordnung der deutschen Wehrmacht gestanden. Jetzt war die Gelegenheit dazu da und sie erfolgte, doch dies signalisierte im Übrigen keine neue deutsche Politik. Dies galt ebenso wenig für die Aktion gegen die dänischen Juden. Es bestand die ganze Zeit die Absicht, daß die dänischen Juden dasselbe Schicksal erleiden sollten wie die Juden aus anderen Ländern. Durch den militärischen Ausnahmezustand hatte sich nun eine geeignete Lage ergeben. Beides waren aus einer deutschen Sichtweise notwendige operative Eingriffe, die im Übrigen das Verhältnis zur dänischen Verwaltung und der dänischen Bevölkerung so wenig wie möglich beschädigen sollten. Ziel war es, eine größtmögliche Stabilität im Verhältnis aufrechtzuerhalten, nicht eine neue Politik, auch wenn gelegentlich mit härteren Mitteln gedroht wurde.

Die härteren Mittel wurden erst Anfang Dezember 1943 eingesetzt, als der Gegenterror begann. Das geschah auf Befehl aus Berlin. Dies ist, genau betrachtet, mehr als alles andere der Wendepunkt in der deutschen Besatzungspolitik in Dänemark, während das z. B. der Austausch des Reichsbevollmächtigten in Verbindung mit der Telegrammkrise nicht war: Best folgte generell der bisherigen Politik. Einzig die DNSAP wurde fallen gelassen, doch das war kein Kurswechsel auf einer allgemeinen Ebene. Die DNSAP war seit langem reif für den Ruhestand. Außerdem hatte die SS Pläne für eine germanische SS in allen besetzten germanischen Ländern, so daß kein Platz mehr für eigene eigenwillige örtliche Nazi-Parteien war – Pläne, die Best in Dänemark umsetzte. Dadurch sollte die DNSAP aufs Abstellgleis geschoben werden. Ebenso war die deutsche Forderung nach einer Aktion gegen die DKP im Juni 1941 ein operativer Eingriff, der nicht das Ziel hatte, die dänischen Parteien und Interessenverbände generell zu treffen, im Gegenteil. Die Beseitigung der DKP erschien aus Gründen, die außerhalb Dänemarks lagen (Operation "Barbarossa"), als politisch notwendig. Dies war an sich kein Element der deutschen Besatzungspolitik in Dänemark.

Hingegen entsprang die Aktion gegen die dänische Polizei am 19. September 1944 allein Erwägungen bei der deutschen Polizei in Dänemark (siehe Abschnitt 6.13). Diese Aktion markiert eine neue Phase in der deutschen Besatzungspolitik, in der das Verhältnis zur dänischen Verwaltung dauerhaft reduziert wurde. Eine letzte Phasenveränderung in der deutschen Besatzungspolitik tritt um den Jahreswechsel 1944/45 ein, als das bisherige deutsch-dänische Vertragssystem seine reale Bedeutung verlor, obwohl es formell nicht zusammenbrach. Die Verhandlungen im deutsch-dänischen Regierungsausschuß sowie die Verhandlungen der dänischen Behörden mit dem Rüstungsstab Dänemark und die des Reichsbevollmächtigten bei einer Reihe von Gebieten mit dem

---

176 Auf dänischer Seite wurde diskutiert, ob Dänemark im Krieg mit Deutschland war, siehe u. a. Hurwitz 1945 und Poulsen 1997 auf Dänisch und Englisch.

dänischen Außenministerium (UM) waren nur noch Formsache und hatten keinen realen Inhalt mehr. Die beginnende Auflösung in Deutschland hinterließ ihre Spuren. Charakteristisch für die Lage war u. a., daß Alex Walter im Januar die Abschlußarbeit nicht fortsetzen wollte, während der WB Dänemark und der HSSPF machten, was ihnen paßte[177] und das UM nicht an der Arbeit mit den deutschen Flüchtlingen mitwirken wollte. Leistungsaufforderungen und Beschlagnahmen nahmen im Frühjahr 1945 Überhand.[178]

Wie diese Beispiele illustrieren sollen, spielte sich die deutsche Besatzungspolitik parallel auf verschiedenen Ebenen mit ihren jeweiligen Phasen ab. Je nachdem, auf welche Ebene und welchen Bereich man den Fokus legt, können verschiedene Phasen aufgestellt werden.[179] Es gab z. B. auch verschiedene Phasen in der deutschen Propagandapolitik in Dänemark oder im Verhältnis der Besatzungsmacht zur deutschen Minderheit. Dies wird aus dem Folgenden hervorgehen.

6.2. Hitlers Männer – die deutschen Akteure in Dänemark

"… Leute wie Renthe-Fink, Paul Kanstein und Gustav Meissner sollten unter die Lupe genommen werden."

Aage Trommer 1995b, S. 17f.

Ungeachtet der Dienstebene, auf der sie tätig waren, oder ob sie ziviles oder militärisches Personal waren, haben nur wenige Deutsche über ihren Dienst während der Besatzung Dänemarks geschrieben. Dies kann ein Zufall sein, doch es sticht ins Auge, daß mehr deutsche Flüchtlinge in Dänemark von 1945 bis 1940 über ihre Zeit in dem Land geschrieben haben als Personen unter den Besatzern.

Der Schiffahrtssachverständige der deutschen Gesandtschaft, G. F. Duckwitz, scheint der erste gewesen zu sein, der 1945-46 Erinnerungen über seine Zeit in Dänemark niedergeschrieben hat. Es entstanden drei Kapitel, die von der Aktion gegen die dänischen Juden, dem Generalstreik in Kopenhagen im Sommer 1944 und schließlich vom Frühjahr 1945 und der deutschen Kapitulation in Dänemark handelten. In allen drei Kapiteln, die auf den Rat dänischer Freunde nicht veröffentlicht wurden, schreibt sich Duckwitz eine hervortretende Rolle zu.[180] Auf diese Erinnerungen folgte in den 1950er Jahren ein umfangreicheres Erinnerungsmanuskript, das in zwei Versionen vorliegt. Auch dieses wurde leider nicht herausgegeben, so daß nur ein gedruckter Artikel von Duckwitz aus dem Jahr 1949 vorliegt, in dem er etwas vom Leben in der Gesandtschaft erzählt.[181] Die Verläßlichkeit von Duckwitz' Erinnerungen wurde von Ulrich Herbert[182] aus gutem Grund in Frage gestellt. Mehr Licht auf deren Wert kann aber

---

177 Siehe 9:30, 31 und 69.

178 Dieser ganze Bereich ist noch nicht näher untersucht worden.

179 Hier sei Giltner 1998, S. 51, erwähnt, der über das Frühjahr 1941 schreibt, als die deutschen Behörden in Dänemark (Ebner, Walter, Forstmann) von der Lebensfähigkeit der dänischen Wirtschaft überzeugt waren und glaubten, daß das Land für Deutschland eine Hilfe und keine Belastung sein könnte: "This was the single greatest change in German policy towards Denmark during the entire occupation."

180 Das Kapitel über die Kapitulation 1945 ist von Kirchhoff 1978 auf Dänisch nacherzählt worden.

181 Duckwitz 1949.

182 Herbert 1996, S. 368 mit Fußnote 134.

möglicherweise nur geworfen werden, wenn u. a. die gesperrten Tagebuchaufzeichnungen von Duckwitz im PA/AA für die Forscher allgemein zugänglich gemacht werden. Bislang konnten diese noch nicht erschlossen werden. Hier werden die Erinnerungen in erster Linie in Verbindung mit dem Generalstreik in Kopenhagen und den Begebenheiten vom Frühjahr 1945 kritisch verwendet. In beiden Fällen setzt sich Duckwitz geschickt selbst in Szene, etwa in Bezug auf die Judenaktion, doch er war ebenso sehr loyal gegenüber Best. Das kam beiden bei der rechtlichen Aufarbeitung nach dem Krieg sehr zugute. Hans Kirchhoff hat 1999 ein kleines Porträt über Duckwitz geschrieben, in dem er im Großen und Ganzen an seiner früheren Auffassung festhält,[183] daß Duckwitz unter den Besatzern in Dänemark "der gute Deutsche" war.[184] Es wird spannend sein zu sehen, ob diese Einschätzung in der Biographie, die Kirchhoff derzeit über Duckwitz verfaßt, aufrechterhalten wird.

Während Werner Best im Gefängnis in Dänemark saß, schrieb er zahlreiche Notizen und Beiträge über seine Tätigkeit in Dänemark, die bei seiner Verteidigung dienen sollten. Dabei handelte es sich zum Teil um Porträts von Personen, mit denen er näher bekannt war (Hitler, Himmler u. a.). Die Notizen und Beiträge bildeten 1950 die Grundlage für das Gesamtmanuskript, das er über seine Zeit in Dänemark verfaßte. Es erschien 1988 auf Deutsch mit ergänzendem Quellenmaterial.[185] Der Wert von Bests Erinnerungen wurde sehr unterschiedlich bewertet. Hans Kirchhoff hat ihnen einen selbständigen Wert als *Bericht* vollständig abgesprochen, da sie nichts Neues bringen würden und die Ansichten von Best im Voraus bekannt gewesen seien.[186] Das erste ist nicht ganz zutreffend und das letzte sollte Forscher nicht an sich daran hindern, Bekanntschaft mit den Erinnerungen in dieser Form zu stiften. Peter Hopp war weniger abweisend,[187] eine Auffassung, die vom Herausgeber geteilt wird, da es sich um die wichtigsten Erinnerungen handelt, die von einem der zentralen Vertreter der Besatzungsmacht verfaßt wurden. Sie geben eine deutsche Sicht auf die Entwicklung, so verzerrt und verteidigend sie auch sein mögen. Bests Erinnerungen lassen sich gut mit den drei Berichten von Cecil von Renthe-Fink aus den frühen 1960er Jahren (unveröffentlicht) vergleichen, deren Wahrheitswert den von Bests Erinnerungen nicht übertreffen.[188]

Ein anderer Beamter von Best, der Erinnerungen verfaßt hat, ist Presseattaché Gustav Meissner. Die Erinnerungen erschienen 1990 auf Deutsch und 1996 in einer leicht veränderten dänischen Ausgabe mit ergänzenden Angaben.[189] Leider scheinen die Erinnerungen stark von den in PKB gedruckten Akten gelenkt zu sein, außerdem ist darin nur wenig über das sehr enge Verhältnis zur DNSAP und die kurze Zeit (November

---

183 Kirchhoff 1978.

184 Kirchhoff 1999b.

185 Eine unautorisierte Übersetzung auf Dänisch erschien 1981 und eine autorisierte Neuausgabe 1989 (auf der Grundlage von Best 1988).

186 Kirchhoff 1988, 1991b und 1998b, S. 118 ("…als Bericht ist sie aber völlig wertlos").

187 Hopp 1990a und b.

188 Renthe-Finks Berichte befinden sich in seinem Archiv im PA/AA und wurden von Yahil 1967 recht unkritisch verwendet.

189 Meissner 1990 und 1996. Vgl. Rezensionen von Joachim Lund in *Historisk Tidsskrift* 98, 1998, S. 233-235, und von Henrik Skov Kristensen in *Historie* 1999:1, S. 138-143.

1942 bis März 1943) zu finden, in der er unter Best diente. Er weicht auch den Ursachen aus, warum er kalt gestellt wurde, und scheint im Übrigen nur wenige Kenntnisse von bestimmten Sachverhalten zu haben und möchte über andere nicht berichten, darunter über seine Arbeit mit der DNSAP und der "Judenfrage".[190] Perspektiven auf die wichtige Rolle Meissners als Presseattaché in Kopenhagen können über Einbeziehung von Peter Longerich: *Propagandisten im Krieg. Die Presseabteilung des Auswärtigen Amtes unter Ribbentrop*, 1987, und Daniel Roth: *Hitlers Brückenkopf in Schweden. Die deutsche Gesandtschaft in Stockholm 1933-1945*, 2009, entstehen. Beide Arbeiten beleuchten die Erwartungen des AA als Auftraggeber und zeigen, wie die Aufgabe in einem anderen skandinavischen Land gehandhabt wurde, in dem man von deutscher Seite die Fassade gegenüber der Öffentlichkeit sowie der schwedischen Regierung so gut es ging aufrechterhalten wollte.

Weniger bedeutend sind die Berichte/Erinnerungen von Chefrichter Ernst Kanter (verfaßt 1970, unveröffentlicht),[191] dem Standortältesten Friedrich K. Biehl in Vejle (1981), dem Chef der Gestapo in Esbjerg und später in Kolding Thees Burfeind (verfaßt 1948, unveröffentlicht),[192] dem Vertreter von Best bei von Hanneken in Silkeborg 1943-45, Wilhelm Casper (1994)[193] und dem Adjutant von Hermann von Hanneken, Walter Kienitz (2001).[194] Diese Quellen können im besten Fall einige Details beitragen, sind aber im Allgemeinen von untergeordnetem oder noch geringerem Wert, was Angaben über die deutsche Besatzungspolitik betrifft. Besonders bei Kanter scheint der späte Zeitpunkt der Niederschrift zu beträchtlichen Erinnerungsverschiebungen geführt zu haben, was die Chronologie von wesentlichen Sachverhalten in nicht geringem Maße beeinträchtigt. Auch für Franz von Sonnleithners Erinnerungen (1989) gilt, daß sie von geringem Wert sind, obwohl er eine wichtige Rolle als Repräsentant des AA bei der Verteidigung von Best spielte. Im Grunde steht der Informationsgehalt der meisten von diesen Erinnerungen hinter dem der Verhöre und Erklärungen zurück, die während verschiedener Prozesse gegen die deutschen Hauptakteure in der unmittelbaren Nachkriegszeit abgegeben wurden.

Nur wenige der deutschen Hauptakteure sind Gegenstand einer biografischen Darstellung geworden. Die bedeutendste und beste ist Ulrich Herberts Biografie über Werner Best, bei der das Hauptanliegen in Bezug auf Dänemark sicherlich nicht die deutsche Besatzungspolitik ist, sondern die Frage, ob es Best gelang, seine Ideen von einer Aufsichtsverwaltung in Dänemark zu verwirklichen. Dennoch gibt das Buch einen komprimierten Beitrag dazu. Hingegen findet sich darin nicht sehr viel über Bests Zusammen- und Gegenspiel mit anderen deutschen Instanzen in und außerhalb von Dänemark. Die anderen deutschen Behörden in Dänemark spielen keine große Rolle. Unentbehrlich ist das Werk aber, weil es die ideologischen Wurzeln des überzeugten

---

190 Siehe Lauridsen 2008b, Nr. 37, 41 und besonders Nr. 54, ergänzt um 1:131 (wo der früher fehlende Anhang aufgenommen wurde).
191 Kanter war Richter in Dänemark vom Februar 1943 bis Mai 1945. Manuskript im IfZG-1991/1-6. Über Kanter siehe Schorn 1959, S. 313-323.
192 HSB, Gr. 50, Aage Trommers Forschungsarchiv, Ks. 20 (52 S.).
193 Casper 1994 wurde eingehend rezensiert von Henrik Skov Kristensen in *Historie* 1999:1, S. 138-143.
194 Kienitz/Drostrup 2001.

Nationalsozialisten Best und sein Wirken nach 1951 offengelegt hat. Für Bests Zeit in der Militärverwaltung in Paris 1940-42 und die Erfahrungen, die er dort gesammelt hat und die den Hintergrund für seine Tätigkeit in Dänemark bildeten, muß Herberts Biografie u. a. um Ahlrich Meyers Buch über die Bekämpfung des Widerstands und die Judenverfolgung in Frankreich ergänzt werden.[195] Darüber hinaus entstellt eine Reihe von Dänemark betreffende Fehler die Darstellung von Herbert.[196]

Auch ein weiterer Hauptakteur, Wehrmachtsbefehlshaber Hermann von Hanneken, wurde in *Den hæmmede kriger. Et portræt af general von Hanneken* (Der gehemmte Krieger. Ein Porträt von General von Hanneken), 1997, biografisch behandelt. Ole Drostrup hat das Buch mit Hilfe des früheren Adjutanten von Hannekens, Walter Kienitz, verfaßt und sich weitgehend auf Verhöre aus der Nachkriegszeit, das Archiv der Hauptperson, das PKB und anderes ergänzendes Material gestützt, doch merkwürdigerweise nicht auf die zeitgenössischen Archive der Wehrmacht, weder in Form von Kopien aus dem RA noch von Material aus Freiburg. Dies hängt mit dem beabsichtigten, recht engen biografischen Ansatz zusammen. Es handelt sich um ein "Porträt", in dem ausführlich zitiert wird, was über von Hanneken geschrieben wurde, und die Kritiker von Hannekens gelesen und abgekanzelt werden, während das zeitgenössische Material zur Beleuchtung seiner Tätigkeit weitgehend unbenutzt bleibt. Dies ist eine eigenartige Schwerpunktsetzung. Der Autor ist stark von Kienitz beeinflußt, dem es sehr darum geht, seinen früheren Vorgesetzten "reinzuwaschen". Zur Beleuchtung der deutschen Besatzungspolitik in Dänemark ist die Arbeit von bescheidenem Wert. Das Porträt kann auch nicht nachweisen, daß die vorherrschende negative Sicht auf von Hannekens Person (engstirniger, brutaler Soldat) modifiziert werden müßte.[197]

Der Gestapochef in Dänemark Karl Heinz Hoffmann kann ebenfalls als ein Hauptakteur bezeichnet werden. Wie aus Niels-Birger Danielsen und Suzanne Wowern Rasmussens Buch über Hoffmann hervorgeht, ist es jedoch nicht so leicht, über eine Person zu schreiben, über die nur wenig zeitgenössisches Material zu finden ist. Hier mußten stattdessen das Material aus der rechtlichen Aufarbeitung aus der Nachkriegszeit sowie spätere Interviews mit der Familie und anderes tertiäres Material verwendet werden. Die zahlreichen Anekdoten in dem Buch sind ein Indiz dafür, wie schwer es ist, über eine Person zu schreiben, wenn dessen Polizeitätigkeit so wenig konkret beleuchtet ist.[198]

Eine Skizze über die Tätigkeit des HSSPF Günther Pancke in Dänemark findet sich in Ruth Bettina Birns nützlichem Buch über die Stellvertreter Himmlers im Dritten Reich und im besetzten Europa,[199] doch die dänische Forschung (Rosengreen) und die

---

195 Meyer 2000, ergänzt um Meyer 1992, 1997 und 2005.

196 Nur einige wenige Beispiele: Der Zeitpunkt der Einrichtung des Internierungslagers Frøslev ist falsch angegeben (S. 384), die Sprengung des Tivoli wird dem Schalburgkorps zugemessen! (S. 386), unkritisch wird wiedergegeben, daß Best mit einer Bombardierung Kopenhagens im Juni 1944 gedroht haben soll (S. 386), die Polizeiaktion wird Taifun genannt! (S. 391, 393), Himmler forderte ein Eingreifen gegen die Werftsabotage nach Anschlägen in *deutschen* Häfen! (S. 395). Es scheint sich um mehr als nur um Flüchtigkeitsfehler zu handeln, und sie folgen einander in dichter Folge.

197 Hans Kirchhoff in *Hvem var hvem 1940-1945*, 2005, S. 129f. Vgl. Kirchhoff, 1, 1979, S. 45f., und Joachim Lunds Rezension in *Historisk Tidsskrift*, 98, 1998, S. 464-466.

198 Danielsen und Wowern Rasmussen 2011.

199 Birn 1986, S. 288-297, 342, 350ff.

dänischen Rechtsakten sind nicht verwendet worden. Die Skizze ist von später erschienenen dänischen Forschungsbeiträgen überholt worden (Lundtofte).

Die übrigen biografischen Arbeiten über die Repräsentanten der Besatzungsmacht sind von bescheidenerem Umfang[200] und die meisten von ihnen sind in *Hvem var hvem under besættelsen* (Wer war wer während der Besatzung) (2005) veröffentlicht, in dem zahlreiche Deutsche zum ersten Mal biografisch vorgestellt werden, u. a. so zentrale Figuren wie Walter Forstmann, Alex Walter und Franz Ebner. Die jeweilige Tätigkeit und die Bedeutung für Dänemark wird bewertet, wovon künftige Arbeiten bestimmt profitieren werden. Daß zahlreiche deutsche Akteure erst später stärker ins Licht gerückt wurden, hängt u. a. mit dem zurückhaltenden Interesse an der deutschen Besatzungspolitik zusammen. In den vergangenen 15 Jahren hat die Forschung aber auch viele neue Erkenntnisse über diesen Personenkreis ans Tageslicht gebracht.[201]

Was Aage Trommer 1995 im Hinblick auf Biografien über die Männer Hitlers in Dänemark noch vermißte, ist jetzt also in Gang gekommen, doch der Weg ist noch weit.[202]

Es fehlen völlig Sammelbiografien über den Beamtenapparat in der deutschen Gesandtschaft, über die militärischen Kommandanten, welche die Abschnitte und Städte verwalteten, die Kommandanten der Kriegsmarine, die Führer der deutschen Sicherheits- und Ordnungspolizei sowie das Informantennetz der deutschen Polizei.[203] Welche Erfahrungen brachten sie mit? Waren die Führer des Heers, der Kriegsmarine und der Polizei zuvor an den Fronten in Ost und West eingesetzt, oder waren es überwiegend oder meistens Schreibtischverwalter, die ins friedliche Dänemark gesandt wurden? Im Mai 1943 kam deutsche Ordnungspolizei aus dem Osten nach Dänemark,[204] ebenso brachte der BdS Rudolf Mildner bei seiner Ankunft nach Dänemark frische Erfahrungen von der Ostfront mit.[205] Doch gab es in diesem Bereich eine konsequente deutsche Politik? War Dänemark ein Erholungsgebiet für deutsche Truppen, die von den Fronten kamen und dorthin zurückkehren sollten? Und wie reagierten die Kampftruppen, die hierher kamen, darunter Truppen nicht-deutscher Nationalität,[206] auf die friedlichen Verhältnisse in Dänemark? Es könnte interessant sein, diese Fragen zu beleuchten. Der oberste Verwaltungsbeamte Peder Herschend machte in Silkeborg Erfahrungen mit vielen der deutschen Kommandanten und Polizeiführer in den größeren Städten in Jütland

---

200 Es gibt eine einzelne Arbeit speziell zu Renthe-Fink von Martin Lindø Westergaard 2000 und eine über Paul Kanstein von Jane Søndergård Gude 2000 (die, was das zeitgenössische Material angeht, vor allem auf dem PKB, einzelnen Akten aus Berlin und den Verhören aus der Nachkriegszeit beruhen). Hans Priemé hat einen Artikel über das Doppelspiel des SS-Hauptsturmführers Hans Hermannsen geschrieben, der auf einem Bericht Hermannsens aufbaut (Priemé 2010).

201 Beispielsweise taucht Walter Forstmann zum ersten Mal bei Jensen 1971 auf, und dies zumeist in den Fußnoten. Mit Giltner 1998 trat seine Rolle ernsthaft ans Licht. Aus unbekannten Gründen verweist Brandenborg Jensen 2005 nicht auf Giltner 1998.

202 In Arbeit ist eine größere Anthologie über *Hitlers mænd i Danmark* (Hitlers Männer in Dänemark), herausgegeben von John T. Lauridsen und Henrik Lundtofte, in der u. a. Cecil von Renthe-Fink, Paul Kanstein, Franz Ebner, Walter Forstmann und Gustav Meissner und viele weitere auf der Grundlage von Primäruntersuchungen biografisch dargestellt werden sollen.

203 Für die Gruppe der Informanten (V-Leute) siehe Mallmann 1995.

204 2:314.

205 Henrik Lundtofte in *Hvem var hvem 1940-1945*, 2005, S. 253.

206 Siehe hierzu Roslyng-Jensen 1975 und Sørensen 2005, wo die Frage nach dem Verhältnis zur Bevölkerung jedoch nicht eine Hauptfrage ist.

und auf Fünen 1943-45. Nach seiner Einschätzung scheint es eine bunt zusammenge-
würfelte Gruppe gewesen zu sein, in der es Kooperationsbereite ebenso gab wie Män-
ner, die ständig Konflikte erzeugten. Der jeweilige Hintergrund könnte eine Erklärung
für das jeweilige Verhalten geben, obwohl zu berücksichtigen ist, daß alle vor verschie-
denen örtlichen Herausforderungen standen.[207]

6.3. Der Angriff auf Dänemark am 9. April 1940 und die Besatzung. Besatzungsordnung

> "Wir möchten diesem Mann wahrlich nichts schuldig sein, doch die glimpflichen Verhält-
> nisse in Dänemark waren in der Tat Hitlers Idee."
>
> *Henning Poulsen 1995, S. 9.*

Für ein Verständnis der deutschen Besatzungspolitik in Dänemark 1940-45 sind Ken-
ntnisse über die Hintergründe des Angriffs selbst von entscheidender Bedeutung. Dä-
nemark war von Hitler und seinem Kreis nicht als ein Land ausersehen worden, das für
eine Ausweitung des deutschen Reiches und eine Ansiedlung von Volksdeutschen Platz
machen sollte. Die Bedeutung Dänemarks lag auf einer bescheideneren Ebene. Dies
spiegelt sich in der Außenpolitik gegenüber Dänemark 1933-40 und dem später getrof-
fenen Beschluß wieder, Dänemark in den Weltkrieg hineinzuziehen.

1952 legte Walter Hubatsch das grundlegende Werk *"Weserübung". Die deutsche
Besetzung von Dänemark und Norwegen 1940* vor, das 1960 in erweiterter Auflage er-
schien. Dies war viele Jahre lang das Standardwerk zum Thema in und außerhalb von
Deutschland. Darin wurde die Hauptthese vertreten, daß der Angriff auf Norwegen
und Dänemark einen defensiven Charakter hatte, nachdem man von deutscher Seite
angeblich sichere Meldungen darüber gehabt hatte, daß England eine Besetzung Nor-
wegens vorbereitete. Der Angriff wäre also rein präventiver Natur gewesen. Mit dieser
Argumentation hatte sich Großadmiral Erich Raeder während der Nürnberger Prozesse
1946 verteidigt, wobei er trotzdem als Hauptverantwortlicher für den Angriff zu lebens-
slanger Haft verurteilt wurde. Hubatschs apologetische Tendenz und punktuell nachläs-
sige Quellenbehandlung waren Gründe dafür, daß das Werk stark umstritten war. Zu
den Kritikern zählte Carl-Axel Gemzell, der 1965 seine Untersuchung über die Pläne
der Kriegsmarine im Herbst und Winter 1940 vorlegte, darunter auch über Raeders
strategische Absichten in der Zeit vor dem Kriegsausbruch. Damit wollte Gemzell dem
Angriff auf Norwegen und Dänemark die richtigen Proportionen geben und die Frage
endgültig beantworten, ob es sich um eine offensive oder defensive Aktion handelte.
Die Antwort auf diese Frage erzielte er durch eine intensive Ausnutzung des Archivs der
Kriegsmarine. Überzeugend wird dafür argumentiert, daß Raeder eindringlich daran
arbeitete, Hitler davon zu überzeugen, ein überarbeitetes Aufrüstungsprogramm auf der
Basis von U-Booten umzusetzen und daß hierfür Stützpunkte in Norwegen notwendig
waren. Vor dem von Gemzell ausgewählten Zeitrahmen für die Untersuchung, dem 14.
Dezember 1939 mit Quislings Besuch in Berlin, konnte Raeder das nicht durchsetzen.
Dennoch bestehen keine Zweifel daran, daß es sich um eine *offensive* Planung handelte.

---

207 KB, Herschends Tagebuch 1943-45 mit dazugehörigem Archiv mit Anhängen im RA. Vgl. Lauridsen
2010d.

Schon lange, bevor englische Pläne über eine Besetzung Norwegens vorliegen konnten, wünschte sich Raeder Stützpunkte in Norwegen.[208]

Es ist ebenso deutlich, daß Dänemark ursprünglich nicht Teil der deutschen Pläne war. Erst im Februar 1940 wurde dem Flughafen von Ålborg eine zentrale Rolle beigemessen, als das OKW meinte, die dänische Regierung durch diplomatischen Druck dazu zwingen zu können, ihm das Verfügungsrecht über den Flughafen zu übereignen. Der Flughafen sollte als deutsches Sprungbrett nach Norwegen dienen. Das übrige Dänemark war nicht von strategischem Interesse. Dennoch wich das OKW am 26. Februar von diesem Plan ab. Von da an sollte *ganz Dänemark* besetzt werden und es wurde eine friedliche Besatzung angestrebt, wobei die dänischen Institutionen, Regierung, Rechtswesen usw. mit wenigen Einschränkungen aufrechterhalten sollten. Dies ist von deutscher Seite wiederholt untersucht worden, zuletzt von Hans-Martin Ottmer: *"Weserübung". Der deutsche Angriff auf Dänemark und Norwegen im April 1940*, 1994.[209] Eine Zusammenfassung lieferte Jens Andersen 2007 auf der Grundlage von deutscher Primärliteratur.[210]

Neben der militärischen Planung gab es im OKW Erwägungen über die wirtschaftliche Lage in Dänemark bei einer deutschen Besatzung und wie die Probleme in diesem Zusammenhang behandelt werden sollten. Es gab die Besorgnis, ob sich die Dänen selbst ernähren könnten, wenn der englische Markt entfällt. Diese Überlegungen hinderten jedoch nicht daran, daß man auch die Industrien und Industriezweige aushersah, die für eine Integration in die deutsche Rüstungsproduktion geeignet wären. Henning Poulsen und Sigurd Jensen streifen 1970 bzw. 1971, auf welche Weise diese deutschen Wirtschaftspläne umgesetzt wurden,[211] doch erst die Deutschen Harald Winkel[212] und Hans-Erich Volkmann[213] sowie der Kanadier Philip Giltner stellten diese ausführlich dar.[214] Giltner weist darauf hin, daß Norwegen und Dänemark bei der wirtschaftlichen Planung der Weserübung gleich behandelt wurden. Beiden Ländern wurde eine friedliche Besatzung angeboten. Der Unterschied besteht darin, daß Dänemark der friedlichen Besatzung zustimmte, während Norwegen diese ablehnte. Dies war der entscheidende Grund dafür, daß in den beiden Ländern eine unterschiedliche Besatzungspolitik umgesetzt wurde. Was Dänemark betrifft, so sollte die Wirtschaft *"in the friendliest manner"* behandelt werden.[215] Ein Argument, das Giltner 1998 überzeugend ausführt, aber auf einer zu einseitigen Grundlage. Doch hat er zweifellos Recht damit, daß die

208 Gemzell 1965.

209 Hierzu Ottmer 1991. Ottmer legt das Gewicht völlig auf die konkreten militärischen Planungen und eine detaillierte Darstellung der Landungsoperation. Siehe auch Umbreit 1988, S. 46-50.

210 Andersen 2007, S. 17-20. Clemmesen 2010 hat ein einzelnes Kapitel über die Weserübung Süd, das nichts Neues hinzufügt, aber eine weite Perspektive nach hinten hat.

211 Eichholz, 1, 1969-96, Kap. 1, Poulsen 1970, S. 77, Jensen 1971, S. 282, Fußnote 27. Siehe ferner Petrick 1974 mit einem Abdruck des Dokuments.

212 Winkel 1976, S. 128, unter Verwendung von unveröffentlichtem Material aus dem Reichsamt für wehrwirtschaftliche Planung im BArch.

213 Volkmann 1984 unter Verwendung von Quellen aus dem BArch, Freiburg.

214 Nissen 2005, Kap. 5, wendet sich dieser Problematik eingehend zu.

215 Siehe 1:2. Jensen 1971 hatte dies beachtet, doch daraus nichts gemacht, wohingegen Poulsen 1985, S. 129, darauf hingewiesen hat.

negativen deutschen Erwartungen an die Fähigkeit Dänemarks, sich selbst ernähren zu
können, das REM dahingehend beeinflußte, eine lockere wirtschaftliche Besatzungspo-
litik zu betreiben.[216] Auf die Arbeiten von Winkel, Volkmann und Giltner wird unten
in Abschnitt 6.5 noch näher eingegangen.

Der Angriff selbst und die darauffolgenden deutsch-dänischen Verhandlungen über
die friedliche Besatzung und die entsprechende Besatzungsordnung wurden nach dä-
nischen Prämissen häufig behandelt und sollen hier nicht weiter vorgestellt werden.[217]

*6.4. Die Verhandlungen über eine Zoll- und Währungsunion im Sommer 1940. Dänemark
im deutschen "Großraum"*
Die im Sommer 1940 durchgeführten Verhandlungen über eine Zoll- und Währungs-
union zwischen Deutschland und Dänemark zählen zu den Vorgängen, die vom PKB
untersucht wurden.[218] Die Verhandlungen wurden einerseits geheim gehalten, anderer-
seits schien die Regierungserklärung vom 8. Juli 1940 den unmittelbaren Anlaß zu bie-
ten, um von deutscher Seite aus die Initiative zu ergreifen. Die Untersuchung des PKB
führte nicht dazu, daß Anklage gegen Beteiligte auf dänischer Seite erhoben wurde,
doch das Thema kehrte in der dänischen Forschung seit dieser Zeit regelmäßig wieder.
Es wurde als erster Test für die Möglichkeiten der dänischen Regierung angesehen, sich
den Forderungen der Besatzungsmacht zu widersetzen, was, falls dies nicht möglich
gewesen wäre, bedeutet haben könnte, daß Dänemark seine Unabhängigkeit verliert.[219]
Wenn die Verhandlungen auch später von beträchtlichem Interesse für Deutschland
waren, muß dies vor dem Hintergrund gesehen werden, daß hier zum ersten Mal die
deutschen Pläne für einen europäischen Großraum gelüftet und umgesetzt werden soll-
ten.[220]
Die Initiative zu den Verhandlungen wurde im AA ergriffen, wo Karl Ritter für
die Formulierung der Planungen stand, nach denen die europäischen Staaten in einer
Zoll- und Währungsunion zusammengeschlossen werden sollten. Die Verhandlungen
mit Dänemark sollten das Muster für die künftigen Verhandlungen mit anderen Staaten
bilden. Wie von Henrik S. Nissen eingehend analysiert, stießen die Pläne auf dänischer
Seite auf massiven Widerstand unter Politikern und Unternehmern, sowohl aus ökono-
mischen als auch insbesondere als nationalen Gründen. Einzelne Politiker wie der Mi-
nister für öffentliche Arbeiten Gunnar Larsen scheinen jedoch weniger negativ reagiert
zu haben als andere. Am Ende stand ein Nein an das AA am 23. August, woraufhin
man auf dänischer Seite mit äußerster Spannung auf die deutsche Reaktion wartete.
Eine Reaktion blieb jedoch aus, die Dänen konnten sich aus der Sache herausziehen,
ohne dazu gezwungen zu werden, irgendetwas zu unterzeichnen.

---

216 Giltner 1998.
217 Nissen 1969 und 1973, S. 20-140, Roslyng-Jensen 1991 (Überblick), Kirchhoff 1991a und 2002,
Kap. 2, Lidegaard 2003.
218 PKB, 5 mit dazugehörigen Akten in PKB, 13, Nr. 67-95.
219 Thomsen 1971, S. 21-33, Nissen 1973, S. 262-402, Sjøqvist 1973, S. 86-107, Lund 2005, Andersen
1998 und 2003.
220 Thomsen 1971, S. 21-33, Schumann 1973, Winkel 1976, Petrick/Abraham 1987, Schröter 1997,
Eichholz 1979, Buggeln 2002, S. 65ff.

Die Erklärung hierfür war, daß auf der deutschen Seite keine Einigkeit über die Großraumpläne und die Frage bestand, wer die Initiative übernimmt und die Befugnis für den weiteren Verlauf haben sollte. Dies gab Anlaß zu Streitigkeiten, wie von Joachim Lund näher dokumentiert wurde[221]. Das AA war voreilig gewesen, und die Zoll- und Währungsunion war kein spezielles Element der deutschen Besatzungspolitik in Dänemark. Daher war der Widerstand aus dem Reichswirtschaftsministerium so groß, dessen Leiter Walther Funk am 25. Juli 1940 vor der internationalen Presse seine Planungen für die europäische Neuordnung vorstellte. Diese lagen nach der Beauftragung durch Hermann Göring in seiner Regie, der nach der Niederlage Frankreichs die Verantwortung für die wirtschaftliche Neuordnung von Europa erhalten hatte. Das AA sollte sich da nicht einmischen.

Dänemarks weitere Rolle in den deutschen Großraumplänen und der europäischen Neuordnung wurde insbesondere von Steen Andersen für die Zeit 1940-41[222] und von Joachim Lund zusammen mit anderen Themen für 1940-43 untersucht, darunter nicht zuletzt die Rolle des so genannten Ostraumausschusses.[223] Dabei sollte es in erster Linie um Handelsabkommen und die Beteiligung der dänischen Unternehmen an der deutschen Bautätigkeit gehen. Besondere Planungen behandelten den Ausbau des Kommunikationsnetzes in Dänemark, um Deutschland und Dänemark auf diese Weise enger miteinander zu verknüpfen. Schließlich handelte es sich um die Niederlassung dänischer Firmen in den baltischen Ländern, wo Unternehmen wie F. L. Schmidt & Co. ihre Liegenschaften zurückerhielten, die 1940 von der Sowjetunion verstaatlicht worden waren. Diese Niederlassungen wurden zunächst von deutscher Seite angeregt, doch später bremste man wieder ab und im Takt mit dem deutschen Rückzug wurde dieser Vorstoß der dänischen Wirtschaft zunichte gemacht. Joachim Lund kann nachweisen, daß in der Zementfabrik Port Kunda von F. L. Schmidt & Co. Zwangsarbeiter beschäftigt wurden, ein (einzelnes?) Beispiel dafür, daß die damalige deutsche Wirtschaftsmoral abfärbte, wenn dänische Unternehmen am Ball bleiben wollten.[224]

Die Diskussion über die Großraumpläne ebbte auf deutscher Seite nach dem Sommer 1941 auf eine Weise ab, daß es uns schwer macht, zu erahnen, welche Stellung Dänemarks nach einem deutschen Endsieg gehabt hätte. Die Überlegungen der deutschen Wirtschaftskreise zur künftigen Stellung Dänemarks im Herbst 1940 schien jedoch nichts Gutes für die Zukunft zu verheißen. So wurde u. a. prognostiziert, daß das Land bei Wirtschaft und Handel schrittweise an Boden verlieren würde und man von deutscher Seite aus die Kontrolle über die Rohstofflieferungen ausnutzen sollte, um diejenigen dänischen Unternehmen zu schwächen, die in Konkurrenz zu deutschen Unternehmen standen, falls diese nicht übernommen werden würden. Auch sollte die Rohstoffzuteilung als Mittel zur Arisierung der dänischen Wirtschaft genutzt werden.

221 Lund 2005, Kap. 6.
222 Andersen 1998 und 2003. Außerdem Andersen 2005, das in diesem Kontext jedoch weniger wesentlich ist.
223 Lund 1995a und b, 2005, Kap. 12. Vgl. Helk 1987-87.
224 Lund 2001a und b, 2005, Kap. 13. Vgl. Jessen 2002.

Es blieb jedoch bei Überlegungen, die von Dietrich Eichholz und Joachim Lund behandelt wurden.[225]

Obwohl der künftige Status Dänemarks im nationalsozialistischen Großreich ungewiß bleibt, kann Henning Poulsens Schluß kaum angezweifelt werden: "Es gibt keinen Grund dazu, daran zu zweifeln, daß der deutsche Führer seine Herrschaft über die eroberten Länder als dauerhaft ansah, wobei bei der Art und Weise, wie diese auszuführen war, juristische Details für ihn von nur geringem Interesse waren."[226] So war es ein kleiner Trost, daß Dänemark zwischenzeitlich als kooperationsbereites germanisches Land nicht derselben Besatzungspolitik ausgesetzt war, wie es von Anfang an Ländern wie Polen und der Sowjetunion zugedacht war.

6.5. Dänemark in der deutschen Kriegswirtschaft

"Laut Entscheidung des Führers kann die rüstungswirtschaftliche Heranziehung des Landes Dänemark auf freundschaftlichster Basis ohne jeden Druck beginnen, d. h. es können Aufträge nach Dänemark auf dem Verhandlungswege mit den in Betracht kommenden dänischen Firmen abgeschlossen werden."

OKW, 18. April 1940 (1:2).

Die Ausnutzung – oder Ausplünderung – Dänemarks durch Deutschland als Element der deutschen Kriegsführung ist ein Gegenstand, der die Dänen in den ersten Nachkriegsjahren stark beschäftigte, bevor es eine lange Zeit dauern sollte, bis erneut eine Diskussion in einem Forschungszusammenhang entstehen sollte. Die Grundlage hierfür wurde in erster Linie von Jens Otto Krag und Erik Ib Schmidt in den Sammelwerken gelegt, die nach Ende der deutschen Besatzung erschienen.

Krag war sich sicher, daß es keine wirtschaftlichen Motive waren, die hinter der Besatzung Dänemarks steckten, sondern dessen strategische Lage. Er beschrieb näher "die deutsche Linie", wie er die Einbeziehung Dänemarks in die deutsche Kriegswirtschaft nannte, und formulierte zwei Fragen: Gab es eine systematische Ausplünderung Dänemarks? Waren die deutsch-dänischen Verhandlungen über Leistungen für Deutschland ausschließlich ein Schein?

Die erste Frage beantwortete er mit einem unzweifelhaften "Ja",[227] wobei er meinte, daß dies zu Beginn mit wohlberechneten Vorbehalten erfolgte. Deutschland eignete sich nur so große Anteile an der landwirtschaftlichen Produktion an, daß die Bevölkerung einen erträglichen Ernährungszustand aufrechterhalten konnte. Dabei ging es weniger um die Dänen, als darum, daß die Überschußproduktion verschwinden würde,

---

225 Eichholz, 1, 1969-96, S. 164-168 und Anhang V, Eichholz 2006, Lund 2004 und 2005, S. 57-63. Ebenso Poulsen 1985, S. 123f. Vgl. Lauridsen 2008a, Nr. 4 und 7 mit Auszügen aus den Berichten über Dänemark von der Reichsgruppe Industrie und der Reichsgruppe Handel.

226 Poulsen 2002, S. 19. Am 5. Mai 1940 äußerte Hitler in kleinem Kreis: "Die Form, in der wir Dänemark in unseren Hoheitsbereich einbeziehen, läßt sich noch nicht übersehen." (Halder 1962, S. 279), während er Anfang Oktober 1942 in einem Zornesausbruch gegenüber von Hanneken ausgesagt haben soll, daß er Dänemark zu einer deutschen Provinz machen wollte, weil er Norwegen bräuchte (1:20, vgl. Umbreit 1988, S. 50), doch dieser Aussage kann kein großes Gewicht beigemessen werden. Hitler besann sich und zu einem entsprechenden Beschluß kam es nicht.

227 In der DDR-Forschung gab es eine massive Zustimmung, daß es sich um eine Ausplünderung Dänemarks gehandelt hat (Bobert/Büttner 1962, Köller 1965, Röhr 1996 und in den Arbeiten von Petrick).

falls die Bauern die Lieferbereitschaft verlieren würden. Darauf wurde von deutscher Seite Rücksicht genommen. Auf noch einem Gebiet nahmen die Deutschen Rücksicht, indem sie nämlich daran mitwirkten, daß durch das UM und das Direktorat für Warenversorgung eine Kontrolle der Preise für die Leistungen, die an die deutschen Abnehmer geliefert wurden, sowie eine Kontrolle der verbrauchten Materialien aufgebaut wurde. So erhebt sich die weitere Frage, ob es sich um eine verschleierte Ausplünderung gehandelt hat. Dies meinte Krag nicht mit einem eindeutigen "Ja" beantworten zu können. "Tatsächlich hielt Deutschland über den gesamten Zeitraum den Umständen entsprechend beträchtliche Warenlieferungen nach Dänemark aufrecht." Das Hauptergebnis wäre jedoch eine Ausnutzung. Das deutsche Aussaugen würde Tag für Tag die dänische Wirtschaft untergraben.[228] Er veranschlagte die dänischen gemeinwirtschaftlichen Verluste auf das Bruttoinlandseinkommen von rund anderthalb Jahren der Vorkriegszeit. "Die Verluste sind groß", lautete die Einschätzung.[229]

Erik Ib Schmidt sah eines der möglichen Motive für die deutsche Besatzung Dänemarks darin, daß man an der Ausnutzung der Versorgungsmöglichkeiten Dänemarks interessiert gewesen war. "Dieser Gesichtspunkt mußte nämlich in den Vordergrund treten, als die Besatzung erst Realität war, und schwerer wiegen, als die wirtschaftlichen Bedingungen Deutschlands geringer wurden."[230] Er verwies besonders auf die Bedeutung der dänischen Überschußproduktion von Agrarerzeugnissen, dem hohen Stand der dänischen Metallindustrie und die dänische Arbeitskräftereserve. Alles Faktoren, bei denen sich gezeigt habe, daß die Besatzungsmacht sie ausgenutzt hat. Sein Artikel trägt den sprechenden Titel "Deutsches Drängen und dänische Gegenwehr", ein Titel, der typisch für die Zeit und für die Tendenz des Artikels ist. Schmidt empfand es als charakteristisch für die deutsche Wirtschaftspolitik gegenüber Dänemark, daß man versuchte, den Schein zu wahren, alle Leistungen würden auf Gegenseitigkeit beruhen und die Grundlage würden Verhandlungen oder Handel in normalen Formen bilden. Er räumt auch ein, daß es nicht zu direkten Übergriffen gekommen war, wie in anderen besetzten Ländern, und zog den Schluß, daß die dänischen Leistungen an Deutschland grundsätzlich die Form hatten, als würde es sich um reguläre Käufe oder Verkäufe handeln, und daß dieser Handel auf der Grundlage von Verträgen zwischen dänischen und deutschen Behörden ablief, obwohl die Deutschen jederzeit hätten machen können, was sie wollten. Sie hätten jedoch ein Interesse daran gehabt, den Schein zu wahren, daß es sich um ganz normale Geschäfte handelte, während das wirtschaftliche Nettoergebnis "die wohlbekannten kolossalen Mehrleistungen von dänischer Seite" waren.[231] Die kolossalen dänischen Mehrleistungen wurden in den nachfolgenden Jahrzehnten in der dänischen Öffentlichkeit als feste Tatsache behandelt.

228 Krag 1947, S. 22-26.
229 Krag 1947, S. 47-49.
230 Schmidt 1948a, S. 25. Siehe ebenso Schmidt 1948b.
231 Schmidt 1948a, S. 26f. In Schmidts späteren Erinnerungen wird die Auffassung aufgegeben, es hätte sich um Scheinverhandlungen gehandelt: "Es wurde eine zentrale Aufgabe für die dänischen Unterhändler, die größtmöglichen Versorgungsleistungen aus den Deutschen herauszupressen. Hier feierte die Verhandlungspolitik ihre größten Triumphe." (Schmidt 1993, S. 210f.). Es ist an sich ein relevanter Gesichtspunkt, wie die Akteure auf dänischer Seite (z. B. Scavenius 1948) und später die dänischen Historiker die deutsche Besatzungspolitik darstellen würden.

Dieser Aspekt war auch in Erich Thomsens Beschreibung in einem Kapitel unter dem Titel "Die Nutzbarmachung der dänischen Wirtschaft" enthalten, wo Thomsen über die "ungeheure Summe" schrieb, ansonsten aber der großen Bedeutung der Agrarexporte für Deutschland und der für Deutschland tätigen dänischen Arbeitskräfte besondere Aufmerksamkeit widmet. Seine Einschätzung lautet: "Der bedeutende wirtschaftliche Beitrag Dänemarks zur deutschen Kriegswirtschaft gab der dänischen Regierung die Möglichkeit, die Deutschen immer wieder auf die dänischen Wünsche und Belange Rücksicht nehmen zu lassen." Seine Grundlage für diese Einschätzung war, daß Renthe-Fink und Best in ihren Berichten immer wieder auf das Argument zurückkamen, man müsse mit den augenblicklichen Zuständen in Dänemark zufrieden sein, wenn man nicht die dänischen Exporte nach Deutschland beeinträchtigen wolle.[232] Hier wird kein Wort über deutschen Druck und Drängen geschrieben, sondern stattdessen daß die dänischen Wünsche in wirtschaftlicher Hinsicht berücksichtigt werden.

In der Arbeit von Sigurd Jensen: *Levevilkår under besættelsen. Træk af den økonomiske og sociale udvikling i Danmark under den tyske besættelse 1940-45* (Lebensbedingungen unter der Besatzung. Züge der wirtschaftlichen und sozialen Entwicklung in Dänemark während der deutschen Besatzung 1940-45), 1971, wurde der Faden aus Arbeiten wie denen von Krag und Schmidt wieder aufgenommen, indem die deutschen Forderungen und der deutsche Druck als Bestandteile der Darstellung wiederkehrten. Das Buch zeichnet sich dadurch aus, daß weder der Haupt- noch der Untertitel den Inhalt abdecken,[233] und daß die Zeit nach dem 29. August 1943 nicht das Interesse des Verfassers gefunden hat. Diese wird auf knapp 40 Seiten abgehandelt, während die Zeit davor 216 Seiten beansprucht. Inhaltlich sind die Verhandlungen des deutsch-dänischen Regierungsausschusses der Dreh- und Angelpunkt. Diese werden relativ detailliert dargestellt, und es wird dargelegt, daß trotz des deutschen Drucks ein gewisses Verständnis für die dänische Lage seitens der deutschen Unterhändler gezeigt wurde (Technokraten mit wirtschaftlichem Verständnis), insbesondere von Alex Walter und Waldemar Ludwig, und daß das REM und RWM (Reichswirtschaftsministerium) vollständig hinter ihnen standen. U. a. war ihnen das Bestreben gemein, eine Inflation in Dänemark zu verhindern. Walter Forstmann, der Leiter des Rüstungsstabs Dänemark, gehörte ebenfalls zum Kreis derjenigen, die positiv gegenüber der dänischen Wirtschaft eingestellt waren.[234] Jensen ist auch der Auffassung, daß Renthe-Fink "zum vernunftbetonten Ausbalancieren der Verhältnisse in Dänemark beigetragen hat. Best war auf der Seite der Technokraten und bremste so lange wie möglich die Generäle aus." Vor und nach dem 29. August 1943 und während der politische Sturm raste blieben die deutschen Technokraten und die dänischen Unterhändler am Verhandlungstisch,[235] der dänische Pro-

232 Thomsen 1971, S. 58f. Das Kapitel ist fast ausschließlich auf der Grundlage von veröffentlichtem Material geschrieben worden, zumeist von PKB, und reicht nur in wenigen Punkten über 1942 hinaus.
233 Der Titel ist mehr als "leicht fehlleitend", wie Per H. Hansen 1996, S. 34, meint.
234 Vgl. Kirchhoff, 1, 1979, S. 106.
235 Die Rolle der dänischen Unterhändler wurde von Mark Mau beschrieben (2002, 2003 und 2004), doch er beschäftigt sich auch kurz mit der Politik der deutschen Unterhändler. Er ist der Meinung, daß man auf deutscher Seite dem dänischen Binnenmarkt höhere Priorität gab als dem deutschen Markt, weil man "eine zu stark anwachsende Widerstandsbewegung fürchtete, besonders als man 1943 und 1944 mit einer alliierten Invasion in Dänemark rechnen mußte. Man hielt doch ein einfaches und effektives Mittel in

duktionsapparat produzierte weiter und der Export wurde ebenso weitergeführt.[236] Jensen schätzt ebenfalls die mit dem Besuch der ungebeten Gäste verbundenen Kosten ab. Hier soll besonders hervorgehoben werden, wie die von ihm geschätzte Summe von 5 Milliarden Kronen zustande kommt, die "das deutsche Militär aus Dänemark erbeutet hat", wie er es formuliert. Diese errechnet sich aus einer Summe an Waren und Dienstleistungen, die Dänemark entzogen wurde, wobei sich die Besatzungsmacht beim Bau von Flughäfen, Festungsanlagen usw. allerdings in weitem Umfang dänischer Arbeitskräfte bediente, die sonst keine Beschäftigung gefunden hätten.[237] Das soll andeuten, daß die unproduktiven Mittel der dänischen Gesellschaft teilweise indirekt zugute kamen. Die Bedeutung des dänischen Exports schätzt er nicht selbständig ein, sondern gibt die Angabe über die große Bedeutung der Fischereiexporte durch den Rüstungsstab Dänemark vom 31. März 1944 wieder. In der Folge hätten die dänischen Fischlieferungen das Rückgrat bei der Versorgung der deutschen Großstädte mit frischem Fisch gebildet.[238] Jensen hatte nicht beachtet, daß diese Einschätzung aus einem Bericht von Franz Ebner vom 22. März 1944 übernommen war,[239] und aus einem guten Grund konnte er ebenso wenig wissen, daß hier die Munition für eine Historikerdebatte lag, die sich mehr als drei Jahrzehnte später entfachen sollte. Ferner soll angemerkt werden, daß die Bewertung von Renthe-Finks Rolle und mehr noch von Bests Rolle unzureichend nachgewiesen ist und nur im Kapitel "Schlußbemerkungen" auftaucht. Ebenso wesentlich ist, daß Sigurd Jensen im Gegensatz zu Krag und besonders Schmidt die deutsch-dänischen Verhandlungen durchweg als real und nicht als Scheinverhandlungen ansieht, obwohl es sich um Forderungen und Druck handelte. Jensen führt hierfür den Beleg an, daß es auf dänischer Seite etwas gab, womit gehandelt werden konnte, falls dafür im Gegenzug etwas geleistet werde.

1976 veröffentlichte Harald Winkel die erste größere Erörterung über Deutschlands Handelsbeziehungen zu Dänemark 1940-45, überwiegend auf der Grundlage von deutschem Aktenmaterial.[240] Sie unterscheidet sich von den Arbeiten von Erich Thomsen und Sigurd Jensen durch ihren Zugang und durch die Archivnutzung. Winkel fand, daß die "plakative Wirkung" der Begriffe Ausnutzung und Ausplünderung unbefriedigend sei, und zielte auf einen differenzierteren Ausdruck ab. Diesen fand er bei Dietmar Petzina, der zwischen zwei deutschen Wirtschaftspolitiken unterschied, die in den besetzten Ländern durchgeführt wurden. Die eine kam in West- und Nordeuropa zum

---

der Hand, um eine unkontrollierte Entwicklung zu verhindern: Lebensmittel. […] Die landwirtschaftliche Produktion wurde daher zum effektivsten Mittel der Deutschen, um Ruhe und Ordnung im Land aufrechtzuerhalten – wer satt ist, macht keine Revolutionen. Darum blieb die dänische Widerstandsbewegung eine Eliteorganisation und darum konnte Dänemark von nur 200 Beamten verwaltet werden." (Mau 2002, S. 52f.). Die These ist eigenartig und es gibt im Übrigen im deutschen Quellenmaterial keinen Beleg dafür, daß es eine größere Furcht vor der dänischen Widerstandsbewegung gegeben hat, schon gar nicht in einem Umfang, daß man lieber die deutschen Lebensmittelrationen verringern würde, als an den dänischen zu rühren. Die früheren Erklärungen dafür, daß der dänische Binnenmarkt einen hohen Lebensmittelanteil aufrechterhielt, sind weitaus abdeckender (siehe z. B. Poulsen 1985, hier im Folgenden zitiert).

236 Jensen 1971, S. 256f.
237 Jensen 1971, S. 255f.
238 Jensen 1971, S. 181.
239 Siehe 5:362 und 387.
240 Hier wird von Köllers Dissertation 1965 abgesehen, die unveröffentlicht blieb und nur wenig Verbreitung fand. Winkler konnte sich nur auf wenige vorliegende deutsche Arbeiten stützen.

Tragen und wird unter dem Begriff "Restaurierung der wirtschaftlichen Kapazitäten" gefaßt, die andere in Polen und der Sowjetunion und umfaßte eine "direkte wirtschaftliche Ausbeutung". Winkel wollte diese Differenzierung anhand des deutsch-dänischen Verhältnisses überprüfen, wobei er anmerkte, daß es ein detailliertes Verständnis verhindern würde, wenn in Verbindung mit dem oft dünnen Quellenmaterial die Begriffsverwendung auf die globale "Ausplünderung" verengt werden würde. Er fügt hinzu: "Hinzu kommt, daß von deutscher Seite eine größtmögliche Ausnutzung der besetzten Gebiete zur Durchführung kriegswirtschaftlicher Aufgaben offen angestrebt und nicht bestritten wurde."

Hierzu kann die Frage gestellt werden, ob dies auch in größtmöglichem Umfang gelang. Winklers Schlußfolgerung ist eindeutig: Es gelang nicht. Deutschland nutzte die dänischen Ressourcen während des Kriegs schlecht aus. Dies sei nicht unbedingt ein Ergebnis der deutschen Besatzungspolitik in Dänemark gewesen, sondern hatte seinen Hintergrund darin, daß die deutsche Kriegswirtschaft insgesamt nicht total wurde und man nicht von Kriegsbeginn an Pläne für die Expansion und die totale Mobilisierung hatte.[241] Was Dänemark betrifft, haben die deutschen kriegswirtschaftlichen Studien zu Kriegsbeginn die große Abhängigkeit des Landes von Importen und Rohstoffen aufgezeigt. Sollte Dänemark in die deutschen Planungen einbezogen werden, mußte dieser Faktor daher bei einer langfristigen Planung berücksichtigt werden. Das wurde er aber nicht, und so war es zu keinem Zeitpunkt von deutscher Seite aus möglich, ausreichende Mengen an Rohstoffen zu liefern, damit die dänischen Unternehmen auf allen Bereichen optimal ausgenutzt werden konnten, nicht einmal in Bezug auf die Rüstungsproduktion. "Der für Dänemarks Wirtschaft feststellbare zunehmende Produktivitätsverlust, die wachsende Minderauslastung unzerstörter Kapazitäten, aber auch der ohne gravierende Störungen weiterlaufende Außenhandel mit den nordischen Staaten – darunter das neutrale Schweden – lassen es nicht mehr zu, von einer 'planvollen und systematischen Ausbeutung' zu reden."[242] Ohne weiter ins Detail zu gehen sei angemerkt, daß Winkel eine deutsche Perspektive auf verschiedene Sachverhalte gibt, die bis dahin vermißt wurde. Dies gilt z. B. für seine Betrachtung, daß Deutschland einen beträchtlichen Beitrag zur dänischen Beschäftigungspolitik leistete. Während 1940 eine sehr große Arbeitslosigkeit herrschte, war diese 1944 dank der zahlreichen durch die Besatzungsmacht eingeleiteten Arbeiten praktisch verschwunden (S. 172).

Winkels Pionierarbeit wurde erst durch den Verdienst dänischer Forscher ab der zweiten Hälfte der 1990er Jahre aufgenommen. Und obwohl viele Thesen anfechtbar sind und heute weitaus mehr Quellenmaterial zur Verfügung steht, handelt es sich hierbei um den ersten ernsthaften deutschen Versuch, die deutsch-dänischen Wirtschaftsbeziehung zu betrachten.

Hans-Erich Volkmann griff 1984 in seiner Abhandlung "Landwirtschaft und Ernährung in Hitlers Europa 1939-1945" erneut das Verhältnis zu Dänemark auf. In seiner

---

241 Hier bezieht sich Winkel auf Kaldor 1946, dessen Thesen seither u. a. von Alan S. Milward aufgegriffen wurden.
242 Winkel 1976, S. 162, 173f. Winkel ist der erste, der Christian Breyhan und Hans Clausen Korff in die dänische Geschichtsschreibung der Besatzungszeit einführte.

Arbeit sind alle besetzten Länder aufgenommen worden.[243] Hier werden erneut die Be-
sorgnisse des OKW erwähnt, die auch Winkel auf einer anderen Quellengrundlage dar-
gestellt hatte, ob nämlich Dänemark seine Wirtschaft allein am Laufen halten könnte
und ob sich die Bevölkerung bei einer deutschen Besatzung selbst mit Lebensmitteln
versorgen könnte. Die Bedingungen hierfür wurden Mitte 1940 als schlecht beurteilt.
Volkmann behandelt die Grundsätze, nach denen Deutschland die besetzten Länder
und die anderen Länder innerhalb seines Machtbereichs ausnutzen wollte. Art und
Umfang der agrarpolitischen Eingriffe und der Umfang der Ausbeutung waren je nach
Stellung des betreffenden Landes zu Deutschland unterschiedlich. Er faßt dies folgen-
dermaßen zusammen: "Die deutsche agrarwirtschaftliche Versorgung im Krieg hing
weitgehend von der Möglichkeit, dem Willen und dem Erfolg ab, die befreundeten,
beherrschten und okkupierten Gebiete zwar auszunutzen, sie aber gleichzeitig in jeder
Weise lieferfähig und -bereit zu halten. Im Widerstreit dieser beiden agrarpolitischen
Notwendigkeiten obsiegte mit sich verschlechternder Kriegslage eindeutig das Prinzip
radikaler Ausbeutung."[244] Volkmann ist der Auffassung, daß es müßig sei, darüber zu
streiten, ob Dänemark mit einer überwiegend agrarischen Wirtschaft von der Besat-
zungsmacht ausgebeutet wurde. Wenn man auf deutscher Seite in Bezug auf Dänemark
von einer radikalen Ausbeutung absah, so stand dies unter dem Motto: "Länder, deren
Wirtschaft und öffentliches Leben intakt sind, sind für uns ergiebiger als unruhige Län-
der." Dieses Motto stammt aus einem Bericht des RWM von 1944. Volkmann ergänzt
dies um die Anmerkung, daß unter solchen Bedingungen die landwirtschaftliche Pro-
duktion in vielen Bereichen noch ansteigen konnte, und er stellt fest, daß Dänemark
dasjenige der besetzten Länder war, das während des Kriegs am besten mit Lebensmit-
teln versorgt war – sogar besser als Deutschland. Er ist auch der Auffassung, daß Deut-
schlands schlechtere militärische Lage die dänische Lieferbereitschaft verringerte und
man von deutscher Seite aus deshalb zu Zwangsmaßnahmen wie Beschlagnahmungen
überging.[245] Dies ist nicht ganz falsch, doch diese Situation entstand erst im Frühjahr
1945 und dies geht aus dem kurzen Text nicht hervor, ebenso wenig, daß es sich um
Agrarprodukte handelte.[246]

Da Volkmanns Abhandlung alle besetzten Länder behandelte, ist für Dänemark
keine nuanciertere Darstellung zu erwarten gewesen, und hierfür gibt es auch keine
Quellengrundlage. Wesentlich ist aber, daß Dänemark im internationalen Kontext be-
trachtet wird.[247] Ebenso wie Thomsen und Winkel möchte Volkmann Dänemark nur
ungern als ausgebeutet bezeichnen, und daß dies nicht nur eine deutsche Tendenz ist,
soll aus dem Folgenden hervorgehen.

---

243 Es gibt eine erweiterte Version von Volkmanns Abhandlung von 2003, auf die hier verwiesen sei.
244 Volkmann 2003, S. 379-381, 387, 389.
245 Volkmanns einziger Beleg hierfür ist der Lagebericht vom 15. Oktober 1944 des Feldwirtschaftsoffiziers
des WB Dänemarks, hier abgedruckt unter 8:39. Die Lage spitzte sich erst zum Jahreswechsel zu. Peder
Herschend notierte am 14. Dezember 1944, daß in der letzten Zeit eine astronomische hohe Zahl an
Beschlagnahmungen erfolgt waren (KB, Peder Herschends Tagebuch, Nr. 301).
246 Volkmann 2003, S. 390f., 435.
247 Dies geschieht ebenso u. a. bei Milward 1977, S. 272f., und Eichholz, 2, 1969-96, S. 500, 501-005,
auf einer schmalen Grundlage.

1985 schrieb Henning Poulsen einen kurzen Beitrag über "Dänemark in der deut-
schen Kriegswirtschaft", der sich als erster in einer Reihe von kurzen Artikeln über Dä-
nemark in der Besatzungszeit erwies,[248] die mit dem Buch *Besættelsesårene 1940-1945*
(Die Besatzungsjahre 1940-1945), 2002, abgeschlossen wurde. Im Hinblick auf die
Kriegswirtschaft steuert Poulsen keine neuen Untersuchungen bei. Er stellt jedoch ei-
nige für den dänischen Kontext neue Fragen und trägt andere Thesen und Sichtweisen
vor als bis dahin. Diese sollen hier zusammengefaßt werden. Seine Anregungen hat
Poulsen aus der internationalen Forschung bezogen. Er selbst hebt 1985 besonders Alan
S. Milwards *War, Economy and Society*, 1977, hervor, während die genannten deutschen
Forscher mit Ausnahme von Thomsen nicht erwähnt werden und die deutsche For-
schung im Übrigen eine recht begrenzte oder jedenfalls keine direkte Rolle gespielt zu
haben scheint.

Erstens möchte Poulsen die Auffassung torpedieren, daß Dänemark große Verluste
erlitten hätte oder von Deutschland während der Besatzung in größerem Umfang aus-
genutzt oder ausgeplündert worden wäre. Er stellt die Berechnungen in Frage, die in
den ersten Nachkriegsjahren angestellt wurden, und verweist stattdessen darauf, daß die
deutsch-dänischen Handelsbeziehungen während des Kriegs aus der Erkenntnis heraus
verstanden werden müssen, daß es ein Verkäufermarkt gewesen sei und daß unter den
gegebenen Umständen für die landwirtschaftlichen Produkte gezahlt werden mußte, was
als Marktpreis bezeichnet werden muß. Dies liegt weit ab von den Einschätzungen von
Krag und Schmidt, und eine Zuspitzung der Einschätzung von Sigurd Jensen. Poulsen
stützt auch nicht die Auffassung, daß es sich um Scheinverhandlungen gehandelt hat,
sondern sieht diese als ausgeprägt realistisch sowohl auf deutscher als auch auf dänischer
Seite an. Auf deutscher Seite hatte man Bedarf an der dänischen landwirtschaftlichen
Produktion, auf dänischer Seite mußte man sich unbedingt Rohstoffe und insbesondere
Kohle verschaffen. Die Bezahlung für die Agrarerzeugnisse war "die gängige Währung
des Krieges, also nicht Geld, sondern Waren. Hiermit soll nicht gesagt sein, daß es ein
Gleichgewicht beim Warenaustausch gab, doch eher, daß die Differenz uninteressant im
Vergleich zum gesamten Warenstrom ist, der beiden Seiten zugutekam."

Daß Dänemark höhere Lebensmittelrationen als die Deutschen erhielt, möchte
Poulsen dadurch erklären, daß sich hierbei die Marktsituation geltend machte und es
den deutschen Unterhändlern klar war, daß dies der Preis für die dänische Lieferbereit-
schaft sei und dies darüber hinaus dazu beitrug, daß Teile der Agrarerzeugnisse nicht auf
den Schwarzmarkt gerieten.

Zweitens stellt Poulsen die Frage, warum Dänemarks wirtschaftliches Potenzial in so
geringem Grad von Deutschland ausgenutzt wurde, daß der Nettoerlös nur 15 % des
Nationalproduktes entsprach, während es im Falle Norwegens 50 % waren. In seiner
Antwort verweist er in erster Linie darauf, daß der Bedarf für militärische Bauarbei-
ten verhältnismäßig begrenzt war. Zudem beförderte die unzusammenhängende deut-
sche Rüstungspolitik in den ersten Jahren keine Umstellung der dänischen Industrie zu
Rüstungszwecken, auf die sie traditionell nicht ausgerichtet war. Schließlich konnte die

---

248 Poulsen 1985, 1991a und b, 1995, 1997, 2002, 2002a und 2005.

besondere dänische Situation, aus der heraus man von deutscher Seite mit den Dänen verhandeln mußte, den deutschen Appetit schwächen.

Und drittens wollte Poulsen die Auffassung demontieren, daß Dänemark eine größere Bedeutung für die deutsche Kriegsführung gehabt hätte. Neben den Arbeitern und den militärischen Lieferungen gab es in Dänemark nur einen weiteren kriegswichtigen Posten, die "außerordentlichen Industrielieferungen" für die ca. eine Milliarde Kronen umfassenden Aufträge der deutschen Wehrmacht.[249] Unterstützt wird dies durch Dietrich Eichholz, der den Anteil Dänemarks an der gesamten deutschen Rüstungsproduktion 1943 folgendermaßen angibt (in Prozent): Waffen 0,3; Fahrzeuge 0,3; Schiffsbau 1,5; Flugzeuge 0,1; Horchgeräte 0,5.[250]

Eine Nebenfrage, die Poulsen aufgreift, ist, welcher der engere Flaschenhals in der deutschen Wirtschaft war – Rohstoffe oder Arbeitskräfte. Er vertritt die Meinung, daß es am stärksten an Arbeitskräften gefehlt hätte. "Es war daher ein klarer Vorteil, Rohstoffe zur Verarbeitung nach Dänemark zu schicken, wo es verfügbare Hände gab." Hier kann die Gegenfrage gestellt werden, ob sich so handfest ausmachen läßt, daß Deutschland am meisten die Arbeitskräfte fehlten. Dem Land fehlte es an beidem. Auf beides konnte nicht verzichtet werden, und das wurde in zunehmendem Maße zu einem Problem, was sich auch im Verhältnis zu Dänemark geltend machte. Und genau dies kann bei der Begründung dafür, warum Dänemark nur einen Beitrag von 15 % seines Nationalproduktes an Deutschland geleistet hat und nicht zuletzt warum die "außerordentlichen Industrielieferungen" über ca. eine Milliarde Kronen nicht größer waren, einbezogen werden. Von deutscher Seite wurden mehr Aufträge nach Dänemark erteilt, als man von deutscher Seite durch die Lieferung der versprochenen Rohstoffe erfüllen konnte. Und die Rohstoffe, die an die dänische Industrie gingen, verspäteten sich mehr und mehr und erreichten auch nicht den versprochenen Umfang. Darauf verweist zumindest das umfangreiche Aktenmaterial, das über genau diesen Bereich der Kriegswirtschaft erhalten ist. Markante Beispiele hierfür sind im Hansa-Schiffbauprogramm oder im dänischen Lokomotivenbau für Deutschland zu finden.[251] Viele freie Hände in Dänemark konnten nicht beschäftigt werden, wenn die Rohstoffe zur Verarbeitung nicht eintrafen. Von der zweiten Hälfte 1944 an kamen zunehmend Probleme bei der Brennstoffversorgung hinzu, wobei der Transport von und nach Dänemark an sich zu einem großen Problem wurde. Abschließend kann die Aussage Poulsens hinterfragt werden, daß der Bedarf an militärischen Bauarbeiten in Dänemark verhältnismäßig begrenzt war. Im Verhältnis zu was? Zu Norwegen vielleicht? Ungeachtet der Antwort legt das vorliegende deutsche Material über Dänemark ein klares Zeugnis dafür ab, daß die deutschen Verteidigungsanlagen unzureichend waren und blieben und daß die deutschen Ressourcen nicht ausreichten, um daran etwas zu ändern, während Befestigungsarbeiter leicht aufzutreiben gewesen wären.

Per H. Hansen hat danach auf zwei Bereichen gegen Henning Poulsens Auffassung opponiert. Zur ersten These meint er: "Das mit den normalen Formen muß man sich

249 Poulsen 1985, S. 129f. und 1991, S. 379f. Vgl. Kirchhoff, 1, 1979, S. 106f.
250 Eichholz, 2, 1969-96, S. 508. Vgl. Umbreit 1999, S. 187.
251 Verwiesen sei auf das Register und auf Nørgaard Olesen 2005.

auf der Zunge zergehen lassen, denn die sehr umfangreichen Handelsverhandlungen, die während der ganzen Besatzung zwischen den deutschen und dänischen Behörden stattfanden, kann man kaum mit der Bezeichnung normal qualifizieren." Zur zweiten: Wenn Poulsen den Warenaustausch zwischen Deutschland und Dänemark als markt-basiert charakterisiert, "muß deshalb zumindest unterstrichen werden, daß dies sich auf ein anderes Verständnis als das gängige bezieht".[252] Auf diesem wie auf vielen anderen Gebieten hat Poulsen eine Tendenz dazu, bei seiner Jagd nach Pointen die vermeintliche Normalität zu stark hervorzuheben. Dies gilt auch in Bezug auf die vielen neuen Probleme des Alltags während der Besatzungszeit.[253]

Ab Mitte der 1990er Jahre hat die Erforschung der deutsch-dänischen Wirtschafts-beziehungen mit Arbeiten von Joachim Lund, Philip Giltner, Steen Andersen, Ole Brandenborg Jensen und Mogens R. Nissen richtig Fahrt aufgenommen. Joachim Lund hat in seinem Buch *Hitlers Spisekammer* (Hitlers Speisekammer), 2005, einen anregenden Überblick über diese Forschung gegeben, in dem unter anderem darauf hingewiesen wird, daß die nationalsozialistische Polykratie bisher in der Erforschung der deutsch-dänischen Wirtschaftsbeziehungen zu wenig Raum eingenommen habe. Ihr mißt er in seinen Arbeiten eine besondere Bedeutung zu.[254] Es war auch Joachim Lund, der 1995 in mehr als einer Hinsicht die beiden erwähnten Artikel über den Einsatz der dänischen Wirtschaft im "Ostraum" vorlegte, die nur deshalb erwähnt werden sollen, weil sie anzeigen, daß hier ein dänischer Forscher hervortritt, der den Blick auf die Archive in Deutschland richtete. Ihm folgten dann die bereits erwähnten. Joachim Lund versammelte seine Arbeiten in *Hitlers spisekammer*, 2005,[255] in dem sich ein einzelnes Kapitel findet, das auch vom Titel des Buchs abgedeckt ist, nämlich Kapitel 17: Däni-sche Lebensmittel für die deutsche Heimatfront. In diesem Kapitel wird dahingehend argumentiert, daß die dänischen Lebensmittelexporte der wichtigste konkrete Beitrag zur deutschen Kriegswirtschaft waren, diese Dänemarks Stellung in der europäischen Neuordnung definierten und sie eine entscheidende Rolle bei der deutschen Besat-zungspolitik gegenüber Dänemark spielten. Er legt ebenso Statistiken wie Aussagen ei-niger deutscher Akteure aus dieser Zeit über die Bedeutung der Exporte vor. Es fehlt an Material, insbesondere an deutschen Aussagen, aus der Zeit nach Frühjahr 1944, und man kann mit Recht fragen oder jedenfalls problematisieren, ob der Export im letzten chaotischen Kriegsjahr ein entscheidender Faktor blieb. Auf jeden Fall wollte Hitler während eines Konflikts mit Dänemark im Oktober 1944 nicht, daß HSSPF Günther Panckes Argumente unter Hinweis auf den dänischen Export zurückgestellt werden.[256]

---

252 Hansen 1996, S. 42. Darüber hinaus Hansen 1997 und 2002.

253 In seiner Abschiedvorlesung an der Universität Århus 2001 führte Poulsen Mogens Klitgaards Roman *Elly Petersen*, 1940, als charakteristisch für das Dänemark des Jahres 1940 an.

254 Lund 2005, S. 308-14. Angemerkt sei, daß u. a. auch Poulsen 1970 die nationalsozialistische "Poly-kratie" berücksichtigt hat, diesen Begriff jedoch noch nicht kannte, da er erst 1976 von Peter Hüttenberger eingeführt wurde! Siehe auch Thamer 1997 und Einleitung zu Lauridsen 2012.

255 Den Hauptteil nimmt Lunds Dissertation an der Universität Kopenhagen ein, die 1999 mit dem Titel *Danmark i den europæiske nyordning. Det nazistiske regime og Danmarks plads i den tyske Großraumwirtschaft 1940-42* (Dänemark in der europäischen Neuordnung. Das NS-Regime und Dänemarks Ort in der deut-schen Großraumwirtschaft 1940-42) vorgelegt wurde.

256 Siehe 8:35.

Neben vielem anderen hat Ole Brandenborg Jensen in seinem umfassenden Werk *Besættelsestidens økonomiske og erhvervsmæssige forhold. Studier i de økonomiske relationer mellem Danmark og Tyskland 1940-1945* (Die Wirtschafts- und Handelsverhältnisse der Besatzungszeit. Studien über die Wirtschaftsbeziehungen zwischen Dänemark und Deutschland 1940-1945), 2005, in Kapitel 12: Dänemarks Bedeutung für die deutsche Kriegswirtschaft, auch die Frage über die Bedeutung der dänischen Agrarexporte aufgegriffen. Darin richtet er einen Frontalangriff auf Lunds (und Mogens R. Nissens) Auffassung hierüber, indem er die Meinung vertritt, daß die damaligen deutschen Einschätzungen über die Bedeutung der Exporte auf den übertriebenen Auslegungen des Mythenbildners Werner Best beruhen und daß dieser sich diesbezüglich in einer Allianz mit Herbert Backe vom REM befand. Brandenborg Jensen wertet auch die verwendete statistische Grundlage als irrelevant ab und erstellt eine eigene mit dem Ergebnis, daß der Umfang der Exporte und damit auch deren Bedeutung etwas reduziert werden. Die übrigen elf Kapitel in Brandenborg Jensens Buch behandeln sehr unterschiedliche Aspekte der deutsch-dänischen Handelsbeziehungen, wobei viele davon erstmals auf einer primären Quellengrundlage behandelt werden, während andere bereits ausführlich beleuchtet wurden (das Engagement im Ostraum in Kapitel 6). Es kann nicht gesagt werden, daß alle gleich wesentlich sind oder alle gleich leicht durchzuführen waren. Letzteres gilt z. B. für die Pionierarbeit in Kapitel 2 über die "Arisierung", wobei das Quellenmaterial recht dünn ist und zudem das kulturelle Leben nicht einbezogen wird, obwohl dies wegen der ökonomischen Implikationen durchaus relevant gewesen wäre. Interessant ist die Feststellung, daß man von deutscher Seite im Großen und Ganzen Aufträge bei dänischen Unternehmen ohne Ansehen der jüdischen Herkunft der Eigentümer platziert habe (S. 113f.).[257] Das Buch ist passagenweise von Spekulationen und Vermutungen geprägt, die nur schwer nachzuvollziehen sind. Insbesondere gibt es einige Behauptungen, bei denen das vorliegende Quellenmaterial in eine andere Richtung weist oder eine Quellengrundlage völlig fehlt.[258] Die Rolle, die Werner Best zugewiesen wird, wird in Abschnitt 7 aufgegriffen.

Ebenfalls 2005 erschien Mogens R. Nissens *Til fælles bedste – det danske landbrug under besættelsen* (Zum gemeinsamen Besten – die dänische Landwirtschaft während der Besatzung). Es hat dieselbe Umschlagillustration wie das Buch von Brandenborg Jensen, doch damit hören die Gemeinsamkeiten auch schon auf. Bei Nissen wird wie bei Sigurd Jensen und Henning Poulsen die Auffassung vertreten, daß die deutsch-dänischen Verhandlungen real waren. Sie wurden unter geordneten Verhältnissen durchgeführt, wie Nissen schreibt (S. 234), und in diesem Zusammenhang sind besonders die Kapitel 5-6 und 10-11 von Interesse, in der die Besatzungspolitik im Fokus steht. Die deutsche Preispolitik wurde danach im Mai 1940 im REM geplant und in den folgenden Jah-

---

257 Dies entspricht der Erklärung von Paul Hennig aus der Nachkriegszeit, in der er darauf aufmerksam machte, daß seine Untersuchung über die jüdische Abstammung von dänischen Unternehmern für die Deutsche Handelskammer nicht dazu führte, daß der deutsche Handel mit Personen, die sich als Juden herausstellten, aufhörte (*Højesteretstidende* 1949, S. 199f.).

258 Siehe auch Roslyng-Jensens positive Besprechung 2006, S. 220-223 (wo angemerkt wird, daß weder Brandenborg Jensen noch Nissen 2005 in die historiografischen "Schubladen" passen), und Lauridsen 2008a, S. 568, Fußnote 87. Weder Lund 2005, Nissen 2005 noch Brandenborg Jensen 2005 wurden in der *Historisk Tidsskrift* selbständig besprochen.

ren umgesetzt. Sie umfaßte eine Preisfestsetzung für Lebensmittel, die der deutschen
entsprach, und sie wurde danach auch nicht geändert, trotz der dänischen Wünsche
nach Preissteigerungen. Hier spielte auch das deutsche Interesse herin, eine Inflation in
Dänemark zu vermeiden. In Kapitel 10 untersucht Nissen die deutsch-dänischen Han-
delsverhandlungen, die das Hauptanliegen bei Sigurd Jensen waren, doch hier wurde
gerechtfertigterweise mehr auf die Verhandlungen in den letzten beiden Jahren einge-
gangen als bei Jensen. Daher kommt er zum Teil auch zu anderen Schlüssen für diesen
Zeitraum als Jensen, da der letzte Zeitabschnitt von anderen Faktoren als der Sicherung
der Ressourcen und Lieferungen nach Dänemark geprägt war. Mit der Beseitigung der
dänischen Polizei wurde ein Großteil der Kontrolle unmöglich gemacht, und im Takt
mit der mangelnden Fähigkeit Deutschlands zur Ressourcenzuteilung hörte auch die
Behandlung der dänischen Exporte auf. Es gab nichts mehr zu tauschen.

Von größtem Interesse in diesem Kontext ist Kapitel 11: "Export und Besatzungs-
politik", in dem wieder die Bedeutung der Agrarexporte für Deutschland im Zentrum
steht, entwickelt aus einer Kombination aus zeitgenössischen deutschen Berichten, Ex-
portstatistiken und der deutschen Rationierung. Nissen kann die Rolle zurückweisen,
die Brandenborg Jensen Best als Mythenbildner zuweist, da Aussagen über die große
Bedeutung der dänischen Exporte lange vor Bests Ankunft nach Dänemark auftauchen.
Nissen ist etwas vorsichtiger als Joachim Lund, aber doch eindeutig bei seinem Schluß
über die Bedeutung der Agrarexporte, wobei er zwischen zwei Ebenen unterscheidet.
Die eine Ebene ist, welchen *generellen Einfluß* die dänischen Lebensmittellieferungen
auf die allgemeine Besatzungspolitik in Dänemark hatten. Dieser war höchstwahr-
scheinlich wesentlich, urteilt Nissen. Daneben gab es eine *faktische Bedeutung*: "Man
kann die faktische Bedeutung der Lebensmittellieferungen auf verschiedene Weise be-
rechnen. Wenn man wie in den verschiedenen deutschen Berichten die laufenden Liefe-
rungen ins Verhältnis zum Lebensmittelverbrauch der Zivilbevölkerung setzt, bekamen
die dänischen Lebensmittelexporte in den letzten zwei bis drei Kriegsjahren eine recht
große Bedeutung für die Ernährungslage der deutschen Bevölkerung. Werden die Liefe-
rungen ins Verhältnis zum Lebensmittelverbrauch bei der Wehrmacht gesetzt, leisteten
sie in jedem Besatzungsjahr ein sehr bedeutenden Beitrag."[259]

In einem Artikel in der *Historisk Tidsskrift* setzte Brandenborg Jensen 2008 in einem
Frontalangriff auf die Arbeiten von Lund und Nissen ein Fragezeichen hinter deren
Aussage, Dänemark sei Hitlers Speisekammer gewesen.[260] Zu diesem Zweck erstellte
er auf der Grundlage von deutschem Material eine eigene Statistik über die deutschen
Lebensmittelrationen und setzt diese für ausgewählte Produkte ins Verhältnis zum Um-
fang der dänischen Lebensmittel. Dies führte ihn zu demselben Ergebnis wie schon
2005. Lund und Nissen antworteten im gleichen Jahr auf die Vorwürfe, ohne jedoch
ihre früheren Schlußfolgerungen aufzugeben.[261]

Die Debatte ist damit kaum beendet. In jedem Fall sind Brandenborg Jensens Schluß-
folgerungen und seine Quellenverwendung 2005 kritikwürdig, ebenso scheint er nicht

259 Nissen 2005, S. 266f.
260 Brandenborg Jensen 2008.
261 Lund 2008 und Nissen 2008.

ausreichende Kenntnisse über den Dienstweg zwischen den deutschen Behörden zu haben. So werden z. B. Herbert Backe Thesen zugeschrieben, die von Franz Ebner stammen. Ich habe 2012 Franz Ebners Berichte herausgegeben, die im Mittelpunkt der Debatte stehen, und diese mit einer kritischen Einleitung versehen, die besonders auf Brandenborg Jensen gemünzt war.[262] Ebner hatte einen hohen Status und war *der* deutsche Wirtschaftsexperte in Dänemark, der vom REM gesandt wurde und mit der deutschen Gesandtschaft in Kopenhagen in Verbindung stand. Er war es, der die Berichte über die Wirtschaftslage in Dänemark erstellte, die entweder im Namen des Reichsbevollmächtigten oder in seinem eigenen Namen ans AA geschickt wurden. Es sind tatsächlich seine Einschätzungen, die Brandenborg Jensen in Frage stellt, Einschätzungen, die sowohl im AA als auch im REM, RWM, RFM (Reichsfinanzministerium) und bei anderen deutschen Behörden ernstgenommen wurden. Wenn es sich um Allianzen oder Konspiration gehandelt haben soll, müssen diese sehr umfassend gewesen sein. Sollte sich Ebner in seinen Einschätzungen geirrt und Brandenborg Jensen Recht haben, dann muß die deutsche Inkompetenz bei Wirtschaftsfragen weit verbreitet gewesen sein. Ebner war kein zufälliger Propagandamann, doch natürlich stand bei ihm, aber nicht bei ihm allein, oben auf der Agenda, die deutschen Lieferungen nach Dänemark zu sichern. Doch von hier aus ist es ein weiter Weg bis zu den Manipulationen, die ihm zugeschrieben werden.

Brandenborg Jensen ist der erste dänische Historiker seit Sigurd Jensen, der für seine Untersuchungen umfassenden Gebrauch vom Archiv des Rüstungsstabs Dänemark in Form von Fotografien im RA gemacht hat. Umso bemerkenswerter ist, daß er keine Verwendung von Philip Giltner: *"In the Friendliest Manner". German-Danish Economic cooperation during the Nazi Occupation of 1940-45*, 1998, macht oder zumindest darauf verweist, da dieses Werk im Wesentlichen auf Quellen aus dem Archiv des Stabs in Freiburg aufbaut. Der Hauptakteur des Buches ist auf der deutschen Seite der Rüstungsstab Dänemark und dessen Leiter Walter Forstmann, und das Hauptanliegen des Buches ist eine Darstellung der Tätigkeit des Stabs in Dänemark. Forstmann kam im April 1940 nach Dänemark und war dort bis Mai 1945 tätig. Am 18. April 1940 bekam er vom OKW den Bescheid, daß es Hitlers Befehl sei, mit dem Abschluß von Verträgen mit dänischen Unternehmen zu beginnen, dies aber auf die freundlichste Weise und ohne Druck zu erfolgen habe. Diesen Befehl befolgte Forstmann von Anfang bis Ende, und als er von deutscher Seite (!) unter Druck geriet, wiederholte er den Führerbefehl, den er bekommen hatte.[263] Alles in allem wurden rund 12.000 Verträge mit einem Umsatz von ca. einer Milliarde Kronen abgeschlossen. Giltner beschreibt Forstmann als "the chief German economic actor in Denmark" (S. 170), was eine Wahrheit mit Einschränkungen sein dürfte. Das räumt Giltner selbst zwei Seiten später ein, indem er schreibt: "The activity of the Wehrwirtschaftsstab Dänemark was strikingly limited, and this office tapped only a small fraction of Danish industrial capacity." Daß die Tätigkeit des Stabs bis dahin jedoch zu wenig beleuchtet und unterschätzt worden war, ist zweifellos zutreffend. Um die im Allgemeinen rücksichtsvolle Behandlung Dänemarks durch die deutsche Behörden auf wirtschaftlichem Gebiet zu erklären, stützt sich Giltner nicht

262 Lauridsen 2012.
263 Siehe 1:2, Kommentar mit Anmerkungen.

auf den Führerbefehl, gibt dafür aber auch keine andere einzelne Erklärung. Er verneint, daß Rassenaspekte eine Rolle gespielt haben können, da Norwegen eine harte Wirtschaftspolitik zu spüren bekam. Und ebenso wenig kann Best laut Giltner (S. 169) nach dem Erscheinen von Herberts Best-Biografie noch in der Rolle des moderaten Politikers dienen. Dieses Argument wäre ohnehin ohne Wert, da die moderate deutsche Politik lange vor Bests Ankunft nach Dänemark festgelegt wurde.

Stattdessen hält sich Giltner an eine Kombination aus verschiedenen Erklärungen, warum die friedliche Besatzung in Dänemark und nur dort funktionierte.[264] Seine erste Erklärung ist, daß das OKW und der Rüstungsstab zu wenig über die Verhältnisse in Dänemark wußten und die Erwartungen an Dänemark in den Planungen für die Besatzung höher gewesen wären, wenn man nur mehr über das Land gewußt hätte. Das ist ein Argument, das nur rückwirkend funktioniert, denn hätte jemand im Voraus wissen können, in welchem Umfang Teile der dänischen Produktion umgestellt werden können mit dem Ergebnis, das sich später zeigte? Zweitens stellt Giltner die Frage, warum Dänemark anders als andere kleine Staaten behandelt wurde. Seine Antwort ist einfach: "The Danes clearly collaborated with Germans in keeping the country quiet and, therefore, also fairly comfortable." Alle sahen es als das Klügste an, die Deutschen auf keine Weise zu provozieren. Diese These erscheint als etwas zu schlicht.

Dies führt ihn zum dritten Element im Erklärungskomplex. Wie verlief die Zusammenarbeit, auf die sich die Dänen eingestellt hatten? Das Ergebnis ist, daß die Zusammenarbeit der schwächeren Seite Möglichkeiten eröffnete und diese Möglichkeiten zu Ergebnissen führen konnten, die für die stärkere Seite unvorhersehbar gewesen wären. So wurden die dänischen Industriekapazitäten nur in begrenztem Umfang ausgeschöpft. Er nennt als Beispiel, daß die Werftkapazität nur zur Hälfte ausgenutzt wurde. Dies lag laut Giltner daran, daß Deutschland mit der friedlichen Besatzung bereits das erreicht hatte, was es wollte, und mit der Situation zufrieden war.[265] Die Deutschen wollten Dänemark friedlich und ruhig halten, und dies konnte dadurch erreicht werden, daß die Wirtschaft am Laufen gehalten wurde. "This task fell to the Wehrwirtschaftsstab, which focused its attention on specific industries …" Hier, wie in verschiedenen weiteren Fällen konzentriert sich Giltner zu eng auf die Rüstungsproduktion. Weder diese noch die sonstige dänische Industrie war mit der dänischen Wirtschaft gleichzusetzen, bei der die Landwirtschaft weiter eine herausragende Rolle spielte, in diesem Zeitraum nicht zuletzt für Deutschland. Seine Aussage über die zentrale Rolle des Rüstungsstabs Dänemark für die Wirtschaft hält einfach nicht stand. Es ist hingegen interessant, daß Giltner wie u. a. Henning Poulsen die Einschätzung äußert, daß bei weitem nicht versucht wurde, die dänischen Industriekapazitäten auszuschöpfen, doch die Erklärung hierfür ist unzureichend. Giltner verfolgt aber die Ursache für die mangelnde Ausschöpfung der dänischen Industriekapazität zu einem späteren Zeitpunkt, wenn er anführt, daß die Industrieaufträge begrenzt waren, weil es nur ein mäßiges Interesse an den Produkten gab, die Dänemark liefern konnte. Dem stimmt auch Poulsen in dem Sinne zu, daß

264 Giltner 1998, S. 170-174. Vgl. in der Folge Schröter 2006, S. 36.
265 Hier hätte Giltner General Georg Thomas vom Rüstungsamt zitieren können, der Dänemark in erster Linie als Agrarland ansah, was zu einem begrenzten Interesse an der Ausnutzung der dänischen Industrie führte (Giltner 1998, S. 23).

die dänische Industrie hätte umgestellt werden müssen, falls sie in größerem Umfang für die deutsche Rüstungsproduktion hätte arbeiten sollen.

Obwohl sich Giltners Quellengrundlage recht einseitig auf einen Teil der wirtschaftlichen Zusammenarbeit konzentriert, hat er dennoch genug Platz, um die Rolle des Reichsbevollmächtigten und insbesondere die von Best aufzugreifen (S. 151-154). Laut Giltner stand Best immer außerhalb der Kreise, in denen die wirtschaftlichen und militärischen Beschlüsse getroffen wurden. Er wurde von der Wirtschaftspolitik fern gehalten und war im besten Fall ein Koordinator und im schlechtesten Fall eine reine Frontfigur bei den wirtschaftlichen und militärischen Entscheidungsprozessen. "This purely symbolic power was in fact symptomatic of the German Foreign Ministry's fundamental position in forming occupation policy in Denmark" … "…the Plenipotentiary was never at the centre of German policy, but was always instead only one actor among several." Mit etwas mehr Kenntnissen über die deutsche Besatzungspolitik in Dänemark hätte Giltner das AA und den Reichsbevollmächtigten nicht als zentrale Akteure abgeschrieben und ebenso wenig bekannte Einsichten als neue deklariert, doch dies ist symptomatisch für die zahlreichen Fehler und Mißverständnisse, die sich in die Abhandlung eingeschlichen haben.[266] Dennoch handelt es sich um eine Pionierarbeit, die es wert ist, in einem engeren Rahmen diskutiert zu werden. Bis auf Weiteres ist sie auf ihrem Feld unumgänglich.

Exkurs: Zuverlässigkeit der Angaben von Franz Ebner über den Umfang der dänischen Agrarexporte nach Deutschland

Es ist möglich, die Zuverlässigkeit der Angaben von Franz Ebner über den Umfang der dänischen Agrarexporte nach Deutschland auf eine Weise zu überprüfen, wie sie bislang nicht genutzt wurde. Statt diese Zahlen mit der Nachkriegsstatistik zu vergleichen, der sich Lund, Nissen und Brandenborg Jensen bedient haben, können sie mit Angaben verglichen werden, die das UM 1943-44 an das AA und andere deutsche Instanzen geschickt hat und die ich 2010 veröffentlicht habe. Der Vergleich kann auf der Grundlage von Tabelle 8 (Ebners Zahlen) und Tabelle 9 (Zahlen des UM) vorgenommen werden, wobei man darauf achten muß, daß nicht weniger als drei verschiedene Jahresaufteilungen vorkommen: Erntejahr, Kalenderjahr und der Zeitraum vom 1. April bis 31. März. Ferner sind in den Angaben von Ebner und dem UM die geschätzten Mengen für den Export enthalten. Ebners Angaben könnten noch weiter ausgenutzt werden, wenn er nicht in vielen Fällen beim Fleischexport den Umfang in Anzahl Tiere statt in Tonnen angegeben hätte. Unter vorsichtiger Berücksichtigung der Quartalsverschiebungen sind die Unterschiede zwischen den Zahlen nicht auffällig, wenn man vom Butterexport 1942/43 absieht, der von Ebner wesentlich höher angegeben wird, als er tatsächlich war. Dies kann auf einen Fehler zurückzuführen sein, da die Zahlen eher der Gesamtproduktion als dem Exportanteil entsprechen. Es wäre überraschend gewesen, wenn es keinerlei Übereinstimmung zwischen den Zahlen von Ebner und dem UM gegeben hätte.

---

266 Siehe Joachim Lunds Besprechung im *Scandinavian Journal of History*, 26, 2001, S. 350-353.

Er bediente sich dem zugänglichen dänischen statistischen Material, und dieses wurde auch in den Verhandlungen des deutsch-dänischen Regierungsausschusses verwendet.[267]

In Tabelle 10 ist ferner die Statistik wiedergegeben, die Brandenborg Jensen aus der späteren offiziellen dänischen und deutschen Statistik sowie aus Winkel 1976 zusammengestellt hat. Auch hier gibt es Vergleichsprobleme, aber keine auffälligen Nichtübereinstimmungen.

Tabelle 8: Dänische Lebensmittellieferungen nach Deutschland 1940-44 (in Tonnen) nach Franz Ebner.[268]

Erntejahr	Schweinefleisch	Rindfleisch	Butter	Eier	Pferde	Fisch
E 1940/41 [269]	159.686	97.384	83.668	59.361		73.000
K 1941			52.500	24.900	14.900	90.800
1941/42 [270]			31.500	9.100	17.000	80.000
1942/43	80.000 (Fleisch ges.)		51.000		27.000	92.000
1943/44 [271]	145/150.000 (Fleisch ges.)		51.000		38.000	102.000[272]

267 Die dänischen Statistiken wurden auch vom Rüstungsamt verwendet, was daraus hervorgeht, daß sich die dänische Statistik in gedruckter Form in dessen Archiv befindet. Alle Angaben von Walter Forstmann über den dänischen Export von Agrarerzeugnissen nach Deutschland stammen von Ebner, so daß es sich nicht um eine unabhängige Quelle handelt. Am 23. November 1943 wurde nicht nur das AA von einem verheerenden alliierten Luftangriff getroffen, sondern auch andere Ministerien und Institutionen, die sich mit dem Import aus Dänemark beschäftigten, darunter das REM, RWM und Teile der deutschen Reichsstellen (Mau 2002, S. 149-151). Das betraf auch stark die Archive. Die Bedeutung hiervon in Bezug auf den Überblick über die Importe aus Dänemark läßt sich kaum ermessen.

268 Lauridsen 2012 und 3:330 (Ebner, 10. August 1943), 4:317 (Ebner, 20. Oktober 1943), 4:362 (Ebner, 28. Oktober 1943), 5:81 (Schnurre, 26. Dezember 1943), 5:234 (Ebner, 10. Februar 1944), 5:362 (Ebner, 22. März 1944). Best verfolgte die Frage in *Politische Informationen*, 1. April 1944 (6:1), weiter, doch hier werden nur Prozentzahlen angegeben, keine Gesamtzahlen.

In einer anonymen deutschen Notiz, datiert Kopenhagen, 20. Juli 1942, werden die dänischen Exporte nach Deutschland berechnet, indem die Zahlen von 1942/43 geschätzt werden (BArch, Freiburg, RW 19:Wi I E1: Dänemark. Die Zahlen und Zeiträume sind identisch mit dem Inhalt einer anonymen Notiz vom Juli 1942, die Ebner zugeschrieben werden kann und in Lauridsen 2012 veröffentlicht wurde):

Zeit	Butter (t)	Eier (t)	Vieh (Anzahl)	Schweine (Anzahl)
1.4.40.-30.9.40	48.000	39.600	202.000	1.520.000
1.10.40.-30.9.41	59.000	32.400	285.000	1.590.000
1.10.41.-30.9.42	29.500	9.000	290.000	540.000
1.10.42.-30.9.43	25-30.000	5-7.000	200-250.000	350-400.000

Handschriftlich ist unter Vieh 42.-52.000 t und unter Schweine 35-40.0000 t, zusammen gleich 77-92.000 t, hinzufügt.

269 Für den Zeitraum von April 1940 bis März 1941.

270 I:181.

271 Alle Größen sind von Ebner geschätzt.

272 Diese Zahl ist ebenso in einer anonymen deutschen Notiz vom 27. Januar 1944 über die besondere Bedeutung Jütlands für den Export aus Dänemark angegeben (BArch, Freiburg, RW 19:Wi I E1: Dänemark).

Tabelle 9: Dänische Lebensmittellieferungen nach Deutschland 1940-44 (in Tonnen) nach UM 1943/44.[273]

Kalenderjahr	Schweinefleisch	Rindfleisch	Butter	Eier	Pferde	Fisch
1940/41 [274]	112.879	61.929	61.000	57.240	10.749	70.498
1941/42	41.306	54.979	51.100	23.179	15.786	97.104
1942/43	59.023	17.199	31.000	5.312	30.344	80.424
1943/44	110.000	28.000	42.000	2.739	25.000 [275]	99.281
1944			42.000			12.382 [276]

Tabelle 10: Dänische Lebensmittellieferungen nach Deutschland 1940-44 (in Tonnen) I.[277]

Erntejahr	Schweinefleisch	Rindfleisch [278]	Butter	Eier	Pferde	Fisch
1940/41	95.400	68.400	80.800	57.240		72.290
1941/42	62.100	63.400	51.100	23.179		105.405
1942/43	17.900	18.700	26.800	5.312		94.595
1943/44	62.600	35.100	40.500	2.739		99.281
1944	92.300	39.082 [279]	40.300			

Ferner kann die deutsche Statistik einbezogen werden, die Dietrich Eichholz 1985 veröffentlichte (Tabelle 11). Er hat zum Teil andere Zahlengrößen, da er u. a. andere zeitgenössische Daten von deutschen Behörden und Quellen verwendet hat. Die Unterschiede werden sich nur erklären lassen, wenn das Originalmaterial hinzugezogen und untersucht wird.[280] Das ändert nichts daran, daß Ebners Zuverlässigkeit beim Umfang der Exporte nicht angefochten werden kann, auch nicht dadurch, daß die Exporte von mehreren verschiedenen deutschen Behörden als bedeutend angesehen werden. Berechnungen, wie groß der Anteil davon am deutschen Verbrauch war, überlasse ich Anderen. Ich möchte nur festhalten, was ich in der Einleitung zu Ebners Berichten 1940-44 geschrieben habe: "Konzentrieren sollte man sich, so meine ich, auf das *politische Gewicht* der dänischen Exporte nach Deutschland, obwohl ebenso diskutiert werden kann, wie groß dieses Gewicht war. Das politische Gewicht ist eine historische Tatsache."[281]

273 Lauridsen 2010a.

274 Für den Zeitraum von Oktober bis September.

275 Geschätzt vom UM.

276 Bis 31. März 1944.

277 Brandenborg Jensen 2005, S. 242f., 245, 247f.

278 Einschließlich Verbrauch durch die Wehrmacht ab 1941.

279 Kalenderjahr.

280 Brandt 1953, S. 308, bringt nochmals andere dänische Exportzahlen, die bis April 1945 reichen. Hierbei sind aber auch die Lieferungen an die deutschen Truppen in Dänemark enthalten. Die Zahlen sind damit für weitere Vergleiche nicht geeignet. Die Zahlen stammen von den *Monatlichen Nachweisen zur Statistik des Deutschen Reiches*, unveröffentlicht, Berlin (ebd. S. 311).

281 Vgl. auch Paul Barandon, 27. März 1942, über die Bedeutung der Agrarexporte (1:4).

Tabelle 11: Dänische Lebensmittellieferungen nach Deutschland 1940-44 (in Tonnen) II.[282]

Erntejahr	Fleisch	Butter	Käse	Fisch
1940/41	190.000	64.600	5.600	101.000
1941/42	183.000	35.800	4.800	113.000
1942/43	62.000[283]	37.900	2.700	93.000
1943/44	150.000	52.000	4.000	104.000

Seit 1995, als Joachim Lund die auf Forschungen aufbauende dänische Beschäftigung mit Dänemark in der deutschen Kriegswirtschaft eröffnete, ist sehr viel passiert. Nur auf wenigen Feldern ist seither mehr geschehen, doch eine Gesamtdarstellung auf der Grundlage der Forschungsergebnisse ist bislang noch ein Desiderat. Diese sollte nicht nur die vielen Themen, Problemstellungen und geführten Diskussionen sammeln sowie neue eröffnen, sondern auch stärker in die Tiefe gehen. Viele Fragen sind noch nicht über das Diskussionsstadium hinausgekommen.

6.6. Die Besatzungsmacht und die dänischen Nationalsozialisten

Die deutsche Besatzungspolitik in Bezug zu den dänischen Nationalsozialisten war einer der ersten Gegenstände, bei denen die Besatzungspolitik als gleichwertiger Teil behandelt wurde. Henning Poulsen nahm sich der Aufgabe an, über das Verhältnis und Zusammenspiel zwischen den nationalsozialistischen Kreisen und den deutschen Behörden mit Schwerpunkt auf den ersten Kriegsjahren zu schreiben. Untersucht wurde, welche Interessen und Zwecke die deutschen Behörden mit der politischen und finanziellen Unterstützung der DNSAP verfolgten.

Eine erste Frucht dieser Arbeit war seine Abhandlung über die nationalsozialistische Tageszeitung *Fædrelandet* und die deutsche finanzielle Unterstützung für nationalsozialistische Zeitungen in Dänemark. Auf der Grundlage des vorhandenen Aktenmaterials konnte Poulsen den Umfang und, ebenso interessant, die Dauer der finanziellen Unterstützung der NS-Tageszeitungen in Dänemark durch die Deutschen dokumentieren.

Die erste nationalsozialistische Tageszeitung *Fædrelandet* wurde im Januar 1939 mit großen Erwartungen an die Zukunft auf einer unrealistischen finanziellen Basis gegründet. Das Unternehmen geriet schon nach wenigen Monaten in beträchtliche finanzielle Probleme und bat in Deutschland um Hilfe. Diese kam nicht – trotz vieler guter Worte von einigen Repräsentanten der deutschen Behörden. Die von deutscher Seite geleistete Finanzhilfe für die Zeitungen der dänischen Nationalsozialisten vor Sommer 1940 war sehr begrenzt. Die Rollenverteilung war ebenso klar: Es waren die dänischen Nationalsozialisten, die bei den Deutschen mit der Hoffnung auf Hilfe anklopften, die Deutschen hatten nicht aus eigenem Antrieb ihre Hilfe angeboten. Von einer deutschen Finanzhilfe für die DNSAP als Partei konnte vor der Besatzung ebenfalls nicht die Rede sein. Ein gutes Verhältnis zur dänischen Regierung hatte für die Deutschen einen höheren Stellenwert als die dänischen Nationalsozialisten.

Nach dem 9. April änderte sich dieses Verhältnis schrittweise. Poulsen kam zum

---

282 Eichholz, 2, 1969-9196, S. 502-504.
283 80.000 laut dem Kommentar im Material von Eichholz, der auch ergänzt, daß vom Reichsbevollmächtigten stark abweichende Zahl nach oben und unten gibt.

Ergebnis, daß im Lauf des Krieges und der Besatzung eine deutsche Hilfe von insgesamt rund 6,5 Millionen Kronen an dänische Tageszeitungen floß. Der weitaus überwiegende Teil ging an *Fædrelandet* in den Jahren der Besatzung.[284] Die Unterstützung war anfangs ein Mittel, um die öffentliche Meinung zugunsten einer nationalsozialistischen Machtübernahme zu beeinflussen. Später wurde die Propaganda weniger offensiv und diente stattdessen der Weitergabe von nationalsozialistischen Standpunkten und der Verteidigung von deutschen Dispositionen. Für die Besatzungsmacht war die Propaganda über die DNSAP, deren Schriften und Zeitungen und andere von den Deutschen finanzierte Zeitungen ein Weg, über diese Stellvertreter ihre Haltungen und Botschaften zu verbreiten. Rabiate antisemitische Thesen wurden z. B. auf diese Weise nicht direkt von den Repräsentanten der Besatzungsmacht geäußert. Diese fanden sich in erster Linie – aber nicht ausschließlich – in *Kamptegnet*, das von den Deutschen finanziert wurde (vgl. Abschnitt über die deutsche Propaganda).

Welche Mittel der DNSAP im Übrigen als Parteiorganisation genau zuflossen, läßt sich kaum mehr ermitteln. Es waren jedoch beträchtlich höhere Beträge, als die nationalsozialistische Presse bekam. Eine Aufstellung von April 1943 gibt an, daß die DNSAP seit Herbst 1940 gut sieben Millionen Kronen an deutscher Unterstützung erhalten hatte[285] Diese große Summe war die wesentlichste Voraussetzung dafür, daß die Partei einen Parteiapparat und eine Propagandatätigkeit auf einem Niveau aufrechterhalten konnte, das in keinem Verhältnis zu der Anhängerschar stand.

1970 erschien *Besættelsesmagten og de danske nazister. Det politiske forhold mellem tyske myndigheder og nazistiske kredse i Danmark 1940-43* (Die Besatzungsmacht und die dänischen Nationalsozialisten. Das politische Verhältnis zwischen den deutschen Behörden und den nationalsozialistischen Kreisen in Dänemark 1940-43). Henning Poulsen stellte von Anfang an fest: "Die Problemstellung des Buches ist eine politische und sie soll nur zeigen, wie die jeweiligen Seiten versuchten, eigene oder gemeinsame Interessen wahrzunehmen" (S. 11). Der Schwerpunkt der Abhandlung liegt zeitlich im Herbst 1940, als die Gefahr einer nationalsozialistischen Marionettenregierung in Dänemark am größten war. Die Zeit vor der Besatzung wird ebenfalls kurz behandelt und dabei wird klar gemacht, daß keine Grundlage für die Auffassung besteht, die DNSAP hätte etwas von der kommenden deutschen Besatzung gewußt oder Informationen für deren Planungen geliefert.[286] Poulsen zeigt danach, wie übergeordnete Zwecke bei der Besatzungsmacht, nämlich eine so reibungslose, kostenfreie und spannungsfreie Besatzungslage wie möglich zu bekommen, diese dazu veranlaßte, Frits Clausen nicht als Ministerpräsident einzusetzen. Doch diese Möglichkeit blieb im Verhältnis zur dänischen Sammlungsregierung und gegenüber den Nationalsozialisten weiter bestehen. Mit ihr wurde bis Frühjahr 1943 gespielt, als die dänischen Nationalsozialisten fallen gelassen wurden – Werner Best schrieb sich später die Ehre zu, die DNSAP als politischen Faktor liquidiert zu haben[287] –, und Frits Clausen aufgab. Bei den Märzwahlen 1943 wurde

---

284 Poulsen 1965.
285 Poulsen 1970, S. 382.
286 Jørgensen 1987 ist später zum gleichen Resultat gekommen.
287 Poulsen 1970, S. 350ff., Best 1989, S. 60f., 316f., Herbert 1996, S. 334, vgl. Kirchhoff, 1, 1979, S. 112 und 1993, S. 196.

der DNSAP ihre geringe Unterstützung demonstriert und danach hatte sie als Anwer-
bungsinstrument für die SS ausgedient (vgl. unten 6.1.9 über die Anwerbung).

Da es sich um eine Beziehung zwischen den dänischen Nationalsozialisten und den
deutschen Behörden handelte, mußte sich Poulsen gründlich mit den Machtverhält-
nissen und Kompetenzstreitigkeiten auf deutscher Seite beschäftigen. Das ganze Buch
hindurch können wir das Machtspiel zwischen SS, AA und deren Repräsentanten in
Deutschland und Dänemark aus so großer Nähe verfolgen, wie es das zur Verfügung
stehende Material erlaubt.

Poulsen brach seine Darstellung mit der Errichtung des Schalburgkorps im Früh-
jahr 1943 ab und verfolgte das weitere Verhältnis der DNSAP zur Besatzungsmacht
nicht weiter. Das hat hingegen der Herausgeber im Artikel "En storm i et meget lille
glas vand. 'Problemet' Frits Clausen og elimineringen af DNSAP 1943-44" (Sturm in
einem sehr kleinen Wasserglas. Das "Problem" Frits Clausen und die Eliminierung der
DNSAP 1943-44), 2003,[288] gemacht, in dem auch kurz die Entwicklung ab Ende 1942
beschrieben wird. Analysiert wird, wie Werner Best das enge Verhältnis zur DNSAP
bewußt abwickelte. Das war sowohl in Bezug auf die Zusammenarbeit mit der däni-
schen Regierung als auch für die Förderung des Schalburgkorps als deutsches Projekt
zweckmäßig. Hier war Frits Clausen ein Stein des Anstoßes, indem er den DNSAP-
Mitgliedern den Beitritt zum Schalburgkorps verbot. Mit diesem Kurs fiel Clausen bei
Best in Ungnade, was zu Clausens politischer Lähmung führte – bis zu dessen Abreise
als Kriegsfreiwilliger nach Minsk im Herbst 1943 und seinem Rückzug als Politiker
wegen angeblichem skandalösen Auftretens als Freiwilliger in Minsk. In Clausens Ab-
wesenheit versuchte Best eine Annäherung von DNSAP und Schalburgkorps, erreichte
aber nur eine Aufsplitterung der dänischen Nationalsozialisten. Sie vereinigten sich erst
im Frühjahr 1945 – auf Betreiben des Reichsbevollmächtigten.

Der Artikel ist zum Teil veraltet, was den ersten Teil mit Bests Ankunft betrifft,
ebenso wie es Poulsens Dissertation in Bezug auf die Vor- und Frühgeschichte des
Schalburgkorps ist, da hierfür neues Material aufgetaucht ist, das hier veröffentlicht
wird. Das neue Material ist auch von Bedeutung für Andreas Monrad Pedersen: *Schal-
burgkorpset – historien om korpset og dets medlemmer* (Das Schalburgkorps – Geschichte
des Korps und seiner Mitglieder), 2000, in dem zu wenig hervorgehoben wird, daß das
Schalburgkorps ein Instrument der deutschen Besatzungspolitik und kein selbständiges
dänisches Korps war. Die Initiative hierzu kam von Himmler und wurde von Gottlob
Berger vom SS-Hauptamt gegenüber dem AA wirkungsvoll gefördert. Das Korps sollte
die heimkehrenden dänischen Freiwilligen sammeln, die in deutschem Kriegsdienst
waren, und es zu einem Instrument machen, das der Besatzungsmacht zur Verfügung
stand. Paradoxerweise wurde dem Korps schließlich die Schuld am Terror zugewiesen,
der von anderen, von der deutschen Polizei initiierten Gruppen 1944-45 ausgeübt wur-
de. Von deutscher Seite wurde nicht versucht, die falsche Meinung in der Öffentlichkeit
zu korrigieren, im Gegenteil. So diente das Korps einem Zweck, für den es nicht vor-
gesehen war.

288 Lauridsen 2003b.

6.7. Die Besatzungsmacht und die deutsche Minderheit

Das Verhalten und politische Handeln der deutschen Minderheit während der Besatzung zählte ebenfalls zu den Gegenständen, die vom PKB aufgegriffen wurden. Das Ergebnis wurde 1953 in zwei dicken Bänden mit Dokumenten und einem Bericht auf knapp 200 Seiten, verfaßt von Landesarchivar Johan Hvidtfeldt, vorgelegt.[289] Die Aufgabe wurde dadurch erschwert, daß die Führung der deutschen Minderheit große Teile ihrer Archive vernichten ließ. So mußte das Thema weitgehend auf der Grundlage der erhaltenen und abfotografierten Teile des Archivs des AA sowie von Archiven von externer Provenienz untersucht werden, darunter den zahlreichen Prozeßakten und Verhören von Mitgliedern der Minderheit aus der Zeit nach Mai 1945. Hvidtfeldts Bericht hält sich recht eng an das Mandat, also die politischen Aktivitäten während der Besatzung, die nach dem Urteil des Verfassers einen Anschlag auf die Demokratie und die bisherige staatsrechtliche Praxis beinhaltete. Es handelt sich um eine Faktendarstellung, die aus einer Mischung aus zeitgenössischen Dokumenten und späteren Berichten zusammengesetzt ist. Die späteren Berichte sollten, was die Mehrheit betrifft, als Verteidigung der Handlungen der Minderheit dienen, die rechtlich verfolgt wurden. Da nahezu alle Verfahren gegen die Minderheit zu dem Zeitpunkt, als Hvidtfeldt seinen Bericht schrieb, abgeschlossen waren, konnte er auf ein Urteil verzichten. Jens Møller und die anderen Führer der Minderheit waren bereits abgeurteilt und wieder freigelassen worden. Aus dem Haupttext und den Anmerkungen in den Fußnoten des Berichts entsteht der Eindruck, daß der Bericht nicht zu einer Beschädigung des Verhältnisses zwischen der deutschen Minderheit und der übrigen Bevölkerung beitragen wollte. Der Ton ist gedämpft und in vielen Fällen wurden die abgegebenen Erklärungen für bare Münze genommen, da das zeitgenössische Material vernichtet war. So gab z. B. Werner Best Erklärungen ab, die sowohl zum Vorteil der deutschen Minderheit als auch zum eigenen Vorteil ausfielen. Und gab es doch Sachverhalte, bei denen die Verantwortung für einen Beschluß oder eine bestimmte Initiative ermittelt werden konnte, wurde versucht, diese im Ungewissen zu lassen. Darauf verstand sich Best bestens.

Aus Hvidtfeldts Bericht geht hervor, daß zwischen der Führung der deutschen Minderheit und der deutschen Gesandtschaft durch alle fünf Besatzungsjahre hindurch ein enges Verhältnis bestand. Die Minderheit wurde auf vielen Gebieten bevorzugt und finanziell unterstützt und stellte im Gegenzug Soldaten für den deutschen Kriegsdienst. Die größte Enttäuschung für die Minderheit war, daß die deutsch-dänische Grenze nicht verschoben wurde, obwohl sie im Juni 1940 diesbezüglich sehr große Hoffnungen gehegt hatte. Hvidtfeldt konnte keine Belege dafür finden, daß es Pläne gegeben hat, eine Grenzrevision zu erzwingen. Diese Schlußfolgerung ist von späteren Historikern gestützt worden.[290]

1955 gab Troels Fink eine ungeschminkte Version der Geschichte der deutschen Minderheit während der Besatzung heraus, die er so zusammenfaßte: "Die politischen Bestrebungen zielten einerseits darauf ab, eine Situation hervorzurufen, welche das großpolitische Problem der Grenze akut werden ließ, und andererseits darauf, dem

289 Hvidtfeldt 1953 mit PKB, 14.
290 Poulsen 1970, Noack 1975 und Lauridsen 2008b.

deutschen Volksteil eine bevorzugte Rechtsstellung in der dänischen Gesellschaft zu
verschaffen, so daß die Führer die totalitären Grundsätze nach innen im Volksteil und
nach außen im Verhältnis zum dänischen Staatsapparat verwirklichen konnten, obwohl
dieser nach demokratischen Linien aufgebaut war."[291]

Diesem Urteil stellte Johan Peter Noack 1975 ein anderes zusammenfassendes Urteil
gegenüber, das Best 1947 über die politische Lage der deutschen Minderheit während
der Besatzung abgegeben hatte. Mit Ausnahme von 1940 hatte Best dazu die folgende
Auffassung: "Von da an befand sie [die Führung der Minderheit] sich in einer fakti-
schen Anhängigkeit, die sie zwang, jeden Wunsch seitens deutscher Behörden als einen
Befehl aufzufassen und diesen als solchen auszuführen, wenn sich die handelnden Per-
sonen nicht ernsthaften Sanktionen aussetzen wollten."[292] Auf der Grundlage dieser
beiden diametral entgegengesetzten Thesen formulierte Noack eine Reihe von Problem-
stellungen, die bei der Untersuchung des Verhältnisses zwischen der Minderheit und
den deutschen Behörden von ausschlaggebender Bedeutung für ein Verständnis der
Situation der heimatdeutschen Parteiführung waren. Die gewählte Perspektive legt ein
klares Gewicht auf die Führung der Minderheit, dennoch werden wichtige Analysen
gegeben, wie die Besatzungsmacht mit der Minderheit umgegangen ist, welcher Hand-
lungsrahmen der Führung der Minderheit eingeräumt wurde und was im Gegenzug
dafür gefordert wurde.

Die Verbände der Minderheit waren schon vor der Besatzung gleichgeschaltet und
hatten mehrfach die Forderung nach einer Grenzrevision aufgestellt. Doch nicht ein-
mal in der Zeit, als der deutsche Siegesrausch im Sommer 1940 nach der Niederlage
Frankreichs am größten war, konnte die Minderheit eine Grenzrevision durchsetzen,
während sie im Gegenzug die Anwerbungen zur Waffen-SS akzeptierten.[293] Sollte die
Minderheit Eingeständnisse im Verhältnis zum dänischen Staat erhalten, was in erster
Linie die Pläne vom Herbst 1941 über einen autonomeren Status für die Minderheit
betrifft, so konnte dies nur mit Hilfe der deutschen Behörden geschehen. Mit Werner
Bests Unterstützung wurde im Frühjahr 1943 das "Deutsche Büro" an der Kanzlei des
Ministerpräsidenten eingerichtet, doch mehr erreichten die Autonomiebestrebungen
der Minderheit nicht. Wie von Noack (S. 178) gezeigt, bestand bei diesen Bestrebungen
das Problem, daß sie die Domäne des AA berührten und die Handlungsmöglichkeiten
des Reichsbevollmächtigten im Verhältnis zur dänischen Regierung und später zur Ver-
waltung durch die Staatssekretäre beeinflußten. Das war ein potenzielles deutsch-däni-
sches Konfliktfeld, bei dem sich Best gegenüber den Wünschen der Minderheit zunächst
als etwas entgegenkommender zeigte, als Renthe-Fink es war, um sich nach dem 29.
August zurückhaltender zu geben. Auf zahlreichen Feldern, bei denen es hingegen um
das Verhältnis der Minderheit zu Deutschland ging, unterstützte Best immer wieder
die Interessen der Minderheit, statt die Befehle aus Berlin durchzupeitschen. Dies galt
u. a. für die Beibehaltung der dänischen Staatsbürgerschaft bei den Kriegsfreiwilligen.
Hingegen Schloß die Führung der Minderheit fest die Reihen hinter Bests Politik, nach

---

291 Fink 1955, S. 131.
292 Noack 1975, S. 10. Bests Bericht vom 16.12.1947 "Die rechtliche, politische und faktische Stellung
der deutschen Volksgruppe in Nordschleswig in den Jahren 1940-45" findet sich in PKB, 14, Nr. 143.
293 Über die Anwerbungen siehe Lumans 1990, S. 119ff. und 1993, S. 241-243.

dem 29. August 1943 ebenso wie nach dem Generalstreik in Kopenhagen im Sommer 1944. Beide Male schrieb Jens Møller an die Volksdeutsche Mittelstelle mit der Bitte, daß seine Schreiben an Heinrich Himmler weitergeleitet werden. Møller wünschte keine Verschärfung der deutschen Besatzungspolitik durch Polizeirepressalien.[294]

Da der Grenzfrage ein hohes Gewicht beigemessen wird, konzentriert sich das Buch stärker auf den ersten statt auf den letzten Teil der Besatzung. Und wie schon angeführt, wird kein erschöpfendes Bild von der Geschichte der Minderheit in diesem Zeitraum gegeben. Verschiedene Umstände, die im letzten Kriegsjahr bedeutsam wurden, werden daher nicht dargelegt, darunter die Frage der Stellung der Minderheit bei einem deutschen Rückzug und die Haltung zu den deutschen Flüchtlingen. Wünschenswert wäre auch eine nähere Untersuchung über die finanzielle Ausnutzung der Anwesenheit der deutschen Besatzungsmacht durch die Minderheit, die finanzielle Unterstützung der Minderheitsverbände und die ökonomischen Gewinne der Minderheit durch Bestellungen der Wehrmacht, u. a. an die Deutschen Berufsgruppen in Nordschleswig und die Liefergemeinschaft. Die Tätigkeit dieser beiden Verbände wird in Hvidtfeldt 1953 kurz behandelt.[295]

Seit Noacks Arbeit gab es nur wenige Forschungsbeiträge, die sich mit der Analyse der deutschen Minderheit als Element der deutschen Besatzungspolitk befassen. Weder Henrik Becker-Christensens Beitrag über die NSDAP-N[296] noch Henrik Skov Kristensens Biografie über Jens Møller[297] hat diese Perspektive gewählt. Hingegen hat Steffen Werther im Februar 2012 die Dissertation *SS-Vision und Grenzland-Realität. Vom Umgang dänischer und volksdeutscher Nationalsozialistischen in Sönderjylland mit der großgermanische Ideologie der SS*[298] vorgelegt, in der er, wie der Titel schon angibt, nicht nur das Verhältnis der Nationalsozialisten innerhalb der deutschen Minderheit zur großdeutschen Ideologie der SS, sondern auch das der dänischen Nationalsozialisten untersucht. Er kommt zu dem Schluß, daß sowohl die deutschgesinnten als auch die dänischgesinnten Nationalsozialisten negativ auf die ideologischen Vorstöße der SS reagierten, trotz der Macht der SS, trotz der Verheißungen eines hohen rassischen Ansehens im Großgermanischen Reich und schließlich trotz des freiwilligen Kriegsdienstes in den "germanischen" Einheiten der Waffen-SS. Werther erklärt dies damit, daß die Versuche der SS, eine rassisch fundierte Ideologie dazu zu verwenden, die Gegensätze zwischen den beiden NS-Parteien, die Nordschleswig teilten, zu überwinden, an den fundamentalen nationalistischen Identitäten der Parteien scheiterten. Während die Nationalsozialisten in der deutschen Minderheit eine Grenzrevision anstrebten, war es das Ziel der dänischen Nationalsozialisten, einen unabhängigen dänischen NS-Staat zu errichten.

Mit seiner Untersuchungen wollte Werther den Fokus auf die ideologischen Gegensätze richten und dies nicht wie bislang einzig zu einer Frage der Realpolitik ma-

---

294 Das erstgenannte Schreiben geht auch aus Noack hervor, während er das zweite nicht kannte. Beide Briefe sind hier abgedruckt, siehe 4:165 und 7:134.

295 Hvidtfeldt 1953, S. 103-113. Von der Liefergemeinschaft liegen u. a. umfassende Jahresberichte vor, siehe 2:113 und Osoboj Archiv, Moskau: 1458/21/57 (Halbjahresbericht 1943/44).

296 Henrik Becker-Christensen 2003.

297 Henrik Skov Kristensen 2007d.

298 Werther 2012. Vom Verfasser freundlicherweise übersandt.

chen. Dies ist eine anregende Untersuchung, an der sich eine Debatte entzünden sollte. Sie beruht auf einer erneuten Lektüre von bereits bekannten Unterlagen und der Hinzuziehung von sehr viel neuem Material. Bei Frits Clausen und der DNSAP ist der aufgezeigte ideologische Gegensatz zur SS bereits bekannt, doch er wurde noch klarer aufgezeigt als bisher. Dies heißt jedoch nicht automatisch, daß die Realpolitik nicht auch eine ebenso wichtige Rolle für die DNSAP spielte.

6.8. Deutsche Propaganda und deutsche Zensur

Über die deutsche Propaganda und Zensur während der Besatzung als Teil der deutschen Besatzungspolitik ist bislang bedauerlich wenig gearbeitet worden, und das gilt gleichermaßen für die Kulturpropaganda, die in den Zwischenkriegsjahren seitens des Dritten Reichs nach Dänemark gerichtet war; diese ist weitgehend unerforscht. Umgekehrt gibt es von dänischer Seite verschiedene Werke, die sich mit den deutschen Zensurmaßnahmen und -verboten zwischen 1940 und 1945 beschäftigen, etwa in Bezug auf den Rundfunk,[299] die Presse,[300] den Film[301], das Theater[302], die Literatur[303] und den Sport.[304] Keine dieser Arbeiten wählt indes die deutsche Politik auf diesem Bereich als Perspektive, und ebenso wenig sehen sie ein Verständnis der Politik und der Konjunkturen, der sie unterlag, als erforderlich an. Aus diesen Werken kann sehr viel Material zur Beleuchtung der deutschen Besatzungspolitik in Bereich der Zensur entnommen werden, doch eine solche Untersuchung muß bei den Grundlagen anfangen[305] und dabei sollte von Anfang mitberücksichtigt werden, daß Dänemark zwar die besondere Domäne des AA war, dies jedoch nicht ausschloß, daß andere deutsche Ministerien einen Einfluß auf die deutsche Propaganda in Dänemark auszuüben versuchten oder diese übernehmen wollten, insbesondere das Propagandaministerium von Goebbels. Ebenso wenig zogen die deutschen Behörden in Dänemark bei der Propagandastrategie an einem Strang. Best und Pancke stritten sich förmlich um die Kontrolle über den Rundfunk und die Zensur in Verbindung mit der Polizeiaktion vom 19. September 1944. Pancke errichtete im August 1944 sein eigenes Pressebüro und verschickte Mitteilungen und zu veröffentlichende Zwangsartikel und Rundfunksendungen, was der Reichsbevollmächtigte über die Zensur nicht kontrollieren konnte. Dieser interne deutsche Propagandakrieg ist nicht erforscht worden.

Daß so wenig über die deutsche Propagandatätigkeit in Dänemark während der Besatzung geschrieben worden ist, kann damit zusammenhängen, daß dies eine "un-

---

299 Christiansen und Nørgaard 1945, Christiansen 1950, Boisen Schmidt 1965. Hierzu auch Material bei Schnabel 1967, S. 320-336.

300 Bindsløv Frederiksen 1960 und zahlreiche Zeitungsmonografien. Hierzug KB, Bergstrøms Tagebuch 1940-45.

301 Dinnesen und Kau 1983.

302 Kvam 1992.

303 In Bezug auf die Literatur handelte es sich in der Regel um das Verbot von einzelnen Büchern oder Zeitschriften (Lauridsen 1998, S. 247-255).

304 Bonde 2006.

305 Auch die Tätigkeit des Pressebüros des UM als Organ der deutschen Zensur ist nicht untersucht worden. Gad Gunbak und Winther Christiansen 1997 und 1999 behandeln trotz der Titel ihrer Abhandlungen tatsächlich nur den Prozeß gegen Vilhelm la Cour. Siehe im Übrigen Kirchhoff 1993c.

bedeutende Randerscheinung" war, wie Erich Thomsen 1971 schlußfolgerte.[306] Er verwendete nur insgesamt anderthalb Seiten auf das Thema "Werben um die Gunst der Bevölkerung",[307] schränkte dies im Wesentlichen aber darauf ein, daß es sich um eine Kulturpropaganda gehandelt habe, die nicht die Rundfunkpropaganda und die später in den Zeitungen untergebrachten Zwangsartikel umfaßte, beides Medien, die den größten Teil der Bevölkerung erreichten. Am stärksten widmet er sich der Tätigkeit der Nordischen Gesellschaft und des Deutschen Wissenschaftlichen Instituts. Während Erstere der Oberhoheit von Reichsleiter Alfred Rosenberg unterstand, war das Wissenschaftliche Institut eine Erfindung des AA. Ähnliche Institute wurden auch in anderen europäischen Hauptstädten gegründet. Rosenbergs Bestrebungen, die Tätigkeit der Nordischen Gesellschaft in Dänemark zu fördern, genossen nicht die Unterstützung des AA. Ebenso wenig wurde das Wissenschaftliche Institut ein Erfolg. Dies konnte Thomsen ohne nähere Untersuchung, aber unter Berufung auf einen Brief des letzten Direktors des Instituts, Otto Höfler, feststellen. Später haben Manfred Jakubowski-Tiessen und Frank Rutger Hausmann die Tätigkeit des Instituts von der Errichtung 1941 bis 1945 auf der Grundlage des erhaltenen, dünnen Materials und unter Hinzuziehung von umfangreicheren Dokumenten näher untersucht. Sie kamen zum gleichen Schluß über die vergeblichen Bestrebungen von deutscher Seite, über das Institut die nicht nationalsozialistisch orientierten dänischen wissenschaftlichen Kreise zu erreichen. Die entsprechenden Anstrengungen waren zu keinem Zeitpunkt erfolgreich, und im Sommer 1943 – vor den Augustunruhen – war auch der Institutsleitung klar, daß kein Erfolg mehr zu erwarten war. Die Tätigkeit wurde aus Prestigegründen bis zum Schluß weitergeführt.[308]

Einer der ersten dänischen Versuche einer genaueren Studie über Aspekte der deutschen Propaganda ist Peter Søgaard Olesens Diplomarbeit *Danmark i Neuropa? Den tyske propaganda fra den 9. april 1940 til juli 1941* (Dänemark in Neuropa? Die deutsche Propaganda vom 9. April 1940 bis Juli 1941), in dem Material aus von den Deutschen finanzierten Zeitschriften, Rundfunk, Presse, Literatur, Film und Kultur (darunter der Sport) für die Zeit vor dem deutschen Angriff auf die Sowjetunion untersucht wird. Darin findet sich auch ein Kapitel über die Einschätzung der Besatzungsmacht bezüglich der Wirkung der Propaganda auf der Grundlage der Stimmungsberichte der deutschen Wehrmacht. Eine der Schlußfolgerungen ist, daß die deutsche Propaganda in Dänemark gemäß dem Sonderstatus eingerichtet wurde, den Dänemark unter den von Deutschland besetzten Ländern einnahm, weshalb sie in Form und Inhalt an die Dänen angepaßt wurde, um nicht verletzend zu wirken. Dies führte u. a. dazu, daß antijüdische Propaganda nur in geringem Umfang vorkam, ebenso war die Propaganda nicht

---

306 Dem hätten weder Renthe-Fink noch Best zugestimmt. Siehe den Entwurf von Renthe-Fink zum Halbjahresbericht vom 22. März 1941 (PKB, 13, Nr. 161). Umbreit 1988 streift nur kurz eine Darstellung über Dänemark (S. 304) in seinem Überblick über die deutsche Propaganda in den besetzten Gebieten.

307 Thomsen 1971, S. 40f.

308 Jakubowski-Tiessen 1994/1998 und Hausmann 2001, S. 183-210. Beide hatten nicht ganz dieselbe Materialgrundlage. Siehe ferner hierzu u. a. 3:178 und 9:3.

aggressiv oder massiv. In den Stimmungsberichten stellte man fest, daß die Propaganda bei den Dänen keine Wirkung erzielte. Sie wären primär probritisch eingestellt.[309]

Unter den deutschen Zeitschriften, die Søgaard Olesen analysierte, befand sich auch die dänische Ausgabe der stark verbreiteten, populären Illustrierten *Signal*, die 1940-45 in Dänemark erschien. *Signal* war bereits 1976 Gegenstand einer Diplomarbeit[310] und 1979 erschien eine Auswahl von Artikeln aus der Zeitschrift mit einer Einleitung von Viggo Haarløv.[311] Doch erst durch Martin Molls Artikel "'Signal'. Die NS-Auslandsillustrierte und ihre Propaganda für Hitlers 'Neues Europa'" liegt eine eingehende Untersuchung der Ideen, Planung und Verbreitung dieses Propagandaerfolgs im Ausland vor. Darin gibt es verschiedenes Material, das für den dänischen Kontext von Interesse ist, und die Verbreitung wird durch die Tatsache belegt, daß die dänische Auflage 1940 bei 44.210 Exemplaren lag.[312]

1998 veröffentlichte Karl Christian Lammers einen Artikel mit dem vielversprechenden Titel "Kultur- und Kunstpolitik in Dänemark", der sich trotz des Titels aber nur auf wenigen Seiten mit diesem Gegenstand beschäftigt, wohingegen das meiste einer allgemeinen Einleitung gewidmet ist. Im Abschnitt über die deutsche Kulturpolitik und Propaganda in Dänemark (S. 114-120) wird auch klar, warum das so ist: Lammers hatte nur eine sehr beschränkte Literatur, auf die er sich stützen konnte, und selbst keine Primärstudien unternommen.[313]

Ganz anders verhält es sich mit zwei Studien, die ebenfalls 1997-98 erschienen. Martin Moll veröffentlichte die Abhandlung "Die deutsche Propaganda in den besetzten 'germanischen Staaten' Norwegen, Dänemark und Niederlande 1940-1945. Institutionen – Themen – Forschungsprobleme", in der er die deutsche Propaganda in den drei Ländern miteinander verglich.[314] Als Einleitung gab er eine grobe Skizze (seine eigene Formulierung, S. 219) über die Propagandaorganisationen. Er stellte fest, daß die Verhältnisse auf diesem Gebiet in Dänemark ganz anders waren als in den beiden anderen Ländern, indem das AA und die deutsche Gesandtschaft die deutsche Propaganda in Dänemark fest im Griff behielt, abgesehen von den ersten Besatzungsmonaten, in denen die Wehrmacht und das Propagandaministerium mitmischten.

Was Dänemark betraf, gab es wenige Propagandaeingriffe und die Zensur wurde bis August 1943 vom UM wahrgenommen. Verwendet wurde von Moll zum Teil bekanntes Material, das jedoch um eine Reihe von wichtigen neuen Akten aus dem PA/AA ergänzt wurde, von denen nur ein 80 Seiten umfassender Tätigkeitsbericht der Rundfunkabteilung der Gesandtschaft von Ende 1940 erwähnt sei.[315] Moll dokumentiert auch das Auftauchen der Standarte "Kurt Eggers" als Propagandaorgan der SS in Dä-

---

309 Søgaard Olesen 1991.
310 Duschek 1976.
311 Haarløv 1979.
312 Moll 1986.
313 Lammers 1998.
314 Moll 1997, welche auf seiner unveröffentlichten Dissertation in Graz 1986 aufbaute, welche nicht ausgeliehen werden konnte. Diese wurde jedoch von Nordlien 1998 über persönlichen Kontakt genutzt.
315 Diese und die weiteren in Nordlien 1998 verwendeten Akten sollten als Kopie für Dänemark angeschafft werden.

nemark im Oktober 1944, doch aus irgendeinem Grund ist ihm nicht bewußt, daß das RMVP vom Mai 1943 bis Ende 1944 mit Heinrich Gernand einen Repräsentanten in der Gesandtschaft hatte.[316]

Die Untersuchung der Tätigkeit des Propagandaapparates ist in Bezug zu Dänemark etwas schwächer ausgefallen als zu den beiden anderen Ländern. Sie nimmt auch nur einen Bruchteil des Platzes ein, bestimmt wegen fehlender selbständiger Quellenuntersuchungen (S. 241f), und kann kaum als Grundlage für einen Vergleich dienen.[317] Dennoch ist es die vielleicht wesentlichste Bedeutung der Abhandlung, daß er Begriffe und Werkzeuge dafür bietet, sich mit der deutschen Propaganda zu beschäftigen, indem er diese inhaltlich und chronologisch differenziert und die Probleme bei der Beurteilung der Wirkung und Durchschlagskraft der Propaganda diskutiert, darunter auch die Frage, wozu die deutschen Stimmungs- und Lageberichte verwendet werden können und wozu nicht (S. 243f).

Zweifellos ist Niels-Henrik Nordlien bei seiner Arbeit *Træk af den tyske propaganda- og kulturpolitik i Danmark 1940-1943. En analyse af besættelsesmagtens forsøg på at fremme en tyskvenlig opinion i Danmark* (Grundzüge der deutschen Propaganda- und Kulturpolitik in Dänemark 1940-1943. Eine Analyse der Versuche der Besatzungsmacht, eine deutschfreundliche Meinung in Dänemark zu fördern), 1998,[318] von Molls Zugang, Begriffsbildung und Problemstellungen angeregt worden, woraus der erste eigentliche Versuch einer seriösen Beschäftigung mit diesem Gegenstand von dänischer Seite entsprang. Obwohl nur die Rede von "Grundzügen" ist, werden doch ganz zentrale Gegenstände behandelt: 1) die deutsche Politik gegenüber Presse und Rundfunk, 2) Filmpolitik als Propaganda, 3) der Dänisch-Deutsche Verein und Vortragspropaganda, 4) Wissenschaft und Sprachenpolitik (Deutsches Wissenschaftliches Institut, Deutsche Akademie), und schließlich die Frage 5) gab es eine deutsche Politik? Die ausgewählten Bereiche werden auf der Grundlage von Archiven in Dänemark und Deutschland und der vorhandenen Literatur untersucht, wobei die vorliegende internationale Forschungsliteratur über die nationalsozialistische Propaganda mitbedacht ist. Auf den ersten Blick erscheint der Bereich 3) Dänisch-Deutscher Verein als der problematischste, doch da der Verein trotz allem in die deutsche Vortragspropaganda einbezogen wurde, kann er zur Not aufgenommen werden. Sinnvoller wäre es gewesen, unter derselben Überschrift die Nordische Gesellschaft und die Nordische Verbindungsstelle zu behandeln.

Zu Nordliens Schlußfolgerungen zählt, daß das AA es der deutschen Gesandtschaft überließ, die Strategie für die deutsche Propaganda in Dänemark zu entwickeln. Die Propaganda sollte eine prodeutsche Haltung in der dänischen Bevölkerung sichern, eine Propaganda, die auf der Voraussetzung von 1941 aufbaute, daß der Weltkrieg mit einem deutschen Sieg enden würde. Auf deutscher Seite wurde bewußt zwischen Massenmeinungen und elitären Meinungen unterschieden, was sich in der Beeinflussung

---

316 Siehe 3:59. Goebbels hatte im Sommer 1942 vergeblich versucht, einen Promi-Attaché an die Gesandtschaft zu binden (*Joseph Goebbels Tagebücher*, Teil II:4, S. 508, 12.6.1942).

317 Moll 1999 ist ein Zeugnis dafür, daß er für Dänemark nicht das am besten verwendbare Material gefunden hat.

318 Unveröffentlichte Diplomarbeit, Universität Kopenhagen 1998.

von Presse, Rundfunk und Film auf der einen Seite und der der Elite durch Vorträge und wissenschaftliche Zusammenkünfte auf der anderen Seite widerspiegelte. Bis August 1943 herrschte Vorsicht und Zurückhaltung bei der deutschen Propaganda, was wiederholt auf Kritik seitens des AA und von Goebbels' Propagandaministerium stieß.

Eingeleitet wurde die Propaganda 1941 offensiv mit allem, was das neue Deutschland kulturell, industriell und materiell zu bieten hatte. Dies geschah u. a. durch große Ausstellungen, die auf die breite dänische Öffentlichkeit abzielten und vom Reichsbevollmächtigten eröffnet wurden. Die Besucherzahlen waren bei den ersten Ausstellungen hoch. In dem Takt, indem es immer schwieriger wurde, eine prodeutsche Haltung zu sichern, und das deutsche Kriegsglück schwand, konnte man von deutscher Seite nicht mehr erwarten, daß sich unter den Dänen *von allein* ein Stimmungsumschwung in der Erwartung eines deutschen Endsiegs einstellen würde. Die Propaganda stützte sich stattdessen auf die materiellen Vorteile, die Dänemark in der Zusammenarbeit mit Deutschland genoß. Dies brachte die deutsche Propaganda aus der Offensive in die Defensive. Das war die Situation im August 1943, als die Abhandlung abbricht.

Es ist zu bedauern, daß die Untersuchung mit dem August 1943 abbrechen mußte und sie nicht in redigierter Form veröffentlicht wurde.

Für die Zeit nach August 1943 fehlen Arbeiten über die weitere Entwicklung der deutschen Propagandapolitik. Henrik Lundtofte hat zwei dänische Propagandisten analysiert, die auf jeweils eigene Weise der deutschen Sache im genannten Zeitraum dienten, Ejnar Krenchel und Axel Høyer. Krenchel agitierte gegen die Sabotage aus Herzensüberzeugung und in einer Weise, die nach und nach das Gegenteil davon bewirkte, was sie eigentlich bezweckte, während Høyer der professionelle Propagandist war, der sich an die deutschen Wünsche anzupassen verstand.[319] Für die deutsche Gesandtschaft bestand das Problem darin, daß es immer schwieriger wurde, Dänen, die ausreichend qualifiziert waren, dazu zu bringen, sich mit ihrem Namen, ihrer Stimme und ihrem Stift der deutschen Propaganda zu verschreiben.

Über die Zensur als Element der Propaganda fehlen vollständig Arbeiten aus einer deutschen Perspektive. Zweifellos waren Propaganda und Zensur Elemente derselben Politik, doch auf deutscher Seite war man sich auch bewußt darüber, daß es Grenzen gibt, wie weit man gehen konnte, wenn man überhaupt etwas erreichen wollte. Da es den ungehinderten Zugang zum Empfang von ausländischen Rundfunksendern sowie die illegale Presse gab, bestand keine Möglichkeit, ein Massenmedien*monopol* zu errichten. Es konnte nur versucht werden, Radiogeräte zu beschlagnahmen, wie es z. B. in Norwegen praktiziert wurde. Dies wurde in Dänemark u. a. im August 1943 erwogen,[320] aber nicht umgesetzt. Es war zweifellos die deutsche Gesandtschaft, die sich dagegen aussprach. Best hatte seine ganz eigene Auffassung davon, wie man die feindliche Propaganda bekämpft, was u. a. seinen *Politischen Informationen* zu entnehmen ist, die 1942-45 an die deutschen Dienststellen in Dänemark verschickt wurden. In den *Politischen Informationen* wird der feindlichen Propaganda in jeder Ausgabe entgegengewirkt, indem zahlreiche ausgewählte Beispiele wiedergegeben werden, die zeigen

319 Lundtofte 2006a und 2008.
320 3:222 und 283.

sollten, wie fehlerhaft, verlogen, kenntnislos und lächerlich diese Propaganda war. Die Beispiele sollten für die meisten direkt durchschaubar sein. Das richtige Verständnis der deutschen Politik wurde den Dienststellen in besonderen Abschnitten im Voraus vermittelt. Ich habe mir erlaubt, diese Form der Bekämpfung von feindlicher Propaganda als "modern" zu charakterisieren, da ich keine Kenntnisse davon habe, daß eine solche in anderen besetzten Ländern eingesetzt wurde, schon gar nicht in konsequenter Weise.[321]

Ein Element der deutschen Propagandatätigkeit war, ausgewählte Gruppen von Dänen nach Deutschland einzuladen und Kulturveranstaltungen mit dänischen Künstlern in Deutschland durchzuführen, eventuell verbunden mit einem deutschen Gegenbesuch. Diese Aktivitäten können als Weiterführung des deutsch-dänischen Kulturaustausches angesehen werden, der in breitem Umfang in den 1930er Jahren stattfand, ungeachtet der Machtübernahme durch die Nationalsozialisten. Dabei unternahm z. B. das Königlich Dänische Theater Gastauftritte in Deutschland[322] und es gab jedes Jahr eine dänische Beteiligung an den Veranstaltungen der Nordischen Gesellschaft in Lübeck. Dieser Austausch nahm nach dem 9. April notwendigerweise einen anderen Charakter an, wobei sich das deutsche Interesse an diesem Austausch im Rahmen der übrigen Annäherungsversuche verstärkte. Dieser Bereich ist jedoch nur wenig und sporadisch untersucht worden. Gerhard Beier und Fritz Petrick haben die Delegationsreisen der Gewerkschaften nach Deutschland betrachtet, was bereits das PKB, 8, getan hatte. Die Initiative soll angeblich von Laurits Hansen, dem Vorsitzenden des dänischen Gewerkschaftsdachverbands DsF, im Herbst 1940 ausgegangen sein (Gustav Meissners Aussage 1940), da Hansen die dänischen Gewerkschaften nach deutschem Muster neu organisieren wollte. Hansen bestritt dies 1946 heftig, und eine solche Reorganisation fand auch nicht statt. Dennoch gab es 1940 und 1941 insgesamt drei Reisen nach Deutschland.[323] Dänische Journalisten und Künstlergruppen wurden ebenso nach Deutschland eingeladen. Das Interesse an der Teilnahme an solchen Reisen sank 1941 und der Wert der Besuche für die deutsche Propaganda läßt sich kaum messen. In jedem Fall wurden dadurch für die Deutschen die Sitzungen mit dänischen Tageszeitungsredakteuren nicht überflüssig, bei denen diese darüber belehrt wurden, was sie schreiben sollten und was nicht, weder 1941 noch 1944.[324] Die deutschen Versuche, die dänischen Korrespondenten in Berlin zu beeinflussen, sind ein Kapitel für sich, das noch nicht geschrieben wurde, wofür jedoch eine Reihe von Erinnerungsbüchern ausgewertet werden könnte.[325]

Das Ahnenerbe spielte eine ganz besondere Rolle bei der deutschen Kulturarbeit in Dänemark. Die Organisation hatte 1942 sämtliche wissenschaftlichen Arbeiten in-

---

321 Lauridsen 2006c, S. 157.

322 Bay-Petersen 2003.

323 PKB, 8, Bericht S. 26 und Akt. Nr. 16, sowie Ref. S. 43, Jensen 1971, S. 89f., Beier 1973, Petrick 1994, S. 102-109. Auf der letzten der drei Reisen schrieb Harald Bergstedt eine Artikelserie, die zu seinem Abgang von *Social-Demokraten* führte (Bindsløv Frederiksen 1960, S. 163f.).

324 Bindsløv Frederiksen 1960, S. 185f., 317, 366, 370, 399 und Kirchhoff, 1, 1979, S. 314f. über die deutschen Sitzungen mit der dänischen Presse. Ferner 3:239, Abschnitt VI.

325 Siehe Lauridsen 2002b unter Teil 3.20.1 und die späteren Anhänge.

nerhalb der SS von Himmler übertragen bekommen, darunter auch die in den germanischen Randstaaten in Nord- und Westeuropa. Dort war das Ahnenerbe jedoch längst präsent. Lars Schreiber Pedersen hat in mehreren Artikeln diese Arbeit für Dänemark in den Jahren 1940 bis 1945 untersucht. Sie bestand in erster Linie darin, daß das Ahnenerbe einen Repräsentanten nach Dänemark schickte, der den Schutz der dänischen (germanischen) Kulturdenkmale vor der Zerstörung durch die Wehrmacht leiten sollte. Die Wahl fiel auf den deutschen Archäologen und SS-Mann Karl Kersten (1909-92), der 1940 bis 1944 regelmäßig das Land besuchte, um diese Aufgabe wahrzunehmen und dabei den Kontakt zu dänischen Archäologen und Museumsleuten zu suchen. Es herrscht keine Einigkeit darüber, wie groß die Ergebnisse sind, die Kersten erzielte, doch er unterschätzte deren Bedeutung selbst nicht und konnte sich später geschmeichelt fühlen, 1957 den Dannebrogorden und 1985 die Worsaae-Medaille überreicht zu bekommen. Schreiber urteilt, daß die Tätigkeit des Ahnenerbes in Dänemark begrenzt war und nur wenige Erfolge aufwies, wobei er den Anstrengungen von Kersten nicht ganz ihre Bedeutung abspricht.[326]

Der Einsatzstab Reichsleiter Rosenberg versuchte ebenfalls, Fuß in Dänemark zu fassen. Hierüber ist bislang nicht geschrieben worden, doch die Bemühungen lassen sich von September 1943 bis Ende 1944 im hier wiedergegebenen Quellenmaterial aufspüren. Ein Vertreter des Einsatzstabs, H. W. Ebeling, hielt sich in den Tagen um die Durchführung der Aktion gegen die dänischen Juden bei Werner Best auf.[327] Seine Ziel war es vermutlich, jüdische Kulturgüter übertragen zu bekommen, was ein Teil der Aufgaben des Stabs war, was ihm jedoch nicht gelang. Von deutscher Seite waren in Dänemark bereits andere Dispositionen getroffen worden.[328] Danach war Ebeling dauerhaft bis Herbst 1944 in Kopenhagen stationiert. Hier kaufte er u. a. nationalsozialistische Literatur über alle germanischen Völker und skandinavische Bücher über Kommunismus und Judentum für die Hohe Schule, Rosenbergs Eliteuniversität, und vermittelte Propagandamaterial an eine dänische nationalsozialistische Organisation, wahrscheinlich das Schalburgkorps.[329] Bei einer Sitzung mit Best am 20. März 1944 wurde Ebelings Vorgesetzter darüber belehrt, daß er sich nicht im Namen des Einsatzstabs Reichsleiter Rosenberg jüdisches Eigentum in Dänemark aneignen durfte. Was er an den Stab nach Deutschland schicken wollte, mußte Ebeling *kaufen*.[330]

Bestimmt haben verschiedene andere deutsche "kulturelle" Organisationen versucht, sich für eine Zeitlang in Dänemark geltend zu machen, obwohl hierfür keine Spuren lokalisiert werden konnten. Für sie alle galt, daß sie eine Einreiseerlaubnis haben und sich die erforderlichen Devisen haben bewilligen lassen müssen. Beide Anforderungen könnten viele Initiativen unterbunden haben. Ein gutes Beispiel hierfür ist die neue

---

326 Schreiber Pedersen 2002, 2005, 2007a und 2008. Schreiber Pedersen hat auch die bescheidenen Versuche des Reichsbunds für Deutsche Vorgeschichte beschrieben, durch die Hans Reinerth (1900-1990) in Dänemark Fuß fassen wollte: Sie sind völlig fehlgeschlagen (2005, S. 166-171).
327 Bests Kalenderaufzeichnungen, 27. September und 6. Oktober 1943.
328 Siehe 4:317.
329 Siehe 5:274 und Ebeling im Namensregister.
330 Für die Sitzung mit Best siehe 5:365.

Untersuchung von Joachim Lund über den vergeblichen Versuch der "Aktion Ritter-busch", 1940 bis 1942 Propaganda in Dänemark zu betreiben.[331]

Weil die deutsche Propaganda in Dänemark noch so wenig erforscht worden ist, ist es auch zu früh, um eine Aussage darüber zu treffen, wie sich die Propaganda zur in Berlin geplanten und praktizierten Propagandapolitik verhielt. Es ist kaum denkbar, daß sich die deutsche Propaganda in Dänemark in einem völlig eigenen Raum entfaltete. Sie wird in einer auf bestimmten Gebieten modifizierten Version der deutschen Propaganda praktiziert worden und auf anderen Gebieten völlig dieselbe gewesen sein. Letzteres könnte z. B. für die Kriegszielpropaganda gelten, wobei die Großraumpläne zur "Wirtschaftsgemeinschaft" modifiziert wurden[332], sowie für die Propaganda, die sich darauf richtete, Freiwillige als Soldaten anzuwerben.

Zum Abschluß sei darauf hingewiesen, daß die deutschen Propagandamaßnahmen in Dänemark, ausgenommen die Zensur in der späteren Besatzungszeit, nicht dazu geführt hatten, daß dänische Vereine und Organisation eingeschüchtert oder übernommen werden sollten und daß es nur wenige Beispiele für Verbote von Zeitschriften gab, während Zeitungen für kurze Zeit geschlossen wurden, wenn sie gegen die vorgegebenen Regeln verstoßen hatten. Hingegen unterstützte die Besatzungsmacht die national-sozialistische Presse in Dänemark und gab selbst eine Reihe von Publikationen heraus, mit denen sie eine nationalsozialistische und deutschfreundliche Öffentlichkeit schaffen wollte – neben den Zwangsartikeln, die in der übrigen Presse erscheinen mußten. Und dann folgte der späte Zeitraum, in dem dänische Zeitungen zum Terrorziel wurden, doch dabei handelte es sich nicht mehr um Propaganda.

Exkurs: Die deutschen Stimmungsberichte aus Dänemark
Es liegt eine große Anzahl an Stimmungsberichten von verschiedenen deutschen Behörden in Dänemark vor, zum Teil in Form von fortlaufenden Sonderberichten, zum Teil als Berichte in Verbindung mit den Tätigkeitsberichten und Kriegstagebüchern beim Heer und der Kriegsmarine. Hinzu kommen einige der zahlreichen deutschen Besucher in Dänemark, die anschließend ihre Eindrücke niederschrieben. Besonders genannt seien die vielen Berichte der deutschen Gesandtschaft mit Angaben über die herrschende Stimmung, die Berichte vom Propagandaoffizier des WB Dänemark für die Zeit von Oktober 1940 bis Dezember 1942[333] bzw. dem Nachrichtenoffizier für den Zeitraum 1940-43[334] und den Berichten des Rüstungsstabs Dänemark von Juni 1940 bis Mai 1941 mit besonderen Abschnitten über die Stimmung in der Bevölkerung.[335] Hingegen scheint es keine Stimmungsberichte über die Bevölkerung von der Abwehr zu

331 Lund 2012.
332 Müller 1999, S. 498-502.
333 RA, AA, Bündel 450, siehe 1:159.
334 F.C. von Heydebreck (dessen Notizen dafür bekannt sind, nahezu unleserlich zu sein (Kjeldbæk 1973, S. 76 Fußnote 10, mündliche Angabe von Kirchhoff)) (RA, Danica 1969, Spule 9-10).
335 BArch, Freiburg, RW 27/19, 20 und 21 mit einigen Auszügen in PKB, 13, Nr. 151 (15. Januar 1941) und 157 (15. Februar 1941). Später kommentierte Forstmann gelegentlich die Stimmung in der Bevölke-rung, wie aus dieser Edition hervorgehen wird.

geben.[336] Vom RSHA sind Dänemark betreffend einige wenige erhalten (und veröffentlicht worden).[337] Die Stimmungsberichte sind von der Forschung nur sehr sporadisch genutzt worden. Insbesondere waren die Wehrmachtsberichte wegen ihres Umfangs von Interesse,[338] obwohl die Berichte von verschiedenen Instanzen insgesamt ein Zeugnis dafür ablegen, daß die Besatzungsmacht intensiv beobachtete, wie sich die dänische Bevölkerung ihr gegenüber verhielt.[339]

Esben Kjeldbæk hat u. a. die Stimmungsberichte des Nachrichtenoffiziers von Heydebreck vom WB Dänemark dazu verwendet, zu untersuchen, ob der Druck, den Renthe-Fink und Paul Kanstein Anfang Juni 1941 auf die dänische Behörden mit dem Hinweis ausübten, daß die Wehrmacht ansonsten zu schärferen Maßnahmen bei Fällen von kränkendem Verhalten von dänischer Seite greifen würde, um eine Umorganisation der dänischen Polizei zu erreichen, einen realen Hintergrund gehabt hat. Weder die Stimmungsberichte noch die Schreiben der Generalstabsleitungen aus dieser Zeit deuten in diese Richtung, so daß der naheliegende Schluß ist, daß Renthe-Fink und Kanstein die Wehrmacht nur ausnutzten, um die dänischen Behörden in Bewegung zu bringen. Nicht zuletzt, weil Renthe-Fink in seinen Berichten an das AA auch nicht den Eindruck vermittelte, daß das deutsche Militär zu dieser Zeit weitergehende Forderungen aufstellte.[340] Dies ist ein Musterbeispiel dafür, wie sich die Einbeziehung von breiterem Material von verschiedenen deutschen Behörden und der dänischen Seite als fruchtbar erwiesen kann.

Henning Poulsen hat in einem historischen Essay eine Probe für die Nutzung der Wehrmachtsberichte für den Zeitraum 1940-41 gegeben,[341] doch harrt noch weitaus umfassenderes und breiteres, aber verstreutes Material der Erschließung. In diesem Zusammenhang wäre eine eingehendere methodische Diskussion notwendig, wie und in welchen Kontexten die Berichte sinnvoll eingesetzt werden können, wenn sie mehr sein sollen als bloße Zitat- und Beispielsammlungen darüber, was bestimmte Instanzen zu einem bestimmten Zeitpunkt äußerten. Hatten sie überhaupt eine Wirkung in Berlin, bei wem und in welchen Bereichen (z. B. RMVP und die Wirkung der Propaganda)? Hier können Anregungen aus den Darstellungen von deutschen Forschern über die Forderungen an Inhalt und Entstehung der Berichte sowie die Frage, wozu sie unter anderem verwendet werden können, gewonnen werden.[342] Der Weg ist recht weit von den

---

336 In Dänemark wurde die Abwehr 1940-43 von Albert Howoldt geleitet, und das RA hat keine Stimmungsberichte von ihm verzeichnet.

337 Boberach 1984, Paul 1997, Nr. 94. Hier 2:175 und 6:193.

338 Verwendet u. a. von Kjeldbæk 1973, Kirchhoff 1979, Søgaard Olesen 1991, Poulsen 1991, Nordlien 1998.

339 Siehe Palle Roslyng-Jensen: Die öffentliche Meinung während der Besatzung in *Gads leksikon om dansk besættelsestid*, 2002, S. 360-362.

340 Kjeldbæk 1973, S. 60-74.

341 Poulsen 2000, wo angegeben wird (S. 320), daß die Stimmungsberichte vom Jahreswechsel 1942/43 weniger wertvoll sind, weil deren Beurteilungen in der steigenden Zahl von Sabotageakten wurzeln. Da die Berichte des Propagandaoffiziers der Wehrmacht nach Dezember 1942 nicht erhalten sind und die der Abwehr nicht vorliegen, ist es nicht zu durchschauen, auf was diese Aussage basiert, wenn es sich nicht um das genannte Material von von Heydebreck handelt. In *Tyske arkivalier om Danmark 1848-1945*, 2, 1978-97, S. 182, wird von Heydebreck fälschlicherweise als Abwehr-Offizier bezeichnet.

342 Einleitungen bei Boberach 1968 und 1984 und bei Paul 1997, Eckert 1995.

Berichten bis zur *öffentlichen Meinung* in Dänemark und dazu, welche Konsequenzen sie bei verschiedenen Instanzen in Berlin hatten oder nicht.[343]

6.9. Dänemark als Werkzeug im Kampf gegen den Weltkommunismus

Als eine Folge des Vertrags über die friedliche Besatzung im April 1940 konnte die Dänische Kommunistische Partei (DKP) ihre Tätigkeit ungehindert fortführen. Dies entsprach dem deutsch-sowjetischen Nichtangriffspakt vom August 1939, jedoch in keiner Weise dem Schicksal, dem andere kommunistische Parteien in den von Deutschland besetzten Ländern ausgesetzt waren, wie z. B. Frankreich im Sommer 1940. Dort wurden alle kommunistischen Aktivitäten sofort verboten und die Kommunisten verfolgt.[344] Das soll nicht heißen, daß sich die Aufmerksamkeit von deutscher Seite (Abwehr) nicht sofort auf die DKP als Organisation, deren Mitglieder und Mitgliederzahl richtete. Dies führte zu einer deutschen Registrierung der dänischen Kommunisten und einer deutsch-dänischen Polizeizusammenarbeit auf diesem Gebiet mit gemeinsamen Interessen. Das PKB griff diese Frage eingehend auf und baute dabei auf der Grundlage von bescheidenem zeitgenössischen Material und dem offensichtlich schlechten Gedächtnis der Beteiligten auf.[345] Ebenfalls nahezu ausschließlich auf dieser bescheidenen, unzureichenden Grundlage griff auch Erich Thomsen diese Frage kurz als Einleitung zu einer Abhandlung über den diplomatischen Bruch Dänemarks mit der Sowjetunion 1941 auf.[346] Dabei übersah er, daß die DKP im Takt mit der Entwicklung und kommenden Umsetzung der Operation "Barbarossa" (dem Angriff auf die Sowjetunion) von zunehmendem Interesse für die Abwehr und die deutsche Polizei war. Die Ironie des Schicksals wollte es, daß die DKP aus einem ganz anderen Grund in Verbindung mit den Angriffsvorbereitungen interessant wurde. 1938 war es in Frederikshavn zu Sabotageakten gegen zwei spanische Fischtrawler gekommen, bei denen Mitglieder der DKP im Rahmen der illegalen Tätigkeit der Komintern beteiligt waren. Dieses Ereignis sollte jetzt von deutscher Seite in die Begründung für die Durchführung des Angriffs auf die Sowjetunion aufgenommen werden. Es sei ein klares Beispiel für die Sabotagetätigkeit des internationalen Kommunismus gewesen, das dazu dienen konnte, die Gefährlichkeit von dessen Ursprungsland, der Sowjetunion, zu demonstrieren. In diesem Zusammenhang kamen drei deutsche Polizisten im Februar 1941 nach Kopenhagen, um den Vorfall näher zu untersuchen. Dies ist ausführlich zunächst von dem Journalisten Erik Nørgaard: *Krig og slutspil. Gestapo og dansk politi mod Kominterns "bombefolk"* (Krieg und Endspiel. Gestapo und dänische Polizei gegen die "Bombenleger" der Komintern),

---

343 Die dänische öffentliche Meinung wurde zuletzt aus einer dänischen Perspektive von Roslyng-Jensen 2007 auf der Grundlage von zeitgenössischem Tagebuchmaterial beleuchtet.

344 Reinhard Heydrich drückte im März 1941 gegenüber dem Polizeiinspektor Fritz v. Magius sein Erstaunen darüber aus, daß es in Dänemark noch eine zugelassene kommunistische Partei gab, äußerte jedoch die Erwartung, daß es sich nur noch um eine kurze Zeit handelte, bis diese verschwindet (Revsgaard 1981, S. 84, vgl. Koch 1994, S. 247).

345 PKB, 7:2.

346 Thomsen 1971, S. 79.

1986,[347] und später in Kurzform von Henrik Stevnsborg dargestellt worden.[348] Dies führte zur Festnahme der Bombenleger und deren Mithelfer, die nach dänischem Recht verurteilt wurden. Darüber wurde in den Tageszeitung Anfang Juli großflächig berichtet, was der Propaganda die notwendige Munition lieferte, um die erfolgten deutschen Angriffe nicht nur auf Dänemark, sondern global zu begründen: der internationale Terrorismus der Komintern.

Die dänischen Kommunisten gerieten somit erst spät in die Schußlinie, und das aus äußeren Ursachen. Esben Kjeldbæk hat auf der Grundlage der abfotografierten deutschen Akten aus dem RA ermittelt, daß die deutschen Behörden in Dänemark erst im Mai 1941 offen Forderungen an die dänischen Behörden über eine Effektivierung ihrer Bestrebungen bei der Bekämpfung des Kommunismus erhoben. Dabei handelt es sich genauer um Internierungen in Verbindung mit der Operation Barbarossa.[349] Die Umsetzung der deutschen Forderungen ist von Henning Koch untersucht worden. Obwohl die Umsetzung selbst mit einem plötzlichen Befehl am 22. Juni in Verbindung mit anderen Forderungen erfolgte, hatte die dänische Polizei eine Kommunistendatei errichtet, die weitaus umfassender war als die deutsche und die bei den Verhaftungen verwendet wurde. Ministerpräsident Thorvald Stauning nahm auch zur Kenntnis, daß drei kommunistische Abgeordnete des dänischen Parlaments verhaftet werden sollten. Auf dänischer Seite erfüllte man außerdem die deutsche Forderung nach einem Abbruch der diplomatischen Beziehungen mit der Sowjetunion, und im August verabschiedete das dänische Parlament ohne viel Lärm ein Gesetz, das den Kommunismus in Dänemark verbot. Dieses Gesetz stieß auf breite Billigung in der dänischen Presse.[350] Das Gesetz wurde nicht auf deutsche Initiative oder Forderung verabschiedet. Es fehlt noch immer eine deutsche Sichtweise auf diese Vorgänge, die im dänischen Kontext stark diskutiert worden sind.

Die Operation Barbarossa bot auch den Anlaß, daß die Anwerbung von dänischen Staatsbürgern für den deutschen Kriegsdienst, die bis dahin im Verborgenen über die deutsche Minderheit und die DNSAP erfolgt war, auf deutsche Forderung hin öffentlich wurde, da der Feind jetzt identifiziert war: die Sowjetunion und der Bolschewismus. Dies führte dazu, daß die dänische Regierung gezwungen war, die Gründung des Freikorps Dänemark (Frikorps Danmark) zu akzeptieren und zuzustimmen, daß dänische Offiziere dem Freikorps beitreten konnten, ohne ihre Rechte zu verlieren. Von deutscher Seite überließ die SS die Anwerbung der DNSAP, die auch entscheidenden Einfluß auf das Freikorps Dänemark gewann. Abgesehen von der finanziellen Hilfe an die DNSAP war dies das größte Eingeständnis, daß die Partei von deutscher Seite jemals erhielt. Die Erklärung hierfür ist in den vorliegenden Untersuchungen über die

347 Nørgaard 1986, passim (erweiterte Ausgabe von Nørgaard 1975) (der Journalist Wilhelm Bergstrøm kann für den 14. Februar 1941 über die Zusammenarbeit der drei Gestapomänner mit Polizeikommissar C.M.J. Bjerring im Polizeipräsidium berichten (KB, Bergstrøms Tagebuch, 14. Februar, 6., 12., 22. und 27. März, 19. und 31. Mai), Koch 1994, S. 244.
348 Stevnsborg 1992, S. 321-329.
349 Kjeldbæk 1977, S. 73f., 79-83. Der Herausgeber hat weiteres Material in Berlin gefunden, die Kjeldbæks Ergebnisse nicht entkräften.
350 Sjøqvist 1973, S. 148-151, Stevnsborg 1992, S. 315-321, 329-332, Koch 1994, S. 254-266, 273-290, Bindsløv Frederiksen 1960, S. 216-225.

Errichtung des Korps von Henning Poulsen bzw. Claus Bundgård Christensen et al. nicht klar ersichtlich, wenn man davon absieht, daß das nationalsozialistische Umfeld natürlich die Hauptgrundlage für die Rekrutierung bot.[351] Es paßt jedoch gut in das Handlungsmuster, das man von deutscher Seite in Dänemark auf zahlreichen Bereichen den Weg über Stellvertreter wählte. Mit der DNSAP als Anwerbeinstanz setzte die SS auf die Partei, die im Übrigen dazu ausersehen war, den Nationalsozialismus nach Dänemark zu tragen. Die DNSAP stand bis Herbst 1943 für die Anwerbung, wonach sie auf die Waffen-SS übertragen wurde.[352]

Das Entgegenkommen von dänischer Seite, das bei der Bekämpfung des Weltkommunismus gezeigt wurde, reicht bis Anfang November 1942. Zuerst Schloß sich die dänische Regierung auf deutschen Druck im November 1941 dem Antikominternpakt an, eine Tatsache, auf deren Erforschung und in einzelnen Fällen Bagatellisierung die dänische Forschung viel Energie aufgewandt hat,[353] während eine Perspektive der deutschen Außenpolitik fehlt. Das gilt auch für Erich Thomsen, der die Internierung von Kommunisten, die Anwerbung für den deutschen Kriegsdienst und den Anschluß an den Antikominternpakt als Teile desselben sachlichen Zusammenhangs ebenso wenig behandelt.[354] Jedoch kann man sich an einigen Formulierungen von Henning Koch orientieren, die nicht ohne Perspektive sind, wenn er schreibt: "Es kann kaum verwundern, daß die deutschen Behörden bei der Information über die Verabschiedung eines Kommunistengesetzes durch das dänische Parlament die Frage nach einem dänischen Anschluß an die internationale Vendetta gegen den Kommunismus als natürliche und unproblematische Folge der Aktionen im Juni und des Gesetzes im August 1941 ansahen. Die dänische Regierung wurde somit in ihren eigenen Leichtsinn versponnen, ein solches Gesetz zu verabschieden."[355] Mit anderen Worten: Die dänische Regierung hatte selbst ihre politischen Möglichkeiten geschwächt, außenstehend zu bleiben. Dem steht das Argument von Hans Kirchhoff gegenüber, daß es sich auf deutscher Seite um eine "nationalsozialistische Revolverdiplomatie"[356] gehandelt habe, doch er äußert im Übrigen eine klare Ansicht darüber, was die Politik der dänischen Regierung angetrieben hat: "Die Aktivierung der Kollaboration geschah vom Sommer 1941 an unter deutschem Druck, aber sie wurde durch den Haß gegen und die Furcht von dem Kommunismus gefördert. Die Zustimmungen kulminierten mit dem Beitritt zum Antikominternpakt...".[357]

351 Sjøqvist 1973, S. 151-153, Poulsen 1970, Kap. 5 und 10 und 2008 (Quellenedition), Bundgård Christensen et al. 1998, S. 46-51, 348-350, Lauridsen 2002a, S. 347-357. Vgl. Thomsen 1971, S. 95-98.

352 Die Anwerbung wurde jüngst von Aagaard 2012 für den ganzen Zeitraum von 1940 bis 1945 untersucht. Die Hauptschlußfolgerung ist, daß die DNSAP die Anwerbung auf das eigene nationalsozialistische und antikommunistische Parteimilieu konzentrierte, während die Waffen-SS im Folgenden aus einem breiteren Klientel rekrutierte.

353 Bjørneboe 1965, Sjøqvist 1973, S. 168-189, Kirchhoff 1998b, S. 109f. und 2001, Kap. 7, Lidegaard 2003, S. 474-483. Koch 1994, S. 302-305, stellt sich dem Vorgang kritischer gegenüber.

354 Thomsen 1971, s. 82-87.

355 Koch 1994, S. 303. Vgl. auch Lund 2005, S. 97-100, über die "neuen Möglichkeiten" der dänischen Regierung, "ihre Kollaborationsbereitschaft zu aktivieren".

356 Kirchhoff 2001, S. 99.

357 Kirchhoff 1998b, S. 110.

Die aufsehenerregenden Sabotageakte, die ab Sommer 1942 stattfanden, veranlaßten bei den deutschen Behörden Vorbereitungen zu einer systematischeren Sabotagebekämpfung, was zum Teil vom PKB[358] und ausführlicher von Hans Kirchhoff und zuletzt von mir selbst untersucht wurde.[359] Ein Element bei den deutschen Vorkehrungen war, daß einige der potenziellen Hauptverdächtigen, nämlich bestimmte Kommunisten und ehemalige Freiwillige im spanischen Bürgerkrieg, auf deutsche Aufforderung an die dänische Regierung interniert werden sollten. Die Forderung wurde von dänischer Seite akzeptiert und die Aktion am 2. und am 7. November 1942 von der dänischen Polizei durchgeführt. Die Verhafteten (158 und 91 Personen) wurde im Internierungslager Horserød mit den bereits internierten Kommunisten gefangen gehalten und bis zum 29. August 1943 von den dänischen Behörden überwacht.[360]

Der Kampf gegen den Weltkommunismus war der politische Bereich, auf dem die deutschen Behörden am frühesten besonders harte Forderungen erhoben, die nichts mit der deutschen Besatzungspolitik in Dänemark zu tun hatten, auf dem aber auch von Seiten der Regierung über einen längeren Zeitraum das größte Entgegenkommen gezeigt wurde. Von dänischer Seite war man bereit, einen hohen politischen Preis für die aufgezwungene Zusammenarbeit in diesen bestimmten Bereichen zu zahlen, was im Nachhinein besonders in Auge sticht, da es sich um einen politischen Gegner handelte, der sich bereits in der Defensive befand und nun vollständig eliminiert werden sollte. Dies erwies sich jedoch als nicht so einfach. Der Gegner wurde nicht eliminiert, und dies wurde später zu einem großen Problem.

6.10. Augustunruhen 1943. Entwaffnung der dänischen Streitkräfte

Im August 1943 wurde die deutsche Besatzungspolitik in Dänemark zum ersten Mal von einer Reihe von Streiks in Städten in Jütland und auf Fünen herausgefordert, die die dänischen Behörden nicht stoppen konnten, obwohl die Regierung, die Parteien und die Interessenverbände die Bestrebungen beherzt unterstützten. Die Streiks waren ein Ausdruck für einen Stimmungsumschwung in der dänischen Bevölkerung vor dem Hintergrund der jüngsten deutschen Niederlagen und mündeten in den Rücktritt der dänischen Regierung. Der ganzen Vorgang ist von Hans Kirchhoff unter Einbeziehung der deutschen Akteure sehr eingehend untersucht worden. Bemerkt sei, daß in seiner Untersuchung ein Forschungsüberblick fehlt und es vorher faktisch auch keine wissenschaftlichen Studien über diesen Gegenstand gegeben hatte.[361] Hingegen kann Erich Thomsens Darstellung der Vorgänge von 1971 als Beispiel für die früher vorherrschenden Vorstellungen dienen. Thomsens Quellengrundlage war nahezu ausschließlich das PKB, jedoch hatte er auch Interviews u. a. mit Werner Best und G.F. Duckwitz geführt, was die Schilderung der deutschen Politik weitgehend prägen sollte. Laut Thomsen war es von Hanneken, der am 23. August mit seiner sehr beunruhigenden Meldung an das OKW die Situation von deutscher Seite zuspitzte, während Best zugleich die dänische

---

358 PKB, 7, Nr. 7, 271, 272.
359 Kirchhoff, 1, 1979, S. 43-45, und Lauridsen 2006c, S. 149-152.
360 Koch 1994, S. 294, 298.
361 Siehe jedoch Andersen 1977 vor dem Hintergrund von seiner Dissertation 1972, dessen Arbeiten in der dänischen Forschung kaum verwendet wurden.

Regierung dazu drängte, die Unruhen zu beenden. Bests Bemühungen seien vergebens gewesen. Er sei ins Führerhauptquartier zitiert worden, wo ihm die Forderungen an die dänische Regierung diktiert worden seien. Diese seien für die Regierung unannehmbar gewesen. Thomsen schließt: "Die Stunde des Generals war gekommen" (S. 165). Von Hanneken hätte nicht nur am 29. August durch die deutsche Militäroperation "Safari" die dänischen Streitkräfte beseitigt,[362] sondern es sei auch der militärische Ausnahmezustand ausgerufen worden. Best hätte nun ins zweite Glied treten müssen. Dies sei Thomsen zufolge (S. 168) immer von Hannekens Ziel gewesen.

Von Hanneken strebte seit seiner Ankunft in Dänemark die Entwaffnung des dänischen Heers und der Flotte an, da er darin eine Bedrohung für den Fall einer Invasion sah. Bis sein Wunsch erfüllt wurde, hatte er auf verschiedene Weise erfolgreich versucht, die dänischen Streitkräfte zu lähmen, was von Palle Roslyng-Jensen 1980 untersucht wurde.[363] Die Erfüllung dieses Ziels war ein Nebeneffekt, die Planung hierfür wurden im gleichen Sommer begonnen.

Hans Kirchhoffs Untersuchung kommt zu einem deutlich anderen Ergebnis. Ihm zufolge wurde Best ein Opfer seiner eigenen Politik. Best ist zunächst eine enge Allianz mit der dänischen Regierung, personifiziert in Erik Scavenius, eingegangen,[364] zudem wünschte er weiter friedliche und ruhige Verhältnisse in Dänemark, die ihm eine Belobigung nach dem ersten halben Jahr eingebracht hatte. Dies war auch ein Grund dafür, daß er im August dem AA die steigende Anzahl an Sabotageakten sowie die Streiks nicht meldete, bevor er nach von Hannekens Meldung an das OKW dazu gezwungen wurde. Tatsache ist jedoch, daß auch von Hanneken zuvor aus Loyalität zu Bests Politik nicht die zunehmende Sabotage und die Unruhen in Dänemark gemeldet hatte. Dies tat er erst, nachdem er dazu vom OKW aufgefordert worden war. So kam eine Lawine ins Rollen, weil Berlin nicht laufend unterrichtet worden war, sondern mit einer plötzlichen Krise konfrontiert wurde, zu der man sofort Stellung nehmen mußte. Hitler griff ein. Es war in erster Linie Bests Verantwortung, daß es so weit kam, eine Verantwortung, die er bereits damals und in seinen späteren Erinnerungen auf von Hanneken abzuwälzen versuchte, während er versuchte, seine eigenen Intentionen, ein Reichskommissar zu werden, zu verschleiern versuchte.[365]

Kirchhoffs Ergebnisse sind allgemein anerkannt[366] und Ulrich Herbert ist ihnen in seiner Biografie über Best weitgehend gefolgt. Jedoch ist es wichtig zu bemerken, daß Herbert den 29. August nicht als den entscheidenden Wendepunkt der deutschen Besatzungspolitik in Dänemark ansieht. Stattdessen formuliert er es so, daß der 29. August im Rückblick als ein Wendepunkt in der neueren dänischen Geschichte erscheint, der nach 70 Jahren Neutralität eine neuerliche Hinwendung nach Westen auslöste (S.

---

362 Über den militärischen Ablauf von "Safari" siehe Hendriksen 1993 (Heer), Wessel-Tolvig 1993 (Flotte) und Laub 1993 (Flotte).
363 Roslyng-Jensen 1980, S. 126-148.
364 Besonders hierüber siehe Kirchhoff 1993a.
365 Kirchhoff 1979 und 2001, Kap. 16.
366 H.P. Clausen: Historie som fortælling. *Historie* Neue Reihe, 13:3, 1980, S. 113-132, Hæstrup in *Historisk Tidskrift*, 80, 1980, S. 570-577, Roslyng-Jensen in *1066. Tidsskrift for historisk Forskning* 9:6, 1979, S. 3-14.

354). Es ist zudem eine Frage, ob eine Niederlage für Bests politische Ziele bei seiner Besatzungspolitik gleichzusetzen ist mit der deutschen Besatzungspolitik als solchen.[367] Herbert gibt nicht sofort eine Antwort, da er nicht sehr viel aus Bests Verhältnis zur Verwaltung der Staatssekretäre im Vergleich zur früheren Regierung Scavenius macht. Dies ist hoffentlich eine der Fragen, zu denen eine künftige Forschung mit deutscher Perspektive Stellung nimmt. Auf jeden Fall macht es nachdenklich, daß Hitler am 28. August im Führerhauptquartier die Notwendigkeit der Aktion "Safari" in Frage stellt, sie aber aus der Erwägung heraus von Stapel läßt, daß dies früher oder später ohnehin durchgeführt werden muß.[368] Eine größere Rolle spielte die Krise in Dänemark nicht.

Die Krise war auch nicht groß genug, daß Best beseitigt oder eine deutsche Besatzungsregierung wie in Norwegen oder den Niederlanden eingesetzt wurde. Die Streiks stellten keine Bedrohung gegen Deutschland dar und sie zu stoppen war eine Aufgabe der Polizei.[369] Bests Rücktritt aus Anlaß von einigen Streiks in der dänischen Provinz wäre ein deutscher Prestigeverlust gewesen, insbesondere für das AA, und daß er weder formell noch tatsächlich Reichskommissar wurde, liegt allein am Widerstand des AA und von Ribbentrop. Daß er als solcher im Gespräch war, geht aus den hier vorlegten Dokumenten hervor.[370] Ob er die Unterstützung durch Himmler bekam, um die er in dieser Frage warb, ist unsicher,[371] doch daß er bis Oktober weiter um die Gunst des RFSS bettelte, ist belegt. Eine der Wege, dies zu tun, war es, die Initiative bei der Durchführung der Judenaktion zu übernehmen.[372]

Best wurde am 29. August 1943 angewiesen, auf seinem Posten zu bleiben. Außerdem erhielt er am 1. September den Bescheid, daß es auch weiterhin seine Aufgabe war, die deutschen Wirtschafts- und Handelsinteressen wahrzunehmen, er aber auch versuchen sollte, eine neue dänische Regierung zu bilden. Dies veranlaßte ihn, sofort auf einigen Gebieten in die Offensive zu gehen, um seine Stellung zu stärken und während des militärischen Ausnahmezustands einige unbequeme Dinge aus dem Weg zu räumen. Es ging nicht nur darum, mehr deutsche Polizei unter sein Kommando zu bringen und die Judenaktion durchzuführen, Fragen, um die die bisherige Forschung kreiste. Diese Maßnahmen waren Teil eines Komplexes von Initiativen, zu denen auch die Aktivierung des Schalburgkorps und die Eliminierung von Frits Clausen zählten, ebenso

367 Der 29. August 1943 war für die deutsche Besatzungspolitik nicht der große Bruch, wie Poulsen 1991, S. 369, 372, darlegen möchte, ebenso Kirchhoff 1994b. Nicht ganz so beurteilt Kirchhoff es 1979, als er schreibt, daß die Unruhen im August 1943 Best umwarfen und er nie die Früchte davon ernten konnte, im Verhältnis zum WB Dänemark die Verwaltung der Staatssekretäre durchgesetzt zu haben, sondern daß sein Sturz tiefer war, als man in den letzten Septembertagen ahnen konnte, als ein HSSPF mit gleichem Rang nach Dänemark kam (Kirchhoff, 2, 1979, S. 472f.). Gegen den tiefen Sturz von Best wird im Abschnitt 7 argumentiert.

368 3:285.

369 Von mehreren deutschen Behörden wurde angegeben, daß die dänische Polizei bei ihrer Aufgabe während der Streiks versagt habe.

370 3:242, 260, 282 und 283. Hieraus geht auch hervor, daß er versuchte, dem RAM/AA dadurch entgegenzukommen, daß er seine künftige Stellung als Reichskommissar dem AA unterstellt hätte, während die anderen Reichskommissare direkt Hitler unterstellt waren. Vgl. Best an Svenningsen, 5. September 1943 (Kirchhoff, 2, 1979, S. 468f.).

371 3:252 und 311.

372 Siehe Anmerkung zu 4:210.

wie Best im Wirtschaftsbereich u. a. die Initiative bei der Finanzierung der deutschen Polizei ergriff und die Frage anging, ob Dänemark einen finanziellen Kriegsbeitrag leisten sollte oder nicht.[373]

Mehrere Forscher haben geurteilt, daß Bests Politik am 29. August 1943 eine Niederlage erlitten hatte. Das gilt unzweifelhaft für die Allianz mit Scavenius. Ebenso unumstritten ist, daß die deutsche Besatzungsmacht im Folgenden mehr Ressourcen in Form von deutscher Polizei einsetzen mußte, doch darüber hinaus geschah keine Veränderung oder Erweiterung im Verwaltungsapparat der deutschen Behörden. Im Hinblick auf die deutsche Polizei mußte Best in den sauren Apfel beißen, daß es sich eine tatsächliche Ressourcensteigerung handelte und dabei zudem um eine Ressource, die außerhalb seiner Kontrolle lag. Doch hierdurch verlor er nicht sein oberstes Ziel seit seiner Ankunft in Dänemark aus dem Blick, wonach das Land mit den geringstmöglichen Ressourcen zum größtmöglichen Vorteil für Deutschland verwaltet werden sollte. Der Verhandlungspartner war nun die Verwaltung durch die Staatssekretäre, und Best konnte über die deutsche Gesandtschaft weiter die Aufsichtsverwaltung ausüben.

Gegenüber einem eingeladenen deutschen Kreis stellte Best im August 1944 die Besatzungslage dar. Er äußerte unter anderem, daß größere deutsche Eingriffe in die dänische Gesellschaft nicht in Frage kommen konnten. Diese hätten gegebenenfalls bereits 1940 erfolgen müssen.[374] Jetzt sei es zu spät. Er hielt den Status quo für das Zweckmäßigste, wie er es auch zuvor getan hatte, doch nun war es notwendiger geworden, diesen Standpunkt gegenüber kritischen deutschen Stimmen zu verteidigen. Zum letzten Mal tat er dies in Berlin am 5. März 1945.[375]

Herbert beurteilt die Abläufe nach dem 29. August 1943 anders. Er meint nicht nur, daß das "Musterprotektorat" am Ende war, sondern auch daß Bests Ziel, eine Aufsichtsverwaltung auszuüben, Schiffbruch erlitten hätte.[376] Dies obwohl Best die Zusammenarbeit mit den Staatssekretären mit einer begrenzten Verwaltung bis Mai 1945 fortsetzte und die dänischen Exporte nach Deutschland bis Anfang 1945 weiterhin einen beträchtlichen Umfang hatten. Herbert gewichtet die Anwesenheit der deutschen Polizei und deren selbständige Rolle so hoch, daß er Bests Projekt für Dänemark als fehlgeschlagen ansieht. Das meinte Best selbst nicht, als er auf die Zeit in Dänemark zurückschaute, und es ist die Frage, ob er nicht Recht hatte.

6.11. Die Besatzungsmacht und die "Judenfrage"[377]

Von deutscher Seite wurde die "Judenfrage" gegenüber den dänischen Behörden nicht vor Ende 1942 auf die Tagesordnung gebracht. Seit April 1940 bis kurz vor seinem Abgang hatte Renthe-Fink in seinen Berichten an das AA wiederholt darauf aufmerksam gemacht, daß es ernsthafte Konsequenzen für das deutsch-dänische Verhältnis gehabt

373 Verwiesen sei auf die gedruckten Dokumente vom September 1943 und 4:210.
374 7:148.
375 9:121.
376 Herbert 1996, S. 351f. und 531-533.
377 Eine ausführliche Forschungsdiskussion zu Teilen dieses Gegenstands ist bei Bak 2001 und 2002 zu finden.

hätte, falls dieses Thema aufgegriffen worden wäre.[378] Der Gegenstand ist eingehend und grundlegend von Leni Yahil 1967 als Auftakt für die Untersuchung der deutschen Aktion gegen die dänischen Juden und deren nachfolgende Flucht nach Schweden behandelt worden. Hieraus geht klar hervor, daß Dänemark in Bezug auf die Juden kein "Sonderfall" war und daß diese auf der Liste der Wannseekonferenz über die europäischen Juden im Januar 1942 auftauchen, wobei jedoch eine Aktion gegen sie zu diesem Zeitpunkt nicht unmittelbar bevorstand. Dies geht aus einer Stellungnahme von Martin Luther aus dem AA hervor. Doch daß von diesem Zeitpunkt an der Fokus auf die dänischen Juden stärker wurde, geht aus der Tatsache hervor, daß in der deutschen Gesandtschaft in Kopenhagen Lorenz Christensen damit beauftragt wurde, die dänischen Juden zu registrieren.[379] Im September 1942 ergriffen das AA und das RSHA die Initiative, Maßnahmen gegen die dänischen Juden einzuleiten,[380] doch diese wurden zunächst nicht weiterverfolgt, wahrscheinlich weil man den Dienstantritt des Nachfolgers von Renthe-Fink abwarten wollte. Best verfolgte jedoch die von Renthe-Fink vorgegebene Linie weiter – ob dies nun erwartet wurde oder nicht –, daß es für das deutsch-dänische Verhältnis verheerend wäre, einen Übergriff auf die dänischen Juden einzuleiten. Dieses Argument äußerte er mehrfach im Lauf des ersten Halbjahrs 1943 und erreichte am 30. Juni die Zusage Himmlers, daß bis auf Weiteres keine Maßnahmen eingeleitet werden sollten.

Dennoch war es auch Best, der im Telegramm Nr. 1032 am 8. September 1943 dem AA vorschlug, eine Aktion gegen die dänischen Juden durchzuführen, und der es in der Folge zuließ, daß Informationen über die bevorstehende Aktion an diejenigen weitergeleitet wurden, die als deren Opfer ausersehen waren. Warum diese Handlungsweise? Yahil war die erste – abgesehen von Best selbst –, die versuchte, diese Frage, die zur meistdiskutierten in Bezug auf die deutsche Besatzungspolitik in Dänemark wurde, zu beantworten. Dies tat sie auf einer deutschen Quellengrundlage, die keiner von denen, die sich seither damit beschäftigt haben, übertroffen hat.[381] Yahil zeigte, daß das Telegramm am 8. September im AA Überraschung auslöste. Es wurde Ribbentrop und Hitler vorgelegt, bevor Hitler am 16. September grünes Licht für die Aktion gab.[382] Das war eindeutig Bests Initiative, eine Schlußfolgerung, die seither im Großen und Ganzen unstrittig unter den Historikern ist, dänischen wie ausländischen. Yahil erklärt Bests Handlungsweise damit, daß Best nach der Niederlage seiner engen Zusammenarbeit mit der dänischen Regierung am 29. August in Berlin demonstrieren wollte, daß er radikaler in seinem politischen Umgang mit der Lage in Dänemark sein konnte. Hierfür benötigte er die erforderlichen deutschen Polizeikräfte, damit er eine Lage wie die im August ohne Hilfe durch die Wehrmacht bewältigen konnte, gegen die er seine Position ebenso stärken wollte. Daß Best gleichzeitig über die Bildung einer neuen dänischen Regierung verhandelte, war nur Schein. Sein Ziel war es, Reichskommissar zu werden

---

378 Renthe-Finks Berichte betreffend die "Judenfrage" sind von Lauridsen 2008a herausgegeben worden.
379 Lauridsen 2008a, Nr. 30 und hier 8:45, 211, 264 und 9:15.
380 Lauridsen 2008a, Nr. 43-47, 49-50 und hier 1:27 und 49.
381 Das bemerkt Yahil indirekt selbst 1998, S. 460.
382 Das AA wurde am Tag darauf darüber orientiert, siehe 7:77. Vilhjálmsson 2006, S. 83, schreibt, daß dieses Telegramm Nr. 1265 bei Kriegsende verloren ging!

und über die Staatssekretäre zu regieren. Die Judenaktion sollte ihm die Polizeikräfte verschaffen, und sobald diese bewilligt waren, hatte die Aktion ihren Zweck erfüllt und Best konnte die Informationen darüber lancieren, damit die Aktion nicht seine künftige Tätigkeit in Dänemark belasten würde.

Hans Kirchhoff besprach das Buch nach seinem Erscheinen und äußerte sich sehr kritisch über Yahils Kenntnisse über die dänischen Verhältnisse, lobte sie jedoch dafür, zum ersten Mal systematisch die Aktenbündel im AA durchgearbeitet zu haben. Er referierte ihre Thesen zu Bests Rolle bei der Judenaktion und kommentierte sie folgendermaßen: "Trotzdem wagt man es nicht, Dr. Yahil zu folgen, als sie den Schluß zieht, daß Best – *und er allein* – dafür verantwortlich war, daß die Judenaktion zustande kam (S. 119). Trotz allem waren die Verhältnisse wohl nicht so einfach." Nach Kirchhoff muß es Best nach dem 29. August klar gewesen sein, daß eine Judenaktion jetzt täglich zu erwarten sein konnte.[383]

Diese Darstellung wurde damals nicht weiterverfolgt, doch Kirchhoff nahm Yahils Hauptthesen 1994 wieder auf und formulierte an ihnen drei Probleme. Das erste betrifft den Zeitpunkt, an dem Best weitere deutsche Polizeikräfte zugewiesen wurden. Hier stützt sich Kirchhoff auf Bjørn Rosengreen (siehe unten), der glaubt, zeigen zu können, daß dieser bereits vor Abschicken des Telegramms vom 8. September gelegen haben kann. In jedem Fall war Rudolf Mildner offenbar am 7. September zum BdS ernannt worden. Dies stärke infolge Kirchhoff nicht Yahils These.[384] Die Frage ist aber auch, ob sie diese schwächt, da die Ernennung Best nicht unbedingt bekannt gewesen sein muß, bevor er Telegramm Nr. 1032 abschickte.

Zweitens bemängelt Kirchhoff, daß Yahil "den von Best inszenierten Mythos über den Sturz des Reichsbevollmächtigten am 29. August, der sich in das rotweiße Tuch der Zusammenarbeitspolitik verwickelt habe", angenommen hat. Kirchhoff verweist darauf, daß Best mit Unterstützung Ribbentrops und Hitlers "gestärkt zurückkam" und "neue und umfassende Vollmachten" erhalten hatte, die von Hanneken an die Wand gespielt hätten. Also würde nichts auf eine "entscheidende Desavouierung" deuten, die eine so drastische Maßnahme wie die Judenaktion erforderlich gemacht hätte. Hier ist es nötig, sich Kirchhoffs Formulierungen genau vor Augen zu halten: Der Ausfall gegen die Mythenbildung von Best ist vielleicht angemessen. Eine andere Frage ist, ob es nicht etwas zu kräftig ausdrückt ist, daß Best gestärkt zurückkam, auch wenn von einer entscheidenden Desavouierung nicht die Rede sein konnte. Best war in die Schranken gewiesen worden – auch eine Art der "Unterstützung". Wenn die Politik ohne Gesichtsverlust für das AA weitergeführt werden sollte, konnte es nicht verwundern, daß er neue Anweisungen für eine dänische Regierungsbildung bekam, die vielleicht eine umfassende Vollmacht genannt werden können. Ansonsten blieben seine Aufgaben dieselben wie bisher – auch auf den anderen Bereichen, etwa dem wirtschaftlichen.[385] Best konnte es vielleicht gut gebrauchen, sich darzustellen.

Und drittens findet es Kirchhoff problematisch, daß Yahil meint, Himmler hätte

---

383 Kirchhoff in *Historisk Tidsskrift*, 12. IV, 1969-70, S. 277.
384 Kirchhoff 1994b, S. 61.
385 Siehe 4:3 und 4.

negativ oder zögerlich darauf reagiert, deutsche Polizeikräfte nach Kopenhagen zu schicken. Es gäbe in den Quellen nichts, was darauf hinweisen würde, schreibt er, und deshalb hätte auch nicht der Bedarf bestanden, mit dem Telegramm von 8. September das große Spiel einzuleiten, als das die Judenaktion aussah. Aus dem vorliegenden und hier veröffentlichten Quellenmaterial geht jedoch hervor, daß Best das AA mehrfach daran erinnern mußte, sein Telegramm Nr. 1001 vom 1. September mit der Bitte um einen eigenen Exekutivapparat in Form einer deutschen Polizei zu beantworten.[386] Solche Erinnerungen finden sich in Telegramm Nr. 1010, 3. September, Nr. 1051, 13. September und Nr. 1072, 16. September. Erst am 18. September wußte das AA, daß Himmler zwei Polizeibataillone für Best bewilligt hatte, und in diesem Schreiben *wird direkt auf Bests Antrag vom 1. September Bezug genommen*.[387] Vielleicht handelte es sich nicht um ein Zögern, doch Best hat auf jeden Fall nicht über Nacht Bescheid erhalten. Und was noch wichtiger ist: Er hatte nach meiner Einschätzung bis zum 8. September keinen Bescheid erhalten.[388] Im Übrigen möchte ich Yahils Argumentation von meiner Seite aus nicht unterstützen.

Unmittelbar vor dem Erscheinen von Yahils Buch in dänischer Sprache hatte Jørgen Hæstrup in *Til landets bedste* (Zum Besten des Landes). 1. 1966, in Kapitel 5: "Die Aktion gegen die dänischen Juden" eine Darstellung gegeben, die u. a. auf den Erklärungen beruhte, die Werner Best und G. F. Duckwitz in den unmittelbaren Nachkriegsjahren darüber abgaben. Kurz dargestellt, hatte Best unter der Hand erfahren, Hitler habe beschlossen, daß die Aktion in Dänemark durchgeführt werden sollte. Daher schickte Best das Telegramm am 8. September, das zwar dazu aufforderte, die Aktion einzuleiten, dessen eigentlicher Zweck jedoch gewesen sei, alle die damit verbundenen Probleme aufzuzeigen. Dies hatte in Berlin keine Wirkung, und deshalb enthüllte Best die Aktion gegenüber Duckwitz, um sie zu sabotieren. Hæstrups Darstellung ist bemerkenswert wegen des unkritischen Vertrauens insbesondere gegenüber Duckwitz, der für das Werk auch Auszüge aus seinem Tagebuch bereitgestellt hatte. Dies kann jedoch zur Not damit erklärt werden, daß es durchaus schwierig war, Duckwitz bezüglich seiner Rolle während der Besatzung in die Karten zu schauen.[389] Bemerkenswerter ist, daß deutsche Historiker wie z. B. Heinz Höhne und Erich Thomsen unkritisch den Erinnerungen Bests gefolgt sind, die natürlich von Best selbst zur Verfügung gestellt wurden![390] Sie kamen daher zu "Ergebnissen" wie denen von Hæstrup, die bereits bei Erscheinen veraltet waren.

---

386 4:1.

387 4:87.

388 Rosengreen 1982, S. 44, datiert das Telegramm vom 18. September auf den 19. September, da es von Geiger am 18. unterschrieben, doch erst am 19. vom Staatssekretär und Unterstaatsekretär abgezeichnet wurde.

389 Dies läßt sich mit dem Charakter einiger Aktivitäten von Duckwitz erklären, die gefährlich für ihn selbst und seine Umgebung waren und nicht zu den üblichen Amtspflichten gehörten. Dennoch erzeugt seine spätere Umgangsweise mit seinem Nachruhm Mißtrauen, etwa daß sein Tagebuch nicht benutzt werden konnte (Kirchhoff 1994b, S. 65) und er bezüglich der Kapitulationsverhandlungen im Mai 1945 nachweislich zu Bests Vorteil gelogen und dies auch selbst eingeräumt hat.

390 Höhne 1967, S. 366f, Thomsen 1971, S. 180f. (Thomsen hat Yahil 1967 oder 1969 nicht verwendet). Vgl. Herberts Anmerkung 1994, S. 100.

Bjørn Rosengreen hat in seiner Untersuchung über Bests Politik ebenfalls die Frage der Einleitung der Judenaktion aufgegriffen. Er lehnte Hæstrups Erklärung ab, daß Best mit seinem Telegramm vom 8. September tatsächlich eine Judenaktion verhindern wollte, bestätigte aber Duckwitz' Rolle als Vermittler bei der Enthüllung der Aktion. An einem Punkt erhob er ernsthaft Einspruch gegen Yahils Erklärung, indem er nachweisen zu können meinte, daß der Beschluß, mehr deutsche Polizeikräfte nach Dänemark zu schicken, bereits vor Bests Telegramm vom 8. September getroffen wurde. Sein Hauptargument leitet er aus Bests Telegramm Nr. 1010, 3. September, ab. Best bat darin *unter Verweis auf* sein Telegramm an Ribbentrop vom 1. September, ihm so schnell wie möglich einen BdS zu entsenden, woraus Rosengreen schließt: "Hieraus kann abgeleitet werden, daß Best in den Tagen vom 1. bis 3. September den Hinweis bekommen haben muß, daß ein solcher Posten für Dänemark eingerichtet werden soll oder zumindest geplant war. Die Nachricht ist nur dann logisch, wenn Best eine Meldung darüber erhalten hat, daß die deutschen Polizisten auch nach Dänemark befohlen werden, was einen Posten als 'Befehlshaber der Sicherheitspolizei' erforderlich gemacht hätte."[391] Zwei Seiten später pointiert er dies weiter: "Jedoch muß angenommen werden, daß bereits am 3. September 1943 eine vorläufige Zusage der SS vorgelegen haben muß, weil Bests Telegramm vom 3. September sonst keinen Sinn ergäbe."[392] Ich kann die Logik oder den fehlenden Sinn nicht erkennen, da Best die Vorgehensweise verwendete, einen Beschluß zu erzwingen, indem er dessen Resultate vorwegnimmt. Dies wiederholt sich am 13. September, als er ein Telegramm an das AA mit der Bitte um ein spezielles Konto für die Mittel schickte, die u. a. für die avisierte deutsche Polizei verwendet werden sollten. Rosengreen schließt hieraus: "Am 13. September wußte Best ganz genau, daß die Ankunft der deutschen Polizei nach Kopenhagen direkt vor der Tür stand. Er muß hierüber kurz zuvor eine Nachricht erhalten haben."[393] Das ist eine Vermutung, die nicht aus dem Telegramm abgeleitet werden kann. Im Telegramm vom 3. September verweist er auf sein eigenes Telegramm in gleicher Sache vom 1. September und nicht auf eine unterdessen empfangene Nachricht. Nach Rosengreens Logik wäre es dienstlich korrekt gewesen, sich auf die empfangene Nachricht zu beziehen. Das war übliche Praxis bei den Telegrammen zwischen Best und dem AA. Ebenso wenig enthält Bests Telegramm vom 13. September einen Verweis auf eine Nachricht darüber, daß deutsche Polizei kommen würde. Daraus schließe ich, daß er hierzu noch keine dienstliche Nachricht erhalten hatte. Und warum sollte das AA erst am 18. September eine Nachricht darüber vom RFSS erhalten, wenn Best bereits dienstlich orientiert gewesen war? Worüber er eventuell unter der Hand unterrichtet gewesen war, wissen wir nicht. Dies ist eine Frage von Vermutungen, zudem hätte Best selbst ein solches Wissen auch nicht nutzen können.

Schließlich wird Mildner benannt. Darüber liegt ein Schreiben vom SS-Personalhauptamt vom 18. September 1943 vor, in dem erwähnt wird, daß Himmler nach Rücksprache mit Kaltenbrunner Mildner zum BdS in Dänemark mit Wirkung vom

---

391 Rosengreen 1982, S. 41.
392 Rosengreen 1982, S. 43
393 Rosengreen 1982, S. 42.

7. September an ernannt hat. Mildner selbst datierte in einer Erklärung aus der Nach-kriegszeit seine Ernennung auf den 15. September, während Rosengreen keine Erklä-rung dafür gibt, daß es der 7. September war.[394] Das ist auch nicht nötig. Ich kann im Material keine Indizien dafür finden, daß Best bis zum 3. September eine positive Rückmeldung über die deutsche Polizei bekommen hat, und dies ist auch ohne Bedeu-tung, sofern es nicht die Polizeifrage gewesen ist, die Best angetrieben hatte.

Rosengreen legt in seiner Erklärung über die Einleitung der Judenaktion das Haupt-gewicht darauf, daß der Ausnahmezustand aus Bests Perspektive der geeignetste Zeit-punkt war, da sich Best darüber klar gewesen sei, daß eine Judenaktion früher oder später unumgänglich war. Das ist keine neue, aber eine relevante These. Rosengreen gibt seiner These eine bestimmte Perspektive, indem er schreibt: "Es gibt faktisch keine Anhaltspunkte dafür, daß Best besondere antisemitische Gefühle hegte."[395] Es sollte Rosengreens Standpunkt sicherlich stärken, daß die Judenaktion ein wohlkalkulierter Zug in Bests politischem Schachspiel mit dem Zweck war, die Möglichkeit einer Regie-rungsbildung definitiv zu sabotieren.[396] Best in der Rolle des leidenschaftslosen politi-schen Schachspielers hat sich nicht als haltbar erwiesen, was Ulrich Herbert eindeutig nachgewiesen hat.

Diesen Nachweis hat Tatiana Berenstein im Artikel "The historiographic Treatment of the abortive Attempt to deport the Danish Jews" in den *Yad Vashem Studies* 1986 nicht nötig, da sie ohne Weiteres davon ausging, daß Best die Judenaktion auslöste, weil er ein Nationalsozialist und Antisemit war. Ganz einfach. Daraus ergab sich, daß sie eine andere Erklärung als die bisher vorgelegten geben mußte, warum Best enthüllte, daß die Aktion stattfinden sollte: nämlich daß Best am 21. September plötzlich heraus-fand, daß er nicht so viele Polizisten bekommen hatte, wie er erwartet hatte, und daß er deshalb keine ausreichende Polizeistärke hatte, um die Unruhen zu bekämpfen, die man in Folge der Judenaktion befürchtete.[397]

Es gibt nicht den Schatten eines Belegs dafür, daß Best am 21. September eine solche Nachricht erhalten hat. Noch schlimmer wird es, wenn sie nachfolgend u. a. einen Plan konstruiert, der von Best, Mildner, Eichmann und Himmler ausgearbeitet worden sein soll, welchem zufolge Dänemark judenfrei werden soll, wobei die Juden nicht depor-tiert, sondern nach Schweden vertrieben werden. Darin aufgenommen wird Duckwitz' Warnung vom 28. September als die, welche die Juden dazu bewog, Haus und Hof zurückzulassen und zu fliehen. Die vielen anderen Details und Spekulationen sollen hier nicht weiter besprochen werden. Verwiesen sei auf Hans Kirchhoffs gründliche Antwort auf die Konstruktionen, die auch deshalb interessant ist, weil sie ihm die Gele-genheit gab, Duckwitz gegenüber Berensteins Postulaten zu verteidigen und Stellung zu nehmen zu "Duckwitz als Akteur und Historiker": "Duckwitz hatte den Mut und den moralischen Gehalt um zu handeln. Deshalb gehört er zu Recht zu den Gerechten in der europäischen Dunkelheit des Holocaust."[398]

---

394 Rosengreen 1982, S. 45.
395 Rosengreen 1982, S. 52, 54f.
396 Rosengreen 1982, S. 49, Fußnote 3.
397 Berenstein 1986 und der erste Teil des Artikels in dänischer Sprache 1993.
398 Kirchhoff 1994b, Zitat auf S. 72. Entsprechend große Worte in Kirchhoff 1993b, S. 89.

Trotz des offensichtlich Problematischen bei den Konstruktionen in Tatiana Beren-
steins Artikel hat dieser einen gewissen Widerhall bei deutschen Forschern wie Her-
mann Weiss und Ulrich Herbert gefunden, die beide den Artikel teilweise einbeziehen.
Weiss hat zwei Mal die Judenaktion behandelt und findet es beide Male ausdrücklich
schwierig, Bests Beweggründe und Motive zu analysieren, referiert jedoch sehr knapp
Teile der vorliegenden Literatur und läßt Best den 8. September als geeignetsten Zeit-
punkt ansehen, um die Aktion vorzuschlagen und damit sein Ansehen zu verbessern.
"Möglicherweise sah er sich in jedem Fall als Gewinner. Sollte sein Vorschlag abgelehnt
werden, konnte man ihm nicht mehr vorwerfen, vor harten Maßnahmen zurückzu-
schrecken. Im Falle der wahrscheinlichen Annahme würden die Polizeiverstärkungen,
[…] einen beachtlichen Zugewinn an exekutiver […] bedeuten." Daß Best nachfolgend
die Aktion verriet, schreibt Weiss seinem bis dahin ambivalenten Verhalten zu.[399] Die
beiden Artikel sind materialreich, doch es mangelt an Analysen.

Herbert ist etwas konkreter in seinen Erklärungen. Diese sind vor dem Hintergrund
zu sehen, daß er sich das Ziel gesetzt hatte, die ideologischen Wurzeln von Best freizu-
legen, genauer gesagt das völkische Element, das er als zentral für die Weltanschauung
von Best ansieht. Das Völkische enthält einen Antisemitismus, der nicht Haß auf den
einzelnen Juden oder auf Juden als Juden, sondern als bedrohliche Fremdkörper bein-
haltet. Das bedeutet, daß die Juden vom deutschen Volkskörper abgetrennt werden
müssen, entweder durch Vertreibung oder durch Vernichtung. Best blickte akademisch
oder leidenschaftslos auf die Form, wie dies geschehen sollte. Vor diesem Hintergrund
betrachtet war Best in erster Linie von einem ideologischen Projekt angetrieben,[400] als
er die Judenaktion einleitete, und die Einleitung geschah zu einem Zeitpunkt, als die
Barrieren, die ihn bis dahin zurückgehalten hatten, weggefallen waren, nämlich das gute
Verhältnis zur Regierung Scavenius. Zudem bestand keine Aussicht auf Bildung einer
neuen dänischen Regierung. Als Herbert nachfolgend erklären soll, warum er Duckwitz
wissen ließ, daß und wann eine Aktion stattfinden sollte, wird es komplizierter, da sich
die ideologisch motivierte Erklärung nur schwer mit einer pragmatischen, machtpoliti-
schen vereinbaren läßt. Doch dies macht Herbert auch gar nicht. Zuerst stellt er die Zu-
verlässigkeit von Duckwitz in Frage. Er findet dessen Schilderung von Bests Rolle nicht
ganz überzeugend und versucht, am chronologischen Ablauf zu kratzen.[401] Danach
stellt er es als Tatsache dar, daß Best und Mildner etwa ab 20. September aufgrund von
Hinweisen auf Fluchtvorbereitungen davon überzeugt waren, daß die Aktion durchge-
sickert war und deshalb fehlschlagen würde und nur wenige Juden von der deutschen
Polizei festgenommen werden würden. Aus dieser Erkenntnis heraus berichtete er im
Voraus an das AA. Falls man Razzias vornehmen und ganz Dänemark durchkämmen
würde, um die Juden in ihren Verstecken zu finden, könnte dies sehr lange dauern und
zu unruhigen Verhältnissen nach Aufhebung des militärischen Ausnahmezustands füh-
ren. Daher ließ Best die Aktion über Duckwitz durchsickern, um die Panik zu erzeugen,

---

399 Weiss 1991, S. 174f. und 1999, S. 44 und 49f.
400 "Für Best aber, wie für die meisten anderen SS-Führer, war die Entfernung der Juden aus dem deut-
schen Machtbereich ein politisches Ziel sui generis; es bedurfte dazu keiner anderweitigen Absichten, für
die die 'Aktion' gegen die Juden instrumentalisiert wurde." (Herbert 1994, S. 102).
401 Herbert 1994, S. 108f. und 1995, S. 368f.

die den laufenden Flüchtlingsstrom verstärken und die Juden in kurzer Zeit aus dem Land bringen würde. Auf diese Weise wäre das ideologische Ziel erreicht, Dänemark judenfrei zu machen.[402]

Herberts ideologisch ausgerichtete Erklärung hat Zuspruch durch Peter Longerich gefunden, der diese als fruchtbar bezeichnet,[403] während Leni Yahil skeptischer ist. Sie stößt sich am Argument, daß die Judenaktion im Voraus zum Scheitern verurteilt war, so wie es Best darzustellen versuchte. Das findet sie nicht überzeugend. Bis zu den letzten Tagen, als die Warnung gegeben wurde, gab es unter den Juden kein Chaos und keine Massenflucht. "In fact, Herbert bases himself on a premise that lacks adequate evidentiary and focuses on one factor alone: Rumors. I doubt that we will ever be able to answer unequivocally the question of what considerations influenced Best."[404]

Herberts Erklärungen wurden auch von Kirchhoff kritisiert. Diese hätten sich u. a. zu stark auf Bests ideologischen Hintergrund konzentriert, während konkrete politische Maßnahmen erklärt werden sollten. Insbesondere stößt sich Kirchhoff daran, daß es in Herberts Argumentation ein Element von nachträglicher Rationalisierung gäbe, wenn er die Panik unter den Juden als Entschuldigung für das geringe Ergebnis der Aktion benutzt: Das war eine Panik, an deren Hervorrufung Best selbst beteiligt war.[405]

Yahils und Kirchhoffs Einwände haben Gewicht. Insbesondere erscheint Herberts Tendenz, die Notwendigkeit einer Erklärung für Bests Handeln im September 1943 nahezu aufzugeben, da Best nun mal die Weltanschauung gehabt habe, die er hatte, als sehr unbefriedigend. Dies kann nur eine generell wichtige Grundlage für ein besseres Verständnis von Best sein, doch hebt es nicht die Notwendigkeit auf, spezifische Erklärungen für konkrete politische Situationen zu geben. Diese hat Herbert letzten Endes auch selbst gegeben.

Hans Kirchhoff hat mehrfach seine Sicht auf die Aktion gegen die dänischen Juden gegeben und die komplizierten Abläufe folgendermaßen zusammengefaßt: "Mit seiner Gestapovergangenheit und seinen Kenntnissen von der Endlösung in Frankreich sowie mit seinen Wissen über den permanenten Druck, der auf Dänemark lag, mußte Best *mit an Gewißheit grenzender Wahrscheinlichkeit* damit rechnen, daß der Sturz der Regierung die Judenverfolgung von Berlin aus auslösen mußte. [...] Jetzt, da nach einer Woche im September klar war, daß sich keine neue Regierung bilden lassen würde, löste er die Aktion ohne Skrupel aus, um sie zum günstigsten Zeitpunkt durchzuführen, d. h. während des Ausnahmezustands, als die deutsche Macht am stärksten erschien und die Verbitterung sich gegen General von Hanneken richten würde. Doch parallel dazu versuchte er, deren Wirkung auf die dänische öffentliche Meinung und die dänischen Staatsorgane, mit denen er zusammenarbeiten mußte, abzuwehren, indem er den Juden durch Indiskretionen die Möglichkeit gab, sich der Deportation zu entziehen und stattdessen in den Untergrund zu gehen. Dies war das Szenario, das im September als das realistischste erschien, als man keine Massenflucht nach Schweden vorhersehen kon-

---

402 Herbert 1995, S. 367f.
403 Longerich 1997, S. 10.
404 Yahil 1998, S. 462f.
405 Kirchhoff 1994b, S. 68f. Vgl. bereits Reitlinger 1953 (verwendet wurde die deutsche Ausgabe von 1956), S. 394.

nte, und das als das am wenigsten provozierende gegenüber Berlin erschien. Und es war ein Ausgang, der mit seiner eigenen Konzeption von einem judenfreien Dänemark harmonierte."[406]

Die Erklärung ist in ihrer konzentrierten Form überzeugend und liegt weit davon entfernt, was Kirchhoff selbst gemeint hatte, als er in der Rezension zu Leni Yahils Buch 1968 schrieb, es könnte kaum so einfach sein, daß Best allein für die Einleitung der Judenaktion verantwortlich sei. Best war tatsächlich allein verantwortlich sowohl für die Initiative als auch für die Vereitelung. Eine Erklärung hierfür mit allen Teilen und Elementen zusammenzusetzen, war und ist immer jedoch noch immer nicht leicht. Immer noch sind viele Details in den komplizierten Abläufen diskussionswürdig, doch generell erscheint diese These am meisten haltbar.[407] Unter den Einwänden soll erwähnt werden, daß die Verbitterung über die Durchführung der Aktion während des militärischen Ausnahmezustands sich nicht gegen von Hanneken gerichtet hätte. Diese hätte sich in der breiten Öffentlichkeit unter allen Umständen zuerst gegen den obersten politischen Repräsentanten der deutschen Behörden gerichtet, gegen Werner Best. Anders war es im Verhältnis zur dänischen Verwaltung, falls diese Kenntnis von der Aufdeckung der Aktion von deutscher Seite bekam (z. B. daß bei jüdischen Familien keine Türen aufgebrochen und deren Vermögen nicht konfisziert wurde). Doch sollten Kirchhoffs These und die Judenaktion insgesamt nur als ein wichtiges Element eines größeren Gesamtzusammenhangs verstanden werden, der Bests Politik für Dänemark ab dem 1. September 1943 darstellte, als er wußte, daß er auf seinem Posten in Dänemark bleiben würde.

Im Hinblick darauf, ob die Judenaktion ein Erfolg oder ein Fiasko war, sind die Forscher, wie beschrieben, geteilter Meinung. Best selbst stellte am 2. Oktober die Aktion gegenüber Ribbentrop als Erfolg dar, da Dänemark judenfrei geworden war,[408] doch seitens des AA gab es Nachfragen nach den Abläufen[409] und Best mußte sich erklären.[410] Ebenso besuchte Franz Six vom AA aus diesem Anlaß vom 20. bis 22. Oktober Kopenhagen. Dabei kam es nicht zu einer Kritik an Best wegen der Judenaktion, nur zu Erläuterungen über die Abläufe.[411] Am 16. Oktober gab es auch eine Sitzung zwischen Legationsrat von Thadden und Gestapochef Heinrich Müller u. a. über die Aktion, bei der keinerlei Kritik geübt wurde. Stattdessen wurde die Verantwortung zwischen dem AA und dem RSHA verteilt.[412] Hingegen hatte Admiral Hans-Heinrich Wurmbach am 2. Oktober keine Zweifel daran, daß die Aktion "ein Fehlschlag" war[413]. Das AA sprach am 6. Oktober von einem "Mißerfolg"[414] und der vielleicht beste Beweis hierfür ist, daß sich das Verhältnis zwischen Best und Himmler auf Dauer verschlechterte. Es war

---

406 Kirchhoff 1994, b, S. 70. Vgl. Kirchhoff 1993b, 1994a, 2002 und 2003.
407 Kreth und Mogensen 1995 legen den Fokus auf die Flucht der dänischen Juden und behandeln nur kurz die Vorgeschichte auf der Grundlage der vorhandenen Literatur; ihre Darstellung hat jedoch Bedeutung im Hinblick auf die deutsche Polizei (siehe Abschnitt 6.13).
408 4:212.
409 4:237.
410 4:242.
411 4:343.
412 4:331.
413 4:223.
414 4:247.

vorbei mit den Briefen, in den Best um Unterstützung durch den RFSS bat. Daß einige
Forscher die Gleichstellung von HSSPF Günther Pancke mit Best bei dessen Ernen-
nung im Oktober als Strafe Himmlers für das Fiasko bei der Judenaktion erklären, geht
aber zu weit.[415] Wie von Ruth Bettina Birn nachgewiesen und von Henrik Lundtofte
belegt wurde, war dies eine Folge von Himmlers allgemeinen europäischen Machtbe-
strebungen und Organisationsideen zu dieser Zeit. Das Amt als HSSPF sollte möglichst
unabhängig von anderen deutschen Machtinstanzen und der persönliche örtliche Stel-
lvertreter des RFSS sein.[416]

Ungeachtet dessen war es, wie von Rosengreen gezeigt, eine Niederlage für Best, daß
die deutsche Polizei ihm gleichgestellt wurde,[417] doch man kann zugleich fragen, wie
Best als SS-Gruppenführer und mit der Kenntnis u. a. der Einsetzung eines HSSPF in
Frankreich 1942 sich vorstellen konnte, daß in Dänemark ihm ein solcher hätte unter-
stellt werden können. War es der Glaube an das engen Verhältnis zum RFSS, das er sich
zunutze machen wollte, oder hatte er den Kontakt dazu verloren, was in der SS vorging?
Oder konnte sich Best einfach nicht vorstellen, daß das AA zustimmen würde, daß ihm
ein HSSPF unterstellt würde? Ribbentrop lehnte eine solche Lösung am 2. Oktober
kategorisch ab.[418]

Adolf Eichmann hatte am 2. November 1943 ein Treffen mit Best in Kopenhagen,
was u. a. nach Leni Yahil,[419] Hans Sode-Madsen und Hans Kirchhoff zur Kenntnis
nahmen, während Ulrich Herbert es damit erklärte, daß es auf kräftige dänische Inter-
vention erfolgte.[420] Es ist bemerkenswert, daß bei dieser Frage nicht tiefer nachgeforscht
wurde angesichts der weitreichenden Folgen, die die Resultate des Treffens für die nach
Theresienstadt deportierten Juden hatten. Aus den hier vorlegten Dokumenten geht
hervor, daß Best das Versprechen, das er 5. Oktober Nils Svenningsen bezüglich der für
die Deportation von Juden geltenden Richtlinien gab,[421] von Best selbst nicht weiter
ans AA kommuniziert wurde, und daß das AA erst am 25. Oktober davon über ein
Memorandum vom UM erfuhr.[422] Das AA reagierte auf Bests eigenmächtige Hand-
lungsweise, indem von ihm augenblicklich eine Erklärung gefordert wurde.[423] Er war
bereits wegen der Einsetzung eines HSSPF in Dänemark nach Berlin bestellt worden,[424]
doch jetzt kam noch ein weiterer Tagesordnungspunkt hinzu. Das Ergebnis der Sitzung
war, daß Best den Befehl bekam, selbst eine Vereinbarung mit dem RSHA zu treffen,

---

415 Yahil 1967, S. 175, und Kirchhoff in *Besættelsens Hvem Hvad Hvor*, 1979, S. 271.
416 Birn 1986, Lundtofte 2003, S. 51f. Kirchhoff folgt in *Hvem var Hvem*, 2005, S. 34, dieser Auffassung.
417 Rosengreen 1982, S. 47.
418 4:218. Vgl. Rosengreen 1982, S. 46.
419 In einer Fußnote gibt Yahil aber als Hauptzweck der Reise Eichmanns nach Kopenhagen "die Klärung
von offenen Fragen, die eine Lösung erforderten, sowie die Festlegung von künftigen Verhaltensregeln" an
(Yahil 1967, S. 447, Fußnote 42).
420 Yahil 1967, S. 258f., Sode-Madsen 1993b, S. 277, Kirchhoff 1993b, S. 104, Herbert 1996, d. 372.
In der nichtfachlichen Literatur gibt es verschiedene haltlose Erklärungen für Eichmanns Besuch in Ko-
penhagen.
421 Hæstrup, 1, 1966-71, S. 182f., Yahil 1967, S. 176.
422 Yahil 1967, S. 257f. mit Fußnote 40, S. 447. Vgl. ebd. S. 428f., Fußnote 147.
423 4:357.
424 4:345, 350.

wenn er in Kopenhagen der dänischen Seite Versprechen gegeben hat, die gänzlich in den Zuständigkeitsbereich des RSHA fielen.[425] Das war die Ursache dafür, daß Best eine direkte Unterredung mit Eichmann bekam, was vollkommen außerhalb des üblichen Dienstwegs lag, doch der Anlaß war auch außerordentlich. Bei dem Treffen gelang es Best, Eichmann u. a. davon zu überzeugen, daß die deportierten Juden dauerhaft in Theresienstadt *verbleiben* sollten, und ebenso von den Richtlinien, die bei künftigen Deportationen von Juden gelten sollten.[426] Eine nicht geringe Leistung, die Bests Politik in Dänemark dienen sollte.

Zu den vielen Aspekten, die diskutiert werden können, zählt die Verläßlichkeit des Verhältnisses zwischen Duckwitz und Best, was Gunnar S. Paulsson 1995 und erneut Vilhjálmur Örn Vilhjálmsson 2006 gemacht haben. Paulsson wollte die Rettung der dänischen Juden entglorifizieren und setzte in diesem Zusammenhang ein Fragezeichen hinter die Glaubwürdigkeit von Duckwitz, indem er auf der Grundlage des bereits diskutierten Artikels von Berenstein am chronologischen Ablauf kratzte. Er meinte, daß es weitere Beweise in der Sache gebe (Paulssons Artikel beruht nicht auf Primäruntersuchungen). Paulsson Hauptthese ist, daß die Judenaktion in Dänemark mit Himmlers Wissen und Billigung sabotiert wurde. Die Judenaktion sei deshalb ein Erfolg und kein Mißerfolg gewesen. Kirchhoffs Antwort aus demselben Jahr nahm die Form einer Widerlegung von einigen der vorgestellten Thesen an. Er machte deutlich, daß diese nicht auf einer gründlicheren Kenntnis des Gegenstands aufbauen, geschweige denn auf einer zeitgenossischen Materialgrundlage. Paulsson habe "kreativ interpretiert", wie er es selbst treffend formuliert habe.

Vilhjálmsson ist der erste, der sich einer quellenkritischen Untersuchung von Duckwitz' Rolle bei der Rettung der dänischen Juden gestellt hat. Einerseits ist der Bedarf einer solchen Darstellung offensichtlich, andererseits macht der Artikel deutlich, warum bislang niemand diesen Gegenstand tiefergehend untersucht hatte: Es ist überaus schwierig, die späteren Darlegungen von Duckwitz mit Hilfe von zeitgenössischem Material zu überprüfen. Vilhjálmsson äußert sogar die Annahme, daß bestimmtes Material, das sich als zeitgenössisch ausgibt, nämlich das Tagebuch von Duckwitz, dies tatsächlich gar nicht ist. Oder anders gesagt: Duckwitz hat das Material konstruiert, auf das sich seine späteren Berichte nach 1945 stützen sollten. Für Vilhjálmssons Annahme spricht, daß einige der Einfügungen nachträglich rationalisiert wirken, andere unlogisch erscheinen, und auch die Einheitlichkeit ohne eingetragene Korrekturen verdächtig wirken kann. Es gibt auch einige Umstände aus der damaligen Zeit, die durch anderes Material aus dieser Zeit beleuchtet werden können, welches nicht mit Duckwitz' "Material" übereinstimmt. Ebenso ist der wechselnde Inhalt seiner Erinnerungen diskussionswürdig. Vilhjálmsson konnte berechtigte Zweifel an der Zuverlässigkeit von Duckwitz' Material äußern, jedoch nicht an der Rolle, die er nach dem 28. September 1943 spielte. Diese ist auf andere Weise dokumentiert, auch wenn Vilhjálmsson dies bestreiten würde.[427]

425 4:364, 368.
426 4:281, 385, 395.
427 Vilhjálmsson 2006.

In späteren Jahren wurden andere Aspekte der "Judenfrage" in Dänemark während der Besatzung untersucht. Dies gilt erstens für die dänische Flüchtlingspolitik. Die Autoren des detaillierten Werks zu diesem Thema, Hans Kirchhoff und Lone Rünitz, gaben ihm den aussagekräftigen Titel *Udsendt til Tyskland* (Verschickt nach Deutschland). Obwohl das Werk von der *dänischen* Politik handelte, gibt es darin auch wesentlichen Informationen darüber, wie die deutschen Behörden Angelegenheiten von Personen in Dänemark behandelten, die sich aus dem einen oder anderen Grund im Land aufhielten, ohne dänische Staatsbürger zu sein, und wie die Zusammenarbeit mit der dänischen Verwaltung funktionierte. Es handelt sich um Gruppen von Flüchtlingen, darunter Juden, illegale Einwanderer, Deserteure, Kriegsgefangene, Staatsbürger von Ländern, die mit Deutschland befeindet waren, Staatenlose u. a. Die klare Schlußfolgerung ist, daß das deutsche Auslieferungsbegehren nur selten auf Widerstand von dänischer Seite stieß und man es selten als angemessen ansah, Verhandlungen darüber aufzunehmen. "Ausnahmen waren diejenigen Fälle, bei denen der Mann in Dänemark geheiratet hat und die dänische Souveränität in die Klemme geriet. Hier konnte man mehrfach Deportationen verhindern. Andererseits gelang es auch, die Deutschen dazu zu bringen, Flüchtlinge zu übernehmen, um die sie nicht gebeten hatten."[428] Insgesamt wurden 20 jüdische Flüchtlinge an die Gestapo ausgeliefert, von denen zwei überlebten. Von den 20 hatten die Deutschen angeblich nur bei fünf eine Auslieferung verlangt. Die dänischen Behörden verfolgten unverändert die strikte Flüchtlingspolitik, die seit den 1930er Jahren geherrscht hatte, und es war im Übrigen nicht einfach, nach 1945 nach Dänemark zurückzukehren.

Vilhjálmsson hat 2005 ein Buch mit zum Teil demselben Gegenstand wie das von Kirchhoff und Rünitz geschrieben. Dies ist von einer solchen Indignation getragen, daß die Botschaft auf eine Weise deutlich gemacht wird, die der eigentlichen Absicht entgegenwirkt.

Jacob Halvas Bjerre hat jüngst eine Abhandlung über die Kenntnisse des UM über die Verfolgung der europäischen Juden 1938-45 geschrieben, die zum Teil an die Untersuchung von Kirchhoff und Rünitz anschließt. Die Abhandlung beschäftigt sich u. a. mit den aus dem Ausland stammenden Juden, die sich an den dänischen Auslandsdienst wandten, um Hilfe zu bekommen, und mit dänischen Geschäftsleuten und Firmen mit Interessen in Deutschland, die Unterstützung benötigten, wenn sie Schikanen und Problemen von deutscher Seite ausgesetzt waren, weil sie Juden beschäftigten oder jüdisches Kapital im Spiel war. Das UM besaß detaillierte und ausführliche Kenntnisse über die allermeisten Maßnahmen, die sich gegen die Juden in Europa richteten. Es waren jedoch fast ausschließlich Juden mit dänischer Staatsbürgerschaft, die mit Hilfe bei der Verfolgung rechnen konnten.

In diesem Zusammenhang ist es von besonderem Interesse, daß man über Anfragen an das UM einen Einblick davon bekommt, wie man von deutscher Seite eine Arisierung der geschäftlichen Zusammenarbeit zwischen Deutschland und Dänemark anstrebte.[429] Dies ist ein Bereich, auf dem unser konkretes Wissen noch sehr begrenzt ist

---

428 Kirchhoff/Rünitz 2007, S. 477.
429 Halvas Bjerre 2011.

(vgl. oben). Es ist schwer, den Fällen näher zu kommen, bei denen man von deutscher Seite durch direkte Kontakte versuchte, Druck auf Unternehmen, das kulturelle Leben und andere Bereiche auszuüben, um Juden zu entfernen oder auszuschließen, und dies ohne den dänischen Staatsapparat geschah. Solche Versuche hat es gegeben, und mitunter wurde dem Druck nachgegeben.[430] Dies ist nur noch nicht untersucht worden. Möglicherweise haben die dänischen Nationalsozialisten auch hier eine Rolle als Stellvertreter gespielt, obwohl sie natürlich eine eigene Agenda bei der Verfolgung von Juden hatten. Die Frage ist aber, ob sie es auf deutsche "Anleitung" oder in konkreten Fällen auf deutschen Befehl taten.[431]

6.12. Invasionsabwehr und die dänische Gesellschaft

Die deutsche Invasionsabwehr in Dänemark wurde erstmals in größerem Umfang 1976 von Arne Bonvig Christensen behandelt,[432] später ausführlicher von Knud Hendriksen 1983,[433] doch beide Arbeiten wurden dann von Jens Andersens Abhandlung von 2007 abgelöst, der die frühere Forschung auf dem Gebiet kurz charakterisiert und auf der Grundlage von umfangreichen Studien in dänischen und deutschen Archiven eine detaillierte Darstellung der deutschen Planungen und Aktivitäten gibt,[434] die zudem um zahlreiche verstreute Detailstudien zu einzelnen Verteidigungsanlagen ergänzt wurden, die über mehr als zehn Jahre in verschiedenen Zeitschriften erschienen sind.[435]

Die deutsche Invasionsabwehr an sich wird hier nicht als Teil der deutschen Besatzungspolitik in Dänemark betrachtet. Das gilt jedoch für alle Auswirkungen, die aus dem Bau des riesigen Atlantikwalls abzuleiten waren, ebenso wie die Vorkehrungen in Verbindung mit den anderen Verteidigungsanlagen ab Herbst 1944 sowie die Vorbereitungen, die für den Fall getroffen wurden, daß ein deutscher Rückzug plötzlich notwendig werden würde. Der Befestigungsbau erforderte gewaltige finanzielle, materielle und menschliche Ressourcen und rief mehrmals dramatische Forderungen des WB Dänemark hervor. Die deutsche Umsetzung des Befestigungsbaus und dessen praktische Organisation und Ausführung u. a. durch OT sowie dessen praktische Auswirkungen auf die örtliche Gemeinschaft ist überhaupt nicht oder nur sehr knapp untersucht worden. Es liegt eine einzelne Darstellung von 1997 vor, das Werk *Dansk arbejde* (Dänische Arbeit) von Claus Bundgård Christensen et al.,[436] das eine gute erste Grundlage bietet, auf der hoffentlich weitergehende Quellenstudien aufbauen, die auch einen verstärkten Fokus auf die deutsche Perspektive auf den Gegenstand richten. Wie die dänische Ver-

---

430 Siehe den Artikel "Vort demokrati – og jøderne" (Unsere Demokratie – und die Juden) in *Frit Danmark*, Juni 1943. Man war sich zu dieser Zeit der Problematik sehr bewußt.

431 1944 fühlte sich das Königlich Dänische Theater dazu veranlaßt, aus einer Kombination aus Bombendrohungen und deutschen Druck die Oper "Porgy and Bess" vom Spielplan zu nehmen (Bak 2004, S. 276).

432 Bonvig Christensen 1976, herausgegeben auf der Grundlage einer historischen Diplomarbeit.

433 Hendriksen 1983, der die Quellengrundlage im Vergleich zu Bonvig Christensen u. a. durch die Verwendung der Kriegstagebücher der Kriegsmarine erweitert hat.

434 Andersen 2007.

435 Siehe Lauridsen 2002b mit Anhang, Abschnitt 3.14.6 für diese Literatur.

436 Bundgård Christensen et al. 1997 enthält leider keine Fußnoten, was den Nutzwert verringert.

waltung auf das Vorgehen der Wehrmacht reagierte, hat Jørgen Hæstrup untersucht,[437] zudem liegt sehr umfangreiches Material zu diesem Gegenstand aus dem so genannten Büro Silkeborg des obersten Verwaltungsbeamten Peder Herschend vor.[438]

Wie konnte man die dänischen Arbeitgeber, Arbeiter und Ressourcen so optimal wie möglich ausnutzen, ohne daß Zwangsmaßnahmen ergriffen werden mußten, wie es in großem Umfang in anderen Ländern geschah, wo Kriegsgefangene und Zivilpersonen aus anderen besetzten Ländern als Arbeiter beim Bau eingesetzt wurden? Eine mögliche Antwort konnten finanzielle Anreize sein. Auf deutscher Seite wurde keine Rücksicht auf die Kosten genommen, wenn es um die Invasionsabwehr ging. Wie die dänische Wirtschaft vom deutschen Befestigungsbau profitiert hat, ist ein Teilgegenstand für sich. Von deutscher Seite lockte man dänische Unternehmer, Fuhrunternehmen und Arbeiter mit günstigen Preisen, Tarifen und Löhnen, mit denen andere nicht mithalten konnten. Es wurden viele Wege gefunden, um die vorhandenen dänischen Kontroll-systeme zu umgehen. Hierbei half u. a. die Geheimhaltung im Hinblick darauf, daß es sich um militärische Anlagen handelte. Es fehlen konkrete historische Analysen auf diesem Feld, doch es gibt einige zeitgenössische deutsche Stichprobenuntersuchungen, auf denen man aufbauen könnte.[439] Wie aus dem hier veröffentlichten Quellenmaterial hervorgeht, weckte der umfangreiche deutsche Befestigungsbau in Dänemark bei ande-ren deutschen Behörden in Dänemark und Deutschland große Besorgnis und Kritik. Dies gilt etwa für Franz Ebner beim Reichsbevollmächtigten, für Alex Walter vom REM und Waldemar Ludwig vom RWM sowie für Reichsfinanzminister Lutz Schwerin von Krosigk.[440] Dies könnte dem finanziellen Gleichgewicht in Dänemark schaden und im schlimmsten Fall die dänische Währung und den Export nach Deutschland bedrohen. Es überrascht nicht, daß die deutschen Besorgnisse und die Kritik auf Resonanz bei der dänischen Verwaltung stießen. Doch verblüffender ist, daß dies in einer deutschen Aufforderung an das UM resultierte, ein Memorandum für eine Reihe von deutschen Ministerien zu verfassen, in dem die Kritik detailliert dargelegt wird. Der Entwurf zu diesem Memorandum wurde sogar auf deutscher wie auf dänischer Seite diskutiert, bevor die offizielle dänische Version im Juni 1944 in Berlin überreicht wurde.[441] Hier erfuhren die deutschen Behörden unter anderem, daß das UM die Sabotage in Däne-mark als unbedeutend ansah. Dieser Gegenstand wurde 2010 vom Herausgeber aufge-griffen.[442]

Es war nicht nur Werner Best, der über die "unbedeutende" dänische Sabotage nach Berlin berichtete.

---

437 Hæstrup, 1, 1966-71, S. 497-532, und 2, S. 45-49. Jetzt ebenso Leth 2009, der sich auf die Forde-rungen der Wehrmacht nach Bereitstellung von dänischen Arbeitskräften für den Befestigungsbau konzen-triert.

438 Herschends Bürotagebuch 1943-45 befindet sich im RA und in der KB, der Anhang jedoch nur im RA (Lauridsen 2010d).

439 Siehe u. a. 5:362, 6:103 und 8:5.

440 Siehe u. a. 6:103.

441 6:199.

442 Lauridsen 2010a.

6.13. Gestapo und die deutsche Widerstandsbekämpfung

Angesichts der Breite, in der die Tätigkeit der Gestapo in Dänemark in der Erinnerungsliteratur, in mehreren Werken zur dänischen Geschichte und im Film behandelt wurde, ist es überraschend, wie lange die wissenschaftliche Beschäftigung mit der deutschen Polizei gebraucht hat, um in Gang zu kommen. Dies nicht zuletzt angesichts der Tatsache, wie wenig Kenntnisse die erste Besatzungsliteratur über einen Gegenstand hatte, von dem sie etwas zu erzählen versuchte. Ein charakteristisches Beispiel hierfür ist Carsten Høegs Beitrag zum *Frit Danmarks Hvidbog* (Weißbuch zum Freien Dänemark), 1946, über "Gestapo und deren dänische Helfer", dessen Inhalt eines Historikers nicht würdig ist, auch wenn man die Zeitumstände in Betracht zieht. Aus Mangel an historischen Untersuchungen konnten in der Erinnerungsliteratur und in Widerstandsberichten allerhand Aussagen über die allgegenwärtige Gestapo ab dem Jahr 1940 florieren, obwohl die deutsche Polizei erst im September 1943 in größerem Umfang ins Land kam.[443] Die erste zuverlässige Information wurde von Hans Kirchhoff in *Besættelsens hvem hvad hvor* (Wer, was und wo bei der Besatzung), 1965, über "Deutsche Polizei und Sicherheitsdienst" gegeben, doch dieser und die späteren wissenschaftlichen Beiträge scheinen bis heute den Hauptteil der Erinnerungsliteratur nicht nennenswert beeinflußt zu haben

Erst 1995 erschien der 18 Seiten umfassende Artikel "Ein solches Spiel kennt keine Regeln. Gestapo und Bevölkerung in Norwegen und Dänemark" von Robert Bohn, der zum ersten Mal auf dünner Quellengrundlage und mit dem Hauptschwerpunkt auf Norwegen eine Skizze über die Tätigkeit der Gestapo in Dänemark gibt,[444] die, wie man es auch dreht und wendet, nicht zufriedenstellend sein konnte. Der Artikel wurde vor 2003 in Dänemark auch nicht zitiert, was vielleicht dadurch zu erklären ist, daß das Thema hier erst nach dem Jahr 2000 aufkam, als die Tendenz, sich mit ihm "von der anderen Seite" zu beschäftigen, in Fahrt gekommen war.

Es gibt aber einen Aspekt der Aktivitäten der deutschen Polizei, der seit langem auf besonderes Interesse stieß. Das ist deren Rolle in Zusammenhang mit der Aktion gegen die dänischen Juden. Yahil behandelte die deutsche Polizei unter dem Blickwinkel, daß Werner Best die Judenaktion einleiten wollte, um deutsche Polizeikräfte zu bekommen, und auf dieselbe Weise verknüpfte sie die Einsetzung eines mit Best gleichgestellten HSSPF mit der Judenaktion, da dies angeblich eine Sanktion gegen Best wegen des schwachen Ergebnisses der Aktion gewesen war. Gegen diese Thesen richtete Bjørn Rosengreen 1982 seine Kritik, wonach das Quellenmaterial keine Indizien in diese Richtung ergab (vgl. oben).[445] Rasmus Kreth und Michael Mogensen bezogen ebenfalls die deutsche Polizei bei ihrer Untersuchung *Flugten til Sverige* (Die Flucht nach Schweden), 1995, ein, wobei sie die Ankunft der deutschen Polizeibataillone genau datierten und deren Stärke angaben und ebenso deren Vorgehen während der Aktion beleuchteten.[446]

Es ist Henrik Lundtofte, der mit dem Werk *Gestapo. Tysk politi og terror i Danmark*

---

443 Siehe Lundtofte 2003a, S. 224-234: "Gestapo i litteratur og kilder" (Gestapo in Literatur und Quellen).

444 Bohn 1995, enthalten in einer Anthologie mit verschiedenen weiteren Beiträgen von Interesse für die dänischen Verhältnisse.

445 Rosengreen 1982, S. 43, dem sich Lundtofte 2003a, S. 228, anschließt. Siehe ders. 2003b.

446 Kreth/Mogensen 1995, S. 22-34.

1940-45 (Gestapo. Deutsche Polizei und Terror in Dänemark 1940-45), 2003, mit einem Schlag die früheren Vorstellungen über das Thema wegfegte und auf einer angemessenen Quellengrundlage und unter Einbeziehung der internationalen Forschung
eine klare thematische Darstellung der Tätigkeit der deutschen Polizei in Dänemark
gab. In der Zeit bis August 1943 waren die Aktivitäten der wenigen deutschen Polizisten darauf beschränkt, in Bezug auf die Bekämpfung des Widerstands und von Sabotageakten Druck auf die dänische Polizei auszuüben und diese dabei zu unterstützen, anzuleiten und an sie Forderungen zu stellen. Lundtofte stand nur dünnes zeitgenössisches
Material zur Verfügung, da wesentliche Verfahrensakten fehlen und die Bereitschaft auf
dänischer Seite, bei diesem Thema in die Tiefe zu gehen, gering war, auch wenn das
PKB das Thema aufgreifen mußte. Die Quellenlage ist auch für die Zeit nach September 1943 nicht sehr viel besser, als die deutsche Polizei in größerer Stärke eintraf, um
die Widerstandsbekämpfung von der dänischen Polizei zu übernehmen. Akten aus dem
AA müssen das begrenzte erhaltene Material von der deutschen Polizei ergänzen und
der Hauptteil basiert auf Verhören aus der Nachkriegszeit. Gegeben wird eine Charakteristik der Polizeiführung und der einfachen Polizisten, die überwiegend aus normalen
Polizisten mit traditionellen Karriereerwartungen bestanden. Die dänischen Mitglieder
der Gestapo sind eine Kapitel für sich. Sie waren unverzichtbar aufgrund ihrer Sprach-
und Ortskenntnisse, es waren aber auch sie, die größtenteils Mißhandlungen und Folter
u. a. durchführten. Dies ist ein weiterer Bereich, auf dem von deutscher Seite über
Stellvertreter gehandelt wurde. Die Anzahl der dänischen Handlanger war nicht ausreichend, um den Bedarf zu decken. Die Gestapo war in Dänemark permanent unterbesetzt, und in gleichem Maß, in dem die Gewaltanwendung zwischen Gestapo und
Widerstandsbewegung eskalierte, wurden immer gröbere Mittel angewandt. Dies ist
Lundtoftes Brutalisierungsthese, eine andere Formulierung für das, was Henning Poulsen 1995 als "schrittweise Verrohung" bezeichnete.[447] Dem Gegenterror als politisches
Kampfmittel ist ein eigenes Kapitel gewidmet. Auch hier wird gezeigt, daß er keine
vorbeugende Wirkung auf die Widerstandsbewegung hatte, stattdessen aber die Mittel
beeinflußte, mit denen diese reagierte. Eine Pointe ist, daß die Gegenterrorpolitik zu
einem Zeitpunkt eingeleitet wurde (Anfang Dezember 1943), als bei der Widerstandsbekämpfung durch die deutsche Polizei noch keine Resultate zu erwarten waren und
die Forderung danach (wiederholt am 30. Dezember im Führerhauptquartier) nicht
mit Unzufriedenheit über die Polizei zusammenhingen, sondern damit, daß die "Terrormethoden" der Widerstandsbewegung (Mord und Sabotage) mit denselben Mitteln
beantwortet werden sollten ("Gegenterror"). In diesem Zusammenhang argumentiert
Lundtofte gegen Henning Poulsen und Robert Bohn (S. 160-164). Daß Hitler *anonymen* Terror in Dänemark anordnete, interpretiert Henning Poulsen mit den moderaten
deutschen Handlungsmustern, die durch die Besatzungsform entstanden waren, sowie
damit, daß die Deutschen in Dänemark weiterhin geachtet werden wollten. Lundtofte
findet hierfür bei den deutschen Behörden in Dänemark keinen Beleg, sondern sieht
dies als Hitlers eigene Lösung an, da Hitler eingesehen hatte, daß Massenerschießungen
von Geiseln eine unzweckmäßige Wirkung erzielt hätten und Dänemark außerdem im-

447 Poulsen 1995, S. 14.

mer noch ein Sonderfall sei. Hinzugefügt werden kann, was Lundtofte im Folgenden auch darlegt, daß die Anonymisierung des Terrors nur sehr kurze Zeit hielt. Danach bestanden keine Zweifel darüber, aus welchem Lager der Gegenterror ausging. Diese Schlußfolgerung teilt der Herausgeber.[448] Wenn Poulsen dennoch eine Pointe hat, dann besteht diese nur darin, daß die deutschen Behörden bereits begangene Repressalien nicht öffentlich eingestanden, doch das ändert nichts an dem Umstand, daß mit dem Wissen, das über die Parteien hinweg jeder hatte, die andauernde Terrorbedrohung ein reales Wirkungsmittel gegenüber der allgemeinen Bevölkerung war.

Robert Bohn vertrat 1995 die Auffassung, daß der Beginn des anonymen Terrors Dänemark zu einem Experimentierfeld für eine neue Terrorform machte.[449] Dies hat Lundtofte unter dem Hinweis klar zurückweisen können, daß die niederländische SS zusammen mit der Gestapo ab September 1943 Vergeltungsmorde für Morde an niederländischen Nationalsozialisten begingen.[450]

In den letzten Monaten entwickelte sich ein regelrechter "Bandenkrieg" zwischen den dänischen Gruppen der deutschen Polizei, der HIPO u. a. und der Widerstandsbewegung, bei dem man sich untereinander angriff. Dennoch ist es Lundtoftes Schlußfolgerung in Übereinstimmung mit Henning Poulsen, daß die Gestapo in Dänemark ein relativ moderates Vorgehen bewies. Diese Einschätzung baut er u. a. auf einem Vergleich mit dem Vorgehen der Gestapo anderenorts im besetzten Europa auf, aber auch darauf, daß die Verhältnisse in Dänemark moderat waren. Das Land (Schlagsahnefront) wurde nicht wie z. B. Polen behandelt und andere deutsche Behörden versuchten, das Vorgehen der deutschen Polizei zu dämpfen. Letzteres wird auch in Lauridsen 2006 auf der Grundlage von Bests Rolle behandelt.[451]

In einer Reihe von Artikeln hat Lundtofte die Gegenstände weiterverfolgt, die er in *Gestapo* behandelt hatte. Darin geht es u. a. um die Gestapo in Kolding und den Gestapochef in Esbjerg sowie die Rolle der Gestapo bei der Judenaktion.[452] Ferner hat er eine Reihe von Biografien über die deutsche Polizei in *Hvem var hvem 1940-1945* (Wer war wer 1940-1945), 2005, geschrieben. Insbesondere hat er ein Porträt des "herausragenden" dänischen Terroristen in deutschem Dienst, Henning Brøndum, geschrieben und versucht, hinter das Selbstbild des Mannes zu gelangen, um seine Motive zu ermitteln.[453] Als Auftakt zu einer künftigen Abhandlung über die HIPO als Element der Widerstandsbekämpfung durch die Deutschen hat er jüngst den Artikel 'Wir sind keine Verbrecher...' Legitimationsstrategien und Selbstbilder bei HIPO- und ET-Leuten" verfaßt.[454]

Der deutsche Terror und die dänische Helfer im Dienst der deutschen Polizei ha-

---

448 Vgl. Lauridsen 2006c, S. 182 mit Fußnote 89.
449 Bohn 1995, S. 478.
450 Vgl. Longerich 2008, S. 676.
451 Lauridsen 2006c.
452 Lundtofte 2002, 2003b und 2006b.
453 Lundtofte 2007b. Brøndum hatte zuvor einen Bericht über sein Leben herausgegeben bekommen (Bergstrøm 1977).
454 Lundtofte 2011.

ben in jüngerer Zeit ein steigendes Interesse gefunden.[455] Andreas Skov hat über den deutschen Terror auf Fünen geschrieben,[456] über den Terroristen Ib Birkedal Hansen und den Personenkreis um ihn wurde ein großes Buch geschrieben, das in den eher schlüpfrigen Details schwelgt,[457] und auch *Den aarhusianske massemorder* (Der Massenmörder von Aarhus), Bothildsen Nielsen, war Gegenstand einer Biografie.[458] Gleiches gilt für die Spitzel, darunter Grethe Bartram, Jenny Holm und Max Pelving,[459] zudem wurden historische Diplomarbeiten über einzelne Terrorgruppen verfaßt. Ob das daran liegt, daß es weiter Interesse für "die andere Seite" gibt, ob Lundtoftes Buch anregend gewirkt hat oder ob der internationale Terrorismus der heutigen Zeit das Interesse geweckt hat, sei dahingestellt. Vielleicht ist es eine Kombination aller drei Elemente. In einzelnen – zu wenigen – Fällen wurden Anregungen aus der deutschen Täterforschung hinzugezogen, wo der Fokus u. a. auf den Selbstbildern und Erklärungsmodellen oder -mustern liegt, die die Belasteten als Erklärung oder Entlastung verwenden – oder um sich dem Bekenntnis zu entziehen, Taten begangen zu haben.[460] Henrik Lundtofte hat mehrfach seinen Forschungszugang zur deutschen Polizei und deren dänischen Helfer unter diesem Gesichtspunkt beleuchtet. Das kommt davon, wenn man so viel mit Verhörmaterial arbeitet! Ansonsten gibt es verschiedene Bücher und Artikel über die dänischen Handlanger im Dienst der Gestapo, die in wechselhaftem Ausmaß oder überhaupt nicht ergiebig im Hinblick darauf sind, welche Strategien hinter der deutschen Widerstandsbekämpfung lagen.

Im August 1943 war die Besatzungsmacht nicht auf die Streikbekämpfung in Dänemark vorbereitet. Das war im Sommer 1944 anders, als der Generalstreik in Kopenhagen ausbrach. Ausgearbeitet wurde ein Plan unter der Bezeichnung "Monsun" für den Fall, daß derartige innere Unruhen in einer Großstadt niedergeschlagen werden mußten.[461] Kopenhagen wurde mit Hilfe von deutschen Truppen von der Außenwelt abgeschnitten, der militärische Ausnahmezustand ausgerufen und in der ganzen Stadt die Strom-, Gas- und Wasserversorgung unterbrochen. Die deutsche Polizei besetzte die örtlichen Fabriken, während sich Mitglieder des Rüstungsstabs Dänemark zusammen mit den dänischen Beschäftigten um die technische Seite kümmerten. Die Blockade hielt nur kurze Zeit an. Es kam zu einer politischen Lösung, bei der sich Duckwitz eine bedeutende Rolle zumaß und diese ihm auch beigemessen wurde.[462] "Monsun" wurde somit nicht einem entscheidenden Test unterzogen. Der Generalstreik ist verschiedene Male analysiert worden. Übereinstimmend wurde Werner Best die Schuld am Ausbruch

---

455 Hier wird von den vielen nicht auf Forschungen basierenden Büchern über diesen Gegenstand abgesehen.

456 Skov 2005 und 2011.

457 Øvig Knudsen 2004.

458 Kaiser und Tange Rasmussen 2011.

459 Skov Kristensen 2007a, b und c. 2007a ist ebenfalls 2010 getrennt erschienen.

460 Siehe Mallmann/Paul 2004 mit einem ausführlichen Forschungsüberblick über die Täterforschung, S. 1-32.

461 Laut Poulsen 1995, S. 15, war der Plan ursprünglich zu dem Zweck ausgearbeitet worden, Unruhen in deutschen Städten zu bekämpfen.

462 Dies soll hier nicht näher diskutiert werden, siehe aber die Anmerkungen zu 6:248, 260 und 264 und 7:14.

des Generalstreiks zugewiesen, da ihm allein die Verantwortung oblag, am 26. Juni den zivilen Ausnahmezustand mit Ausgangssperre ab 20 Uhr in einem bereits sehr warmen Sommer und bei angespannter Lage ausgerufen zu haben, ein Eingriff, der am 29. Juni zwar gelockert wurde, aber zu Streiks und Demonstrationen führte. Am Tag danach wurde die Hinrichtung von acht Widerstandskämpfern bekanntgegeben, woraufhin der Generalstreik ausbrach. Dies veranlaßte Best, die Aufhebung der am 30. Juni eingeführten Blockade von Kopenhagen zu fordern, eine Forderung, die er während der mehrtägigen Verhandlungen mit Nils Svenningsen nach und nach aufgab und statt-dessen versprach, das Schalburgkorps aus Kopenhagen abzuziehen. Der Generalstreik wurde am 4. Juli teilweise beendet und war am Tag darauf ganz zu Ende.

Jørgen Hæstrup hat den Generalstreik zwei Mal behandelt, gibt aber keine Erklä-rung dafür, warum sich Best dazu entschloß, nachzugeben. Stattdessen werden mehre-re dramatische Elemente ins Spiel gebracht, wie die Drohung einer Bombardierung von Kopenhagen, für die ein verläßlicher deutscher Beleg fehlt.[463] Erich Thomsen ist der Auffassung, daß der Ausgang des Generalstreiks, den er einen Kompromiß nennt, eher eine Niederlage als ein Sieg für die Besatzungsmacht darstellte, "der Reichsbevoll-mächtigte konnte ihn jedoch als einen persönlichen Erfolg buchen. Er hatte durch sein Zurückweichen eine schwere Beeinträchtigung der wirtschaftlichen Leistungen Dä-nemarks für die eingeengte deutsche Kriegswirtschaft vermieden, und er hatte seine persönliche Stellung als politisch verantwortlicher Reichsvertreter der ganzen Krise aufrechterhalten können."[464] Bjørn Rosengreen hat eine ganz andere Auffassung von Bests Rückzug, nämlich daß dieser aus der Reaktion entsprang, die der Generalstreik im Führerhauptquartier bei Hitler auslöste. Die Meldungen, die im Führerhauptquartier aus Kopenhagen eintrafen, veranlaßten Hitler zu glauben, daß die von ihm erteilten Befehle nicht ausgeführt werden. Dies bewegte ihn dazu, am 1. Juli die kriegsrechtliche Verfolgung von Zivilpersonen in den besetzten Gebieten in ganz Europa zu verbieten. Und Best wurde ins Führerhauptquartier zitiert, um zurechtgewiesen zu werden.[465] Die Reaktionen auf den Generalstreik, die Best von Ribbentrop erhielt, beeinflußten ihn ganz zweifellos in die Richtung, die Krise so schnell wie möglich zu beenden.

Herbert hat den Generalstreik nicht selbständig dargestellt, sondern hauptsäch-lich die ausführliche dänische Forschung für seine Darstellung verwendet. Auch seine Schlußfolgerungen sind davon stark beeinflußt: "...in der Tat handelte es sich um ein in dieser Form seltenes Stück autonomen Massenwiderstandes, in dem große Entschlos-senheit und Risikobereitschaft sich mit Kreativität, Witz und Spottlust mischten und bei dem der deutschen Seite eine Niederlage beigebracht wurde, die umso bemerkenswerter war, als hier eine unbewaffnete Bevölkerung einem hochgerüsteten Besatzungsapparat gegenüberstand."[466] Dies hätte ebenso gut kurz nach 1945 geschrieben worden sein.

Es ist Kirchhoff, der mit einem ergiebigen Vergleich die bislang umfangreichste Er-

---

463 Hæstrup, 1, 1959, S. 299-315, und ders. 1, 1966-71, S. 503-532. Herbert 1996, S. 385-387, folgt Hæstrup, 1, 1966-71, vollständig und unkritisch unter Hinzufügung von eigenen Fehlern und Mißver-ständnissen.
464 Thomsen 1971, S. 205.
465 Rosengreen 1982, S. 106-109.
466 Herbert 1996, S. 385f.

klärung dafür gegeben hat, daß der Generalstreik mit einem deutschen Rückzug endete. "Dies mag verwundern, wenn wir bedenken, daß die Deutschen den Aufstand jederzeit hätten blutig niederschlagen können, wie man es kurz danach in Warschau gemacht hat. Der Ausnahmezustand demonstrierte klar, wie effektiv die militärischen Machtmittel waren, und die Absperrung der Stadt hätte innerhalb von wenigen Tagen der Streikbewegung den Boden unter den Füßen weggezogen. […] Doch Kopenhagen war nicht Warschau und Dänemark nicht Polen – um beim Vergleich zu bleiben." Diesen Vergleich vertieft Kirchhoff, indem er aufzeigt, daß die Besatzungsbehörden in Dänemark Restriktionen unterlagen, die sich in Polen nicht geltend machten. In Dänemark war die deutsche Polizei mit den eher konservativen Diplomaten gleichgestellt und daher gezwungen, die Maßnahmen zu koordinieren. Der Generalstreik in Kopenhagen war ein politischer Machtkampf, der eine politische Lösung erforderte. In Warschau sollte die Wehrmacht aus der Stadt vertrieben werden. Hinzu kommt, daß man in Dänemark mit den Behörden kooperierte – im Gegensatz zu Polen – und dies die ganze Zeit über getan hatte. Auch der Generalstreik hatte gezeigt, daß die dänischen Behörden keine Gegen-, sondern Mitspieler waren. Dem fügt Kirchhoff drei Momente hinzu: Es hatten sich erstens Sympathiestreiks ausgebreitet, zweitens mischte sich Hitler mit einem heftigen Ausfall gegen Best in die Krise ein, was Best durchaus dazu motiviert haben wird, den Konflikt um fast jeden Preis zu beenden (hier stimmt Kirchhoff mit Rosengreen überein), und drittens wurde die rüstungswirtschaftliche Wirkung des Streiks berücksichtigt. Dieses Moment hat nach Einschätzung von Kirchhoff jedoch angesichts des bescheidenen Beitrags der dänischen Industrie zur deutschen Kriegsproduktion keine allzu große Bedeutung gehabt.[467]

Auffallend an Kirchhoffs ansonsten überzeugender Argumentation ist, daß die möglichen Konsequenzen für die dänischen Agrarexporte nicht erwähnt werden. Hätten die dänischen Bauern auf gleichem Niveau weitergeliefert, wenn ein blutiges Massaker an der Kopenhagener Bevölkerung verübt worden wäre? Auf jeden Fall wäre die Verwaltung durch die Staatssekretäre beendet gewesen. Es kann auch ein Fragezeichen dahinter gesetzt werden, ob der Vergleich mit Warschau naheliegend und angemessen ist. Es wäre vielleicht fruchtbarer gewesen, den Generalstreik in Kopenhagen mit der Streikbekämpfung in den "germanischen" Ländern Niederlande und Norwegen zu vergleichen, wo Massenhinrichtungen alle Volksaufstände zum Erliegen brachten.[468] Diese Form der Repression wurde in Dänemark nicht angewandt. Dänemark war nicht Norwegen oder die Niederlande, und dies ist vielleicht aussagekräftiger. Die deutsche Besatzungspolitik in Polen war von einer anderen, extremeren Art.

Der Generalstreik in Kopenhagen führte zu einer dauerhaften Verschlechterung des Verhältnisses zwischen Best und der deutschen Polizei. Bests Nachgiebigkeit wurde als zu groß angesehen, und obwohl "Monsun" während der restlichen Besatzungszeit weiter das deutsche Instrument bei der Streikbekämpfung war, ging die Durchführung davon im Herbst 1944 in Kopenhagen auf die deutsche Polizei über, während sie in den großen Provinzstädten bei der Wehrmacht verblieb. Die deutsche Polizei wollte

---

467 Kirchhoff 2001, S. 247f.
468 Dahl 1992, S. 239-241, Umbreit 1999, S. 21, Longerich 2008, S. 676, Poulsen 1995, S. 14.

nicht noch einmal zuschauen müssen. Ich habe 2007 die deutschen Erfahrungen bei der Anwendung von "Monsun" sowie deren verschärften Variante "Taifun" bei der Streikbekämpfung in Dänemark untersucht.[469] Die deutschen Erfahrungen waren nicht unbedingt positiv. Während des Generalstreiks in Kopenhagen traf die Unterbrechung der Strom-, Gas- und Wasserversorgung auch die eigene Einquartierungsorte der Wehrmacht. Außerdem erforderte die Absperrung spezielle Fachkenntnisse, falls keine nicht wieder gutzumachenden Schäden an den Anlagen verursacht werden sollten. An solchen Schäden war man von deutscher Seite nicht interessiert. Beim Generalstreik in Esbjerg im September 1944 führte die Anwendung von "Monsun" dazu, daß zahlreiche andere Städte in Westjütland ohne Strom waren, weil dieser aus dem Kraftwerk in Esbjerg stammte. Dies hatte dänische und deutsche Klagen zur Folge! In Dänemark herrschte Mäßigung, auch bei der deutschen Streikbekämpfung.

Die größte Einzelaktion, an der die deutsche Polizei in Dänemark in Zusammenarbeit mit der Wehrmacht beteiligt war, war die Verhaftung von knapp 2000 dänischen Polizisten am 19. September 1944 und deren nachfolgende Deportation nach Deutschland. Das war ein größerer Eingriff in die dänische Gesellschaft als die Judenaktion, und sie erzeugte eine größere Distanz zwischen deutschen und dänischen Behörden als irgendein anderes Ereignis seit dem 29. August 1943. Dies brachte die Verwaltung durch die Staatssekretäre an den Rand der Auflösung.[470] Inwieweit dies von deutscher Seite aus kalkuliert war, ist unsicher. Doch viel stand auf dem Spiel angesichts dessen, was man von deutscher Seite erreichte: Zahlreiche Funktionen, die die dänische Polizei wahrgenommen hatte und die ebenso in deutschem Interesse waren, wurden eingestellt. Ein Teil der nicht deportierten Polizisten schlossen sich der illegalen Bewegung im Untergrund an. Die Kooperationsbereitschaft der dänischen Verwaltung ließ ständig nach, ohne daß daran in vielen Fällen etwas zu machen war. Das Verschwinden der Polizei spielte der dänischen Verwaltung das Argument in die Hände, daß sie das Instrument verloren habe, das die Ausführung der Anweisungen sichern sollte. Von da an war die Rückführung der Polizisten eine dauerhafte Forderung. Sie waren als unschuldig anzusehen.

Die Aktion schwächte Bests Verhandlungsmöglichkeiten, obwohl er so erscheinen sollte, als wäre er von Hitler und Himmler aus der Aktion herausgehalten worden, egal ob er es war oder nicht.[471] Eine Folge der Aktion war auch, daß die deutsche Polizei immer häufiger direkt mit der dänischen Verwaltung unter Umgehung von Best verhandelte. Dies galt u. a. für die Frage der Rückführung der deportierten dänischen Polizisten.[472]

Die Forschung ist sich weitgehend einig über die Umstände, die zu der Aktion führten: Über längere Zeit waren Verhandlungen über die Aufgaben der dänischen Polizei geführt worden, was mißlang. Dies erzeugte Unzufriedenheit auf deutscher Seite. Über längere Zeit war auch der Verdacht entstanden, daß die Polizei mit der Widerstandsbe-

---

469 Lauridsen 2007b und hier Anhang 14.
470 Møller 1945, S. 186, Hæstrup, 2, 1966-71, S. 83, Koch 1994, S. 400, Kirchhoff 2001, S. 263.
471 Lauridsen 2007c in der Diskussion von Strand 2006.
472 Hæstrup, 2, 1966-71, S. 163, 168f., 180f., 186f., 196, 199.

wegung kooperierte, was in konkreten Einzelfällen bewiesen war. Mit der steigenden
Invasionsgefahr herrschte die Befürchtung, daß die dänische Polizei in einem solchen
Fall dem deutschen Heer in den Rücken fallen könnte, wie es in Paris geschah. Dies
führte zum deutschen Wunsch nach deren Entwaffnung. Es herrscht auch Einigkeit
darüber, daß die Initiative zu dieser Aktion von Günther Pancke stammt,[473] und von
Rosengreen und Lundtofte wurde darauf hingewiesen, daß er mit der Initiative das
Vertrauen Himmlers zurückgewinnen wollte, nachdem er am Rande einer Versetzung
stand.[474] Von Thomsen und Herbert wird ergänzt, daß es zudem Panckes Absicht war,
die Widerstandbewegung durch Provokationen aus den Verstecken zu locken.[475] Daß
dies der Fall war, ist nicht nachgewiesen, doch bis kurz zuvor, zum Jahrestag des 29.
August, war es noch seine Absicht gewesen.[476] Die Haltung der deutschen Polizei hatte
sich nach dem Generalstreik im Sommer deutlich verschärft.

Die Polizeiaktion umfaßte nicht die gesamte dänische Polizei, sondern nur knapp
2.000 von insgesamt 10.000 Bediensteten. Es war nicht Panckes Absicht gewesen, die
Polizei insgesamt aufzulösen, sondern die Pläne für eine Weiterführung wurden in dem
Umfang, wie sie vorlagen, während des polizeilichen Ausnahmezustands von Anfang
an verpfuscht. Am Ende gab es eine bescheidene dänische Hilfspolizei (HIPO) und
den Geheimdienst ET (Efterretningstjeneste),[477] was in keiner Weise ein Ersatz für das
verschwundene Korps sein konnte. Besonders Hæstrup und Rosengreen, aber auch
Lundtofte haben die deutschen Planungen für eine reorganisierte dänische Polizei un-
tersucht, doch eine eingehendere Analyse ist erst mit dem Erscheinen von Lundtoftes
Abhandlung über das HIPO-Korps zu erwarten.[478]

Exkurs: Formen der deutschen Repression in Dänemark 1943-45
– Ausgangsverbot/Ausgangssperre
– Geiselnahme
– Geldbußen
– Massendeportationen
– Inoffizielle Hinrichtungen/Auf der Flucht erschossen
– Öffentlich geäußerte Drohungen
– Mißhandlung/Folter
– Ausgewählte und zufällige Tötungen von Dänen
– Sprengung von Gebäuden von gesellschaftlicher oder sozialer Bedeutung
– Vorübergehende Schließung von Vergnügungsstätten
– Hinrichtung von zum Tod verurteilten Widerstandskämpfern als Vergeltung für Sa-
   botageakte
– Unterbrechung der Wasser-, Gas- und Stromversorgung und Abriegelung von Städ-
   ten

---

473 Hæstrup, 2, 1966-71, S. 64-70, Koch 1994, S. 400, 402.
474 Rosengreen 1982, S. 127, Lundtofte 2003a, S. 178-180.
475 Thomsen 1971, S. 210, Herbert 1996, S. 393.
476 Hæstrup, 2, 1966-71, S. 26f., 28ff., Rosengreen 1982, S. 121f.
477 Hierzu Stevnsborg 1992, S. 463f.
478 Hæstrup, 2, 1966-71, S. 69-71, Rosengreen 1982, S. 127-130, Lundtofte 2003, S. 180f.

- Sprengung von Gebäuden, die bei Widerstandsaktionen verwendet wurden
- Unterbringung von Widerstandskämpfern in Zügen, um Sabotageakte zu verhindern
- Festnahme von Angehörigen von gesuchten Widerstandskämpfern
- Beschlagnahme von Fähren (ein Fall)
- Sofortige Erschießung von Widerstandskämpfern
- Abbrennen von Gebäuden als Vergeltung für Eisenbahnsabotageakte (ein Fall)

6.14. Endkampf in Dänemark? Die deutsche Kapitulation

Im Takt damit, daß die deutschen Truppen im Frühjahr 1945 auf breiter Front den Rückzug antreten mußten, kam auf deutscher Seite die Frage auf, ob es in Dänemark zu einem Endkampf kommen würde, und wie sich die deutschen Behörden in Dänemark, zivile wie militärische, dazu stellen würden. Die Streitkräfte bekamen Befehle bezüglich der Anlagen, die sie gegebenenfalls zerstören sollten, in erster Linie die Häfen. Doch würden die Befehle befolgt werden? Wie würde sich die Reichsführung dazu stellen? So kam es zu einer Entwicklung, bei der die deutschen Akteure angesichts der unvermeidbaren Niederlage versuchten, sich auch im Hinblick auf die Zeit nach dem Kriegsende zu positionieren.

Johan Hvidtfeldt war der erste, der 1969 auf der Grundlage der abfotografierten Akten im RA aus den Archiven des OKW und AA sowie von anderem Material diesen Prozeß untersuchte.[479] Aus verschiedenen Gründen erschien seine Arbeit erst 1985, so daß die Beiträge von Erich Thomsen und Bjørn Rosengreen früher herauskamen.[480] Thomsens insgesamt knapp anderthalb Seiten über die Kapitulation sind symptomatisch für die Quellenprobleme, die mit der Erforschung der Lage während und unmittelbar vor der Kapitulation verbunden sind. Einige der wichtigsten Initiativen, die angeblich ergriffen worden waren, lassen sich ausschließlich oder überwiegend auf der Grundlage der Erklärungen aus der Nachkriegszeit belegen, bei denen wieder Duckwitz und Best eine Hauptrolle übernommen hatten, insbesondere wenn es um den Beschluß geht, daß es nicht zu einem Endkampf kommen sollte. Dies war Teil von Bests Verteidigung beim Prozeß gegen ihn. Das zeitgenössische Material läßt für einzelne Aussagen Raum für Interpretationen, was die Sache nicht einfacher macht. Jedoch äußern weder Thomsen, Rosengreen, Hvidtfeldt oder sogar Herbert im Jahr 1996 Vorbehalte gegenüber den Erinnerungen von Duckwitz oder den Erinnerungen und Erklärungen von Best.[481] Sie werden in allen Fällen nahezu gleich verwendet. Die Erklärungen werden unkritisch wiedergegeben und es wird nicht versucht, diese auf anderem Wege zu bestätigen.[482] In Herberts Fall wird es dadurch nicht besser, daß er noch auf Thomsen

---

479 Hvidtfeldt 1985, S. 13-49.
480 Thomsen 1971, S. 218f. Rosengreen 1982, S. 165-167.
481 Herbert 1996, S. 398-400, wo die Quellengrundlage aus Best und Duckwitz sowie Verweisen auf Thomsen 1971 (und Steinert 1967 bezüglich dem Treffen in Mürwik) besteht. Der vorhergehende Abschnitt auf S. 396-98 über die deutschen Flüchtlinge ist von ähnlicher Qualität.
482 Der Nachweis, daß ein Treffen tatsächlich stattgefunden hat, ist an sich nicht ausreichend. Auch für den Inhalt des Treffens muß eine Dokumentation erstellt werden. Erklärungen, bei denen nur Best und Duckwitz übereinstimmen, sind daher nicht besonders glaubwürdig.

hinweist, der ebenfalls auf denselben Berichten von Duckwitz und Best aufbaut. Oder war die "Kapitulation" nur ein Kapitel, das man nur hinter sich bringen mußte, wobei die üblichen methodischen Grundsätze außer Kraft gesetzt werden konnten?

In den Kommentaren zu den hier herausgegebenen Dokumenten aus dem Frühjahr 1945 wird über die Quellenprobleme genauer Auskunft gegeben, so daß die vorliegende Forschung über die vier genannten Historiker hinaus entsprechend ihrer Verdienste kurz referiert werden soll.

Mitte April 1945 einigten sich Gauleiter Karl Kaufmann in Hamburg und u. a. Best darüber, in ihren jeweiligen Gebieten an einer Kapitulation ohne Kampf zu arbeiten. Verbindungsmann war Duckwitz. Best reiste auch nach Oslo, konnte jedoch Terboven nicht von derselben Haltung überzeugen. Duckwitz hielt sich vom 26. bis 29. April in Stockholm auf, wo er u. a. mit Ministerpräsident Per Albin Hansson sprach, den er gegenüber Best mit der Haltung wiedergab, daß Schweden intervenieren würde, falls es zu einem Endkampf in Dänemark käme. In Klammern sei bemerkt, daß Best in seinen Erinnerungen einräumt, daß diese Wiedergabe nicht zutreffend war,[483] doch er ist gezwungen festzuhalten, daß er es gesagt hat, weil sonst der restliche Teil der zusammengebastelten Geschichte nicht aufgehen würde. Es sei am 3. Mai in Mürwik zu einem Treffen mit dem neuen Reichskanzler Karl Dönitz gekommen, an dem u. a. Best, Georg Lindemann, Terboven, Franz Böhme und Finanzminister Lutz Schwerin von Krosigk teilnahmen. Auf der Tagesordnung hätte die Frage gestanden, ob in den verschiedenen Ländern gekämpft oder kapituliert werden sollte. Lindemann sei bereit gewesen, zu kämpfen, Terboven ebenfalls, doch Best sei angesichts der vielen deutschen Flüchtlinge und Verletzten dagegen gewesen. Doch er habe auch angegeben, daß er unmittelbar vor seiner Reise die Nachricht erhalten habe, daß Schweden intervenieren würde, falls es zu Kämpfen in Dänemark und Norwegen käme. Die Teilnehmer des Treffens seien auseinander gegangen, ohne daß es zu Beschlüssen gekommen wäre. Im Folgenden habe Dönitz die Kapitulation ohne Kampf beschlossen.[484] Einige Tage nach dem 5. Mai habe Steengracht vom AA bei Best angerufen und ihm mitgeteilt, daß sich seine Auffassung beim Treffen in Mürwik durchgesetzt habe. Duckwitz schärfte dies noch an, indem er sagte, daß es die Nachricht von der möglichen schwedischen Intervention gewesen sei, die den Ausschlag gegeben hätte.

Unterstützung für Teile ihrer Berichte erhielten Duckwitz und Best später von Schwerin von Krosigk, doch leider konnten sich die anderen Teilnehmer am Treffen von Mürwik nicht daran erinnern, daß Best von einer schwedischen Intervention gesprochen hat, und es wurde auch in Frage gestellt, wie stark sich Lindemann für einen Endkampf einsetzte. Für Einzelheiten sei auf den Kommentar in Band 9 zu Dokument 229 verwiesen.

Kritische Stellungnahmen zur Endkampffrage (aber nicht zu Bests und Duckwitz' Berichten) sind auf das Jahr 1995 zu datieren, als Thomas Pedersen und Martin Moll

483 Duckwitz' Erinnerungen u. a., Kap. x, S. 32 (PA/AA, Nachlaß Georg F. Duckwitz, Bd. 29), vgl. Hvidtfeldt 1985, S. 26.
484 Man kann sich Poulsens Anmerkung nur anschließen: "Dennoch – für Dänemark war wohl der Beschluß Dönitz' zur bedingungslosen Kapitulation am 5. Mai 1945, der auch von Werner Best unterstützt wurde, einer der wichtigsten, der von deutschen Behörden gefaßt worden war." (Poulsen 1991, S. 378).

Artikel veröffentlichten, die sich damit beschäftigten, was beim Treffen in Mürwik tatsächlich gesagt wurde.

Thomas Pedersen referierte Hvidtfeldt, was Bests Aussagen beim Treffen angeht, darunter auch die Möglichkeit einer schwedischen Intervention. Er setzte aber ein Fragezeichen hinter die Aussage, Lindemann habe Dönitz dazu aufgefordert, in Nordschleswig die letzte Schlacht zu schlagen, da dies allein auf Schwerin von Krosigks Erinnerungen basierte und "sich nicht auf der Grundlage der damaligen oder späteren Berichte der Teilnehmer über das Treffen belegen läßt" (S. 45). Thomas Pedersen argumentiert, daß Lindemann in der Endphase nicht so kämpferisch eingestellt war, wie es später dargestellt wurde. Lindemann hatte zwar am 24. April gegenüber seinen Divisionskommandanten ausgesagt, bis zur letzten Patrone kämpfen zu wollen, eine Aussage, an der sich die spätere Forschung geheftet hat,[485] doch diese Aussage war primär nach innen gerichtet und ein Ausdruck für den Versuch, Ruhe und Ordnung in Dänemark und die Moral der Truppe in einer schwierigen Lage aufrechtzuerhalten (S. 45). Ob sich Pedersens Beurteilung der Haltung Lindemanns im April/Mai 1945 halten läßt, wird sich vielleicht zeigen, wenn Jens Andersens Analyse von Lindemanns Tätigkeit als WB Dänemark vorliegt. Es ist auf jeden Fall positiv, daß nun eine kritische Analyse des *Berichts*materials ins Rollen gekommen ist.

Martin Moll hat sich in "Kapitulation oder heroischer Endkampf in der 'Festung Norwegen'? Die Entscheidung für ein friedliches Ende der deutschen Okkupation Dänemarks und Norwegens im Frühjahr 1945" über 40 Seiten tiefgehend damit auseinandergesetzt, ob Norwegen als "Festung" den Raum für den Kampf der deutschen Reichsführung darstellen sollte und Hitler sein Hauptquartier dorthin verlegen wollte, oder ob kapituliert werden sollte. Dänemark wird in begrenztem Umfang einbezogen, aber der Artikel ist von wesentlichem Interesse, indem er ausführlich die Auffassungen Hitlers, des OKW und des OKM über die Rolle Norwegens und Dänemarks in der letzten Phase des Kriegs darlegt. Moll zieht den Schluß, daß Hitler zuletzt den beiden Ländern keine große Aufmerksamkeit schenkt und es keinen Beschluß darüber gab, was dort militärisch geschehen sollte, als Karl Dönitz am 1. Mai das Amt des Reichskanzlers übernahm. Das wurde erst entschieden, nachdem Dönitz am 1. Mai Lageberichte von Böhme und Lindemann eingeholt und das Treffen in Mürwik stattgefunden hatte. Lindemann hatte in seinem Bericht am 1. Mai u. a. mitgeteilt, daß sämtliche Truppen einen begrenzten Kampfwert hätten, er sie jedoch im festen Griff hätte. Im Fall einer Invasion mußte man damit rechnen, daß die Widerstandsbewegung einen Aufstand machen würde, zudem war die Wehrmacht durch die Versorgung der 200.000 Flüchtlinge und Verletzten belastet. Jedoch rechnete er derzeit nicht mit einer Invasion (S. 70f).[486] Im Vorfeld des Treffens in Mürwik, so berichtet Moll, habe Best sich vom 19. bis 20. April in Oslo aufgehalten, um Terboven für eine kampflose Kapitulation zu gewinnen. Moll fügt in einer Fußnote hinzu, daß dies allein auf Bests eigener Aussage beruht und sich nicht durch zeitgenössische Quellen belegen ließe (S. 59 mit Fußnote 93). Denselben quellenkritischen Zugang hat er zum Treffen in Mürwik selbst, indem

---

485 Siehe 9:209.
486 Vgl. 9:220.

er trocken feststellt, daß als Grundlage für den Beschluß über das Schicksal von Nor-
wegen und Dänemark auf dem Treffen nur eine 20 Zeilen umfassende Niederschrift im
Kriegstagebuch des OKW[487] sowie eine Reihe von widersprüchlichen Erklärungen aus
der Nachkriegszeit von den überlebenden Teilnehmern vorliegen. Moll prüft danach
die ihm bekannten Erklärungen von Best, Schwerin von Krosigk und Dönitz' Adju-
tant Walter Lüdde-Neurath sowie von Dönitz selbst. Er beachtet insbesondere die Er-
klärung von Schwerin von Krosigk, da diese neue Formulierungen enthalte und sich
der damalige Minister gern "direkter" Zitate bediene. Moll schließt, daß das Treffen,
dem viele skandinavische Forscher eine entscheidende Bedeutung für das Kriegsende im
Norden beimessen, überwiegend unkritisch auf der Grundlage der Erinnerungsliteratur
behandelt worden ist (S. 73f.).[488] Danach führt er eine Analyse der Glaubwürdigkeit der
vorhandenen Schilderungen durch und legt dar, wie diese mit der unmittelbaren Vorge-
schichte und der nachfolgenden Geschichte übereinstimmen. Hier soll nur das Resultat
bezüglich Dänemark wiedergegeben werden. Moll zieht die Aussagen und die Haltung
in Zweifel, die Lindemann beim Treffen in Mürwik zugewiesen werden, indem er die
Frage stellt, warum Lindemann innerhalb von 48 Stunden zuerst (am 1. Mai) einen
recht pessimistischen Bericht über die militärische Lage in Dänemark und dann (am
3. Mai) eine völlig entgegengesetzte Auffassung bezüglich der Kampfkraft der Truppen
und der Verteidigungsmöglichkeiten abgegeben haben soll (S. 74f).

Leider führt Moll keine entsprechende quellenkritische Analyse von Bests Berichten
über das Treffen in Mürwik durch (er kennt sie nicht), sondern hält sich allein an Bests
Erinnerungen von 1988, wo die schnelle Kapitulation empfohlen und zudem erwähnt
wird, daß eine schwedische Intervention drohte (S. 72). Bests Erinnerungen über das
Treffen liegen zudem in mehreren Varianten vor.[489] Dennoch sind es anregende Beiträ-
ge, die Moll zu einem Bereich geleistet hat, der nicht ausreichend kritisch und seiner
Bedeutung entsprechend behandelt worden ist.

Es kam in Dänemark nicht zum Endkampf – und doch. Auf Bornholm entwickelte
sich die Lage ganz anders. Sowjetische Bombardierungen von Rønne und Nexø waren
notwendig, bis der deutsche Kommandant Gerhard von Kamptz kapitulierte. Für seine
Handlungsweise hat es voneinander abweichende Erklärungen gegeben, ebenso für die
Frage, warum im Mai 1945 keine englischen Streitkräfte nach Bornholm wie ins übrige
Dänemark kamen. Diese Erklärungen sollen hier nicht alle dargestellt werden, doch
die Antwort auf die letztgenannte Frage wurde 1996 von Bent Jensen eindeutig gege-
ben, nachdem er eine Reihe von früheren Erklärungsversuchen untersucht hatte: Die
Westalliierten hatten bei ihren militärischen Planungen für die Befreiung Dänemarks
Bornholm ausdrücklich ausgenommen, weil es hierüber mit Moskau keinen Vertrag
gab. Noch am 7. Mai lag kein Beschluß über Bornholm vor, doch an diesem Tag verbot
Eisenhower, daß englische Streitkräfte nach Bornholm geschickt werden (S. 68-71).[490]
Dies wirft mehr als alles andere ein Licht auf das Dilemma, in dem sich von Kamptz

---

487 Hier 9:226.

488 Für Dänemark seien Thomsen 1971, Rosengreen 1982 und Petrick 1991 erwähnt.

489 Siehe hierzu 9:226.

490 Das Telegramm von Eisenhower ist in Jensen 1996, S. 71, wiedergegeben, ebenso in Hornemann
2006, Nr. 136.

in den Maitagen laut Jørgen Barfod befand. Von Kamptz wollte vor den Engländern durchaus kapitulieren, doch da die Waffenruhe nicht für die Russen galt, mußte er die Verteidigung der Insel gegen eine russische Landung fortsetzen. Am 6. Mai soll er auch eine Nachricht erhalten haben, daß er auf Aufforderung der Westmächte kapitulieren sollte – nicht vor den Dänen. Die bekam er nicht[491] (S. 264f.). Auf der Grundlage der deutschen Akten konnte später ermittelt werden, daß von Kamptz auf Befehl handelte, sich nicht den sowjetischen Streitkräften zu ergeben, sondern nur den englischen.[492] Dieser Befehl wurde bis zuletzt befolgt. Ein echtes Dilemma, das die Bornholmer Gesellschaft teuer bezahlen mußte.

6.15. Die Prozeß gegen die deutschen Kriegsverbrecher

Die rechtliche Aufarbeitung (dänisch retsopgøret) gegen die führenden Männer der deutschen Besatzungsmacht – Werner Best, Hermann von Hanneken, Günther Pancke und Otto Bovensiepen –, die deutsche Polizei und deren dänische Zuträger war eine Abrechnung mit der von Deutschland geführten Besatzungspolitik in Dänemark von 1943 bis 1945.[493] Bei einigen Punkten ganz bewußt. Somit wurden hier zum ersten Mal eine Reihe von zum Teil ganz zentralen Umständen aufgegriffen, mit denen sich auch die spätere Forschung beschäftigt hat.

Die zahlreichen großen und kleinen Prozesse erzeugten riesiges Material in Form von Verhören, Protokollen und Kopien von zeitgenössischen Dokumenten. Hiermit konnten bestimmte Hauptzüge der Besatzungspolitik nachgezeichnet und zahlreiche konkrete Tatbestände ermittelt werden. Es wurde auch umfangreiches Hintergrundmaterial zusammengetragen, u. a. in Deutschland, und dennoch handelte es sich in erster Linie um eine *Abrechnung*, die sich auf die Sachverhalte konzentrieren mußte, die zu einer Verurteilung führen konnten, weil sonst ein Gerichtsverfahren sinnlos wäre. Das bedeutet, daß sehr viele Elemente der deutschen Besatzungspolitik, die sich nicht als Verbrechen kategorisieren lassen konnten, nicht zur Sprache kamen oder nachrangig behandelt wurden. Es war die Aufgabe der Verteidiger mit Hilfe der Angeklagten, daß einige der angeblich positiven Aspekte erwähnt wurden, doch über Vieles wurde hinweggesehen.

Ditlev Tamm beschäftigt sich in seinem Werk *Retsopgøret efter besættelsen* (Die rechtliche Aufarbeitung nach der Besatzung), 1984, in Kapitel 10 mit den deutschen Kriegsverbrechern in Dänemark.[494] Er beschreibt darin die Probleme, die damit verbunden waren, einen rechtlichen Rahmen für die Prozesse zu schaffen, was einige Zeit be-

---

491 Barfod 1976, S. 264f.

492 Bent Jensen in *Hvem var hvem 1940-1945*, 2005, S. 199. Vgl. Jens Andersen über von Kamptz in Lauridsen/Lundtofte (erscheint demnächst).

493 Für den Prozeß gegen Best siehe Herbert 1996, S. 403-433, für den Prozeß gegen von Hanneken siehe Drostrup 1997, Kap. 5, für die Prozesse gegen die deutsche Polizei und deren dänische Helfer siehe Lundtofte 2003a, Kap. 12, und 2011. Die Prozesse gegen die Führung der deutschen Minderheit werden hier nicht einbezogen; verwiesen sei stattdessen auf den Abschnitt über die Minderheit oben, da die Rolle der Besatzungsmacht in diesem Zusammenhang nur zu einem geringen Grad berücksichtigt wurde (Tamm 1984, S. 430f., und Lorek 1998, Kap. 10).

494 Der Gegenstand wurde später getrennt und ausführlicher als bei Tamm von Winther Hansen 2003 untersucht.

anspruchte, daß man seitens der Anklagebehörden am liebsten davon verschont bleiben
möchte, einen Prozeß gegen Werner Best zu führen, und daß vergebliche Versuche un-
ternommen wurden, dieses Verfahren England, Frankreich und den USA zu überlassen.
Diese Versuche hatten den Hintergrund, daß es sehr schwierig war, die Kompetenzver-
teilung im Dritten Reich zu durchschauen. Hatte Werner Best, obwohl er der oberste
politische Repräsentant war, die Verantwortung für alles, was geschehen war? Einige
hatten das Gefühl, daß es trotz des harten deutschen Kurses sehr viel schlimmer hätte
kommen können, und es nicht zuletzt dem Einfluß Bests zu verdanken war, daß man
den schlimmsten Exzessen entgangen war. Falls dies auch der Schluß war, zu dem die
Gerichte kommen würden, würde dies zu einem Strafmaß führen, das in einem solchen
Mißverhältnis zu den Erwartungen in einem großen Teil der dänischen Öffentlichkeit
und vielleicht auch im Ausland stand, daß man mit innen- und außenpolitischen Pro-
blemen rechnen mußte (S. 632f.).

Schließlich kam es zu einem gemeinsamen Prozeß gegen Best, von Hanneken,
Pancke und Bovensiepen, da man während der Voruntersuchungen die Kompetenzver-
teilung zwischen Best, Pancke und Bovensiepen ungefähr ermitteln konnte. Dies war
ein Ergebnis an sich, obwohl die Anklagebehörden Best gern als zentrale Figur und
Bovensiepen eher als ausführendes Organ darstellen wollten (S. 635). Der Prozeß wurde
in erster Linie zu einer Abrechnung mit der Judenaktion, den Vorbereitungen zur Ak-
tion, wer diese angeordnet hatte, wer die Terrorpolitik angeordnet und wer die Verant-
wortung für deren Ausführung und die Terrorziele ausgewählt hatte. Schließlich gab es
die, welche die Bomben gelegt oder den Abzug gedrückt hatten. Das waren oft Dänen
im Dienst der Deutschen mit deutschen Begleitern. Die Besatzungsmacht führte einen
"Krieg über Stellvertreter", und es ist die Frage, ob dies allein am Mangel an Ressourcen
lag. Im Hinblick auf die Judenaktion kam die höchste Rechtsinstanz zu einem anderen
Schluß als die spätere Forschung (vgl. oben), während die Terrorpolitik und die damit
verbundenen Kompetenzverhältnisse aufgeklärt und von der späteren Forschung bestä-
tigt wurden (Kirchhoff, Rosengreen, Lundtofte). Hinzu kamen die angeblich mildern-
den Umstände, die die Angeklagten dem Obersten Gericht (Højesteret) 1950 zufolge
geltend machen konnten. Diese sind es ebenfalls wert, aus einer Forschungsperspektive
untersucht zu werden:[495]

Bezüglich Best u. a.:
– Bildung einer dänischen Regierung ohne Beteiligung der Nationalsozialisten (*)[496]
– Genehmigung zur Durchführung der Wahl im März 1943
– *weitestgehende* Begrenzung der Folgen der Judenaktion (meine Hervorhebung,
  JTL)[497]

495 Die Urteile am Östlichen Landesgericht (Østre Landsret) und dem Obersten Gericht (Højesteret)
gegen die vier sind (neben dem Amtsgerichtsurteil) gedruckt in PKB, 13, Nr. 65b und 66b.
496 Best heftete sich dies 1945 an seine Brust, doch er hatte hierfür Rückhalt vom RFSS, von Gottlob
Berger und VOMI aus Berlin im November 1942
497 Es ist recht bemerkenswert, daß Best bei der Einleitung der Judenaktion unschuldig gesprochen und
es ihm gleichzeitig gutgeschrieben wurde, daß er deren Folgen weitestgehend begrenzt habe.

– unwissend gehalten in Bezug auf die Polizeiaktion, da der RFSS ihm nach der Judenaktion nicht mehr vertraute
– Begrenzung der Beschlagnahmung von dänischen Schiffen
– Verhinderung der Beschlagnahme von Docks
– konnte Wurmbach dazu bewegen, die Zerstörung der dänischen Häfen 1945 aufzugeben*
– sprach sich beim Treffen in Mürwik am 3. Mai 1945 stark für eine Kapitulation in Dänemark aus

Bezüglich Best, Pancke und Bovensiepens u. a.:
– protestierten energisch dagegen, daß die deportierten dänischen Polizisten in Deutschland in ein Konzentrationslager gebracht werden;[498] Best wollte eine Rückführung, Pancke und Bovensiepen die Verlegung in ein Kriegsgefangenen- und Internierungslager

Bezüglich Best und Bovensiepen:*
– angenommen wurde, daß sie die Forderung nach einer Überführung von Arbeitern nach Deutschland u. a. aus bei Sabotageakten zerstörten Fabriken und einer Zwangseinberufung von Arbeitern für die Befestigungsarbeiten in Jütland und von Zivilpersonen für die Bewachung der Eisenbahnen abgewehrt haben[499]

Bezüglich Bovensiepen:
– angenommen wurde, daß er einen Befehl des RFSS im Februar 1944 über die Verhaftung von Angehörigen gesuchter Personen in besonderen Fällen untergraben hat*
– angenommen wurde, daß er einen Befehl für die Überführung von 50 Gefangenen nach Deutschland nach der Bombardierung des Shellhauses untergraben hat; diese wären auf dem Weg dorthin erschossen worden*
– angenommen wurde, daß er mehrfach gegenüber Pancke gefordert hätte, das Hipokorps der deutschen Sicherheitspolizei zu unterstellen, um Kontrolle über das Korps auszuüben*

Mit * sind die Sachverhalte gekennzeichnet, bei denen es kein zeitgenössisches Material als Grundlage für die Richtigkeit der Aussagen gibt und bei denen auch die Forschung nicht zum gleichen Ergebnis kommen konnte. Dies sagt weniger etwas über das Verhältnis zwischen den verschiedenen Möglichkeiten und Zugangsweisen des Rechtswesens und der historischen Forschung aus, als darüber, daß die rechtliche Aufarbeitung ein Vergeltungsverfahren war, das sich über eine so lange Zeit erstreckte, daß die veränderten politischen Konjunkturen darauf Einfluß ausüben konnten, das heißt daß sich der kalte Krieg und das Verhältnis zur Bundesrepublik Deutschland geltend machten. Die mildernden "Annahmen" wogen 1950 schwerer als 1945. Wie ist es sonst zu erklären, daß die dänischen Handlanger der Besatzungsmacht hart bestraft wurden – hier

498 Es gibt keine zeitgenössischen Belege dafür, daß Pancke und Bovensiepen dagegen protestierten.
499 Dies läßt sich bezüglich Bovensiepen nicht bestätigen.

wurden früh Todesstrafen gefällt –, während deren deutsche Vorgesetzten und die Verantwortlichen später bestraft wurden, so daß Best 1951 und Pancke und Bovensiepen 1953 Dänemark auf freiem Fuß verlassen konnten? Und andere deutsche Verbrecher mit ihnen; einige von ihnen wurden weder gefunden noch bestraft. Die rechtliche Aufarbeitung trägt in sich den Keim der moralisierenden Geschichtsauffassung einer späteren Generation.[500]

6.16. Perspektiven

"Aber insgesamt kann man die Zustände in Dänemark am besten dadurch charakterisieren, daß die Verhältnisse hier ungewöhnlich normal waren."

Henning Poulsen 1991, S. 369.

Es gibt immer noch viele nicht erschlossene fruchtbare Möglichkeiten in der dänischen Forschung über die Besatzungszeit, nicht zuletzt über die deutsche Besatzungspolitik in Dänemark. Wünschenswert wäre, daß die thematische Einengung in Form der Konsens-/Konfliktperspektive, die faktisch die Perspektive der Besatzungszeitforschung war, aufgehoben wird.[501] Wie bereits H. P. Clausen in einer Rezension des ersten Bands von Jørgen Hæstrups *Til landets bedste…* 1967 anmerkte, ist es ein zu schmaler Zugang, eine Zweiteilung bei der Verhandlungs- und Kooperationspolitik zu verwenden, wenn man eine Beschreibung davon geben möchte, wie die einzelnen Faktoren im Zusammen- und Wechselspiel mit der dänischen Gesellschaft während der Besatzung funktionierten.[502] Hier kann hinzugeführt werden, daß bei Louis de Jong für eine Zweiteilung Kollaboration/Widerstand keine Unterstützung zu bekommen ist. Er blickte nuancierter auf die Besatzungssituation. Zwischen diesen beiden Extrempunkten gab es graduelle Abstufungen, die Raum gaben für die aufgezwungene und notwendige Zusammenarbeit, um die Gesellschaft in einem besetzten Land weiterzuführen. Dann kann darüber diskutiert werden, was aufgezwungen und notwendig war, doch diese Diskussion an sich wäre ein Fortschritt und differenzierter im Vergleich zum derzeitigen dänischen Forschungsparadigma über die Besatzungszeit. Einen baldigen Paradigmenwechsel zu erwarten ist vielleicht zu viel.

Eine veränderte Zugangsperspektive könnte auch dazu beitragen, einen anderen, sinnvoll strukturierten historiografischen Einstieg in das ganze Feld zu bieten, der weitere neue Problemstellungen und Einblicke sowie neue Gegenstände, die nicht vom bestehenden Paradigma abgedeckt sind, eröffnen würde. Neues Quellenmaterial harrt der Erschließung und anderes der Neuinterpretation aus anderen Blickwinkeln als den

---

500 Siehe zum Beispiel Høgh-Sørensen 2004.

501 In *Historisk Tidsskrift*, 105, 2005, S. 289, schreibt Hans Kirchhoff, daß das Konfliktparadigma "die Forschung in einem solchen Maße dominieren sollte, daß es Mitte der 1990er Jahre dazu verurteilt wurde, sich 'totzusiegen'". Falls dies ein Sieg war, wurde dafür auch ein Preis bezahlt, etwa der, daß die, die anders dachten, nicht richtig mitreden konnten. Hier sei angemerkt, daß sich Claus Bryld irrte, als er 1997 meinte, der Konsens/Konflikt-Ansatz würde unter den Forschern nicht länger als interessant angesehen, daß er andererseits aber Recht hatte damit, daß schrittweise "ein Bedarf entstanden ist, die Besatzungsgeschichte dahingehend zu differenzieren oder dekonstruieren, welchen Niederschlag sie bei den Bedingungen und Verhaltensweisen der verschiedenen Gruppen oder Institutionen gefunden hat" (Bryld 1997, S. 146f.).

502 *Historie*. Ny Rk. 7:3, 1967, S. 477f.

bisherigen. Aus dem Vorhergehenden geht hervor, wo es Lücken oder unzureichend abgedeckte Forschungsgegenstände gibt. So ist es z. B. überraschend, wie wenig bislang zur deutschen Zensur geforscht wurde. Es scheint fast so, als wurde bislang nur festgestellt, daß es eine solche gab.

Henning Poulsen hat mehrfach und aus verschiedenen Blickwinkeln hervorgehoben, wie ungewöhnlich normal die Verhältnisse in Dänemark während der Besatzung waren. Diese These hat berechtigte Kritik hervorgerufen, was die deutsch-dänischen Handelsverhandlungen betrifft, wurde im Übrigen aber mit Schweigen bedacht. Poulsen setzt stillschweigend voraus, daß die Verhältnisse in Dänemark im Vergleich zu anderen besetzten Ländern ungewöhnlich normal waren. Dennoch wäre es wertvoll, wenn künftige Forschungen differenziert darlegen könnten, welche Umstände "ungewöhnlich" normal und welche es nicht waren, wobei die aufgezwungene Besatzungssituation an sich alles andere als normal war. Einen Unterstützer seiner These aus dem politisch-administrativen Bereich mit den Interessenverbänden und nur aus diesem hat Poulsen in H.P. Clausen in der oben erwähnten Rezension von Hæstrup, wo Clausen über die Verwaltung durch die Staatssekretäre schreibt: "Es kann angemessen sein, das Ungewöhnliche darin zu unterstreichen, daß Regierung und Reichstag nicht mehr funktionierten. Doch die Frage ist, wie weit es einem bringt, die Situation als unnormal zu bezeichnen, wenn man das Charakteristische davon hervorheben möchte. Das Verblüffende ist eher, daß so viel normal blieb, trotz des Ungewöhnlichen der äußeren Umstände. In den Ministerien und anderen Zweigen der Verwaltung wurde weiter gearbeitet; die dänische Gesellschaft funktionierte weiter; die Interessenverbände wurden wie bisher bei der Verwaltung und der Erweiterung der geltenden Gesetzgebung einbezogen; die Verhandlungen zwischen den deutschen und dänischen Behörden liefen wie zuvor durch das Außenministerium weiter usw."[503] Dem kann das grundlegend Unnormale gegenübergestellt werden, daß die Demokratie außer Kraft gesetzt und die Meinungsfreiheit aufgehoben wurde und Andersdenkende verfolgt und hart bestraft wurden. Es gab deutschen Terror und eine Zeit von sieben Monaten ohne Polizei. Oder anders formuliert: Die Normalitätsperspektive gibt die Aussicht aus den obersten Etagen der Verwaltung dar. Dies bedeutete nicht gleichzeitig, daß die Situation auch auf den Straßen, an den Arbeitsplätzen und zu Hause als "ungewöhnlich normal" erlebt wurde.[504] Aus welchen Perspektiven müssen die Verhältnisse in Dänemark während der Besatzungszeit eigentlich betrachtet werden? Auf jeden Fall aus mehr als einer.

Unter anderem wäre es wünschenswert, daß die Rolle der dänischen Wirtschaft im Verhältnis zur Besatzungsmacht stärker ins Blickfeld gerückt wird, von ganzen Gewerbezweigen bis zu einzelnen Branchen (z. B. die Werften) und Unternehmen, so daß deren Bedingungen und Möglichkeiten unter den besonderen Rahmenbedingungen der

503 ebd. S. 475. Hierzu entsprechend für Norwegen: "Die gesamte norwegische zentrale und lokale Verwaltung führte ihre Tätigkeit unter der deutschen und der NS-norwegischen Führung weiter. Die norwegische Gesellschaft mußte verwaltet werden, wenn sie nicht ins Chaos abrutschen wollte, und eine im Großen und Ganzen intakte und weitgehend nicht-nationalsozialistische Bürokratie hielt diese Verwaltung aufrecht." (Grimnes 1991, S. 51).

504 Z. B. würde der Kriminalreporter Vilhelm Bergstrøm von Politiken in den letzten Besatzungsjahren nicht beistimmen können, daß eine ungewöhnliche Normalität herrschte, doch sein spezielles Fachgebiet gibt dafür die Erklärung selbst (KB, Bergstrøms Tagebuch und Bergstrøm 1946 und 2005).

deutschen Besatzung untersucht und dabei auch die regionalen Unterschiede berück-sichtigt werden können.[505] Ein weiteres, so gut wie unbestelltes Feld ist die Zusam-menarbeit zwischen Besatzungsmacht und örtlichen Gemeinschaften, darunter den dänischen Behörden, Unternehmen und der örtlichen Bevölkerung, wobei auch die Unterschiede hierbei in verschiedenen Gegenden untersucht werden müssen.

Last but not least könnte der Blick auf das übrigen besetzte Europa weitere Anre-gungen geben, auch wenn derartige Vergleiche bereits mehrfach angestellt wurden, da bei der ausländischen Forschung weiter sehr viel geschieht.

Dieser Wunsch ist bereits oft geäußert worden und es ist vielleicht ein wenig Ermü-dung spürbar, wenn Palle Roslyng-Jensen 1995 anläßlich von Henning Poulsens jüng-stem komparativen Beitrag äußert, daß die internationalen Vergleiche und die Hervor-hebung der Unterschiede zwischen Dänemark und den anderen besetzten Ländern sehr gut seien, doch was sei mit den Aspekten, die alle diese Länder gemein hätten.[506] Seine Pointe ist berechtigt, daß der Fokus stärker auf den Unterschieden als auf den Gemein-samkeiten lag. Dieser Fokus ist kein spezielles dänisches Phänomen (siehe Abschnitt 8) und für ihn gibt es viele Gründe, doch daß es auch zahlreiche Grundbedingungen gab, die bei allen deutsch besetzten Ländern gleich waren, steht außer Frage. Ein Beispiel ist das Gefühl, der auferzwungenen Anwesenheit und den Forderungen einer Besat-zungsmacht ausgesetzt zu sein. Dieses Gefühl läßt sich für die Forschung vielleicht nur schwer operationalisieren, wie es auch für die damaligen Akteure schwer war, damit umzugehen, doch es war nichts desto weniger ein wesentlicher Faktor. Das ist generell der Fall mit nationalem oder regionalem Stolz, und diesen Stolz kann die eigene Regie-rung eines Landes im Namen einer engen Zusammenarbeit mit Füßen treten.[507] Das erleben wir auch in der globalisierten Welt von heute, wo fremde Mächte ungeachtet der Begründungen und Intentionen in die inneren Verhältnisse eines anderen Landes eingreifen und ihm ihre Anwesenheit und vielleicht auch ihre Werte aufzwingen.

505 Hierbei können die Prozesse gegen Kollaborateure und das Archiv des Prüfungsausschusses für deut-sche Zahlungen im RA genutzt werden, außerdem die Lokalarchive der Wirtschaftsverbände in dem Um-fang, in dem sie erhalten sind.
506 Roslyng-Jensen 1995, S. 395, in Bezug auf Poulsen 1995. Wenn Roslyng-Jensen eine Beschäftigung mit den Aspekten forderte, die Dänemark mit den anderen besetzten Ländern gemein hatte, kann das so verstanden werden, daß er den Fokus weg vom Sonderfall richten wollte, der Dänemark aus dem großen europäischen Kampf gegen den Nationalsozialismus heraushält und die existenzielle nationale Bedeutung des Konsens/Konflikt-Gegensatzes an der Schlagsahnefront schmälert. Im Allgemeinen freuen sich die na-tional engagierten Widerstandskämpfer und Historiker nicht darüber, wenn Henning Poulsen die Auf-fassung herausfordernd auf die Spitze treibt, es sei die Normalität gewesen, die das besondere Merkmal Dänemarks während der deutschen Besatzung war.
507 Vgl. Cornelius J. Lammers 1997, S. 66f.

7. Werner Best und die deutsche Besatzungspolitik in Dänemark

Werner Best schrieb nach zweieinhalbmonatiger Haft 1945 eine vier Seiten umfassende Aufzeichnung über seine Rolle bei der deutschen Besatzungspolitik 1942-45, unter anderem über die deutschen Maßnahmen in Dänemark, deren Durchführung in erster Linie er selbst verhindert habe, obwohl diese von den deutschen Instanzen geplant oder verlangt worden waren. Seine Politik strukturierte er in zwei Phasen: die erste Phase mit der engen Zusammenarbeit mit der Regierung Scavenius vom 5. November 1942 bis 29. August 1943, die zweite Phase vom 29. August 1943 bis 5. Mai 1945, in der er einen *Zweifrontenkampf* gegen die Widerstandsbewegung und die anderen deutschen Behörden geführt habe, um die dänische Souveränität aufrechtzuerhalten. Seine Politik in der ersten Phase sei in die Luft gesprengt worden, und die Versuche, diese in der zweiten Phase fortzusetzen, sei nach eigenen Worten ein verzweifelter Kampf gewesen.

Es leuchtet ein, daß die Aufzeichnung in die Verteidigung einging, die er gerade um seine Tätigkeit als Reichsbevollmächtigter aufbaute, doch an sich ist interessant, auf welche Bereiche er sich dabei konzentrierte. Es ist auch wert, diese Bereiche mit den Sachverhalten zu kontrastieren, auf die, was Bests Tätigkeit und Rolle in Dänemark betrifft, sich die spätere Forschung konzentriert hat – ob es Übereinstimmungen oder große Unterschiede bei den Sachverhalten gibt, die als die wichtigen angesehen werden. Nach einer entsprechenden kurzen Betrachtung hierzu soll Bests Rolle und Bedeutung für die deutsche Besatzungspolitik in Dänemark diskutiert werden, über die es divergierende Meinungen unter deutschen und dänischen Forschern gibt.

Bests Aufzeichnung, nach der seine später herausgegebenen Erinnerungen strukturiert wurden und eigentlich daraus weiter entwickelt sind, wird nachfolgend in Auszügen wiedergegeben. Hier zunächst die 18 von ihm angeführten Punkte, bei denen er meinte, Einfluß ausgeübt zu haben. Die ganze Aufzeichnung wird weiter unten vollständig wiedergegeben.[508]

Bests Aufzeichnung vom 31. Juli 1945
"[…] Nach meiner Erinnerung, was vielleicht noch einiger Ergänzungen bedarf, sind es vor allem die folgenden Maßnahmen, die von deutschen Stellen für Dänemark geplant oder gefordert waren und deren Durchführung ich verhindert habe:

1.)   Einschaltung der dänischen Nationalsozialisten in die Leitung des Staates. (Ich erinnere an die Ministerliste, die der Reichsminister von Ribbentrop Ende Oktober oder Anfang November 1942 in Berlin dem dänischen Außenminister von Scavenius übergab und von der ich dann bei meiner Zustimmung zur Zusammensetzung der Regierung Scavenius abwich, ohne Berlin zu fragen.)
2.)   Verbot der Folketingswahl vom 23.3.1943 (um die Schwäche der dänischen Nationalsozialisten zu verschleiern, die ich gerade durch die Wahl demonstrieren wollte).

---

508 RA, Bests Privatarchiv, Bündel 9 (Kopie der Abschrift, von Best selbst angefertigt). Best schrieb eine neue Version mit den 18 Punkten am 2. August 1945 (ebd.). Die Aufzeichnung vom 31. Juli 1945 ist in dänischer Übersetzung in *FV-Bladet*, März/April 1990, S. 75-79, erschienen.

3.) Einrichtung einer dauernden Militärverwaltung unter dem General von Hanneken nach dem 29.8.1943.

4.) Verbringung der am 29.8.1943 internierten dänischen Soldaten in das Reich. (Ich habe statt dessen ihre Freilassung durchgesetzt.)

5.) Einziehung der Vermögen der Juden in Dänemark nach dem 1.10.1943. (Ich habe durch absichtliche Indiskretionen die Flucht der meisten Juden ermöglicht.)

6.) Festsetzung und Exekution von Geiseln.

7.) Erschießung dänischer Häftlinge als Repressalie für Attentate auf Deutsche.

8.) Zwang gegen die Bevölkerung zur Bewachung von Bahnstrecken usw.

9.) Arbeitszwang gegen die Bevölkerung für die Befestigungsarbeiten.

10.) Zwangsrekrutierung dänischer Arbeiter zur Arbeit im Reich.

11.) Beschlagnahme und Wegführung aller dänischen Schiffe, Docks und Schwimmkranen.

12.) Beschlagnahme und Wegführung aller gebrauchsfähigen (und im Gebrauch befindlichen) Kraftwagen und Fahrräder.

13.) Umwandlung der Wehrmacht-Vorschüsse der Nationalbank in endgültige Kriegsbeiträge des dänischen Staates.

14.) Herabsetzung der Lebensmittelrationen in Dänemark.

15.) Positiver Gesinnungszwang gegen die dänische Presse (zum Beispiel zum Schreiben eigener prodeutscher Leitartikel).

16.) Übernahme des dänischen Staatsrundfunks in volle deutsche Regie.

17.) Wegnahme der Rundfunk-Empfangsgeräte der Bevölkerung.

18.) Zwangseinquartierung deutscher Flüchtlinge in dänische Privathäuser.

Alle diese Maßnahmen (mit Ausnahme der letzten) sind in den meisten besetzten Ländern durchgeführt worden. Daß Dänemark von ihnen verschont blieb, hat dem Lande während des ganzen Krieges eine Sonderstellung gegenüber den kriegerisch besetzten Ländern gegeben, in der immerhin ein Teilerfolg meiner Politik der Erhaltung der dänischen Souveränität und Integrität erblickt werden darf. [...]"

Spätere hinzugekommene "gute Taten" können aus Bests Erinnerungen hinzugefügt werden:[509]

19.) Wollte den 29.8.1943 verhindern, der nicht nötig war; von Hanneken war der Schuldige

20.) Abwehr der Auswirkungen der Aktion gegen die dänischen Juden (vgl. Pkt. 5)[510]

21.) Suchte den Gegenterror zu verhindern und sprach sich dagegen aus; letzter Versuch im Februar 1945 durch die Wiederaufnahme von Hinrichtungen nach Urteil

---

509 Best 1988, S. 19-98.
510 Best formulierte das in seinen Erinnerungen folgendermaßen: "...entschloß er [Best] sich zu einem außergewöhnlichen Schritt, um wenigstens das Ergebnis der Aktion, die er grundsätzlich und vom Standpunkt des wohlverstandenen deutschen Interesse verwarf, nach Möglichkeit zu verringern." (Best 1988, S. 48).

22.) Einsatz für die Rückführung der deportierten dänischen Polizisten
23.) Setzte sich erfolgreich gegen Repressalien wegen der Werftsabotage ein
24.) Setzte sich erfolgreich gegen die Zerstörung der Häfen ein
25.) Setzte sich gegen den Endkampf in Dänemark ein

Es handelt sich offensichtlich um ein breites Feld, auf dem Best Zwangsmaßnahmen in Dänemark verhindert oder an der Verhinderung mitgewirkt haben will. Am Ende der Aufzeichnung deckt Best außerdem wenig überraschend auf, daß er Kenntnisse von den Zwangsmaßnahmen hatte, die es in den meisten von Deutschland besetzten europäischen Ländern gab, in Dänemark aber nicht zum Einsatz kamen.

Auf der Grundlage des jetzt vorliegenden Aktenmaterials läßt sich in breitem Umfang feststellen, ob Best Recht damit hatte, daß er die genannten Maßnahmen verhindert oder an deren Verhinderung mitgewirkt hat. Für die Punkte 2, 5, 6, 8-18, 20 und 22-25 kann unter verschiedenen Vorbehalten bestätigt werden, daß Best in der von ihm beschriebenen Rolle aufgetreten ist. Bei Punkt 2 gilt, daß Best die Wahl wohl durchgepeitscht hat, aber nicht mit der angegebenen Begründung, sondern um sein Verhältnis zur dänischen Regierung zu stärken. Für die Punkte 11 und 12 gilt, daß er nicht verhinderte, daß *alle* genannten Objekte abtransportiert wurden, sondern daß er versuchte, den Umfang der Beschlagnahmungen zu begrenzen. In Hinblick auf die Punkte 13 und 14 gilt, daß es nicht Best allein war, der versuchte, dies zu vermeiden, sondern daß er Unterstützer in Berlin hatte (u. a. REM, RWM, RFM). Es ist besonders interessant, daß er die Herabsetzung der Lebensmittelrationen als Punkt erwähnt, da dies ein Gebiet war, bei dem die Verhandlungen und Beschlüsse auf Seiten des deutsch-dänischen Regierungsausschusses lagen. Zweifellos stimmte er aber mit der von den deutschen Unterhändlern geführten Politik überein und unterstützte sie bewußt, auch nach außen, wovon die *Politischen Informationen* ein Zeugnis ablegen.

Und dann gibt es Punkte, bei denen es schwer oder unmöglich ist, Best zu folgen, wenn er versucht, damit seine moderate Politik in Dänemark zu demonstrieren. Hierbei ist Punkt 1 ein Kardinalpunkt, oft genug von Best selbst genannt und von Historikern später als diplomatisches Meisterstück bezeichnet (Hans Kirchhoff). Was Kirchhoff und andere nicht wissen konnten und was Best nicht erwähnt, ist, daß Best nicht nach Kopenhagen kam, ohne in Berlin Zustimmung zu einer Politik zu haben, die zur Eliminierung der DNSAP führen sollte. Diese war bei der SS zu finden. Dies wurde davon abhängig gemacht, ob Frits Clausen sich weiterhin gegen die Idee eines germanischen Korps in Dänemark, das nicht unter seiner Kontrolle wäre, sperren und sich damit unbeliebt machen würde. Best hatte es übernommen, die Planungen des RFSS und des SS-Hauptamtes für germanische Korps im deutsch besetzten Europa für Dänemark in die Wege zu leiten. Das geht aus dem hier vorgelegten Material eindeutig hervor. Weil Frits Clausen während der Treffen mit Best in den ersten Tagen der laufenden Regierungsverhandlungen Bests Erwartungen nicht erfüllte, lag für Best eine Regierungsbeteiligung der DNSAP völlig außer Betracht. Dies hätte zudem die Errichtung des germanischen Korps in Dänemark (das später das Schalburgkorps sein sollte) verkompliziert. Dies ist mein Schluß auf der Grundlage des nun zur Verfügung stehenden Materials. Hinzu kommt, wie profund der Wunsch im AA war, Nationalsozialisten in die dänische Regierung zu bekommen. Dies muß in Frage gestellt werden. Auf jeden Fall ist Bests "Meisterstück" aus mehreren Elementen zusammengesetzt, und bei seiner Politik handelt sich von Anfang an auch nicht um einen Alleingang, wie er es später darstellen wollte.

Im Hinblick auf Punkt 3 ist es zweifellos so, daß Best nicht die Errichtung einer dauerhaften Militärverwaltung in Dänemark nach August 1943 wollte und diese sicherlich auch nach bestem Vermögen zu verhindern versuchte, doch hier war der Beschluß zuvor schon im Führerhauptquartier gefällt worden und es gibt keinerlei Dokumente dafür, daß Bests Auffassung dabei irgendeine Rolle gespielt hat.

Die Deportation der internierten dänischen Soldaten war im September 1943 im Gespräch, wie Best in Punkt 4 schreibt, und daß er sich dagegen ausgesprochen hat, ist ebenfalls richtig. Dies tat er sogar zwei Mal, als Himmler sich einmischte und wünschte, daß eine größere Anzahl Soldaten nach Deutschland zur Rekrutierung überführt werde. Best war nicht der Einzige, der sich Himmlers Initiative widersetzte. Best hatte auch die Unterstützung von Hannekens, als er sich zum ersten Mal gegen die Idee der Deportation aussprach. Es ist jedoch bemerkenswert, welche Argumente Best dabei verwendete, als er sich am 4. September 1943 zum ersten Mal gegen eine Deportation aussprach. Er schrieb: "Ich erwiderte, daß ich es zur folgerichtigen Durchführung des neuen Kurses für notwendig halte, die Angst um das Schicksal dieser Internierten als Druckmittel gegenüber der dänischen Bevölkerung zu benützen. Die Internierung müsse deshalb bis auf weiteres, möglichst bis zur Beendigung des Ausnahmezustandes, aufrecht erhalten werden."[511] Es war nicht das Wohl und Wehe der Internierten, um die es ihm ging, sondern die Frage, wie sie für sein Machtspiel ausgenutzt werden könnten. Er kann nicht allein das Verdienst beanspruchen, daß die Deportation nicht zustande kam.

Wenn Best in Punkt 7 für sich in Anspruch nimmt, verhindert zu haben, daß dänische Häftlinge als Repressalie für Attentate auf Deutsche erschossen wurden, kann eine Stellungnahme hierzu eine Frage der Wortwahl sein. Ohne Zweifel starben viele dänische Staatsbürger als Opfer des Gegenterrors in Fällen, bei denen es sich um Vergeltung für Tötungen von Deutschen oder Dänen in deutschen Diensten handelte. Best selbst veranlaßte ab Ende April 1944 die Vollstreckung von Todesurteilen gegen Widerstandskämpfer als direkte Vergeltung für Sabotageakte und machte bereits im Voraus darauf aufmerksam, daß dies geschehen würde. Daraus kann geschlossen werden, daß Best in Punkt 7 sich auf einer zweifelhaften Grundlage das Verdienst zuschreiben wollte, "verhindert" zu haben, daß dänische Häftlinge als Repressalie erschossen werden, denn das wurden sie. Und dies im Rahmen einer *von ihm selbst festgelegten* Politik.

Best wollte damals und auch später den WB Dänemark als den Schuldigen ausmachen, daß es zum 29. August, der Auflösung der Streitkräfte und dem Rücktritt der dänischen Regierung gekommen war (Punkt 19). Angeblich soll es von Hanneken gewesen sein, der dem Führerhauptquartier derartig alarmierende Meldungen geschickt hatte, daß das Führerhauptquartier eingriff. Wie bereits oben dargestellt (Abschnitt 6.10), war dies nicht der Fall. Dies sollte den Rückschlag für die Politik von Best und nicht zuletzt die Tatsache verdecken, daß ihm die Lage aus der Hand geglitten war.

511 4:19.

Nach Mai 1945 strich Best, was kaum überraschen kann, stark heraus, daß er ein Gegner der Gegenterrorpolitik gewesen sei und sich gegenüber Hitler und Himmler gegen diese ausgesprochen habe (Punkt 21). Er wünschte sich stattdessen polizeiliche Untersuchungen, um die Schuldigen zu ermitteln. Die übrigen Hauptangeklagten neben Best beteuerten, daß sie dabei mit ihm übereingestimmt hätten, aber auf Befehl handeln mußten. Das zeitgenössische Material belegt jedoch, daß Best bis Sommer 1944 am Gegenterror in der Weise beteiligt war, daß er im Voraus von konkreten Aktionen wußte. Es zeigt aber auch, daß Best sich nach dem Sommer 1944 stärker gegen eine Verschärfung der Terrorpolitik aussprach, als es um die Bekämpfung der Werftsabotage ging. In dieser Frage fand sich jedoch auch ein Telegramm vom OKW vom August, aus dem hervorgeht, daß man zuvor zwei Mal Bekanntschaft mit Bests Ansichten zur Terrorpolitik gemacht hatte und keine weiteren Anmerkungen hatte.[512] Gemeint war, daß es sich um einen Führerbefehl handelte, an den man sich zu halten hatte, und das OKW sich darum nicht zu Bests Ansichten verhalten wollte. Mit anderen Worten kann belegt werden, daß Bests Widerstand nicht in erster Linie eine Erklärung aus der Nachkriegszeit war.[513] Ende 1944 demonstrierte er gegenüber dem AA auch mehr und mehr seinen Widerwillen gegen den Gegenterror. Ihn deshalb von einer Mitverantwortung für die Terrorpolitik freizusprechen, geht jedoch zu weit. Laut der Erklärungen aus der Nachkriegszeit von Bovensiepen war Best im ersten Halbjahr 1944 daran beteiligt, einzelne Terrorziele auszuwählen, und er hatte klare Präferenzen dabei, welche dänischen Personenkreise nicht von Vergeltungsmorden erfaßt werden durften. Dabei sollten die erforderlichen politischen Rücksichtnahmen walten. Rücksichtnahmen, die sich Best im Juli 1945 lieber nicht gutschrieb.

Und dann sind da die Taten, die Best selbst nicht erwähnt, die seither aber anders beurteilt worden sind. Hierbei können einige der Hauptpunkte die Grundlage bilden,[514] die vom engen Kreis an Historikern aufgegriffen wurden, die sich mit Bests Amtszeit und Karriere in Dänemark 1942-45 beschäftigt haben, nämlich Jørgen Hæstrup, Erich Thomsen, Hans Kirchhoff, Bjørn Rosengreen und Ulrich Herbert.[515] Dies ergibt einen Umriß davon, welche Bedeutung Best für die deutsche Besatzungspolitik in Dänemark beigemessen worden ist.

Die fünf Historiker greifen in unterschiedlichem Umfang (Hæstrup und Thomsen überhaupt nicht)[516] Bests Ideen darüber auf, eine Aufsichtsverwaltung in Dänemark mit einem minimalen Einsatz des deutschen Behördenapparats zu führen.[517] Dies beinhaltete eine enge Zusammenarbeit mit der dänischen Regierung und war nach Best und

512 7:181.
513 Dies steht in Widerspruch zu Rosengreen 1982, S. 84f., der es als unwahrscheinlich ansieht, daß am 30. Dezember 1943 bei Hitler direkt gegen den Befehl zum Gegenterror opponiert wurde.
514 Hierbei wird von den Gegenständen abgesehen, die bereits in Kapitel 6 aufgegriffen wurden, vor allem die Judenaktion.
515 Abgesehen wird von den Skizzen von Werner 1993 und Petrick 2000, da diese für Bests Zeit in Dänemark wenig ergiebig sind. Petrick 1991 und 1992a (Einleitung) sind bewußt weggelassen worden, da es zu weit führen würde, die sachlichen Fehler zu besprechen.
516 Stattdessen weisen Hæstrup, 1, 1966-71, S. 24f., und Thomsen 1971, S. 116, nur auf Bests Erfahrungen aus Frankreich hin.
517 Kirchhoff, 1, 1979, S. 113, und in den Biografien von Best in *Besættelsens hvem var hvem* in allen

Ribbentrop der Ausdruck einer "elastischen" Besatzungspolitik. In Verbindung mit dem Folgenden sei darauf hingewiesen, daß keiner der genannten Historiker zwischen Bests allgemeinem Ziel, der maximalen Ausnutzung der dänischen Ressourcen bei einer minimalen deutschen Verwaltung, und dem Mittel hierzu, einer engen Zusammenarbeit mit den Dänen, unterscheidet. Weil diese Differenzierung fehlt, fällt auch das Urteil z. B. von Bests Rolle in Verbindung mit dem 29. August 1943 so negativ aus: Verwendet werden Ausdrücke wie "das erste Fiasko" u. a. Best erlitt jedoch nur einen Rückschlag, was die Zusammenarbeit mit der dänischen Regierung betraf. Stattdessen kam die Zusammenarbeit mit der dänischen Zentralverwaltung zustande, eine Aufgabe, die Best optimal löste, wie Kirchhoff urteilt, der es ein neues Meisterstück nennt. Und Best konnte sein allgemeines Ziel noch auf lange Zeit weiterverfolgen, möchte ich hinzufügen. Deshalb stimme ich auch nicht mit den Aussagen überein, daß Bests Programm zum Scheitern verurteilt war (wieder Kirchhoff). Nach welchen Kriterien kann ein solches Urteil getroffen werden? Es konnten nicht Bests eigene gewesen sein. Zwar waren danach einige Hundert deutsche Polizisten und drei Polizeibataillone nach Dänemark (gut 1.500 Mann) gekommen,[518] doch darüber hinaus gab es weiterhin bis Mai 1945 nur einen bescheidenen Stab in der deutschen Gesandtschaft, der fast bis zum Schluß für die zentrale deutsch-dänische Zusammenarbeit stand, obwohl andere kleine Stäbe daran mitwirkten. Dies bezeichnete Best selbst als einen Erfolg seiner Politik für Dänemark, als er 1951 über seine Zeit in Frankreich schrieb, und bereits am 1. Februar 1945 hatte er das auch in den *Politischen Informationen* so dargestellt.[519] Hier ist die Pointe einzig, daß besonders dänische Historiker schnell mit dem Urteil waren, der deutschen Besatzungspolitik in Dänemark eine Niederlage nach der anderen zuzuweisen. Diese zahlreichen "Niederlagen" verhinderten nicht, daß dänische Agrarprodukte lange Zeit und in steigendem Umfang nach Deutschland geliefert wurden und die deutschen Zwangsmittel, die bei der Widerstandsbekämpfung eingesetzt wurden, vergleichsweise moderat waren. Die Niederlagen der deutschen Politik in Dänemark waren von eigenartiger Beschaffenheit, wenn man sie nicht stattdessen anders bezeichnen möchte. Zwar erlitt die Besatzungsmacht bestimmte Niederlagen, doch die vergleichsweise moderate Politik gab Deutschland auf etwas längere Perspektive wieder etwas zurück.

Nach diesen einleitenden Bemerkungen möchte ich nun in rascher Folge einige Einzelthemen behandeln. Da ist erstens die bereits erwähnte Regierungsbildung vom November 1942, für die Best einstimmig gelobt wird, indem er "sich seinen Anweisungen widersetzte" und eine dänische Regierung ohne Beteiligung der Nationalsozialisten schuf.[520] Das diplomatische Meisterstück ist hinreichend kommentiert worden, wobei nur eine Betrachtung von Henning Poulsen hinzugefügt werden soll, nach der die "An-

Auflagen und in *Hvem var hvem 1940-1945*, 2005, Rosengreen 1982, S. 17, Ulrich 1996, S. 325f., und den Kommentaren zu 1:3.

518 Eines der drei Bataillone wurde später im Herbst 1943 wieder abgezogen, doch die deutsche Polizei wuchs danach zahlenmäßig beträchtlich bis Mai 1945. Siehe 9:244.

519 Werner Best: Erinnerungen aus dem besetzten Frankreich 1940-1942, Ms. 1951, S. 50 (BArch, B 120/359), 9:52.

520 Thomsen 1971, S. 123-128, Kirchhoff, 1, 1979, S. 45-85, und in den Biografien von Best in *Besættelsens hvem var hvem* in allen Auflagen und in *Hvem var hvem 1940-1945*, 2005, Rosengreen 1982, S. 15f., Herbert 1996, S. 334-336.

weisung" an Best vielleicht eher eine Verhandlungsvorlage statt eine Ergebnisliste gewesen war.[521]

Zweitens die Eliminierung der DNSAP, die bislang so ausgelegt wurde, daß die Partei Bests Streben nach einer Allianz mit der dänischen Regierung und besonders Ministerpräsident Erik Scavenius im Weg stand und deshalb verschwinden mußte (betont u. a. von Kirchhoff). Hinzu kommt, daß die DNSAP mit Martin Luthers plötzlichem Sturz ihren wichtigsten Verbündeten im AA verloren hatte und Frits Clausen zudem bei der SS aufgefallen war, deren Versuche, nach Dänemark vorzudringen, ihn beunruhigt hatten (betont von Poulsen).[522] Die jetzt vorlegten ergänzenden Dokumente zeichnen eine klares Bild davon, daß Best mit einem Mandat der SS gekommen war, um die Schaffung eines germanischen Korps in Dänemark durchzusetzen, ungeachtet dessen was die DNSAP davon hielt. Dieses Mandat war Best nicht über Umwege von Himmler erteilt worden, wie von Henning Poulsen angenommen,[523] sondern wurde Best von Anfang an in einer offenen Konfrontation mit dem AA erteilt. Als sich Frits Clausen widersetzte, mußte er aus dem Weg geräumt werden. Es ging also nicht allein darum, daß Best seine Allianz mit Scavenius besiegeln wollte, oder um einen heimtückischen Angriff der SS auf Clausen.

Hingegen war die Durchführung der Wahl im März 1943 eine Besiegelung der Allianz mit Scavenius, einer Wahl, die trotz Bedenken oder sogar direktem Widerstand im AA durchgeführt wurde. Letzteres ist die Auffassung von Thomsen, Kirchhoff und Herbert. Zuvor war die Zustimmung Ribbentrops und Hitlers zur Wahl eingeholt worden.[524] Mit Herberts Worten war die Durchführung der Wahl ein politischer und propagandistischer Erfolg.[525]

Es gab noch einen Bereich, in dem Best im Frühjahr 1943 seine Handlungskraft bewies. Das war das Verhältnis zu von Hanneken, der sich im Interregnum vor Bests Ankunft etabliert hatte. Systematisch widersetzte sich Best dem Wunsch von Hannekens nach einer Entwaffnung der dänischen Streitkräfte. Dies würde der Politik, die er führen wollte, schaden. Außerdem wollte er von Hannekens Möglichkeiten einschränken, selbständig den direkten Kontakt zur dänischen Regierung und Verwaltung aufzunehmen. Der Verlauf des Machtkampfs ist von Thomsen und Kirchhoff genauer beschrieben worden und beide kommen zum Ergebnis, daß Best Ende April einen vorläufigen Sieg errang. Von Hannekens Bestrebungen wurden ausgebremst.[526] Zu diesem Zeitpunkt stand Best auf dem Höhepunkt seiner politischen Karriere, urteilt Herbert. Dies ist eine Auffassung, die auch aus Kirchhoffs Arbeiten abgeleitet werden kann, und möglicherweise hat sie auch Best selbst geteilt.[527] Jedenfalls strotzt sein erster und einzi-

521 Poulsen 1970, S. 348.
522 Poulsen 1970, Kap. 13, Thomsen 1971, S. 139-145, Kirchhoff, 1, 1979, S. 112 (wo die endgültige Liquidierung der DNSAP auf die Märzwahl datiert wird!) und ders. in den oben genannten kurzen Biografien von Best, Herbert 1996, S. 340 (bei der Märzwahl zeigte sich, daß die DNSAP ausgedient hatte).
523 Poulsen 1970, S. 374.
524 Thomsen 1971, S. 135-139, Kirchhoff, 1, 1979, S. 195f., Herbert 1996, S. 339.
525 Herbert 1996, S. 340.
526 Thomsen 1971, S. 145-150, Kirchhoff, 1, 1979, S. 118-126. Vgl. Roslyng-Jensen 1980, S. 126-148.
527 Herbert 1996, S. 341.

ger Halbjahresbericht an das AA von Anfang Mai 1943 vor politischer Selbstsicherheit und Stolz über die deutsche – will heißen: Bests – Besatzungspolitik in Dänemark.[528]

Dann folgten die Augustunruhen und der Rücktritt der dänischen Regierung. Mit der oben genannten Differenzierung zwischen den allgemeinen Zielen und den Mitteln, die für die Erreichung der Ziele eingesetzt wurden, kann dies zu Recht mit Hans Kirchhoff als Bests erstes Fiasko bezeichnet werden.[529] Hæstrup geht weiter und nennt dies "einen Schiffbruch" für Bests Politik, womit gemeint sein muß, daß diese am Ende war. Dies ist nicht meine Auffassung, und ich kann ihm auch nicht folgen, wenn er schreibt: "Von der Nacht zum 29. August an hatte der deutsche Terror in Dänemark freie Zügel."[530] Der Terror folgte erst ab Dezember 1943 und hatte keine freien Zügel, sondern folgte einem abgesteckten Rahmen. Hæstrup fällt es schwer, die deutsche Politik aus einer anderen als einer sehr dänischen Perspektive zu betrachten, wodurch die Schlußfolgerungen häufig verzerrt und die Formulierungen recht "patriotisch" werden.[531]

Bjørn Rosengreen greift ebenfalls zu einer maritimen Metapher, um Bests Politik nach den Augustunruhen zu beschreiben. Dabei habe es sich um den definitiven Untergang der Politik gehandelt. Nach Aufhebung des militärischen Ausnahmezustands wäre Best geschwächt gewesen, auch weil er die Unterstützung durch die SS verloren hätte. Die Schwächung wäre ebenfalls zu einer Niederlage geworden, da Best ein gleichrangiger HSSPF zur Seite gestellt wurde.[532] Die beiden letzten Thesen werden von Kirchhoff geteilt, der hingegen meint, daß Best die Aufgabe, eine Zusammenarbeit mit den Staatssekretären aufzubauen, optimal gelöst hätte und dieses ein weiteres diplomatisches Meisterstück gewesen sei.[533] Das spricht Rosengreen hingegen überhaupt nicht an, während Hæstrups Untersuchung hierüber eingehend ist. Hæstrup ist der Auffassung, daß Best beherzt versuchte, eine neue dänische Regierung zu bilden, was "sein privates Ziel" und "persönlicher Wunsch" gewesen sei (S. 83, 93), doch daß er sich schließlich als verhältnismäßig zufrieden damit erklärt hat, was stattdessen das Ergebnis war (S. 111).

In Frage gestellt werden kann, ob Bests Ziel wirklich eine neue dänische Regierung war. Jedenfalls liegen keine ausdrücklichen schriftlichen Zeugnisse hierfür vor, eher im Gegenteil. Das Rennen war gelaufen. Seine Verhandlungen darüber mit Svenningsen wirken mehr als halbherzig und die Berichte an das AA bezeugen ebenso wenig, daß er ein solches Ziel gehabt hatte. Sein Ziel war stattdessen, die Position des Reichsbevollmächtigten mit höheren Befugnissen und einem eigenen Exekutivapparat auszustatten. Das gelang er nicht, wie bereits mehrfach dargestellt. Dies war eine dauerhafte Begrenzung seiner politischen Möglichkeiten. Hingegen konnte er feststellen, daß die

---

528 3:13.

529 Kirchhoff über Best in *Besættelsens hvem hvad hvor* in allen drei Auflagen, während die Formulierung in *Hvem var hvem 1940-1945*, 2005, nicht verwendet wird. Dafür aber wird die Zusammenarbeitspolitik "in die Luft gesprengt", und damit also auch die von Best geführte Politik.

530 Hæstrup, 1, 1966-71, S. 24-29, 48 (Zitat hiervon).

531 Siehe zum Beispiel S. 111, wo Hæstrup schreibt, daß die dänische *Bevölkerung* im September 1943 dabei war, einen *hartnäckigen Widerstandskampf* vorzubereiten. Die Hervorhebungen stammen von mir.

532 Rosengreen 1982, S. 20,

533 Kirchhoff in der 3. Auflage von *Besættelsens hvem hvad hvor*, 1979, und in *Hvem var hvem 1940-1945*, 2005 ("optimal" ist hier der Ausdruck).

dänische Produktions- und Lieferbereitschaft durch die Ereignisse im August oder von Anfang Oktober keinen Rückschlag erlitten hatte, wie er und andere deutsche Behörden befürchtet und zu verhindern versucht hatten. Es gab weiter die Möglichkeit, eine Aufsichtsverwaltung zu führen, jetzt mit der Verwaltung durch die Staatssekretäre.

Ulrich Herbert hat Bests "Programm" nach Aufhebung des Ausnahmezustands als "durchaus realistisch und politisch nicht ungeschickt" unter der Voraussetzung beurteilt, daß Best auch die Kontrolle über die deutsche Polizei bekam (S. 376). Da Best diese nicht bekam und die Sabotage ebenfalls wieder zunahm, wurden von Berlin verschärfte Maßnahmen gefordert, was Best wieder in den "Zweifrontenkampf" gegen die dänische Widerstandsbewegung auf der einen und der deutschen Führung auf der anderen Seite führte, wie er es bereits in Frankreich erlebt hatte. Das ist Herberts Auslegung (S. 378). Bei Best selbst, der wie erwähnt ebenso von einem Zweifrontenkampf gesprochen hat,[534] begann dieser bereits am 29. August 1943 und dauerte bis zum 5. Mai 1945. Es war ein Zweifrontenkampf, der sich einerseits dagegen richtete, die Auswirkungen der Angriffe der Widerstandsbewegung gegen deutsche Interessen abzuwehren, wie er diese auffaßte. "Anderseits versuchte er [Best], die sich mehrenden Eingriffe des Führerhauptquartiers *und anderer deutschen Stellen* in die dänischen Verhältnisse abzuwehren oder mindestens abzuschwächen, soweit sie den außenpolitischen Verpflichtung des Deutschen Reiches – besonders der Garantie der Souveränität Dänemarks – und den richtig verstandenen deutschen Interessen widersprachen."[535] (Hervorhebungen von mir, JTL).

Bests Definition seines Zweifrontenkampfes ist weitreichender als die von Herbert, da sich nachweisen läßt, daß Best versuchte, das Befolgen von Befehlen nicht nur aus dem Führerhauptquartier, sondern auch von anderen Behörden in Berlin, darunter dem AA (!), und anderen deutschen Behörden in Dänemark zu umgehen. Dies tat er aus der oben zitierten Auffassung heraus, daß er zu wissen glaubte, wie die deutschen Interessen richtig zu verstehen seien. Er versuchte mit anderen Worten, eine Politik in Dänemark zu führen, die dem Dritten Reich am besten diente, so wie er es als überzeugter Nationalsozialist verstand. Dies ist der Hintergrund der "guten Taten" in Dänemark, der moderaten Vorgehensweise. Sie entsprang nicht einer besonderen Rücksichtnahme auf die Dänen oder Dänemark. In der damaligen dänischen Presse trat Best als Fürsprecher einer Verteidigung der dänischen Souveränität auf,[536] so daß diese Formulierung bereits vor der Aufzeichnung vom 31. Juli 1945 zu finden ist.

Herbert ist nicht der einzige, der den Begriff Zweifrontenkampf übernommen hat. Dies gilt bereits für Leni Yahil und später für Tatiana Brustin-Berenstein.[537] Die Frage ist jedoch, ob man damit Best nicht zu viel in die Hand spielt und seiner Nachkriegsverteidigung zu sehr folgt. Best führte auch einen Kampf mit den dänischen Behörden und operierte in den Verhandlungen gelegentlich mit Druck und Drohungen, etwa mit der starken Drohung, daß andere deutsche Stellen neben ihm eingreifen könnten. Die Ver-

---

534 Dies geschah wohl erstmals in seiner Aufzeichnung vom 31. Juli 1945, obwohl Best häufig Nils Svenningsen von seiner "eingeklemmten" Position belehrte.
535 Best 1988, S. 43.
536 Siehe 10:Anhang.
537 Yahil 1967, S. 135, 1969, S. 146, und 1998, S. 464f., Brustin-Berenstein 1986, S. 209, 211.

handlungen der Aufsichtsverwaltung verliefen nicht auf Augenhöhe zwischen gleichge-
stellten Parteien, obwohl sich die Machtbalance langsam änderte. Dies war eine dritte
selbständige "Front" zwischen zwei Seiten. Hinzu kommt, daß Best seine Frontenkriege
nicht allein führte. Weder Best noch die Historiker, die den Begriff später übernahmen,
weisen darauf hin, daß Best die meisten seiner Frontenkriege mit engen Allianzpartnern
führte. Er war nicht allein, sondern konnte u. a. den Rüstungsstab Dänemark, REM,
RWM und RFM mobilisieren; gelegentlich auch den WB Dänemark, HSSPF und BdS.
Best verstand es, die nationalsozialistische Polykratie auszunutzen.

Vor diesem Hintergrund finde ich es wenig zweckmäßig, daß Herbert den ganzen
Zeitraum vom Januar bis Juni 1944, als die Gegenterrorpolitik in vollem Gang war,
unter der Überschrift "Zweifrontenkampf" behandelt, und dies auch noch sehr knapp.
Dieser Krieg fand an deutlich mehr als zwei Fronten statt. In diesem Zeitraum ergriff
Best viele Initiativen, mit denen er die Ruhe im Land aufrechterhalten wollte, doch
diese wurden von zwei anderen selbständigen politischen Maßnahmen von seiner Seite
überschattet, die ihm in höherem Maße in die Geschichte der dänischen Besatzungszeit
einschrieben. Hæstrup hat als erster die so genannte "Aprilkrise" 1944 wissenschaft-
lich beschrieben, als Best sehr heftig auf das Auflodern der Sabotage und die Liquidie-
rung seines Fahrers reagierte. Dies geschah nach einer zuvor vergleichsweise ruhigen
Zeit, in der die Sabotage abgeschwächt war (Sabotagestop), was Best glauben ließ, daß
die deutsche Politik im Dänemark ihre Wirkung täte.[538] Eingeführt wurde eine Reihe
von drakonischen Eingriffen in das Vergnügungsleben u. a., aber ebenso wurden die
zum Tode verurteilten Widerstandskämpfer als Geiseln dafür genommen, daß keine
weiteren Sabotageakte vorgenommen würden. Gleichzeitig errichtete Best seine eigene
Gerichtsbarkeit auf der Rechtsgrundlage eines von Hitler am 30. Dezember 1943 erlas-
senen Verordnungsrechts und ohne vorherige Genehmigung durch das AA. Best behan-
delte die dänische Verwaltung während der Krise rücksichtslos und höhnisch, er drohte,
und nach Hæstrups Darstellung kam es gegenüber den dänischen Unterhändlern zu
unberechenbaren Zornesausbrüchen. Es blieb nicht bei Drohungen, in den folgenden
beiden Monaten kam es laufend zu Hinrichtungen, da die Sabotageakte trotz der Dro-
hungen nicht aufhörten.[539] Thomsen berührt die Aprilkrise nur kurz,[540] während Bjørn
Rosengreen derjenige ist, der sie am eingehendsten untersucht hat. Er sieht sie ebenso
als ein Element des internen deutschen Machtkampfes wie der zunehmenden deutschen
Invasionsangst an. Best handelte während der Aprilkrise ohne Befehl oder Forderungen
nach verschärften Maßnahmen aus Berlin, und sein selbständiges Auftreten wurde von
Ribbentrop sehr ungnädig aufgenommen, nicht zuletzt weil Best seine eigene Gerichts-
barkeit ohne vorherige Genehmigung eingeführt und ebenso wenig die Genehmigung
des AA für die Vollstreckung der Hinrichtungen eingeholt hatte. In der Folgezeit wurde
es Best selbst auferlegt, SS und OKW zur Zustimmung zur eingeführten Gerichts-
barkeit zu bewegen, während er es unter dem Hinweis auf die derzeitige Abwesenheit
des HSSPF vermeiden konnte, im AA zurechtgewiesen zu werden. Nach dem Urteil von

---

538 Vgl. Hæstrups treffende Bemerkungen in 1, 1966-71, S. 433f. auf der Grundlage der Eindrücke
hauptsächlich von dänischen Unterhändlern, die vom deutschen Material bestätigt werden.
539 Hæstrup, 1, 1966-71, S. 443-446.
540 Thomsen 1971, S. 202f.

Rosengreen reagierte Best im April weitaus heftiger, als es durch die Lage zu begründen war,[541] eine Auffassung, die ich teile und die auch aus Hæstrups Darstellung hervorgeht. Best versuchte nachfolgend, gegenüber dem AA seine heftige Reaktion damit zu erklären oder besser zu verbergen, daß sonst der WB Dänemark eingegriffen hätte.[542] Dafür gibt es keinen Beleg, und Best mußte sich einer weiteren Notlüge bedienen, um eine seiner Handlungsweisen in jenem Frühjahr zu begründen, das vor kurzem friedlicher erschien und ihm dazu bewegt hatte, am 9. April einen anonymen Artikel mit "offenherzigen Worten über Dänemarks Stellung" an die Presse zu lancieren.[543]

Herbert beschreibt die Aprilkrise und ihre Folgen nur kurz und es ist insbesondere wert, seine treffenden anschließenden Bemerkungen zu zitieren: "Nun mutet dieser Streit über die 'richtige' Art der Bekämpfung des Widerstands als ebenso absurd wie makaber an, weil es schließlich einigermaßen unwichtig erscheint, ob die dänischen Delinquenten von SS-Leuten in Uniform oder in Zivil erschossen wurden. Aber für Best war dieser Unterschied deswegen von Bedeutung, weil er sich seit jeher dafür eingesetzt hatte, daß die nationalsozialistische Terrorpolitik in legalistische Formen gekleidet war und dadurch einen gewissermaßen 'ordentlichen' Charakter annahm."[544]

Die Hinrichtungen von zum Tod verurteilten Widerstandskämpfern wurde bis Ende Juni 1944 fortgesetzt und war ein auslösender Faktor für den Generalstreik in Kopenhagen, der in Abschnitt 6.13 näher behandelt wurde.

Bests Mehrfrontenkampf sollte ihm einen Spielraum verschaffen, um eine selbständige Besatzungspolitik führen zu können, und seine Initiativen während der Aprilkrise und des Generalstreiks in Kopenhagen sollten seine Handlungskraft im Verhältnis nicht zuletzt zum HSSPF und hinter ihm dem RFSS beweisen. Damit hatte er nicht besonders Glück, und es dauerte auch bis Frühjahr 1945, bevor er es erneut versuchte. In der Zwischenzeit stand für ihn, mit Herberts Ausdruck, Schadensbegrenzung auf der Tagesordnung (S. 389), und dies ist an sich auch eine Politik.

Ende Februar 1945 erhielt Best Hitlers Genehmigung, die Hinrichtungen in Dänemark wieder aufzunehmen. Rosengreen hat die Ereignisse zum Teil dargestellt,[545] erwähnt u. a. aber nicht, daß Josef Terboven im selben Monat für Norwegen bereits eine entsprechende Genehmigung erhalten hatte.[546]

Parallel dazu lief der Gegenterror weiter. Für Best war es ein Sieg, die Widerstandsbewegung wieder auf eine "richtige" und "legale" Weise bekämpfen zu können, doch mit den oben zitierten Worten Herberts war dies jetzt wie im ersten Halbjahr 1944 ebenso absurd wie makaber.

Der Generalstreik in Kopenhagen hatte europäische Auswirkungen in der Weise,

---

541 Rosengreen 1982, S. 87-98.
542 6:88.
543 Siehe 10, Anhang.
544 Herbert 1996, S. 384.
545 Rosengreen 1982, S. 155-164. Vgl. Hæstrup, 2, 1966-71, S. 234-239. Weder Thomsen 1971, Kirchhoff in den Biografien über Best oder Herbert 1996 beschäftigen sich trotz der Bedeutung dieser Ereignisse damit.
546 Siehe Bohn 2000, S. 112, und hier 9:64 und 108.

daß Hitler ein Verbot für Hinrichtungen in ganz Europa dekretierte.[547] Dies ist das
einzige Beispiel dafür, daß Ereignisse in Dänemark Konsequenzen für die anderen von
Deutschland besetzten Länder hatten.

Im Gegenzug griff die Kriegsentwicklung draußen in Europa mehr und mehr auf
Dänemark über. Vor allem machte sich die Invasionsangst geltend. Hitler dekretierte
mehrfach den Ausbau der Verteidigungsanlagen in Dänemark, und dies führte Ende
1943 und im Herbst 1944 zu Forderungen durch den WB Dänemark, daß kurzfristig
eine sehr große Anzahl von dänischen Arbeitern zur Verfügung gestellt werden mußte.
In beiden Fällen lag in der Luft, daß es sich um Zwangsmaßnahmen handeln könnte,
doch beide Male wurde dies durch Bests Eingreifen verhindert, wie von Jørgen Hæstrup
grundlegend dargestellt.[548] Best wehrte auch Forderungen aus Berlin im Juli 1944 ab,
wonach dänische Arbeiter zur Arbeit in Deutschland gezwungen werden sollten.[549]

Hæstrup war auch der erste, der sich wissenschaftlich mit dem Umgang der Be-
satzungsbehörden mit dem Flüchtlingsstrom beschäftigte, der im Frühjahr 1945 nach
Dänemark kam. Es war Best, der am 4. Februar 1945 durch einen Führerbefehl diese
Aufgabe bekam, eine Aufgabe, die die deutsche Gesandtschaft sofort auf die dänische
Verwaltung abzuwälzen versuchte, was aber vergeblich blieb. Das UM widerstand allen
Versuchen, daran mitzuwirken, und erhob stattdessen die Forderung nach einer Rück-
führung der nach Deutschland deportierten Polizisten.[550] Die Situation blieb festgefah-
ren, doch wie aus dem hier vorgelegten Material hervorgeht, wurde Bests Flüchtlings-
politik von deutscher Seite im Großen und Ganzen akzeptiert. Unterstützt wurde sie
von Jens Møller von der deutschen Minderheit, während Günther Pancke desavouiert
wurde. Pancke wollte, daß die deutschen Flüchtlinge zwangsweise in dänischen Häu-
sern untergebracht werden, während Best sie in Lagern unterbringen wollte, damit sie
weniger der Gefahr dänischer Übergriffe ausgesetzt waren.[551] Die Hauptarbeit bei der
Unterbringung der Flüchtlinge mußte der Wehrmacht überlassen werden, da Bests Ver-
waltung nicht über die notwendigen Ressourcen verfügte. Best verherrlichte seinen Ein-
satz für die Flüchtlinge in seinen Erinnerungen und stieß damit u. a. bei Ulrich Herbert
auf offene Ohren.[552]

Bests letzte Rolle bei der deutschen Besatzungspolitik in Dänemark war ihm selbst
zufolge, dazu beizutragen, daß ein Endkampf in Dänemark verhindert wurde. Er und
Duckwitz haben versucht, ein Bild zu konstruieren, nach dem er einen entscheidenden
Einfluß auf Dönitz' Kapitulationsbeschluß hatte. Dies ist ein Bild, das in der Forschung
keinen Platz gefunden hat, und dies ist u. a. oder allein dadurch erklären, daß es den
beiden Mythenbildnern nicht gelungen ist, ihre Schreibereien ausreichend zu verbrei-
ten. Vielleicht ist aber Hans Kirchhoff von ihnen beeinflußt, als er 1965 und erneut
1979 meint, daß Best in den Maitagen 1945 zu alter Stärke zurückgefunden zu haben

547 Vgl. besonders Rosengreen 1982, Kap. IV.5.
548 Hæstrup, 1, 1966-71, Kap. 7, und 2, Kap. 2. Vgl. Thomsen 1971, S. 213-216.
549 Best 1988, S. 74-76, und hier 7:139.
550 Hæstrup, 2, 1966-71, Kap. 9.
551 9:127.
552 Best 1988, S. 96f., Herbert 1996, S. 396-398, während Thomsen 1971, S. 217, und Rosengreen
1982, S. 165f., sich hierzu neutraler verhalten haben. Siehe auch hier 9:127.

scheint.[553] Dies ist eine Stärke, die sich auf anderem Weg nicht nachweisen läßt. So war es in den Maitagen der WB Dänemark, dem in der zwölften Stunde der HSSPF Pancke unterstellt wurde, und nicht Best.[554]

Trotz dieser und weiterer Meinungsverschiedenheiten unter den Historikern – dänischen wie deutschen – über Werner Bests Erfolge und Niederlagen bei der Besatzungspolitik in Dänemark können nahezu keine Zweifel darüber bestehen, daß er in vielen, wenn nicht den meisten Fällen der deutsche Amtsträger in Dänemark war, der die größte Rolle bei der Umsetzung dieser Politik spielte. In seiner abschließenden Perspektivensetzung in seinem Werk *Augustoprøret 1943* (Augustunruhen 1943), 1979, machte Hans Kirchhoff jedoch erstens das Dagmarhaus zu einer Geschäftsstelle der Generäle in Silkeborg Bad nach dem 29. August 1943, da danach die Militärs in Dänemark uneingeschränkt geherrscht hätten, und meinte zweitens, daß das AA nach dem Oktober 1943 schrittweise zwischen der deutschen Polizei und dem Militär zermahlen worden sei.[555] Dies ist eine sehr starke Auslegung der veränderten Machtverhältnisse zwischen den verschiedenen deutschen Behörden in Dänemark nach Aufhebung des militärischen Ausnahmezustands und bis Mai 1945. Dieser Auslegung fehlt eine Fundierung im zur Verfügung stehenden Material. Es ist nicht nur ein schlechtes Bild, das Dagmarhaus als Poststelle für die Generäle zu charakterisieren, die erst im November 1943 nach Silkeborg Bad umzogen, sondern direkt irreführend. Die Bedeutung der Forderungen des Militärs nahm zum Kriegsende hin deutlich zu, aber das rechtfertigt noch lange nicht Kirchhoffs Schlußfolgerung. Dasselbe gilt für das Verhältnis zum AA, das zweifellos mehr und mehr Terrain an das OKW und die SS verlor, was aber nicht gleichbedeutend damit war, daß dessen Repräsentant in Dänemark, Werner Best, zermahlen wurde. Er verlor an Terrain, das ist unzweifelhaft, doch er wurde nie kaltgestellt. Dies lag weniger an seiner Machtbasis, als an der Durchschlagskraft der Argumente und seiner eminenten Begabung für das politische Spiel. Beispiele hierfür sind die Auseinandersetzung über die zweckmäßigsten Repressalien in Verbindung mit der Werftsabotage, als Best im Dezember 1944 die Zustimmung von Ernst Kaltenbrunner zu seiner Auffassung hiervon bekam, und die Abwehr der Beschlagnahmung der dänischen Docks und Kräne kurz danach trotz eines entsprechenden ausdrücklichen Führerbefehls.[556] Kein Wunder, daß sich der HSSPF und der BdS dem Standpunkt Bests bezüglich der Werftsabotage anschlossen, nachdem Best die Zustimmung Kaltenbrunners erreicht hatte.

Es gibt weitere Beispiele aus demselben Zeitraum, daß sich sowohl der WB Dänemark als auch der HSSPF und der BdS einer Politik anschlossen, die zuerst von Best formuliert worden war. Unterschieden werden muß zudem zwischen HSSPF und BdS;

553 Kirchhoff in *Besættelsen hvem, hvad, hvor*, 1. Aufl. 1965, S. 390, 3. Aufl. 1979, S. 271. Kirchhoff hat dieses Urteil später aufgegeben, siehe *Hvem var hvem 1940-1945*, 2005, S. 35.

554 9:226, 249 und 256. Duckwitz kolportierte in seinen Erinnerungen, daß der HSSPF Best unterstellt wurde! (ABA, Duckwitz 1945-46c, S. 17). Vgl. Rosengreen 1982, S. 167, der ebenfalls diese Information mit Duckwitz als Quelle wiedergibt. Der Beschluß zur Absetzung von Pancke muß spätestens am 2. Mai 1945 getroffen worden sein, da Dönitz ihn nicht zum Treffen in Mürwik einberief.

555 Kirchhoff, 2, 1979, S. 463f. und 473. Eigenartigerweise ist dieselbe Auffassung in einer anderen Formulierung wiederzufinden bei Rich, 2, 1974, S. 117.

556 Siehe 8:233 und 276 mit weiteren Verweisen.

Bovensiepen war nicht Pancke, sondern Kaltenbrunner unterstellt, und machte seine eigene Politik, beispielweise was die deportierten dänischen Polizisten betraf. Die Frontlinien verliefen nicht so klar, wie Kirchhoff es gern gewollt hätte. Es gab mehr Zwischentöne, doch einige grundsätzliche Gegensätze gab es natürlich weiterhin. Das konnte beinahe auch nicht anders sein, als die Terrorpolitik weitergeführt werden *mußte*, und selbst hierbei scheint ab Anfang März 1945 eine gewisse Veränderung eingetreten zu sein, als die deutsche Sicherheitspolizei deren Umsetzung danach weitgehend den dänischen Handlangern überließ.[557] Dies lag nicht am Einfluß von Best, aber daran, daß auch der BdS das Ende des Ganzen absehen konnte.

Bleibt die Frage, in welchem Maß es Best war, der Teile der Besatzungspolitik 1942-45 gestaltete. Sie ist schwieriger zu beantworten, insbesondere da er in zentralen Bereichen eine bereits festgelegte Politik erbte und diese konsequent weiterführte. Hinzu kommt, daß die Anzahl der Anweisungen an ihn aus dem AA und vom Führerhauptquartier relativ klein war. Entweder bekam er Anweisungen mit einem Handlungsrahmen, innerhalb dem er sich bewegen konnte, was ich am wahrscheinlichsten halte, oder eine ganze Reihe von Anweisungen an ihn sind verloren gegangen. Das erhaltene Material gibt hierfür jedoch keine Indizien und verweist nicht auf zahlreiche jetzt unbekannte Anweisungen.[558]

Anfang Juli 1944 warf Hitler Best im Führerhauptquartier in herablassenden Formulierungen sein selbständiges Handeln in Dänemark vor und machte ihn darauf aufmerksam, daß er die Politik auszuführen habe, die ihm angewiesen wurde, und keine andere. Best hat später dieses Treffen so wiedergegeben, um sich in Positur zu stellen.[559] Trotz der Tendenz war Best ohne Zweifel nicht der Typ, die Versuche aufzugeben, sich einen politischen Handlungsspielraum zu verschaffen, um selbständig handeln zu können, und er handelte selbständig – vor und auch nach Juli 1944. Dies wurde u. a. dadurch ermöglicht, daß das AA in den meisten Fällen den Stellungnahmen folgte, die Best zu zahlreichen Fragen verfaßte. Es gab weitaus weniger Fälle, bei denen dies nicht geschah, und es gab letztlich nur sehr wenige Fälle, bei denen das AA Entscheidungen zu Sachverhalten fällte, bei denen Best vorher nicht angehört wurde. Das kann auch damit zusammenhängen, daß insbesondere Letzteres zu Problemen führte.[560] Best verstand es, Probleme zu schaffen, wenn er meinte, daß dies dem Zweck diente.[561] Nach der Polizeiaktion vom 19. September 1944 unterstützte Ribbentrop Best im Machtkampf

557 Siehe Anhang 3. Dank an Henrik Lundtofte, daß er u. a. darauf hingewiesen hat.
558 Es kann u. a. als ein Zeichen für Ribbentrops begrenztes Interesse an Dänemark gewertet werden, daß sich die Biografien über ihn nicht mit Dänemark beschäftigen (Weitz 1992, Bloch 1993), ebenso wenig wie Seabury 1954 über das AA. Das bezeugt auch das begrenzte ausländische Interesse an den deutschen Beziehungen zu Dänemark. Dies hat sich nach Erscheinen von Herbert 1996 geändert. So enthält u. a. Longerichs Biografie über Himmler einen Textabschnitt über das Verhältnis zu Best und Dänemark (Longerich 2008, 674f., 677).
559 Siehe 7:63.
560 Ein ausgeprägtes Beispiel hierfür ist die Vereinbarung vom 22. November 1943 zwischen dem AA und dem OKM über die Konfiszierung von dänischen Schiffen (5:9), der Best danach konsequent entgegenarbeitete, siehe Lauridsen 2010b.
561 Siehe Lauridsen 2006b über die Fahrradkonfiszierung am 26. Oktober 1944, als Best den Vorgang bewußt eskalieren ließ.

mit dem HSSPF und dem BdS, doch das war auch das letzte Mal. Danach wurde es immer schwerer, Rückhalt bei einem schrittweise geschwächten AA zu finden, und es half nur wenig, daß das AA ebenso wenig wie Best die Demütigung in Verbindung mit der Polizeiaktion vergaß.[562] Das AA verfügte nicht mehr über viel politische Kraft, um eingenommene Positionen in den letzten sechs Monaten der Besatzung durchzusetzen, auch nicht als es um den Jahreswechsel 1944/45 darum ging, Best auf Linie zu bringen, als Ribbentrop wollte, daß er bei der Bekämpfung der Schiffssabotage spurte.[563] Zu diesem Zeitpunkt hatte Best längst angefangen, sich im Hinblick auf die absehbare deutsche Niederlage Unterstützung anderswo zu suchen, u. a. bei Karl Kaufmann in Hamburg.[564] Dies setzte sich 1945 fort, soweit dies auf der Grundlage des dünnen Materials verfolgt werden kann.

Darüber hinaus hatte Best begonnen, an seiner Verteidigung für die Nachkriegszeit zu arbeiten, sekundiert von G. F. Duckwitz.

Exkurs: Werner Bests Aufzeichnung vom 31. Juli 1945.
Abschrift

Kopenhagen, den 31.7.1945.

Aufzeichnung

Während meiner Amtszeit als Reichsbevollmächtigter in Dänemark habe ich mich in meinem politischen Handeln von zwei Prinzipien leiten lassen, die zu den Grundsäulen meiner Weltanschauung gehören:

Das erste ist das völkische Prinzip, das in jedem Volke die Verwirklichung eines göttlichen Schöpfungsgedankens erblickt und deshalb jedem Volke gleiche Würde und gleiches Lebensrecht zuerkennt.

Das zweite ist das Prinzip der Vertragstreue, das mit meiner Überzeugung zusammentritt, daß das Moralische auf weite Sicht stets auch das politisch Richtige ist.

Nach diesen Prinzipien entschloß ich mich bei meinen Amtsantritt in Kopenhagen am 5.11.1942, vor allem die vom Deutschen Reiche am 9.4.1940 garantierte Souveränität und Integrität des Dänischen Staates zu erhalten und zu schützen. Dieser Absicht gab ich durch meine Zusammenarbeit mit der Regierung des Staatsminister von Scavenius sichtbaren Ausdruck. Ich bin noch heute der Überzeugung, daß diese Zusammenarbeit bis zum Ende des Krieges hätte fortgesetzt werden können, wenn sie nicht im ersten Halbjahr 1943 von der dänischen Widerstandsbewegung in die Luft gesprengt worden wäre. In richtiger Spekulation auf die Mentalität gewisser Stellen der deutschen Wehrmacht und der deutschen politischen Führung reizte die Widerstandsbewegung durch ihren Kleinkrieg diese Stellen so lange, bis die Explosion vom 29.8.1943 erfolgte. Die Widerstandsbewegung erstrebte diese Verschärfung der Lage in Dänemark, um ihrem Lande einen Platz in den Reihen der Alliierten zu erkämpfen. Nach dem Siege der Alliierten muß natürlich festgestellt werden, daß die Widerstandsbewegung recht behal-

---

562 Siehe 9:97.
563 8:241 und 9:2.
564 8:255 und 9:197.

ten und ihr Ziel erreicht hat. Im Jahre 1943 aber lag der Kleinkrieg in Dänemark und die durch ihn provozierte Verschärfung der Lage weder im Interesse der dänischen Bevölkerung noch im Interesse des Deutschen Reiches. Ich wehrte mich deshalb mit aller Kraft gegen die Nervosität und Empfindlichkeit, mit der der Wehrmachtbefehlshaber Dänemark und das Führerhauptquartier auf die (im Einzelfall wirklich nicht besonders schädlichen) Sabotageakte reagierten. Ich konnte mich aber gegen die militärischen Gesichtspunkte ("Dänemark ist die strategische Brücke nach dem Norden, die unbedingt sicher sein muß") und gegen den Prestigestandpunkt nicht durchsetzen. So kam es zum 29. August 1943.

Nach dem militärischen Ausnahmezustand und nach dem Wegfall der Regierung Scavenius war es für mich natürlich viel schwerer als vorher meine Politik der Erhaltung der dänischen Souveränität und Integrität fortzusetzten. Denn auf dänischer wie auf deutscher Seite neigten gewisse Kreise nunmehr dazu, die beiden Länder als einander feindlich oder gar als mit einander im Kriege befindlich zu betrachten. Jene deutschen Kreise wünschten, daß Dänemark politisch und wirtschaftlich den kriegerisch besetzten Ländern gleich behandelt werden solle – und die erwähnten dänischen Kreise wünschten das Gleiche und taten alles, um eine solche Behandlung zu provozieren. Dazwischen stand ich und führte einen verzweifelten Zweifrontenkrieg um die Fortführung der von mir gewollten Politik. Unter diesen Umständen konnte ich nicht alle deutschen Maßnahmen verhindern, die ich ablehnte und die den deutsch-dänischen Vereinbarungen vom April 1940 widersprachen. Solche Maßnahmen wurden gegen meinen Widerspruch befohlen. Gehorsamsverweigerung hätte nichts genützt. Über die Frage meines Rücktritts werde ich weiter unten etwas sagen.

Dennoch gelang es mir eine Reihe schwerwiegender Maßnahmen, die von maßgebenden deutschen Stellen nach dem Vorbild der übrigen besetzten Gebiete auch für Dänemark gefordert wurden, durch meinen Widerspruch und durch meine Gegenargumente zu verhindern. Ich darf heute abschließend feststellen, daß Dänemark in zahlreichen sehr wichtigen Punkten anders behandelt worden ist als alle anderen besetzten Länder und daß dies das Ergebnis meines 2 ½ jährigen Kampfes um die von mir gewollte – leider nicht in allen Punkten verwirklichte – Politik ist.

Persönlich setzte ich mich mit meiner Politik zwischen alle Stühle. In Dänemark erkannte man nicht an, was ich für das Land tat, weil man meist garnicht wußte, was ich von dem Lande abgewendet hatte; vielmehr machte man mich für alle Maßnahmen, die gegen meinen Widerspruch durchgeführt wurden, mit verantwortlich. Im Reich aber galt ich als einseitiger Vorkämpfer dänischer Interessen gegen die deutschen Interessen und erregte in steigendem Masse den Zorn der obersten Spitze. Anfang Juli 1944 wurde mir auf dem Obersalzberg von Hitler in einer höchst erregten Scene vorgeworfen, daß ich nicht energisch genug die Reichsinteressen in Dänemark verträte. Im Frühjahr 1945 bezeichnete er mich vor Anderen als "Biest", als ihm Telegramme vorgelegt wurden, in denen ich wieder irgendwelchen Maßnahmen betreffend Dänemark in rücksichtsloser Deutlichkeit widersprach.

Nach meiner Erinnerung, die vielleicht noch einiger Ergänzungen bedarf, sind es vor allem die folgenden Maßnahmen, die von deutschen Stellen für Dänemark geplant oder gefordert waren und deren Durchführung ich verhindert habe:

1.) Einschaltung der dänischen Nationalsozialisten in die Leitung des Staates. (Ich erinnere an die Ministerliste, die der Reichsminister von Ribbentrop Ende Oktober oder Anfang November 1942 in Berlin dem dänischen Außenminister von Scavenius übergab und von der ich dann bei meiner Zustimmung zur Zusammensetzung der Regierung Scavenius abwich, ohne Berlin zu fragen.)

2.) Verbot der Folketingswahl vom 23.3.1943 (um die Schwäche der dänischen Nationalsozialisten zu verschleiern, die ich gerade durch die Wahl demonstrieren wollte).

3.) Einrichtung einer dauernden Militärverwaltung unter dem General von Hanneken nach dem 29.8.1943.

4.) Verbringung der am 29.8.1943 internierten dänischen Soldaten in das Reich. (Ich habe statt dessen ihre Freilassung durchgesetzt.)

5.) Einziehung der Vermögen der Juden in Dänemark nach dem 1.10.1943. (Ich habe durch absichtliche Indiskretionen die Flucht der meisten Juden ermöglicht.)

6.) Festsetzung und Exekution von Geiseln.

7.) Erschießung dänischer Häftlinge als Repressalie für Attentate auf Deutsche.

8.) Zwang gegen die Bevölkerung zur Bewachung von Bahnstrecken usw.

9.) Arbeitszwang gegen die Bevölkerung für die Befestigungsarbeiten.

10.) Zwangsrekrutierung dänischer Arbeiter zur Arbeit im Reich.

11.) Beschlagnahme und Wegführung aller dänischen Schiffe, Docks und Schwimmkranen.

12.) Beschlagnahme und Wegführung aller gebrauchsfähigen (und im Gebrauch befindlichen) Kraftwagen und Fahrräder.

13.) Umwandlung der Wehrmacht-Vorschüsse der Nationalbank in endgültige Kriegsbeiträge des dänischen Staates.

14.) Herabsetzung der Lebensmittelrationen in Dänemark.

15.) Positiver Gesinnungszwang gegen die dänische Presse (zum Beispiel zum Schreiben eigener prodeutscher Leitartikel).

16.) Übernahme des dänischen Staatsrundfunks in volle deutsche Regie.

17.) Wegnahme der Rundfunk-Empfangsgeräte der Bevölkerung.

18.) Zwangseinquartierung deutscher Flüchtlinge in dänische Privathäuser.

Alle diese Maßnahmen (mit Ausnahme der letzten) sind in den meisten besetzten Ländern durchgeführt worden. Daß Dänemark von ihnen verschont blieb, hat dem Lande während des ganzen Krieges eine Sonderstellung gegenüber den kriegerisch besetzten Ländern gegeben, in der immerhin ein Teilerfolg meiner Politik der Erhaltung der dänischen Souveränität und Integrität erblickt werden darf. Ich habe ja auch bei jeder Maßnahme, die in innere dänische Verhältnisse eingriff und die ich nicht verhüten konnte, der Dänischen Regierung oder Zentralverwaltung die Erklärung abgegeben, daß die Maßnahme auf Grund eines Kriegsnotstandes erfolgte und ein Präjudiz für die Souveränität des Dänischen Staates sei.

Soweit gegen meinen Widerspruch von der Reichsregierung Maßnahmen befohlen wurden, die ich nicht billigte, stand ich vor der Frage, ob ich aus diesem Grunde von meinem Posten als Reichsbevollmächtigter zurücktreten solle. Ich habe diese Frage öfter mit dem Staatsminister von Scavenius und mit dem Direktor Svenningsen besprochen. Das Ergebnis war stets, daß es für das deutsch-dänische Verhältnis und für das Land Dänemark besser sei, wenn ich auf meinem Posten bliebe, als wenn ich durch einen Anderen ersetzt würde. Daß ich übrigens nicht nach meinem Willen zurücktreten konnte, beweist die Ablehnung meines Rücktrittsgesuches vom September 1944. Nachdem ohne mein Wissen und gegen meinen Willen die dänische Polizei abgelöst und teilweise interniert worden war, bat ich über den Reichsaußenminister um Abberufung von meinem Posten. Trotz der starken Brüskierung, die ich erlitten hatte, lautete die Entscheidung Hitlers, daß ich auf meinem Posten zu verbleiben hätte. Ein eigenmächtiges Verlassen des Postens hätte schwerste Bestrafung nach sich gezogen.

Dr. Werner Best

8. Der "Sonderfall" – deutsche Besatzungspolitik in Dänemark in europäischer Perspektive

> "Es ist nötig, die dänische Besatzungszeitforschung in einen internationalen Zusammenhang zu stellen und Vergleiche anzustellen. Es gab, nicht nur in Dänemark, eine starke Tendenz zu nationalem Provinzialismus bei der Geschichtsschreibung über den Zweiten Weltkrieg."
>
> *Henrik S. Nissen 1988, S. 425.*

Henrik S. Nissens Postulat ist vor 25 Jahren formuliert worden, hat aber nichts an seiner Aktualität eingebüßt. Was Dänemark betrifft, so wurden zwar einige vergleichende allgemeine Überblicke[565] und Vergleiche in Einzelbereichen[566] unternommen, doch nur mit einer Ausnahme[567] handelt es sich um Vergleiche mit einzelnen anderen Ländern. Man muß ins Ausland schauen, um Überblicke zu finden, die mehrere oder alle von Deutschen besetzten europäischen Länder vergleichen. Der größte und bislang ehrgeizigste davon ist die unter Werner Röhrs Leitung herausgegebene Reihe *Europa unterm Hakenkreuz* (EUHK) mit Aktenmaterial aus zahlreichen besetzten Ländern, die mit entsprechenden Einleitungen versehen sind. 1996 gab Röhr selbst eine sehr umfangreiche komparative Darstellung heraus,[568] der 1998 ein Band speziell über die Kollaboration in den deutsch besetzten Ländern folgte,[569] zu dem Hans Kirchhoff einen Artikel über die dänische "Staatskollaboration" beisteuerte.[570]

Bevor diese und weitere wissenschaftliche komparative Projekte über die deutsch besetzten Länder näher vorgestellt und vor einem dänischen Hintergrund bewertet werden sollen, soll die dänische "Vorgeschichte" kurz skizziert werden.

Bereits im Herbst 1940 begann man auf deutscher Seite davon zu sprechen, daß Dänemark eine Sonderstellung einnehme oder ein Sonderfall unter den deutsch besetzten Ländern sei. Dies wurde in den folgenden Jahren von sehr unterschiedlichen deutschen Behörden in und außerhalb von Dänemark häufig wiederholt. Ein charakteristisches Beispiel hierfür ist die Rede des Diplomaten Paul Barandon vom 27. März 1942,[571] ein weiteres die Meldung von Raul Mewis vom 1. März 1943,[572] um nur zwei Beispiele aus der vorliegenden Quellenedition hervorzuheben. Als Werner Best nach einer Rundreise durch die besetzten Länder im Herbst 1941 einen Bericht über die verschiedenen Formen der deutschen Besatzungsverwaltung ausarbeitete (Auszug hier in 1:3, worauf verwiesen sei),[573] kam er auch zu dem Ergebnis, daß Dänemark ein Fall für sich war, da

---

565 Trommer 1995a (Norwegen, Dänemark und Niederlande), Petrick 1998 (Norwegen und Dänemark). Außerdem Poulsen 1999.

566 Molin et al. 1979 (verschiedene Gegenstände: Skandinavien), Yahil 1969a und 1989 (Judenaktion: Niederlande und Dänemark), Grimnes 1972 (Sabotage: Norwegen und Dänemark), Nissen 1983 (verschiedene Gegenstände: Skandinavien), Bak 1999 (Judenaktion: Dänemark und Italien).

567 Poulsen 1985 und besonders 1997/1999, obwohl die Beiträge kurz sind.

568 Röhr 1996.

569 Röhr 1998a.

570 Kirchhoff 1998b.

571 1:4.

572 2:198. Ferner 8:265.

573 Siehe ferner u. a. Röhr 1996, S. 137-139, und Benz 1998, S. 20-22. Bests Typologisierung wurde das "Vorbild" für alle späteren Typologisierungen.

Dänemark das von Deutschland besetzte Land war, das mit den geringstmöglichen Ressourcen mit Hilfe der eigenen Regierung und Verwaltung des Landes verwaltet wurde. Er charakterisierte dies unter seinen "Aufsichtsverwaltungen" nicht direkt als "Bündnisverwaltung", doch es war das, was einer solchen am nächsten kam.[574] Es wurde später sein Ziel als Reichsbevollmächtigter, diese Organisation in Dänemark weiterzuführen. In einem erregten Treffen am 26. Mai 1944 mit Nils Svenningsen und Eivind Larsen über die Rolle der dänischen Polizei unterstrich Best in seiner Argumentation auch die Sonderstellung Dänemarks, eine Sonderstellung, für die er mit seinem milderen Kurs stets ein Fürsprecher gewesen sei, die durch von außen einwirkende Kräfte aus Deutschland aber bedroht sei. So wäre es eine Unterstützung der Stellung Bests, wenn man von dänischer Seite durch einen aktiven Polizeieinsatz guten Willen beweisen würde.[575] Es ist offensichtlich, daß Best die angebliche Sonderstellung als Druckmittel verwendete, indem er darauf anspielte, daß er sich in einem Machtkampf mit anderen deutschen Behörden befände. Ungeachtet dessen war die dänische Sonderstellung für ihn jedoch eine Realität. Ihm war bekannt, wie die Lage in den anderen deutsch besetzten Ländern war, nicht nur in Frankreich.

Dänische Historiker haben nach und nach diese Auffassung der Sonderstellung Dänemarks übernommen. Henning Poulsen war der erste, der sie explizit formulierte,[576] doch seither hat sich die Auffassung verbreitet. Das fand 2003 seinen Niederschlag in einer Konferenz in der Königlich Dänischen Bibliothek, bei der Dänemarks Sonderstellung aus verschiedenen Perspektiven – politisch, ökonomisch, kulturell – dargestellt wurde.[577] Anders verhält es sich außerhalb der Kreise der Historiker. Dort schreibt die Erinnerungsliteratur – wenig überraschend und sehr verständlich – Dänemark weiter in die Geschichte des Zweiten Weltkriegs ein, als gäbe es keine Unterschiede zwischen den Verhältnissen in Polen und Dänemark.

Draußen in der Welt haben die Historiker viel früher auf die Sonderstellung Dänemarks hingewiesen.[578] 1944 veröffentlichte der polnisch-amerikanische Jurist Raphaël Lemkin das umfangreiche Werk *Axis rule in occupied Europe*, dessen Kapitel 16 sich mit Dänemark von April 1940 bis August 1943 befaßte. Weiter reichte sein Material

---

574 Es ist bemerkenswert, daß Werner Best in seinen Schriften zu keinem Zeitpunkt Dänemark als ein Land nennt, das einer "Bündnisverwaltung" unterliegt (auch nicht nach 1945). Wie bereits erwähnt, hat er 1943 Pläne ausgearbeitet, Dänemark mit einer "Aufsichtsverwaltung" zu versehen. In der Literatur wird Dänemark sowohl als Land mit einer "Bündnisverwaltung" (u. a. Petrick 1998, S. 190, Herbert 1996, S. 326 (die reinste Form der "Bündnisverwaltung"), Benz 1998, S. 22, Lauridsen 2006c, S. 153) als auch als Land mit einer "Aufsichtsverwaltung" (Werner 1993, S. 31) bezeichnet. Beides ist generell zutreffend, da Bests Manuskript vom Herbst 1941 den Titel "Die deutschen Aufsichtsverwaltungen in Frankreich, Belgien, den Niederlanden, Norwegen, Dänemark und im Protektorat Böhmen und Mähren. Vergleichende Übersicht" trägt. Best verwendete den Begriff "Aufsichtsverwaltung" also sowohl als Oberbegriff als auch als Bezeichnung für einen speziellen Typ der Verwaltung.

575 Hæstrup, 1, 1966-71, S. 487f.

576 Poulsen 1995, passim, und 2002, S. 19.

577 Die Konferenz fand am 3. Mai 2003 statt. An ihr wirkten John T. Lauridsen, Bo Lidegaard, Joachim Lund, Hans Hertel, Sofie Bak, Henrik Lundtofte und Henrik Skov Kristensen mit. Die Konferenzbeiträge sind mit einer Ausnahme (Skov Kristensen 2005) unveröffentlicht.

578 Hier muß hinzufügt werden, daß einzelne Historiker versucht haben, auch andere westeuropäische Länder zu Sonderfällen zu machen. Dies gilt z. B. für Jay Howard Geller 1999 in Bezug auf Belgien.

zu diesem Zeitpunkt nicht. Lemkin konzentrierte sich auf die Gesetzgebung in den deutsch besetzten Ländern und das Regierungssystem, nahm jedoch keinen zusammenfassenden Vergleich vor. Aus dem Kapitel über Dänemark geht jedoch klar hervor, daß er einen Fokus darauf legte, daß Regierung und Verwaltung bis August 1943 unverändert weiter arbeiteten, die Gesetzgebung durch die dänische Regierung erfolgte und im März 1943 eine Wahl stattfand. Auch wurde die Zensur von den dänischen Behörden unter deutscher Aufsicht vorgenommen. Ebenso konnten die dänischen Streitkräfte weiterbestehen. Die deutschen Eingriffe und Forderungen erzeugten Druck auf die dänische Regierung, die aus diesem Grund u. a. Anfang 1941 eine Reihe Torpedoboote übergab, Antikommunistengesetze verabschiedete und sich im November 1941 dem Antikominternpakt anschloß. Dänische Arbeiter wurden gezwungen, einer Arbeit in Deutschland zuzustimmen, nachdem ihnen angedroht wurde, ansonsten ihre Unterstützung zu verlieren. Die deutsche Forderung nach einem Judengesetz sei von dänischer Seite kategorisch abgelehnt worden, besonders weil König Christian X. dagegen war.[579]

Lemkin richtete seinen Blick darauf, daß die politischen Verhältnisse und Strukturen, darunter die Gesetzgebungsarbeit, im Großen und Ganzen unverändert geblieben waren, was er über die anderen besetzten Länder in Europa nicht schreiben konnte. Da er kein Material über die Zeit nach August 1943 hatte, konnte er sich damit auch nicht näher befassen und Ähnlichkeiten und Unterschiede zu der Zeit davor beschreiben.

Die Umstände, die Lemkin über das besetzte Dänemark in der Zeit bis August 1943 hervorhob, waren weitgehend richtungweisend für die darauffolgende internationale Behandlung Dänemarks in einer europäischen Perspektive. Dabei entfiel jedoch der behauptete Einfluß Christian X. darauf, daß in Dänemark kein Judengesetz verabschiedet wurde; daß ein solches Gesetz nicht kam, wurde aber wiederholt erwähnt.

Der amerikanische Historiker Clifton J. Child legte 1954 die erste systematische Kategorisierung verschiedener Typen der deutschen Besatzungsverwaltung vor. Dies geschah im Rahmen des groß angelegten Projekts über "Hitlers Europa" unter der Leitung von Arnold Toynbee, in dem zuerst die politische, dann die wirtschaftliche Struktur von Hitlers Europa von einer Reihe von Experten allgemein dargestellt wurde, worauf anschließend Kapitel über die einzelnen Länder folgten, darunter auch Dänemark. Trotz des Entstehungszeitpunkts und des noch begrenzten Forschungsstands und Quellenzugangs besitzt das Werk weiterhin Wert.

Als Grundlage wählte Child den völkerrechtlichen/kriegsrechtlichen Status der besetzten Gebiete am Ende des Jahres 1943 und leitete daraus die folgenden Kategorien ab:

1.) Annektierte Gebiete (Gebiete in Osteuropa, Teile von Belgien).
2.) Gebiete, die unter die Führung einer Zivilverwaltung gestellt wurden (Teile von Jugoslawien, Frankreich, Luxembourg, Bialystok).
3.) Angeschlossene Territorien (Generalgouvernement, Reichskommissariat Ukraine, Generalbezirk Weißruthenien, Reichskommissariat Ostland, Protektorat Böhmen und Mähren).

---

579 Lemkin 1944, S. 157-164.

4.) Besetzte Gebiete (Belgien, Nordfrankreich, der besetzte Teil Frankreichs, Griechenland, der serbische Teil von Jugoslawien, Norwegen, die Niederlande und Dänemark).

5.) Die so genannten "Operationszonen" (Teile von Italien). (S. 91-97).

Insbesondere für die Kategorie 5 (Operationszonen) sei angemerkt, daß die Kategorien vor dem Hintergrund der Lage am Jahresende 1943 aufgestellt wurden und Child die Errichtung der Operationszone auf den Zusammenbruch Italiens im September 1943 datiert (S. 96). Diese Kategorie 5 kann besonders konstruiert erscheinen, ist in Bezug auf die gewählte Logik aber konsequent, auch wenn es tatsächlich weitaus mehr Operationszonen gab.

Dänemarks Einstufung in Kategorie 4 ist einleuchtend und nicht zu bestreiten. Child stellt den dänischen Fall nicht nur als einzigartig ("outstanding") dar, sondern beschreibt Dänemark als Musterprotektorat, da die militärische Besatzung mit einer nur begrenzten Einmischung in die inneren Verhältnisse kombiniert wurde. Die Kontrolle sei stattdessen mit diplomatischen Mitteln durch den deutschen Reichsbevollmächtigten in Kopenhagen ausgeübt worden. Dies hätte dazu geführt, daß nicht nur das dänische Parlament weiter funktioniert hätte, sondern auch das dänische Heer intakt geblieben wäre, obwohl dies auf bestimmte Teile des Landes beschränkt geblieben wäre. Der dänischen Außenpolitik seien wichtige Veränderungen abverlangt worden, insbesondere nach dem Angriff auf die Sowjetunion, als Dänemark gezwungen wurde, die diplomatischen Beziehungen zur Sowjetunion abzubrechen und dem Antikominternpakt beizutreten. Darüber hinaus hätte Dänemark die Gründung des Freikorps Dänemark sowie das Verbot der DKP zulassen müssen.

Die Lage hätte sich ab der Augustkrise 1943 insofern geändert, als das dänische Heer und die Regierung verschwanden und der Einfluß des Reichsbevollmächtigten beschränkt wurde, indem ein gleichgestellter HSSPF ins Land kam, so daß Dänemark in den beiden letzten Jahren von drei verschiedenen deutschen Instanzen kontrolliert wurde: von Hanneken, Best und Pancke. "Denmark consequently reached the ironical position of continuing theoretically to retain her 'autonomy', with her Constitution still in force, and her diplomatic representatives abroad, in some cases, *en post*, while in practice her affairs were probably subject to closer German SS and police scrutiny than those of any other Western European Country" (S. 105f.). Aus einer Fußnote geht zudem hervor, daß Child der Auffassung war, daß das Experiment, ein Land mit diplomatischen Mitteln zu kontrollieren, fehlgeschlagen sei.

Da Childs Beschäftigung mit Dänemark Teil einer systematischen Beschreibung ausgehend von den fünf Kategorien war, mußte er viele Zwischenschritte auslassen und stattdessen immer wieder auf die ausführlichere Darstellung der dänischen Verhältnisse von Viscount Chilston später im Werk verweisen. Diese hat Childs Auffassung besonders beeinflußt, was die Rolle der deutschen Polizei angeht, wobei Chilston eine ziemlich radikale Auffassung davon für die Zeit nach Bests schlechter Handhabung des Kopenhagener Generalstreiks 1944 hat: "Early in August, therefore, the Gestapo took over the judicial power in Denmark from the German courts martial and a new wave of terror was inaugurated by their chief, Günther Pancke, who now became the dominant power in the land."[580] Chilstons Bewertung läßt sich weitgehend damit erklären, daß er seine Darstellung der Verhältnisse 1944-45 in einem sehr hohen Maße auf zeitgenössischem englischen und zum Teil deutschen Zeitungsmaterial aufbaute.

Child kam zu dem Schluß, das diplomatische Experiment sei gescheitert und die Rolle des AA sei so begrenzt geblieben, daß es nicht gelang, Dänemark durch die Diplomatie zu kontrollieren. Die Aufgaben mußten an die deutsche Polizei übertragen werden. Dennoch verwies er auch darauf, daß Dänemark seine Verfassung und eine Art "Autonomie" gewahrt hätte.

Childs Kategorisierung wurde u. a. von Werner Röhr kritisiert, der meint, daß sie zu ungenau sei und viele Gebiete zunächst in eine der aufgestellten Kategorien und später in eine andere gehören würden. Selbst Dänemark wäre schließlich unter Kategorie 5, Operationszonen, gefallen, ergänzt er.[581] Die Kritik ist nicht unbegründet, doch Röhr scheint zu übersehen, daß Child ausdrücklich auf der Lage im Herbst 1943 aufbaut. Wäre der Bezugsrahmen der Herbst 1944 gewesen, wäre die Einordnung der einzelnen Länder anders ausgefallen, doch es wäre die Frage, ob es für eine abdeckende Kategorisierung zweckmäßig gewesen wäre, einen so späten Zeitpunkt zu wählen, als sich die Krieg in der Schlußphase befand.

Viele Jahre verstrichen, bevor Childs Arbeit 1979 von dem polnischen Historiker Czeslaw Madajczyk aufgegriffen wurde, der zuvor ein zweibändiges Werk über die deutsche Besatzungspolitik in Polen geschrieben hatte.[582] Madajczyk bezog sich explizit auf die Überlegungen, die die nationalsozialistischen Theoretiker (sprich Best) in Bezug auf verschiedene Besatzungstypen angestellt hatten, sowie auf einige knappe Formulierungen von Karl Dietrich Bracher, nach denen es drei Formen der nationalsozialistischen Herrschaft gegeben hat: das barbarische Regime mit Versklavung und Dezimierung in Polen und der besetzten Sowjetunion, die Militärregierungen und Kollaborationsregime in West- und Nordeuropa und schließlich eine Hegomonialpolitik gegenüber Scheinallianzpartnern in den Satellitenländern in Südosteuropa.[583] Es waren jedoch Madajczyks eigene Forschungen über das deutsche Besatzungssystem und besonders über dessen Hauptkomponente – "das steuernde Subsystem", wie er sie nannte –, die die Hauptgrundlage bildeten. Dies führte ihn dazu, ausgehend von den Ähnlichkeiten bei der Zielsetzung der Besatzung, den Methoden, mit denen die besetzten Länder behandelt wurden, oder auch der Art und Weise, wie die Besetzten von der Besatzungsmacht aufgefaßt wurden, verschiedene Besatzungstypen aufzustellen:

Der erste Typ umfaßte durch Macht annektierte Länder: Österreich und das Sudetenland. Dieser Typ unterschied sich von den anderen Formen der Besatzung dadurch, daß die Besatzungssituation nicht wesentlich als solche empfunden wurde, die besetzten Gebiete aber Teil von Deutschland werden sollten.

Der zweite Typ umfaßte Polen und die als deutscher "Lebensraum" ausersehenen Gebiete der Sowjetunion, bei denen eine vollständige Vernichtung der politischen,

---

580 Chilston 1954, S. 531.
581 Röhr 1996, S. 139f., und 1997, S. 16.
582 Madajczyk 1979, gefolgt von ders. 1985, 1997 und 1998 nach einem langen Forscherleben, das der deutschen Besatzungspolitik gewidmet war.
583 Bracher 1972, S. 440.

wirtschaftlichen und gesellschaften Strukturen sowie des kulturellen Lebens angestrebt wurde.

Der dritte Typ waren die als "germanisch" angesehenen Länder, die unter Ausnutzung der örtlichen faschistischen Bewegungen darauf vorbereitet wurden, ein Teil des großdeutschen Reiches zu werden: Norwegen, die Niederlande, Belgien und Dänemark. "Eine Ausnahme bildete die dem kleinen Dänemark gegenüber angewandte Taktik, wo trotz der militärischen Besetzung die Respektierung seiner Souveränität vorgetäuscht wurde. Dies sollte sozusagen die Visitenkarte angesichts der neutralen Staaten sein; im entsprechenden Moment hätte dieses kleine Land unschwer zur Aufgabe seiner Unabhängigkeit gezwungen werden können."

Der vierte Typ war das nach militärischen Grundsätzen verwaltete Frankreich.

Der fünfte Typ umfaßte das von Deutschland und Italien gemeinsam verwaltete Jugoslawien sowie Griechenland – wobei das militärisch verwaltete Serbien eine Ausnahme darstellte.

Zum sechsten Typ zählten die früheren alliierten und dann besetzten Länder: Italien, Ungarn, die Slowakei. Diesen Ländern wurde mehr oder weniger die Aufrechterhaltung ihrer Unabhängigkeit in Aussicht gestellt. Hier fungierte eine Militärverwaltung wie in einem fremden Land.

Madajczyk untersuchte im Folgenden "das steuernde Subsystem", das hier nicht näher vorgestellt werden soll, da die Situation Dänemarks darin in sehr bescheidenem Umfang behandelt wurde. Dies gilt im Übrigen auch für die Zuordnung Dänemarks in der Typologisierung von Madajczyk,[584] und wenn diese dennoch vorgestellt wird, dann in erster Linie, um eine europäische Perspektive darzustellen. Es gab sehr große Unterschiede zwischen den Zielsetzungen und Mitteln, die Deutschland in den verschiedenen besetzten Ländern anwandte, enorm große, wenn man beispielsweise einen Vergleich zwischen Polen und Dänemark zieht, zwischen einem Land, in dem versucht wurde, die politischen, wirtschaftlichen und gesellschaftlichen Strukturen und das kulturelle Leben zu vernichten und die Bevölkerung zu reduzieren oder zu vertreiben, und einem Land, in dem dieselben Strukturen und das kulturelle Leben weitgehend weiter bestanden wie bis dahin. Dies profiliert Madajczyks Typologisierung, obwohl sie dafür kritisiert wurde, formelle Kriterien mit programmatischen und pragmatischen zu vermischen.[585] Das tut sie wohl auch, aber verglichen mit Childs Kategorisierung stellt sie auf eine ganz andere, fundamentale Weise dar, was in den einzelnen Ländern vor sich ging und welche Konsequenzen dies für die Bevölkerung und Gesellschaft hatte. Die Vergleiche haben nicht den Zweck, eine akademische Übung zu sein, sondern denn, sie auf eine Weise, die in Bezug auf die verschiedenen Besatzungswirklichkeiten sinnvoll ist, analytisch aufzugreifen. An diesem Punkt geht man über Madajczyk hinaus, doch er hat eine Agenda dafür aufgestellt, was in jedem Fall bei künftigen Vergleichen berücksichtigt werden sollte. Danach stellt sich die Aufgabe, herauszufinden, warum die deutsche Besatzungspolitik in den besetzten Ländern so unterschiedlich war. Dem möchte ich mich abschließend zuwenden.

---

584 Es ist unsicher, auf welcher Literaturgrundlage Dänemark einbezogen wurde.
585 Umbreit 1988, S. 98, Röhr 1996, S. 142f.

Ein weiterer polnischer Historiker, Waclaw Dlugoborski, arbeitete zeitgleich mit seinem Kollegen und Zusammenarbeitspartner Madajczyk an einer Typologisierung der deutschen Besatzungspolitik im besetzten Europa.[586] Dlugoborski hielt auf dem 7. Internationalen Kongreß über Wirtschaftsgeschichte in Edinburgh 1978 den Vortrag "Economic Policy of the Third Reich in occupied and dependent Countries 1938-1945. An Attempt at a Typology", der 1980 in einer erweiterten Form veröffentlicht wurde. Die Typologisierung änderte er im Jahr darauf, so daß sie die deutsche Besatzungspolitik insgesamt umfaßte, und legte dies in einem Artikel mit der bis dahin umfangreichsten Quellen- und Literaturverwendung (in west- wie osteuropäischen Sprachen) vor. Er diskutiert ausführlich eine lange Reihe an Faktoren, die in Betracht gezogen werden müßten, sowie die früheren Typologisierungen, bevor er seine eigenen Typen vorstellt. Er unterteilt die Besatzungspolitik nach deren Intensität und Richtung, aber auch nach den Unterschieden bei der gesellschaftlichen Entwicklung und den sozialen Veränderungen zwischen den besetzten und abhängigen Gebieten, die durch die deutschen Eingriffe verursacht wurden. Dadurch kommt er zu den folgenden Unterscheidungen (S. 42f.):

1.) Einführung einer rechtlosen, klassenlosen Gesellschaft (das annektierte polnische Gebiet und die slawischen Teile der besetzten Sowjetunion).
2.) Weitgehend deformierte, aber nicht vollständig unterworfene Gesellschaften (Generalgouvernement, die baltischen Sowjetrepubliken, Serbien).
3.) Die "germanischen" Gesellschaften, die der deutschen Volksgemeinschaft gleichen sollten und bei denen Änderungen in diese Richtung eingeleitet waren; "die sozialen Strukturen aus der Vorkriegszeit (nicht aber die politischen, mit Ausnahme Dänemarks) bestanden jedoch weiter" (Niederlande, Norwegen, der flämische Teil Belgiens).
4.) Die westeuropäischen, nicht-germanischen Industriegesellschaften, die während des Kriegs und danach ihre bisherige Struktur unter der "neuen Ordnung" behalten sollten (Frankreich, der wallonische Teil Belgiens).
5.) Die südeuropäischen Agrargesellschaften, deren Industrialisierung gehemmt oder zerstört wurde. Zugleich versuchte man, die Veränderungen in Folge der Besatzung abhängig davon, ob die Länder in der deutschen Kriegsführung beteiligt waren, abzubremsen oder abzumildern (Kroatien, Rumänien, Slowakei, Ungarn und zum Teil Bulgarien).

In der nachfolgenden Vertiefung der einzelnen Typen möchte ich nur genauer auf Typ 3 eingehen und zuvor nur mit Dlugoborski feststellen, daß Typ 1 und 2 diejenigen waren, die den direkten und indirekten Folgen der deutschen Besatzung am stärksten ausgesetzt waren. Für Typ 3 (und 4-5) bedeutete die deutsche Besatzung eine steigende Abhängigkeit von Deutschland, doch keinen tiefgehenden Eingriff in die soziale Struktur. Die Veränderungen bei den sozialen Verhältnissen, die von der Besatzungsmacht angestrebt

---

586 Dlugoborski und Madajczyk verfaßten gemeinsam: Ausbeutungssysteme in den besetzten Gebieten Polens und der UdSSR. F. Forstmeier und H.E. Volkmann (Hrg.): *Kriegswirtschaft und Rüstung 1939-1945*. Düsseldorf 1977, S. 375-416.

waren, waren entweder von unbedeutendem Umfang (Ausschluß der Juden), ein Ne-
beneffekt der deutschen Handelspolitik (steigende Rüstungsaufträge, Begrenzung der
Rohstoffzuteilung an die Konsumgüterindustrie mit daraus resultierenden Änderungen
bei der Arbeiterzusammensetzung), oder sie hatten nur einen vorübergehenden Charak-
ter wie die Zwangsverschickung von Arbeitern nach Deutschland. Im Schul- und Kul-
turbereich gab es nur auf bestimmten Feldern Eingriffe, um politisch die faschistische
Ideologie, den Deutschunterricht und den Rassegedanken zu fördern. In Dänemark
gab es überhaupt keine Eingriffe. In den west- und nordeuropäischen Ländern gab es
ein weitaus breiteres Spektrum an legalen Institutionen, die weiter bestehen konnten,
als in den osteuropäischen. "Sogar die Gewerkschaften, wenn auch in totalitärer Prä-
gung (in Dänemark auch die Sozialdemokratische Partei) durften weiter bestehen, was
unter den Arbeitnehmern, jedenfalls zu Anfang der Besatzung, den Schein erweckte,
daß auch ihre Interessen wahrgenommen wurden."

Wie gezeigt wird, ist die Typologie nicht unproblematisch, da der Unterschied
zwischen den Typen 1-2 und den Typen 3-5 so ausgesprochen abgegrenzt ist, daß es
schwierig wird, eine sinnvolle Unterscheidung und Differenzierung innerhalb der bei-
den "Blöcke" vorzunehmen. Was Dänemark betrifft, so ist es auch deutlich, daß das
Land selbst bei einer Eingruppierung unter Typ 3 recht große Unterschiede zu den an-
deren Ländern in dieser Gruppe aufweist.[587] Deshalb erscheint dies nur auf einer recht
allgemeinen Ebene als sinnvoll und weiterführend. Und daher muß gesagt werden, daß
die sympathischen Bestrebungen von Dlugoborski, mit den ausgewählten Typologisie-
rungskriterien die tatsächlichen Ergebnisse der Eingriffe der Besatzungsmacht zu ermit-
teln, nur auf der Ebene eines Entweder-Oder gelungen sind. Es fehlen viele Nuancen
zwischen den Ländern. Dennoch ist dieser Ansatz für die umfangreiche Diskussion der
Probleme bei der komparativen Beschäftigung mit der deutschen Besatzungspolitik
fruchtbar und perspektivenreich.[588]

Der deutsche Historiker Hans Umbreit hat für das Werk *Das Deutsche Reich und
der Zweite Weltkrieg* zwei Beiträge in Monografielänge über die deutsche Besatzungs-
politik in Europa geliefert. In diesem Zusammenhang hat er auch eine Differenzierung
zwischen den Verwaltungsstrukturen vorgenommen, die in den besetzten Gebieten an-
gewandt wurden.[589] Er geht allgemein von einer Dreiteilung in Reichsverwaltung, Zivil-
verwaltung und Militärverwaltung aus und fügt die folgenden Untergruppen hinzu:[590]

Die Reichsverwaltung umfaßte:
1.1.) die formell annektierten Gebiete, die von Reichsstatthaltern oder
       Oberpräsidenten geleitet wurden (Danzig-Westpreußen, Warthegau,
       Südostpreußen, Ostoberschlesien),
1.2.) die Gebiete, die als Reichsgebiet behandelt wurden, obwohl sie nicht formell

---

587 Dlugoborski scheint Dänemark betreffend ausschließlich Thomsen 1971 verwendet zu haben.
588 Angemerkt sei, daß Dlugoborski in der Typologisierung Österreich und das Sudetenland nicht
berücksichtigt hat (vgl. Röhr 1996, S. 141).
589 Umbreit 1981 (Zeitraum 1939-41), insb. S. 95-102, wo auch frühere Typologisierungen diskutiert
werden, und 1999 (Zeitraum 1942-45). Siehe außerdem Umbreit 1997 und 1998.
590 Umbreit 1981, S. 100.

annektiert wurden, und die von Zivilverwaltungschefs geleitet wurden (Elsaß, Lothringen, Luxembourg, Untersteiermark, die besetzten Gebiete von Kärnten und Krain, Bialystok).

Zivilverwaltungen oder zivile Überwachungsorgane wurden eingesetzt, wo wegen des Charakters der Besatzung politische Rücksichten genommen werden mußten oder ein anderes politisches Interesse vorlag:

2.1.) Staaten, bei denen Deutschland den "Schutz" unter einem Reichsbevollmächtigten übernommen hat (Dänemark).[591]

2.2.) Staaten mit einer "germanischen" Bevölkerung, die ein Teil des großgermanischen Reichs unter Reichskommissaren werden sollten (Norwegen, die Niederlande).

Militärverwaltungen wurden im Hinblick auf die weitere Kriegsführung oder aus Mangel an politischem Interesse beibehalten unter

3.1.) Oberbefehlshabern des Militärs und der Wehrmacht (Belgien, Frankreich mit den britischen Kanalinseln, Südosteuropa (Serbien, Saloniki-Ägäis, Südgriechenland mit Kreta)).

3.2.) Oberbefehlshabern der Heeresgruppen und der Armeen in den übrigen Heeres- und Armeegruppengebieten (Sowjetunion).

Hier soll nur Punkt 2.1 über Dänemark vertieft werden. Umbreit schreibt: "Unter den durch eine zivile Verwaltung oder Aufsicht beherrschten Gebieten bildete Dänemark eine Ausnahme. Mit Rücksicht auf die Landesregierung, die gegen den deutschen Einmarsch lediglich protestiert hatte, begnügte sich die Besatzungsmacht mit einer Kontrolle auf Regierungsebene durch den mit zusätzlichem Personal ausgestatteten Gesandten als Bevollmächtigten des Reiches. Dänemark blieb eine Domäne des Auswärtigen Amtes, Aufsicht und Einflußnahme vollzogen sich auf diplomatischem Wege. Das Land zahlte keine Besatzungskosten und war für die Deutschen eine Art Visitenkarte von propagandistischen Wert für den Umgang mit 'einsichtigen' Großraumvölkern germanischer Abstammung; für Best der Idealfall einer Bündnisverwaltung."[592] In den Abschnitten über die deutsche Besatzungspolitik in Dänemark entwickelt Umbreit dies auf der Grundlage der dünnen zugänglichen deutschsprachigen Forschung und von eigenen Quellenuntersuchungen (Letzteres vor allem für die Zeit bis 1942).[593] Es muß jedoch in anderen Teilen seiner Abhandlungen gesucht werden, um weitere Bereiche zu finden, bei denen Dänemark eine Ausnahme war. Dies galt u. a. für den Einsatz von Zwangsarbeitern.[594]

Umbreits Typologisierung wurde von Werner Röhr stark kritisiert, der u. a. nicht

591 In einer Fußnote erwähnt Umbreit, daß es auch Reichsbevollmächtigte in Böhmen und Mähren und in Griechenland gab, was aber die Unterteilung nicht beeinflußte, da es in diesen Gebieten eine andere Machtstruktur gab (Umbreit 1981, S. 100, Fußnote 354).

592 Umbreit 1981, S. 101.

593 Umbreit 1981, S. 46-50, und 1999, S. 13-17.

594 Umbreit 1999, S. 214f.

meint, daß sie die Zwecke einer wissenschaftlichen Typologisierung erfüllt: "Denn
deren abstrahierendes Vorgehen zielt gerade nicht darauf ab, die institutionelle Viel-
falt auszuschöpfen, sondern wesentliche Grundzüge und Formen auf den Begriff zu
bringen."[595] Dies ist ein Standpunkt, der auf der Grundlage der Typologisierung über-
prüft werden kann, die Röhr selbst vorgenommen hat. Dies wird unten gemacht. Zuerst
ist es jedoch die Frage, ob es nicht zweckmäßig ist, mehrere Typologisierungen mit ver-
schiedenen Kriterien und Blickwinkeln zu haben, und ob Umbreits Typologisierung
tatsächlich weniger wissenschaftlich ist als andere.

Dies kann mit dem Beitrag des niederländischen Soziologen Cornelis J. Lammers
zur komparativen Erforschung der deutschen Besatzungspolitik von 1995 illustriert
werden. Ausgangspunkt der Studie ist die Besatzungspolitik in der Niederlanden, wobei
Polen und Dänemark als weitere Hauptbeispiele für den Vergleich verwendet werden.
Dabei ist das Ziel ein radikal anderes als z. B. bei Umbreit. Lammers möchte die *Ni-
veaus der Kollaboration* (Zusammenarbeit) zwischen einer Besatzungsmacht und den
örtlichen Behörden vergleichen. Kollaboration definiert er in der breiten, neutralen Be-
deutung, wie sie Gerhard Hirschfeld bei seiner Analyse der deutschen Besatzungspolitik
in den Niederlanden verwendet hat: "cooperation with the enemy".[596] Als Ziel stellt
Lammers zwei zusammenhängende Problemstellungen auf (seine Methode): Um die
Niveaus der Zusammenarbeit unter Besatzungen vergleichen zu können, wird auf die
"Effektivität" aus Sicht der Besatzungsmacht und die "Umgänglichkeit" aus Sicht der
Besetzten fokussiert. Er ist sich voll bewußt, daß im Idealfall eine Materialmenge und
eine Anzahl von Vorgängen aus verschiedenen Ländern in einem Umfang erforderlich
sind, die er nicht zur Verfügung hat. Stattdessen stellt er einige plausible Hypothesen
"on the basis of reasonably well-founded impressions" auf (S. 57). Es handelt sich also
um eine historisch-soziologische Makroanalyse, und es macht Lammers alle Ehre, daß
er ausdrücklich schreibt, daß sich sein Wissen über Dänemark auf einen Artikel von
Aage Trommer 1983, Gustav Meissners Erinnerungen 1990 und einen Artikel von
O. P. Kristensen von 1991 beschränkt (S. 62, Fußnote 12).

Die drei ausgewählten Länder sind die Niederlande, Polen und Dänemark. Die Nie-
derlande wurden ausgewählt, weil es sich dort von 1940 bis 1945 um eine Zusammen-
arbeit auf der Zwischenebene ("meso-level") handelte, während in Polen von deutscher
Seite im gleichen Zeitraum nur eine Zusammenarbeit auf niedrigster Ebene eingesetzt
wurde. Schließlich ist Dänemark aufgenommen, weil "the crucial collaboration took
place at the top level of the State" (ebd.).

In einer systemtheoretischen Zugangsweise postuliert Lammers, daß die Autorität
einer Besatzung Folgendes zuwege bringen muß:

1.)   einen optimalen Input an (menschlichen, finanziellen, materiellen und legitimen)
       Ressourcen für die lokalen Systeme, Ressourcen, die auch direkt oder indirekt für
       die Besatzungsmacht von Bedeutung sind.

---

595 Röhr 1996, S. 140f. Umbreit hat nicht direkt auf diese Kritik geantwortet, siehe Umbreit 1997.
596 Lammers 1997 (verwiesen wird auf den Nachdruck von Lammers' Artikel hier und im Folgenden), S.
49, Hirschfeld 1984, S. 7.

2.) einen gewissen Spielraum für die lokalen Systeme für die Aufrechterhaltung ihrer traditionellen Routinen, d. h. einen gewissen Respekt für deren Kultur, Identität und Integrität.

Auf der anderen Seite muß die Besatzungsautorität in der Lage sein, abhängig zu sein von:

3.) einer loyalen Zusammenarbeit bei der Leitung der Systeme, die im Hinblick auf Input, Throughoutput [sic!] und Output bezüglich der von der Besatzungsmacht vorgegebenen Richtlinien und Pläne kontrolliert werden muß (S. 52).

Dieses dreigeteilte System muß bei der Untersuchung der Zusammenarbeitsniveaus in den drei ausgewählten Ländern vor Augen gehalten werden. Hier möchte ich mich darauf beschränken, Lammers' konkreten Zugang ausgehend vom dänischen Beispiel zu demonstrieren (S. 62, 64): Bis August 1943 standen die deutschen Repräsentanten einer dänischen Regierung gegenüber, mit der man verhandeln mußte. Es gab nur einen geringen deutschen Einfluß auf die politischen Entscheidungen und deren Auswirkungen auf der Ebene der öffentlichen Bürokratie sowie der privaten Wirtschaft. Es konnte ausschließlich Druck ausgeübt werden und die Besatzungsmacht war nicht dazu in der Lage, die Dänen zur Umstrukturierung ihres Regierungssystems und der industriellen Beziehungen zu zwingen. Dänemark hielt seine Selbständigkeit (2) in einem sehr viel höherem Maß als die Niederlande aufrecht, während die deutsche Politik auch dazu führte, daß Dänemark mindestens einen genauso großen Zugang zu Ressourcen (1) hatte wie die Niederlande. Dank der friedlichen Besatzung konnte Deutschland mit einer loyalen Zusammenarbeit mit der dänischen Elite (3) rechnen, ebenso sehr, wenn nicht mehr als bei der niederländischen. Nach August 1943 veränderte sich die Lage in Dänemark, nachdem die Regierung zurückgetreten war. Als Folge davon schrumpfte der Spielraum für die Systeme (2) in Dänemark, gleiches gilt für die Bereitschaft der dänischen Eliten zu einer loyalen Zusammenarbeit (3). Weil Lammers' Material so begrenzt ist, soll das dänische Beispiel hier nicht weiter referiert werden.

Lammers stellt u. a. einige interessante Überlegungen über die Effektivität der Besatzung in Dänemark beziehungsweise den Niederlanden an. Er ist sich nicht sicher, daß die Besatzung der Niederlande für Deutschland weniger effektiv war als die Dänemarks. Einerseits kann die Besatzungsmacht Ressourcen sparen, indem sie sich durch eine indirekte Lenkung auf die "normale" Effektivität einer Volkswirtschaft stützt, statt eine direkte Lenkung vorzunehmen. Andererseits kann eine Regierung in einem Vasallenstaat aus einer Position heraus verhandeln, die weniger schwach ist als die des Spitzenbeamten. Er versucht nicht, eine Antwort über den konkreten Vergleich zu geben, und hat dafür auch nicht das Material.

In der abschließenden Schlußfolgerung werden einige Betrachtungen hinzugefügt, die interessant sind, wenn man auf dem von Lammers skizzierten und abgesteckten Weg weiterarbeiten möchte. Ebenso faßt er in einer Tabelle seine Hypothesen zu den Zusammenarbeitsniveaus und deren Kosten und Vorteile zusammen. Diese sei hier wiedergegeben (S. 66).

Kosten und Vorteile der Zusammenarbeit

Zusammenarbeitsniveau	lokal/regional	Spitzenbeamte	Regierung
Hauptkontrollmittel	Terror	Halb-Autorität	Autorität
Bedingungen für lokale Systeme	Illegalität	begrenzte Autonomie	mehr Autonomie
"Effektivität" (für Besatzer)	–	+	+ oder ++
"Umgänglichkeit" (für Besetzte)	–	+	++
militärstrategisches Risiko (für Besatzer)	niedrig	mittel	hoch
politisches/moralisches Risiko (für Besetzte)	niedrig	mittel	hoch

Der deutsche Historiker Wolfgang Benz hat eine Typologie über die angewandten Herrschaftsformen in den Gebieten aufgestellt, die im Zweiten Weltkrieg unter deutschem Einfluß waren. Dies machte er 1997 im Rahmen einer Konferenz an der Süddänischen Universität (Syddansk Universitet) in Odense; das Ergebnis wurde ein Jahr darauf veröffentlicht. Benz bedient sich zweier Zugänge, einer an staats- und völkerrechtlichen Kategorien orientierten Typologie und einer differenzierten Beschreibung aus einer historisch-politischen Perspektive. Da insbesondere die zuletzt genannte Beschreibung relativ umfangreich ist, sei der Fokus recht eng auf den Fall Dänemark gerichtet.

Ausgehend von staats- und völkerrechtlichen Kategorien unterscheidet Benz die folgenden Typen:

1.) Die von Deutschland formell annektierten Gebiete (Österreich, Sudetenland, Memel, Danzig-Westpreußen, Warthegau, Südostpreußen, Ostoberschlesien).
2.) Gebiete, die einem Zivilverwaltungschef unterstellt und de facto annektiert waren (Elsaß, Lothringen, Luxembourg, Untersteiermark, Bialystok).
3.) Besatzung mit einer Militärverwaltung (Belgien, Nordfrankreich, die britischen Kanalinseln, Serbien, Griechenland, die übrigen Heeresbereiche in der Sowjetunion).
4.) Gebiete mit unterschiedlich praktizierten deutschen Zivilverwaltungen (Dänemark, Norwegen, Niederlande, Böhmen und Mähren, Generalgouvernement, die Reichskommissariate Ostland und Ukraine).
5.) Sonderformen der Herrschaft zwischen Annektierung und Besatzung (zahlreiche Länder und Gebiete nach der Kapitulation Italiens, "Operationszonen").

Der Vollständigkeit halber sei erwähnt, daß es noch andere Gebiete mit Sonderformen der Besatzungsherrschaft gab (Frankreich nach der vollständigen Besatzung Ende 1942 u. a.).

Danach legt Benz die historisch-politische Perspektive in Form von fünf umfangreichen Punkten an, von denen nur die ersten beiden Dänemark einbeziehen. Das Referat soll auch darauf beschränkt bleiben, wobei der Leser im Übrigen auf den Text von Benz verwiesen sei. Punkt 1 behandelt allein Dänemark, wobei erwähnt wird, daß die dänische Regierung bis zum 29. August 1943 im Amt blieb und ein deutscher Reichsbevollmächtigter mit einer geringen Anzahl an Beamten als Diplomat agierte. Punkt 2 über die Niederlande und Norwegen erwähnt auch Dänemark im Kontext der Frage, in welchem Grad die Besatzungsmacht sich der örtlichen NS-Parteien und der traditionellen Eliten bedienen konnte. Weder in Norwegen noch in den Niederlanden wurde den örtlichen Nationalsozialisten die Macht überlassen. Als Zusammenarbeitspartner wurden die örtlichen Eliten vorgezogen, was im Fall der französischen Vichy-Regierung viele Ergebnisse brachte und wofür es in Dänemark in einem bestimmten Zeitraum ebenfalls Ansätze gab. "Dänemark stellt aber auch einen einzigartigen Sonderfall dar, der kaum vergleichbar ist mit einem anderen Territorium unter deutscher Besatzungsherrschaft." (S. 16f.).

Später in seinem Artikel kommt Benz erneut auf Dänemarks Stellung im deutschen Machtsystem in Verbindung mit einer Präsentation von Werner Bests Typen der "Aufsichtsverwaltung" zu sprechen, wobei Benz Dänemark als unter "Bündnisverwaltung" stehend einordnet. "Die Okkupation dieses Landes war in vieler Beziehung ein Sonderfall." Die legitime dänische Regierung blieb nach der deutschen Invasion im Amt und war nachfolgend weder eine Marionettenregierung noch ein Kollaborationsregime. Das Auswärtige Amt nahm die Verbindung zu Dänemark wahr, die Aufgaben der Wehrmacht waren auf die Aufrechterhaltung der militärischen Sicherheit beschränkt. Die Verhältnisse mit einem König im Land und einer selbständigen Regierung mit eigener Exekutive blieben bis zur Telegrammkrise im Herbst 1942 einigermaßen stabil. Und dies setzte sich danach unter einem neuen Reichsbevollmächtigten fort, der jedoch versuchen sollte, die Mittel in den Händen zu haben, um über die innere Entwicklung Dänemarks zu bestimmen, bis sich seine Stellung eines Tages vielleicht ändern würde. "Der weitere Weg der 'Bündnisverwaltung' Dänemarks war damit vorgezeichnet: Verstärkter deutscher Druck auf die dänische Exekutive, militärischer Ausnahmezustand nach vermehrtem Widerstand, Rücktritt der dänischen Regierung, schließlich Terror zur Aufrechterhaltung der Okkupation." (S. 22f.).

Benz' staats- und völkerrechtliche Kategorien haben viele Ähnlichkeiten mit denen von Hans Umbreit, und was Dänemark betrifft, so scheint Umbreit konsequenter zu sein als Benz, indem er Dänemark in eine Kategorie für sich selbst eingruppiert (2.1 bei Umbreit), während Benz Dänemark zusammen mit einer Reihe anderer Länder eingruppiert, darunter Norwegen und die Niederlande, und Dänemark dennoch als Sonderfall bezeichnet und bemerkenswerterweise meint, daß sich Dänemark nicht mit anderen Ländern vergleichen läßt. Somit hätte Benz Dänemark mit gutem Recht als eigene Kategorie einstufen können. In jedem Fall hätten gewichtigere Argumente als das von Umbreit verwendet werden müssen, daß Dänemark unter deutschem Schutz gestanden hat.

Obwohl Benz betreffend Dänemark offenbar nur Erich Thomsens Buch von 1971 und Ulrich Herberts Best-Biografie als Grundlage hatte, ist es dennoch überraschend, wie irreführend die Verhältnisse in Dänemark nach August 1943 selbst in einem knappen Text wie diesem beschrieben werden können. So kann keine Rede davon sein, daß der deutsche Terror zur Aufrechterhaltung der Besatzung in Dänemark im letzten Besatzungsjahr eingesetzt wurde. Die Besatzungsmacht hätte ihre Kontrolle ausgezeichnet auch ohne den Terror aufrechterhalten können. Dieser war jedoch von Berlin diktiert worden, und weder Thomsen noch Herbert kann die von Benz aufgestellte Behauptung zugeschrieben werden.

Damit bin ich wieder bei Werner Röhr und seiner Typologisierung der deutschen Besatzungsformen sowie nicht zuletzt bei seiner Gesamtübersicht über die gemeinsamen Grundzüge für alle besetzten Gebiete, die er auf der Grundlage sämtlicher Bände der Reihe Europa unterm Hakenkreuz (EUHK) zusammengefaßt hat. Diese Zusammenfassung ist auch deshalb von hohem Interesse, da nie zuvor so umfangreiches Material als Grundlage für einen zusammenfassenden Vergleich zusammengetragen wurde.

Röhr stellt eine Typologisierung auf, die in Übereinstimmung mit einer Mehrzahl der vorhergehenden Typologien steht (mit Ausnahme von Lammers, zu dem er sich nicht verhält), was er auch selbst anerkennt. Doch er gibt dafür einige Begründungen, die sich nur schwerlich im Endergebnis wiedererkennen lassen. Er schreibt, daß sich in der Typologie "folgende Ländergruppen unterscheiden [lassen], für die Zielprogramm und Herrschaftsmethoden, besatzungsrechtlicher Status und Art der Inferenz bei der inneren 'Neuordnung' des Landes miteinander korrelieren:"[597]

1.) Die offiziell annektierten Gebiete.
2.) Die faktisch, aber nicht offiziell annektierten Gebiete.
3.) Die als künftiger "deutscher Lebensraum" behandelten Länder unter Zivilverwaltung.
4.) Die als künftige Teile eines großgermanischen Reiches angesehenen und durch Zivilverwaltung regierten Länder
5.) Länder, die unter Militärverwaltung blieben und über deren künftiger Status noch nicht endgültig befunden wurde.
6.) Die im Lauf des Krieges besetzten Länder, die frühere Alliierte waren.

Röhr nennt nicht die Namen der Länder, die er in die einzelnen Kategorien eingruppieren würde, doch diese lassen sich an verschiedenen Stellen in seinem Text ablesen. Dänemark gehört in Kategorie 4. Auch er weist Dänemark eine Sonderstellung zu, da dort nicht nur eine selbständige deutsche Besatzungsverwaltung aufgebaut wurde, sondern die dänische Regierung im Amt blieb, die dänischen bewaffneten Streitkräfte bestehen blieben und Dänemark offiziell nicht besetzt war. Einfluß in Dänemark mußte über die üblichen diplomatischen Kanäle ausgeübt werden, und Dänemark brauchte ebenso wenig die Kosten für die Besatzung zu zahlen. Dieser Sonderfall endete jedoch im August 1943 und die Besatzungsmacht ging danach dazu über, offen einzugreifen (S. 21, 24, 41).[598]

Im Folgenden möchte ich Röhrs konzentrierte Zusammenfassung der Bände über die deutsche Besatzungspolitik im besetzten Europa zitieren:

"In den Bänden der Reihe 'Europa unterm Hakenkreuz' wurde dokumentiert, daß all die unterschiedlichen deutschen Okkupationsregime in diesem oder jenem Masse bestimmte Grundzüge ausprägten, die entscheidend durch das imperialistische deutsche Kriegszielprogramm und durch die Spezifik faschistischer Herrschaft bestimmt waren. Dazu gehörten *in alle Ländern*

– die terroristische Unterdrückung jeglichen Widerstandes gegen die Okkupationsmacht;

– die Sicherung von 'Ruhe und Ordnung' für die Ausplünderung des Landes;

---

597 Röhr 1997, S. 31f.
598 Vgl. Röhr 1996, S. 131, und 1998, S. 32.

– die gewaltsame Zerschlagung der revolutionären Arbeiterbewegung, voran der Kommunistischen Parteien, aber auch aller demokratischen und antifaschistischen Kräfte;
– die Diskriminierung, Verfolgung und Ermordung der jüdischen Bürger der besetzten Länder;
– die zunehmend rücksichtslosere Ausbeutung der Ressourcen der besetzten Länder für die deutschen Kriegswirtschaft;
– die Bestrebungen, die Verfügungsgewalt über die wichtigsten Rohstoffe, Kapitalien und Industrieunternehmungen zu erlangen;
– die Deportation von Millionen Zwangsarbeitern aus allen besetzten Ländern nach Deutschland."[599] (Hervorhebungen sind meine, JTL).

Unterstrichen werden soll, daß Röhr nicht nur hier, sondern an mehreren anderen Stellen schreibt, daß es sich um *Grundzüge* handelt, die bei *allen* verschiedenen deutschen Besatzungsregimen zu beobachten waren.

Unter einer dänischen Perspektive fallen einige der Schlußfolgerungen ins Auge, da diese nur sehr gering oder überhaupt nicht der deutschen Besatzungspolitik in Dänemark entsprechen. Dabei handelt es nicht nur um Nuancen.

Erstens wurde der Widerstand gegen die Besatzungsmacht in Dänemark nicht durch terroristische Unterdrückung niedergeschlagen, auch nicht im letzten Besatzungsjahr.

Zweitens wurden die demokratischen und antifaschistischen Kräfte in Dänemark zu keinem Zeitpunkt gewaltsam niedergeschlagen, insbesondere nicht die demokratischen, die ihre Tätigkeit im Großen und Ganzen bis Mai 1945 fortsetzen konnten.

Drittens ist es im Falle Dänemarks weiter eine offene Frage, ob von einer zunehmend rücksichtsloseren Ausbeutung der Ressourcen zugunsten der deutschen Rüstungsproduktion die Rede sein konnte. Die vorliegende Forschung weist nicht in diese Richtung.

Viertens versuchte die Besatzungsmacht nicht, die Verfügungsgewalt über die wichtigen dänischen Rohstoffe, Kapitalien und Industrieunternehmungen zu erlangen. Entsprechende Versuche, sich Zugang zu verschaffen, lagen auf einem bescheidenen Niveau.

Und schließlich gab es keine dänischen Zwangsarbeiter, weder in Dänemark noch als Deportierte in Deutschland.

Ergebnisse und Perspektiven

Die internationale Diskussion darüber, wie Dänemark unter den deutsch besetzten Ländern eingeordnet und die Besatzungsverwaltung charakterisiert werden soll, ist davon geprägt, daß die Kenntnisse über die dänische Besatzungssituation weiterhin recht allgemein sind. Selbst einige derjenigen Forscher, die sich hiermit eingehender beschäftigt haben, orientieren sich nach wie vor an einigen wenigen äußeren Umständen (z. B. Fritz Petrick und Wolfgang Benz). Es scheint so zu sein, daß von Childs Übersicht von 1954 bis in die Diskussion über die Besatzungstypologien in den 1990er Jahren noch immer kein wesentlicher qualitativer Sprung vollzogen worden ist. Es besteht jedoch keinerlei Zweifel daran, daß Dänemark ein Sonderfall war. Doch daß Dänemark nicht

599 Röhr 1996, S. 143, und 1997, S. 19f.

mit den anderen Ländern verglichen werden kann, wie Wolfgang Benz meint, ist paradox, da dieser Schluß nur aus einem Vergleich gezogen werden kann und unzutreffend ist. Trotz großer Unterschiede ist der Vergleich weiter ein fruchtbarer Weg, um Fragen zu formulieren und Proportionen zurechtzurücken, was den dänischen (Sonder-)Fall betrifft.

Die internationale Forschung hat sich weitgehend unabhängig von der entsprechenden neueren und neuesten dänischen Forschung mit Dänemark während des Zweiten Weltkriegs beschäftigt. Und die dänische Forschung hat in einem bestimmten Maße dasselbe in umgekehrter Weise gezeigt. In beiden Fällen gibt es einzelne Ausnahmen, doch die internationalen Vergleiche der Besatzungstypen zeichnen sich generell dadurch aus, daß Dänemark entweder auf der Grundlage von älterer und veralteter deutscher Literatur behandelt wird oder die bescheidene neuere deutschsprachige Literatur nicht angemessen genutzt wird. Besonders auffällig ist, daß Werner Röhr eine Zusammenfassung über die Besatzungsverwaltungen in allen deutsch besetzten Ländern auf der Grundlage von allen Bänden von EUHK schreiben und dabei dennoch keinen Nutzen aus dem Inhalt von Petricks Band 3 ziehen konnte, wodurch einige der offensichtlichen Irrtümer hätten vermieden werden können. Von dänischer Seite ist nicht viel getan worden, um die dänische Forschung über diesen Gegenstand in deutscher Sprache zu veröffentlichen, auch nicht in Vermittlungsform. Dies könnte im Blick auf die Zukunft ein Teil der Lösung sein.

Die dänische Forschung befindet sich weiter in der schwierigen Lage, die Henning Poulsen 1995 so beschrieben hat: "In der dänischen Besatzungsgeschichte gibt es viele Dinge, die sich einem Polen oder schon einem Norweger nur schwer erklären lassen. Wir arbeiteten politisch mit der Besatzungsmacht zusammen und bekamen dafür erstens die besten und freiesten Lebensbedingungen im besetzten Europa, zweitens eine Widerstandsbewegung zum halben Preis und wurden zum Schluß ein Alliierter, ohne in den Krieg zu geraten."[600]

Aus der Sicht von 2012 scheint die langjährige internationale Diskussion über die deutschen Besatzungstypen und -formen auf die laufende Forschung nur einen sehr geringen oder überhaupt keinen Einfluß gehabt zu haben. Es wird nur selten darauf hingewiesen und der Begriffsapparat hat nur sehr wenig oder überhaupt nicht seinen Weg in die Forschung gefunden. Auf die Spitze getrieben hätte sich dies zu einer eigenen Disziplin entwickeln können. Dies kann etwas pessimistisch klingen, ist es aber nicht, denn vom "Sonderfall" Dänemark aus betrachtet sind Vergleiche wichtig, doch sie müssen qualifizierter sein.

Auf der einen Seite ist ein allgemeiner Vergleich zwischen allen besetzten Ländern relevant, um die Bedeutung der Faktoren im Verhältnis zueinander in allen Ländern zu bestimmen, auf der anderen Seite ist der anschließende Vergleich als zweites Element mit einigen bestimmten Ländern relevanter als mit anderen, z. B. um die Frage zu beantworten: Was wäre, wenn die dänische Regierung es wie die norwegische gemacht hätte? Schließlich wäre es ebenfalls relevant, Dänemark mit anderen Ländern während des Weltkriegs zu vergleichen, die einen vollkommen anderen Status hatten.

---

600 Poulsen 1995, S. 17.

Hier ist das neutrale Schweden naheliegend, ebenso wie das auf deutscher Seite Krieg führende Finnland. Die vier nordischen Länder bilden einen relevanten komparativen Kreis, auch was die Bedingungen vor dem Krieg und die Perspektiven danach angeht. Welche Dinge liefen unterschiedlich, was blieb dennoch gleich, welche Kosten hatte es, auf so unterschiedliche Weise in den Krieg hineingezogen worden zu sein oder außerhalb zu stehen? Solche Vergleiche können sinnvoll nur vor dem Hintergrund von zuvor aufgestellten gemeinsamen Kriterien und auf der Grundlage einer qualifizierten Materialgrundlage angestellt werden.

Als eigener Gegenstand hat die deutsche Besatzungspolitik in Dänemark in der dänischen Geschichtsforschung keinen großen Raum eingenommen. Das hat seine Gründe. Doch die europäische Perspektive bietet eine Anregung, mehr daraus zu machen. Weil – und hier bekommt erneut Henning Poulsen das (letzte) Wort: "... sehen wir Dänemarks Besatzung in einer europäischen Perspektive, ist es überaus bemerkenswert, daß hier, mitten in Hitlers Imperium und mitten im Ragnarök des Krieges ein nicht unwesentlicher Teil der Formen und regulierten Handlungsweisen überlebte, die wir als Zivilisation bezeichnen."[601]

---

601 Poulsen 1997, S. 266f.

AKTER VEDRØRENDE DET
TYSK-DANSKE FORHANDLINGSGRUNDLAG

1. Memorandum 9. April 1940 mit "Aufzeichnung"

Den 9. april 1940 om morgenen overrakte den tyske gesandt Cecil von Renthe-Fink den danske regering det memorandum med tilhørende optegnelse, som blev hovedgrundlaget for den førte samarbejds- og forhandlingspolitik frem til maj 1945. De tyske krav blev accepteret under tvang, og alt samarbejde og alle forhandlinger blev fra dansk side ført ud fra den forudsætning.

Kilde: PKB, 4, nr. 10 (på tysk og dansk). Alkil, 2, 1945-46, s. 816-818 (på dansk) og nr. 11 (på tysk og dansk).

Memorandum

Entgegen dem aufrichtigen Wunsche des deutschen Volkes und seiner Regierung, mit dem englischen und französischen Volke in Frieden und Freundschaft zu leben und, trotz des Fehlens jedes vernünftigen Grundes zu einem gegenseitigen Streit haben die Machthaber in London und Paris dem deutschen Volke den Krieg erklärt.

Mit der Entfesselung dieses von ihnen seit langem vorbereiteten, gegen den Bestand des Deutschen Reiches und die Existenz des deutschen Volkes gerichteten Angriffskrieges haben England und Frankreich den Seekrieg auch gegen die neutrale Welt eröffnet.

Indem sie zunächst unter völliger Missachtung der primitivsten Regeln des Völkerrechtes versuchten, die Hungerblockade gegen deutsche Frauen, Kinder und Greise zu errichten, unterwarfen sie zugleich auch die neutralen Staaten ihren rücksichtslosen Blockademaßnahmen. Die unmittelbare Folge dieser von England und Frankreich eingeführten völkerrechtswidrigen Kampfmethoden, denen Deutschland mit seinen Abwehrmaßnahmen begegnen musste, war die schwerste Schädigung der neutralen Schiffahrt und des neutralen Handels. Darüber hinaus aber versetzte dieses englische Vorgehen dem Neutralitätsbegriff an sich einen vernichtenden Schlag.

Deutschland seinerseits ist gleichwohl bestrebt gewesen, die Rechte der Neutralen dadurch zu wahren, dass es den Seekrieg auf die zwischen Deutschland und seinen Gegnern liegenden Meereszonen zu beschränken suchte. Demgegenüber ist England in der Absicht, die Gefahr von seinen Inseln abzulenken und gleichzeitig den Handel Deutschlands mit der neutralen Welt zu unterbinden, mehr und mehr darauf ausgegangen, den Seekrieg in die Gewässer der Neutralen zu tragen. In Verfolg dieser echt britischen Kriegführung hat England in immer steigendem Masse unter flagrantem Bruch des Völkerrechtes kriegerische Handlungen zur See und in der Luft auch in den Hoheitsgewässern und Hoheitsgebieten Dänemarks und Norwegens vorgenommen.

Deutschland hat diese Entwicklung von Beginn des Krieges an vorausgesehen. Es hat durch seine innere und äußere Wirtschaftspolitik den Versuch der britischen Hungerblockade gegen das deutsche Volk und die Abschnürung des deutschen Handels mit den neutralen Staaten zu verhindern gewusst.

Dies ließ in den letzten Monaten immer mehr den völligen Zusammenbruch der britischen Blockadepolitik zu Tage treten.

Diese Entwicklung, sowie die Aussichtslosigkeit eines direkten Angriffs auf die deutschen Westbefestigungen und die in England und Frankreich stetig wachsende Sorge vor den erfolgreichen deutschen Gegenangriffen zur See und in der Luft haben in letzter Zeit in erhöhtem Masse dazu geführt, dass beide Länder versuchen, mit allen Mitteln eine Verlagerung des Kriegsschauplatzes auf das neutrale *Festland* in und außerhalb Europas vorzunehmen. Dass England und Frankreich hierbei in *erster* Linie die Territorien der kleinen europäischen Staaten im Auge haben, ist der britischen Tradition entsprechend selbstverständlich. Ganz offen haben die englischen und französischen Staatsmänner in den letzten Monaten die Ausdehnung des Krieges auf diese Gebiete zum strategischen Grundgedanken ihrer Kriegführung proklamiert.

Die erste Gelegenheit hierzu bot der russisch-finnische Konflikt. Die englische und französische Regierung haben es in aller Öffentlichkeit ausgesprochen, dass sie gewillt waren, mit militärischen Kräften in den Konflikt zwischen der Sowjet-Union und Finnland einzugreifen und dafür das Gebiet der nordischen Staaten als Operationsbasis. zu benutzen. Allein der entgegen ihren Wünschen und Erwartungen erfolgte schnelle Friedensschluss im Norden hat sie gehindert, schon damals diesen Entschluss durchzuführen. Wenn die englischen und französischen Staatsmänner nachträglich erklärt haben, dass sie die Durchführung der Aktion von der Zustimmung der beteiligten nordischen Staaten abhängig machen wollten, so ist das eine grobe Unwahrheit. *Die Reichsregierung hat den dokumentarischen Beweis dafür in Händen, dass England und Frankreich gemeinsam, beschlossen hatten, die Aktion durch das Gebiet der nordischen Staaten gegebenenfalls auch gegen deren Willen durchzuführen.*

Das Entscheidende ist aber folgendes: Aus der Haltung der französischen und englischen Regierung vor und nach dem sowjetrussisch-finnischen Friedensschluss und aus den der Reichsregierung vorliegenden Unterlagen geht einwandfrei hervor, dass der Entschluss, Finnland Hilfe gegen Russland zu bringen, darüber hinaus noch weiteren Plänen dienen sollte. Das dabei von England und Frankreich in Skandinavien mitverfolgte Ziel war und ist vielmehr:

1.) Deutschland durch die Besetzung von Narvik von seiner nördlichen Erzzufuhr abzuschneiden und

2.) *durch diese Landung englisch-französischer Streitkräfte in den skandinavischen Ländern eine neue Front zu errichten, um Deutschland flankierend von Norden her angreifen zu können.*

Hierbei sollen die Länder des Nordens den englisch-französischen Truppen als Kriegsschauplatz dienen, während den nordischen Völkern nach alter englischer Überlieferung die Übernahme der Rolle von Hilfs- und Söldnertruppen zugedacht ist. Als dieser Plan durch den russisch-finnischen Friedensschluss zunächst durchkreuzt worden war, erhielt die Reichsregierung immer klarer davon Kenntniss, dass England und Frankreich bestimmte Versuche unternahmen, um ihre Absichten alsbald in anderer Form zu verwirklichen. In dem ständigen Drang, eine Intervention im Norden vorzubereiten, haben denn auch die englische und französische Regierung in den letzten Wochen ganz offen die These proklamiert, es dürfe in diesem Krieg keine Neutralität geben und es sei die Pflicht der kleinen Länder, sich aktiv am Kampf gegen Deutschland zu beteiligen. Diese These wurde durch die Propaganda der Westmächte verbreitet und durch immer stärker werdende politische Druckversuche auf die neutralen Staaten unterstützt.

Die konkreten Nachrichten über bevorstehende Landungsversuche der Westmächte in Skandinavien häuften sich in letzter Zeit immer mehr. Wenn aber überhaupt noch der leiseste Zweifel an dem endgültigen Entschluss der Westmächte zur Intervention im Norden bestehen konnte, so ist er in den letzten Tagen endgültig beseitigt worden: *Die Reichsregierung ist in den Besitz von einwandfreien Unterlagen dafür gelangt, dass England und Frankreich beabsichtigen, bereits in den allernächsten Tagen, überraschend bestimmte Gebiete der nordischen Staaten zu besetzen.*

Die nordischen Staaten haben ihrerseits den bisherigen Übergriffen Englands und Frankreichs nicht nur keinen Widerstand entgegengesetzt, sondern selbst schwerste Einbrüche in ihre Hoheitsrechte ohne entsprechende Gegenmaßnahmen geduldet.

Die Reichsregierung muss daher annehmen, dass die Königlich Dänische Regierung die gleiche Haltung auch gegenüber den jetzt geplanten und vor ihrer Durchführung stehenden Aktionen Englands und Frankreichs einnehmen wird. Aber selbst wenn die Königlich Dänische Regierung gewillt wäre, Gegenmaßnahmen zu treffen, so ist die Reichsregierung sich darüber im klaren, dass die dänischen militärischen Kräfte nicht ausreichen würden, um den englisch-französischen Aktionen erfolgreich entgegentreten zu können.

In dieser entscheidenden Phase des dem deutschen Volke von England und Frankreich aufgezwungenen Existenzkampfes kann die Reichsregierung aber unter keinen Umständen dulden, *dass Skandinavien von den Westmächten zum Kriegsschauplatz gegen Deutschland gemacht* und das dänische Volk, sei es direkt oder indirekt, zum Kriege gegen Deutschland missbraucht wird.

Deutschland ist nicht gewillt, eine solche Verwirklichung der Pläne seiner Gegner untätig abzuwarten oder hinzunehmen. Die Reichsregierung hat daher mit dem heutigen Tage bestimmte militärische Operationen eingeleitet, die zur Besetzung strategisch wichtiger Punkte auf dänischem Staatsgebiet führen werden. Die Reichsregierung übernimmt damit während dieses Krieges den Schutz des Königreiches Dänemark. Sie ist entschlossen, von jetzt ab mit ihren Machtmitteln den Frieden im Norden gegen jeden englisch-französischen Angriff zu verteidigen und endgültig sicherzustellen.

Die Reichsregierung hat diese Entwicklung nicht gewollt. Die Verantwortung hierfür tragen allein England und Frankreich. Beide Staaten verkünden zwar heuchlerisch den Schutz der kleinen Länder. In Wahrheit aber vergewaltigen sie diese, in der Hoffnung, dadurch ihren gegen Deutschland gerichteten, täglich offener verkündeten Vernichtungswillen verwirklichen zu können.

Die deutschen Truppen betreten den dänischen Boden daher nicht in feindseliger Gesinnung. Das deutsche Oberkommando hat nicht die Absicht, die von den deutschen Truppen besetzten Punkte als Operationsbasis zum Kampf gegen England zu benutzen, solange es nicht durch Maßnahmen Englands und Frankreichs hierzu gezwungen wird. Die deutschen militärischen Operationen verfolgen vielmehr ausschließlich das Ziel der Sicherung des Nordens gegen die beabsichtigte Besetzung norwegischer Stützpunkte durch englisch-französische Streitkräfte.

Die Reichsregierung ist überzeugt, dass sie mit dieser Aktion zugleich auch den Interessen Dänemarks dient. *Denn diese Sicherung durch die deutsche Wehrmacht bietet für die skandinavischen Völker die einzige Gewähr, dass ihre Länder nicht während dieses*

Krieges doch noch zum Schlachtfeld und zum Schauplatz vielleicht furchtbarster Kampf-handlungen werden.

Die Reichsregierung erwartet daher, dass die Königlich Dänische Regierung und das dänische Volk dem deutschen Vorgehen Verständnis entgegenbringen und ihm keinerlei Widerstand entgegensetzen. Jeder Widerstand müsste und würde von den eingesetzten deutschen Streitkräften mit allen Mitteln gebrochen werden und daher nur zu einem völlig nutzlosen Blutvergießen führen. Die Königlich Dänische Regierung wird deshalb ersucht, mit größter Beschleunigung alle Maßnahmen zu treffen, um sicherzustellen, dass das Vorgehen der deutschen Truppen ohne Reibung und Schwierigkeiten erfolgen kann.

In dem Geiste der seit jeher bestehenden guten deutsch-dänischen Beziehungen erklärt die Reichsregierung der Königlich Dänischen Regierung, dass Deutschland nicht die Absicht hat, durch ihre Maßnahmen die territoriale Integrität und politische Unabhängigkeit des Königreiches Dänemark jetzt oder in der Zukunft anzutasten.

9. April 1940.

Aufzeichnung

Die Reichsregierung ersucht die Königlich Dänische Regierung, sofort die nachstehend aufgeführten Maßnahmen zu treffen:

1.) *Aufruf* der Regierung an Volk und Wehrmacht, jeden Widerstand gegen die deutschen Truppen bei der Besetzung des Landes zu unterlassen.

2.) *Befehl an die dänische Wehrmacht*, mit den einrückenden deutschen Truppen Verbindung aufzunehmen und mit den deutschen Befehlshabern die erforderlichen Vereinbarungen über loyale Zusammenarbeit zu treffen. Die dänischen Truppen werden im Besitz ihrer Waffen belassen, soweit ihr Verhalten dies gestattet.

Zum Zeichen der Bereitschaft zur Zusammenarbeit ist auf den militärischen Anlagen, denen sich deutsche Truppen nähern, neben der Nationalflagge die weiße Parlamentärflagge zu zeigen.

Verbindungskommandos sind zu entsenden:

a.) zum Befehlshaber der in die Hauptstadt einrückenden deutschen Truppen (Offiziere des Heeres, der Kriegsmarine und der Luftwaffe);

b.) zu den örtlichen Truppenführern. Umgekehrt wird der deutsche Befehlshaber Verbindungsoffiziere zu den dänischen Oberbefehlshabern stellen.

Aufgabe der Verbindungskommandos ist, eine reibungslose Zusammenarbeit sicherzustellen und Zusammenstöße zwischen deutschen und dänischen Truppen zu verhindern.

3.) Unversehrte *Überlassung der militärischen Einrichtungen und Anlagen*, die von den deutschen Truppen zur Sicherung Dänemarks gegen einen äußeren Feind benötigt werden, insbesondere der Anlagen der *Küstenverteidigung*.

4.) Zurverfügungstellen genauester Unterlagen über etwa *ausgelegte Minensperren* durch die Königlich Dänische Regierung.

5.) Durchführung vollständiger *Luftschutzverdunkelung* des dänischen Gebiets vom Abend des ersten Besetzungstages an.

6.) Unversehrte Erhaltung und Sicherstellung des Betriebs der *Verkehrsmittel und -wege und der Nachrichtenmittel.* Zurverfügungstellen der Verkehrsmittel (Eisenbahnen), der *Binnen- und Küstenschiffahrt und der Nachrichtenverbindungen* an die deutschen Besatzungstruppen in dem Umfange, als sie für die Aufgaben der deutschen Truppen und ihre Versorgung benötigt werden.

7.) *Auslaufverbot für Kriegs- und Handelsschiffe nach dem Ausland und Startverbot für alle Flugzeuge.*

Die Freigabe des Schiffsverkehrs nach deutschen Häfen und neutralen Ostseehäfen bleibt vorbehalten.

8.) Durchführung einer vorläufigen *Personen- und Güterverkehrssperre zwischen Dänemark und Schweden* (Unterbrechung des Fährverkehrs).

Die Wiederaufnahme des Verkehrs und Forderungen für seine Überwachung bleiben vorbehalten.

9.) Aufrechterhalten des vorhandenen *Wetterdienstes,* der der deutschen Besatzungstruppe zur Verfügung zu stellen ist. Die öffentliche Bekanntgabe der Wetternachrichten ist zu unterlassen.

10.) Sperren jeden *Nachrichten- und Postverkehrs* über See nach dem Ausland. Der Nachrichten- und Postverkehr nach den Ostseestaaten ist auf bestimmte Verbindungen zu beschränken und auf Anfordern des Befehlshabers der Besatzungstruppen zu überwachen.

Der über England laufende Nachrichtenverkehr von Dänemark nach den Färöern, Island und Grönland ist gleichfalls zu sperren.

11.) Anweisung an die *Presse und den Rundfunk,* militärische Nachrichten nur mit Genehmigung der deutschen Wehrmachtdienststellen zu bringen. Zurverfügungstellen der Rundfunksender für Verlautbarungen der deutschen Befehlshaber.

12.) *Ausfuhrverbot für Kriegsgerät aus Dänemark nach dem Ausland.*

13.) Die Durchgabe aller von der Königlich Dänischen Regierung auf Grund der vorstehenden Punkte zu erlassenden Aufrufe und Befehle darf, soweit der *Funkweg* benutzt wird, zunächst nur *verschlüsselt* – nach einem den Gegnern Deutschlands nicht bekannten Schlüssel – erfolgen. Die Freigabe des offenen Funkens über die Rundfunksender bleibt dem Befehlshaber der Besatzungstruppen vorbehalten.

2. OKW: Betr. Rüstungswirtschaftliche Ausnutzung Dänemarks und Norwegens 18. April 1940

Det økonomiske samarbejde mellem Tyskland og Danmark på det rustningsindustrielle område blev fastlagt med denne ordre, som trods sin korthed var af vidtrækkende betydning. Der er gengivet den ordre fra Hitler selv, at Danmark straks kunne inddrages i den rustningsindustrielle produktion i form af ordretildeling, og at det skulle ske på den mest venskabelige vis og uden noget tryk, dvs. der skulle afsluttes kontrakter med danske firmaer ad forhandlingens vej.

Ordren omfattede tillige Norge, som skulle behandles som fjendeland og den rustningsindustrielle udnyttelse være derefter.

Denne ordre var Wehrwirtschaftsstabs, senere Rüstungsstab Danmarks, grundlag for sin meget omfattende virksomhed til maj 1945, og stabens chef i hele perioden, Walter Forstmann, forsømte ikke at henvise til den og alt overvejende at handle i overensstemmelse dermed. Karakteren af førerordre kunne være virksom, hvor andre forhandlingsmidler glippede. Forstmann henviste første gang til den, da han i efteråret 1940 skrev om Wehrwirtschaftsstab Dänemarks oprettelse, opgaver og de første måneders virksomhed til 30. september (BArch, Freiburg, RW 27/2, s. 66-78). Det gentog sig i slutningen af 1941, da han skrev stabens historie fra efteråret 1940 til udgangen af 1941. Atter blev ordren direkte citeret (BArch, Freiburg, RW 27/24). Forstmann omtalte den bl.a. også 30. september 1943 i sin oversigt over indgåede rustningskontrakter. Det var under den militære undtagelsestilstand, hvor han holdt fast i den allerede givne ordre og ville medvirke til at stabilisere situationen i Danmark (trykt nedenfor). Endelig blev ordren igen citeret af Forstmann i et brev til Kurt Waeger 31. august 1944, da han skulle forsvare sig mod anonyme angreb på Rüstungsstab Dänemarks angiveligt svage og passive politik i Danmark (trykt nedenfor).

Ordren har længe ikke været tillagt betydning i forskningen. Den nævnes af Sigurd Jensen 1971, som i øvrigt ikke tog notits af den, og først i 1998 med Philip Giltners bog om Wehrwirtschaftsstab/Rüstungsstab Dänemarks virksomhed kom den berettiget i centrum (Jensen 1971, s. 282 note 27, Giltner 1998, s. 33[1]).

Kilde: RA, Danica 1000, T-77, sp. 392, nr. 1.242.602f.

Abschrift
Oberkommando der Wehrmacht   *Berlin, den 18.4.1940.*
Wi Rü Amt/Rü Ia Nr.3094/4og   Geheim

Betr.: Betr. Rüstungswirtschaftliche Ausnutzung Dänemarks und Norwegens.

An
    Oberkommando des Heeres (Chef H Rüst und BdE)
    Oberkommando des Heeres (Chef H Rüst und BdE) Wa A, VA
    Oberkommando der Kriegsmarine (M Wa Wi)
    Reichsminister der Luftfahrt und Ob.d.L. (GL)

1.) Laut Entscheidung des Führers kann die rüstungswirtschaftliche Heranziehung des Landes *Dänemark* auf freundschaftlichster Basis ohne jeden Druck beginnen, d.h. es können Aufträge nach Dänemark auf dem Verhandlungswege mit den in Betracht kommenden dänischen Firmen abgeschlossen werden.
    Die Ausnutzung der Wirtschaft des Landes *Norwegen* ist von jetztab freigegeben. Norwegen ist hierbei als Feindesland zu betrachten, mit Sabotageakten ist zu rechnen.

2.) Mit der Wahrnehmung rüstungswirtschaftlicher Belange der deutschen Wehrmacht in Dänemark und Norwegen sind z.Zt. beauftragt:
    a.) *für Dänemark:* die Verbindungsstelle OKW (WiRüAmt) Kopenhagen
        Leiter: Freg.Kapt. Dr. Forstmann, Kopenhagen, Hotel Angleterre
        fernmündlich und durch Fernschreiber zu erreichen über Höheres Kdo. XXXI.
    b.) *für Norwegen:* die Verbindungsstelle OKW (WiRüAmt) Oslo
        Leiter: Major [Hermann] Neef, Oslo, Kongelig Norsk Automobilklub, Parkveien 68
        fernmündlich und durch Fernschreiber zu erreichen über Gr.Kdo. XXI.
    Den Verbindungsstellen sind Offiziere der Wehrmachtteile beizugeben.

---

1 Om Giltners i øvrigt på mange måder problematiske og endimensionelt udarbejdede bog, se Joachim Lund 2001c.

3.) Kommissionen und Beauftragte der Waffen- und Beschaffungsämter der Wehr-
machtteile, die nach Dänemark oder Norwegen einreisen wollen, haben die Einreise
grundsätzlich *vorher* an die unter Ziffer 2.) genannten Offiziere mitzuteilen.

Ihre gesamte Tätigkeit in Dänemark und Norwegen ist unter engster Anlehnung
und Einschaltung an diese Offiziere durchzuführen.

Erkundungen und Firmenbesuche ohne deren vorherige Genehmigung sind un-
tersagt.

4.) Aufträge an Firmen in Dänemark und Norwegen sind zunächst grundsätzlich über
die in Ziffer 2.) genannten Offiziere zu leiten.

Der Chef des Oberkommandos der Wehrmacht

I.A.

gez. [Georg] **Thomas**

Nachrichtlich:
Verteiler

3. Werner Best: Die deutschen Aufsichtsverwaltungen (1941)

I august og september 1941 rejste Best til Bruxelles, Haag, Oslo, København og Prag for detaljeret at studere
forvaltningsorganisationerne i de pågældende lande, herunder retsgrundlaget, embedsapparatet og arbejds-
måderne. På det grundlag udarbejdede han en oversigt, hvor han sammenlignede de forskellige besættelses-
systemer, hvorved han nåede den ikke overraskende, men entydige konklusion, at Danmark var det land,
hvor besættelsomkostningerne i form af både forvaltningsapparat og andre ressourcer var langt de mind-
ste. Af alle de undersøge overvågningsforvaltninger – han brugte her et begreb, han selv havde introduceret[2]
– var civilforvaltningen på længere sigt mere effektiv og politisk hensigtsmæssig end militærforvaltningen,
der kun kunne være en midlertidig besættelsesform. Militærforvaltningen skulle kun bruges, hvor det var
nødvendigt som magtdemonstration over for befolkningen.

Best tog sine ideer om overvågningsforvaltning med sig til Danmark. Som rigsbefuldmægtiget fik han
lejlighed til at praktisere overvågningsforvaltning i den form, som han selv havde udpeget som den for tyske
formål mest hensigtsmæssige, men lærte også dens grænser at kende. Best udarbejdede i 1943 tillige kon-
krete planer for en oversigtsforvaltning i Danmark, men deres indhold er ikke kendt.[3]

Her er alene trykt indledningen med indholdsfortegnelsen, kapitlerne om Frankrig, Norge og Danmark
samt afslutningen. Der er i forskningen talrige henvisninger til Bests rubricering af besættelsesstyrer; her skal
fremhæves Herbert 1996, s. 271-298 og Meyer 2000, s. 13-34. Jfr. indledningen.

Kilde: RA, Danica 1000, T-501, sp. 101, nr. 1292-1375.

Die deutschen Aufsichtsverwaltungen

Nur für den Dienstgebrauch!

Die deutschen Aufsichtsverwaltungen in Frankreich, Belgien, den Niederlanden, Norwegen, Dänemark und im Protektorat Böhmen und Mähren.

2 Det var sket i afhandlingen om militærforvaltningen i Frankrig, afsluttet sommeren 1941 (Best 1941b,
s. 74).

3 Se Best: Vernichtungsverhandlung 6. september 1944, trykt nedenfor.

Vergleichende Übersicht
von Ministerialdirektor Dr. Werner Best, Kriegsverwaltungchef.

Diese vergleichende Übersicht ist aus den Feststellungen und Eindrücken erwachsen, die durch Besuche bei fünf der dargestellten Verwaltungen (im besetzten Frankreich ist der Verfasser zur Zeit ständig tätig) in den Monaten August und September 1941 gewonnen wurden. Für die entgegenkommende und umfassende Unterrichtung schuldet der Verfasser den Chefs dieser Verwaltungen und ihren leitenden Verwaltungsbeamten aufrichtigen Dank.

Die Darstellung des Aufbaus unter der Personalbesetzung der sechs Verwaltungen gibt den Stand von Ende August – Anfang September 1941 wieder.

I. DER MILITÄRBEFEHLSHABER IN FRANKREICH

*A. Der Gegenstand der Verwaltung$

Der Gegenstand der Verwaltung des Militärbefehlshabers ist das auf Grund des deutsch-französischen Waffenstillstandsvertrages vom 22.6.1940 besetzte französische Gebiet (ohne die Departements Nord und Pas de Calais, die dem Militärbefehlshaber in Belgien und Nordfrankreich unterstellt sind.)

mit einer Fläche von 282.142,45 qkm
und mit etwa 23 Millionen Einwohnern
sowie die britischen Kanalinseln
mit einer Fläche von 189,73 qkm und mit 64.601 Einwohnern.

Das besetzte französische Gebiet umfaßt 37 ganz und 12 teilweise besetzte Departements, deren Verwaltung von je einem Präfekten geleitet wird, dem eine vom Innenminister ernannte Verwaltungskommission beigegeben ist. Für je mehrere Departements sind neuerdings Regionalpräfekten eingesetzt worden, deren zunächst auf Polizei- und Ernährungsfragen beschränkte Zuständigkeit ständig erweitert wird, sodaß sie sich zu einer neuen allgemeinen Verwaltungsinstanz entwickeln dürften.

B. Die Rechtsgrundlagen

1.) Völkerrecht.

Völkerrechtlich erwächst das Recht des Deutschen Reiches zur Verwaltung des besetzten französischen Gebietes aus dem deutsch-französischen Waffenstillstandsvertrag vom 22.6.1940, in dem für das im Vertrag bezeichnete Gebiet dem Deutschen

Reiche die Ausübung "aller Rechte der besetztenden Macht" zugesprochen ist. Diese nicht näher bezeichneten "Rechte der besetztenden Macht" sind als die Rechte der kriegerisch besetztenden Macht auszulegen.

Auf den britischen Kanalinseln erwachsen die Rechte des Deutschen Reiches zur Verwaltung dieses Gebietes unmittelbar aus der Tatsache der kriegerischen Besetzung.

Völkerrechtlichen Verpflichtungen hinsichtlich dieser Verwaltung unterliegt das Deutsche Reich auf Grund des "Abkommens betr. die Gesetze und Gebräuche des Landkriegs" (Der "Haager Landkriegsordnung") vom 18.10.1907 (RGB1 1910, S. 107ff.), das zwischen dem Deutschen Reiche einerseits und der Französischen Republik und dem Königreich Großbritannien andererseits in Geltung stand.

2.) Reichrecht.

Die Rechte des Deutschen Reiches als Besatzungsmacht in allen von deutschen Truppen besetzten Gebieten übt, wenn keine Sonderreglung getroffen wird, kraft allgemeinen Auftrags des Führers und Obersten Befehlshabers der Wehrmacht der Oberbefehlshaber des Heeres aus. Der Oberbefehlshaber des Heeres hat am 25.10.1940 den Militärbefehlsfaber in Frankreich eingesetzt und mit der Erfüllung der militärischen Besetzungsaufgaben sowie mit der "Ausübung vollziehender Gewalt" – d.h. mit der Verwaltung im weitesten Sinne – in den ihm unterstellten Gebieten beauftragt. Bis zum 25.10.1940 hatte, nachdem in den ersten Tagen der Besetzung vorübergehend ein Militärbefehlshaber eingesetzt worden war, der Oberbefehlshaber des Heeres die Aufgaben des Militärbefehlshabers in Frankreich sich selbst vorbehalten und sich durch einen "Chef der Militärverwaltung in Frankreich" vertreten lassen.

C. Der Aufbau der Militärverwaltung

1.) Der Verwaltungsstab des Militärbefehlshabers.

Dem Militärbefehlshabers steht zur Erfüllung seiner militärischen Aufgaben ein militärischer Kommandostab und zur Erfüllung der Verwaltungsaufgaben ein Verwaltungsstab zur Verfügung, der unter dem Chef des Verwaltungsstabes wie folgt gegliedert ist:

a.) Zentralabteilung mit Hauptbüro,

b.) Geschäftsbereich Verwaltung.

Sachgebiete: Allgemeine und Innere Verwaltung (mit Deutschtum und Rückwanderung),

Polizei,

Deutsches Vermögen in Frankreich,

Schule und Kultur (mit Bibliotheksschutz),

Finanzwesen,

Medizinalwesen,

Veterinäranwesen,

Justiz,

Propaganda,

Verkehr,

Bauwesen,

Post,

Archivwesen,

Kunstschutz und Archäologie.

c.)   Geschäftsbereich Wirtschaft.

Sachgebiete: Allgemeine Angelegenheiten:

Rechtsangelegenheiten,

Entjudung,

Feindvermögen,

Pressewesen,

Statistik,

Gewerbliche Wirtschaft:

Rohstoffplanung,

Bergbau und Kohlenwirtschaft,

Mineralölwirtschaft,

Energiewirtschaft,

Eisenschaffende Industrie und Gießerei,

Metallschaffende und Metallhalbzeugindustrie,

Eisen- und Metallverarbeitende Industrie,

Chemische Industrie und verwandte Industriezweige,

Bauwirtschaft, Baustoffe, Baugeräte, Steine, Erden,

Papier- und Textilindustrie,

Sonstige Industrien,

Wirtschaftsorganisation,

Handel, Handwerk,

Fremdenverkehr,

Ernährung und Landwirtschaft:

Erzeugung,

Marktordnung,

Landbewirtschaftung,

Forst- und Holzwirtschaft, Jagd und Fischereiwesen,

Auswärtiger Waren- und Zahlungsverkehr:

Warenverkehr,

Kapitalverkehr,

Wirtschaftlicher Transportbedarf:

Organisatorische und Grundsatzfragen, Schiffstransporte,

Gesamtplanung der Wirtschaftstransporte auf Eisenbahnen und Wasserstraßen, Aufstellung monatlicher Transportprogramme,

Transporte der gewerblichen Wirtschaft und der Sonderbeauftragten des Reiches,

Transporte der Ernährungs- und Landwirtschaft sowie der Forst- und Holzwirtschaft,

Straßentransporte;

Arbeitseinsatz und Sozialfragen:
Arbeitseinsatz in Frankreich, Arbeitslosenhilfe, Kriegsgefange-
neneinsatz,
Arbeitsbedingungen, Arbeiterrecht, Personalangelegenheiten,
Sozialversicherung (mit Aufsicht über deutsche Krankenkassen
im besetzten Gebiet),
Anwerbung von Arbeitskräften für das Reich,
Propaganda für Anwerbung, Arbeitertransporte, Arbeitseinsatz-
statistik, Berichterstattung,
Betreuung nach Deutschland vermittelter Arbeitskräfte,
Ärztliche Fragen der Anwerbung,

zugeteilt: Beauftragter des Amtes für Wirtschaftsausbau,
Währung, Kredit, Versicherung:
Währungs- und Kreditwesen,
Börsenwesen, Statistik,
Versicherungswesen,
Finanz- und Zollpolitik,
Preisreglung

2.) Die Chefs der Militärverwaltungsbezirke.
Für vier große Militärverwaltungsbezirke sind eingesetzt
der Chef des Mil. Verw. Bez. A mit Sitz in   St. Germain,
der Chef des Mil. Verw. Bez. B mit Sitz in   Angers,
der Chef des Mil. Verw. Bez. C mit Sitz in   Dijon,
der Chef des Mil. Verw. Bez. Bordeaux mit Sitz in   Bordeaux.
Die gleiche Stellung nimmt für Paris der Kommandant von Gross-Paris ein.
Den Chefs der Militärverwaltungsbezirke und dem Kommandanten von Gross-
Paris steht zur Erfüllung ihrer militärischen Aufgaben je ein militärischer Komman-
dostab und zur Erfüllung der Verwaltungsaufgaben je ein Verwaltungsstab zur Ver-
fügung, der unter einem Chef des Verwaltungsstabes in einer Abteilung Verwaltung
und eine Abteilung Wirtschaft gegliedert ist.

3.) Die Feldkommandanturen.
Für je ein oder zwei Departements des besetzten Gebietes sind Feldkommandantu-
ren eingerichtet, in denen der Feldkommandant mit seinem militärischen Personal
die militärischen Aufgaben und die Verwaltungsgruppe der Feldkommandantur die
Verwaltungsaufgaben wahrnimmt.
Zur Zeit bestehen die folgenden Feldkommandanturen:
Im Militärverwaltungsbezirk A:
FK   515   mit Sitz in   St. Hélier
–   517   –   Rouen
–   580   –   Amiens
–   589   –   Orléans
–   602   –   Leon

–	668	–	Bourges
–	680	–	Melun
–	684	–	Charleville
–	722	–	St. Lo
–	723	–	Caen
–	751	–	Chartres
–	733	–	Dureux
–	754	–	Alencon
–	758	–	St. Cloud

Im Militärverwaltungsbezirk B:

FK	518	mit Sitz in	Nantes
–	588	–	Tours
–	748	–	Rennes
–	750	–	Vannes
–	752	–	Guimper
–	755	–	Le Mans
–	756	–	Laval

Im Militärverwaltungsbezirk C:

FK	509	mit Sitz in	Auxerre
–	516	–	Chaumont
–	531	–	Treyss
–	550	–	Epinal
–	560	–	Besançon
–	568	–	Nevers
–	590	–	Bar-Le-Duc
–	591	–	Nancy
–	608	–	Chalons s. M.
–	669	–	Dijon

Im Militärverwaltungsbezirk Bordeaux:

FK	529	mit Sitz in	Bordeaux
–	540	–	La Rochelle
–	541	–	Mont de Marsan-Landes
–	605	–	La Roche
–	677	–	Poitiers

Beim Kommandanten von Gross-Paris:

| FK | 584 | mit Sitz in | St. Maurine (Paris-Ost) |
| – | 757 | – | Meuilly (Paris-West) |

(Die Feldkommanduren des Kommandanten von Gross-Paris haben keine Verwaltungsgruppen. Die Verwaltungsaufgaben für Gross-Paris werden ausschließlich vom Verwaltungsstab des Kommandanten wahrgenommen.)

4.) Die Kreiskommandanturen.

Als ausführende Organe der Feldkommandanturen sind Bedarf Kreiskommandanturen mit Zuständigkeit für je ein Arrondissement eingesetzt, – zur Zeit insgesamt 142 Kreiskommandanturen.

Als Kreiskommandant wird nach Möglichkeit ein Reserveoffizier eingesetzt, der im Zivilberuf Verwaltungsbeamter ist. Kriegsverwaltungsbeamte werden nur in Ausnahmefällen zugeteilt.

Eine wesentliche Aufgabe der Kreiskommandanten ist die Ausübung der ihnen zur Entlastung der Militärgerichte übertragenen Befugnis zur Verhängung von Ordnungsstrafen. Sie können wegen Straftaten jeder Art gegen alle Personen, die nicht dem militärischen Dienststrafrecht unterstehen, durch Ordnungsstrafverfügung Haftstrafen bis zu 6 Wochen und Geldstrafen bis zu 30.000 RM verhängen, wenn der Sachverhalt genügend geklärt ist und wenn diese Strafen nach der Schuld des Täters und nach den Folgen der Tat ausreichen.

D. Die Personalbesetzung

1.) Das Verwaltungspersonal der Militärverwaltung in Frankreich umfaßt 1.489 Köpfe, die sich wie folgt verteilen:

Kriegsverwaltungsbeamte	Zentral-abteilg.	Abt. Verw.	Abt. Wi.	Zus.
des höheren Dienstes	6	56	132	194
des gehobenen Dienstes	9	16	48	73
des mittleren und einfachen Dienstes	5	6	37	48
Wehrmachtangestellte	13	32	117	162
Sonstiges Personal (Sonderführer, Soldaten, Sachverständige usw.)			54	531

2.) Die Verwaltungsstäbe der Chefs der Militärverwaltungsbezirke:

	Bezirks-chef A	Bezirks-chef B	Bezirks-chef C	Bez. cf. Bordeaux	Kommandant von Gross-Paris	Zus.
Kriegsverwaltungsbeamte						
des höheren Dienstes	25	20	20	15	32	110
des gehobenen Dienstes	7	11	12	11	17	58
des mittleren und einfachen Dienstes	2	3	2	1	6	14
Wehrmachtangestellte	22	18	25	13	36	114
Sonstiges Personal (Sonderführer, Soldaten, Sachverständige usw.)	3	5	6	5	10	29
Zusammen:	57	57	65	45	101	325

3.) Die Feldkommandanturen.

Die 38 Feldkommandanturen im besetzten französischen Gebiet umfassen:

Kriegsverwaltungsbeamte

des höheren Dienstes	195
des gehobenen Dienstes	135
des Mittleren und einfachen Dienstes	30
Wehrmachtangestellte	162
Sonstiges Personal	
(Sonderführer, Soldaten, Sachverständige usw.)	74
	596

4.) Die Kreiskommandanturen.

Die 142 Kreiskommandanturen im besetzten französischen Gebiet umfassen:

Kriegsverwaltungsbeamte

des höheren Dienstes	13
des gehobenen Dienstes	15
des mittleren und einfachen Dienstes	–
Wehrmachtangestellte	5
Sonstiges Personal	
(Sonderführer, Soldaten, Sachvorständige usw.)	4
	37

(Die Kreiskommandanturen sind in erster Linie mit militärischem Personal besetzt. Verwaltungspersonal wird nur ausnahmsweise zugeteilt.)

E. Die Arbeitsweise

Der Militärbefehlshaber übt die Rechte des Reiches als Besatzungsmacht aus durch Aufsicht über die landeseigene Verwaltung, durch eigene Verwaltungsmaßnahmen, durch Rechtsetzung und durch Rechtsprechung.

1.) Die Aufsicht über die landeseigene Verwaltung.

Die landeseigene Verwaltung des besetzten Gebietes führt die Verwaltungsgeschäfte weiter, soweit nicht von der Militärverwaltung angeordnet wird, dass bestimmte Verwaltungsgeschäfte unterbleiben oder durch eigene Verwaltungsmaßnahmen der Militärverwaltung wahrgenommen werden.

Über die landeseigenen Behörden und öffentlichen Einrichtungen wird von der Militärverwaltung die Aufsicht ausgeübt.

a.) Die Stufen.

Die Aufsicht über die landeseigene Verwaltung wird in drei Stufen ausgeübt:

Über die Tätigkeit der französischen Zentralbehörden hinsichtlich des besetzten Gebietes übt der Militärbefehlshaber durch seinen Verwaltungsstab die Aufsicht aus.

Über die Behörden der Departements über die Feldkommandanten durch ihre Verwaltungsgruppen die Aufsicht aus.

Über die Behörden bestimmter Arrondissements üben – soweit solche eingesetzt sind – die Kreiskommandanten nach den Weisungen der Feldkommandanten die Aufsicht aus.

b.) Die Mittel.

Die Mittel der Aufsicht über die landeseigene Verwaltung sind einerseits die Anforderung von Auskünften der beaufsichtigten Behörden und Einrichtungen, seien es wiederkehrende oder einmalige, seien es allgemeine oder auf Einzelfälle bezügliche Auskünfte, und andererseits die Erteilung von Anordnungen – allgemein oder im Einzelfall – an die beaufsichtigten Behörden und Einrichtungen.

2.) Eigene Verwaltungsmaßnahmen.

Wenn die Reichinteressen es erfordern, werden Verwaltungsgeschäfte im besetzten Gebiet nicht durch Anordnung an die landeseigenen Behörden und Einrichtungen sondern durch eigene Verwaltungsmaßnahmen der Militärverwaltung wahrgenommen. Dies geschieht insbesondere zu Zwecken der Aufrechterhaltung der Ordnung und Sicherheit und zu kriegswirtschaftlichen Zwecken sowie in Angelegenheiten, die Reichsdeutsche und Volksdeutsche betroffen.

Auch die eigenen Verwaltungsmaßnahmen werden in allen [ulæseligt tal] Stufen der Militärverwaltung getroffen.

3.) Der Rechtsetzung.

Der Militärbefehlshaber kann den in dem besetzten Gebiet bestehenden Rechtszustand auf zwei Wegen verändern:

Er kann entweder im Wege der Aufsichtsverwaltung die zur Rechtsetzung berufenen landeseigenen Behörden im besetzten Gebiet anweisen, die von ihm geforderte Rechtsänderung durch landesrechtliche Rechtsetzung herbeizuführen; da den französischen Mittelbehörden kaum Rechtsetzungsbefugnisse zustehen, wird in hierfür geeigneten Fällen der im unbesetzten Gebiet amtierenden französischen Regierung der Erlaß solcher Rechtsvorschriften nahegelegt. Oder der Militärbefehlshaber erläßt selbst im Verordnungswege die erforderlichen Rechtsbestimmungen, durch die alles entgegenstehende landeseigene Recht abgeändert wird.

Die Verordnungen des Militärbefehlshabers werden im "Verordnungsblatt des Militärbefehlshabers in Frankreich" in deutscher und französischer Sprache bekanntgegeben; der deutsche Wortlaut ist maßgebend.

4.) Die Rechtsprechung.

In den Operationsgebieten der deutschen Wehrmacht sind nach §3 der Kriegsstrafverfahrensordnung vom 17.8.1938 (RGB1 1939 I, S. 1457) Ausländer und Deutsche wegen aller im Operationsgebiet begangenen Straftaten dem Kriegsstrafverfahren vor den deutschen Wehrmachtgerichten unterworfen. Ob diese Straftaten im Einzelfall von dem deutschen Wehrmachtgericht verfolgt werden sollen, entscheidet der zuständige Gerichtherr.

Das besetzte französische Gebiet ist Operationsgebiet der deutschen Wehrmacht. Die Zuständigkeit der deutschen Wehrmachtgerichte gem. § 3 der Kriegsstrafverfahrensordnung ist deshalb gegeben. Von ihr wird jedoch im allgemeinen nur insoweit Gebrauch gemacht, als es sich entweder um deutsche oder italienische Täter (auch wenn die Tat vor der Besetzung begangen worden ist) oder um solche Straftaten handelt, die gegen die deutsche Wehrmacht oder in Gebäuden, Anlagen oder Schiffen der deutschen Wehrmacht oder in Zuwiderhandlung gegen eine Verordnung des Militärbefehlshabers begangen worden sind.

Durch eine Verordnung des Militärbefehlshabers ist bestimmt worden, dass die französischen Strafverfolgungsbehörden Anzeigen, Vorgänge und Akten aller Art, die deutsche oder italienische Täter oder Straftaten der bezeichneten Art betreffen, dem nächsten deutschen Wehrmachtgericht vorzulegen haben, das die Sache zurückgeben kann, wenn kein Interesse an der Verfolgung durch ein Wehrmachtgericht besteht.

Die deutschen Wehrmachtgerichtete wenden deutsches Strafrecht an.

[…]

IV. DER REICHSKOMMISSAR FÜR DIE BESETZTEN NORWEGISCHEN GEBIETE

A. Der Gegenstand der Verwaltung

Der Gegenstand der Verwaltung des Reichskommissars sind die besetzten norwegischen Gebiete mit

einer Fläche von 322.598 qkm und

einer Bevölkerung von 2.937.000 Köpfen.

Das norwegische Staatsgebiet ist verwaltungsmäßig in 20 "Fylker" eingeteilt, deren Verwaltung von je einem "Fylkesmann" geleitet wird, dem ein "Fylkesting" zur Seite steht. Oslo und Bergen bilden je einen entsprechenden Verwaltungsbezirk.

B. Die Rechtsgrundlagen

1.) Völkerrecht

Völkerrechtlich erwächst das Recht des Deutschen Reiches zur Verwaltung der besetzten norwegischen Gebiete aus der Tatsache der kriegerischen Besetzung dieser Gebiete.

Völkerrechtlichen Verpflichtungen hinsichtlich dieser Verwaltung unterliegt das Deutsche Reich auf Grund des "Abkommens betr. die Gesetze und Gebräuche des Landkriegs" (der "Haager Landkriegsordnung") vom 18.10.1907 (RGB1 1910, S. 107ff.), das zwischen dem Deutschen Reiche und dem Königreich Norwegen in Geltung stand.

2.) Reichsrecht

Die Unterstellung der besetzten norwegischen Gebiete unter den Reichskommissar ist durch den Erlaß des Führers über Ausübung der Regierungsbefugnisse in Norwegen vom 24.4.1940 (RGB1 I, S. 677) erfolgt.

Der Reichskommissar ist Wahrer der Reichsinteressen und übt im zivilen Bereich die oberste Regierungsgewalt aus. Er untersteht unmittelbar dem Führer und erhält von ihm Richtlinien und Weisungen.

Neben dem Reichskommissar übt der deutsche Wehrmachtsbefehlshaber in Norwegen die militärischen Hoheitsrechte aus. Seine Forderungen werden im zivilen Bereich vom Reichskommissar durchgesetzt.

C. Die Behörde des Reichskommissars
Die Behörde des Reichskommissars gliedert sich wie folgt:
1.)   Hauptabteilung Verwaltung.
    a.)   Zentralabteilung.
        Sachgebiete: Organisation,
                          Hauptbüro,
                          Personalien,
                          Besoldung,
                          Haushalt.
    b.)   Abteilung Verfassung und Recht
        Sachgebiete: Staats- und Völkerrecht,
                          Auswärtige Angelegenheiten,
                          Gesetzgebung,
                          Justizwesen,
                          Justitiariat.
    c.)   Abteilung Innere Verwaltung
        Sachgebiete: Norwegischer Verwaltungsaufbau,
                          Norwegisches Beamtenwesen,
                          Norwegisches Kommunalwesen,
                          RV-Sachen,
                          Kriegsverwaltungsrecht.
    d.)   Abteilung Gesundheitswesen
        Sachgebiete: Medizinalverwaltung,
                          Ärztewesen,
                          Zahnärztewesen,
                          Veterinärwesen.
2.)   Hauptabteilung Volkswirtschaft
    a.)   Abteilung Wirtschaft
        Sachgebiete: Industrie, Handel, Handwerk,
                          Gold-, Finanz- und Versicherungswesen,
                          Verkehrswesen,
                          Preisbildung und Preisüberwachung,
                          Bodenforschung.
    b.)   Abteilung Forst- und Holzwirtschaft und Jagdwesen
        Sachgebiete: Angelegenheiten der Abteilung und
                          der übrigen deutschen Dienststellen,
                          Forstwirtschaft,
                          Holzwirtschaft,
                          Jagd,
                          Bezirksreferate.
    c.)   Abteilung Technik
        Sachgebiete: Allgemeines,
                          Baustoffversorgung,

Straßenbau,

Brückenbau,

Autobahnen,

Hochbau,

Betriebsluftschutz.

d.) Abteilung Ernährung und Landwirtschaft

Sachgebiete: Politisches Bauerntum,

Produktion,

Rationierung und Versorgung, Handelsfragen,

Markt- und Preisordnung,

Landwirtschaftliches Geld- und Kreditwesen,

Vierjahresplan und Forschung,

Rechtswesen.

e.) Abteilung Arbeit und Sozialwesen

Sachgebiete: Arbeitseinsatz und Arbeitslosenversicherung,

Lohnpolitik und Arbeitsbedingungen,

Soziales Versicherungswesen,

Verbandswesen,

Arbeitskultur,

Wohn-, Arbeitsstätten-, Gemeinschafts- und

Freizeitbau,

KdF-Wehrmachtsbetreuung,

Soldatenheimbau.

f.) Sondergruppe Fischwirtschaft

3.) Hauptabteilung Volksaufklärung und Propaganda

a.) Abteilung Propaganda

Sachgebiete: Aktive Propaganda,

Wirtschaftspropaganda,

Schrifttum,

Truppenbetreuung.

b.) Abteilung Presse

Sachgebiete: Deutsche Presse,

Norwegische Presse,

Bildpresse,

Zeitschriften,

Wirtschaftspresse.

c.) Abteilung Rundfunk

Sachgebiete: Sendung,

Nachrichtendienst,

Technik.

d.) Abteilung Kultur

Sachgebiete: Theater, Musik,

Film,

Kulturaustausch.

   e.)   Abteilung Schul- und Bildungswesen

        Sachgebiete: Norwegische Schulen und Hochschulen,

                        Deutsche Schule in Oslo,

                        Bibliothekswesen,

                        Sport.

4.)   Der Höhere SS- und Polizeiführer Nord

     Unterstellt:

     a.)   Der Befehlshaber der Ordnungspolizei,

     b.)   der Befehlshaber der Sicherheitspolizei und des SD,

     c.)   der Befehlshaber der Waffen-SS.

5.)   Der "Einsatzstab Wegener"

     Aufgabe: Die Organisation und Beratung der "Nasjonal Samling".

6.)   Der Beauftragte des Reichsarbeitsführers

     Aufgabe: Die Organisation und Beratung des norwegischen Arbeitsdienstes.

7.)   Die Dienststellen des Reichskommissars in:

     a.)   Aalesund

     b.)   Bergen

     c.)   Drontheim

     d.)   Hammerfest

     e.)   Kirkenes

     f.)   Kristiansand

     g.)   Lillehammer

     h.)   Narvik

     i.)   Stavanger

     j.)   Tromsö.

8.)   Die "Dienststelle des Reichskommissars für die besetzten norwegischen Gebiete" in Berlin.

     Aufgaben: Aufrechterhaltung der Verbindung zu den Dienststellen des Reiches, Organisation des Kurierverkehrs nach Oslo, Betreuung der im Reich eingesetzten norwegischen Arbeitskräfte.

D. Die Personalbesetzung

Der Gesamt-Personalbestand der Behörde des Reichskommissars umfaßt 746 Köpfe.

1.)   Hauptabteilung Verwaltung:

Höhere Beamte	8
Gehobene Beamte	17
Mittlere Beamte	4
Einfacher Dienst	2
Referenten im Angestellten-Verhältnis	4

                                              35

2.)   Hauptabteilung Volkswirtschaft:

Höhere Beamte   27
Gehobene Beamte   18
Mittlere Beamte   2
Referenten im Angestellten-Verhältnis   51
                                                       98

3.) Hauptabteilung für Volksaufklärung und Propaganda:
Höhere Beamte   5
Gehobene Beamte   1
Einfacher Dienstag   1
Referenten im Angestellten-Verhältnis   17
                                                       24

4.) Der Höhere SS- und Polizeiführer:
Stab: 24 Köpfe
   a.) Der Befehlshaber der Ordnungspolizei:
     Stab (Unterstellt: 6 Polizei-Bataillone)   120 Köpfe
   b.) Der Befehlshaber der Sicherheitspolizei und des SD:
     Gesamtpersonal   340 Köpfe

5.) Der "Einsatzstab Wegener":
Gesamtpersonal   70 Köpfe

6.) Der Beauftragte des Reichsarbeitsführers:
Stab: 15 Köpfe

7.) Die Dienststellen des Reichskommissars:

	Gesamtstärke:	Höhere Beamte und gleichzu-stellende Angestellte:
a.) Aalesund		
b.) Bergen	13	2
c.) Drontheim	18	5
d.) Hammerfest	6	1
e.) Kirkenes	5	1
f.) Kristiansand	4	2
g.) Lillehammer		
h.) Narvik	6	1
i.) Stavanger	4	1
j.) Tromsö	4	
Übertrag	60	13

8.) Die "Dienststelle des Reichskommissars" für die besetzten norwegischen
Gebiete" in Berlin:
Gesamtstärke   6
Höhere Beamte und gleichzustellende Angestellte   2

E. Die Arbeitsweise
Die Befugnisse des Reichskommissars werden ausgeübt durch Aufsicht über die lan-

deseigene Verwaltung, durch eigene Verwaltungsmaßnahmen, durch Rechtsetzung und durch Rechtsprechung.

1.) Die Aufsicht über die landeseigene Verwaltung.

Die landeseigene Verwaltung führt die Verwaltungsgeschäfte weiter, soweit nicht vom Reichskommissar angeordnet wird, dass bestimmte Verwaltungsgeschäfte unterbleiben oder durch eigene Verwaltungsmaßnahmen des Reichskommissars wahrgenommen werden.

Über die landeseigenen Behörden und öffentlichen Einrichtungen übt der Reichskommissar die Aufsicht aus.

a.) Die Stufen

Die Aufsicht über die landeseigene Verwaltung wird in zwei Stufen ausgeübt.

Über die norwegischen Zentralbehörden übt die Behörde des Reichskommissars in Oslo unmittelbar die Aufsicht aus.

Die Dienststellen des Reichskommissars üben die Aufsicht über die landeseigenen Behörden ihrer Bereiche aus.

b.) Die Mittel

Die Mittel der Aufsicht über die landeseigene Verwaltung sind einerseits die Anforderung von Auskünften der landeseigenen Behörden und Einrichtungen, seien es wiederkehrende oder einmalige, seien es allgemeine oder auf Einzelfälle bezügliche Auskünfte, und andererseits die Erteilung von Anordnungen – allgemein oder im Einzelfall –an die landeseigenen Behörden und Einrichtungen.

2.) Eigene Verwaltungsmaßnahmen

Wenn die Reichsinteressen es erfordern, ordnet der Reichskommissar – statt sich der landeseigenen Verwaltung im Aufsichtswege zu bedienen – eigene Verwaltungsmaßnahmen an und vollzieht diese mit eigenen (deutschen) Vollzugskräften. Dies geschieht insbesondere zu Zwecken der Aufrechterhaltung der Ordnung und Sicherheit und zu kriegswirtschaftlichen Zwecken, sowie in Angelegenheiten, die Reichsdeutsche oder Volksdeutsche betreffen.

Auch die eigenen Verwaltungsmaßnahmen werden in beiden Stufen – Behörde des Reichskommissars und Dienststellen – getroffen.

3.) Rechtsetzung

Den im Lande bestehenden Rechtszustand kann der Reichskommissar auf zwei Wegen abändern:

Er kann entweder im Wege der Aufsicht die zur Rechtsetzung zuständigen landeseigenen Behörden anweisen, die erstrebte Rechtsänderung durch landeseigene Rechtsvorschriften herbeizuführen; zur Rechtsetzung im Verordnungswege sind die Leiter der "Departements" (Ministerien) zuständig, die seit dem 25.9.1941 die Bezeichnung Minister führen. Oder er erläßt selbst im Verordnungswege die erforderlichen Rechtsvorschriften, durch die alles entgegenstehende landeseigene Recht abgeändert wird.

Die Verordnungen des Reichskommissars werden im "Verordnungsblatt für die besetzten norwegischen Gebiete" in deutscher und norwegischer Sprache bekannt gegeben.

4.) Rechtsprechung
  a.) Deutsche Standgerichte
       Durch die Verordnung über den zivilen Ausnahmezustand vom 31.7.41 (Verord-
       nungsblatt Nr. 7 vom 1.8.1941, S. 17) ist die Einsetzung von deutschen Stand-
       gerichten im Falle der Verhängung des zivilen Ausnahmezustandes vorgesehen
       worden.
  b.) SS- und Polizeigericht
       Durch die Verordnung über die Erweiterung der Zuständigkeit des SS- und Poli-
       zeigerichts vom 17.9.1941 (Verordnungsblatt Nr. 6 vom 18.9.1941, S. 20) ist die
       Zuständigkeit des SS- und Polizeigerichts für die Aburteilung von Straftaten, die
       sich aus Verordnungen des Reichskommissars ergeben, begründet worden.
  c.) Wehrmachtgerichte
       Daneben üben die deutschen Wehrmachtgerichte die Rechtsprechung im Rah-
       men ihrer allgemeinen Zuständigkeit in Operationsgebieten – vgl. I E 4, 1. Abs.
       I – aus.

V. DER BEVOLLMÄCHTIGTE DES DEUTSCHEN REICHES IN DÄNEMARK

A. Der Gegenstand der Tätigkeit
 Der Gegenstand der Tätigkeit des Bevollmächtigten ist das Land Dänemark
    mit einer Fläche von 42.929 qkm und 3.824.800 Einwohnern.
Das Land ist verwaltungsmäßig in 23 Ämter eingeteilt, deren Verwaltung von je einem
Amtmann geleitet wird, dem ein Amtsrat zur Seite steht.

B. Die Rechtsgrundlagen
1.) Völkerrecht
    Dänemark ist auf Grund am einer 9.4.1940 in mündlicher Verhandlung zwischen
    dem deutschen Gesandten in Kopenhagen und der Dänischen Regierung getroffenen
    Vereinbarung (der dänische Standpunkt wurde in einer dem deutschen Gesandten
    überreichten Note festgelegt) zu seinem Schutze gegen eine britische Invasion von
    deutschen Truppen besetzt worden. Der Inhalt dieser Vereinbarung begründet und
    begrenzt völkerrechtlich die mit der Besetzung verbundenen Rechte des Deutschen
    Reiches im Lande Dänemark und gegenüber dem Dänischen Staat.
2.) Reichsrecht
    Zur Wahrnehmung der Interessen des Reiches in Dänemark ist als Bevollmächtigter
    des Deutschen Reiches in Dänemark durch Anordnung des Führers der deutsche
    Gesandte in Kopenhagen eingesetzt worden, der auch in seiner Tätigkeit als Bevoll-
    mächtigter dem Auswärtigen Amt unterstellt ist.

C. Die Behörde des Bevollmächtigten des Deutschen Reiches
Die Behörde des Bevollmächtigten umfaßt die folgenden Dienststellen:[4]

---

4 Se tillæg 4 og 5.

1.) Die Dienststelle des Bevollmächtigten.
2.) Der Beauftragte für außenpolitische Fragen.
   Aufgabe: Überwachung der Außenpolitik Dänemarks im Verhältnis zu anderen Ländern (außer dem Deutschen Reich).
3.) Der Beauftragte für Fragen der Inneren Verwaltung
   a.) Aufgabe: Überwachung der dänischen Verwaltung (mit Ausnahme der Auswärtigen Verwaltung und der Wirtschaftsverwaltung) – insbesondere der Allgemeinen und Inneren Verwaltung, der Polizei unter der Justiz im Hinblick auf die Aufrechterhaltung der öffentlichen Ordnung und Sicherheit und der Sicherung der Besetzungszwecke.
   b.) Außenstellen: In Aarhus, Aalborg und Odense bestehen kleine (mit je einem höheren Beamten der Auswärtigen Verwaltung besetzte) Außenstellen des Beauftragten für Fragen der Inneren Verwaltung.
   c.) Sondergruppe Polizei.
   Der Beauftragte für Fragen der Inneren Verwaltung verfügt über eine Sondergruppe deutscher Sicherheitspolizei, deren Angehörige teils in der Dienststelle des Beauftragten mit sicherheitspolizeilichen Aufgaben hinsichtlich des ganzen Landes (insbesondere durch Herstellung der Verbindung zwischen der deutschen Sicherheitspolizei im Reich und der dänischen Polizei) befaßt sind und teils an den Grenzaufsichtsstellen Kopenhagen-Hafen, Flughafen Kastrup (bei Kopenhagen) und Helsingör zusammen mit der dänischen Polizei grenzpolizeiliche Aufgaben wahrnehmen.
4.) Der Beauftragte für Wirtschaftsfragen.
   Aufgabe: Überwachung der dänischen Wirtschaftsverwaltung und kriegswirtschaftliche Lenkung der dänischen Wirtschaft über die zuständigen dänischen Behörden und Einrichtungen.

Anhang: Die Deutsche Gesandtschaft in Kopenhagen.
Neben der Behörde des Bevollmächtigten des Deutschen Reiches in Dänemark besteht weiter unter der Leitung des Gesandten (der – wie bereits dargelegt – zugleich als Bevollmächtigter eingesetzt ist) die Deutsche Gesandtschaft in Kopenhagen, die die folgenden Dienststellen umfaßt:
Gesandtschaft im engeren Sinne,
Presseabteilung,
Rundfunkabteilung,
Kultur- und Informationsabteilung,
Konsulatsabteilung,
Heeres-Attaché,
Luftwaffen-Attaché,
Forst-Attaché.

D. Die Personalbesetzung
Die Behörde des Bevollmächtigten des Deutschen Reiches in Dänemark umfaßt 89 Köpfe, die sich wie folgt verteilen:

1.) Dienststelle des Bevollmächtigten:

Beamte des höheren Dienstes (Auswärtige Verwaltung)	2
Beamter des gehobenen Dienstes (Auswärtige Verwaltung)	1
Arbeitsdienstführer	1
Hilfskräfte	7
	11

2.) Der Beauftragte für außenpolitische Fragen:

Beamte des höheren Dienstes (Auswärtige Verwaltung)	2
Hilfskraft	1
	3

3.) Der Beauftragte für Fragen der Inneren Verwaltung:

Beamte des höheren Dienstes (Innere Verwaltung)	5
Generalkonsul z.D. (Auswärtige Verwaltung)	1
Konsuln (Auswärtige Verwaltung)	2
Beamter des gehobenen Dienstes (Innere Verwaltung)	1
Beamter des mittleren Dienstes (Innere Verwaltung)	1
Beamte des gehobenen Dienstes (Sicherheitspolizei)	1
Beamte des mittleren Dienstes (Sicherheitspolizei)	23
SS-Führer	1
Angestellte mit besonderer Vorbildung	2
Hilfskräfte	13
	50

4.) Der Beauftragte für Wirtschaftsfragen:

Beamte des höheren Dienstes (Wirtschaftsverwaltung usw.)	6
Beamte des gehobenen Dienstes (Wirtschaftverwaltung usw.)	2
Angestellte mit besonderer Vorbildung	5
Hilfskräfte	12
	25

E. Die Arbeitsweise

Der Bevollmächtigte des Deutschen Reiches in Dänemark nimmt die Interessen des Reiches dadurch wahr, dass er von der Regierung des Königreichs Dänemark, die uneingeschränkt die Leitung der Verwaltung und aller öffentlichen Einrichtungen des Landes behalten hat, die etwa erforderlichen Auskünfte anfordert und sie um die Veranlassung der etwa notwendigen Maßnahmen dänischer Behörden und Einrichtungen ersucht. Der Verkehr mit der Dänischen Regierung erfolgt unter Wahrung der üblichen diplomatischen Formen.[5] Eine unmittelbare Aufsicht über dänische Behörden und Einrichtungen wird nicht ausgeübt, unmittelbare Anordnungen werden an dänische Behörden und Einrichtungen nicht erteilt.

Die Außenstellen des Beauftragten für Fragen der Inneren Verwaltung haben die

---

5 Diese Form der Aufsicht über die Regierung und Verwaltung eines anderen Landes habe ich in meiner Abhandlung "Grundfragen einer deutschen Großraum-Verwaltung" in "Festgabe für Heinrich Himmler", L.C. Wittich-Verlag Darmstadt 1941, versuchsweise als "Bündnis-Verwaltung" bezeichnet. [Bests note]

Aufgabe, die Lage im Lande und das Verhältnis zwischen den deutschen Truppen und den örtlichen dänischen Behörden zu beobachten und gegebenenfalls zwischen diesen in Streitfällen zu vermitteln.

Eigene Rechtsetzung wird vom Bevollmächtigten des Deutschen Reiches in Dänemark nicht ausgeübt. Um den Erlaß der zur Wahrung der Reichsinteressen etwa erforderlichen Rechtsvorschriften wird die dänische Regierung ersucht.

Deutsche Rechtsprechung wird in Dänemark grundsätzlich nur über deutsche Wehrmachtsangehörige durch die Wehrmachtgerichte ausgeübt. Dänische Staatsangehörige und Ausländer werden – auch wegen solcher Straftaten, die zum Nachteil der Besatzungsmacht begangen wurden – im Allgemeinen der dänischen Gerichtsbarkeit zur Abteilung überlassen. Der deutsche Wehrmachtsbefehlshaber hat sich zwar vorbehalten, solche Straftaten an die deutschen Wehrmachtgerichte zu ziehen, wenn er es für erforderlich hält, aber dies geschieht nur selten.

[...]

VII. ÜBERSICHTSTAFEL

	Besetztes Frankreich	Belgien	Niederlande	Norwegen	Dänemark	Protektorat Böhmen u. Mähren
Fläche in qkm	282.332,18	42.261	34.181	322.590	42.929	48.925
Einwohnerzahl	23 Mill.	11,5 Mill.	8.833.977	2.937.000	3.824.000	7,38 Mill.
Militärverwaltung (M) oder Zivilverwaltung (Z)	M	M	Z	Z	Z	Z
Vorgesetzte Reichsstelle	OKH	OKH	Führer	Führer	Ausw. Amt	Führer
Verwaltungsstufen	3	3	2	2	1	2
Verwaltungspersonal	1.489	1.166	1.596	806	89	9.362
Höhere Beamten	512	307	106	55	18	593
Gehobene und mittlere Beamte	393	245	168	42	29	3.101
Sonstiges Personal	504	742	1.323	704	42	5.668
Eigene Verwaltungsmaßnahmen	ja	ja	ja	ja	nein	ja
Eigene Rechtsetzung	ja	ja	ja	ja	nein	ja
Eigene Rechtsprechung	W	W	W	W	W	W
			St			St
			SS-Pol	SS-Pol		SS-Pol
						Z

(W = Wehrmachtgerichte,

St = Nichtmilitärtische Strafgerichte,

SS-Pol = SS- und Polizeigerichte,

Z = Zivilgerichte)

VIII. ALLGEMEINE GESICHTSPUNKTE DER AUFSICHTSVERWALTUNG

In den unter I – VI erwähnten 6 Ländern wird eine deutsche Verwaltung ausgeübt, die nach ihrem Zweck und ihrer Tätigkeit als *Aufsichtsverwaltung* zu bezeichnen ist. Die in diesen Ländern getroffenen Feststellungen und gewonnenen Eindrücke ermöglichen deshalb, durch Vergleich und Zusammenfassung allgemeine Gesichtspunkte der Aufsichtsverwaltung herauszuarbeiten, die nicht nur für die Fortführung und Weiterentwicklung der gegenwärtigen deutschen Aufsichtsverwaltungen in auswärtigen Ländern sondern auch für die Gestaltung der künftigen deutschen Großraumverwaltung von Bedeutung sein werden.

1.) "Kein Schema!"

Wenn die Parole des Generals Dietl "Nur kein Schema!" für die Kriegführung in fremden Ländern mit unbekannten Verhältnissen ihre besondere Bedeutung hat, so gilt dieser Gesichtspunkt auch für die Verwaltung auswärtiger Länder. Die völkischen, geographischen, klimatischen, wirtschaftlichen und technischen Verhältnisse in diesen Ländern zwingen sowohl die landeseigene Verwaltung wie auch die Aufsichtsverwaltung zur Anpassung. Der – dem Verwaltungsfachmann sehr nahe liegende – Wunsch nach einheitlicher Organisation und nach gleichen Funktionsregeln muß deshalb für die Aufsichtsverwaltungen in auswärtigen Ländern bewußt zurückgestellt werden.

2.) Militärverwaltung oder Zivilverwaltung?

Die Erfahrungen in den Ländern in denen seit mehr als einem Jahre deutsche Zivilverwaltungen tätig sind, haben erwiesen, dass – auch unter Berücksichtigung der Tatsache, dass die Niederlande, Norwegen und Dänemark noch Operationsgebiete der deutschen Wehrmacht sind, – die militärischen Interessen der Wehrmacht neben der Zivilverwaltung und weitgehend durch die Zivilverwaltung reibungslos gewahrt werden.

Für die Einführung oder Aufrechterhaltung einer Militärverwaltung können deshalb nicht mehr militärische Interessen der Wehrmacht als maßgebend angesehen werden sondern nur nach der Gesichtspunkt, ob es zweckmäßig erscheint, die deutsche Aufsichtsverwaltung durch Unterstellung unter militärische Befehlshaber, durch organisatorische Koppelung mit militärischen Einrichtungen und durch militärische Uniformierung ihrer Beamten betont als eine Seite der militärischen Besetzung in Erscheinung treten zu lassen. Dies kann zweckmäßig erscheinen, um entweder den nur vorübergehenden Charakter der deutschen Aufsichtsverwaltung besonders zu unterstreichen oder aber um die bewaffnete Macht besonders eindringlich und drohend in den Vordergrund zu stellen.

3.) Beschränkung der Aufsicht

Das entscheidende Erlebnis des deutschen Verwaltungsfachmanns, der aus dem auf höchsten Touren laufenden Verwaltungsapparat des Reiches zur Aufsichtsverwaltung in einem auswärtigen Lande berufen wird, ist die Erkenntnis, dass das Leben im Lande auch ohne ihn und seine Verwaltungstätigkeit seinen Fortgang nimmt und sich selbst erhält. Öffnet er sich willig dieser Erkenntnis, so gelangt er zum Verständnis der Weisheit des Freiherrn vom Stein, dass wahre Verwaltungskunst darin bestehe, "wenig zu regieren", d.h. das lebendige Leben wirken zu lassen und dieses Wirken nur unter höheren Gesichtspunkten zu beaufsichtigen, zu lenken und zu korrigieren.

Genau dies aber ist die konkrete Aufgabe einer Aufsichtsverwaltung in einem auswärtigen Lande. Hieraus ist die Folgerung zu ziehen, dass alle Verwaltungstätigkeit, soweit irgend möglich, den landeseigenen Behörden und Einrichtungen zu überlassen ist, die erfahrungsgemäß ihre Aufgaben in einer dem Lande entsprechenden Weise ausreichend erfüllen. Von eigenen Verwaltungsmaßnahmen der Aufsichtsverwaltung ist möglichst abzusehen. Die Aufsicht über die landeseigene Verwaltung ist so zu führen, dass stets der Überblick gewahrt wird, um die Notwendigkeit eines Eingreifens rechtzeitig zu erkennen, und dass die landeseigene Verwaltung sich ständig umfassend beaufsichtigt fühlt. Die Aufsicht dabei so zu gestalten, dass den Aufsichtsstellen dennoch nur ein Minimum an Lese- und Schreibarbeit verursacht wird, hängt von der Kunst ab, die eigene Aufmerksamkeit auf die wirklich wesentlichen Stellen und Vorgänge in der beaufsichtigten Verwaltung zu erstrecken und zu beschränken.

4.) Eigene Verwaltungsmaßnahmen

Die eigenen Verwaltungsmaßnahmen, zu denen der deutsche Verwaltungsfachmann (und der Nichtfachmann erst recht!) nur zu sehr neigt, sind in der Aufsichtsverwaltung auf das allernotwendigste Maß zu beschränken. Man kann nie mit voller Sicherheit voraussagen, dass die landeseigene Verwaltung bestimmte Aufgaben mangels Willens oder Fähigkeit nicht erfüllen würde. Der Versuch muß gemacht werden. Erst wenn er erfolglos bleibt, ist die Schraube der eigenen Verwaltungsmaßnahme allmählich anzuziehen.

5.) Die Verwaltungsstufen

Zur Zeit werden fast in allen unter deutscher Aufsichtsverwaltung stehenden Ländern zwei bis drei Stufen der Aufsichtsverwaltung für notwendig gehalten. Selbst wo die deutsche Verwaltung als Einheitsbehörde organisiert ist (Niederlande, Norwegen) übt sie durch "Beauftragte" oder "Außenstellen" in der Ebene der landeseigenen Mittelbehörden unmittelbare Aufsicht aus.

Als erstrebenswert ist die einstufige Aufsichtsverwaltung anzusehen, die nur über die landeseigenen Zentralbehörden und hierdurch über die gesamte landeseigene Verwaltung die Aufsicht führt. Die Verwirklichung dieser Aufsichtsform setzt Aufsichtskräfte voraus, die fähig sind, den gesamten Verwaltungsapparat eines Landes zu überblicken und zu durchschauen, ohne sich von den Trägern desselben täuschen zu lassen.

6.) Die Personalbesetzung

Jede Aufsichtsverwaltung sollte den Ehrgeiz haben, mit der denkbar geringsten Personalbesetzung auszukommen. Der im Reiche übliche – wenn auch nicht zu billigende – Standpunkt, dass eine große Zahl von Untergebenen die Stellung des Chefs hebe, wird in der Aufsichtsverwaltung zum Unsinn. Denn die Bedeutung und Stellung der Aufsichtführenden wird durch den Umfang und die Bedeutung des beaufsichtigten Gegenstandes bestimmt und nicht durch die Zahl der zur Aufsicht verwendeten Hilfskräfte. Die Hilfskräfte aber versuchen ihren Wert durch Vermehrung der Aufsicht (nicht durch Verbesserung der Aufsicht, die Hilfskräfte entbehrlich machen

würde), zu beweisen. Damit beginnt eine Entwicklung, die den Sinn der Aufsichts-
verwaltung in sein Gegenteil verkehrt.

7.) Der höhere Beamte in der Aufsichtsverwaltung
Dass in den dargestellten Verwaltungen die Zahl der höheren Beamten im Verhält-
nis zu der Zahl der gehobenen und der mittleren Beamten sehr viel größer ist als im
Durchschnitt der Verwaltungen im Reich, liegt im Wesen der Aufsichtsverwaltung
begründet, die in ihrer reinsten Form tatsächlich nur die beaufsichtigende, lenkende
und entscheidende Tätigkeit des höheren Beamten fordert. Die Tätigkeit des geho-
benen und des mittleren Beamten hingegen überwiegt mengenmäßig in allen Ver-
waltungsbereichen, in denen eine große Zahl gleicher oder ähnlicher Einzelfälle nach
feststehenden Bestimmungen geprüft und abgefertigt werden muß.

In der Aufsichtsverwaltung bleibt für den gehobenen und mittleren Beamten nur
die büromäßige und organisatorische Unterstützung des höheren Beamten übrig,
womit sich ihre verhältnismäßig sehr viel geringere Zahl gegenüber dem Reichs-
durchschnitt erklärt. Wo höhere Zahlen auftreten, handelt es sich um Vollzugsbe-
amte, die für einen durch eigene Verwaltungsmaßnahmen der deutschen Verwaltung
wahrgenommenen Spezialzweck – wie Polizei oder Zollgrenzschutz – eingesetzt wer-
den.

Ein Ruhmesblatt für die höheren Beamten aber ist es, dass viele von ihnen in
den neu besetzten Gebieten "mit einem Bleistift und einem Stück Papier" ohne jede
Hilfskraft – also ohne "Büro" – begonnen haben, die Aufsichtsverwaltung auszu-
üben, womit sich die Unabhängigkeit des Verwaltens vom "Büro" und damit der in
Wahrheit "unbürokratische" Charakter des Verwaltens erwiesen hat.

8.) Die vorgesetzten Reichsstellen
Als Mangel hat sich herausgestellt, dass die gegenwärtigen deutschen Aufsichtsver-
waltungen verschiedenen vorgesetzten Reichsstellen unterstellt sind. Dies führt dazu,
dass nicht nur in vielen wirklich gleichmäßig – auch bei Ablehnung des "Schemas"
– für alle Aufsichtsverwaltungen zu regelnden Angelegenheiten eine Reglung zu spät
oder gar nicht zustande kommt, sondern dass die Verwaltungen bei strenger Beach-
tung der Dienstweg-Vorschriften nur über verschiedene höchste Reichsstellen mit
einander verkehren könnten.

Nun ist aber nicht nur wegen vieler von Land zu Land spielender Einzelfälle ein
unmittelbarer Geschäftsverkehr zwischen den Verwaltungen nötig, sondern es wäre
auch weitgehend ein systematischer Austausch und Ausgleich der Erfahrungen und
Methoden erwünscht und nützlich.

Deshalb wäre, wenn auch vielleicht nicht alle Unterstellungsverhältnisse verän-
dert werden können (wie schon das Nebeneinander von Militärverwaltungen und
Zivilverwaltungen zeigt), die Schaffung einer vermittelnden Zentralstelle für alle
deutschen Aufsichtsverwaltungen in auswärtigen Ländern durchaus erwünscht. Der
Reichsminister des Innern ist z.B. "Zentralstelle" für einige unter deutscher Verwal-
tung stehende Gebiete (z.B. für das Protektorat Böhmen und Mähren und für das
Generalgouvernement). Auf dieser Einrichtung könnten vielleicht brauchbare For-
men der "Koordination" der deutschen Aufsichtsverwaltungen entwickelt werden.

9.) Keine "Gleichstellung" der beaufsichtigten Länder!

Neigt der deutsche Verwaltungsfachmann schon im Reiche zum "Schema", d.h. zur gleichmäßigen Organisations- und Funktionsregelung, so bieten auswärtige Länder mit ihren abweichenden Verwaltungsformen stärksten Anreiz zur Betätigung dieser Neigung. Kommt noch die Feststellung dazu, dass die fremde Verwaltung auf politischen und weltanschaulichen Grundlagen beruht, die den unseren entgegengesetzt sind, so erhält die Neigung zur "Gleichschaltung" noch einen politischen und weltanschaulichen Motor.

"Gleichschaltung" der landeseigenen Verwaltung ist aber *noch* nicht – in manchen Ländern wohl nie – die Aufgabe deutscher Aufsichtsverwaltungen. Diese sind vielmehr – wie in mehreren Führer-Erlassen ausgesprochen ist – zur Wahrung der *Reichs*interessen eingesetzt. Dies ist zunächst einmal eine sehr nüchterne negative Aufgabe, die im wesentlichen darin besteht, in den beaufsichtigten Bereichen Vorgänge zu verhüten, die den Reichsinteressen zuwiderlaufen könnten, nur einzelne positive Aufgaben – meist wirtschaftlicher Art – sind je nach der Lage im Reichsinteresse zu erfüllen.

Die beaufsichtigten Länder und vor allem ihre Landeseigenen Verwaltungen nach deutschen Gesichtspunkten zu "reorganisieren", dürfte bis auf weiteres nicht im Reichsinteresse liegen. Vielmehr erleichtert die möglichst unveränderte Erhaltung und reibungslose Weiterarbeit der landeseigenen Verwaltung die deutsche Aufsicht und die Verwirklichung der Reichsinteressen. Die Beibehaltung der politischen und weltanschaulichen Grundlagen aber schafft in dem beaufsichtigten Lande das "schlechte Gewissen" und das Unterlegenheitsbewußtsein gegenüber dem Deutschen Reiche, aus dem mehr Fügsamkeit und Bereitschaft zur Erfüllung deutscher Forderungen entspringt als aus einem durch "Gleichschaltung" gezüchteten Selbstbewußtsein.

10.) Blick in die Zukunft

Das Bemühen, aus den Erfahrungen der gegenwärtigen deutschen Aufsichtsverwaltungen in auswärtigen Ländern allgemeine Gesichtspunkte der Aufsichtsverwaltung zu gewinnen, entspringt nicht dem Streben nach Theorie und System sondern in erster Linie der Erkenntnis, dass in der vom Deutschen Reiche geschaffenen und geführten Großraumordnung auch künftig die Aufsichtsverwaltung ein wesentliches Mittel der deutschen Großraumverwaltung sein wird. Auf sie die Reichsverwaltung und ihre Träger vorzubereiten, ist deshalb eine wichtige Aufgabe der Gegenwart.

Darüber hinaus aber können die Erfahrungen der Aufsichtsverwaltungen von wahrhaft revolutionärer Wirkung für die künftige Durchführung der Verwaltungsreform im Reiche werden. In den Aufsichtsverwaltungen ist die viel umstrittene "Einheit der Verwaltung" und das "wenig regieren" des Freiherrn vom Stein erprobten Selbstverständlichkeit und die Identität der so aufgefaßten Verwaltung mit dem nüchternsten Begriffe der Politik zur erlebten Wirklichkeit geworden. Dieser Geist muß dazu beitragen, die im Dualismus Politik – Verwaltung, im Spezialismus der Sonderverwaltungen und im Vielregieren aller Gewaltenträger festgefahrene Reichsverwaltung zu einer einfachen, praktischen und leistungsfähigen Großraumverwaltung umzugestalten und fortzuentwickeln.

Dies aber ist nur möglich, wenn einerseits bewußt nur die besten Verwaltungs-

kräfte in die Schule der Aufsichtsverwaltungen entsandt werden und wenn diese über
ihre Tagesarbeit hinaus ihre Pflicht erkennen, alle für die Gestaltung der künftigen
Großraumverwaltung erforderlichen Erkenntnisse zu gewinnen und zu verarbeiten
und sich selbst auf die künftige Anwendung dieser Erkenntnisse vorzubereiten.

4. Paul Barandon: Die Rechtsstellung Dänemarks als besetztes Gebiet 27. März 1942

Efter kun få måneder som gesandt i Danmark holdt Paul Barandon et foredrag om Danmarks retsstilling
som besat område. Det blev holdt i en kreds af betroede fagfæller, den tyske komite for folkeret, som han
havde været medlem af forud for sin ansættelse som generalkonsul i Valparaíso i maj 1937.

Indledningsvis gjorde Barandon opmærksom på, at Danmarks retsstilling som besat område ikke var
endelig og stabil, men var led i en stadigt pågående politisk udvikling. Det var den øjeblikkelige stilling,
han kunne fortælle om. Fremtiden lod sig ikke overse. Han gengav det officielle tyske syn på årsagen til
Danmarks besættelse april 1940, endvidere de officielle tyske garantier 9. april med hensyn til Danmarks
suverænitet, og at disse garantier siden var blevet overholdt med kun de få indskrænkninger, som var be-
tingede af krigen. Danmark besad som statsområde så godt som alle sine hidtidige funktioner. Det havde
imidlertid været nødvendigt at opbygge et tysk embedsapparat til at kontrollere det danske samfund. Det
skete ved udpegning af tre embedsmænd, der på hver deres hovedområde bistod den tyske gesandt, der sam-
tidig blev forfremmet til rigsbefuldmægtiget. De tre områder var: 1. udenrigspolitik, 2. indre forvaltning
(sikkerhed) og 3. erhvervsforhold. Hver af de tre embedsmænds sagsområder blev derefter gennemgået, og
Barandon udelod ikke omtale af de problemer, der havde været og som var løst tilfredsstillende set fra et
tysk synspunkt. Enkelte gange henviste han til udenlandsk kritik, men turnerede den, og efter den positivt
fremstillede gennemgang af sikkerhedsforholdene i Danmark kunne han udkaste bemærkningen: Sådan,
mine herrer, regerer Gestapo i Danmark. På det erhvervsmæssige område gjorde han klart, at diktatoriske
metoder ikke lod sig anvende, hvis Danmark skulle nyttiggøres mest muligt for den tyske krigsførelse. Med
den bevarede selvstændighed var det ikke alene lykkedes Danmark at opretholde sin selvforsyning, men
også at levere et betydeligt overskud til eksport, hvor visse andre besatte områder end ikke kunne forsyne sig
selv. Det resultat var kun nået, fordi Danmark på enhver måde var tildelt en særstilling, også for så vidt det
gjaldt import af varer, som de virkeligt besatte områder ikke fik. Særligt blev det danske landbrug fremhæ-
vet, som trods manglende indførsel af gødning o.a., ikke alene dækkede det danske behov, men som også
leverede store mængder fødemidler til Stortysklands 90 millioner indbyggere, herunder det tyske forbrug
for en måned af smør, flæsk og æg.[6] Opretholdelsen og fremme af dansk landbrug udgjorde det danske
erhvervsmæssige kerneproblem, hvilket var løst ved anvendelsen af imødekommende og skånende metoder.
Dansk industri, især værfts- og maskinindustrien, arbejdede for Tyskland og var henvist til at blive forsynet
med kul, jern og brændstof fra Tyskland. Det satte Danmark i den ubehagelige situation, at det på den ene
side fik stadig færre forsyninger fra Tyskland, og på den anden ikke måtte levere sine industriprodukter til
tredjelande. Der måtte gøres, hvad der kunne, for at Danmark fortsat kunne eksportere industriprodukter
til Tyskland. Efter nogle afsnit om anvendelsen af den danske skibstonnage konkluderede Barandon bl.a., at
Danmark ikke kunne betragtes som andre tyskbesatte lande, men ifølge det tyske memorandum af 9. april
1940 bevarede sin selvstændighed, og at der kun skete indskrænkninger på det forvaltningsmæssige område
af hensyn til de tyske troppers sikkerhed og opretholdelsen af ro og orden, hvilket var en forudsætning for
de erhvervsmæssige ydelser, der kom Tyskland til gode. Endelig skulle de erhvervsmæssige begrænsninger
tjene det formål ikke kun at sikre landets produktion til fulde til den tyske krigsførelses nødvendige behov,
men også med henblik på den fjernere fremtid at opretholde begge landes fællesinteresse.

Werner von Grundherr sendte 21. april 1942 fortroligt en kopi af Barandons foredrag til OKW og seks
ministerier, hvor han endvidere oplyste, at foredraget var holdt af Barandon 27. marts 1942 i Akademie

---

6 Det er her værd at bemærke, at Barandon ikke indskrænkede den danske landbrugseksport til at være
af stor betydning for det gamle Tyskland (Altreich), men det nye Stortyskland med et langt højere befolk-
ningstal.

für Deutsches Recht i Berlin.[7] Rundsendelsen af foredraget var en klar tilkendegivelse af, at indholdet var dækkende for AAs holdning i spørgsmålet. Det giver indholdet sin betydning, ikke mindst i betragtning af, at de af Barandon repræsenterede synspunkter siden blev delt af Werner Best og af dem begge blev søgt opretholdt, så længe de gjorde tjeneste i Danmark.

Der var adskillige forhold og problemer, som Barandon ikke kom ind på, men foredraget blev holdt på et tidspunkt, marts 1942, hvor de store og svære problemer endnu lå forude og f.eks. sabotagen endnu kun var i sin vorden. På den anden side undlod han bl.a. at nævne de strandede forhandlinger om en mønt- og toldunion 1940, det tyske krav om udlevering af danske torpedobåde foråret 1941, og at Danmark kun efter stærkt tysk pres havde tilsluttet sig Antikominternpagten. Han udelod også at omtale den del af den nye tyske administration i Danmark, som ikke havde forbindelse med AA: Det gælder Wehrwirtschaftsstab Dänemark under Walter Forstmanns ledelse, der forestod etableringen af kontakter til og indgåelse af kontrakter med dansk erhvervsliv om ordrer til tysk krigsproduktion. Forstmann havde en stab af medarbejdere, der numerisk efterhånden blev så betydelig, og en omsætning så stor, at det i marts 1942 var et væsentligt selvstændigt led i udnyttelsen af dansk økonomi, men det lå ganske vist uden for gesandtskabets virke. Germanische Leitstelle var en anden selvstændig aktør i Danmark, der gennem DNSAP hvervede frivillige til tysk krigstjeneste, og der var flere endnu, flere end Barandon ville give indtryk af, og hvis selvstændige rolle han slet ikke omtalte. Det skal ses i samme sammenhæng, at gesandtskabets forhold til WB Dänemark blev fremstillet helt ukompliceret, dvs. det blev rettere slet ikke omtalt. Igen må der tages højde for, at der i marts 1942 ikke var de større problemer og konflikter, som siden kom til, men ved behandlingen af Danmarks retsstilling som besat land, kunne det ikke være uden betydning, hvem de andre tyske aktører i landet var, og at de havde fået selvstændige opgaver, som var med til at udhule dansk suverænitet. Det gælder således Germanische Leitstelles fremtvungne ret til hvervning til tysk krigstjeneste i 1941. Trods dette forfægtede Barandon det hovedsynspunkt, at det var ved en opretholdelse af dansk suverænitet og en selvstændig retsstilling, og ved en skånende og imødekommende tysk fremfærd, at der var opnået de hidtidige betydelige positive resultater i landet, og at den samme politik måtte videreføres af hensyn til en fælles fremtidig interesse. Det er i sidste ende det mest afgørende ved vurderingen af talen. Moderationen og skånsomheden plæderede Barandon (og AA) for på et tidspunkt, hvor krigslykken ikke var vendt for Tyskland, og argumentationen kan derfor ikke opfattes i et defensivt perspektiv. Der blev argumenteret for den danske særstilling, fordi den gav de bedste resultater set fra et tysk synspunkt. Den samme opfattelse skulle siden blive gentaget igen og igen, selv om perspektivet gradvist blev ændret.

Kilde: RA, Danica 465: Moskva: Osobyj Archiv, 1458/21/3/19.

Abschrift
II 444 Ang. II

Die Rechtsstellung Dänemarks
als besetztes Gebiet

Anmerkung

Es ist mir eine besondere Freude, mich nach fast fünfjähriger Abwesenheit wieder in dem vertrauten Kreise des Ausschusses für Völkerrecht zu befinden.

Noch lieber wäre ich der Einladung zu dem heutigen Vortrag allerdings gefolgt, wenn es sich um ein etwas weniger diffiziles Thema gehandelt hätte als gerade um die Rechtsstellung Dänemarks als besetztes Gebiet. Südamerika hätte mir, offen gestanden, näher gelegen, denn dort war ich über vier Jahre, wahrend ich in Kopenhagen noch

---

7 De seks ministerier var: Reichsministerium des Innern, Reichswirtschaftsministerium, Reichsministerium für Ernährung und Landwirtschaft, Reichsfinanzministerium, Reichsverkehrsministerium og Reichsarbeitsministerium.

keine drei Monate tätig bin.[8] Aber auch aus einem anderen Grunde ist es nicht einfach, heute über die Rechtsstellung Dänemarks zu sprechen. Die Darstellung einer Rechtslage setzt geklärte und stabile Rechtsverhältnisse voraus. Für Dänemark ist eine Rechtslage allerdings durch die in allen Zeitungen veröffentlichte Erklärung der Reichsregierung vom 9. April 1940 und durch nähere Vereinbarungen, die nach der militärischen Besetzung vor zwei Jahren getroffen worden sind, geschaffen worden.[9] Hierbei handelt es sich jedoch nur um einen Rahmen, dessen Ausfüllung Sache der Praxis war und auch weiterhin bleibt. Ich würde daher Ihre Erwartungen bestimmt enttäuschen, wenn ich mich auf den Inhalt dieser völkerrechtlichen Dokumente und auf eine theoretische Erörterung über das Wesen der occupatio pacifica beschränken wollte. Um Ihnen ein einigermaßen lebendiges Bild von den praktischen Auswirkungen der völkerrechtlichen Abmachungen zu geben, muß ich daher auf viele Einzelheiten eingehen, die das gesamte staatliche und wirtschaftliche Leben des Landes unter der deutschen Besetzung betreffen. Ich werde dabei in diesem mir so wohl bekannten Kreise nicht ängstlich verfahren, muß mich aber natürlich darauf verlassen können, daß meine Mitteilungen vertraulich behandelt und nicht etwa publizistisch ausgewertet werden. Es kommt hinzu, daß die Rechtslage Dänemarks, wie gesagt, nicht stabil und endgültig geklärt sondern durch eine noch andauernde politische Entwicklung bedingt ist. Hier wie im übrigen Europa zeichnen sich die großen Linien dieser Entwicklung natürlich bereits ab. Wie sich aber die Dinge im Einzelnen noch gestalten werden, das wie so vieles Andere läßt sich heute noch nicht übersehen. Mit diesen Vorbehalten kann ich nunmehr zur Sache kommen.

Lage bis 9.4.40.
Bis zum 9. April 1940 war Dänemark neutral, wobei das Wort neutral aus mehr als einem Grunde in Anführungsstriche zu setzen ist. Ich denke dabei nicht so sehr an die Verfälschung des Neutralitätsbegriffes durch die Genfer Völkerbundsideologie, als an die obligatorische Stellungnahme der Mitgliedstaaten gegen einen Staat, der vom Völkerbundsrat als Angreifer bezeichnet ist. Diese Dinge sind uns in diesem Kreise ja alle geläufig, zumal wenn man sich so eingehend mit der Schrift des Herrn Staatsrat Schmitt über den diskriminierenden Kriegsbegriff zu beschäftigen Gelegenheit hatte,[10] wie ich anläßlich einer Besprechung von Valparaíso aus. Inzwischen ist die Genfer Liga ja auch endgültig verschwunden, und auch Dänemark ist formell ausgetreten.[11] Aber hiervon abgesehen war es mit der Neutralität Dänemarks seit Kriegsbeginn bis zu den entscheidenden Tagen vor zwei Jahren doch eigenartig bestellt, zum mindesten insofern, als England und Frankreich entschlossen waren, diese Neutralität keineswegs zu achten. Die Deutsche Regierung hatte im Frühjahr 1940 den dokumentarischen Beweis dafür in Händen, daß diese beiden Mächte im Begriff standen, die nordischen Staaten als Operationsgebiet für ihre Kriegsausweitungspläne zu benutzen und eine dahin zielende

8 Barandon kom til Danmark 7. januar 1942 (Barandons forklaring 1. oktober 1945 (LAK, Best-sagen)).
9 Det tyske memorandum 9. april er trykt ovenfor.
10 Talen var om den nazistiske retsteoretiker, professor Carl Schmitt.
11 Danmark udtrådte af Folkeforbundet 19. juli 1940.

Aktion auch gegen den Willen dieser Staaten durchzuführen.[12] Die nordischen Staaten einschließlich Dänemark hatten auch bis dahin den Übergriffen Englands und Frankreichs nicht nur keinen Widerstand entgegengesetzt, sondern selbst schwerste Einbrüche in ihre Hoheitsrechte ohne entsprechende Gegenmaßnamen geduldet.[13] Die Deutsche Regierung hatte daher allen Grund zu der Annahme, daß die Dänische Regierung auch im April 1940 gegenüber der damals vor ihrer Durchführung stehenden Aktion Englands und Frankreichs die gleiche Haltung einnehmen würde. Darüber hinaus stand fest, daß Dänemarks militärische Kräfte zu einem wirksamen Schutz der dänischen Neutralität nicht ausreichen würden.

Lage seit 9.4.40.
Dies war die völkerrechtliche Lage, als am 9. April 1940 gegen 5 Uhr früh deutsche Truppen mit dem Einmarsch in Dänemark und der Besetzung zahlreicher wichtiger Stützpunkte begann. Gleichzeitig – nach dänischer Sommerzeit war es erst 4 Uhr früh – suchte der Deutsche Gesandte von Renthe-Fink den dänischen Außenminister Munch auf und überreichte dem so überraschend aus dem Morgenschlummer Geweckten ein Memorandum der Reichsregierung, in welchem die von mir soeben kurz resümierten Gründe für den deutschen Einmarsch eingehend erläutert und die Dänische Regierung ersucht wurde, sofort alle Maßnahmen zu treffen, um sicherzustellen, daß das Vorgehen der deutschen Truppen ohne Blutvergießen und ohne Schwierigkeiten erfolgen konnte. Wir wissen, daß die Dänische Regierung dieser Aufforderung, wenn auch nach einigem Zögern und unter Protest, nachgekommen ist,[14] und daß von diesem 9. April ab der neue Rechtszustand Dänemarks unter deutscher Besetzung datiert.

Das Memorandum der Deutschen Regierung nimmt Bezug auf die seit jeher bestehenden guten deutsch-dänischen Beziehungen und schließt mit einer Versicherung darüber, daß Deutschland nicht die Absicht hat, die territoriale Integrität und politische Unabhängigkeit Dänemarks anzutasten. Des weiteren enthält des Memorandum die Erklärung, daß die Reichsregierung durch die Besetzung strategisch wichtiger Punkte während dieses Krieges den Schutz des Königreichs Dänemark übernimmt, daß die deutschen Truppen den dänischen Boden nicht in feindseliger Gesinnung betreten, und daß das deutsche Oberkommando nicht die Absicht hat, die von den deutschen Truppen besetzten Punkte als Operationsbasis zum Kampfe gegen England zu benutzen, solange es nicht durch Maßnahmen der Feindmächte hierzu gezwungen wird. Diese in dem Memorandum enthaltenen Erklärungen der deutschen Regierung kann man als die Grundlage der Rechtsstellung Dänemarks während der deutschen militärischen Besetzung betrachten.

Die Deutsche Regierung hat ihre Zusagen gehalten.[15] Das dänische Staatsgebiet ist intakt, seine politischen und seine Zollgrenzen sind unversehrt. Wenn Dänemark Gebietseinbussen erlitten hat, so ist das nicht auf Veranlassung oder zugunsten Deutsch-

12 Der var fra engelsk side forberedt et angreb på Norge.

13 Bl.a. blev dansk luftrum og territorialfarvand krænket.

14 Den danske protestnote 9. april 1940 af P. Munch er trykt i PKB, 4, nr. 12.

15 Det var ikke tilfældet, men endnu i marts 1942 var de tyske indgreb ikke så vidtgående, som de siden blev.

lands geschehen. Es war Nordamerika, das lange vor seinem Eintritt in den Krieg die so sorglich gepflegte dänische Kolonie Grönland besetzte, unter dem Vorwand eines Scheinvertrages, der jeder rechtlichen Gültigkeit entbehrt, weil er mit einem in keiner Weise dazu bevollmächtigten dänischen Gesandten abgeschlossen ist.[16] Es war England und später wieder Nordamerika, das Island besetzte, das mit Dänemark durch Personal-Union verbundene Inselland.[17] Diese Besetzungen geschahen, sehr im Gegensatz zur Besetzung Dänemarks durch deutsche Truppen, zu dem unverhohlen ausgesprochenen Zweck, die besetzten Gebiete als Operationsbasis gegen Deutschland zu benutzen.

Nicht nur das dänische Staatsgebiet ist intakt, auch die Souveränität des Landes ist, abgesehen von den durch den Besetzungszweck notwendigen Einschränkungen, unberührt. Der König und die Königliche Familie befinden sich im Lande und genießen alle Ehrenrechte. Die Königliche Garde in ihren roten Röcken stellt die Schloßwache. Das Militär ist nicht entwaffnet.[18] Die Dänische Regierung hat ihre Gesandten und Konsulate im Auslande und die fremden Gesandten – ausgenommen natürlich diejenigen unserer Feinde – befinden sich nach wie vor in Kopenhagen. Die Dänische Regierung schließt Staatsverträge mit anderen Staaten – mit einer Reihe von europäischen Ländern schweben zurzeit Handelsvertragsverhandlungen. Die Gerichte, die Polizei und die Verwaltungsbehörden, die Grenz- und Zollbehörden arbeiten unbehelligt und sind lediglich der notwendigsten Kontrolle unterworfen.

Damit, meine Herren, habe ich in abstracto bereits alle Kriterien der völkerrechtlichen Lage Dänemarks aufgezählt. Sie werden aber mit Recht von mir erwarten, daß ich es nicht beim Formaljuristischen bewenden lasse und Ihnen wenigstens einen gedrängten Überblick über die lebendige Ausgestaltung des deutsch-dänischen Rechtsverhältnisses gebe. Dazu ist folgendes zu sagen:

Organisation der Deutschen Behörden

Nachdem sich die Dänische Regierung nach dem Einmarsch der deutschen Truppen den deutschen Forderungen gefügt hatte, waren alle zunächst vom Militär wahrgenommenen Funktionen der Polizei und Verwaltung wieder von den zivilen Behörden zu übernehmen, doch mußte gleichzeitig eine leitende Kontrolle geschaffen werden, die nicht nur die Sicherheit der Besatzungstruppen sondern auch eine der neuen Lage entsprechend geführte Politik und Verwaltung gewährleistet. Für die Ausübung dieser Kontrolle und Lenkung waren in Dänemark keinerlei Dienststellen vorhanden. Die Gesandtschaft mit ihrem verhältnismäßig geringen Personal und die wenigen Berufskonsularbehörden konnten diese Aufgabe nicht leisten, ganz abgesehen davon, daß der Gesandte als Chef einer diplomatischen Mission zu so umfangreichen neuen Aufgaben gar nicht bevollmächtigt war. Es wurde daher folgende Regelung getroffen: Die rein militärischen Aufgaben verblieben natürlich in der Hand des Militärbefehlshabers. Zur Überwachung der Durchführung der deutschen Forderungen und der Einhaltung der von der dänischen Regierung gegebenen Zusicherungen aber wurde ein Bevollmächtig-

16 Den danske ambassadør Henrik Kauffmann indgik 9. april 1941 en overenskomst med USA om Grønlands forsvar, der bl.a. gav USA ret til militære baser på Grønland; en ret USA ikke siden har villet afgive.

17 Island blev besat af England 10. maj 1940, fra 7. juli 1941 af USA.

18 Tværtimod varetog det danske søværn minerydningen i danske farvande.

ter des Reiches bestellt, und zwar wurde der Gesandte von Renthe-Fink unter Beibehaltung seiner Funktion als deutscher Gesandter in Kopenhagen zum Reichsbevollmächtigten für Dänemark ernannt.[19] Er ist als Reichsbevollmächtigter und Gesandter der höchste deutsche Vertreter in Dänemark. Zur Durchführung seiner Aufgaben sind ihm ein Beauftragter für außenpolitische Fragen,[20] ein Beauftragter für die innere Verwaltung[21] und ein Beauftragter für die Wirtschaftsfragen[22] mit dem erforderlichen Personal zugeteilt und unterstellt worden. Wenn man sich ein Bild über die Stellung Dänemarks im deutschen Machtbereich machen will, tut man am besten, die Arbeitsgebiete dieser drei Beauftragten getrennt zu betrachten.

Außenpolitische Fragen
Dem Beauftragten für außenpolitische Fragen liegt die Verbindung mit dem dänischen Außenministerium ob, d. h. er hat die dänische Außenpolitik zu überwachen, soweit man von einer solchen unter den gegebenen Verhältnissen noch reden kann. Bei aller Achtung vor der dänischen Souveränität ist es doch selbstverständlich, daß ein unter deutschem Schutz stehendes und zu dem von der Achse geführten europäischen Raum gehörendes Land in seiner Außenpolitik sich nach Deutschland auszurichten hat. So war es denn auch ganz natürlich, daß Dänemark im November vorigen Jahres zu den sechs europäischen Staaten gehörte, die dem Antikominternpakt beitraten.[23] Ferner ist es selbstverständlich, daß Dänemark mit den Staaten, die mit Deutschland im Kriege stehen, keine diplomatischen Beziehungen mehr unterhält, und daß auch die Gesandten und Berufskonsulate derjenigen Länder, die, wie eine große Anzahl der amerikanischen Staaten, die Beziehungen zu Deutschland abgebrochen haben, nicht mehr in Dänemark bleiben können. Die dänische Regierung hat sich diesen Erfordernissen widerspruchslos gefügt. Schwierigkeiten ergaben sich jedoch mit einer Reihe von dänischen Gesandten und Beamten in den feindlichen und unter feindlichem Einfluß stehenden Ländern. Obwohl das dänische Außenministerium bereits am 9. April 1940 sämtliche Gesandtschaften und berufskonsularischen Vertretungen durch einen telegrafischen Runderlaß über die Verhältnisse in der Heimat unterrichtete und davon in Kenntnis setzte, daß es die Absicht der Deutschen Regierung war, die territoriale Integrität des Königreichs, die Aufrechterhaltung von Heer und Flotte, die Freiheit des Volkes und die zukünftige politische Unabhängigkeit des Landes zu sichern, haben eine Anzahl von Auslandsbeamten

19 Gesandt Cecil von Renthe-Fink blev udnævnt til rigsbefuldmægtiget i Danmark 9. april 1940 som en markering af, at han var den overordnede civile tyske myndighed i Danmark (Renthe-Fink til AA 9. april 1940 (PKB, 12, nr. 93)).

20 Fra 17. april til 22. juni 1940 var det Andor Hencke, der derefter blev sat på en anden opgave og kun var på kortvarige ophold i København med henblik på sin hidtidige funktion frem til 21. april 1941, hvorefter han fratrådte hos den rigsbefuldmægtigede (BHAD, 2, s. 264). Fra januar 1942 kom Paul Barandon i stedet, udsendt af AA.

21 Fra april 1940 vicepolitipræsidenten i Berlin, SS-Brigadeführer Paul Kanstein, udsendt af det tyske indenrigsministerium/SS, men underlagt den rigsbefuldmægtigede som kommitteret (PKB, 13, nr. 4 og 5).

22 Fra april 1940 Franz Ebner, udsendt af REM, men underlagt AA og den rigsbefuldmægtigede. Det blev i optegnelsen 10. april om udnævnelsen specifikt nævnt, at han havde særlige forudsætninger efter bl.a. sit samarbejde med Alex Walter (PKB, 12, nr. 2 og 3).

23 De øvrige deltagere var ikke-europæiske diktaturer.

der an sie gerichteten Aufforderung zu loyalem Verhalten nicht Folge geleistet. Der erste
eklatante Fall war derjenige des Gesandten Kauffmann in Washington. Dieser hat nicht
nur seiner Regierung den Gehorsam aufgekündigt, er hat auch versucht, sich mit Hilfe
der amerikanischen Regierung an den Guthaben der dänischen Nationalbank zu ver-
greifen und hat schließlich ohne jeden Rechtstitel das bereits erwähnte, völkerrechtlich
natürlich ungültige Abkommen über die Besetzung Grönlands geschlossen. Kauffmann
ist als Beamter entlassen, ein Strafverfahren gegen ihn ist eingeleitet und sein Vermögen
in Dänemark ist beschlagnahmt worden. Sein Vorgehen blieb aber gleichwohl nicht
vereinzelt. Die dänischen Gesandten in Buenos Aires, in Mexico und in Teheran haben
sich ihm angeschlossen.[24]

Diese Vorgänge sind ja nun nicht gerade von welterschütternder Bedeutung. Sie
haben aber ihre Wichtigkeit für Dänemark nicht nur deshalb, weil die dänischen Inter-
essen in einer wachsenden Anzahl von Ländern ohne legitimen Schutz bleiben, sondern
auch deshalb, weil Männer wie Kauffmann, der von der amerikanischen Regierung nach
wie vor als Vertreter Dänemarks anerkannt und herausgestellt wird, sich als Führer des
sogenannten "freien Dänemark" aufspielen. Sie bedienen sich dabei der von unseren
Feinden eifrigste unterstützten Propagandathese, König und Regierung Dänemarks
seien in ihren Entschlüssen und Kundgebungen nicht frei, Kauffmann und Genossen
dagegen verträten die wahren Interessen des Landes und den wahren Willen des Königs.
Neuerdings hat nach Pressemeldungen Tschungking-China sogar Kauffmann als Haupt
einer dänischen Exilregierung anerkannt.[25]

Gegen diese Propagandathese hat der König von Dänemark selbst gelegentlich eines
weiteren Einzelfalles Stellung genommen. Es ist der Fall des früheren Dänischen Ge-
sandten in London, des Grafen Reventlow. Ich erwähne diesen Fall auch deshalb, weil
er zeigt, mit welcher Geduld man deutscherseits dem Treiben derartiger Männer zugese-
hen hat und wie wenig von einem ungerechtfertigten Druck auf König und Regierung
die Rede sein kann. Gelegentlich des Beitritts Dänemarks zum Antikominternpakt –
der von der Feindpropaganda im Sinne einer erzwungenen Teilnahme Dänemarks am
Kriege auf das Gehässigste verdreht und ungefähr als gleichbedeutend mit einem Beitritt
zum Dreimächtepakt dargestellt wurde – hatte der Graf Reventlow erklärt, den Wei-
sungen des Außenministeriums nicht mehr folgen zu wollen, hatte den König jedoch
seiner Loyalität versichert und zum Ausdruck gebracht, daß er mit seinem Verhalten
nicht nur den wahren Interessen Dänemarks sondern auch dem wahren Willen seines
Königs entspreche.[26] Der König nahm diesen Fall zum Anlaß zu einem Reskript, das im
Dezember v.J. allen dänischen Auslandsvertretungen mitgeteilt und im Januar d. J. auch
in der Presse veröffentlicht worden ist. Es heißt darin, daß die Existenz eines anderen
Dänemarks als das, welches vom König und seiner Regierung geführt wird, niemals an-
erkannt werden kann und daß der König niemals eine Treueerklärung annehmen kann,
die nicht gleichzeitig ein Ausdruck der Pflichttreue gegenüber der einzigen gesetzmäßi-

24 Det var status i marts 1942. Siden – efter 29. august 1943 – fulgte en lang række konsuler og diploma-
tiske repræsentationer efter.

25 Dette eksempel medtog Barandon mest for kuriositetens skyld. Kauffmann indgik på intet tidspunkt i
en eksilregering.

26 Eduard von Reventlow kom med denne erklæring 1. december 1941.

gen Regierung ist.[27]

Diese von Verantwortungsbewußtsein und dem Bestreben loyaler Erfüllung der ein-
gegangenen Verpflichtungen getragene königliche Kundgebung hat ihre Wirkung auf
das Land nicht verfehlt. Den Grafen Reventlow allerdings hat sie zu einer Änderung
seiner Haltung nicht veranlaßt. Gleichwohl hat die Deutsche Regierung es zunächst
dabei bewenden lassen, daß Graf Reventlow nur als Gesandter abberufen, nicht aber aus
dem Beamtenverhältnis entlassen und bestraft wurde. Wir haben dabei der ängstlichen
Hoffnung der Dänen Rechnung getragen, Reventlow würde sich still verhalten, sich
nicht den Bestrebungen Kauffmanns anschließen und auf seine Landsleute in England
mäßigend einwirken. Nach den letzten Nachrichten hat diese dänische Hoffnung sich
allerdings nicht erfüllt. Vielmehr hat Reventlow sich zum Führer der sogenannten freien
Dänen in England gemacht.[28]

Er wird nunmehr natürlich genau wie diejenigen Leute behandelt, in deren Gesell-
schaft er sich begeben hat, und ist bereits aus dem Staatsdienst entlassen.

Ich habe bei diesem Einzelfall, der wie gesagt an sich nicht gerade von geschichtlicher
Bedeutung ist, ein wenig länger verweilt, um Ihnen zu zeigen, wie sehr man deutscher-
seits bemüht ist, die dänische Souveränität zu achten und Empfindlichkeiten Rechnung
zu tragen. Auf der anderen Seite muß die loyale Haltung des Königs und des Außen-
ministeriums anerkannt werden. Es liegt im eigensten Interesse der Dänen, daß hierin
keine Änderung eintritt.

Damit, meine Herren, habe ich Ihnen bereits einen kurzen Überblick über den Ge-
schäftsbereich des Beauftragten für außenpolitische Fragen gegeben. Nebenbei läuft
natürlich die tägliche Routinearbeit, die zu einer dauernden und vollständigen Informa-
tion über die Tätigkeit des Außenministeriums und seinen Verkehr mit den dänischen
ausländischen Dienststellen erforderlich ist. Ich muß hinzufügen, daß der Beauftragte
für außenpolitische Fragen gleichzeitig der ständige Vertreter des Reichsbevollmächtig-
ten ist und daher über den Dienst nicht nur der anderen Beauftragten, sondern auch der
Gesandtschaft stets unterrichtet sein muß. Dadurch beantwortet sich denn wohl auch
die nicht selten gestellte Frage, weshalb eigentlich an der Deutschen Gesandtschaft in
Kopenhagen zwei Gesandte seien.[29]

Innere Verwaltung

Ich komme nunmehr zu dem Beauftragten für die innere Verwaltung und seinem Ar-
beitsgebiet.

Seit dem Abschluß der militärischen Operationen beschränkt sich die Aufgabe des
Militärbefehlshabers auf die militärische Sicherung und Verteidigung des Landes. Alle
nicht militärischen Fragen, die sich aus der Besetzung ergeben, unterliegen – mit Aus-
nahme der Wirtschaftsfragen – dem Beauftragten für die innere Verwaltung. Dieser
überwacht nach den Weisungen des Reichsbevollmächtigten die Tätigkeit der Behörden
der inneren Verwaltung in Dänemark einschließlich der Polizei und der kommunalen

---

27 Det kgl. lydighedsreskript blev udstedt 15. december 1941 og tilsendt alle danske diplomatiske repræ-
    sentationer.

28 Reventlow var fra marts 1942 ærespræsident for Det Danske Råd i London.

29 Hermed fik Barandon understreget sin egen betydningsfulde rolle som den anden gesandt i Danmark.

Verwaltungen und hat besonders darauf zu achten, daß bei allen Maßnahmen der dänischen Behörden die Sicherheit der Besatzungskräfte gewährleistet bleibt. Er hat ferner, nötigenfalls im Einvernehmen mit den militärischen Besatzungsbehörden, alle übrigen Forderungen gegenüber den inneren dänischen Behörden zu vertreten, die zur reibungslosen Durchführung der Besetzung gestellt werden. Entsprechend der Erklärung der Reichsregierung und unserer stets befolgten Politik nimmt der Beauftragte bei seiner Tätigkeit jede Rücksicht, die mit der Durchführung seiner Arbeiten vereinbar ist. Die dänische Gesetzgebung, Justizhoheit, Verwaltung und Polizei sind im Wesentlichen unberührt geblieben. Im Einzelnen ergibt sich folgendes Bild:

Die Gesetzgebung und der Erlaß von Verordnungen durch die dänischen Organe unterliegen einer deutschen Kontrolle nur insoweit, als sie die Ruhe und die Sicherheit im Lande betreffen.

Was die dänische Gerichtsbarkeit betrifft, so ist diese nur insoweit eingeschränkt, als grundsätzlich alle solche Handlungen von den deutschen Wehrmachtsgerichten abzuurteilen sind, die den Zweck der Besetzung vereiteln oder vereiteln sollen, oder die sich unmittelbar gegen die Wehrmacht, ihre Angehörigen oder ihre Gefolge richten. Hier kommen also insbesondere die Tatbestände der Spionage, der Wehrmittelbeschädigung und der Sabotage in Betracht. Aber auch in solchen Fällen kann der Militärbefehlshaber die Sache an die dänischen Gerichte abgeben, und in der Praxis ist das bisher fast immer geschehen. Nur einige besonders schwere Fälle sind bis jetzt von der Wehrmachtsgerichtsbarkeit erfaßt worden, und auch diese nur in der Voruntersuchung, allerdings mit der Maßgabe, daß das dänische Gericht an das Ergebnis der Voruntersuchung gebunden war, daß ein deutscher Vertreter der Hauptverhandlung beiwohnte und daß das schwerste Strafmaß angewendet wurde. Zum Strafmaß ist zu bemerken, daß das dänische Recht keine Todesstrafe kennt. Man hatte daher anfangs die Schaffung eines dänischen Kriegssonderstrafrechts ins Auge gefaßt, ist aber doch ohne einen solchen Eingriff in die dänische Rechtssphäre ausgekommen. Nur in einem einzigen Fall von besonderer Schwere, in welchem das dänische Strafgesetzbuch nicht ausreichte, wurde ein Sondergesetz geschaffen, und zwar mit rückwirkender Kraft, wozu das dänische Parlament sich bequemte, um die Auslieferung des Täters zu vermeiden.[30] Im übrigen schaltet sich die deutsche Verwaltungsstelle nur ganz ausnahmsweise in das dänische Rechtsleben ein. So wird der deutsche Beauftragte beteiligt bei dänischen Schadenersatzansprüchen an Autounfällen, an denen Wehrmachtsangehörige beteiligt sind, und an einer Kategorie von Ansprüchen familienrechtlicher Art, die bei einer langen Besetzungsdauer natürlich nicht ausbleiben können, nämlich bei Alimentenforderungen gegen Wehrmachtsangehörige.[31] Schließlich wirkt der Beauftragte auch bei solchen Verträgen der deutschen Wehrmacht mit dänischen Staatsangehörigen mit, die den Erwerb oder die Benutzung von Grundstücken, z.B. für Krankenhäuser oder Flugplätze, zum Gegenstand haben.

Sie sehen, meine Herren, die Eingriffe in die dänische Rechts- und Justizhoheit sind

---

30 Barandon hentyder til sagen mod flyverofficer T.P.A. Ørum, der af tyskerne blev anklaget for spionage og landsforræderi. For at undgå, at han blev dødsdømt ved en tysk krigsret, vedtog den danske Rigsdag 17. januar 1942 et straffelovstillæg ("Lex Ørum"), der forhøjede den danske strafferamme for den type forbrydelser. Ørum blev derefter idømt livsvarigt fængsel.

31 Fra 1941 steg antallet af danske børn (krigsbørn) med tyske soldater som fædre støt.

minimal, und man kann gerade auf diesem Gebiet sagen, daß die dänische Souveränität peinlich geachtet wird. Ich betone dies umsomehr, als von der feindlichen Propaganda die albernsten Verleumdungen verbreitet und geglaubt werden. Liest man die Feindpresse, so erhält man den Eindruck, als ob Dänemark unter der Herrschaft der Gestapo schmachte. So wurde z.B. behauptet, ein gewisser la Cour sei von den Deutschen verhaftet und in ein deutsches Gefängnis gebracht worden. Tatsächlich ist dieser Mann, der seit geraumer Zeit in Reden und Vorträgen gegen Deutschland hetzt, im Gewahrsam der dänischen Behörden und sieht seiner Aburteilung durch ein dänisches Bericht entgegen.[32]

Mit der gleichen Schonung wird die dänische Polizei behandelt. Die Erhaltung einer disziplinierten und gutwilligen Polizei ist besonders wichtig, liegen ihr doch zahlreiches Aufgaben ob, die unmittelbar der Sicherheit der deutschen Wehrmacht dienen, nämlich der zivile Küstenschutz, die Kontrolle im Sicherungs- und Sperrgebiet und die Mithilfe bei der Ergreifung von Fahnenflüchtigen. Überhaupt ist es natürlich im Interesse der Wehrmacht von größter Wichtigkeit, daß die Polizei ihre Aufgaben zur Aufrechterhaltung der Ruhe und Ordnung im ganzen Land zuverlässig und loyal erfüllt. Ein gutes und verständnisvolles Verhältnis ist daher unerläßlich. Um dies zu schaffen, braucht man natürlich eine absolut zuverlässige oberste Leitung, die in Dänemark dem Justizminister obliegt. Zwei Justizminister waren dieser Aufgabe nicht gewachsen, jetzt liegt die Leitung aber in den Händen eines loyalen und zuverlässigen Fachmannes von politischer Einsicht.[33] So kann sich die deutsche Behörde auf eine aufmerksame Beobachtung und allgemeine Lenkung der dänischen Polizei beschränken, der im Übrigen die Initiative und Verantwortung überlassen bleibt. Nur in einem einzigen Falle hat der deutsche Beauftragte bis jetzt eingreifen müssen. Das war im November v.J., als sich einige unverantwortliche jugendliche Elemente zu Demonstrationen gegen den Beitritt zum Antikominternpakt veranlaßt sahen, wahrscheinlich ohne selbst zu wissen, welch gefährliches Spiel sie damit trieben. Der Beauftragte telefonierte damals an den Justizminister, der Rathausplatz sei in einer Viertelstunde zu räumen, und er wurde geräumt.[34]

Ein wichtiges Gebiet der Kontrolle durch den Beauftragten für die innere Verwaltung und seine Organe bildet schließlich die Überwachung des Grenzverkehrs. Deutsche Beamte beteiligen sich in diskreter Weise an der dänischen Kontrolle des dänisch-schwedischen Verkehrs über Kastrup, Malmö und Helsingör, eine Maßnahme, deren Notwendigkeit ohne weiteres klar ist. Daß am deutsch-dänischen Grenzverkehr deutsche Beamte beteiligt sind, ist selbstverständlich.

So, meine Herren, regiert die Gestapo in Dänemark. Ich denke, Sie werden aus den Mitteilungen, die ich Ihnen machen konnte, den Schluß ziehen, daß es überhaupt unzutreffend ist, von Dänemark als einem "besetzten Gebiet" im üblichen Sinne zu sprechen, weil die Regierung und Verwaltung des Landes nicht von den Besatzungs-

---

32 Den danske historiker og redaktør Vilhelm la Cour havde ved sin fremfærd bevidst søgt martyrrollen. Imidlertid blev sanktionerne mod ham af lempelig art.

33 Barandons ros gjaldt tidligere rigspolitichef E. Thune Jacobsen, der var blevet justitsminister juli 1941 efter Harald Petersen.

34 Dette var et klart tysk indgreb på dansk jurisdiktions område, hvor ingen tyske interesser blev direkte berørt.

behörden übernommen ist, sondern nach wie vor in den Händen der einheimischen Organe liegt.

Wirtschaftsfragen

Dies gilt nun genau so auch für die Wirtschaft, und damit komme ich auf das Arbeitsgebiet des Beauftragten für Wirtschaftsfragen. Unser Verhältnis zur dänischen Wirtschaft wird von dem einen großen Gesichtspunkt geleitet, alle Kräfte des Landes für Deutschland und die deutsche Kriegsführung nutzbar zu machen. Das kann aber nicht mit diktatorischen Methoden und nicht so geschehen, indem man die gesamte Wirtschaft des Landes in eigene Regie nimmt, wie das bei den im vollen Sinne des Wortes "besetzten Gebieten" erforderlich geworden ist, in den Ländern also, deren Haltung auch nach der deutschen Besetzung so feindlich geblieben ist, daß die deutsche Regierung ähnliche Bindungen wie Dänemark gegenüber hinsichtlich der Achtung ihrer Souveränität nicht hat übernehmen können. Jene Gebiete können nicht einmal sich selbst erhalten, geschweige denn so gewaltige Exportüberschüsse nach Deutschland abführen, wie Dänemark das unter den gegebenen Verhältnissen tun kann. Um dies Ergebnis zu erzielen, hat man Dänemark in jeder Hinsicht eine Sonderstellung eingeräumt, insbesondere auch insofern, als nach Dänemark nach wie vor von Deutschland Waren geliefert werden, die den wirklich besetzten Gebieten vorenthalten werden, z.B. Leder, Textilien und Eisenwaren. Alle inneren Wirtschaftsmaßnahmen sind der dänischen Regierung unter Achtung ihrer Souveränität überlassen geblieben. Kein Wirtschaftsgebiet ist von den deutschen Behörden in eigene Regie genommen worden. Im Einzelnen gilt folgendes:

Die Außenhandelspolitik des Landes ist in den Beziehungen zu Deutschland völlig unabhängig geblieben, in den Beziehungen zu dritten Ländern hat allerdings eine wesentliche Einschränkung vereinbart werden müssen.

Was das handelspolitische Verhältnis zu Deutschland betrifft, so gilt das alte Abkommen über den Waren- und Verrechnungsverkehr unverändert weiter und wird von Zeit zu Zeit erneuert. Die bereits vor dem Kriege bestehenden beiderseitigen Regierungsausschüsse arbeiten in derselben Form weiter.

In den handelspolitischen Beziehungen zu dritten Ländern ist allerdings eine wesentliche Einschränkung der dänischen Unabhängigkeit unerläßlich geworden, aber auch diese ist auf diplomatischem Wege mit der dänischen Regierung vereinbart worden. Die dänische Außenhandelspolitik im Verhältnis mit dritten Ländern unterliegt der Genehmigung und Kontrolle des deutschen Regierungsausschusses in der Weise, daß diesem alle Vertragsentwürfe vorgelegt werden müssen und daß die Verträge von seiner Genehmigung abhängig gemacht sind. Auch einzelne größere Kompensationsgeschäfte, die außerhalb des Rahmens allgemeiner Abkommen abgeschlossen werden, unterliegen der deutschen Genehmigung.

Die dänische Landwirtschaft war vor dem Kriege auf der Einfuhr ausländischer Futtermittel aufgebaut. Seit dem deutschen Einmarsch ist es das Ziel, die Erzeugung von einheimischen Futtermitteln nach deutschem Muster zu fördern, insbesondere durch den Anbau von Hackfrüchten und Futterpflanzen. Auf diese Weise hofft man, trotz des Verlustes von 1,6 Millionen Tonnen ausländischer Futtermittel, die alte Erzeugungskraft, namentlich an Butter, Fleisch und Eiern wiederherzustellen. Die große Bedeutung

der dänischen Lebensmittellieferungen nach Deutschland für die deutsche Kriegsernäh-
rungswirtschaft ergibt sich aus folgendem: Dänemark mit weniger als 4 Millionen Ein-
wohnern hat sich noch im Jahre 1941 trotz mäßiger Ernte und fehlender Einfuhr von
Futtermitteln nicht nur sich selbst versorgt, sondern noch so große Mengen von Lebens-
mittel liefern können, daß es Großdeutschland mit seinen 90 Millionen Einwohnern
mit Butter über einen Monat, mit Fleisch ebenfalls über einen Monat und mit Eiern
fast einen Monat mitversorgt hat.[35] Hierin liegt eine ganz außerordentliche Leistung der
dänischen Landwirtschaft, die von keinem anderen unter deutschem Einfluß stehenden
Lande oder besetzten Gebiet auch nur annähernd erreicht worden ist. Die Erhaltung
und Förderung der dänischen Landwirtschaft bildet das innenwirtschaftliche Kernpro-
blem, das mit den auf Dänemark angewandten entgegenkommenden und schonenden
Methoden gelöst worden ist.

    Die dänische Industrie, namentlich die Werft- und Maschinenindustrie arbeitet
für Deutschland und ist auf die Versorgung mit Kohlen, Eisen und Treibstoffen von
Deutschland angewiesen. Dabei entsteht nun allerdings die für Dänemark unangeneh-
me Lage, daß die deutschen Lieferungen infolge der Kriegsnotwendigkeiten allmählich
immer geringer werden, daß aber Deutschland es andererseits wegen der Kriegsnot-
wendigkeiten nicht zulassen kann, daß Dänemark seine Industrieerzeugnisse an dritte
Länder liefert. 80 % des dänischen Außenhandels gehen nach Deutschland. Wenn die
dänische Wirtschaft trotz der Abnahme der deutschen Gegenlieferungen bis jetzt gut
durch den Krieg gekommen ist, so liegt das einmal an den gewaltigen Vorräten, die im
Lande aufgestapelt waren. Außerdem hat Dänemark große Anstrengungen gemacht,
seine Rohstoffarmut auszugleichen durch die Entwicklung seiner Zementindustrie und
der Gewinnung von Torf und Braunkohle, sowie der Herstellung von Generatoren für
Holz als Treibstoffersatz. Wenn die aus Deutschland gelieferten industriellen Rohstoffe
auch zwangsläufig mit der längeren Dauer des Krieges abnehmen müssen, so wird doch
auf diesem Gebiet getan, was möglich ist, um die dänische Ausfuhr nach Deutschland
auch weiterhin zu sichern. Das kleine Land stand im Jahre 1940 als Ausfuhrland nach
Deutschland an zweiter, in den ersten 9 Monaten des Jahres 1941 – für die allein bis
jetzt die Zahlen vorliegen – an dritter Stelle.

    Auch auf dem Gebiet der Finanzen und der Währung hat Dänemark seine völli-
ge Selbständigkeit behalten. Die öffentlichen Finanzen sind in Ordnung, obwohl dem
Lande zwei sehr schwere, durch die Kriegswirtschaft bedingte Lasten auferlegt wer-
den mußten. Die eine Last besteht darin, daß infolge der abnehmenden Zufuhren aus
Deutschland das dänische Clearingguthaben außerordentlich anschwillt. Die Dänen
müssen ihren Exporteuren den Wert der ausgeführten Güter in Kronen bezahlen, ohne
daß zum Ausgleich eine entsprechende Menge anderer Güter ins Land kommt, d.h. die
Nationalbank muß Noten drucken. Die Höhe des Clearing-Guthabens wird demnächst
eine Milliarde Kronen erreichen.

    Die andere Last besteht in den von Dänemark zu tragenden Aufwendungen für die
deutschen Besetzungstruppen. Dieser Betrag bildet zwar auf dem Papier ein Guthaben
Dänemarks, aber die Summe muß in Kronen ohne Gegenwert bezahlt werden und

---

35 Barandon havde tallene fra Ebners indberetning til AA 31. januar 1942 (BArch, R 901 68.311 og 68.712).

wächst jedes Jahr um einige Hundert Millionen Kronen.

Es ist ein Zeichen für die mit den bisherigen Methoden erhaltene wirtschaftliche und finanzielle Gesundheit des Landes, wenn diese gewaltigen Lasten bisher getragen werden konnten, ohne daß sich bis jetzt Inflationserscheinungen gezeigt haben. Die deutsche Regierung ist aus den angegebenen Gründen ebenso wie die dänische daran interessiert, eine Inflation zu vermeiden, um die Leistungsfähigkeit des Landes zu erhalten. Sie werden von der kürzlich erfolgten Aufwertung der dänischen Krone von 8½ % im Verhältnis zur Reichsmark gehört haben. Dieser Kronenaufwertung hat Deutschland zugestimmt, weil damit das Vertrauen in die Krone gehoben wird. Auf weitere Sicht soll damit einer Inflationsgefahr vorgebeugt werden, auf nähere Sicht soll die Kronenaufwertung dazu helfen, das sehr stark gestiegene Preisniveau festzuhalten. Dem gleichen Zweck dient eine weitgehende Preiskontrolle.

Schiffahrt
Ein paar Worte noch über die dänische Schiffahrt.

Vor dem Kriege war die dänische Schiffahrt freizügig und zeigte ihre Flagge auf allen Meeren. Diese Freizügigkeit wurde jedoch bereits unmittelbar nach Kriegsausbruch durch das Gesetz zur Errichtung eines Frachtenausschusses stark beschränkt. Dieser Ausschuß hatte die Aufgabe, die dänische Handelstonnage so einzusetzen, daß in erster Linie die Versorgung des eigenen Landes sichergestellt wurde. Infolgedessen wurden nach Kriegsausbruch größere Einheiten der sonst in überseeischer Fahrt beschäftigten dänischen Handelsflotte zwangsweise aus dieser Fahrt herausgenommen und in die Fahrt auf Dänemark eingesetzt.

Als am 9. April 1940 die Besetzung Dänemarks durch die deutschen Truppen erfolgte, konnte die Zusammenarbeit mit den dänischen Reedern durch den bereits bestehenden Frachtenausschuß sofort aufgenommen werden. Bereits im Mai 1940 wurde ein Abkommen geschlossen, das dem Frachtenausschuß die volle Verfügungsfähigkeit über die im deutschen Machtbereich befindlichen dänischen Schiffe zusicherte mit der ausdrücklichen Bestimmung, daß die verfügbare dänische Tonnage nach wie vor in erster Linie zu Gunsten der Versorgung des eigenen Landes zur Verfügung stehen sollte, und daß alle dänischen Schiffe, die zu diesem Zweck nicht benötigt würden, in enger Zusammenarbeit mit der deutschen Fachgruppe Reeder für deutsche Zwecke eingesetzt werden sollten. Diese Zusammenarbeit zwischen dem dänischen Frachtenausschuß einerseits und der deutschen Fachgruppe Reeder andererseits hat sich in der Folgezeit so gut bewährt, daß von keiner der beiden vertragschließenden Parteien eine Änderung des erwähnten grundsätzlichen Abkommens, das alle Sparten des Verkehrs auf der Ostsee umfaßt, gewünscht wurde. Der Einsatz der dänischen Tonnage für deutsche Zwecke stieg von Jahr zu Jahr und man hat dänischerseits bereitwilligst auf vordringliche deutsche Wünsche Rücksicht genommen.

In den heimatlichen Gewässern konnte aber nur etwa ein Drittel der dänischen Flotte beschäftigt werden. Ein weiteres Drittel, (d.h. etwa 500.000 tdw) wurde von den Feindmächten aufgebracht oder befand sich zur Zeit der Besetzung Dänemarks in feindlichen Häfen. Diese Schiffe wurden ausnahmslos in die Dienste der feindlichen Versorgungsschiffahrt gestellt. Nur die bei Abschluß des deutsch-französischen Waffenstillstandes in französischen Häfen angetroffenen dänischen Schiffe konnten sichergestellt und damit dem feindlichen Zugriff entzogen werden. Es handelt sich um 25 Schiffe mit rund 53.000 BRT. Außerdem wurden im Laufe der Zeit 34 Schiffe mit 96.000 BRT durch Kriegshandlungen der Achsenmächte versenkt bzw. unbrauchbar gemacht.[36]

Das letzte Drittel der dänischen Handelsflotte konnte sich, entsprechend den am 9. April an sie ergangenen Weisungen der dänischen Regierung, in neutrale Häfen retten und wurde dort zunächst aufgelegt. Der größte Teil von diesen Schiffen ist inzwischen widerrechtlich von den Staaten, in deren Schutz sie sich begeben hatten, beschlagnahmt worden. Nur in einem Fall ist es bisher gelungen, auf Grund einer freundschaftlichen und freiwilligen Übereinkunft zu einem Verkaufsvertrag mit Rückkaufsrecht zu kommen, nämlich mit Argentinien. Verhandlungen mit Brasilien sind von den Brasilianern absichtlich zum Scheitern gebracht worden. Chile, Uruguay, Peru sowie vor allem die Vereinigten Staaten von Nordamerika haben sich trotz aller Bemühungen von dänischer Seite nicht bereitgefunden, über Verkauf oder Vercharterung der dänischen Schiffe zu verhandeln. Die Schiffe sind nach erfolgter Beschlagnahme größtenteils bereits in Fahrt gesetzt worden.

Ergebnis

Damit, meine Herren, bin ich am Ende. Ich hoffe, Sie nicht mit Einzelheiten ermüdet zu haben, glaubte aber, wie gesagt, mich nicht auf rechtstheoretische Erörterungen beschränken sondern Ihnen einen Überblick über die praktische Gestaltung der deutsch-dänischen Beziehungen auf den wichtigsten Lebensgebieten geben zu sollen. Die rechtlichen Folgerungen lassen sich nun wohl ohne Mühe daraus ziehen. Vielleicht kann ich sie in folgender Weise resümieren:

1.) Dänemark ist nicht besetztes Gebiet in demselben Sinne wie die übrigen von deutschen Truppen besetzten Länder, deren Verwaltung vollkommen in deutscher Hand liegt.

2.) In Befolgung der deutschen Erklärung vom 9. April 1940 wird die Souveränität und Integrität des Landes gewahrt.

3.) Die Einschränkungen, die Dänemark sich auf außenpolitischem Gebiet gefallen lassen muß, ergeben sich aus der Stellung Deutschlands als Schutzmacht und der Notwendigkeit sich in die allgemeine Politik der Schutzmacht einzuordnen.

4.) Die Einschränkungen auf dem Gebiet der Verwaltung dienen der Sicherheit der Besetzungstruppen und der Erhaltung von Ruhe und Ordnung, die eine Vorbedingung für die uns zu Gute kommende wirtschaftliche Leistungsfähigkeit des Landes sind.

5.) Die Einschränkungen auf wirtschaftlichem Gebiet dienen dem Zweck, die landwirtschaftliche, industrielle und sonstige wirtschaftliche Leistungsfähigkeit des Landes nicht nur den deutschen Kriegsnotwendigkeiten voll dienstbar zu machen, sondern auch für eine spätere Zukunft ein gemeinsames Interesse beider Länder zu erhalten.

---

36 Vedrørende den danske handelsflåde henvises til Tortzen, 1-4, 1981-85.

5. Joachim von Ribbentrop an Cecil von Renthe-Fink 29. September 1942

Den tyske udenrigsminister Joachim von Ribbentrop skrev til den tyske gesandt i København, Cecil von Renthe-Fink, at han straks skulle begive sig til den danske udenrigsminister og meddele, at Hitler var blevet stærkt fornærmet over formen for den tak, han havde modtaget for det fremsendte fødselsdagstelegram til kong Christian 10. Endvidere skulle Renthe-Fink straks forlade København og den danske gesandt i Berlin skulle trækkes hjem.

Kilde: PA/AA R 29.566. PKB, 13, nr. 289.

Nur als Verschlußsache zu behandeln.

Telegramm

| Sonderzug, den | 29. September 1942 | 01.15 Uhr |
| Ankunft, den | 29. September 1942 | 01.55 Uhr |

Nr. 1175 vom 29.9.[42.]   Citissime!

1.) Telko
2.) Deutsche Gesandtschaft Kopenhagen
    G.-Schreiber
    Vermerk:
    Unter Nr. 1640 an Diplogerma Kopenhagen weitergeleitet.
    Telko 29.9.42. 2.20.

Für Gesandten persönlich.
Ich bitte Sie, sofort am 29. September vormittags als erstes dem dänischen Außenminister mit dem ausdrücklichen Ersuchen, den König von Dänemark sofort hiervon in Kenntnis zu setzen, mit betonter Schärfe mündlich folgendes zu eröffnen:
Der Führer hat dem König von Dänemark zu seinem Geburtstag einen freundlichen Glückwunsch geschickt. Der König hat dies damit quittiert, daß er lediglich eine Art kurze Empfangsbestätigung übersandt hat. Es scheint demnach, daß der dänische König in völliger Verkennung der ihm zukommenden Stellung sich nicht darüber im klaren ist, daß ein Glückwunsch des Führers des Großdeutschen Reiches für einen König von Dänemark eine ganze besondere Ehrung darstellt. Die Form der Antwort des Königs von Dänemark stellt daher einen bewußten Affront des Führers und des Großdeutschen Reiches dar, und es werden Mittel um Wege gefunden werden, um ein für allemal eine Wiederholung eines solchen Vorkommnisses unmöglich zu machen. Der Führer hat angeordnet, daß der deutsche Gesandte in Kopenhagen sofort zurückberufen wird und daß der dänische Gesandte in Berlin gleichfalls seinen Posten verläßt.
Nach Abgabe dieser Erklärung bitte ich Sie, die Geschäfte der dortigen Gesandtschaft Ihrem Vertreter als Geschäftsträger zu übergeben und sogleich nach Berlin abzureisen.

Eine Veröffentlichung über diese Angelegenheit ist hier zunächst nicht beabsichtigt. Drahtbericht.

Sonderzug, den 28. September 1942.

Ribbentrop

6. Joachim von Ribbentrop an Ernst von Weizsäcker 29. September 1942

Ribbentrop bad statssekretær Ernst von Weizsäcker om at tilkalde den danske gesandt Otto Carl Mohr og gøre ham bekendt med indholdet af det telegram, der samtidigt var sendt til Renthe-Fink i København. Endvidere skulle han sørge for, at Mohr øjeblikkeligt forlod Berlin.

Kilde: PKB, 13, nr. 290.

Nur als Verschlußsache zu behandeln.

T e l e g r a m m

Sonderzug, den	29. September 1942	01.15 Uhr
Ankunft, den	29. September 1942	01.55 Uhr

Nr. 1176 vom 29.9.[42.]

1.) Telko
2.) Für Staatssekretär Frhn. v. Weizsäcker.

Ich bitte Sie, den dänischen Gesandten Mohr sofort am 29. September vormittags in das Auswärtige Amt kommen zu lassen und ihm die Erklärung, die mit dem gleichzeitig abgehenden Drahterlaß nach Kopenhagen dem Gesandten von Renthe-Fink vorgeschrieben wird, ebenfalls mit betonter Schärfe mündlich wörtlich zu eröffnen. Im Anschluß daran bitte ich Sie, den Gesandten Mohr zu veranlassen, Berlin unverzüglich zu verlassen.

Sonderzug, den 29. September 1942.

Ribbentrop

7. Admiral Dänemark: Politische Entwicklung in Dänemark 30. September 1942

Admiral Raul Mewis udtrykte sin bekymring over forværringen af det tysk-danske forhold efter Hitlers modtagelse af kong Christian 10.s takketelegram for førerens fødselsdagshilsen. Det var særligt Kriegsmarines fremtidige forhold i Danmark, der bekymrede admiralen. Hvis en skærpet politisk kurs førte til ophør af samarbejdet med den danske marine, ville det kræve en betydelig tysk indsats at erstatte det.

Kilde: KTB/ADM Dän 30. september 1942, RA, Danica 628, sp. 2, s. 1690.

[...]

Allgemeines.

I. Politische Entwicklung in Dänemark.

Am 29.9. trat eine erhebliche Versteifung im deutsch-dänischen Verhältnis ein, deren

Folgen noch nicht abzusehen sind. Der Bevollmächtigte des Reiches erhielt den Auftrag, der Dänischen Regierung das stärkste Mißfallen des Führers über das Antworttelegramm des dänischen Königs auf seine in freundlichen Worten gehaltenen Geburtstagsglückwünsche zum Ausdruck zu bringen und anschließend nach Berlin abzureisen. Gleichzeitig wurde der bisherige Befehlshaber der deutschen Truppen in Dänemark, General d. Inf. Lüdke, zu anderweitiger Verwendung abberufen und durch General der Inf. v. Hanneken ersetzt. Der neue Truppenbefehlshaber war bis zum Ende des Berichtsabschnitts noch nicht in Kopenhagen eingetroffen.

Für die im dänischen Raum eingesetzten Teile der Kriegsmarine kann eine Verschärfung des politischen Kurses unter Umständen eine grundlegende Veränderung des Verhältnisses zur dänischen Marine mit sich bringen, insbesondere für den Fall, daß die dänische Wehrmacht aus einer etwaigen Königskrise entsprechende Folgerungen ziehen sollte. Der Ausfall der dänischen Mitarbeit würde die Belange der Seekriegsführung im dänischen Raum erheblich berühren und den sofortigen Ersatz durch entsprechende deutsche Kräfte nötig machen, die sich allerdings erst in die speziellen Verhältnisse eingewöhnen müßten. Hierbei darf auch nicht außer Acht gelassen werden, daß sich eine Vermehrung der Offizierstellen, insbesondere im Stab des Marinebefehlshabers, nicht umgehen lassen wird, da dieser zusätzlich die Arbeit übernehmen muß, die z.Zt. im dänischen Marinestab zur Lenkung der in unserem Interesse eingesetzten Teile der dänischen Kriegsmarine geleistet wird.

[...]

8. Paul Barandon an das Auswärtige Amt 1. Oktober 1942

Den stedfortrædende rigsbefuldmægtigede Paul Barandon meddelte, at der i samarbejde med Hermann von Hanneken var truffet foranstaltninger for at hindre, at medlemmer af det danske kongehus flygtede ud af landet. Skulle den sjællandske kystlinje bevogtes, måtte der træffes aftale med OKM og OKW/Abwehr.
Se Karl Schnurres notits 7. oktober 1942.
Kilde: PA/AA R 29.566. RA, pk. 202. PKB, 13, nr. 302.

Nur als Verschlußsache zu behandeln.

Telegramm

| Kopenhagen, den | 1. Oktober 1942 | 13.20 Uhr |
| Ankunft, den | 1. Oktober 1942 | 13.45 Uhr |

Nr. 1434 vom 1.10.42.   Citissime!

Um zu verhindern, daß in der gegenwärtigen Situation Mitglieder des Königlichen Hauses außer Landes gehen, hat Befehlshaber auf meine Bitte besondere militärische Überwachung der Fähre in Helsingör angeordnet. Außerdem wird Flugplatz Kastrup besonders überwacht. Verhinderung illegaler Ausreise aus Seeland auf dem Seewege ist bei z.Zt. bestehender Überwachungsorganisation nicht gewährleistet. Überwachung wird seit Herbst 1940 auf Grund Vereinbarung mit Marinebefehlshaber und Abwehrstelle Dänemark zwecks Material- und Personalersparnis durch dänische Kriegsfahrzeuge, die seepolizeilich Aufgaben auf der Strecke zwischen Hundested und Gedser ausüben, und durch Patrouillen dänischer Reichspolizei längs der Küste durchgeführt. Falls dort rein deutsche Überwachung für notwendig und dazu erforderliche Abänderung bisheriger Regelung bei gegenwärtiger Lage politisch nicht für störend erachtet wird, anheimgebe, Regelung mit OKM und OKW/Abw. zu treffen.

Barandon

9. Paul Barandon an das Auswärtige Amt 1. Oktober 1942

Udgangsforbuddet for de tyske enheder i København ville blive ophævet med virkning fra 2. oktober, hvis AA ikke havde indvendinger.

Kilde: RA, pk. 202. PKB, 13, nr. 303.

Nur als Verschlußsache zu behandeln

T e l e g r a m m

Kopenhagen, den	1. Oktober 1942	13.25 Uhr
Ankunft, den	1. Oktober 1942	14.40 Uhr

Nr. 1435 vom 1.10.[42.]   Citissime!

Im Anschluß an Drahtbericht Nr. 1413[1] vom 29.9.1942.

Es ist beabsichtigt, das seit zwei Tagen bestehende Ausgehverbot für deutsche Truppen einschließlich Waffen-SS in Kopenhagen mit Wirkung ab 2. Oktober aufzuheben. Falls Bedenken dagegen bestehen erbitte Weisung.

Barandon

10. Paul Barandon an das Auswärtige Amt 1. Oktober 1942

De forskellige iværksatte tyske foranstaltninger havde skabt uro i den danske befolkning, og Barandon bad om, at der måtte blive udsendt et kort pressekommunike for at berolige offentligheden.

Kilde: RA, pk. 202. PKB, 13, nr. 304.

T e l e g r a m m

Kopenhagen, den	1. Oktober 1942	20.20 Uhr
Ankunft, den	1. Oktober 1942	21.10 Uhr

Nr. 1438 vom 1.10.[42.]

Abreise des Bevollmächtigten, Rückkehr dänischen Gesandten aus Berlin und Ver-

---

1 Pol VI (V.S.). Indberetningen er ikke lokaliseret.

schwinden deutscher Soldaten aus Straßenbild infolge Ausgehverbots haben in Kopen-
hagener Bevölkerung Unruhe und Gerüchtebildung hervorgerufen. Gerüchte betreffen
inner Putschgefahr, Freikorps, Nötigung Königs zur Entsendung dänischer Truppen an
die Ostfront und zum Einsatz dänischer Kriegsschiffe. Schlagworte "Neuer 9. April,
zweite Eroberung Dänemarks." Halte, wenn weiterer Beunruhigung vorgebeugt werden
soll, gewisse Aufklärung Öffentlichkeit durch kurzes Pressekommuniqué für geboten.
Weisung erbeten.

Barandon

11. Paul Barandon an das Auswärtige Amt [1. Oktober] 1942

Barandon orienterede om de tyske børn, der siden maj 1942 havde været på ophold hos familier fra det
tyske mindretal i Danmark. På mindretallets opfordring var antallet af børn, der kom til Danmark, forøget
fra 3.400 til 4.900 med den danske regerings accept. I løbet af sommeren havde der yderligere været 3.000
tyske børn fra Nationalsozialistische Volkswohlfahrt (NSV) på ophold hos rigstyske og tyskvenlige familier
i Danmark. Det kunne slås fast, at de tyske børns ophold i Danmark mødte stor forståelse og imødekom-
menhed fra dansk side.
    Barandons telegram var skrevet før telegramkrisens udbrud, men indholdet kunne i det omfang, det
blev påagtet, bidrage til at understrege det gode forhold til Danmark. For Kinderlandverschickungs videre
forløb, se Brauns optegnelse 27. januar 1943.
    Kilde: PA/AA R 100.354. RA, pk. 235.

Tgb. Nr. 509/42.   *Kopenhagen, den 25. Sept. 1942.[2]*

Betr.: Aufnahme von reichsdeutschen Kindern durch die Deutsche Volksgruppe Nord-
         schleswig.
– 2 Durchschläge –

An das Auswärtige Amt,
    Berlin

Die Deutsche Volksgruppe Nordschleswig hat bisher in den Monaten Mai bis August
d.Js. insgesamt 2.816 Kinder mit 212 Müttern aus dem Reich im Rahmen der Kinder-
verschickung in volksdeutschen Familien untergebracht.
    Die Kinder genossen in den volksdeutschen Familien eine liebevolle Pflege und Be-
treuung: außerdem haben sich die verschiedenen Organisationen der Volksgruppe, ins-
besondere die Frauenschaft, mit Erfolg darum bemüht, den Kindern den Aufenthalt
in Nordschleswig so schön wie möglich zu gestalten. Nach Mitteilung des Wohlfahrts-
dienstes Nordschleswig hat die Unterbringung der Kinder in diesem Sommer besondere
Freude gemacht, da die Kinder von der NS Volkswohlfahrt noch sorgfältiger als im vo-
rigen Jahre ausgesucht worden waren. Die Kinder haben sich alle ausgezeichnet erholt.
    Das Kontingent der in diesem Jahre von der Volksgruppe aufzunehmenden Kinder

2 Datoen er med håndskrift overstreget, men det fremgår, at skrivelsen er modtaget i AA 8. oktober 1942.
Den er anbragt i pakken mellem to dokumenter fra 1. oktober.

war ursprünglich durch Vereinbarung mit der Dänischen Regierung auf 3.400 festgesetzt worden. Die Volksgruppe teilte jedoch vor kurzem mit, sie habe den Wunsch, über dieses Kontingent hinaus noch weitere 1.500 Kinder aus luftgefährdeten Gebieten in diesem Herbst oder Winter aufzunehmen. Wie sind daher erneut an die Dänische Regierung herangetreten und letztere hat sich bereit erklärt, dem Wunsche der Volksgruppe zu entsprechen und das diesjährige Kontingent auf 4.900 Kinder zu erhöhen. Die dänische Gesandtschaft in Berlin hat entsprechende Weisung für die Erteilung der Einreisesichtvermerke erhalten.

Wie schon früher berichtet, wurden außerdem im Laufe des Sommers 3.000 reichsdeutsche Kinder von NSV bei reichsdeutschen und deutschfreundlich eingestellten dänischen Familien in Dänemark untergebracht. Es kann festgestellt werden, daß man auf dänischer Seite für die Kinderverschickung aus dem Reich viel Verständnis und Entgegenkommen gezeigt hat.

gez. **Dr. Barandon**

12. Der Reichsforstmeister an das Auswärtige Amt 1. Oktober 1942

Der var taget initiativ til, at danske arbejdere skulle beskæftiges i den finske træindustri, og med henblik på de kommende tysk-finske drøftelser fik AA fremsendt nogle skrivelser, der behandlede spørgsmålet.

I AA blev sagen 27. november 1942 vedhæftet en notits af Legationsrat Albert van Scherpenberg, hvorefter spørgsmålet ikke længere var akut, da der var skaffet 500 polske skovarbejdere.

Kilde: PKB, 13, nr. 822.

Der Reichsforstmeister   *Berlin W 8, den 1. Oktober 1942.*
Zeichen: H 552.03.00.05   Leipziger Platz 11

Betr.: Finnland
hier: Beschaffung dänischer Arbeitskräfte.

An das Auswärtige Amt,
    Berlin.

Die Frage des Einsatzes dänischer Arbeiter in der finnischen Holzwirtschaft wurde von meinem Sachbearbeiter, Oberregierungsrat Dr. Gräbner gelegentlich seines Aufenthaltes in Kopenhagen in der Zeit vom 15. bis 19. September 1942 mit Herrn Gesandten von Renthe-Fink sowie mit dem Beauftragten des Reichsarbeitsministers und des Generalbevollmächtigten für den Arbeitseinsatz, Herrn Oberregierungsrat Dr. Heise, besprochen. Über das Ergebnis unterrichtet die in der Anlage beigefügte Niederschrift.

In Auswirkung der Besprechung hat Oberregierungsrat Dr. Heise das ebenfalls in der Anlage in Abschrift beigefügte Schreiben an den Herrn Bevollmächtigten des Deutschen Reiches vom 17. September 1942 übersandt. Die in diesem Schreiben aufgeworfenen Fragen werden Gegenstand der in Aussicht genommenen deutsch-finnischen Besprechungen sein müssen. Ein Teil der Fragen dürfte deutscherseits bereits vorgeklärt werden können. Hierzu gehören nach meiner Auffassung insbesondere die Fragen 4-6 und 9, deren Klärung ich von dort aus in die Wege zu leiten bitte.

Im Auftrage

gez. **Parchmann**

Abschrift zu H 552.03.00.05.–
Der Reichsforstmeister   *Berlin W 8, den 24. Sept. 1942.*
H 552.03.00-15

Betr.: Finnland;
hier: Beschaffung dänischer Arbeitskräfte für Finnland.

V e r m e r k

über eine Besprechung mit Herrn Gesandten von Renthe-Fink
am 17. September 1942.

Herrn Gesandten von Renthe-Fink wurden die Gründe vorgetragen, welche Deutschland veranlassen, sich um die Beschaffung von dänischen Arbeitskräften für die Holzgewinnung in Finnland einzusetzen. Gesandter von Renthe-Fink wies darauf hin, daß der dänische Arbeiter nicht winterfest ist und deshalb für den Einsatz in Finnland kaum in Frage kommt. Vom Unterzeichneten wurde erwidert, daß der dänische Arbeiter nicht in der Waldwirtschaft, sondern in der Holzwirtschaft eingesetzt werden soll. Dafür sollen die finnischen Holzarbeiter mit dem Einschlag des Rohholzes im Wald befaßt werden. Unter diesen Voraussetzungen hält auch Gesandter von Renthe-Fink den Einsatz dänischer Arbeiter in Finnland für gegeben. Er glaubt, daß die Voraussetzungen für eine solche Maßnahme zurzeit gegeben sind, und bittet sich wegen der Einzelheiten dieser Frage mit dem Beauftragten des Reichsarbeitsministers und des Generalbevollmächtigten für den Arbeitseinsatz, Herrn Oberregierungsrat Heise, in Verbindung zu setzen.

Gesandter von Renthe-Fink regt in diesem Zusammenhang ferner an, den norwegischen Arbeitsdienst in Finnland einzusetzen. Die Aktion müßte nach seiner Auffassung als "Finnlandhilfe" laufen. Bei dieser Lösung wären die Voraussetzungen, die in klimatischer Hinsicht an die Arbeitskräfte gestellt werden müßten, erfüllt. Ferner würden die Voraussetzungen politischer Art gegeben sein. Da es sich ferner bei dem norwegischen Arbeitsdienst um eine Formation halbmilitärischer Art handelt, fallen auch die Hemmnisse weg, welche bei einer zwangsweisen Rekrutierung norwegischer Arbeitskräfte auftreten würden.

V e r m e r k

über eine Besprechung mit dem Beauftragten des Reichsarbeitsministers und des
Generalbevollmächtigten für den Arbeitseinsatz, Herrn Oberregierungsrat Heise.

Oberregierungsrat Heise war durch Gesandten von Renthe-Fink über den Gegenstand der Besprechung unterrichtet. Er führte aus, daß dänische Arbeitskräfte sich bisher zur

Verwendung in Finnland nicht gemeldet haben, während für alle anderen europäischen
Länder Meldungen vorliegen. Der Grund hierfür wurde vom Unterzeichneten in der
Tatsache gesehen, daß alle übrigen europäischen Länder, welche für den Einsatz fremder
Arbeitskräfte in Frage kommen, unter unmittelbarem Einfluß der deutschen Verwaltung
stehen, während dies bei Finnland nicht der Fall ist. Auf Rückfrage in seiner Dienststelle
stellte ORR Heise fest, daß z.Zt. eine Aktion für die Organisation Todt läuft, welche
ebenfalls den Einsatz dänischer Arbeiter in Finnland zum Ziele hat. Die Aktion ist noch
nicht angelaufen, so daß Erfahrungen darüber, ob dänische Arbeiter sich für Finnland
anwerben lassen, noch nicht vorliegen. ORR Heise erklärte es auch in dem vom Un-
terzeichneten vorgetragenen Fall für nicht möglich, von vornherein die Zahl der ver-
fügbaren Arbeitskräfte zu beziffern. Praktisch müsse die Aktion so verlaufen, daß nach
Abschluß der Verhandlungen zwischen der deutschen und finnischen Regierung dem
Bevollmächtigten für den Arbeitseinsatz in Dänemark Auftrag gegeben wird, dänische
Arbeiter für Finnland anzuwerben. Um Herrn Heise eine Größenvorstellung von dem
Bedarf zu vermitteln, wurde eine Zahl von 1-2.000 Arbeitskräften angegeben. Für den
Einsatz bevorzugt werden Facharbeiter (Waldarbeiter, Zimmerleute usw.), es kommen
jedoch auch ungelernte Arbeitskräfte in Frage.

Für die technische Durchführung dieses Arbeitseinsatzes müssen eine Reihe von
Vorfragen geklärt werden, insbesondere die Frage der Lohnhöhe, der Sozialversicherung
und des Lebensmittelnachschubes. ORR. Heise wurde gebeten, die für den Einsatz in
Frage kommenden wesentlichsten Voraussetzungen schriftlich zu skizzieren. Erfüllung
dieses Wunsches wurde zugesagt; die erbetene Übersicht wird alsbald übersandt wer-
den.

Im Auftrage
gez. Dr. Gräbner

Abschrift zu H 552.03.00.05.–   *Kopenhagen V, den 17. Sept. 1942.*
Der Beauftragte für den Vierjahresplan
Der Generalbevollmächtigte für den Arbeitseinsatz
Dienststelle Dänemark Nr. 5760.7–(0.108/2)–
Dr. H./Har.

Betr.: Einsatz dänischer Arbeitskräfte nach Finnland.

An den Herrn Bevollmächtigten des Deutschen Reiches
    z.Hd.v. Herrn Oberforstmeister Dr. Wiedemann,
    Kopenhagen.

Bevor der Versuch gemacht wird, dänische Arbeitskräfte nach Finnland zur Durchfüh-
rung von Arbeiten, die im Interesse Deutschlands liegen, anzuwerben, bedürfen folgen-
de Fragen einer Klärung:
1.) Erfolgt die Beschäftigung bei finnischen oder deutschen Firmen?
2.) Wie ist die Entlohnung?

Ich schlage vor, die Löhne, die an dänische Arbeitskräfte in Norwegen gezahlt werden, zur Grundlage zu nehmen, und gebe Ihnen nachstehend beispielsweise folgende Stundenlöhne, die in Norwegen gezahlt werden, bekannt:

Zimmerer	d.Kr.	2,20
Einschaler	–	2,00
Ungelernte	–	1,65

3.) Wie erfolgt die Unterbringung, in Lagern oder in Privatquartieren? Welches Entgelt ist hierfür zu zahlen?

Wird für Verheiratete eine Trennungsentschädigung gezahlt?

In Norwegen erhalten z.B. die verheirateten Dänen eine Auslösung von norw. Kronen 5,00 pro Tag; für Unterkunft und Verpflegung haben Ledige und Verheiratete norw. Kr. 5,00 pro Tag zu zahlen.

4.) Wie erfolgt der Lohntransfer?

Es muß unbedingt dafür Vorsorge getroffen werden, daß der Lohntransfer in einer Form durchgeführt wird, daß der Lebensunterhalt der Familien von Anfang an sichergestellt ist.

5.) Nach welchem Recht erfolgt die Sozialversicherung?

Ich bemerke hierzu, daß nach anfänglichen großen Schwierigkeiten in Norwegen für die Dänen heute das deutsche Sozialrecht zur Anwendung kommt.

6.) Bei der angeblichen Nahrungsmittelknappheit in Finnland muß den nach Finnland eingesetzten Dänen die Möglichkeit gegeben werden, sich ein bis zwei Standardlebensmittelpakete im Monat auf möglichst schnellem Wege nachschicken zu lassen.

7.) Die Dauer der Verpflichtung beträgt 6 Monate.

8.) Wer trägt die Anreise- und Rückreisekosten?

In Deutschland bzw. Norwegen wird die Hinreise ganz, die Rückreise vom Arbeitsort bis zur Grenze vom Unternehmer gezahlt.

9.) Da der Anmarsch einige Tage in Anspruch nehmen wird und aus zwingenden Gründen über Schweden erfolgen muß, ist die Frage der Verpflegung während des Transportes in Schweden zu klären.

gez. **Dr. Heise**

Ref.: LR van Scherpenberg.   zu R 63059

Die Frage des Einsatzes dänischer Arbeiter in der finnischen Holzwirtschaft ist ein Teilausschnitt aus der bei Ha Pol VI bearbeiteten allgemeinen Frage der Durchführung des deutschen Holzbezugsplans 1943 in Finnland mit Hilfe des Einsatzes deutscher und sonstiger nicht finnischer Arbeiter.

Die Frage hat den Gegenstand von Sachverständigenverhandlungen in Helsinki gebildet, bei denen der Generalbevollmächtigte für den Arbeitseinsatz beteiligt war. Dabei ist zunächst ein Großversuch mit dem Einsatz von 500 polnischen Waldarbeitern in Aussicht genommen worden. Die Frage des Einsatzes dänischer Arbeiter ist noch nicht akut.

Daher ist auch die Frage des Lohntransfers vorerst nicht praktisch geworden. Für die polnischen Arbeiter dürfte ein Lohntransfer, soweit er überhaupt in Frage kommt, über das deutsch-finnische Clearing möglich sein. Die Angelegenheit wird hier weiter bearbeitet. Sobald die Frage der dänischen Arbeiter erneut akut wird, wird R V beteiligt werden.

Hiermit über R II an R ergebenst zurück.
Berlin, den 27. November 1942.

zu R 63059/42

Im Falle eines Einsatzes dänischer Arbeiter in Finnland ist die Sachlage von Arbeitseinsatz in Norwegen insofern verschieden, als Finnland nicht wie Norwegen von Deutschland besetzt ist. Daher dürfte für die Sozialversicherung an sich finnisches Recht in Frage kommen.

Sollten Vereinbarungen in diesem Sinne zwischen Dänemark und Finnland auf besondere Schwierigkeiten stoßen, so wäre zu erwägen, ob die deutschen wirtschaftspolitischen Gründe stark genug sind, im vorliegenden Falle die Anwendung deutschen Sozialrechtes auf dänische Arbeiter in Finnland zu rechtfertigen.

Hiermit an R V erg. zurück.
Berlin., den 4. Dez. 1942.

13. Karl Schnurre an das Auswärtige Amt 1. Oktober 1942

Der var fra tysk side fremsat ønske om bevæbning af de danske handelsskibe.[3] I den øjeblikkelige situation anbefalede Schnurre, at der ikke blev taget kontakt til den danske udenrigsminister om spørgsmålet.

Barandon tog spørgsmålet om bevæbningen af danske handelsskibe op 2. oktober.
Kilde: RA, pk. 308. PKB, 13, nr. 868.

Pol I M 2345/Ang. II g RS   *Kopenhagen, 1. Oktober [194]2.*

Im Anschluß an Drahterlaß vom 20. September Nr. 1576[4]

Erbitte Drahtbericht wie Frage der Flakbewaffnung dänischer Schiffe, die Gesandter Mohr über das Wochenende in Kopenhagen betreiben wollte, jetzt steht. Von einem erneuten Herantreten an Außenminister Scavenius bitte ich jedoch im gegenwärtigen Augenblick Abstand zu nehmen.

Schnurre

Mit Gesandten von Renthe-Fink besprochen.

14. Paul Barandon an das Auswärtige Amt 1. Oktober 1942

Barandon fremsendte eksempler på den danske konges takketelegrammer. Telegrammerne var forfattet i UM.
Kilde: RA, pk. 202 og 216. PKB, 13, nr. 305.

3 Se Renthe-Finks telegram nr. 1383, 22. september 1942 til AA (PKB, 13, nr. 867. Jfr. Ministermødeprotokollen 26.-28. september 1942 (PKB, 4, s. 476f.)
4 Skrivelsen er ikke lokaliseret.

Telegramm

Kopenhagen, den	1. Oktober 1942	20.20 Uhr
Ankunft, den	1. Oktober 1942	22.00 Uhr

Nr. 1443 vom 1.10.42.

Die Danksagungstelegramme des Königs an die Staatsoberhäupter von Japan, Slowakei, Türkei und Ägypten sind heute abgegangen und haben folgenden Wortlaut:

"Es liegt mir daran … meinen herzlichsten Dank auszusprechen für die Glückwünsche, die aus Anlaß meines Geburtstages an mich gerichtet worden sind. Christian R."

Die Telegramme sind nicht vom König, sondern vom Außenministerium verfaßt.

Barandon

15. Direktor Geiselhart an Cecil von Renthe-Fink 1. Oktober 1942

På opfordring af de tyske medlemmer af det tysk-danske regeringsudvalg vedr. samhandelen Tyskland-Danmark havde direktør Geiselhart fra RWM været i København for at undersøge den danske kuladministration. Han fandt, at den danske kulforsyningssituation, når man medtog produktionen af tørv og brunkul, var relativt gunstig. Det samme kunne ikke siges om koksforsyningen, her måtte fra tysk side gøres mere. Han anbefalede, at den danske regering blev presset til at inddrage tørv og brunkul i kuladministrationen fremover. Skulle det igen blive afvist, kunne det komme på tale fra tysk side at gøre sin indflydelse gældende via kulleverancerne til Danmark.

Kilde: RA, Danica 465, Moskva Osobyj Archiv, 1458/21/42/28 (gennemslag).

Direktor Geiselhart	*1.10.42*
[Reichswirtschaftsministerium]	Durch Kurier des Auswärtigen Amtes

An den Bevollmächtigten des Deutschen Reiches
  Herrn Minister Renthe-Fink
  Deutsche Gesandtschaft
  Kopenhagen

Sehr geehrter Herr Minister!
Als Anlage übersende ich Ihnen meinen Bericht über die in Kopenhagen angestellten Untersuchungen über die dänische Kohlenbewirtschaftung, mit der Bitte um gefällige Kenntnisnahme.[5] Nach meinen Feststellungen krankt des dänische Kohlenbewirtschaftungssystem vor allen Dingen daran, daß die in Dänemark gewonnenen Torf- und Braunkohlenmengen nicht in die Bewirtschaftung einbezogen werden, diese Brennstoffe vielmehr von jedem gekauft werden können, der finanziell dazu in der Lage ist. Unter Berücksichtigung der dänischen Torf- und Braunkohlengewinnung, die in Steinkohlen-

---

5 Beretningen af 19. september 1942 er på ni sider og yderligere med to dobbeltsider statistiske oplysninger. Den gennemgår det danske forbrug af kul fordelt på hovedsektorer tilbage til 1939 og blev til på foranledning af det tyske regeringsudvalg. Geiselhart opholdt sig 12. til 17. september i København. Beretningen er ikke medtaget, da Geiselhart i sit brev resumerer konklusionen.

wert ausgedrückt, immerhin einer Jahresmengen von 2.100.000 to entspricht, ist nach meiner Überzeugung die dänische Kohlenversorgungslage in keiner Weise als beängstigend anzusprechen. Nach meiner Kenntnis der Dinge, ist unter Berücksichtigung der in Deutschland und im dritten Ausland vorliegenden Verhältnisse, die Kohlenversorgungslage in Dänemark, unter Einschlag von Torf und Braunkohle, als relativ gut anzusehen. Dasselbe günstige Bild ist allerdings nicht bei der Koksversorgungslage anzutreffen. Hier ist ohne weiteres zuzugeben, daß im Interesse einer einigermaßen ausreichenden Koksversorgung der dänischen Bevölkerung mehr getan werden muß. Unter Einbeziehung der für Industrie und Gießereien benötigten Mengen, ist ein Jahresbedarf von 1.200 – 1.350.000 to als normal anzusehen.

Ich halte es für unerläßlich, daß Sie, sehr geehrter Herr Minister, mit der Dänischen Regierung die Kohlenbewirtschaftung Dänemark eingehend behandeln, mit dem Ziel einer Einbeziehung von Torf und Braunkohle. Sollte dies von dänischer Seite nach wie vor abgelehnt werden, dürfte es m.E. unausbleiblich sein, daß von deutscher Seite aus im Interesse unserer Belange auf die dänische Kohlenverteilung entsprechender Einfluß genommen werden wird. Die Argumente welche die Vertreter der Dänischen Regierung anläßlich meiner Verhandlungen zum Ausdruck brachten, wonach die staatliche Bewirtschaftung von Torf und Braunkohle einen großen Rückschlag in der Produktion bringen würde, halte ich für nicht berechtigt. Ich bin der Meinung, daß es der Dänischen Regierung bei entsprechend guten Willen möglich sein muß, die Torf- und Braunkohlenerzeugung nicht nur zu halten, sondern daß darüber hinaus noch bessere Ergebnisse erzielt werden wie das bisher der Fall war.

Erfreulicherweise ist es gelungen die für Dänemark vorgesehene Ausfuhrmenge von insgesamt 240.000 to ab 1.10. zunächst bis Ende d.Js. auf monatlich insgesamt 265.000 to zu erhöhen. Ich bitte den dänischen Stellen klarzumachen, daß die mit mir vereinbarte Rückstellung für Bevorratung in Höhe von 20.000 to monatlich nunmehr auf wenigstens 25.000 to erhöht wird, damit unter allen Umständen, wenn auch nur in kleinerem Umfange, so doch eine entsprechende Notreserve für die strengen Wintermonate greifbar ist.

Durchschrift meines Berichtes habe ich ferner dem Regierungsausschußvorsitzenden – Herrn Ministerialdirektor Walter – sowie dem Auswärtigen Amt zugehen lassen.[6]

Mit Heil Hitler bin ich Ihr sehr ergebener

[underskrift]

16. Paul Barandon an das Auswärtige Amt 2. Oktober 1942

Den 27. september havde der i Haderslev været afholdt et landssportsstævne med deltagelse af SK (Schleswigsche Kameradschaft) og unge fra det tyske mindretal i Nordslesvig. Der havde været et stort antal tilskuere på byens stadion, hvor SKs fører Peter Larsen holdt åbningstalen, mens det tyske mindretals leder, Jens Møller, havde talt kort til sidst og sluttet med "Sieg Heil". Desværre havde arrangementet et lidet opmuntrende forspil, idet byens borgmester ud over Dannebrog havde forbudt flagning med hagekorsflag og Deutschen Jugendschaft Nordschleswigs fane. På grund af den særlige politiske situation havde Barandon undladt på nuværende tidspunkt at gøre forestillinger hos den danske regering.

6 Gennemslag af følgebrevene 1. oktober 1942 til Walter og AA (Scherpenberg) ligger ved sagen.

Barandon nævnte ikke, at SK-fører Peter Larsen i sin tale bl.a. havde meddelt, at 1.800 medlemmer af det tyske mindretal deltog i krigen. Stævnets demonstrative karakter med march gennem Haderslevs gader var åbenbar og havde klart som underliggende hensigt, at få ungdommen til at melde sig under de tyske faner. Det var mere end et sportsarrangement, hvad borgmester A.R. Thulstrup havde haft blik for.[7]
    Kilde: PA/AA R 100.354. RA, pk. 235.

Deutsche Gesandtschaft   *Kopenhagen, den 2. Oktober 1942.*
Kopenhagen
NSch 11

Betr.: Sportliches Landestreffen der SK und volksdeutschen Jugend in Hadersleben.
– 2 Durchschläge –

An das Auswärtige Amt,
    Berlin.

Die SK (Schleswigsche Kameradschaft) und die volksdeutsche Jugend der Deutschen Volksgruppe Nordschleswig führte am 27. September d.Js. ein sportliches Landestreffen in Hadersleben durch.
    Die Kämpfe begannen am Vormittag im Stadion, wo der Führer der SK die Eröffnungsansprache hielt, und wurden nach einem gemeinsamen Eintopfessen und dem anschließenden Marsch durch die Hauptstraßen am Nachmittag fortgesetzt. An den sportlichen Wettkämpfen, die programmgemäß verliefen, nehmen aktiv etwa 600 Personen teil. Eine große Anzahl Zuschauer, vor allem Angehörige der Deutschen Volksgruppe und Soldaten der Wehrmacht, hatten sich im Sportstadion eingefunden. Auf der Schlußkundgebung hielt Volksgruppenführer Dr. Möller eine kurze Ansprache, die er mit einem Sieg-Heil ausklingen ließ. Der gemeinsame Marsch der SK und der volksdeutschen Jugend verlief ohne Zwischenfälle. Rund 450 SK-Männer und etwa 200 Mitglieder der Deutschen Jungenschaft Nordschleswig nahmen daran teil.
    Leider hatte die Veranstaltung ein wenig erfreuliches Vorspiel, weil der Bürgermeister von Hadersleben sich unter Berufung auf angebliche Bestimmungen des Magistrats weigerte, dem Antrag der Volksgruppe zu entsprechen, auf dem Stadion neben der dänischen eine Hakenkreuzflagge oder die Fahnen der Deutschen Jungenschaft Nordschleswigs und der Schleswigschen Kameradschaft zu hissen. Die Fahnenmaste blieben daher während des Sportfestes unbeflaggt. Der Volksgruppenführer nahm in seiner Ansprache sehr scharf gegen die Haltung des Haderslebener Bürgermeisters Stellung. Auf Grund der besonderen politischen Lage habe ich davon Abstand genommen, im gegenwärtigen Zeitpunkt Vorstellungen bei der Dänischen Regierung zu erheben. Der Fall wird hier im Auge behalten werden.
Barandon

7 Det tyske mindretals politiske demonstrationer og provokationer over for de danske myndigheder er – modsat DNSAPs – endnu ikke undersøgt, og mindretalsledelsen søgte før maj 1945 at destruere arkivmateriale om sin virksomhed i størst muligt omfang (Se PKB, 14 som udtryk derfor).

17. Ernst Woermann an Joachim von Ribbentrop 2. Oktober 1942

Woermann videregav til Ribbentrop oplysninger om, hvordan Christian 10.s takketelegram til den slovakiske præsident Josef Tiso var formuleret.
    Kilde: RA, pk. 202.

U.St.S.Pol.Nr.617 g.Rs.   *Berlin, den 2. Oktober 1942.*
Hergestellt in 8 Exemplaren,
dies ist Nr. 4   Geheime Reichssache

Nach Nr. 529 253 auf braun hätte König Christian von Dänemark an den Präsidenten der Slowakischen Republik Dr. Tiso folgendes Danktelegramm gerichtet:
    "Es ist mir ein Bedürfnis, Eurer Exzellenz meinen aufrichtigen Dank für die Glückwünsche auszusprechen, die Sie geruht haben, anläßlich meines Geburtstages an mich zu richten."
    Da der Text sehr unwahrscheinlich erschien, ist der Originalwortlaut beschafft worden. Tatsächlich handelt es sich um ein Telegramm in französischer Sprache, das folgenden Wortlaut hat:
    "Je tiens à exprimer à Votre Excellence mes remerciements sincères pour les félicitations qu'elle a bien voulu m'adresser à l'occasion de mon anniversaire."
    Wie sich hieraus ergibt, ist die deutsche Übersetzung ungenau, insbesondere ist der Ausdruck "geruht" haben nicht verwendet worden.
    Der Originalwortlaut weicht auch von dem mit Telegramm Nr. 1443 vom 1. Oktober aus Kopenhagen mitgeteilten insofern ab, als nicht der "herzlichste" sondern der "aufrichtige" dank ausgesprochen worden ist.
    Hiermit über den Herrn Staatssekretär dem Herrn Reichsaußenminister vorgelegt.
                              gez. **Woermann**

18. Paul Barandon an das Auswärtige Amt 2. Oktober 1942

Barandon videresendte en partibefaling fra partifører for DNSAP, Frits Clausen, hvorefter medlemmerne skulle afholde sig fra at videregive nogen form for rygter på baggrund af den politiske udvikling. Barandon kunne også oplyse, at Frits Clausen rejste fra København for at understrege, at han ikke ønskede at blive bragt i forbindelse med den øjeblikkelige politiske situation. Efter råd fra Gustav Meissner udviste han den største tilbageholdenhed.
    Kilde: PA/AA R 29.566. RA, pk. 202. PKB, 13, nr. 307.

Nur als Verschlußsache zu behandeln.

Telegramm

| Kopenhagen, den | 2. Oktober 1942 | 08.55 Uhr |
| Ankunft, den | 2. Oktober 1942 | 10.20 Uhr |

Nr. 1444 vom 1.10.42.   Cito!

Auf Veranlassung von Parteiführer Frits Clausen hat heute Parteileiter DNSAP folgenden vertraulichen Parteibefehl an sämtliche Mitglieder DNSAP erlassen:

"Mit Rücksicht auf die politische Entwicklung, die in den letzten Tagen Anlaß zu den verschiedensten Gerüchten gegeben hat, schärfe ich hierdurch auf Befehl des Parteiführers ein, daß alle Mitglieder der DNSAP sich in jeder Form der Verbreitung von Gerüchten, politischen Vermutungen und einer Auslegung solcher Gerüchte und Vermutungen zu enthalten haben. Jede Teilnahme an solcher Handlungsweise oder jedes andere eigenmächtige Auftreten gegenüber plötzlich auftauchenden politischen Geschehnissen oder Gerüchten über solche kann für uns ernsthafte Folgen haben. Der Parteiführer hat mir daher auferlegt, auch erneut eindringlich den Inhalt des Parteibefehls Nr. S. 9/42 vom 4.9. ds.Js. einzuschärfen, dessen Wortlaut allen Mitgliedern unverzüglich wieder zur Kenntnis zu geben ist. Ebenso ist einzuschärfen, daß eine Übertretung sowohl des Parteibefehls Nr. S. 9/42 als des jetzigen Landesbefehls den sofortigen Ausschluß aus der Partei mit sich führen wird."

gez. Ph. Hoffmann-Madsen

Der erwähnte Parteibefehl Nr. S. 9/42 stellt eine dringende Ermahnung des Parteiführers Clausen an alle Funktionäre und Führer der Partei dar, daß keiner außerhalb der Partei stehenden Personen- oder politischen Interessenten-Gruppen irgendwelche Mitteilungen über interne Fragen der Partei gegeben werden dürfen. Parteiführer Clausen abreist morgen aus Kopenhagen, um dadurch zu dokumentieren, daß DNSAP mit jetziger politischer Situation nicht in Zusammenhang gebracht zu werden wünscht. Clausen wurde in großen Zügen lt. in Berlin erfolgter Weisung vom G[esandtschafts]r[at] Meissner ins Bild gesetzt und ihm größte Zurückhaltung angeraten.

Barandon

19. Paul Barandon an das Auswärtige Amt 2. Oktober 1942

Barandon kunne meddele, at forhandlingerne om bevæbning af de danske handelsskibe stod stille, efter at den danske gesandt Mohr var blevet kaldt tilbage fra Berlin.

Spørgsmålet blev taget op igen 6. oktober i et notat af Weizsäcker efter en drøftelse med ingeniør Jul. West. Ifølge dette skulle Scavenius have foreslået, at tyskerne købte de handelsskibe, som de ønskede bevæbnet (PKB, 13, nr. 313). Derefter fik kravet lov til at hvile (jfr. Meissner 1996, s. 279).

(Telegrammet har samme nummer som Barandons forrige telegram).

Kilde: PA/AA R 29.566. RA, pk. 202 og 308.

Telegramm

| Kopenhagen, den | 2. Oktober 1942 | 21.20 Uhr |
| Ankunft, den | 2. Oktober 1942 | 22.45 Uhr |

Nr. 1444 [!] vom 2.10.[42.]

Auf Telegramm vom 2. Nr. 1671[8]

8 Pol I M 2345 II g.Rs. Telegrammet er ikke lokaliseret.

In Frage Flakbewaffnung dänischer Handelsschiffe ist nach hiesiger Kenntnis keine Änderung eingetreten. Gesandter Mohr hat bei kürzlichen Besuchen dortige Gesichtspunkte vorgetragen und ist zu weiteren Verhandlungen nach Berlin abgereist. Inzwischen erfolgte seine Rückberufung nach Kopenhagen, ohne daß er jedoch soweit uns bekannt, Gelegenheit hatte, Frage dort zu besprechen. Durch augenblickliche Verhältnisse besteht für uns keine Möglichkeit, Näheres über Weisung dänischer Regierung an Mohr in Erfahrung zu bringen.

Barandon

20. Werner von Grundherr: Aufzeichnung 3. Oktober 1942

Den første melding om, hvad Hitler ønskede, der skulle ske i Danmark, efter at han i vrede over Christian 10.s takketelegram havde trukket både den øverstbefalende for værnemagten i Danmark, general Erich Lüdke og gesandt og rigsbefuldmægtiget Cecil von Renthe-Fink hjem, nåede AA gennem gesandtskabsråd Hugo Hensel.[9] Han viderebragte under et besøg i Berlin en mundtlig meddelelse fra Paul Barandon. Barandon havde haft besøg af den nyudnævnte øverstbefalende for de tyske tropper i Danmark, Herman von Hanneken. Von Hanneken berettede om den instruktion, han havde fået af Hitler 1. oktober vedrørende det fremtidige forhold mellem Tyskland og Danmark. Det var gennem disse tre led, at Hitlers instruktion kom på skrift ved von Grundherr i ministeriet.

Selv med forbehold for, at Hitlers vrede endnu ikke havde fortaget sig, varslede instruktionen et brud med den hidtidige tyske kurs i Danmark med hensyn til den danske regering, kongehuset og modstandsbevægelsen. Danmark skulle fremover være fjendeland, og den kommende rigsbefuldmægtigede og den øverstbefalende behandle landet derefter. Der skulle indsættes en marionetregering.

Von Grundherr kommenterede ikke optegnelsen, men der er ikke tvivl om, at man i AA tog efterretningen med forbehold, forsigtighed og bekymring. Det kunne svække AAs position i Danmark, men der var ikke tilgået AA tilsvarende instruktioner, hvorfor man forholdt sig afventende til situationen. Det samme gjorde gesandtskabet i København, og det kan ikke udelukkes, at diplomatiet begge steder tog den mundtlige version af Hitlers instruks videregivet gennem adskillige med et gran salt[10] (Poulsen 1970, s. 338-342, Kirchhoff, 1, 1979, s. 45-48 og 3, 1979, s. 94f.).

Kilde: RA, pk. 202. PKB, 13, nr. 308. Carlyle 1954, s. 219f. (på engelsk). ADAP/E, 4, nr. 6. EUHK, nr. 70 (uddrag). Drostrup 1997, s. 308-310.

Mit G.-Schreiber an Sonderzug über Sonnleithner

9 Det skal her tilføjes, at hjemkaldelsen af Lüdke var forberedt *før* telegramkrisens udbrud.

10 Kanstein afgav 12. november 1946 forklaring, hvor han bl.a. berettede om det første møde med von Hanneken i København. I forklaringen tillægger han von Hanneken den holdning, at WB Dänemark for fremtiden skulle være bestemmende i Danmark, og at Danmark af Hitler var karakteriseret som fjendeland, men at Kanstein og Barandon fik von Hanneken til at forholde sig i ro til der forelå nærmere direktiver. Påfølgende rejse Kanstein eller Barandon til Berlin for hurtigst muligt at få genoprettet normale forbindelser mellem Tyskland og Danmark (LAK, Best-sagen). Kansteins forklaring stemmer kun delvist med de samtidige referater, idet von Hanneken forventede, at der kom en stærk rigsbefuldmægtiget til Danmark. Det trækker Kanstein ikke frem, da han tildeler sig selv rollen som den, der frem for nogen promoverede den dygtige politiker Werner Best. Efter samtalen med von Hanneken rejste hverken Kanstein eller Barandon til Berlin. De lod Hensel rejse og afgive mundtlig beretning; det var ikke helt så alarmerende, selv om situationen var alvorlig nok. Duckwitz videregiver i sine erindringer en munter episode i forbindelse med det første møde med von Hanneken, hvis trusler gjorde et sådant indtryk på Barandon, at han flere gange måtte trække vejret dybt, hvilket førte til, at der sprang en knap fra hans vest. Knappen rullede hen foran von Hannekens stol (Duckwitzs erindringer u.å. kap. V, s. 5 (PA/AA, Nachlass Georg F. Duckwitz, bd. 29)).

An Reichsaußenminister

drahtlich Geh.Ch.Verf.

Gesandter von Grundherr legt nachstehende Aufzeichnung vor.

gez. **Weizsäcker**

Abschrift.   e.o. Pol VI 1347 g.Rs.

4 Ausfertigungen, dies ist Nr. 1.

Aufzeichnung

Gesandtschaftsrat Hensel von der Gesandtschaft Kopenhagen, der heute Nachmittag mit Flugzeug hier eintraf, teilte mir im Auftrage des stellvertretenden Bevollmächtigten Geschäftsträgers Barandon, mündlich folgendes mit:

Der neue Befehlshaber der deutschen Truppen in Dänemark, General von Hanneken, suchte am 2. Oktober 1942, dem Tage seines Eintreffens in Kopenhagen den stellvertretenden Bevollmächtigten, Geschäftsträger Barandon, in der Gesandtschaft auf und teilte ihm in Gegenwart des SS-Brigadeführers Kanstein und des Oberstleutnants Graf Brandenstein-Zeppelin, Chef des Stabes beim Befehlshaber, die Instruktion mit, die er vom Führer am 1. Oktober mündlich erhalten hatte. Der wesentliche Inhalt dieser Instruktion ist der folgende:

Der Führer ging davon aus, daß die Erklärungen vom 9. April 1940, auf denen bisher das Verhältnis zwischen Deutschland und Dänemark beruhte, durch die Entwicklung der vergangenen Jahre und das Verhalten der Dänen selbst hinfällig geworden seien. Er habe diese Bindungen längst als störend und unangebracht empfunden. Diese Erklärungen hätten ihre Berechtigung gehabt in einer Zeit, wo mit einer längeren Dauer des Krieges nicht zu rechnen und wo die inzwischen eingetretene Entwicklung noch nicht vorauszusehen war. Jetzt müßten sie verschwinden. Für die Zukunft sei es unmöglich, daß sich in einem unter deutscher Führung neu geordneten Europa ein Staatsgebilde mit demokratischer Regierung und unter einem Königshaus halte, das bis jetzt nichts als schlechten Willen gezeigt habe. Für die Zukunft sei es völlig ausgeschlossen, daß er, der Führer, Dänemark etwa in seiner bisherigen Form wiederherstelle (gemeint war, daß die deutschen Truppen Dänemark wieder verlassen würden), im Gegenteil, er brauche Dänemark, weil er Norwegen brauche, um England in Schach zu halten und hierzu sei der Besitz Dänemarks unerläßlich. Dänemark müsse eine deutsche Provinz werden.

Daß es soweit gekommen sei, daran trügen die Dänen mit ihrem König und mit ihrer Regierung selbst die Schuld. Der König und das Königshaus hätten aus ihrer ablehnenden Haltung und aus ihrer Hinneigung zu Schweden und England niemals ein Hehl gemacht. Man habe einen dänischen Minister außer Landes gehen lassen, das dänische Volk habe die Freiwilligen des Freikorps Dänemark beschimpft und mißhandelt. Die Dänische Regierung und der König hätten die Gelegenheit vorübergehen lassen und wegen Nordschleswigs uns nicht einmal ein Angebot gemacht. Das Königshaus und die jetzige Regierungsform seien überhaupt für die ganze Entwicklung störend und deshalb sei es letzten Endes sein Wille, beides zu beseitigen.

Dafür, daß die Dinge so gelaufen seien, sei – so habe der Führer ausdrücklich betont – weder dem Bevollmächtigten von Renthe-Fink noch dem General Lüdke irgendein Vorwurf zu machen. Sie hätten im Rahmen ihrer Befugnisse nach den damals gültigen Instruktionen richtig gehandelt. Von jetzt aber gälten neue Richtlinien.

Als Bevollmächtigter werde ein Nationalsozialist mit harter Faust kommen und der Militärbefehlshaber sowie die Wehrmacht befänden sich nicht in einem befreundeten Land, sondern in Feindesland. Er verbiete dem Befehlshaber, dem König einen Besuch zu machen. Er könne dem Außenminister durch seinen Adjutanten die Befehlsübernahme auf einem Zettel melden lassen (was inzwischen geschehen ist). Falls der König ihn zu sprechen wünsche oder ihn gar persönlich aufsuchen sollte, so solle der Befehlshaber für den König nicht zu sprechen sein. Die Wehrmachtsangehörigen hätten jeden Verkehr mit Dänen abzubrechen.

Was die Regierung anbetrifft, so müsse das Ziel sein, möglichst bald eine Regierung unter der Führung der dänischen Nationalsozialisten einzusetzen. Ob der Parteileiter der dänischen Nationalsozialisten, Dr. Frits Clausen, die geeignete Persönlichkeit sei oder ob er einen kleinen oder großen Teil des dänischen Volkes hinter sich habe, sei völlig gleichgültig; der Führer brauche in Dänemark eine Marionettenregierung, die alles das täte, was er von ihr verlange. Auch die Engländer hätten im Iran und Irak Marionettenregierungen eingesetzt. Der Chef dieser Regierung müsse sich stets dessen bewußt sein, daß er bei einem etwaigen Abmarsch der deutschen Truppen am nächsten Laternenpfahl aufgehängt werden würde. Der Führer werde in dieser Hinsicht auch den neu zu ernennenden Bevollmächtigten mit den nötigen Weisungen versehen.

Jeder, auch nur der geringste Widerstand, sei mit Gewalt zu unterdrücken. Sollte sich herausstellen, daß die dänischen Polizeikräfte nicht ausreichen oder nicht in unserem Sinne durchgriffen, so könnte weiteres Militär, gegebenenfalls auch SS zur Verfügung gestellt werden.

Zu der Entschuldigung des Königs habe der Führer noch ausgeführt, daß er der Dänischen Regierung lediglich mitteilen wolle, er habe von der Entschuldigung Kenntnis genommen. Ein Besuch des Kronprinzen käme nicht in Frage.

Über das Königshaus habe der Führer noch hinzugefügt, daß ihm eine Abdankung des Königs zur Zeit nicht gelegen kommen würde.

Berlin, den 3. Oktober 1942.

gez. **von Grundherr**

21. Raul Mewis: Aktenvermerk 3. Oktober 1942

Den nye WB Dänemark var på besøg hos admiral Mewis og redegjorde for de direktiver, som Hitler havde givet ham med hensyn til Danmark. Danmark havde ikke vist forståelse for den europæiske kamp mod bolsjevismen, det gjaldt specielt det danske kongehus, og endelig var svaret på førerens fødselsdagstelegram det, der fik ham til at slå ind på en helt ny kurs i forhold til Danmark. Der skulle herefter udvises stor kulde over for den danske regering og kongehuset, værnemagten skulle fremsætte krav, ikke komme med ønsker, og enhver uregelmæssighed skulle slås ned med de kraftigste foranstaltninger. Den nye rigsbefuldmægtigede skulle følge samme linje, og Frits Clausen og DNSAP skulle overlades landets ledelse, selv om tidspunktet herfor endnu var uklart. Tyske officerers selskabelige samkvem med den danske befolkning skulle ophøre.

Føreren anså en allieret invasion i Danmark for usandsynlig, men der skulle træffes foranstaltninger mod faldskærmsagenter og kommandoraids. Derefter tog Mewis enkelte spørgsmål af særlig interesse op, bl.a. at der ikke forelå ordrer vedrørende kystbevogtningen, at samarbejdet med den danske marine fortsat var nødvendigt, og at de danske værfter var af betydning for reparation af tyske krigs- og handelsskibe. På spørgsmålet, om der var planer om at afvæbne den danske hær, svarede WB Dänemark afvisende (Andersen 2007, s. 311, n. 31).

Von Hanneken gentog i substansen stort set det samme over for admiral Mewis, som han dagen før havde givet udtryk for over for Det Tyske Gesandtskab i København. Han opfattede Danmark som fjendeland og skulle handle derefter. Den 5. oktober gengav admiral Mewis igen de direktiver, som den nye WB Dänemark havde fået, idet han gjorde rede for situationen i Danmark.

Kilde: BArch, Freiburg, RM 12 II/35. RA, Danica 203, pk. 30, læg 320.

Geheime Kommandosache   *Kopenhagen, den 3. Oktober 1942*

Aktenvermerk
Besuch neuen Truppenbefehlshabers, General der Inf. von Hanneken,
bei Marinebefehlshaber am 3.10.1942.

Neuer Truppenbefehlshaber gab kurzen Überblick über seinen Empfang durch den Führer und die ihm bei dieser Gelegenheit gegebenen Instruktionen.

Ungenügendes Danktelegramm des Königs auf das freundliche Geburtstagstelegramm des Führers habe diesen schwer erzürnt. Es sei schon immer seine Ansicht gewesen, daß die Absprache vom 9.4.1940, die für einen kurzen Krieg gedacht war, bei den heutigen Zuständen nicht mehr tragbar sei. Die Dänische Regierung hätte, wo sie konnte, nichts als Schwierigkeiten gemacht, sich hinter These ungeteilten und freien Dänemarks versteckt und keinerlei Verständnis für europäischen Kampf gegen Bolschewismus gezeigt. Diese Vorwürfe gälten insbesondere für den König und sein ganzes Haus. Das "Antwortpamphlet" habe daher dem Führer letzten Anstoß gegeben, um nunmehr völlig neuen Kurz in Dänemark einzuschlagen. Deshalb Abberufung des bisherigen Gesandten und des Truppenbefehlshabers, die im übrigen beide keinerlei Vorwurf bezüglich ihrer Amtsführung treffe, und Zustellung der Pässe an dän. Gesandten in Berlin.

Für neuen Truppenbefehlshaber gelte als Richtlinie

1.) Eisige Kälte gegenüber König und dän. Regierung,

2.) Deutsche Wehrmacht äußere künftig keine Wünsche mehr, sondern stelle Forderungen.

3.) Jede Unbotmäßigkeit ist mit härtesten Maßnahmen zu zerschlagen.

Als neuen Gesandten und Bevollmächtigten des Reiches werde Führer einen Nationalsozialisten von reinsten Wasser herschicken, der durch entsprechende Maßnahmen dafür sorgen solle, daß die Übernahme der Führung im Lande durch Frits Clausen und seine Partei beschleunigt werde. Das kleine Format des Parteiführers störe den Führer nicht, sei ihm sogar angenehm, da er als "Marionettenfigur" um so mehr von uns abhängig.

Truppenbefehlshaber fügte erläuternd hinzu, daß Zeitpunkt der Übernahme durch Clausen noch ungewiß und Frage noch ungeklärt sei, ob er als Ministerpräsident oder nur als maßgeblicher Parteiführer herausgestellt würde. Zunächst gälte es Unruhe zu schaffen; hierzu werde auch er durch entsprechende Maßnahmen auf dem militärischen Sektor beitragen, um die Dänen möglichst ins Unrecht zu setzen. – Bezüglich des Verkehrs der Offiziere in dänischen Familien habe er für seinen Stab zunächst völlige Einstellung jeglichen Umganges angeordnet. Er bäte Marbef., gleiche Anordnung für seinen Stab zu treffen. Dies wurde zugesagt.

Bezüglich einer englischen Landung in Jütland sei Führer der Ansicht, daß eine Großlandung unwahrscheinlich sei. Man müsse jedoch mit Absprung von Fallschirmagenten und Schnellbootraids gegen Einzelobjekte an der Küste (Flum-Geräte, einzelne Batterien, Geschütze usw.) rechnen. Der Führer lege besonderen Wert darauf, daß entsprechende Maßnahmen getroffen werden, um den Verlust solcher Geräte usw. zu vermeiden, keinesfalls jedoch ohne daß Engländer selbst dabei Verluste erlitten.

Anschließend an Ausführungen des Truppenbefehlshabers stellte Marbef. einige Fragen, um deren Beantwortung er bat.

1.) Frage nach der Abdankung des Königs wurde dahingehend beantwortet, daß Führer geäußert habe, ein solcher Schritt des Königs sei ihm im Augenblick nicht angenehm, da man dann dasselbe Manöver mit dem Kronprinzen exerzieren müsse.

2.) Flucht des Königs nach Schweden. Marbef. erläuterte z.Zt. bestehende Form der See- und Küstenüberwachung im Öresund und wies darauf hin, daß eine illegale Flucht z.Zt. durchaus durchführbar sei. Dies hätte stellv. Bevollmächtigten veranlaßt, im Einvernehmen mit Marbef. am 1.10. einen Drahtbericht an das Auswärtige Amt zu geben, in dem augenblicklicher Zustand geschildert und anheimgegeben worden sei, eine evtl. Abänderung mit OKW und OKM zu besprechen. Trubef. erwiderte, er habe darüber keine Weisungen und hielte es für angebracht, es zunächst bei dem bisherigen Zustand zu belassen. Er werde aber auf seinem Dienstwege eine entsprechende Anfrage nach oben geben.

3.) Zusammenarbeit mit dän. Marine wurde von Marbef. erwähnt und dabei darauf hingewiesen, daß ständige Fühlungnahme mit dän. Marineministerium nötig sei, andernfalls die z.Zt. für uns unentbehrlichen defensiven Maßnahmen, die dän. Marine ausführe, zum Erliegen kämen. Trubef. erwiderte, über die Marine hätte der Führer mit ihm nicht gesprochen; er hielte das Weiterlaufen dieser Maßnahmen und den dazu erforderlichen Verkehr mit den dän. Marinestellen für notwendig. Marbef. stellte in diesem Zusammenhang Frage, ob Desarmierung dän. Heeres beabsichtigt. Trubef. verneinte dies, da er hierzu keine Weisung hätte; er werde demnächst auch dem General Görtz seinen Besuch machen.

4.) Marbef. wies auf Bedeutung dän. Werften für deutsche Kriegs- und Handelsschiffsreparaturen hin. Eine Einstellung der Arbeiten infolge innerer Unruhen usw. könnte unliebsame Folgen für unsere Seekriegsmaßnahmen im hiesigen Raum haben. Trubef. erwiderte, der Führer rechne nicht mit irgendwelchen größeren Unruhen, sei vielmehr der Meinung, die Dänen würden alles hinnehmen. Dieselbe Erfahrung hätte man in der Tschechei gemacht, wo nach dem Wechsel Neurath/Heydrich entgegen den Befürchtungen die Arbeitsleistung sich verdoppelt habe, weil die Angst der Leute um so grösser geworden sei.

22. Paul Kanstein an Hermann von Hanneken 4. Oktober 1942

Værnemagten havde klaget over det danske politis optræden ved anholdelsen af to medlemmer af Frikorps Danmark. Paul Kanstein havde ladet sagen undersøge gennem det danske justitsministerium, der havde meddelt, at de pågældende politifolk havde optrådt korrekt. Imidlertid havde Kanstein fået underretning om, at værnemagten også selv havde rettet henvendelse til de danske myndigheder i samme sag. Fremover bad han om at blive underrettet samtidig med, at der fandt henvendelse sted til de danske myndigheder.
    Kilde: PKB, 13, nr. 726.

Der Bevollmächtigte des Deutschen Reiches   *Kopenhagen, den 4. Oktober 1942.*
Der Beauftragte für Fragen der inneren Verwaltung   Dagmarhus
– Inn. V.L. –

Betrifft: Verhalten der dänischen Polizei bei der Inhaftnahme zweier SS-Schützen.
Vorgang: Dort. Schreiben vom 11.8.1942 – Abt. Ia – Br. B. Nr. 321/42 –[11]

An
    den Befehlshaber der deutschen Truppen in Dänemark
    zu Hd. des Chefs des Generalstabes
    Herrn Oberstleutnant von Brandenstein
    Kopenhagen,
    Hotel d'Angleterre.

Durch das genannte Schreiben war ich gebeten worden, das dänische Justizministerium zu veranlassen, das Verhalten dänischer Polizeibeamter, die am 10. August 1942 zwei SS-Schützen festgenommen hatten, zu untersuchen. Ich habe beim Justizministerium entsprechende Schritte unternommen.
    Das Justizministerium teilt mir daraufhin jetzt mit, daß auch ein Ersuchen des Gerichts des Befehlshabers der deutschen Truppen um Untersuchung der Angelegenheit eingegangen sei, und daß man dem Kriegsgericht am 11.9.42 die Vernehmungsniederschriften übersandt habe. Die Untersuchung habe ergeben, daß die betreffenden Polizeibeamten unter den gegebenen Verhältnissen korrekt und rücksichtsvoll gegenüber den beiden SS-Schützen aufgetreten seien, und daß man ihnen deshalb in diesem Zusammenhang keine Vorwürfe machen könne.
    Indem ich hiervon Kenntnis gebe, bitte ich, folgendes hinzufügen zu dürfen:
    ˙Als ich den dortigen Auftrag zu Vorstellungen beim Justizministerium erhielt, ist mir nicht mitgeteilt worden, daß gleichzeitig auch das Kriegsgericht an die dänischen Behörden mit dem Ersuchen um Untersuchung der Angelegenheit herantreten würde. Es ist um meiner Autorität willen bei den dänischen Behörden natürlich nicht erwünscht, wenn mir von dänischer Seite entgegengehalten werden kann, daß eine Untersuchung, die ich im Auftrage des Befehlshabers verlangt habe, von einer Dienststelle des Befehlshabers bereits unmittelbar erbeten worden sei, daß man dieser Dienststelle das Ergebnis der Untersuchung mitgeteilt habe, und daß man die Angelegenheit mir gegenüber damit als erledigt betrachte.

11 Trykt i PKB, 13, nr. 724.

Da ähnliche Vorkommnisse sich mehrfach ereignet haben, wäre ich dankbar, wenn ich in Fällen, in welchen ich mit Vorstellungen bei dänischen Behörden beauftragt werde, gleichzeitig darüber unterrichtet würde, ob die Angelegenheiten bereits unmittelbar von Dienststellen des Befehlshabers den dänischen Behörden gegenüber aufgegriffen worden sind.

Kanstein[12]

23. [Paul Kanstein] an das Auswärtige Amt 4. Oktober 1942

Statsminister Vilhelm Buhls tale mod sabotagen 2. september 1942 blev besvaret af DKPs formand, Aksel Larsen, i et særnummer af *Land og Folk* 4. september. Aksel Larsens svar blev på tysk foranledning oversat til tysk og derpå sendt til AA som indledning til en oversigt over sabotagerne rettet mod tyske interesser i Danmark siden 26. juni 1942.[13]

Sabotagerne fra sommeren 1942 havde foranlediget besættelsesmagten til at foretage tekniske undersøgelser ud over dem, der blev foretaget af dansk politi. To tyske eksperter var i august i Danmark og kunne konkludere, at der ikke var anvendt engelsk sprængstof ved sabotagerne, men at der måtte være tale om "eine verhältnismäßig kleine Gruppe dänischer Kommunisten" (Renthe-Fink til AA, telegram nr. 1061, 28. juli 1942, Picot til Heinrich Müller 31. Juli 1942, Picot notits 31. juli 1942, Müller til Picot 6. august 1942, Luther til Renthe-Fink 7. august 1942, Müller til Schimpke 20. august 1942 (alle i RA, pk. 228), Kanstein til AA 27. august 1942 (PKB, 13, nr. 281), *Politische Informationen* 15. december 1942, Kirchhoff, 1, 1979, s. 43f. og 3, 1979, s. 93 (med der anf. henvisninger), Lauridsen 2006c, s. 145-150. Det var admiral Mewis, der slog alarm efter to skibssabotager 26. juli), Stevnsborg 1992, s. 409).[14]

Et resultat af det tyske fokus på sabotagen var dels de forebyggende aktioner mod DKP 2. november og mod de tidligere spaniensfrivillige 7. november (se nedenfor), dels at dansk politi løbende udarbejdede rapporter om anslag mod tyske interesser begyndende med de sabotager, der havde indledt det hele i juni 1942. Rapporterne blev oversat til tysk og med mellemrum videresendt til bl.a. den rigsbefuldmægtigede, der videresendte dem til AA. Selv om den første rapport er fra før Bests ankomst, er den taget med af hensyn til sammenhængen. Dels hører indledningen og nummereringen sammen med de senere rapporter, dels henviser Best selv til den. Da følgebrevet ikke er lokaliseret, er det uvist om Barandon eller Kanstein var afsender. Sidstnævnte er her angivet som den mest sandsynlige, og endelig kan det ikke udelukkes, at rapporten først blev afsendt af Best.

Sabotageoversigten er ikke så omfattende som den kronologiske oversigt, der er trykt i Alkil, 2, 1945-46, s. 1209ff. for den samme tidsperiode, heller ikke taget i betragtning, at Alkil tager alle typer sabotage med. Trods det er Alkils oversigt langtfra fuldstændig eller helt pålidelig (jfr. Trommer 1971, s. 42ff. og 1979, s. 323, Kirchhoff, 3,1979, s. 153). På den anden side medtager nedenstående også aktioner, der ikke findes hos Alkil, og begge bygger på dansk politis materiale. Værdien af nedenstående oversigt består dels i den betydeligt højere detaljeringsgrad end hos Alkil, dels at den udgjorde en del af den rigsbefuldmægtigedes hovedgrundlag for at bedømme sabotagens omfang og betydning. Hertil kom informationerne fra Abwehr, hvor Albert Howoldt noterede sig dem.

Kilde: PA/AA R 61.119.

Abschrift zu Pol VI 1200

12 Med håndskrift er i marginen påført: "9. ds. (?) mit Kanstein gesprochen, Angelegenheit erledigt, v. H[anneken?]."

13 Om Buhls tale og Larsens svar, se Kjeldbæk 1997, s. 46-48. Aksel Larsens tale er trykt i Larsen 1953, s. 275-282 og i Houmann, 2, 1980, s. 33f.

14 De to eksperter var kriminalkommissær Büchert med henblik på sabotagebekæmpelsen og dr. Hermann Hoffmann fra RSHAs kriminaltekniske Institut med henblik på de anvendte sprængstoffer.

Übersetzung   Lesen und weitergeben!
Sondernummer von Land und Volk.

Antwort an den Staatsminister!
Von Abgeordneten Aksel Larsen.

Herr Staatsminister Vilhelm Buhl!
Ihre Rundfunkansprache vom 2. Sept.,[15] in der Sie an das dänische Volk appellieren, sich unter der feindlichen Besatzung ruhig zu verhalten und nichts zu tun, was gegen die Interessen Hitler-Deutschlands verstoßen könnte, soll nicht unbeantwortet bleiben. Wenn Sie auch den Rundfunk und die ganze gleichgerichtete und zensierte Tagespresse zu Ihrer Verfügung haben, so vertraue ich doch darauf, daß die Antwort in jedes dänische Haus gelangen wird.

Untergrabung und Rücksichtnahme
Sie, Herr Staatsminister, sprachen gegen "diejenigen, deren Ziel es ist, ein gutes Verhältnis zwischen Dänemark und Deutschland, beruhend auf gegenseitiger Rücksichtnahme und Verständigung, zu untergraben." Ich weiß nichts davon, daß ein solches gutes Verständnis besteht.

Aber wer ist es, der das vormals gute Verhältnis zwischen Dänemark und Deutschland untergraben hat? Das sind Deutschlands Nazi-Machthaber durch ihren ungeheuerlichen Bruch des von ihnen selbst vorgeschlagenen Nicht-Angriffspaktes und durch ihren gewaltsamen Überfall auf unser kleines friedliches Land. Es sind die selben Machthaber, deren Truppen unser Land besetzt halten, es ausplündern und aussaugen, und die seit dem 9. April 1940 alle Versprechungen gebrochen haben und auf wirtschaftliche und jede andere Weise eine Clique von Landesverrätern, nämlich die dänischen Nazis unterstützen, die den Abschaum und den Bodensatz in der dänischen Gemeinschaft bilden. Hören Sie deshalb auf damit, die Dinge auf den Kopf zu stellen und so zu tun, als ob wir Dänen es wären, die das Verhältnis zwischen Dänemark und Deutschland zerstört haben.

Und was ist das nun für eine Redensart "gegenseitige" Rücksichtnahme und Verständigung? Hat Deutschland vielleicht im geringsten Rücksicht genommen oder Verständnis für unser Recht gezeigt, außerhalb des Krieges zu bleiben, unser eigenes Leben zu führen, über unsere eigenen Verhältnisse zu bestimmen und über unsere eigenen Erzeugnisse zu verfügen? Nein, wenn Rücksichtnahme vorhanden ist, so ist sie höchst einseitig mit Dänemark als dem alleine Gebenden und Deutschland als den Nehmenden oder richtiger Fordernden, Raubenden und Unterdrückenden.

Verbindungsglied oder Front?
Sie, Herr Staatsminister, nennen Dänemark bescheiden ein "Verbindungsglied in der deutschen Front gegen Westen." Ganz bestimmt geben Sie damit zu, daß Ihre eigenen früheren Regierungserklärungen darüber, daß Sie Deutschlands Krieg nur soweit unter-

---

15 Talen er trykt hos Alkil, 1, 1945-46, s. 205f.

stützen, als er sich gegen den "Bolschewismus" im Osten richtet, unehrlich und nur be-
rechnet waren, das Volk irret zu führen. Aber "Verbindungsglied?"? Nein, Dänemark ist
Front. Von hier aus, von unserer Erde und von unseren Häfen aus führt Deutschland Krieg
gegen Westen, gegen England. Und mit seinem Landgebiet, Material, Lebensmitteln,
Produktion, Arbeitskraft, sowie mit dem Einsatz dänischer Kriegsbereitschaft hat Däne-
mark bisher unter der Führung Ihrer Regierung Deutschland dabei geholfen.

Dänische Gerichte verurteilen

Sie, Herr Staatsminister, behaupten, daß bisher die "Verbrechen gegen die Deutsche
Wehrmacht" vor dänischen Gerichten behandelt werden konnten und unterstreichen
dies gleichzeitig als Anerkennung von Deutschlands Haltung.

Aber das dänische Strafgesetz und die Rechtspflege sind auf unmittelbare deutsche
Forderung verdreht worden und die Regierung hat Glück gehabt, willige Richter zu
finden, die sich selbst und ihren Ruf gerne verkauften und obendrein noch strenger und
willkürlicher urteilen, als dieses verschärfte und verdrehte Gesetz es erlaubt. Und jedes
Urteil, das unter diesen Verhältnissen von einem sogenannten "dänischen" Sonderge-
richt verkündet wird, erhält erst Gültigkeit, wenn es vor den Augen der deutschen Ober-
zensur Gnade gefunden hat. Wenn die Deutschen es verlangen, bricht die Staatsmacht
willig alle bestehenden Rechtsregeln und läßt schon verkündete Urteile auf deutschen
Wunsch weiter verschärfen. Das ist der Zustand, den Sie mit der Bezeichnung "dänische
Justiz" schmücken!

Was ist mit dem deutschen Gefängnis im Vestre und mit den deutschen Gefängnis-
abteilungen in der Provinz – wo dänische Staatsbürger eingesperrt sitzen ohne Gesetz
und Urteil, ohne Verteidiger, ohne geringste Verbindung mit ihren Familien und der
nazideutschen Willkür unterworfen? Was ist mit den Verfassungsbrüchen, die die Re-
gierung begangen hat, so oft die Deutschen es wünschten? Was mit dem Dutzenden
dänischer Patrioten, die die Regierung wegen Tätigkeit, die "Dänemarks Verhältnis zum
Ausland schädigt" hat verurteilen lassen? Was ist mit den Hunderten von verhafteten
und internierten Kommunisten, was mit den Konzentrationslagern, was mit den Ver-
haftungen von Reichstagsmitgliedern und von Gemeindeverwaltungsmitgliedern nur
auf Grund ihrer politischen Überzeugung und – weil die Deutschen es wünschten?

Von all diesem sprechen Sie nicht und tun so, als ob es nicht existiert. Ihre Behaup-
tung, daß wir auch unter der Besetzung dänische Rechtspflege und dänische Justiz ha-
ben, ist bewußt unrichtig und dient nur dazu, die wahren Verhältnisse zu verschleiern
und zu verdrehen.

Die deutschen Versprechungen

Herr Staatsminister, Sie weisen auf die bisherige "korrekte Haltung" des dänischen Vol-
kes hin, die ihren "Ausgangspunkt in den von deutscher Seite gegebenen Versprechun-
gen hat" – Ja, es ist richtig, daß das dänische Volk lange Zeit nach dem 9. April 1940
den Aufforderungen der Regierung, sich unter der Fremdherrschaft ruhig zu verhalten,
gefolgt ist. Das dänische Volk hoffte trotz allem darauf, daß die schönen deutschen
Versprechungen, die die Besetzung entschuldigen sollten, doch gehalten würden und
rechnete damit, daß die Regierung unerschütterlich darauf bestehen würde.

Aber so wie Deutschland zynisch den Nicht-Angriffspakt brach, so hat es seit dem 9. April sämtliche Versprechungen gebrochen. Es hat Dänemark in seinen Krieg aufgenommen und die Regierung gezwungen, sich zum Besten dieses Krieges einzusetzen. Es mischt sich auf allen Gebieten in unsere inneren Verhältnisse. Die Regierung weiß selbst am besten, daß kein Tag vergeht, an dem sie nicht neuen deutschen Forderungen und Anmaßungen gegenübergestellt wird.

Aber damit ist auch jede Voraussetzung für eine "korrekte Haltung" von Seiten des dänischen Volkes verschwunden und damit ist die ganze Grundlage Ihres Rundfunkappells falsch! Und gerade der Umstand, daß die Regierung nicht hat versuchen können oder wollen, ihre Souveränität zu behaupten und nicht vermocht hat, den wortbrüchigen deutschen Forderungen gegenüber eine würdige dänische Haltung einzunehmen, macht, daß Sie, Herr Staatsminister, nicht geringstes Recht haben, von dem dänischen Volk "korrekte Haltung" und Unterwerfung oder Unterstützung der nachgebenden Politik der Regierung zu verlangen.

Recht und Pflicht des Volkes
Glauben Sie nicht, daß man dem Volk die Waffen aus der Hand schlagen kann, es unterjochen, es ihm geben, einen Maulkorb vorhängen, ausplündern und verhunzen kann – und dann trotzdem Ruhe und Loyalität verlangen kann! Wenn die Pressefreiheit verfassungswidrig geknebelt wird, hat das Volk das Recht und die Pflicht, sich Aufklärung zu verschaffen und seine Meinung kund zu geben. Wenn das politische Leben in eine Zwangsjacke gelegt wird, wenn die Versammlungsfreiheit und die persönliche Rechtssicherheit grob verletzt wird, wenn die verfassungsmäßigen demokratischen Rechte des Volkes gewaltsam abgeschafft werden, so hat das Volk das Recht und die Pflicht, mit allen Mitteln für seine Rechte, seine Freiheit und seine Kultur zu kämpfen und sein politisches und nationales Leben in anderer Weise weiterzuführen, als in der, die durch ein Machtgebot unterbunden wurde. Wenn das Recht mit Füssen getreten wird, wenn die Wahrheit verfolgt wird und es strafbar ist, sein Dänentum zu zeigen, so hat das Volk das Recht und die Pflicht, die Rechtspflege in seine eigene Hand zu nehmen und die Verfolgten gegen Übergriffe der Behörden zu beschützen und zu verteidigen.

Wenn die Regierung den wahren Interessen des Volkes und des Landes gegenüber versagt, so hat das Volk das Recht und die Pflicht, die Sache in seine eigene Hand zu nehmen und sich nicht nach der Regierung zu richten. Wenn ein Land überfallen und national unterdrückt wird, so hat das Volk, wenn es als Nation bestehen bleiben will, die Pflicht, mit allen Mitteln zu kämpfen, um die Fremdherrschaft abzuwerfen und wieder frei zu werden.

Was ist eine Selbstverständlichkeit!
Sie, Herr Staatsminister, sagen, daß es "eine selbstverständliche Forderung" ist, daß man in einem Land wie unserem die Besetzungsmacht nicht belästigt. Nein! Es ist eine Selbstverständlichkeit, (und es ist traurig, daß der Staatsminister des Landes sie nicht sieht) daß das Volk in einem besetzten und unterdrückten Land versucht, das Joch abzuwerfen und die Besatzungstruppe aus dem Land zu jagen. Es ist eine selbstverständliche Forderung, die in der augenblicklichen Lage an das dänische Volk gestellt wird, sich mit

aller Macht, mit allen Mitteln und ungeachtet der Opfer, die Freiheit wieder zu erringen. Das tun die Völker in den übrigen von den Deutschen besetzten Ländern, und das wird das dänische Volk auch tun.

Aber eins ist wesentlich!
Abgesehen von all diesem, abgesehen von den deutschen Wortbrüchen und Willkürakten, die uns alles wünschenswerte Recht geben, jetzt die deutsche Besetzung zu bekämpfen, (auch ohne Rücksicht darauf, daß das dänische Volk sich wirklich freiwillig nach dem 9. April eingeordnet hatte) so gibt es doch einen wesentlichen und unabweisbaren Grund, daß das Volk sich nicht ruhig verhalten kann und sich nicht nach Ihrem Rundfunkappell richten wird.

Das ist der Umstand, daß Dänemark eines der von dem kriegsführenden Nazi-Deutschland besetzten Länder ist! Das ist der Umstand, daß nur Deutschlands Niederlage im Kriege uns die Freiheit wiedergeben und uns vor dem entsetzlichen Schicksal bewahren kann, daß uns für eine lange Reihe von Jahren bevorstehen würde, wenn Deutschland wirklich siegen sollte. Seht die Behandlung von Polen, Holland, Belgien, Frankreich und Norwegen durch Nazi-Deutschland, seht die Nazi-Greuelherrschaft, unter der diese Völker stöhnen – und gegen die sie kämpfen! Hört auf mit der Redensart, wir sollten froh sein, daß wir es besser haben, als diese Völker. Es weiß doch jeder, daß das augenblickliche bessere Benehmen der Deutschen in Dänemark nur seine Ursache darin hat, daß sie, solange der Krieg dauert, am liebsten solche Schwierigkeiten umgehen, wie sie jetzt in Norwegen und anderen Ländern haben. Wenn Deutschland den Krieg gewinnen sollte, so kommt die Schreckensherrschaft und der Nazifizierungs-Prozeß (und diejenigen, die uns jetzt so eifrig auffordern, uns den Überfallsleuten zu beugen, sollen ja nicht glauben, daß sie selbst als Belohnung dann billiger davon kommen!) Denkt daran: Hitler hat noch niemals ein Versprechen gehalten!

Deshalb, weil Dänemark besetzt und unterdrückt ist, weil Deutschlands Niederlage und der Sieg der alliierten Mächte eine Bedingung für unsere Freiheit ist, während Deutschlands Sieg die Unterdrückung dauerhaft und grauenvoll machen würde – deshalb beabsichtigt das dänische Volk, zu kämpfen. Deshalb hat es bereits den Kampf aufgenommen und wird dadurch sein Leben als Nation, seine Freiheit und seine Ehre retten.

Im Interesse des Vaterlandes
Herr Staatsminister, Sie behaupten, daß alle diejenigen, die Sie Saboteure nennen, – also alle, die "Werte von kriegsmäßiger Bedeutung für Deutschland zerstören" gegen das Interesse des Vaterlandes handeln. Das ist gut gebrüllt und das Gegenteil der Wahrheit! Alles, was Nazi-Deutschland schwächen und schaden kann, alles, was auch nur in geringster Weise ihren Krieg erschweren kann, bringt Dänemark der Freiheit näher und liegt also im Interesse des Vaterlandes. Aber jede Hilfe für die deutsche Kriegsmaschine, jede Produktion, ist ein Vorteil für die Deutschen, jedes Pfund Fleisch, das den deutschen Soldaten aus Dänemarks armer Speisekammer geliefert wird, jedes Einschreiten dänischer Behörden gegen dänische Patrioten und – jede Aufforderung an das Volk, den Deutschen gegenüber "korrekte Haltung" zu bewahren, ist eine Handlung gegen die Interessen des Vaterlandes.

Das Volk selbst ist zur Tat geschritten

Sie, Herr Staatsminister, glauben angeblich, daß die verschiedenen Handlungen gegen
Deutschlands Interessen (von mündlicher Agitation bis zur Sabotage) unüberlegt von
unbesonnenen oder jugendlichen Elementen begangen wurden, auf die von unverant-
wortlichen Aufhetzern eingewirkt wurde, die teils hier zu Hause sitzen und teils sich im
Auslande aufhalten.

Wenn Sie dies selbst glauben, so kennen Sie die Wirklichkeit und das dänische Volk
sehr schlecht. Alle diese Handlungen entspringen unmittelbar und spontan dem tiefen
Willen des Volkes, dänisch zu leben und sich seine Freiheit wieder zu erringen, sowie aus
seinem berechtigten Zorn über den deutschen Überfall und aus seinem ehrlichen Haß
gegen die Unterdrücker und deren bezahlte Agenten. Erinnern Sie sich der Schüler in
Aalborg, Herr Staatsminister? Die waren sehr jung, ja, aber sie führten ihre Handlungen
nach reiflicher Überlegung aus und wandten sich nachher noch von der geschlossenen
Gerichtsverhandlung aus mit der Aufforderung an das dänische Volk, ihr Werk fort-
zusetzen. Diese dänischen Jungens, auf die unsere Nation stolz sein sollte, waren eins
mit der tiefsten und wahrsten Stimmung und Bestrebung des Volkes. Wie ihre Tat, so
entspringen alle ähnlichen Handlungen dem dänischen Volkswillen und stammen nicht
von Einzelpersonen oder von der Einwirkung des Auslandes. Und diesen Volkswillen,
der wie eine Naturkraft ist, können Sie nicht eindämmen!

Drohungen und Strafen schrecken nicht!

Herr Staatsminister, sparen Sie sich Ihre Drohungen mit mehr Polizei und strengeren
Strafen. Sparen Sie sich Ihre dürftigen Aufforderungen an das Volk, Angeber und Mit-
helfer bei der Treibjagd auf dänische Patrioten zu werden. Seien Sie überzeugt, daß das
dänische Volk nicht die schmutzige Rolle des nationalen Angebers übernimmt, sondern
jedem helfen und beschützen wird, der von der Polizei oder der Gestapo wegen eines
Einsatzes für Dänemarks Sache gejagt wird.

Sie stellen für Sabotagehandlungen die Todesstrafe in Aussicht! Nun gut, Sie sollen
wissen, daß sich in Dänemark Tausende und Abertausende finden, die gewillt sind,
etwas für eine Idee zu opfern, auch wenn dies sogar das Leben sein sollte. Die Idee
heißt "Freiheit des Vaterlandes," und der Kampf für diese Idee wird seinen Gang gehen,
auch wenn er schmerzliche Opfer fordern sollte (doppelt schmerzliche, wenn wirklich
dänische Behörden den Deutschen bei ihrem Unterdrückungswerk in geringster Weise
helfen sollten). Und der Kampf wird gewonnen werden!

Ihr Versuch, dadurch die Volksstimmung gegen Vaterlandsfreunde aufzuputschen,
daß Sie die Aussicht auf deutsche Justiz in Dänemark, also einen neuen deutschen Wort-
bruch heraufbeschwören, wird ebenso vergebens sein. Lieber opfert das dänische Volk
die relative Bequemlichkeit eines Augenblicks oder einiger Monate, als daß es das Recht
zur Trägheit des Tages gewinnt, indem es seine Zukunft aufs Spiel setzt. Das dänische
Volk ist bereit, mit dem norwegischen, dem holländischen, dem belgischen und dem
tschechischen Volk eine Kampfgemeinschaft einzugehen, um die Nazideutsche Tyran-
nei zu besiegen und sich die Freiheit wieder zu verschaffen. Es ist bereit, in diesem
Kampf die Bedingungen des Kampfes auf sich zu nehmen und die Opfer des Kampfes
zu bringen.

Jugend und Besonnenheit

Sie appellieren an die Besonnenheit und an die Jugend. Aber unter Besonnenheit versteht die Regierung eine schwache Überlegung denn es hat nichts mit Besonnenheit zu tun, sein nationales Erstgeburtsrecht für ein augenblickliches Linsengericht zu verkaufen. Aber, lassen Sie nur jeden ehrlichen dänischen Mann und jede Frau sich ernstlich darauf besinnen, welches Auftreten der Sache Dänemarks nutzt, laßt uns die Zukunft gewinnen, selbst, wenn es in der Jetztzeit Opfer kostet.

Dänemarks Jugend läßt sich weder abstumpfen noch verblenden durch eine Regierung, die dem "Wir-alleine-wissen-Prinzip" huldigt. Als wache, aufrechte und kampffreudige Jugend, die das Wohl des Vaterlandes will, wird sie an der Spitze des Kampfes stehen, um die fremden Unterdrücker aus dem Lande zu jagen. Sie kann dies getrost tun in dem Bewußtsein, daß sie vielleicht die Regierung gegen sich, aber das ganze Volk hinter sich hat.

Denkt an die Verantwortung!

Sie sind sich wohl klar darüber, Herr Staatsminister, welche furchtbare Verantwortung Sie und Ihre Regierung durch solche Rundfunkreden und durch Ihre Politik auf sich nehmen. Sie können den Strom in seinem Lauf nicht aufhalten, Sie können das Rad der Geschichte nicht rückwärts drehen. Aber Sie können – und das tun Sie – Position nach Position, Geisel nach Geisel an unsere deutschen Unterdrücker ausliefern, und Sie können durch den mächtigen Beeinflussungsapparat, der Ihnen zur Verfügung steht, auf schwache, weiche und träge Seelen einwirken, daß sie sich von dem kämpfenden Volksheer zurückhalten oder sogar Dänemarks Feinde unterstützen. Sie können praktisch und handgreiflich Deutschlands Kriegsführung unterstützen und das dänische Volk zersplittern.

Das Urteil des Volkes und der Geschichte wird über solche Handlungen gefällt werden. Aber am besten wäre es, wenn sie ungeschehen blieben und Dänemarks Regierung sich entschließen könnte, den schwierigeren aber richtigen Weg zu wählen, um zusammen mit dem Volk den Kampf für unser Land zu führen.

Die Stunde der Entscheidung nähert sich

Sie haben den Zeitpunkt für Ihren Rundfunkappell und die gleichzeitige Verschärfung der polizeilichen Treibjagd auf dänische Patrioten gut gewählt. Gerade jetzt beginnt die kritische Zeit für Hitler-Deutschland, dessen kriegsmäßiger Zusammenbruch sichtbar zu werden beginnt, und es ist auf jeden Fall klar, daß, wenn alle Kräfte gerade jetzt überall eingesetzt werden, der Krieg zum Glück für Europas Völker entschieden werden kann. Gerade jetzt, während das russische Volk den zähesten, heldenmütigsten und aufopferndsten Kamp führt, während England-USA den Stoß gegen Deutschland vom Westen vorbereitet und während die Völker in den übrigen besetzten Ländern von Sabotageakten zum Partisanenkrieg und Aufruhr gegen die Unterdrücker übergehen, verstärkt die Dänische Regierung ihre Anstrengungen, um das dänische Volk ruhig zu halten und eine Schwächung der deutschen Kriegsmaschine an diesem Teil der Front zu verhindern.

Das Volk kann um seiner selbst und um des Landes willen nur eines tun: Ihren

Appell ablehnen und den Kampf auf allen Gebieten nicht nur fortsetzen, sondern hundertfach verstärken und ausweiten, um mitzuhelfen, die Nazideutsche Kriegsmaschine so bald wie möglich zu zerschmettern. Nur dadurch können wir unsere völkischen und nationalen Werte bewahren und nur dadurch kann das dänische Volk seine Lebenskraft und sein Lebensrecht beweisen. Nur dadurch können wir eine freie Zukunft für unser Jahrtausende altes Vaterland sicherstellen.

Dänemark, den 4. September 1942

Aksel Larsen

Für die Übersetzung:

gez. Hansen

Oberleutnant

Übersetzung

Seit dem 26. Juni 1942 sind in Betrieben, die für die deutsche Wehrmacht arbeiten, von ihr benutzt werden oder auf irgend eine andere Weise mit ihr in Verbindung stehen, die nachstehend beschriebenen Brandstiftungen oder Brandstiftungsversuche vorgekommen.

Bei der Ausführung aller Verbrechen sind hauptsächlich angewandt worden:

a.) Brandbomben, die in einer Erklärung der Prüfanstalt der Kriegsmarine wie folgt beschrieben werden:

Der Brandsatz im ganzen 250 g, der Zündsatz etwa 5 g.

Der Brandsatz ist ein schnell brennender und sehr starker Termitsatz, zusammengesetzt aus blankem, feinem Aluminiumpulver und rotem, fein pulverisierten Eisenoxyd (roter Ocker, gewöhnlich Malerfarbstoff).

Der Zündsatz besteht aus einer Mischung desselben Aluminiumpulvers und Bariumsuperoxyd, ein Zündsatz, der oft angewandt wird, Termit zu entzünden, der leicht entzündbar ist und den Termitsatz sicher entzündet. Die ungefähre Zusammensetzung des Brandsatzes ist 25 % Aluminiumpulver und 75 % Eisenoxyd. Die ungefähre Zusammensetzung des Zündsatzes ist 35 % Aluminiumpulver und 65 % Bariumsuperoxyd.

b.) Sprengbomben, über die die Prüfanstalt der Kriegsmarine in einer Erklärung vom 22.8.1942 u.a. sagt:

ein Körper aus gepreßten blaugestrichenen Eisenplatten, der einen kugelförmigen Behälter versehen mit einer Verstärkungswulst (Handgriff) darstellt und unten offen ist für eine Segelgarnschnur, die an einer, in einem Behälter beweglich liegenden Metallplatte befestigt ist, an der wieder eine doppelte Schnur mit einem 10 cm langen und 0.5 mm dicken Eisendraht befestigt ist.

Nach der Untersuchung der Prüfanstalt scheint es erwiesen zu sein, daß die Körper aus einer deutschen Fabrik stammen, die auch "Depyfag-Markierungsbojen" herstellt (Deutsche Pyrotechnische Fabriken AG?). Ihre Funktion ist folgende gewesen:

Beim Gebrauch der Bombe wurde der kleine blaugestrichene Kugelhandgriff mit dazugehöriger Segelgarnschnur und Eisendraht aus seinem Lager herausgezogen. Hierdurch wird bewirkt, daß ein Treibsatz sich entzündet, der wiederum einen

Verzögerungssatz entzündet, durch den dann die Zündladung, die die Explosion der Sprengladung bewirkt, entzündet wird.

c.) Brennbare Flüssigkeiten (mit Öl vermischtes Benzin)

1.) Freitag, den 26.6.1942, ? Uhr (entdeckt 07.30 Uhr) Brandstiftungsversuch auf dem Boden eines Stallgebäudes in der Husarenkaserne, Kopenhagen, Österbro.[16]
Bei dieser Gelegenheit wurden zwei Brandbomben angewandt, von denen die eine noch ganz war. Sie war in eine kleine runde Blechschachtel verpackt, die nicht beschädigt wurde. Die Bombe war zusammengesetzt wie unter a.) beschrieben. Bei den übrigen Brandstiftungen und Brandstiftungsversuchen wurden Pappschachteln benutzt. Mappe mit Fotografien vom Tatort liegt an.

2.) Mittwoch, den 1.7.1942, etwa 23.00 Uhr. Brandstiftungsversuch in dem Holzlager von Brandt & Ravntoft an der Ecke von Teglholmsgade und Vester Teglgade.[17]
Drei Brandbomben, zusammengesetzt wie unter a) beschreiben. Die Bomben waren diesmal verpackt in Pappschachteln, Größe 15.5 x 8.5 x 5.7 cm. Weiter wurden diesmal in Pappschachteln eine Glasflasche abgelegt, die mit Öl vermischtes leichtes Benzin (Extraktionsbenzin) enthielt: 115 cm^3 mit einem spezifischen Gewicht von 0.753.

In Erklärung vom 3.7.1942 wird von der Prüfanstalt der Kriegsmarine weiter angeführt:

Der Satz in der Brandbombe und die Anbringung des Zündsatzes und der dazu gehörigen Zündschnur zeigt, daß die Bombe hergestellt wurde von einer Person, mit den erforderlichen Kenntnissen der angewandten Stoffe. Der Wert der angebrachten Benzinflasche läßt sich nur durch einen Versuch endgültig feststellen, da sie bei reiner Betrachtung von etwas zweifelhaftem Wert erscheint. Nachdem die Prüfanstalt der Kriegsmarine im Beisein von Kriminalassistent Lars Hansen und Oberbeamten Weiss das Abbrennen einer der gefundenen und der Prüfanstalt übergebenen Brandbomben vorgenommen hatte, erklärt die genannte Prüfanstalt in einem Schreiben vom 3.7.1942 u.a.: Es zeigte sich dabei, daß die Annahme der Prüfanstalt, betreffend den Wert der Benzinflasche, richtig war. Die Benzinflasche ging bei der Entzündung der Brandbombe entzwei, so daß das auslaufende Benzin die eigentliche Brandbombenwirkung verhinderte. Die Wirkung war deshalb die, daß abgesehen von einem gewissen Ansatz zur eigentlichen Termitbombenreaktion ein ganz normaler Brand ohne Fernwirkung entstand. Nach Untersuchung der in der Brandbombe angebrachten Zündschnur sagt die Erklärung der Prüfanstalt der Kriegsmarine vom 10.7.1942:

Die Zündschnur bestand aus gewöhnlichem, dreifadigem Baumwollgarn, am äußersten Ende mit Zündsatz imprägniert. Der Zündsatz bestand aus Kaliumchlorat und Leim. Die so imprägnierte Zündschnur muß als für ihren Zweck – Entzündung der Zündladung – gut geeignet angesehen werden. Mappe mit Fotografien vom Tatort liegt an.

---

16 Brandforsøget blev udført af BOPA (Kjeldbæk 1997, s. 457).
17 Brandforsøget blev udført af BOPA (Kjeldbæk 1997, s. 457).

3.) Montag den 6.7.1942, etwa 23.00 Uhr.
Brandstiftungsversuch in einem deutschen Lastwagen, der auf dem Platz bei der Kopenhagener Automobilfabrik, Kopenhagen, Gl. Kongevej 13, abgestellt war.[18] Brandbombe derselben Art wie unter a) beschrieben. Mappe mit Fotografien vom Tatort liegt an.

4.) Donnerstag, den 14.7.1942, etwa 13.00 Uhr.
Brandstiftungsversuch in dem Aarhus-Sägewerk, Aarhus, Randersvej.[19] Drei Brandmittel, nämlich ein, mit einer nach Benzin riechenden Flüssigkeit getränktes Leibchen und zwei Pakete mit plastischer Holzmaße über die von der Prüfanstalt der Kriegsmarine in einer Erklärung vom 17.7.1942 u.a. gesagt wird:

Die untersuchte Brandbombe oder der Brandbeutel war von einer ziemlich schlechten Konstruktion. Sie enthielt etwa 200 g plastischer Holzmaße, ein Gemisch aus Holzstoff und Nitrozellulose, aufgelöst in verschiedenen organischen Flüssigkeiten. Das plastische Holz brennt schlecht. Bei der Untersuchung der Zündschnur zeigte sich, daß diese sich sehr schwer anzünden ließ, daß sie nur sehr schwach und mit einer Geschwindigkeit von 1 mm in 70 sec. brannte. Die Zündschnur war praktisch unbrauchbar und konnte mit ihrer schwachen Glut die plastische Holzmaße *nicht* entzünden. Diese brennt im übrigen nicht, wenn sie ganz in Papier eingewickelt ist. Als Brandbombe ist das untersuchte Aggregat deshalb ziemlich unschädlich. Hierzu wird noch erklärt, daß die plastische Holzmaße in 18 Lagen Pergamentpapier, Größe 25 x 30 cm eingepackt, aufgefunden wurde. Die Größe des Paketes war 12 x 12 cm, an dem einen Ende etwas zugespitzt, wo ein 10 cm langer Holzscheit bis in die plastische Holzmaße hinunter, eingeführt war. Entlang des Holzscheites lag eine 8 cm lange Zündschnur von dreifadigem Hanf, imprägniert, mit etwas Teer und Pulver. Gewicht des Paketes 230 g. Mappe mit Fotografien vom Tatort liegt an.

5.) Dienstag, den 14.7.1942, etwa 01.20 Uhr.
Brandstiftungsversuch in den Fabriken der Frich-AG., Aabyhöj bei Aarhus.[20] Zwei Brandbomben derselben Art wie unter a.) beschrieben. Außerdem ein Paket mit plastischer Holzmaße, wie unter 4. beschrieben. Mappe mit Fotografien vom Tatort liegt an.

6.) Sonnabend, den 18.7.1942, etwa 20.30 Uhr.
Brand in einem Schuppen auf dem Platz der Korn- und Futterstoff-Gesellschaft, Aarhus, Kystvärnsvej.[21] An der Feuerstelle des Brandes Petroleumgeruch, sonst keine Aufklärung. Mappe mit Fotografien vom Tatort liegt an.

7.) Sonnabend, den 18.7.1942, zu Montag, den 20.7.1942.
Brandstiftungsversuch in einem deutschen Lastwagen, abgestellt auf dem Platz der Automobilfabrik Fehr & Co, Odense, Slotsgade 20/22.[22] Brandbombe derselben

---

18 Brandforsøget blev udført af BOPA (Kjeldbæk 1997, s. 457).
19 Jfr. Alkil, 2, 1945-46, s. 1210.
20 Jfr. Alkil, 2, 1945-46, s. 1210.
21 Jfr. Alkil, 2, 1945-46, s. 1210.
22 Aktionen blev givetvis udført af kommunister i Odense (Hæstrup 1979, s. 159f.).

Art wie unter a.) beschrieben. Mappe mit Fotografien vom Tatort liegt an.[23]

8.) Mittwoch, den 22.7.1942, 00.15 Uhr.

Brand in dem deutschen Depot im Pavillon des Lokals "Lunden," Silkeborg, Vestergade.[24] Brandursache unaufgeklärt. Mappe mit Fotografien vom Tatort liegt an.

9.) Sonnabend, den 25.7.1942, etwa 01.20 Uhr.

Brand in der Garage Odense, Sdr. Boulevard, in der deutsche Kraftwagen abgestellt waren.[25] Der Bodenverschluß des Benzintanks im Kraftwagen wurde entfernt und das ausströmende Benzin angezündet. Mappe mit Fotografien vom Tatort liegt an.

10.) Sonnabend, den 1.8.1942, etwa 00.15 Uhr.

Brandstiftungsversuch auf dem Holzlagerplatz von Henning Petersen, Köbenhavns Amt, Sdr. Birk, Islevbrovej.[26]

Zwei Brandbomben derselben Art wie unter a.) beschreiben. Weiter wurde in jeder Brandbombe ein Mox-Brikett schwedischen Fabrikates niedergelegt. Die Mox-Briketts haben sich nicht entzündet. Solche Briketts sind im Handel zu bekommen und werden u.a. angewandt in Blei-Schmelz-Öfen, Kochgeschirren und Lötkolben. In der Erklärung vom 4.8.1942 sagt die Prüfanstalt der Kriegsmarine u.a.: In jeder Brandbombe war eine kleine Dose angebracht, auf deren Boden die Marke "Mox" und auf deren Deckel "Mox-Patent," Made in Schweden, stand. Im Deckel befand sich ein kreuzförmiger Ausschnitt in dem ein Pflock angebracht war, dessen Ende in einem kleinen Zündsatz steckte, von dem noch ein Rest übrig war. Dieser Rest war jedoch nicht groß genug, den Inhalt der Dose zu entzünden. Inhalt: ein Termitsatz von etwa 50 Gramm, mit einem Zusatz, der bewirken soll, daß sich beim Abbrennen nicht jeweils für sich geschmolzenes Eisen und geschmolzene Schlacken bilden, sondern eine einheitliche Masse. Keiner der zwei Mox-Briketts wurde entzündet, sowie auch ein Teil des Brandsatzes selber nicht abbrannte. Die Bombe ist also vor ihrem vollendeten Abbrennen ausgelöscht. Es ist anzunehmen, daß die zwei Mox-Briketts auf dem Boden der Bombe gelegen haben. Mappe mit Fotografien vom Tatort liegt an.

11.) Brandstiftungsversuch in der Zeit vom 1.8.1942 zum 2.8.1942, etwa 06.00 Uhr, in dem Kontor im ersten Stock der Nörregade 45, Kopenhagen.[27] Brandbombe derselben Art wie unter a.) beschrieben. Mappe mit Fotografien vom Tatort liegt an.

12.) Montag, den 3.8.1942, etwa 23.20 Uhr.

Brandstiftungsversuch in der Vernicklungsanstalt Griffenfeldtsgade 32.[28] Zwei Brandbomben derselben Art wie unter a.) beschreiben. Mappe mit Fotografien vom Tatort liegt an.

13.) Mittwoch, den 5.8.1942, 00.50 Uhr.

---

23 Hos Hæstrup 1979, s. 161 foto af et politifoto taget efter aktionen (Rigspolitiets tekniske afdeling).

24 Jfr. Alkil, 2, 1945-46, s. 1210.

25 Jfr. Alkil, 2, 1945-46, s. 1210.

26 Brandforsøget blev udført af BOPA (Kjeldbæk 1997, s. 457).

27 Brandforsøget mod Dansk elektroteknisk Fabrik blev udført af BOPA (Kjeldbæk 1997, s. 457).

28 Brandforsøget blev udført af BOPA (Kjeldbæk 1997, s. 457).

Brand in dem Betrieb der Automobilfirma Sven Cannings, Kopenhagen, Griffenfeldtsgade 32.[29] Brandursache unaufgeklärt. Mappe mit Fotografien vom Tatort liegt an.

14.) Sonntag, den 9.8.1942, etwa 05.30 Uhr.

Feueranlegung an drei Stellen auf dem Holzlagerplatz der Firma Nicolajsen und Nielsens, Kopenhagen, Sydhavnsgade 28.[30] Reste derselben Bombenart, wie unter a.) beschrieben. Weiter wurde Carbolineum angewandt. Mappe mit Fotografien vom Tatort liegt an.

15.) Dienstag, den 11. zu Mittwoch den 12.8.1942.

Brandstiftung in einem deutschen Kraftwagen in einer abgeschlossenen Garage in Ribe.[31] Bodenverschluß des Benzintankes im Kraftwagen entfernt, und das ausströmende Benzin angezündet.

16.) Sonnabend, den 15.8.1942.

Feueranlegung auf der Haupttreppe Godthaabsvej 7, 2. Stock, Kopenhagen.[32] Petroleum wurde über die Fußmatte gegossen und angezündet.

17.) Dienstag, den 18.8.1942, etwa 23.30 Uhr.

Versuch der Brandstiftung auf Henning Petersens Holzlagerplatz, Kopenhagen Amts Sdr. Bezirk, Islevbrovej.[33] Eine Flasche mit ölvermischtem Benzin, in die eine Zündschnur hineingesteckt war, würde an das Holzwerk gestellt und angezündet. Mappe mit Fotografen vom Tatort liegt an.

18.) Dienstag, den 18.8.1942, etwa 23.45 Uhr.

Versuch der Brandstiftung in der Holzhandlung Aalekistevej 81.[34] Flasche mit ölvermischtem Benzin, in die eine Zündschnur hineingesteckt war, wurde an die Bretterstapel gestellt und angezündet. Mappe mit Fotografen vom Tatort liegt an.

19.) Mittwoch, den 19.8.1942, 00.30 Uhr.

Eismeierei Frederikssundsvej 53.[35] Versuch der Brandstiftung. Flasche mit brennbarer Flüssigkeit hineingeworfen und angezündet.

20.) Mittwoch, den 19.8.1942, etwa 00.30 Uhr.

Brandstiftung in der Wäscherei "Gefion," Kopenhagen, Provstevej 5.[36] Flasche mit brennbarer Flüssigkeit hineingeworfen und angezündet. An der Brandstelle wurden zwei Flaschen mit Benzin mit ganz wenig Öl vermischt, gefunden. Mappe mit Fotografien vom Tatort liegt an.

21.) Mittwoch, den 19.8.1942, etwa 01.30 Uhr.

---

29 Brandattentatet blev udført af BOPA (Kjeldbæk 1997, s. 457). I den tyske oversættelse er fejlagtigt skrevet 15. august. Rettet her.

30 Brandattentatet blev udført af BOPA (Kjeldbæk 1997, s. 457).

31 Jfr. Alkil, 2, 1945-46, s. 1210.

32 Det var et brandforsøg hos folketingsmand for DNSAP, Aage Henriksen (Alkil, 2, 1945-46, s. 1210). Der er fejlagtigt skrevet 5. august i den tyske oversættelse. Rettet her.

33 Brandforsøget blev udført af BOPA (Kjeldbæk 1997, s. 457).

34 Brandforsøget blev udført af BOPA (Kjeldbæk 1997, s. 457).

35 Brandforsøget blev udført af BOPA (Kjeldbæk 1997, s. 458).

36 Brandstiftelsen blev udført af BOPA (Kjeldbæk 1997, s. 458).

Brandstiftung im Kolonialwarenlager Kopenhagen, Tomsgaardsvej 83.[37] Zwei Schaufenster zertrümmert; Flasche mit brennbarer Flüssigkeit anscheinend ölvermischtes Benzin, hineingeworfen und angezündet. Mappe mit Fotografien vom Tatort liegt an.

22.) Mittwoch, den 19.8.1942, etwa 04.00 Uhr.

Versuch der Brandstiftung auf dem Treppenabsatz Hothers Plads 5, 1. Stock.[38] In brennbare Flüssigkeit getauchter Lappen wurde an die Haustür gelegt und angezündet. Fotografien vom Tatort liegen an.

23.) Nacht zwischen 19. und 20.8.1942.

Brandstiftungsversuch in einer der deutschen Wehrmacht gehörenden Holzbaracke in Hasselö.[39] Drei Brandbomben derselben Art wie unter a.) beschrieben im Gang hingelegt und entzündet. Von selbst ausgelöscht. Fotografien vom Tatort liegen an.

24.) Donnerstag, den 20.8.1942, etwa 00.30 Uhr.

Zerstörung durch Werfen einer Sprengbombe gegen das Gebäude H.C. Örstedsvej 28 B, wo ein Gewerkschaftskontor untergebracht ist.[40] Am Tatort wurden Reste der Sprengbombe wie unter b.) beschrieben aufgefunden. Fotografien liegen an.

25.) Donnerstag, den 20.8.1942, etwa 00.30 Uhr.

Zerstörung durch Werfen einer Sprengbombe durch das Fenster in das Kontor Kopenhagen, Lundtoftegade 87.[41] Am Tatort wurden Reste der unter b.) beschriebenen Bombe aufgefunden.

26.) Am 21.8.1942, etwa 01.30 Uhr.

Automobilwerkstatt Kopenhagen, Vesterbrogade 91.[42] Versuch der Brandstiftung, Bombe wie unter a.) beschrieben am Tatort aufgefunden.

27.) Montag, den 24.8.1942, etwa 03.25 Uhr.

Versuch der Brandstiftung im Versammlungssaal Kopenhagen, Blegdamsvej 26.[43] Zwei Flaschen mit brennbarer Flüssigkeit durch das Fenster in einen Gang hineingeworfen und angezündet.

28.) Freitag den 28.8.1942.

Versuch der Brandstiftung auf Ustrups Bootswerft, Vejle, Bröndsbodde.[44] Drei Brandbomben derselben Art wie unter a.) beschrieben wurden in drei verschiedene Botte hineingelegt. Mappe mit Fotografien vom Tatort liegt an.

29.) Dienstag, den 1.9.1942, 01.00 Uhr.

Feueranlegung an ein deutsches Kraftrad der Wehrmacht im Kastell Kopenha-

---

37 Brandstiftelsen blev udført af BOPA (Kjeldbæk 1997, s. 458).

38 Brandforsøget blev udført af BOPA (Kjeldbæk 1997, s. 458).

39 Jfr. Alkil, 2, 1945-46, s. 1211.

40 Natten til 20. august blev der kastet en bombe mod Bryggeriarbejdernes Forbunds kontor på H.C. Ørstedsvej 28B, og desuden en bombe mod det socialdemokratiske Ungdomshjem i Lundtoftegade i København. Begge disse attentatforsøg blev udført af medlemmer af DNSAP (Poulsen 1970, s. 328f.).

41 Jfr. Alkil, 2, 1945-46, s. 1211.

42 Brandforsøget blev udført af BOPA (Kjeldbæk 1997, s. 458).

43 Jfr. Alkil, 2, 1945-46, s. 1211 og Pilgaard Jeremiassen 1974, Appendix A, s. V.

44 Jfr. Alkil, 2, 1945-46, s. 1211.

gen. Das Krad stand unter einem Halbdach auf dem Kirchplatz. Der Sattel wurde mit Benzin übergossen und angezündet. Ein neben dem Krad stehender Kraftwagen wurde etwas beschädigt. Mappe mit Fotografien vom Tatort liegt an.

30.) Mittwoch, den 3.9.1942, etwa 06.30 Uhr.

Feueranlegung in der Automobilwerkstatt Kopenhagen, Tingvej 21.[45] Zwei Tonnen Öl wurden unter drei der deutschen Wehrmacht gehörenden Kraftwagen ausgegossen. Papier wurde angezündet und in das Öl geworfen. Das Feuer löschte von selber aus. Kein Schaden. Mappe mit Fotografien vom Tatort liegt an.

31.) Dienstag, den 8.9.1942, etwa 24.00 Uhr.

Feueranlegung an einem Kraftwagen, abgestellt auf dem Hofplatz bei der Automobilfirma Hans Lystrup, Pile [Allé] 5-7, Kopenhagen.[46] Loch in den Benzintank geschlagen und das ausströmende Benzin angezündet. Der Wagen gehörte der deutschen Wehrmacht. Mappe mit Fotografien vom Tatort, sowie zwei einzelne Fotografien liegen an.

32.) Freitag, den 11.9.1942, etwa 01.50 Uhr.

Versuch der Brandstiftung in dem Neubau der deutschen Schule Emdrupvej an der Ecke von Tuborgvej, Kopenhagen.[47] Drei Brandbomben wurden im Dachgeschoß hingelegt, löschten aber von selber aus. Unbedeutender Schaden. Mappe mit Fotografien vom Tatort liegt an.

33.) Sonntag, den 13.9.1942, 20.05 Uhr.

Aarhus, Fredericiagade 23, Brandstiftung in einem der deutschen Wehrmacht gehörenden Zeuglager. Petroleum und Spiritus wurden über einem Teil des Lagers ausgegossen und angezündet. Fotografien liegen an.

34.) Montag den 14.9.1942, etwa 24.00 Uhr.

Korsör, Taarnborg Engen. Brand in einer im Aufbau befindlichen der deutschen Wehrmacht gehörenden Holzbaracke.[48] Brandursache nicht festgestellt, aber der Brand kann auf Unvorsichtigkeit eines Arbeiters beim Rauchen zurückzuführen sein.

Für die Übersetzung:
gez. Hansen
Oberleutnant

---

45 Brandforsøget blev udført af BOPA (Kjeldbæk 1997, s. 458).

46 Der foreligger ikke oplysninger om gerningsmændene. Jfr. Pilgaard Jeremiassen 1974, Appendix A, s. V.

47 Brandforsøget mod Petri skole blev udført af BOPA (Kjeldbæk 1997, s. 458). Kjeldbæk opgiver datoen til 1. september, mens dato hos Pilgaard Jeremiassen 1974, Appendix A, s. V i den tilgængelige kopi ikke lader sig fastslå. I den tyske oversættelse og Alkil, 2, 1945-46, s. 1211 opgives 11. september. Da de to sidstnævnte rimeligvis er afhængige af hinanden, kan det på dette grundlag ikke afgøres, hvilken dato, der er den rigtige.

48 Jfr. Alkil, 2, 1945-46, s. 1211. Ejendommen, hvorpå barakken lå, tilhørte den fremtrædende danske nazist N.V. Jørgensen (Lauridsen 2002a, s. 511), så "uforsigtighed" er måske også af den grund mindre sandsynlig.

24. Ernst von Weizsäcker: Notiz 5. Oktober 1942

AA havde fået meddelelse om, at von Hanneken ville aflægge den danske udenrigsminister et besøg. Weizsäcker rådede Ribbentrop til, at besøget ikke skulle finde sted. Hitler havde i forvejen besluttet, at von Hanneken ikke skulle besøge den danske konge. Weizsäcker bad om Ribbentrops beslutning.

Se Barandons telegram nr. 1460, 5. oktober 1942 og Weizsäckers telegram nr. 1717, 6. oktober 1942 til Barandon.

Kilde: RA, pk. 202 og 216. PKB, 13, nr. 310.

Berlin, den 5. Oktober 1942.

Geschäftsträger Gesandter Barandon rief gestern Nachmittag Gesandten von Grundherr an, um ihm mitzuteilen General von Hanneken beabsichtige, dem Dänischen Außenminister Scavenius einen Besuch abzustatten. Er fragte an, ob gegen den Besuch Einwendungen zu erheben seien. Gesandter von Grundherr hat Geschäftsträger Barandon veranlaßt, daß in jedem Fall der Besuch des Generals von Hanneken solange aufgeschoben wird, bis eine Entscheidung des Auswärtigen Amts vorliegt.

Gegen den Besuch bestehen meines Erachtens Bedenken. Zu einem Höflichkeitsbesuch scheint mir kein Grund vorzuliegen. Der Führer hat entschieden, daß General von Hanneken dem König keinen Besuch zu machen habe. Ein politisches Gespräch zwischen dem Befehlshaber und dem Dänischen Außenminister scheint mir noch weniger angezeigt.

Hiermit dem Herrn Reichsaußenminister mit der Bitte um Entscheidung.

gez. **Weizsäcker**

25. Paul Barandon an das Auswärtige Amt 5. Oktober 1942

Barandon kunne fortælle, at Hermann von Hanneken havde meddelt sine tjenestesteder, at der var sket en grundlæggende ændring af den tyske politik over for Danmark og havde beordret, at ethvert officielt og privat samkvem med danskerne skulle ophøre. Meddelelsen om den skærpede kurs havde bredt sig i den tyske koloni, og det hed sig, at der ikke længere skulle vises tilbageholdenhed i jødespørgsmålet. Barandon bad på den baggrund om, at der blev givet indgående anvisninger til alle tyske og danske tjenestesteder om, hvordan de skulle forholde sig.

Kilde: PA/AA R 29.566. RA, pk. 202. PKB, 13, nr. 311. Lauridsen 2008a, nr. 48.

Telegramm

| Kopenhagen, den | 5. Oktober 1942 | 19.00 Uhr |
| Ankunft, den | 5. Oktober 1942 | 20.00 Uhr |

Nr. 1459 vom 5.10.42.

Befehlshaber hat seine Dienststellen über die grundsätzliche Änderung unserer Politik gegenüber Dänemark unterrichtet und angeordnet, daß jeder offizielle und private gesellschaftliche Verkehr mit Dänen zu unterbleiben habe. Der Ausbildungsleiter der aus den wehrfähigen Männern der deutschen Kolonie zusammengesetzten Zeitfreiwilligen-Bataillone hat bei einem Appell gestern verkündet, daß unsere bisherige entgegenkommende Haltung uns von den Dänen nur als Dummheit und Schwäche ausgelegt werde, daß es damit nunmehr ein Ende habe, was auch aus der Abberufung des bisherigen Befehlshabers und des Bevollmächtigten hervorgehe. Schließlich hat SS-Oberführer Cerff, Leiter des Hauptkulturamtes in der Reichspropagandaleitung, als Redner auf der gestrigen Feier des Erntedankfestes, wo wie üblich mit der deutschen Kolonie auch zahlreiche Dänen anwesend waren, in seiner im übrigen ausgezeichneten und sehr wirkungsvollen Ansprache, mit großer Bestimmtheit einen jetzt einsetzenden scharfen Kurs und eine völlige Änderung unserer bisherigen nachgiebigen Haltung gegenüber Dänemark auf allen Lebensgebieten, insbesondere auch in der Judenfrage, verkündet. Damit sind weitgehende Informationen bereits in die gesamte Kolonie und in weite dänische Kreise gedrungen.

Unter diesen Umständen bin ich genötigt, um eingehende Sprachregelung, insbesondere auch allen deutschen und dänischen Dienststellen gegenüber, zu bitten.

Barandon

26. Paul Barandon an das Auswärtige Amt 5. Oktober 1942

Barandon meddelte, at von Hanneken indtil videre havde opgivet at besøge den danske udenrigsminister. Barandon havde gjort von Hanneken opmærksom på, at det var AA, der varetog forhandlingerne med den danske udenrigsminister og regering, hvortil denne havde svaret, at han havde tænkt sig personligt at optage kontakt med alle danske tjenestesteder, herunder den danske generalstabschef. Barandon bad AA om besked på, om der var sket ændringer i bestemmelserne vedrørende den militære øverstbefalendes direkte forbindelse med de danske tjenestesteder.

Han fik svar af Weizsäcker med telegram nr. 1717, 6. oktober 1942.

Kilde: PA/AA R 29.566. RA, pk. 202. PKB, 13, nr. 312.

Nur als Verschlußsache zu behandeln.

Telegramm

| Kopenhagen, den | 5. Oktober 1942 | 19.30 Uhr |
| Ankunft, den | 5. Oktober 1942 | 20.50 Uhr |

Nr. 1460 vom 5.10.42.   Cito!

Im Anschluß an Telegramm Nr. 1459[49] vom 5.10.42.

Befehlshaber hatte sein von mir telefonisch gemeldetes Vorhaben, den Außenminister zu besuchen, bis auf weiteres aufgegeben, nachdem ich ihn, wie gleichfalls gemeldet, darauf aufmerksam gemacht habe, daß Verhandlungen mit dem Außenminister und der Dänischen Regierung ausschließlich in die Zuständigkeit des Auswärtigen Amtes fallen. Ich habe ihn auch darauf aufmerksam gemacht, daß ein Besuch beim Außenminister nach meiner Ansicht schwer mit der ihm erteilten und von mir auf besonderem Wege gemeldeten Weisung betr. schriftliche Mitteilung von der Befehlsübernahme vereinbar

---

49 bei Pol VI. Trykt ovenfor.

sein würde. Befehlshaber, der, wie ich ausdrücklich betonen möchte, jeder Ausspra-
che durchaus zugänglich ist, vertritt jedoch die Auffassung, daß er mit allen dänischen
Dienststellen, mit denen er zu tun habe, persönlich Fühlung haben müsse und sucht
auch den dänischen Generalstabschef auf. Ich bitte um Weisung darüber, ob sich an den
bisher bestehenden Bestimmungen betr. den direkten Verkehr des Befehlshabers mit
dänischen Dienststellen durch die neue Lage irgend etwas geändert hat.

Barandon

27. Heinrich Himmler an Heinrich Müller 5. Oktober 1942

SS-Gruppenführer Heinrich Müller, Chef des Amtes IV (Gestapo) i RSHA, havde 24. september foreslået
Himmler at oprette et arrestationskartotek for Danmark, hvilket denne tilsluttede sig. Det skulle for det
første omfatte jøder og kommunistiske funktionærer. Foranstaltningerne i den forbindelse skulle aftales
med AA. For det andet skulle det omfatte tyskfjendtlige funktionærer, der skulle arresteres i krisetilfælde.
Det samme gjaldt tyskfjendtlige officerer, mens prins Axel ikke skulle omfattes af foranstaltningerne.

Baggrunden for Müllers initiativ var givetvis både sabotagerne i Danmark og den forudgående diskus-
sion om de danske (og europæiske) jøders fremtid hos RSHA og i AA. Kanstein havde ganske vist været hos
Himmler 18. og 19. september og fået løfte om, at der ikke skulle gribes ind over for de danske jøder, men
det løfte synes indledningsvis skubbet til side af Himmler *før* telegramkrisens udbrud. Imidlertid kom det
ikke til foranstaltninger mod de danske jøder i denne periode, givetvis fordi det stod klart for tyskerne, at
det først ville have hindret en ny dansk regeringsdannelse, siden at de stod i vejen for den nye rigsbefuld-
mægtigedes politik, men til gengæld blev forslagets anden del, arrestationen af de kommunistiske funktio-
nærer, realiseret tre uger senere (Yahil 1967, s. 70-78, Kirchhoff, 3, 1979, s. 133 n. 15). Hermed ikke være
sagt, at der ikke blev arbejdet på et "jødekartotek", som var en forudsætning for at kunne foretage en senere
aktion mod de danske jøder.[50]

EUHK daterer skrivelsen til 5. oktober, Kirchhoff til 10. oktober, Yahil til 12. oktober og IMT 1948 til
15. oktober 1942 (se for IMT RA, Danica 234, pk. 88, læg 1148).

Kilde: RA, Danica 1000, T-175, sp. 59, nr. 2.555.064. LAK, Best-sagen (afskrift). EUHK, nr. 71.
Lauridsen 2008a, nr. 49.

Telegramm

Der Reichsführer-SS   Akt. Nr. G 41/23
TGB Nr.   *Feld-Kommandostelle 5.10.1942*
                                                    (handschriftlich) Abl.
                                                        12. Okt. 1942.
RF/V   (handschriftlich) W
Betr.: Vorsorgliche Aufstellung einer Festnahmekartei in Dänemark.
Bezug: Dort. v. 24.9.1942 IV D 4 B Nr. 312/42 g. Rs.[51]

An
1.) SS-Gruppenführer Müller
    Berlin   Geheim

Ich habe unter dem 24.9.1942 einen Bericht über die vorsorgliche Aufstellung einer

---

50 Der var et par danskere involveret i karteksarbejdet, se Lauridsen 2008a, s. 514, 605.

51 Indberetningen er ikke lokaliseret.

Festnahmekartei für Dänemark erhalten.

1.) Mit der Festnahme der Glaubensjuden sowie der kommunistischen und marxistischen Funktionäre bin ich einverstanden. Diese Maßnahme ist mit dem Auswärtigen Amt abzustimmen. Dem Auswärtigen Amt ist jedoch mitzuteilen, daß ich die Durchführung dieser Maßnahmen für notwendig halte.

2.) Mit der Festnahme der deutschfeindlichen Beamten im Alarmfall bin ich selbstverständlich einverstanden.

3.) Ebenso mit der Festnahme dänischer Offiziere, die führend in der Aufstandsbewegung sind. Werden sie im Alarmfall festgenommen, so bin ich gegen jede Rücksichtnahme. Die Betreffenden kommen dann nicht in Haft, sondern in Konzentrationslager. Zu überlegen wäre, ob nicht der eine und der andere besonders gefährliche Offizier, dem deutschfeindliche Handlungen nachgewiesen werden können, schon jetzt verhaftet und der Aburteilung zugeführt werden kann.

4.) Einen Hausarrest für Prinz Axel von Dänemark halte ich für falsch. Mir ist keineswegs unangenehm, wenn ein Angehöriger des dänischen Königshauses sich in schwere Schuld verstrickt.

gez. H. Himmler

2.) SS-Gruppenführer Wolff
durchschriftlich mit der Bitte um Kenntnisnahme übersandt.

I.A. Brandt
SS-Obergruppenführer

28. Martin Bormann an Heinrich Himmler 5. Oktober 1942

Den 12. august 1942 havde Martin Bormann udfærdiget følgende forordning efter Hitlers ordre:

"Abschrift v.d.A. /vB.
Auszug aus dem Reichsverfügungsblatt der NSDAP der Partei-Kanzlei, Ausgabe A, vom 18.8.1942.
Anordnung A 54/42.

Betr.: Verhandlungen mit allen germanisch-völkischen Gruppen.

Der Führer hat bestimmt:

1.) Für Verhandlungen mit allen germanisch-völkischen Gruppen in Dänemark, Norwegen, Belgien und den Niederlanden ist im Bereich der NSDAP, ihrer Gliederungen und angeschlossenen Verbände ausschließlich der Reichsführer-SS zuständig.

2.) Erscheint im Einzelfall die direkte Zusammenarbeit anderer Dienststellen der Bewegung im Reich, z.B. der HJ, mit diesen Gruppen erwünscht, so ist dazu das Einverständnis des Reichsführers-SS, dessen Weisungen und Richtlinien jeweils zu beachten sind, einzuholen.

3.) Die Tätigkeit der Landesgruppen der Auslands-Organisation und der Arbeitsbereiche der NSDAP in den erwähnten Gebieten bleibt durch diese Anordnung unberührt.
Der Reichsminister und Chef der Reichskanzlei wird für den staatlichen Sektor eine entsprechende Anweisung herausgeben.
Führerhauptquartier, den 12. August 1942.
gez. Bormann"

Påfølgende fandt Bormann sig 5. oktober foranlediget til over for RFSS at præcisere, at forordningen alene omfattede partimæssige forhandlinger med de germansk-völkische grupper i de germanske lande, herunder at det ikke ændrede rigskommissærernes kompetence som direkte underlagt føreren.

Forordningen af 12. august var en murbrækker for SS i forhold til at trænge selvstændigt ind i de germanske lande og skaffe sig øget indflydelse. Derfor havde rigskommissærerne også reageret så kraftigt, som det fremgår nedenfor af Martin Luthers brev til Adolf von Steengracht 8. oktober 1942. Imidlertid rakte SS' planer langt videre, som det både fremgår af et møde i SS-Hauptamt 8. oktober 1942 (se referaterne af Heider 8. oktober og Schmidt 20. oktober, trykt nedenfor) og Gottlob Bergers brev til Hermann von Stutterheim 15. oktober 1942 (forordningen er ofte omtalt og er blevet meget forskelligt vurderet. Orlow 1973, s. 404 ser den som udgiveren som et middel for SS til ekspansion, mens Materne 2000, s. 51-57 er af den opfattelse, at der alene var tale om en formalisering af, hvad der allerede var sket. Det her fremlagte materiale for Danmarks vedkommende støtter ikke den opfattelse).

RFSS svarede Bormann 24. oktober 1942. Svaret er refereret i Bormanns brev til Hans-Heinrich Lammers 2. november 1942, trykt nedenfor.

Kilde: *De SS en Nederland*, 1, 1976, nr. 232.

Führerhauptquartier, den 5. Oktober 1942

Lieber Heinrich!

Damit die Anordnung vom 12.8.1942 nicht mißverstanden wird, sei folgendes betont: Mit der Anordnung sollte selbstverständlich nicht ein Unterstellungsverhältnis der Reichskommissare Seyss-Inquart und Terboven unter den RFSS erreicht werden. Die beiden Reichskommissare erhalten ihre Weisungen ausschließlich vom Führer; selbstverständlich sind die beiden Reichskommissare durchaus berechtigt, selbstständig alle Verhandlungen mit der germanisch-völkischen Gruppen in den Niederlanden und in Norwegen zu führen.

Mit der Anordnung vom 12.8.1942 sollte das Hineinregieren irgendwelcher *Partei-Dienststellen des Reiches* nach den Niederlanden und nach Norwegen unterbunden werden.

Heil Hitler! Dein
M. Bormann

29. Raul Mewis: Lage in Dänemark 5. Oktober 1942

Admiral Mewis gjorde rede for situationen i Danmark efter ankomsten af den nye WB Dänemark, idet han for hovedpartens vedkommende holdt sig til det notat, der var blevet udarbejdet i forbindelse med deres møde 3. oktober. Dertil kom, at WB Dänemark var blevet gjort opmærksom på, at forbuddet mod tyske officerers omgang med danske familier også ville ramme de danske familier, der var af nazistisk indstilling, og som omgikkes tyske officerer. Derfor foreslog Mewis, at det blev nærmere undersøgt hvilke familier, de tyske officerer kunne pleje selskabelig omgang med.

Kilde: RA, Danica 203, pk. 30, læg 320.

Geheime Kommandosache!   *Kopenhagen, den 5. Oktober 1942*

Betr.: Lage in Dänemark.

Ungenügendes Danktelegramm des Königs auf das freundliche Geburtstagstelegramm des Führers hat diesen schwer erzürnt. Auf Grund seiner seit längerer Zeit bestehenden Auffassung, daß in Dänemark ein schärferer Kurs gesteuert werden müsse, hat der Führer das Antworttelegramm des Königs zum Anlaß genommen, um nunmehr diesen Kurswechsel einsetzen zu lassen. Zu diesem Zweck hat er den bisherigen Gesandten sowie den Truppenbefehlshaber abberufen und durch neue Männer ersetzt. Der neue Trubef., General der Inf. Von Hanneken, ist bereits eingetroffen, während die Ernennung des neuen Gesandten und Bevollmächtigten des Reiches noch aussteht.

General von Hanneken hat dem Marbef. am 3.10. seine Aufwartung gemacht und ihn über das Gespräch unterrichtet, das der Führer mit ihm gehabt habe. Der Führer habe dabei zum Ausdruck gebracht, daß dem bisherigen Gesandten wie auch dem Trubef. keinerlei Schuld zuzumessen sei, da sie entsprechend den von ihm am 9.4.1940 gegebenen Richtlinien gehandelt hätten. Diese Bindungen möchte er jedoch jetzt nicht mehr aufrecht erhalten, da dänischerseits, und insbesondere seitens der Regierung, nicht das Verständnis für den europäischen Freiheitskampf aufgebracht worden wäre, das er hätte erwarten müssen. Das gelte insbesondere für den König und sein ganzes Haus. Der Führer wünsche deshalb, daß den Dänen gegenüber nicht mehr mit der bisherigen Freundlichkeit gehandelt würde, sondern von deutscher Seite, und insbesondere seitens der deutschen Wehrmacht, größte Kühle gegenüber dem König und der Dänischen Regierung gezeigt werde. Die Wehrmacht solle künftig keine Bitten und Wünsche mehr äußern, sondern diese in Form der Forderung vorbringen. Über die politische Entwicklung im Lande habe sich der Führer dahingehend geäußert, daß er die Partei Frits Clausens schneller an die Macht bringen möchte; er hat jedoch den Zeitpunkt und die Frage, in welcher Form Clausen einmal die Führung übernehmen solle, (Ministerpräsident oder nur Parteiführer außerhalb des Ministeriums), offen gelassen.

Bezüglich einer engl. Landung in Jütland sei der Führer der Ansicht, daß eine Großlandung unwahrscheinlich sei. Man müsse jedoch mit Absprung von Fallschirmagenten und Schnellbootsraids gegen Einzelobjekte an der Küste rechnen. Der Führer lege besonderen Wert darauf, daß entsprechende Maßnahmen getroffen werden, um den Verlust solcher Geräte usw. zu vermeiden, keinesfalls jedoch, ohne daß Engländer selbst dabei Verluste erlitten.

Anschließend an seine Ausführungen gab Trubef. bekannt, daß er, jedenfalls zunächst, den Offizieren seines Stabes den Verkehr in dänischen Familien untersagt hätte, und bat den Marbef., für seinen Stab das Gleiche anzuordnen. (Dies ist inzwischen geschehen; die Offiziere des Stabes sind angewiesen, etwaige Einladungen mit dem Hinweis darauf, daß die z.Zt. angespannte politische Lage eine Annahme nicht wünschenswert erscheinen lassen, abzulehnen, bezw. abzusagen.)

Seitens Marbef. wurden anschließend einige Fragen gestellt, in denen eine Richtlinie notwendig sei.

1.) Die Frage nach der Abdankung des Königs wurde dahin beantwortet, daß Führer geäußert habe, ein solcher Schritt des Königs sei ihm im Augenblick nicht angenehm, da man dann dasselbe Manöver mit dem Kronprinzen "exerzieren" müsse.

2.) Bezgl. einer evtl. Flucht des Königs nach Schweden hat Marbef. darauf hingewiesen, daß bei bisheriger Form der Überwachung längs der Küste (durch dän. Reichspolizei) und auf See (durch Fahrzeuge der dän. Marine) ein Entkommen nicht unbedingt ausgeschlossen sei. Auf eine diesbezügliche Anfrage des stellv. Bevollmächtigten in Berlin sei jedoch bisher keine Anweisung zur Änderung der Bewachung eingetroffen. Der Trubef. erwiderte, er habe bzgl. dieser Frage keine Weisungen erhalten und hielte es deshalb für richtig, es zunächst bei dem bisherigen Zustand zu belassen.

3.) Bzgl. der Zusammenarbeit mit der dän. Marine gab Marbef. kurzen Überblick über deren Ausmaß und wies darauf hin, daß eine ständige Fühlungnahme mit dem dän. Mar. Min. nötig sei, andernfalls die dänischerseits durchgeführten Maßnahmen für die wir, jedenfalls im Augenblick, weder Personal noch Kräfte als Ersatz hätten, zum Erliegen kämen.

Der Trubef. erwiderte, über die Marine hätte der Führer mit ihm nicht gesprochen; er hielte das Weiterlaufen dieser Maßnahmen und den dazu erforderlichen Verkehr mit den dän. Marinestellen für notwendig. (Marbef. hat bisher keine Änderung im Verhalten dän. Mar. Min. festgestellt. Der Verkehr durch die Verbindungsoffiziere verläuft weiterhin normal. Es ist zunächst nicht beabsichtigt, eine Änderung in dem bisherigen Verfahren eintreten zu lassen; Entwicklung der Lage bleibt abzuwarten.) Es bittet deshalb, weiterhin Wünsche des BSO, die dän. Maßnahmen betreffen, an Marbef. zu geben, der sie dann als entsprechende Forderung weiterleiten wird.)

4.) Die Frage, ob eine Desarmierung des dän. Heeres beabsichtigt sei, verneinte der Trubef., da er hierzu keine Weisung hätte.

5.) Marbef. wies auf Bedeutung der dän. Werften, insbesondere auch für die Kriegsschiffsreparaturen der im hiesigen Bereich eingesetzten Verbände hin. Eine Einstellung der Arbeiten infolge innerer Unruhen usw. könnte unliebsame Folgen für unsere Seekriegsmaßnahmen im hiesigen Raum haben. Trubef. erwiderte, der Führer rechne nicht mit irgendwelchen größeren Unruhen, sei vielmehr der Meinung, die Dänen würden schließlich doch alles hinnehmen.

Abschließend sagte der Trubef., man müsse die Entwicklung der Dinge abwarten. Er hätte sich nicht beim König gemeldet, sondern diesem auf eine entsprechende Anfrage eine Antwort zugehen lassen, daß er eine solche Meldung nicht beabsichtige. Zunächst sei Zurückhaltung, wie oben erwähnt, geboten. Er werde aber wohl demnächst eine Auflockerung des totalen Verbots, in dänischen Familien zu verkehren, vornehmen können (seitens Marbef. war darauf hingewiesen worden, daß es ja auch viele durchaus deutschfreundliche, wenn nicht gar dänisch-nationalsozialistische Familien gäbe, in denen die Offiziere usw. verkehrten.); er werde wohl den Kommandeuren anheimstellen, nach entsprechender Prüfung zu entscheiden, in welchen Familien die Offiziere verkehren könnten. – Der Name des neuen Reichsbevollmächtigten und der Zeitpunkt seines Eintreffens sei ihm nicht bekannt; der Führer habe ihm angedeutet, er werde einen Nationalsozialisten von reinstem Wasser hinschicken. – Im übrigen werde er sich zunächst nach Jütland begeben, um sich einen Eindruck von den Verteidigungsmaßnahmen, insbesondere im Raum Westjütland, zu verschaffen.

30. Paul Barandon an das Auswärtige Amt 6. Oktober 1942

Det var besluttet, at alle krigsduelige amerikanske statsborgere i Danmark skulle overføres til en lejr i Tyskland. Barandon bad oplyst, om der kunne ske internering af amerikanske statsborgere, der havde en særlig tæt tilknytning til Danmark, i en dansk lejr. Han var i øvrigt enig i, at det bl.a. af efterretningsmæssige grunde var formålstjenligt, at alle krigsduelige amerikanske statsborgere blev interneret.

Kilde: PA/AA R 29.566. RA, pk. 202. PKB, 13, nr. 687.

Telegramm

| Kopenhagen, den | 6. Oktober 1942 | 18.15 Uhr |
| Ankunft, den | 6. Oktober 1942 | 19.25 Uhr |

Nr. 1468 vom 6.10.[42.]

Unter Bezug auf Telegramm Nr. 1553[52] vom 17.9.1942.

Dänische Regierung ist über beabsichtigte Internierung der in Dänemark lebenden wehrfähigen amerikanischen Staatsangehörigen und deren Überführung nach dem deutschen Lager laufend in Kenntnis gesetzt worden. Erörterung näherer Einzelheiten soll noch erfolgen. Erbitte dazu Weisung, ob nur Internierung der in Austauschliste aufgeführten oder grundsätzlich sämtlicher in Dänemark lebender wehrfähiger amerikanischer Staatsangehöriger (464, davon 317 dänischer Abstammung) besprochen werden soll sowie ob bei Vorliegen besonders enger Bindung an Dänemark Ausnahme von Überführung in deutsches Lager laufen und Unterbringung in dänischem Interniertenlager erfolgen kann. Halte Internierung sämtlicher wehrfähiger Amerikaner im Einvernehmen mit Abwehrstelle Dänemark für durchaus zweckmäßig, da diesen gegenüber aus abwehrmäßigen Gründen und im Falle evtl. innerpolitischer Schwierigkeiten in Dänemark Bedenken bestehen. Möglichkeit der Ausnahme von Überführung nach Deutschland bei enger persönlicher Bindung an Dänemark, wie seinerzeit bereits bei Internierung der Briten geschehen, erscheint wünschenswert.

Barandon

31. Paul Barandon an das Auswärtige Amt 6. Oktober 1942

Barandon videregav indholdet af en orientering, som den danske udenrigsminister Erik Scavenius havde givet repræsentanter for den danske presse om telegramkrisen. Scavenius mente, at Frikorps Danmark havde bidraget til besværlighederne og gjorde opmærksom på, at hjemkaldelsen af de to landes diplomatiske repræsentanter ikke betød afbrydelse af de diplomatiske forbindelser, men at forholdet mellem statsoverhovederne ikke var, som det burde være. Barandon sluttede for egen regning med at skrive, at danske politiske kredse forsøgte at bilde sig selv ind, at den akutte krise nu var overstået, og at man roligt kunne afvente et svar fra tysk side.

Kilde: PA/AA R 29.566. RA, pk. 202, 216 og 308. PKB, 13, nr. 315.

Nur als Verschlußsache zu behandeln.

52 R 21.660. Telegrammet er ikke lokaliseret.

Telegramm

Kopenhagen, den	6. Oktober 1942	21.05 Uhr
Ankunft, den	6. Oktober 1942	22.10 Uhr

Nr. 1471 vom 6.10.42.

Wie der Gesandtschaft von vertrauenswürdiger Seite aus Pressekreisen bekannt geworden ist, hat Außenminister Scavenius am 4. d.M. Vertretern dänischer Presse gegenüber nähere Erläuterungen zur Lage gegeben und hierbei ernste Krise im dänisch-deutschen Verhältnis hervorgehoben. Dienstag Vormittag habe er Gesandten von Renthe-Fink empfangen, der ihm den Inhalt eines Telegramms des Auswärtigen Amtes mitgeteilt habe, in welchem Bedauern zum Ausdruck gebracht wurde, daß Danktelegramm dänischen Königs an den Führer nur kurze Empfangsbestätigung eines herzlich gehaltenen Glückwunschtelegramms dargestellt habe, und daß man Inhalt als beleidigend auffasse. Deutscherseits sei Verwunderung darüber ausgedrückt worden, daß dänischer König solche Form in einem Telegramm an Führer des Deutschen Reiches erlaube, wobei hinzugefügt worden sei, daß Deutschland Mittel und Wege besitze, um Wiederholung zu vermeiden. Dänische Regierung habe am Mittwoch ihre Antwort nach Berlin gesandt, in der es hieß, daß König gern Reichskanzler Hitler Besuch abstatten würde, dieses aber wegen kürzlich überstandener Krankheit und hohen Alters nicht könne. König würde sich jedoch freuen, wenn Reichskanzler statt dessen Kronprinz Frederik empfangen würde. Anschließend sei in Antwort Hoffnung auf ein fortgesetztes gutes Verhältnis zwischen Deutschland und Dänemark zum Ausdruck gebracht worden. Außenminister hervorhob, daß auf Äußerung dänischer Regierung noch keine Antwort von deutscher Seite erfolgt sei.

Dieses ist erster Stoß gegen König, sagte Außenminister, vielleicht könne er auf hysterische Königsanbetung zurückgeführt werden, die man in Dänemark erlebe und die, wie Außenminister ironisch hinzufügte, zeige, daß Führerprinzip tiefe Wurzeln im dänischen Volke habe. König sei nun in Schußlinie gekommen. Es sei Aufgabe der Regierung, die Angelegenheit zu regeln.

Freikorps Dänemark habe, so äußerte Außenminister, sicher mit zu Schwierigkeiten beigetragen. Er habe seinerzeit sich dafür stark eingesetzt, dänische Offiziere zu bewegen, mit Offizieren Freikorps kameradschaftlich umzugehen. Leider hätten Bemühungen keinen Erfolg gehabt. Sicherlich würde es für dänisch-deutsches Verhältnis viel bedeutet haben, wenn seine Anregungen befolgt worden wären.

Wenn in deutschem Telegramm von "Mitteln und Wegen" Rede sei, so entspränge dieses einem gewissen Unwillen gegen verschiedene Verhältnisse in Dänemark. Es sei auch so, daß die Personen, die sich in deutsch-dänischer Zusammenarbeit an die Spitze gestellt hätten, fast der Bedrohung ausgesetzt seien. Jetzige Angelegenheit müsse als ernste Warnung aufgefaßt werden. Er hoffe, daß die Sache noch geregelt werden könne. Wenn aber Krieg länger dauern sollte, so sei jetzige Haltung dänischen Volkes unträgbar. Es sei somit notwendig, daß sich diese Haltung ändere. Er rechne damit, daß nicht alles so bleibe wie früher.

Auf Anfrage dänischer Pressevertreter erklärte Außenminister, daß bereits im vergangenen Jahr König geraten worden sei, seinem Danktelegramm an den Führer einen ausführlichen und freundschaftlichen Inhalt zu geben.

Weitere Anfrage dänischer Pressevertreter bezog sich darauf, was geschehen würde, wenn keine Antwort aus Berlin einträfe. Scavenius antwortete, daß selbst, wenn keine direkte Antwort kommen würde, Deutschland sicherlich auf irgendeine Art reagieren würde. Rückberufung beider Gesandten aus Berlin und Kopenhagen bedeute nicht Abbruch diplomatischer Verbindungen sondern kennzeichne vielmehr, daß das Verhältnis zwischen beiden Staatsoberhäuptern nicht so ist, wie es sein müßte.

Wechsel Befehlshabers sei schon seit längerer Zeit vorgesehen gewesen und stehe nicht in direkter Beziehung zur vorliegenden Angelegenheit.

Schluß der Nachricht aus Pressekreisen.

In dänischen politischen Kreisen versucht man sich einzureden, daß akute Krise nunmehr vorbei und ruhiges Abwarten deutscher Antwort geboten sei.

Barandon

bei Pol. VI

32. Paul Barandon an das Auswärtige Amt 6. Oktober 1942

Barandon refererede kort statsminister Buhls tale ved rigsdagens åbning, som han karakteriserede som ganske farveløs i forhold til tidligere erklæringer. Der var ingen nye momenter, og muligheden af en regeringsændring blev ikke nævnt.

Kilde: PA/AA R 29.566. RA, pk. 202. PKB, 13, nr. 314.

Telegramm

| Kopenhagen, den | 6. Oktober 1942 | 20.20 Uhr |
| Ankunft, den | 6. Oktober 1942 | 22.10 Uhr |

Nr. 1473 vom 6.10.42.

In Anwesenheit chilenischen, finnischen und schwedischen Gesandten sowie spanischer, isländischer, türkischer und argentinischer Geschäftsträger wurde heute Mittag um 12 Uhr neue Reichstagssession mit Erklärung Staatsministers Buhl eröffnet. Rede Buhls, die im Wortlaut gleichzeitig mit Drahtbericht Nr. 1474[53] übermittelt wird, war hauptsächlich innerwirtschaftlichen Problemen gewidmet. Buhl unterstrich im übrigen Notwendigkeit bisheriger dänischer Sammlungspolitik. In außenpolitischer Hinsicht ist unter diesem Gesichtspunkte die Erklärung hervorzuheben, Dänemarks Stellung als nichtkriegführendes Land werde weiterhin aufrechterhalten bleiben. Die dänische Politik liege fest wie sie im Aufruf der Regierung vom 9. April 1940 und später durch Regierungserklärungen und Beschlüsse ihren Ausdruck gefunden habe. Wenn die Zeit zum Wiederaufbau da sei, werde Dänemark in verständnisvoller Zusammenarbeit mit anderen Nationen nach bestem Vermögen seinen Beitrag zur Lösung der großen ge-

53 Trykt nedenfor.

meinschaftlichen Aufgaben leisten. Man wünsche eine enge und gute Zusammenarbeit zwischen Dänemark und Deutschland in dem kommenden neuen Europa. Innerpolitisch unterstrich Buhl den Willen zur Fortsetzung der bisherigen Sammlungspolitik.

Die im ganzen recht farblose Rede enthält gegenüber früheren Erklärungen keine neuen Momente und vermeidet bewußt jede Wendung, aus der man die Möglichkeit einer Regierungsumbildung schließen könnte.

Barandon

an Pol. VI (Ab.St.)

33. Paul Barandon an das Auswärtige Amt 6. Oktober 1942
Barandon oversendte i tysk oversættelse hele statsminister Vilhelm Buhls tale ved rigsdagens åbning til AA.
Kilde: PA/AA R 29.566. RA, pk. 202.

T e l e g r a m m

| Kopenhagen, den | 6. Oktober 1942 | 20.30 Uhr |
| Ankunft, den | 6. Oktober 1942 | 22.10 Uhr |

Nr. 1474 vom 6.10.42.

Bei der heutigen Reichstagseröffnung gab Staatsminister Buhl folgende Erklärung ab: In Übereinstimmung mit dem Paragraphen 40 der dänischen Reichsverfassung, hat seine Majestät der König durch offenen Brief vom 11. v.M. eine ordentliche Reichstagssitzung einberufen, die auf Bestimmung des Königs heute eröffnet werden soll. Durch Reskript vom 3. d.M. hat seine Majestät der König mir übertragen, den heute zusammentretenden Reichstag zu eröffnen und das in diesem Zusammenhang Erforderliche zu veranlassen. Das geschieht hierdurch: Im Namen des Königs erkläre ich die ordentliche Reichstagssitzung für eröffnet.

Unter tiefstem Ernst versammelt sich der Reichstag wieder, um seine Arbeit zu verrichten, mit der er durch die Verfassung betraut ist. Wir befinden uns nun im vierten Kriegsjahr und es steht noch nicht fest, wann friedliche Zustände wieder zurückkehren. Überall in der Welt wird mit steigender Heftigkeit gekämpft und die Wirkungen des Krieges greifen stärker und stärker in die Verhältnisse der Völker ein.

Dänemarks Stellung als nichtkriegführendes Land wird weiterhin aufrecht erhalten bleiben. Unsere Politik liegt fest, wie sie im Aufruf der Regierung vom 9. April 1940 und später durch Regierungserklärungen und Beschlüsse ihren Ausdruck gefunden hat.

Wenn die Zeit zum Wiederaufbau da ist, werden wir in verständnisvoller Zusammenarbeit mit anderen Nationen nach bestem Vermögen unseren Beitrag zur Lösung der großen gemeinschaftlichen Aufgaben leisten, und wir wünschen eine enge und gute Zusammenarbeit zwischen Dänemark und Deutschland in dem kommenden neuen Europa.

Die Zusammenarbeit im Reichstag zwischen den Parteien, die gezeigt haben, daß sie gemeinschaftlich um die Wahrung der verfassungsmäßigen Grundlage des Landes stehen, hat in der vergangenen Zeit dem politischen Leben ihr Gepräge gegeben und die Zusammenarbeit hat in der Bevölkerung einen Widerhall gefunden, dessen Stärke offenbar ist. Das Gefühl der gemeinschaftlichen Verantwortung und der Wille zum Zusammenhalten, der darin seinen Ausdruck gefunden hat, führte zu einer starken Befriedung unseres Landes und der Zusammenhalt im Volke wird auch weiterhin der Wall sein, der eine ruhige Wahrnehmung der Aufgaben der Nation sowohl nach außen wie nach innen sichern soll.

Durch die umfassende Gesetzgebung, die in den letzten Reichstagsperioden durchgeführt worden ist, sind innerhalb großer Gebiete des Gemeinschaftslebens weitgehende Maßnahmen getroffen worden, um den Störungen entgegenzutreten, die der Krieg mit sich gebracht hat, und soweit man bis jetzt die Verhältnisse übersehen kann, werden neue Gesetze in diesem Zusammenhang diesem Reichstag nur in begrenztem Umfang vorgelegt werden.

Die Regierung wird nach wie vor der Entwicklung der Beschäftigungsverhältnisse mit größter Aufmerksamkeit folgen.

Seit der vorigen Reichstags-Session ist die Anzahl der beschäftigten Arbeiter mit 28.000 gestiegen und die außerordentlich kleine Arbeitslosigkeit von 3,8 Prozent, die der vorige Sommer aufzuweisen hatte, ist im Juni d. J. auf 3,2 Prozent gesunken. Da man im Frühjahr eine Entwicklung in dieser Richtung voraussehen mußte, hat man, um der Landwirtschaft und der Brennstoffproduktion die notwendige Arbeitskraft zu sichern, die öffentlichen Arbeiten in den Sommermonaten zu einem gewissen Grad eingestellt.

Abgesehen von der guten Beschäftigungslage, die ständig andauert, muß man jedoch auf Grund der klimatischen Verhältnisse des Landes wie gewöhnlich mit einer verhältnismäßig großen Saison-Arbeitslosigkeit im Winter rechnen. Um dieser entgegenzutreten und um dadurch u. a. mit dazu beizutragen, daß die Arbeitskraft in den Landdistrikten bis zur nächsten landwirtschaftlichen Saison gehalten wird, sind beizeiten eine Reihe von Maßnahmen bewilligt und technisch vorbereitet worden, wodurch die ledigwerdenden Arbeitskräfte in bedeutendem Umfange Anwendung in verschiedenen produktiven Arbeiten finden können, u. a. bei der Landgewinnung, bei der Planung der Bodenverhältnisse und bei anderen Maßnahmen, die der Erweiterung des Ernteertrages des Landes dienen.

Infolge der beschlossenen Gesetzgebung, betreffend Unterstützung des Wohnbaus, ist in diesem Jahr die Zahl der im Bau befindlichen Wohnungen bedeutend gestiegen, und die Bauarbeiten für Erwerbszweige sind ebenfalls von verhältnismäßig großem Umfang. Trotzdem die industrielle Produktion im Vergleich zum Vorjahre nicht gewachsen ist, so ist der Beschäftigungsgrad innerhalb der Industrie doch gestiegen, da man für Heizung, Transport, Bearbeitung von Rohstoffen, Ausnutzung von Abfall u. a. m. eine größere Zahl von Arbeitskräften benötigte.

Gegenüber diesen, für die Beschäftigungsverhältnisse günstigen Faktoren, sind jedoch eine Reihe drohender Schwierigkeiten zu beachten, nämlich mit Bezug auf unsere Versorgung, besonders mit Brennstoff, aber auch mit einer Reihe von anderen Rohstoffen. Welche Auswirkungen dies auf unsere Produktion und Beschäftigung haben wird, ist noch nicht zu übersehen.

Seitens der Regierung sind Schritte unternommen worden, um Zement und ande-
re notwendige Materialien für den Wohnungsbau und in möglichst großem Umfange
für den Bau für Erwerbszwecke sowie für andere produktive Zwecke zur Verfügung zu
stellen, und weitere Maßnahmen zur Förderung der bestmöglichen Ausnutzung unserer
Rohstoffe und Brennstoffe sind in Vorbereitung.

Unter diesen Verhältnissen ist es besonders wertvoll, daß private Kreise für die vie-
len Möglichkeiten Interesse zeigen, die für die Ausführung von Arbeiten bestehen, die
nur geringes Material erfordern. Die kommunalen Beschäftigungsausschüsse haben hier
eine vermittelnde Aufgabe zu erfüllen, und man muß ebenfalls die Hoffnung hegen, daß
diese Ausschüsse dazu beitragen werden, die Arbeitskraft in der Landwirtschaft auch
während der Wintermonate in größerem Umfange zu beschäftigen.

Die Frage der Versorgung der Bevölkerung mit den Bedürfnissen des täglichen Le-
bens wird seitens der Regierung auch weiterhin mit der größten Aufmerksamkeit ver-
folgt werden, sowohl die Beschaffung von Waren wie die Preise betreffend.

Trotz der unterbrochenen Zufuhren von Nahrungsmitteln und Futtermitteln vom
Ausland und trotz der geringen dänischen Ernte im Vorjahr, ist es im großen und gan-
zen möglich gewesen, die bisherige Grundlage für die Versorgung der Bevölkerung mit
den notwendigen Lebensmitteln aufrechtzuerhalten. Es gilt auch weiterhin, daß die
Versorgung des eigenen Landes mit landwirtschaftlichen Erzeugnissen wichtiger ist als
der Export, und die einzelnen Abweichungen, die von diesem Prinzip gemacht wurden,
geschahen in dem Wunsch, den beiden nordischen Ländern Hilfe zu leisten, die erfah-
rungsmäßig besonders schwer betroffen sind.

Die schlechte Weizenernte hat Änderungen in der Regelung der Brotversorgung er-
forderlich gemacht, aber die übrige Ernte und die dadurch erfolgte Sicherung unserer
Ernährungslage bedeutet einen beruhigenden Lichtblick in der zunehmenden Waren-
knappheit, die sich auf allen Gebieten geltend macht.

Durch die Bestrebungen, der Preissteigerung entgegenzutreten, ist es jetzt gelungen,
die Preise längere Zeit hindurch zu stabilisieren und die Regierung ersucht sämtliche
Erwerbszweige, verständnisvoll dazu beizutragen, daß dieser Zustand aufrechterhalten
werden kann.

Durch die neue Organisation der Preiskontrolle, die man im vorigen Jahr durch-
führte, wurde der Einblick der zuständigen Behörden in die Produktions- und Um-
satzpreise erweitert und gestärkt. Im Laufe der weiteren Tätigkeit dieser Behörden wird
die Kontrolle effektiver werden, und man wird weiterhin mit Strenge dort einschreiten,
wo fehlendes Verantwortungsbewußtsein durch gesetzwidrige Warenverteuerung in Er-
scheinung tritt.

Mit Bezug auf die Staatsfinanzen wird man bestrebt sein, das Budget innerhalb sol-
cher Rahmen zu halten, daß eine Erhöhung der jetzigen Steuern vermieden werden
kann. Bei der Höhe, die die jetzigen Betriebsausgaben erreicht haben, wird hier große
Vorsicht gegenüber neuen Ausgaben erforderlich sein.

Was die Wirtschaftspolitik an sich betrifft, so wird es wie bisher die Aufgabe sein,
die Stabilität des Wirtschaftslebens des Landes zu wahren. Es ist von entscheidender
Bedeutung für die allgemeine Preisentwicklung, in Zukunft wechselnden Konjunktu-
ren entgegentreten zu können daß der Umsatz von Grundstücken und Anlagen auf

einer gesunden und tragfähigen Grundlage erfolgt, und die Regierung hat deshalb unter Berücksichtigung der herrschenden Verhältnisse die Frage der Ergreifung weiterer Maßnahmen auf diesem Gebiet zur Verhandlung aufgenommen.

Die Zeit ist schicksalsschwer für unser Land. Das Ziel, das wir uns vor allem vor Augen halten müssen, ist die Sicherung der Selbständigkeit Dänemarks und die Bewahrung der Freiheit unseres Volkes. Mit diesem Ziel ist eine Verantwortung verknüpft, die alle Dänen betrifft. Das Wohl des Landes erfordert, daß im Geist der Zusammengehörigkeit und Bedachtsamkeit gehandelt wird, und daß überall ruhige und geordnete Verhältnisse herrschen.

Im Zeichen der Sammlung wird der Reichstag jetzt seinen Einsatz leisten, und ich heiße ihn willkommen zur Arbeit.

Unserem Glauben an die Zukunft wollen wir in einem "es lebe unser Vaterland", "es lebe Dänemark" Ausdruck verleihen.

Hiernach ersuche ich die Kammern, sich unter der Leitung der Altersvorsitzenden zu konstituieren.

Barandon

34. Hermann von Hanneken an OKW 6. Oktober 1942

I anledning af en konkret sag om en tysk krigergrav i Vejle foreslog von Hanneken, at istandsættelsen og vedligeholdelsen af krigergravene i Danmark overgik fra den rigsbefuldmægtigede til den militære øverstkommanderende.

Se Werner Best til AA 11. november 1942.

Kilde: RA, pk. 285.

Abschrift.

Der Befehlshaber　　　　　　　　　　　　　　　　　*H.Qu., den 6. Oktober 1942*

der deutschen Truppen in Dänemark

Abt. Qu. Nr. 317/42

Bezug: OKW/AWA/WVW (II M) vom 17.9.42.[54]

Betr.: Verwahrlostes Grab in Vejle.

An das Oberkommando der Wehrmacht

Berlin

Nach Prüfung der Sachlage wird zu den gestellten Fragen gemeldet:

zu 1) Das Grab war bereits erfaßt und der Deutschen Gesandtschaft zur Pflege übergeben worden.

zu 2) Lt. Mitteilung der Deutschen Gesandtschaft ist das Grab infolge eines Registraturfehlers übersehen worden.

zu 3) Auf dem Grabkreuz befindet sich nicht die Angabe "gefallen", sondern "gestorben".

54 Skrivelsen er ikke lokaliseret.

zu 4) Weitere Nachforschungen sind nicht erforderlich. Die Erhebungen wurden für den ganzen Raum Dänemark im Jahre 1941 durchgeführt und dabei alle Gräber, sowohl aus dem Krieg 1914-18 als auch aus dem jetzigen Krieg ermittelt.

Hinsichtlich Übergang der Pflege der in Dänemark liegenden Kriegergräber (OKW Nr. 352/41 AWA/WVM (IV) vom 24.6.41) auf die Deutsche Gesandtschaft wird wie folgt Stellung genommen:

Es hat sich im Laufe der Zeit herausgestellt, daß die in den einzelnen Bezirken mit der Pflege der Kriegergräber beauftragten, wenigen, konsularischen Vertretungen nur schwer in der Lage sind, die Betreuung durchzuführen und die Gräber in wünschenswerter Weise instand zu halten und ihre Instandhaltung zu überwachen. Es wird deshalb vorgeschlagen, die Instandhaltung und Pflege der Kriegergräber in Dänemark wieder der Truppe zu übertragen, da dieselbe über die nötigen Hilfskräfte verfügt und die verantwortliche Überwachung durch die Standortältesten gewährleistet ist.

Außerdem ist Dänemark inzwischen zum Operationsgebiet erklärt worden.

Für den Befehlshaber
der deutschen Truppen in Dänemark
Der Chef des Generalstabes:
Gen. Unterschrift

35. Martin Luther an Ernst von Weizsäcker 6. Oktober 1942

Barandons telegram nr. 1459 fik Luther til at tage telefonisk kontakt til ham for nærmere at forhøre sig om forholdene i den tyske koloni i Danmark, herunder ikke mindst SS-Oberführer Cerffs optræden og udtalelser. Barandon mente, at Cerff måtte have sin viden om den nye situation i Danmark fra von Hanneken. Luther videregav disse informationer til Weizsäcker, idet han meddelte, at han ville gå videre med tilfældet Cerff og have at vide, hvem der havde opfordret ham til at holde en tale om et politisk så varmt emne.

Kilde: PA/AA R 29.566. RA, pk. 202. PKB, 13, nr. 316.

U.St.S.-D.-Nr.6925   *Berlin, den 6. Oktober 1942.*

Mitteilung für Herrn Staatssekretär v. Weizsäcker.

Nach Eingang des Fernschreibens aus Kopenhagen – Nr. 1459 vom 5.10.[55] – habe ich über die Wehrmachtleitung den Gesandten Barandon angerufen und ihn gefragt,
1.) aus welchem Grunde die bestehende Verfügung, daß Ausländer zu reichsdeutschen Veranstaltungen nicht hinzugezogen werden sollen, unbeachtet geblieben ist,
2.) wer den zum Erntedankfest der reichsdeutschen Kolonie entsandten Reichsredner, SS-Oberführer Cerff, über die neue politische Lage unterrichtet und ihm die Erlaubnis dazu erteilt habe – noch dazu vor einer großen Anzahl von Dänen – über derartige Dinge zu reden.

Zu 1) erklärte mir Herr Barandon, daß die Einladung des Landesgruppenleiters an die Reichsdeutschen und an "die Freunde Deutschlands" ergangen sei. Er wird mir eine Einladungskarte mit einem entsprechenden Bericht zusenden.

55 Trykt ovenfor.

Zu 2) meinte Herr Barandon, daß die Luft in Kopenhagen derart mit Gerüchten geladen sei, daß es nicht verwunderlich wäre, wenn Herr Cerff von irgendeiner Seite über die neue Lage ins Bild gesetzt worden sei. Er selbst habe dies nicht getan, müsse aber annehmen, daß es von Seiten des neuen Militärbefehlshabers erfolgt wäre. General v. Hanneken habe in der ersten Reihe gesessen und durch ostentativen Beifall Oberführer Cerff, sobald er auf die neue politische Lage zu sprechen gekommen sei, zu weiteren Ausführungen direkt ermuntert. Herr Barandon nimmt an, daß Cerff gestern in Odense gleiche Ausführungen gemacht hat, wird sich hierüber aber informieren und Bericht erstatten.

Der Gesandte Dr. Krümmer wird über die Reichspropagandaleitung morgen feststellen, von wem Oberführer Cerff seine Informationen erhalten und wer ihn dazu aufgefordert hat, ein derartig hochpolitisches Thema in der Rede vor den Reichsdeutschen und den Dänen zu behandeln.

Luther

Abschrift

36. Ernst von Weizsäcker an Paul Barandon 6. Oktober 1942

Barandon fik besked på, at Ribbentrop havde besluttet, at von Hanneken ikke skulle besøge den danske udenrigsminister, og at der ikke var sket ændringer i reguleringen af, hvem der fra tysk side opsøgte danske myndigheder.

Det var en beslutning, som WB Danmark valgte ikke at overholde; udenrigsministeren opsøgte han dog ikke.

Kilde: PA/AA R 29.566. RA, pk. 202. PKB, 13, nr. 317. ADAP/E, 4, nr. 13.

Geheim! Akt. Z. zu Pol. VI 7178 g
Berlin, den 6. Oktober 1942.

St.S.
U.St.S. Pol.
Dg.Pol.

Telegramm i.Z.

Geh. Verm. für Geheimsachen
Diplogerma Kopenhagen Nr. 1717.
Referent: Ges. v. Grundherr.
Betreff: Der deutsche Befehlshaber und dänische Stellen.

Auf Nr. 1460 vom 5.[10.42.][56]
Der Herr RAM hat entschieden, daß General von Hanneken bei dem dänischen Außenminister keinen Besuch machen soll. Absatz.

In Drahterlaß Nr. 335 vom 12.4.1940 (insbesondere Ziffer 1-3) getroffene Rege-

---

56 Trykt ovenfor.

lung, die mit Oberkommando der Wehrmacht vereinbart war, gilt solange keine anderen Weisungen ergehen.

Weizsäcker

37. Ernst von Weizsäcker an Paul Barandon 6. Oktober 1942

AA gav Det Tyske Gesandtskab instruks om, at ingen tyske myndigheder i Danmark måtte udtale sig om situationen, før den nye tyske rigsbefuldmægtige var udnævnt. Der blev specielt henvist til de udtalelser, der var afgivet 4. oktober (af SS-Oberführer Cerff).

    Kilde: PA/AA R 29.566. RA, pk. 202. PKB, 13, nr. 318.

Geheim!   Akt. Z. zu Pol. VI 7177 g
                                          Berlin, den 6. Oktober 1942

St.S.
U.St.S. Pol.
Dg.Pol.

T e l e g r a m m   i . Z .

Geh. Verm. für Geheimsachen
Diplogerma Kopenhagen Nr. 1718.
Referent: Ges. v. Grundherr.
Betreff: Sprachregelung.

Auf Nr. 1459.[57]
Unsere bisherigen Maßnahmen haben zweifellos die Dänische Regierung stark beeindruckt. Es empfiehlt sich diese Tatsachen sich zunächst weiter auswirken zu lassen. Gegenüber dänischen Dienststellen kann daher von einer Erklärung unserer Haltung abgesehen werden. Gegenüber deutschen Dienststellen bitte auf Interimzustand, der bis zur Ernennung neuen Deutschen Bevollmächtigten besteht, hinzuweisen. Bitte dafür zu sorgen, daß keine deutschen Stellen, so wie von Partei Redner am 4. ds.Mts. geschehen, politische Erklärungen abgeben. Verweise ferner auf heutige Ausführungen Gesandten Braun v. Stumm gegenüber ausländischen Pressevertretern, die mit Fernschreiben übermittelt.

Weizsäcker

n[ach] A[bgang]
H. U.St.S. Luther

38. Ernst von Weizsäcker: Notiz 6. Oktober 1942

Weizsäcker vurderede hvilken status den kommende rigsbefuldmægtige i Danmark skulle have: Om han skulle være både ambassadør og befuldmægtiget som Cecil von Renthe-Fink eller alene befuldmægtiget. Weizsäcker så fordele ved begge løsninger, men tog ikke endelig stilling.

    Løsningen blev, at den nye rigsbefuldmægtige ikke også blev tysk gesandt i Danmark.

    Kilde: RA, pk. 202. PKB, 13, nr. 319.

---

57 Trykt ovenfor.

Geheim!   e.o Pol. VI 7181 g

F e r n s c h r e i b e n
(über Büro RAM)

St.S.

U.St.S. Pol

Dg.Pol.

Zu der, wie ich annehme, bevorstehenden Entsendung eines neuen Reichsvertreters nach Kopenhagen möchte ich auf folgende organisatorische Gesichtspunkte hinweisen:

Bisher, d.h. seit dem 9. April 1940, war der Reichsvertreter zugleich Gesandter und Bevollmächtigter des Deutschen Reichs und unterstand allein dem Auswärtigen Amt.

Als Gesandter und Bevollmächtigter des Reichs war Gesandter von Renthe-Fink höchster deutscher Vertreter bei der Dänischen Regierung.

Im Interesse der Wahrung der Kompetenzen des Auswärtigen Amtes wäre es erwünscht, es bei dieser Regelung zu belassen und den neuen Reichsvertreter wiederum als Gesandten und Bevollmächtigten des Reichs zu bezeichnen. Die Funktionen des *Bevollmächtigten* folgern aus den mit der Besetzung des Landes zusammenhängenden deutschen Aufgaben, während die Funktionen des *Gesandten* und der Gesandtschaft sich aus der Wahrnehmung der allgemeinen deutsch-dänischen Beziehungen ergeben (z.B. Beitritt zum Antikominternpakt, Pflege der besonders wichtigen Wirtschaftsbeziehungen, der kulturellen Beziehungen usw.). Würde der neue Reichsvertreter nur noch Bevollmächtigter sein, so würde das bei unseren Gegnern, vielleicht aber auch bei unseren Freunden wie Finnland usw. Stoff zur Propaganda gegen uns liefern. Vielleicht könnte dadurch auch die Frage der Abdankung des Königs ausgelöst werden, an die unsererseits z.Zt. wohl noch nicht gedacht wird.

Eine andere Frage ist dagegen, ob für den neuen Reichsvertreter das übliche Agrément als Gesandter bei der Dänischen Regierung nachzusuchen wäre oder ob man sich nicht besser mit der bloßen Mitteilung an die Dänische Regierung begnügen sollte, daß statt des bisherigen Gesandten und Bevollmächtigten des Deutschen Reichs, Gesandten von Renthe-Fink, Herr .... zu dessen Nachfolger ernannt worden ist. Die sonst übliche Überreichung eines Beglaubigungsschreibens an den König würde dann ebenfalls unterbleiben, ebenso wie die Überreichung eines Abberufungsschreibens für Gesandten von Renthe-Fink.

Hiermit Herrn Reichsaußenminister mit der Bitte um Kenntnisnahme vorgelegt.
Berlin, den 6. Oktober 1942.

gez. **Weizsäcker**

39. MOK Nord an Raul Mewis u.a. 6. Oktober 1942

På grund af den mulige udvikling i Danmark kunne det blive nødvendigt, at Kriegsmarine trådte i hurtig aktion. Ordren er ikke lokaliseret, men den er indeholdt i en skrivelse fra det følgende år: Se MOK Ost til OKM 8. august 1943.

40. Karl Schnurre: Notiz 7. Oktober 1942

Barandon havde 1. oktober med telegram nr. 1434 påpeget, at såfremt den sjællandske kystlinje skulle bevogtes for at undgå, at medlemmer af det danske kongehus flygtede til udlandet, skulle bl.a. OKM og OKW/Abwehr kontaktes. AA tog kontakt til admiral Leopold Bürkner, der imidlertid ikke havde de tilstrækkelige ressourcer til rådighed. Spørgsmålet skulle så tages op med WFSt (Poulsen 1970, s. 342).

Kilde: PA/AA R 29.566. RA, pk. 202.

zu Pol I M 4586/ 42 g

Die Frage der Überwachung der Küste von Seeland durch deutsche militärische Kräfte ist mit Admiral Bürkner am 6.10. besprochen worden. Botschafter Ritter und ich haben Admiral Bürkner darauf hingewiesen, daß die Überwachung der Küste d[urch] dänische Polizei und dänische Kriegsschiffe in Anbetracht der sich entwickelnden politischen Situation nicht ausreichend sein würde. Das OKW möge prüfen, in welcher Weise eine wirksame Überwachung sichergestellt werden könnte.

Admiral Bürkner erwiderte zunächst, daß genügend Kräfte für diesen Zweck nicht zur Verfügung stünden. Er wird jedoch die Frage mit dem Wehrmachtführungsstab aufnehmen.

Berlin, den 7. Oktober 1942.

gez. **Schnurre**

41. Seekriegsleitung: Vermerk 7. Oktober 1942

I Seekriegsleitung noterede kaptajn Junge en meddelelse fra OKW om, at situationen i Danmark var tilspidset i faretruende grad. Man regnede med, at den kongelige familie og regeringen ville forsøge at flygte. Føreren ville sandsynligvis snart give meddelelse vedrørende sikringen af de danske kyster og få værnemagten til at hindre prominente danskeres flugt. I OKW var man opbragt over, at AA ikke tidligere havde gjort opmærksom på denne forventelige udvikling.

Hvem ophavsmanden til den forurolige melding var, lader sig ikke entydigt afgøre, men mest sandsynligt var det von Hanneken, der havde videregivet meldinger til OKW, der tegnede billedet af en tilspidset situation i Danmark. Det var meldinger givet i forventning om at være i overensstemmelse med de af Hitler givne direktiver før afrejsen til Danmark. Jfr. Seekriegsleitungs krigsdagbog samme dag.

Kilde: BArch, Freiburg, RM 7/1187. RA, Danica 628, sp. 7, nr. 5222.

Abschrift
Seekriegsleitung   *Berlin, den 7. Oktober [19]42*
B. Nr. 1. Skl. Qu.   /42 Gkdos

V e r m e r k

7.10.42 12.00 Uhr teilt F.Kpt. Junge Folgendes mit:
Beim OKW liegt heute eine Mitteilung vor, daß die Lage in Dänemark sich bedrohlich zuspitzt. Man rechnet mit Fluchtversuchen von Mitgliedern der königlichen Familie und der Regierung.

Wahrscheinlich wird in Kürze eine Weisung des Führers ergehen, daß die Sicherung aller dänischen Küsten sowohl gegen feindliche Landungsversuche als auch gegen Fluchtversuche prominenter dänischer Persönlichkeiten durch die deutsche Wehrmacht zu übernehmen ist.

Beim OKW ist man sich der Auswirkungen dieses wahrscheinlich notwendigen Befehles durchaus bewußt. Man ist entrüstet, daß das Ausw. Amt nicht früher auf diese zu erwartende Entwicklung hingewiesen hat. Auch OKW-Abt. Ausland scheint versagt zu haben.

1. Skl. I Op.

42. Kriegstagebuch/Seekriegsleitung 7. Oktober 1942

Hitler ville have forholdene i Danmark tilpasset den ændrede situation. Der skulle nye og energiske personer til, der var uden personlige bindinger af nogen art. OKW forventede skærpede foranstaltninger for at undgå regeringsmedlemmers flugt. Kriegsmarines repræsentant ved førerhovedkvarteret var blevet orienteret om de betydelige virkninger, som værnemagtens fulde overtagelse af sikringsopgaverne også ville få for Kriegsmarine og handelsskibstrafikken.

Denne alarmerende melding om meget betydelige forestående ændringer i Danmark synes alene udgået fra OKW. Muligvis var det von Hanneken, der havde udlagt sine hos Hitler givne direktiver på en måde, der kunne opfattes sådan (jfr. foranstående). Beroligende meldinger fulgte i de følgende dage.

Kilde: KTB/Skl 7. oktober 1942.

7.10.42

Vortrag I a 1/Skl:

[…]

b.) betr. Spannung mit Dänemark:

Protokollmäßig zu beanstandende Antwort auf Glückwunschtelegramm des Führers anläßlich Geburtstages dän. Königs sowie Demonstrationen bei Rückkehr dänischer Freiwilligenformation aus Osteinsatz sind Anlaß zu Erwägungen geworden, deutsch-dänisches Verhältnis, das auf Grundlage des Abkommens vom 9.4.40 steht, den veränderten Verhältnissen anzupassen. Bisheriger Gesandter des Reiches und Mil. Befh. sind auf Befehl des Führers durch neue energische und durch keinerlei Bindungen persönlicher Art unbeschwerte Männer ersetzt worden. Dem dän. Gesandten in Berlin sind die Pässe zugestellt worden. Der angebotene Entschuldigungsbesuch des dän. Kronprinzen ist abgelehnt worden. Im OKW erwartet man scharfe Maßnahmen gegen Fluchtversuche der Kgl. Regierung und Regierungsmitglieder.

Angesichts der erheblichen Auswirkungen, die die Übernahme der Sicherungsaufgaben allein durch die dt. Wehrmacht auch bei der KM haben würde, ist ständ. Vertreter des Ob. d.M. im Führerhauptquartier von Skl über die dänischen Leistungen im Sektor der Kriegsmarine und Handelsschiffahrt unterrichtet worden, um in dieser Beziehung keine Unklarheit bestehen zu lassen. Abschrift der Unterrichtung gem. 1/Skl 33057/42 geh. in KTB Teil C Heft III.

43. Otto von Grote: Aufzeichnung 7. Oktober 1942

AA havde fået besked om, at WFSt havde besluttet at forberede at afløse de danske politistyrker, der for øjeblikket varetog sikring og overvågning, og at forberede tyske stridskræfters overtagelse af opgaven. Samtidig havde OKM fået besked om at forberede overtagelsen af de sikrings- og overvågningsopgaver, som danske marinefartøjer for øjeblikket varetog.

Hermed var der lagt op til en kraftig eskalering af telegramkrisen, og forberedelser af så indgribende karakter kan kun være drøftet i førerhovedkvarteret. Det blev imidlertid ved forberedelserne. Hitler traf en beslutning i sagen 9. oktober 1942 (OKW til AA o.a. anf. dato). Det er nærliggende at se disse forberedelser til optrapningen af krisen i forbindelse med Himmlers billigelse af indretningen af et arrestationskartotek for Danmark og forberedelser af forholdsregler mod bl.a. de danske jøder. Heinrich Müller var involveret i begge anliggender (Himmler til Heinrich Müller 5. oktober 1942).

Kilde: RA, pk. 216.

Ref.: L.R. von Grote   *Berlin, den 7. Oktober 1942.*
Pol. I. M 2654 g Rs.   Hergestellt in 5 Ausfertigungen.
                                             Dies ist die 2 Ausfertigung.

Aufzeichnung

Oberst Rudolf unterrichtete mich soeben davon, daß der Wehrmachtführungsstab Weisung erteilt habe, die Ablösung der dänischen Polizeikräfte, denen zurzeit die Sicherung und Überwachung obliegt, durch deutsche Streitkräfte vorzubereiten. Zwischen dem OKW und der Sicherheitspolizei sind Besprechungen über die eventuell erforderlichen praktischen Maßnahmen im Gange Gleichzeitig hat auch das OKM Weisung erhalten, die Übernahme der zurzeit von den dänischen Marinestreitkräften wahrgenommenen Sicherung- und Überwachungsaufgaben durch deutsche Streitkräfte vorzubereiten.

gez. **von Grote**

44. Martin Luther an Adolf von Steengracht 8. Oktober 1942

Luther orienterede Steengracht om Arthur Seyss-Inquarts besøg hos Hitler, herunder om hvordan den af Bormann forfattede forordning af 12. august 1942 om det germansk-völkische arbejde i en række lande, bl.a. Danmark, skulle forklares. Forordningen havde fået Seyss-Inquart til at protestere til Bormann. Nu var det gjort klart, at et sådant arbejde kun kunne finde sted med RFSS' tilladelse.

Inddragelsen af Danmark i forordningen var et anliggende, der lå Luther meget på sinde. For ham var det vitale AA-interesser, der blev antastet. Derfor kan hans tilsyneladende beroligelse over denne afklaring forekomme besynderlig, men han lod sig ikke stille tilfreds dermed. Se herom Luther til Walter Büttner 24. oktober 1942.

Kilde: NHWE, Id. dok.: APK-014958 (uddrag).

U.St.S.-D.-Nr. 6942   *Berlin, den 8. Oktober 1942.*

Mitteilung für Herrn Gesandten Baron Steengracht.

Lieber Adolf!

In der Anlage übersende ich Dir Durchdruck des Berichtes des Gesandten Bene vom 6.Oktober 1942, den Besuch des Reichskommissars Reichsministers Seyss-Inquart beim Führer betreffend.[58] Die bisherigen Erfahrungen haben gezeigt, daß derartige Berichte entweder gar nicht oder nur sehr spät dem Herrn RAM vorgelegt werden, so daß Du den Berichtinhalt wohl zweckmäßigerweise dem Herrn RAM vorträgst.

58 Bilaget med Otto Benes indberetning til AA 6. oktober 1942 er ikke medtaget (trykt ADAP/E, 4, nr. 17).

[...]

Interessant ist der 1. Absatz auf Seite 2,[59] der die Auslegung der Bormann-Verfügung,[60] die das Recht der Verhandlung mit den germanisch-völkischen Gruppen bekanntlich in den Niederlanden, Belgien, Norwegen und auch Dänemark dem Reichsführer-SS überträgt, betrifft. Diese Verfügung war in gleicher Weise wie uns in Bezug auf Dänemark auch dem Generalkommissar Parteigenossen Schmidt, der gleichzeitig auch Leiter des Arbeitsbereiches der NSDAP in Holland ist, und im übrigen als besonderer Vertrauensmann des Reichsleiters Bormann bei Seyss-Inquart sitzt, in die Glieder gefahren und hatte zu einem Protest des Reichskommissars Seyss-Inquart bei Reichsleiter Bormann Veranlassung gegeben. Während der Berliner Anwesenheit des Reichskommissars wurde also nach dem Bericht des Parteigenossen Bene klargestellt, was die Parteikanzlei uns ebenfalls mitgeteilt hat, daß sich diese Verfügung nur auf die Zusammenfassung der Arbeit der einzelnen Partei- und Gliederungsdienststellen in Deutschland selbst bezieht, daß also eine derartige Arbeit nach außen nur mit Genehmigung des Reichsführers-SS vorgenommen werden kann.

Ich wäre Dir dankbar, wenn Du den Herrn RAM unterrichten würdest.

Herzlichst!

Dein

Martin

Durchdruck:
LR Rademacher

45. Gottlob Berger an Heinrich Himmler 8. Oktober 1942

Berger orienterede Himmler om et møde med NSDAPs rigsskatmester Franz Schwarz, hvoraf det fremgår, at SS-ledelsen ville begynde en germanisering af det midteuropæiske og nordiske rum, og at en rapport derom skulle begynde med Danmark. Målet var at knytte landene til Tyskland under bibeholdelse af deres egenart.

Planerne for et germansk korps i Danmark må ses som et første led i en sådan plan (Herbert 1996, s. 331).

Kilde: RA, pk. 442. Heiber 1968, s. 154-156.

Geheime Kommandosache

Der Reichsführer-SS   *Berlin W 35, den 8. Oktober 1942.*
Chef des SS-Hauptamtes   2. Ausfertigung
CdSSHA/Be/Vo.VS-Tgb. Nr. 374/42 geh. Kdos.   Prüf. Nr. 1
Betr.: Besuch beim Reichsschatzmeister

59 Det hedder her: "Der Herr Reichskommissar hat mir weiter mitgeteilt, daß er auch Gelegenheit hat, sowohl mit Reichsführer Bormann als auch mit den Reichsführer SS über die Auslegung der Verfügung Nr. 4 A 54/42 vom 18.8.1942 im Parteiverfügungsblatt zu sprechen. – Es sei völlig klar, daß diese Verfügung sich nur an das Reichsgebiet beziehe, und daß beim Reichsführer SS nicht Absicht bestehe, in die von Reichskommissar hier betriebene Politik einzugreifen, zumal diese auf der von Reichsführer SS zu befolgenden germanischen Linie liegt. Die Politik wird hier all nach wie vor vom Reichskommissar als dem allein Verantwortlichen." (ADAP/E, 4, s. 32).

60 Martin Bormanns forordning A 54/42 er aftrykt ovenfor i kommentaren til Bormann til Himmler 5. oktober 1942.

An den Reichsführer-SS und Chef der Deutschen Polizei,
    Feld-Kommandostelle

Reichsführer!
Ich habe mich gestern wieder einmal beim Reichsschatzmeister Schwarz gemeldet. Der Befehl des Reichsführers-SS, einen sicheren Platz für die Unterbringung unserer Fahnen und insbesondere auch der Plastik "Zwei Menschen" zu erhalten, war mir ein willkommener Anlaß.

Der Reichsschatzmeister war überaus freundlich. Er hat ja immer, wenn ich herunterkomme, etwas, über das er zu klagen hat. Kann bei dieser Gelegenheit diese Dinge in einer netten Art zumindest verkleinern, wenn nicht ganz aus der Welt schaffen.

Ich war überaus freudig überrascht, daß in seinem Arbeitszimmer die Büste des Reichsführers-SS steht. Es ist ja leider eine der wenigen, die überhaupt vorhanden sind. Die anderen Büsten, die früher bei ihm waren, sind entfernt.

Seine Klagen:
1.) Er ist auf Obergruf. v. Eberstein[61] erheblich eingeschnappt, nicht nur wegen der Angelegenheit des Kriminalrates Gerum, sondern auch, weil Obergruf. v. Eberstein sich vor einiger Zeit an ihn gewandt und ihn gebeten hat, einen Teil seiner Luftschutzkeller als Polizeibefehlsstelle zur Verfügung zu stellen. Er hätte das getan und die nötigen Leitungen usw. legen lassen. Drei Tage später sei die Befehlsstelle aufgehoben worden, ohne daß man ihm überhaupt eine Mitteilung hiervon gemacht hätte.

2.) In Brünn sollen bei einer Schwarzschlächter-Angelegenheit seine Revisoren von der Kriminalpolizei angegriffen und gezwungen worden sein, frisierte Aussagen zu machen zugunsten der Schwarzschlächter. Er werde Reichsführer-SS hierüber berichten.

Sonst war eitel Freude und Sonnenschein. Er dankt Reichsführer-SS noch einmal recht herzlich, daß wir wegen seinem Wiedenmann so energisch eingegriffen haben, Letzterer nun als Untersturmführer bei der Division "Wiking" Dienst mache und die begeistertsten Briefe schreibe.

In München werden die nötigen Räume bereitgestellt, um unsere Fahnen, Standarten und vor allen Dingen auch das Bildwerk "Zwei Menschen" aufbewahren zu können. Zwar sei der Raum sehr beschränkt, da auch die Sachen vom Führer und viele alte Bilder in den Räumen untergebracht seien. Allein, er werde die nötigen Anweisungen erteilen, damit dieser Wunsch des Reichsführers-SS erfüllt werden kann.

Er ließ sich dann in sehr scharfen Worten über den Europäischen Jugend-Kongreß in Wien aus.[62] Die ganze Angelegenheit sei sehr schlecht organisiert gewesen, die Jugend der anderen Nationen selbst aber mehr als gering diszipliniert. Spanien und Italien hät-

---

61 Karl Frhr. v. Eberstein var HSSPF Süd i München.

62 Der havde fundet en "Europäische Jugendtagung" sted i Wien 14.-18. september 1942. Den var arrangeret af Hitlerjugend med 12 europæiske delegationers deltagelse. Delegationerne var fra de besatte lande og satellitstater. På mødets første dag havde rigsungdomsfører Arthur Axmann proklameret grundlæggelsen af "Europäische Jugendverband".

ten offen in Opposition gestanden und mit aus dieser Opposition heraus dem Nuntius Innitzer[63] einen Besuch gemacht. Das hätte auf die andere Jugend einen sehr schlechten Eindruck gemacht, und insbesondere die Ungarn hätten ihre Abneigung gegen den Europäischen Jugend-Verband unter deutscher Führung offen gezeigt. Ganz auffallend sei auch gewesen, daß Italien und vor allen Dingen auch Ungarn sich an die germanische, besser gesagt, an die flämische Jugend gewandt und sie sichtbar beeinflußt hätten. Man werfe ihm nun vor, er habe für diese Tagung 6 Mill. RM bewilligt. Das entspreche nicht den Tatsachen. Er sei nicht befragt worden und lehne es ab.

Er fragte mich hierauf nach der Arbeit in den germanischen Ländern, und ich erstattete ihm, mit Dänemark beginnend, einen knappen, sachlichen Bericht, insbesondere, daß ich in Durchführung der Befehle des Reichsführers-SS mich bemühen werde, die großen Pläne einer wahren Germanisierung des mitteleuropäischen und nordischen Raumes durchzuführen und vor allen Dingen die Grundlagen zu schaffen, damit später ohne Zwischenlösung, unter vollster Wahrung der völkischen Eigenart, Kultur und Sitten, diese Völker an das großgermanische Reich geknüpft werden können.

Der Reichsschatzmeister Schwarz sprach anschließend daran mit leuchtenden Augen vom Führer und von den Treuesten, die der Führer immer haben werde, Reichsführer-SS, Reichsleiter Bormann und ihm, und kündigte mir an, daß er für diese germanische Arbeit außer den Etatmitteln noch einen Sonderfonds, wie ihn die Gauleiter erhalten, zur Verfügung stellen werde. Ich habe ihm herzlich dafür gedankt und bitte Reichsführer-SS, wenn es bei der Italien-Reise auf dem Hin- oder Rückflug reichen sollte, doch – und wenn es nur ein paar Minuten sind – beim Reichsschatzmeister vorzusprechen.

G. Berger
SS-Gruppenführer

46. Walter Hewel: Notiz 8. Oktober 1942

AA blev orienteret om, at Hitler havde besluttet, at der ikke skulle gives noget svar på den danske konges undskyldning.

Kilde: PA/AA R 29.566. RA, pk. 202 og 216. PKB, 13, nr. 321.

F e r n s c h r e i b e n
aus "Feldmark" Nr. 1249 vom 8.10.42.

Ich übersende eine Notiz des Gesandten Hewel, aus der hervorgeht, daß der Führer auf die Entschuldigung des dänischen Königs nicht zu antworten gedenkt, da diese Mitteilung im Gegensatz steht zu der in der Aufzeichnung des Gesandten von Grundherr v. 3.10.42 enthaltenen Äußerung des neuen Militärbefehlshabers, der Führer beabsichtige Dänischer Regierung mitzuteilen, er habe von der Entschuldigung Kenntnis genommen. Folgt Notiz für den Herrn RAM:

"Notiz für den Herrn Reichsaußenminister.

Ich legte dem Führer heute die Aufzeichnung des St.S. Nr. 582 über die Demarche des dänischen Geschäftsträgers vor. Der Führer hat sich über die Reaktion des dänischen

---

63 Theodor Kardinal Innitzer var ærkebiskop i Wien.

Königs auf unsere Erklärung hin gefreut, sagte aber, daß er auf die Demarche nicht zu antworten gedenke.

Berlin, den 1.10.1942.

Hewel"

Schluß Notiz.

v. Sonnleithner

47. Werner Picot an Martin Luther 8. Oktober 1942

Picot udarbejdede et notat i anledning af, at AA fra RSHA havde modtaget en rejseansøgning for professor Otto Höfler, der skulle til Danmark. Det bemærkelsesværdige var, at der blev givet én grund til rejsen til AA, nemlig at det var en studierejse, mens det af fremlagte papirer og Höflers mundtlige udsagn fremgik, at der var tale om en særopgave for RFSS, der skulle munde ud i en betænkning, hvorefter der skulle træffes politiske foranstaltninger til modstandsbekæmpelse.

Notatet blev fremsendt til Luther via Rademacher, som udarbejdede sit eget notat i sagen samme dag, trykt efterfølgende.

Kilde: RA, pk. 234.

Geheim!   D II 1493 g

A u f z e i c h n u n g

In Abteilung Kult V wird unter Nr. 12 637 ein von Reichserziehungsministerium vorgelegter Antrag des Professors Dr. Otto Höfler aus München vom 15. September 1942 auf Genehmigung einer Studienreise nach Dänemark bearbeitet.

Das Referat D II ist mit dieser Angelegenheit durch Anrufe des Sturmbannführers von Löw vom Chef der Sicherheitspolizei und des SD sowie durch das beiliegende Schreiben der gleichen Dienststelle vom 7. August 1942 – III B 5 Sü/Nr. – befaßt worden.[64] Dieses Schreiben wurde mit der ebenfalls in Abschrift beigefügten Bescheinigung vom 29. September d.J.[65] heute von Professor Höfler im Referat übergeben.

Zunächst wurde, da in Fällen vorliegender Art Reiseanträge vom Persönlichen Stab RF-SS zu stellen sind, Hauptsturmführer Raab im Persönlichen Stab angerufen. Dieser stimmte der Reise zu und stellte schriftliche Bestätigung in Aussicht.

Die Sache wurde ferner mit den Referenten Kult V (Ksl. Schmidt), D V (KS I Ahlbrecht) und Referat D III (LR Rademacher) besprochen.

Höflers Reise ist in dem bei Kult V vorliegenden Antrag als Studienreise bezeichnet worden. Nachträglich ist es zur Kenntnis des Auswärtigen Amts gelangt, daß Höfler einen Sonderauftrag hat, der ihm vom Reichsführer-SS erteilt worden ist und dessen Art sich aus der Bescheinigung vom 29.9. d.J. ergibt.

Hiermit über D III – LR Rademacher – m.d.B. um Anführung der dortigen Bedenken, Herrn U.St.S. Luther m.d.B. um Weisung vorgelegt.

Berlin, den 8. Oktober 1942

Picot

---

64 Skrivelsen, der af Picot fejlagtigt tilskrives datoen 7. august og ikke 7. oktober, er trykt efterfølgende som bilag.
65 Trykt efterfølgende som bilag.

Abschrift!
Der Chef der Sicherheitspolizei und des SD   *Berlin, den 29. Sept. 1942*
III B 5 v. Lö./Nr.
As.: ………/42

B e s c h e i n i g u n g
(Zur Vorlage bei der Wehrüberwachungsbehörde)

Professor Dr. Otto Höfler, München-Grünwald, Wilhelm-Gustloff-Str. 6 ist beauftragt, anläßlich seines Studienaufenthaltes in Dänemark eine Denkschrift über die kulturpolitische Lage in Skandinavien fertigzustellen, die dem Reichsführer-SS im Führerhauptquartier vorgelegt werden soll.

Da die Denkschrift zur Vorbereitung politischer Maßnahmen zur Bekämpfung der gegnerischen Propaganda und Widerstandsarbeit in den skandinavischen Ländern benötigt wird, ist sie kriegswichtig.

Im Auftrage:
gez.: **von Löw**
SS-Sturmbannführer

Der Chef der Sicherheitspolizei und des SD   *Berlin, den 7. Oktober 1942*
III B 5 v. Lö./Nr.
As.: ……… /42

An das Auswärtige Amt
    D II
    z.Hd. von Herrn Legationsrat Picot
    Berlin W.35
    Rauchstraße 27

Betr.: Professor Dr. Otto Höfler
wohnh.: München-Grünwald, Wilhelm-Gustloff-Str. 6
Vorg.: Tel. Anruf Professor Höflers vom 7.10.42
Anl.: 1[66]

Wie dortigerseits mit Professor Höfler abgesprochen sein soll, wird in der Anlage die Abschrift einer hiesigen Bescheinigung für die Wehrüberwachungsbehörde mit der Bitte um Kenntnisnahme und Beschleunigung der Erteilung der Ausreisegenehmigung für Professor Otto Höfler übermittelt.

Im Auftrage:
gez.: **von Löw**
SS-Sturmbannführer

66 Trykt foran.

48. Franz Rademacher an Martin Luther 8. Oktober 1942

Rademacher videregav til Luther oplysningerne vedrørende formålet med professor Höflers rejse til Danmark, hvor det for AA var blevet holdt skjult, at Höfler var på en særopgave for RFSS af politisk betydning. Den rette sammenhæng var Rademacher under hånden kommet under vejr med. Der var intet at indvende mod Höflers person eller hans kulturpolitiske arbejde, men Rademacher fandt særopgaven for RFSS betænkelig.

Med notatet pustede Rademacher til ilden i forholdet mellem Luther og SS, herunder SS-Hauptamt og RSHA. Luther ville ikke have, at SS trængte ind på AAs politiske områder, og slet ikke i Danmark, som han betragtede som AAs særlige domæne pga. dets unikke udenrigspolitiske status som ikke egentligt besat (se Luther til Büttner 24. oktober 1942. Jfr. Browning 1977, s. 335ff. for Luthers modsætning til SS).

Luther reagerede på notitserne dagen efter med et brev til Emil von Rintelen.

Kilde: RA, pk. 234.

Referat D III   D II 1493 g

Geheim   zu D III

A u f z e i c h n u n g

Unter der Hand erfuhr ich, daß der Germanenforscher Professor Höfler nach Dänemark reisen solle, um dort seine Forschung zum Abschluß zu bringen. Bei der Gelegenheit solle er einen Sonderauftrag des Reichsführers SS durchführen und einen Bericht über die kulturpolitische Lage in Dänemark machen.

In der selben Sache rief dann Herr Legationsrat von Scherpenberg an und sagte Professor Höfler sei ihm durch Sturmbannführer von Löw zugeschickt worden mit der Bitte, ihm bei seiner Devisenbeschaffung für die Reise behilflich zu sein. Professor Höfler habe dabei erklärt, er habe einen Sonderauftrag des Reichsführers durchzuführen.

Ich habe D V veranlaßt, den Reiseantrag zu prüfen. Hierbei ergab sich, daß Professor Höfler seinen Reiseantrag über das Erziehungsministerium gestellt hatte wegen seines Forschungsauftrages. Von dem Sonderauftrag des Reichsführers war im Reiseantrag nichts erwähnt. D V hat daher Professor Höfler veranlaßt durch das Reichssicherheitshauptamt wegen des Sonderauftrages einen gesonderten Genehmigungsantrag zu stellen.

Wie mir von D II mitgeteilt wurde, ist nunmehr ein solcher Antrag eingegangen. Danach soll Professor Höfler über die kulturpolitische Lage in Dänemark berichten, damit der Reichsführer Gelegenheit habe Vorschläge für die deutsche Propaganda zu machen.

Ich habe D II gebeten die Sache Herrn Unterstaatssekretär Luther zur Entscheidung vorzulegen und sofort Gesandten Krümmer, Generalkonsul Wüster und mir Abschrift des Antrages zukommen zu lassen.

Zur Person Höfler möchte ich bemerken, daß ich ihn für einen aufrechten, geraden Charakter halte, dessen Arbeiten nationalsozialistisch einwandfrei sind. An seinen Forschungen besteht m.E. kulturpolitisches Interesse. Professor Höfler war eigentlich für mich der Geheimtyp für die Leitung unseres kulturwissenschaftlichen Instituts in Kopenhagen gewesen. Aus seiner Kieler Zeit hat er gute Beziehungen zu Dänemark.[67] Es wäre an sich also zu begrüßen, wenn er seine Forschung in Dänemark beenden könnte

---

67 Otto Höfler (1901-87) var uddannet i Wien som folkelivsforsker, men kom i 1934 til Kiels Universitet og derfra 1938 til München. Han var nazist fra 1922, blev medlem af NSDAP 1937. Samme år tilknyttet Ahnenerbe (Jakubowski-Tiessen 1998, s. 281f., Klee 2005, s. 261).

und bei der Gelegenheit seine Bekanntschaften auffrischen würde.

Der Sonderauftrag erscheint mir allerdings bedenklich zu sein und vor allen Dingen nicht in das Aufgabengebiet des Reichsführer SS zu fallen, was man dort auch wohl empfunden hat, weil man die Sache ohne das Auswärtige Amt starten wollte.

Hiermit Herrn Unterstaatssekretär Luther mit der Bitte um Kenntnisnahme vorgelegt.

Berlin, den 8. Oktober 1942

Rademacher

49. Martin Luther an die Deutsche Gesandtschaft Kopenhagen 8. Oktober 1942

Luther tilsluttede sig det forslag til forholdsregler for at eliminere jøder fra den danske økonomi, som Renthe-Fink havde fremsendt 15. september 1942.[68] Der ville komme særlige instrukser derom. Den danske regering skulle gøres opmærksom på, at der stadig var et fåtal danske jødiske statsborgere i det tyske magtområde, som med kort varsel enten skulle trækkes hjem, eller de ville blive behandlet som de tyske jøder. Endelig skulle der for de videre aftalte foranstaltninger henvises til optegnelsen om jødernes indflydelse på det kommunistiske parti i Danmark.

Sidstnævnte optegnelse er fra 26. september 1942, men synes først at være sendt til AA 4. november (trykt nedenfor), og den understreger, at der på tysk side på et tidspunkt var sket en sammenkobling af jøderne og den kommunistiske sabotage i Danmark, og at den sammenkobling var sket i RSHA og ikke i AA, hvis den ikke ganske enkelt var blevet dekreteret i førerhovedkvarteret.

Heinrich Müller havde 20. august 1942 oversendt en rapport om sabotagen i Danmark til AA, hvoraf det fremgik, at organiserede danske kommunister stod bag. Der var ikke et ord om jødisk indflydelse (RA, pk. 228). Den 31. august 1942 kunne Rademacher for Walter Gödde og Martin Luther referere en samtale, som han havde haft med Paul Kanstein, hvor den samme konklusion blev gengivet (RA, pk. 231). Ikke desto mindre var koblingen mellem jøder og kommunister sket en måned senere på højeste sted (se Müller til Himmler 24. september 1942, trykt Lauridsen 2008a, nr. 47).

AA havde selv i eftersommeren 1942 ønsket hjælp fra RSHA til at få udredet, hvem der stod bag den stigende sabotage i Danmark. Det havde ikke været med den dagsorden at påvise jødisk indflydelse, men at få sabotagen stoppet.[69] Der foreligger den mulighed, at koblingen af jøderne og den kommunistiske sabotage blev taget 24. september på næstøverste eller øverste ledelsesniveau, og at det var et påskud til at tage hul på jødespørgsmålet med henvisning til sabotagen. Beslutningen fik en forlænget levetid godt ind i oktober pga. telegramkrisen, men at Hitler faldt ned igen i løbet af måneden er der flere vidnesbyrd om, og 22. oktober kunne Himmler i en knap note konstatere, at der for Danmarks vedkommende ikke skulle foretages noget. Hvad dette "noget" var, kunne såvel gå på en dyberegående regeringsændring som på et stop for øjeblikkelige forholdsregler mod de danske jøder. I hvert fald blev den proces, som von Ribbentrop 24. september havde beordret sat i gang, ikke ført videre.[70]

Se vedrørende de dansk-jødiske statsborgere Luther til Gaus 20. januar 1943, mens forslaget vedrørende jøders eliminering fra dansk økonomi ikke blev taget op igen på en måde, så det nåede frem til den danske regering. Det blev givetvis overhalet af udviklingen i ugerne omkring Bests udnævnelse til rigsbefuldmæg-

68 Renthe-Finks brev er trykt hos Lauridsen 2008a, nr. 44.

69 Kommunikationen mellem gesandtskabet, AA, RSHA og de danske myndigheder er gennemgået i denne sag. I det tyske gesandtskab kom resultatet af RSHAs undersøgelser den 28. august ikke overraskende. Renthe-Fink havde 8. august over for AA påpeget, at det var kommunister, der stod bag, og at man skulle have dansk politi til at gøre noget mere ved opklaringen, og i en optegnelse to dage senere udelukkede han heller ikke, at den engelske efterretningstjeneste arbejdede systematisk i Danmark (begge i RA, pk. 307). Jfr. Renthe-Fink til AA 11. august (PKB, 13, nr. 274).

70 Lauridsen 2008a for aktmaterialet med kommentarer.

tiget i Danmark. Se dog optegnelsen fra Rüstungsstab Dänemark 11. januar 1943, hvor der imidlertid ikke var tale om foranstaltninger, der indblandede den danske regering (Hilberg, 2, 1985, s. 559, Browning 1978, s. 250, n. 66. Yahil 1967, s. 78, n. 115, Lauridsen 2006c, s. 149f.).

Kilde: PA/AA R 100.864. Best 1988, s. 274 (faksimile). Lauridsen 2008a, nr. 50.

D III 794 g

Telegramm

Berlin, den   ...... Oktober 1942

An die Deutsche Gesandtschaft
    Kopenhagen

Referent: U.St.S. Luther
              GR Klingenfuß
Betreff: Maßnahmen gegen dänische Juden

St.S.
U.St.S. Pol.
Dir. Ha Pol.

Auf Bericht vom 19.9.[71] Pol IV Nr. 5

Dortigem Vorschlag, durch Ausschluß der jüdischen Verteiler- und Verbraucherfirmen vom Bezug von Kohlen und Treibstoffen aus Deutschland den jüdischen Einfluß in den dänischen Gewerbebetrieben zurückzudrängen, wird zugestimmt. Besonderer Erlaß hierüber folgt.

Unter Bezugnahme auf hier geführte Besprechungen bezüglich der Judenfrage in Dänemark bitte ich, Dänische Regierung darauf hinzuweisen, daß sich in Deutschland bezw. im deutschen Machtbereich noch eine wenn auch kleinere Anzahl Juden dänischer Staatsangehörigkeit aufhält, die bisher von den inzwischen getroffenen Judenmaßnahmen (Kennzeichnung, Arbeitsverpflichtung usw.) ausgenommen war. Diese Ausnahmebehandlung sei aber nicht mehr länger möglich. Man gebe Dänischer Regierung rechtzeitig Kenntnis, damit sie Gelegenheit habe, der Unterwerfung dieser dänischen Juden unter unsere Maßnahmen zuzustimmen oder aber diese Juden innerhalb kurzer Frist aus den in Frage kommenden Gebiet zurückzuziehen.

Bezüglich der weiter besprochenen Maßnahmen darf auf die Aufzeichnung über den Einfluß des Judentums auf die kommunistische Partei in Dänemark verwiesen werden.

Luther

8/10

Anm.: Im Reich einschl. Protektorat leben 25 dänische Juden (10 in Berlin), in den besetzten Gebieten rund weitere 50.

---

71 Det drejer sig om Renthe-Finks indberetning til AA 15. september 1942, som var blevet datostemplet i AA 19. september.

Nach Abgang:

H Pol IV

m.d.B. um Übernahme des Vorganges D III 494 g u. weiterer Veranlassung unter Beteiligung von D III.

50. Paul Barandon an das Auswärtige Amt 8. Oktober 1942

AA fik meddelt, at Frikorps Danmark efter nogle dages ophold i København ville forlade Danmark efter en militær appel.

    Kilde: RA, pk. 225.

Telegramm

Kopenhagen, den	8. Oktober 1942	19.25 Uhr
Ankunft, den	8. Oktober 1942	19.30 Uhr

Nr. 1489 vom 8.10.[42.]

Im Anschluß an Drahtbericht Nr. 1308[72] vom 11.9.42.

    Freikorps wird nach Beendigung des Urlaubs am 9. Oktober wieder in Kopenhagen zusammengezogen und kaserniert. Verabschiedung erfolgt am 12. Oktober mit militärischem Appell durch SS-Brigadenführer Kanstein in Anwesenheit des stellvertretenden Bevollmächtigten und des Befehlshabers auf dem Kasernenhof. Voraussichtlicher neuer Standort des Freikorps Bobruisk.

Barandon

51. Otto Heider: [Besprechung im SS-Hauptamt am] 8. Oktober 1942

På et møde i SS-Hauptamt gjorde Gottlob Berger rede for SS' planer for indsatsen i de germanske lande i fremtiden. Der skulle dels hverves flere krigsfrivillige, dels udføres propagandaarbejde, og det gjaldt her om at holde alle muligheder åbne for at samle de germanske lande i det storgermanske rum. De germanske folks kultur og sprog skulle ikke antastes. Arbejdet skulle ske på grundlag af de omfattende fuldmagter, som føreren havde givet RFSS. Hidtil havde AA været den største hindring for udviklingen i det germanske rum. Det skulle nu blive anderledes. Til slut påpegede referenten, Heider, at der dog forelå en RFSS-ordre om, at Germanische Leitstelle var underlagt HSSPF, men ellers var der ikke modsigelse fra salen.

    Med de omfattende fuldmagter til RFSS hentydede Berger ikke kun til Bormanns forordning af 12. august 1942, som det fremgår af hans brev til Hermann von Stutterheim 15. oktober 1942, trykt nedenfor. Se endvidere dr. Schmidts optegnelse om samme møde 20. oktober 1942.

    Kilde: *De SS en Nederland*, 1, 1976, nr. 237.

Berlin, den 8. Oktober 1942

Bei der Besprechung im SS-Hauptamt am 8. Oktober, um 12 Uhr, gab der SS-Gruppenführer Berger zuerst einen Überblick über die Geschichte der germanischen Freiwilligen.

---

72 Dtschld. Telegrammet er i RA, pk. 225. Det beskriver foranstaltningerne i anledning af Frikorps Danmarks ankomst til København.

Er kam dann auf die Ersatzfrage der Waffen-SS zu sprechen und sagte, daß die jüngeren Jahrgänge im Deutschen Reich bereits vollständig ausgeschöpft seien. Vom Jahrgang 1924 wären ihm nach langem Verhandeln vom OKW 28.500 Mann zugebilligt, während er tatsächlich 30.500 Mann ausgehoben hätte. Auch vom Jahrgang 1925 seien bereits 15.000 Mann eingestellt. Die SS habe also einen Vorgriff auf Rekrutenjahrgänge gemacht, die eigentlich erst später zu Verfügung ständen. Auch der volksdeutsche Raum in Ungarn, Jugoslawien, Slowakei und Kroatien sei bereits vollkommen ausgeschöpft. Während sonst die Ersatzgestellung von 20-30.000 Mann ein normaler Erfolg sei, wäre er heute schon froh, wenn ihm von irgendeiner Stelle 2-3.000 Mann Ersatz gestellt würden. Der Ersatz der kommenden Jahre sei einzig und allein aus den germanischen Ländern zu erwarten. Alle anderen Quellen seien ergiebig genug, um den Ersatz für die Einheiten der Waffen-SS sicherzustellen. Aus diesem Grunde habe der Führer und der Reichsführer-SS der germanischen Freiwilligen-Leitstelle alle Vollmachten gegeben, die notwendig seien, um den germanischen Raum voll und ganz in den Dienst der SS zu stellen. Hemmend bei den Arbeiten wirkte immer wieder die gegensätzliche Einstellung der verschiedenen deutschen Dienststellen. So z.B. hätte der Führer einmal gesagt, hoffentlich würden die Enkel niemals so schwach, daß sie die Kanalküste aufgeben müßten, während der deutsche Gesandte in Brüssel öffentlich die Wiederherstellung Belgiens garantiere, wie überhaupt das Auswärtige Amt sich als der stärkste Hemmschuh in der Entwicklung des germanischen Raumes erwiese. Die Völker des germanischen Raumes wären natürlich so klug, diesen Zwiespalt innerhalb der deutschen Dienststellen für ihre Zwecke auszunutzen. Wir dürften niemals den fremden Völkern Anlaß geben, daß die Dienststellen der SS gegeneinander ausgespielt würden, infolgedessen sei eine einheitliche Führung der SS in den germanischen Ländern dringend erforderlich. Zu diesem Zweck seien die germanischen Freiwilligen-Leitstellen eingerichtet, die über alle Vorkommnisse innerhalb der von ihnen bearbeiteten Länder restlos informiert sein müßten. Ein Einmischen in die Arbeit der übrigen Hauptämter sei nicht beabsichtigt. Die Aufgaben der Leitstelle seien allein auf propagandistischem, stimmungsmäßigen Gebiet zu suchen. Es gelte, sich alle Wege offen zu halten, um diese germanischen Länder zum Großgermanischen Raum zusammenzufassen. Dabei soll die Sprache und die Kultur der germanischen Völker nicht angetastet werden.

Um die Arbeit der Hauptämter auf diesem Gebiet unter allen Umständen sicherzustellen, sei eine enge Zusammenarbeit mit allen Hauptämtern notwendig. Er rege daher an, daß in jedem Monat einmal eine Zusammenkunft von besonders dazu bestimmten Verbindungsführern durchgeführt würde, in der alle Fragen, die die Arbeit im germanischen Raum betreffen, behandelt werden würden.[73] Jedes Hauptamt solle auch einen Durchschlag aus der Sammlung von Feldpostbriefen der germanischen Freiwilligen-Leitstellen erhalten, und zwar nicht nur der positiven, sondern auch der negativen, damit jeder Hauptamtschef sich über die Lage der Arbeit im Großgermanischen Raum selbst ein Bild machen könne.

Es wurde dann noch von der Unterstellung der einzelnen Vertreter der Hauptämter in der germanischen Ländern unter den Führer der GFL gesprochen. Ich betonte dagegen,

73 Et sådant møde fandt sted i København i december 1942, se Franz Riedweg til Hans Schneider 18. november 1942.

daß die Führer im Rasse- und Siedlungswesen laut Reichsführerbefehl dem Höheren SS- und Polizeiführer unterständen, daß aber der SS-Gruppenführer Hoffmann angeordnet habe, daß diese RuS-Führer auf das engste mit der GFL zusammenarbeiten sollten.[74]

Heider

52. Cecil von Renthe-Fink: Aufzeichnung 9. Oktober 1942

Tilbage i Berlin gav Renthe-Fink sin vurdering af den politiske situation i Danmark. Han malede den ikke i mørke farver og ville helt øjensynligt ikke bidrage til skærpelsen af telegramkrisen.

Den danske regering havde gjort, hvad den kunne for at imødekomme tyske krav på det militære og udenrigspolitiske område, mens den ikke havde gjort forsøg på at vende folkestemningen for det nye Europa. Til gengæld leverede Danmark maksimalt i forhold til sine muligheder til Tyskland. Sine modstandere fandt Tyskland ud over kommunister blandt chauvinister og frem for alt i den konservative lejr. Det var nøje prøvet, om DNSAP skulle stille sig i spidsen for en dansk regering, men Renthe-Fink kunne ikke anbefale det. Det ville både vække modstand og føre til uro. Det danske folk kunne kun vindes for Tyskland ved en endelig sejr. I mellemtiden ville det gøre alt for at stille Tyskland materielt tilfreds.

Den sidste sætning er ikke optrykt i PKB, der i øvrigt fejlagtigt daterer optegnelsen til 8. oktober og blot i en note anfører "I marginen er med håndskrift tilføjet: 'Original an RAM am 9.10.'." – Poulsen 1970, s. 343f.

Kilde: PA/AA R 29.566 (8. oktober-version). PA/AA Nachlässe Renthe-Fink, bd. 6. RA, pk. 202 og 306. PKB, 13, nr. 322. ADAP/E, 4, nr. 24.

Büro RAM.

Mit der Bitte, beiliegende Aufzeichnung dem Herrn Reichsaußenminister weisungsgemäß mit Fernschreiben vorzulegen.

Berlin, den 9. Oktober 1942.

gez. **von Renthe-Fink**

A u f z e i c h n u n g
Politische Lage in Dänemark Ende September 1942.

Dänische Regierung

Die Regierung, die heute in Dänemark am Ruder ist, stützt sich auf die vier demokratischen Parteien Dänemarks (Sozialdemokraten, Radikale, Venstre und Konservative). Außer den Vertretern der demokratischen Parteien gehören ihr noch drei parteipolitisch nicht gebundene Minister an, die als deutschorientiert anzusprechen sind. Seitens des Bevollmächtigten des Reichs ist auf die Zusammensetzung der Dänischen Regierung seit dem 9. April 1940 weisungsgemäß kein Einfluß ausgeübt worden, um die Verantwortung den Dänen zu überlassen. Jedoch sind zwei Minister, die durch eine im deutschen Sinne unzuverlässige Politik auffielen, auf unser Betreiben von ihren Posten entfernt worden.

Die innere Einstellung der heutigen Dänischen Regierung kann wohl am besten als

---

74 GFL = Germanische Freiwillige Leitstelle; RuS = Rasse- und Siedlungswesen.

abwartend bezeichnet werden. Sie hat es bisher nicht verstanden, den Anschluß an die neue Zeit zu finden, und auch nicht sehen wollen, daß die großzügige Haltung, die Deutschland nach dem 9. April 1940 Dänemark gegenüber einnahm, für Dänemark eine ernste Verpflichtung und zugleich eine große Chance bedeutete. Sie hat sich begnügt, nur das politisch Notwendige zu tun.

Andererseits muß festgestellt werden, daß sie ohne Ausnahme alle an sie gerichteten konkreten Forderungen, auch solche, die von den Dänen als gegen die nationale Ehre ihres Landes gerichtet angesehen wurden, wie z.B. die Abgabe dänischer Torpedoboote, restlos erfüllt hat. Die Dänische Regierung hat ferner auf eigene außenpolitische Handlungen verzichtet und sich, wenn es von uns gewünscht wurde, zum Teil mit mehr oder weniger Widerstreben, der deutschen Linie angepaßt. (Schließung der feindlichen Vertretungen, Abbruch der Beziehungen zur Sowjetunion, Beitritt zum Antikominternpakt usw.).

Seit der Besetzung Dänemarks sind zu keinem Zeitpunkt die militärischen Interessen des Reichs im Lande selbst durch die Haltung der Dänischen Regierung und der dänischen Bevölkerung gefährdet worden. Allen deutschen Wünschen auf militärischem Gebiet ist im allgemeinen ohne Schwierigkeiten entsprochen worden. Die dänischen Behörden haben, von Ausnahmen abgesehen, mit den Organen des Bevollmächtigten des Reiches und den deutschen militärischen Stellen reibungslos zusammengearbeitet. Auf wirtschaftlichem Gebiet ist während der Besatzungsjahre das Maximum an dänischer Erzeugungskraft den Zwecken des Reiches nutzbar gemacht worden. Um ein Beispiel zu nennen, hat Dänemark im vorigen Jahr neben anderem eine Menge an Butter, Fleisch und Eiern geliefert, die den Bedarf des gesamten Großdeutschen Reiches für einen Monat deckte. Die dänische Industrie arbeitet weitgehend im Dienste der deutschen Rüstung. Sie könnte noch mehr leisten, wenn ihr die erforderlichen Rohstoffe zugeführt würden. Seitens der zuständigen deutschen Stellen wird den wirtschaftlichen Leistungen Dänemarks ohne Einschränkung Anerkennung gezollt. Auch die längere Dauer des Krieges hatte bisher kein Nachlassen des Arbeitswillens zur Folge.

Zu diesen positiven Leistungen Dänemarks ist zu sagen, daß sie im allgemeinen nicht auf dem Willen beruhen, zum deutschen Siege und damit zum Neuaufbau Europas beizutragen, sondern vielmehr dem Respekt vor der deutschen Macht zu verdanken sind. Gefühlsmäßig steht auch heute die Mehrheit des dänischen Volkes nicht auf unserer Seite, obwohl sie Disziplin genug besitzt, um dies nach außen hin nicht direkt in Erscheinung treten zu lassen. Seit dem 9. April 1940 hat die Dänische Regierung zu keinem Zeitpunkt den inneren Schwung aufgebracht, um das dänische Volk nicht nur praktisch, sondern auch stimmungsmäßig auf die deutsche Linie auszurichten. Die Regierung beschränkte sich darauf, antideutsche Erscheinungen zu verhindern und durch Erklärungen, den Willen zu korrekter und realpolitischer Zusammenarbeit kundzutun. Dazu kommt, daß die führenden Kreise Dänemarks und die Masse des Volkes im allgemeinen noch so stark in ihren alten Vorstellungen befangen sind, daß sie sich eine Niederlage Englands nicht denken können. Daraus ergab sich ein stetes Hinter-der-Entwicklung-Zurückbleiben der Regierung und des Volkes, ein fortgesetztes Sichdrängenlassen, ein jeweiliges Nachgeben nur so weit, als es die Verhältnisse unbedingt erforderten. Daran haben auch die im Kabinett sitzenden parteipolitisch nicht gebundenen Minister nichts Wesentliches bessern können.

Dänisches Volk

Das dänische Volk ist in seinem überwiegenden Teil Anhänger des demokratischen Gedankens, weil es dank seiner geographischen, wirtschaftlichen und sozialen Lage die Schattenseiten dieses Systems am eigenen Leibe kaum erfahren hat, vielmehr der wirtschaftliche und soziale Höhepunkt für die große Masse in die Zeit der demokratischen Herrschaft fiel. Das Verständnis für den Nationalsozialismus ist einstweilen noch gering, weil sich die Massen der Notwendigkeit eines radikalen Systemwechsels noch nicht bewußt geworden sind. Heroische Lebensformen und freiwillige Opfer liegen ihnen als Gedanken überhaupt fern. Aus der Verwobenheit des gesamten politischen, wirtschaftlichen und kulturellen Lebens mit der Demokratie erklärt es sich auch, daß nicht nur alle politischen und wirtschaftlichen Positionen, sondern auch die Presse demokratisch beherrscht werden. Es ist einleuchtend, daß die demokratischen Systemparteien, die sich der Hoffnung hingeben, ihren Bestand über das Kriegsende hinaus zu erhalten, es nicht zulassen wollen, daß in den Spalten ihrer Presse eine Anerkennung der Errungenschaften eines ihnen feindlichen Prinzips erfolgt.

Mit der Länge des Krieges und des dadurch bedingten Absinkens des allgemeinen Lebensstandards ist eine allmähliche Verschlechterung der allgemeinen Stimmung in der Bevölkerung eingetreten, um so mehr als seitens der Regierung eine nachhaltige positive Beeinflussung jedesmal in ihren Anfängen steckenblieb. Unter dem Einfluß englischer und kommunistischer Propaganda haben sich in letzter Zeit einige Aktivistengruppen gebildet, denen einstweilen eine ernstere Bedeutung nicht zukommt und die sowohl von den deutschen Stellen wie von der dänischen Polizei im eigenen dänischen Interesse und auf deutsches Betreiben verfolgt und unterdrückt werden.

Abgesehen von den Kommunisten sitzen unsere schlimmsten Gegner hauptsächlich bei den Intellektuellen. Die Chauvinisten sind vor allem im konservativen Lager zu finden. Der einzelne Bauer ist heute durch die guten Preise, die ihnen der Export nach Deutschland bringt, Deutschland gegenüber nicht unfreundlich eingestellt. Der dänische Arbeiter ist bisher ruhig geblieben, obwohl das Sinken des Lebensstandards gerade ihn am empfindlichsten trifft.

Dänischer König

Auch der König hält an der demokratischen Idee fest, da er dem Bekenntnis zu ihr, das ihm allerdings seinerzeit aufgezwungen wurde, die Verankerung seiner Dynastie im Volk und seine persönliche Popularität zu verdanken glaubt. Auf der anderen Seite ist der König für seine eigene Person Autokrat geblieben. Abgesehen von seinem Alter reichen seine geistigen Fähigkeiten nicht dazu aus, den Anbruch einer neuen Epoche zu begreifen. Er betrachtet es vielmehr als seine Aufgabe, Dänemark innen- und außenpolitisch seinem Nachfolger so zu übergeben, wie er es im Jahre 1912 übernommen hat. Trotzdem ist der König Realist genug, um sich im Hinblick auf die Macht des Reiches nicht den Vorschlägen seiner verantwortlichen Ratgeber für eine praktische deutsch-dänische Zusammenarbeit zu widersetzen. Aber auch der König ist für seine Person noch nicht vom deutschen Endsieg überzeugt und lehnt überdies auf Grund seiner gesamten persönlichen Einstellung den nationalsozialistischen Gedanken als revolutionär und für seine Dynastie gefährlich ab.

DNSAP

Die Neuordnung Europas unter deutscher Führung wird in erster Linie von der DNSAP gewünscht. Der Gedanke, den Führer der dänischen Nationalsozialisten Frits Clausen an die Spitze der Regierung zu stellen, ist deutscherseits eingehend geprüft worden. Zweifellos würde die Übernahme der Regierung durch die dänischen Nationalsozialisten die Einstellung der Exekutive in unserem Sinn erleichtern, die Verwirklichung des Gedankens wurde aber bisher aus folgenden Gründen zurückgestellt:

1.) Die innerpolitische Entwicklung in Dänemark erschien für eine Machtübernahme durch Frits Clausen nicht reif. Sein Anhang in der Bevölkerung ist noch sehr klein. Die Masse des Volkes steht ihm nicht nur ablehnend, sondern feindlich gegenüber. Er hätte an die Regierung nur mit Machtmitteln des Reichs gebracht und gehalten werden können. Wenn auch Gewalttätigkeiten dem dänischen Volkscharakter fernliegen, so wäre doch sicher eine passive Resistenz der Bevölkerung die Folge gewesen, und es hätte mit der Möglichkeit von Zwischenfällen und Unruhen gerechnet werden müssen, deren Niederhaltung einen stärkeren deutschen militärischen Einsatz gefordert hätte. Das zum größten Teil aus Anhängern Frits Clausens bestehende dänische Freikorps hätte hierzu nicht ausgereicht.

2.) Nach der Einstellung des Königs war damit zu rechnen, daß er einer Einsetzung Frits Clausens als Chef der Regierung auf legalem Wege nicht zugestimmt und die gewaltsame Machtübernahme durch die dänischen Nationalsozialisten mit seinem Rücktritt beantwortet hätte. Nach den Richtlinien der deutschen Politik sollte eine Königskrise vermieden werden. Auch innerhalb der dänischen Nationalsozialisten hätte ein Rücktritt des Königs zu Spaltungen geführt, da ein starker Flügel der Partei, ohne Sympathie für den König zu empfinden, grundsätzlich monarchistisch eingestellt ist und sich der Dynastie als solcher durch ein Treueverhältnis verbunden fühlt.

3.) Es bestand die Gefahr, daß als Folge der Unruhe und Unzufriedenheit die kriegswirtschaftliche Leistung des Landes zurückgegangen wäre. Hierbei ist zu berücksichtigen, daß die Masse der Arbeiterschaft der sozialdemokratischen Partei, die der Bauern der gleichfalls demokratisch orientierten Venstre angehört.

Freikorps Dänemark

Auch dem Freikorps Dänemark gegenüber hat sich die Regierung nicht zu einer wirklich positiven Einstellung aufschwingen können. Das Freikorps ist daher im Wesentlichen eine Schöpfung der DNSAP geblieben, was wiederum dazu geführt hat, daß das Freikorps in den Augen des überwiegenden Teiles der Bevölkerung nicht so sehr unter dem Gesichtspunkt des heroischen Einsatzes und der Beteiligung am europäischen Kampf gegen den Bolschewismus wie unter dem Gesichtspunkt der innerpolitischen Auseinandersetzungen erscheint. Dadurch erklären sich zum großen Teil die Reibungen, die zwischen der Bevölkerung und den Angehörigen des Freikorps vorgekommen sind. Zwischenfälle, die zu ernsten Folgen für Freikorpsangehörige geführt hätten, hatte es bis zu meiner Abreise aus Kopenhagen nicht gegeben. Die dänischen Stellen waren von uns auf das Ernsteste gewarnt worden, daß wenn Freikorpsangehörigen etwas zustieße, dies die schwersten Folgen haben könnte.

Schlußbemerkung

Zusammenfassend ist zu sagen, daß vor dem deutschen Endsieg ein Umschwung in der inneren Haltung des dänischen Volkes nicht zu erwarten ist. Die Dänische Regierung, die sich unter den gegenwärtigen Verhältnissen der Gefahr eines Bruches mit Deutschland voll bewußt ist, wird auch in Zukunft von sich aus alles tun, um uns materiell zufrieden zu stellen. Zu einer Umstellung der dänischen Stimmung in unserem Sinne besitzt sie nicht die Fähigkeit, auch wird eine solche Umstellung durch die gegenwärtige politische Struktur des Landes gehemmt. Die Schwächung der demokratischen Machtposition ist daher mein zielbewußtes Bestreben gewesen.

Berlin, den 9. Oktober 1942,

gez. **v. Renthe-Fink**

53. Rolf Kassler an das Auswärtige Amt 9. Oktober 1942

Gauleiter og leder af Auslandsorganisation der NSDAP Ernst Bohle havde kort været i København 6. oktober, og der var i den anledning blevet afholdt et møde i Det Tyske Hus med ledere for AO der NSDAP i Danmark. Under drøftelserne opstod der en uoverensstemmelse mellem amtsleder i Bohles stab, Span, og Rolf Kassler om det tyske mindretals mulighed for at deltage i AOs arrangementer i Danmark. Span mente, at den reelt var ubegrænset, mens Kassler holdt på, at den var begrænset, og at de skulle være gæster. Kassler anmodede Helmut Triska, Amtsrat i Abteilung Deutschland, om, at Luther blev gjort opmærksom på, at AO ikke stillede sig tilfreds med den hidtidige situation (*Skagerrak*, 1:3, 1942-43, s. 2 (foto af Bohle i Kastrup ved mellemlandingen i København)).

Baggrunden for Kasslers henvendelse var, at AA 23. august 1941 havde forbudt hjemmetyskere i Europa at deltage i rigstyske arrangementer. Bohle havde flere gange forgæves anmodet om at få forbuddet ophævet både ved henvendelse til AA og til RFSS (se Bohle til AA 25. september 1941, Bohle til RFSS 13. juni 1942, Brandt til Bohle 31. juli 1942 (RA, Danica 1000, sp. 59, nr. 574.838f., 574.844-49)).

Kilde: RA, pk. 237.

Deutsche Gesandtschaft   *Kopenhagen, den 9. Oktober 1942.*
Kopenhagen
Dr. Kassler, Gesandtschaftsrat.

Lieber Pg. Triska!

Am 6. Oktober d.Js. hielt sich Gauleiter Bohle auf der Durchreise nach Oslo einige Stunden in Kopenhagen auf (worüber Staatssekretär Luther unterrichtet ist).[75] Zu seiner Begrüßung hatte die hiesige Landesgruppe die politischen Leiter im Deutschen Hause zusammengerufen. Bei dieser Gelegenheit sprach mich der zum Stabe des Gauleiters Bohle gehörende Amtsleiter Pg. Span, der volksdeutsche Angelegenheiten in der AO bearbeitet, auf die Frage der Teilnahme Volksdeutscher an reichsdeutschen Veranstaltungen an und fragte mich unter Berufung auf die zwischen Reichsleiter Bormann

---

75 Parentesens indhold er en understregning af, hvor nidkært Luther holdt øje med, hvem der rejste til Danmark. Imidlertid vedblev AA efter hans fald med politisk at vurdere det hensigtsmæssige i tilrejsende tyske lederes optræden i Danmark. Således var det en forudsætning for HSSPF og SS-Obergruppenführer Querners medvirken ved arrangementer i Nordslesvig i anledning af årsdagen for 9. november 1923, at han afholdt sig fra at tale om det tyske mindretals forhold i Danmark (Brenner til Wagner 5. november 1943. Jfr. konsul Langers tilbagemelding om Querners foredragsrejse 21. december 1943 (RA, pk. 237)).

und dem Auswärtigen Amt vereinbarten Richtlinien über Stellung und Aufgaben der Auslands-Organisation, ob nunmehr alle Volksdeutschen an reichsdeutschen Veranstaltungen teilnehmen könnten. Er bezog sich dabei im einzelnen auf die Bestimmung 5) der Richtlinien, wonach "Angehörige der Gastländer" zu reichsdeutschen Veranstaltungen mit Zustimmung des Missionschefs eingeladen werden können. Ich erwiderte ihm, daß die bisherige Regelung, nach welcher einzelne Vertreter der Volksgruppe eingeladen werden könnten, keine Änderung erfahren habe. Pg. Span erklärte daraufhin, daß ausdrücklich mit dem Auswärtigen Amt ausgemacht worden sei, daß unter dem Begriff "Angehörige der Gastländer" ganz allgemein die Volksdeutschen zu verstehen seien, worauf ich ihm nochmals entgegnete, nach den uns erteilten Weisung könne dieser Passus nicht so ausgelegt werden, daß nunmehr alle Volksdeutschen schlechthin an reichsdeutschen Veranstaltungen teilnehmen könnten. Pg. Span zeigte sich wegen dieser meiner Stellungnahme recht erstaunt und sagte, er werde sofort nach seiner Rückkehr in dieser Angelegenheit erneut an das Auswärtige Amt herantreten.

Ich wollte Ihnen diese Mitteilung, gegebenenfalls auch zur Unterrichtung von Herrn Staatssekretär Luther, gerne machen, weil daraus hervorgeht, daß die AO sich in dieser Angelegenheit anscheinend immer noch nicht zufrieden gibt und beabsichtigt, die Frage erneut aufzugreifen.

Grundlage meiner Erklärung gegenüber Pg. Span war Drahterlaß 1632 vom 26.9. d.Js.[76]

Mit herzlichen Grüßen und Heil Hitler!

Ihr

Kassler

54. Ernst Woermann: Notiz 9. Oktober 1942

Woermann indberettede, at han havde talt med diplomatiske repræsentanter for Ungarn og Italien og havde meddelt dem, at der var indtrådt en forværring i forholdet mellem Tyskland og Danmark. Hvordan det ville udvikle sig, havde han ikke udtalt sig om.

Kilde: RA, pk. 202. PKB, 13, nr. 324.

U.St.S. Pol. Nr. 631   *Berlin, den 9. Oktober 1942.*

Der Ungarische Gesandte sprach mich heute auf unser Verhältnis zu Dänemark an. Er war durch die Nachrichten aus der ausländischen Presse genau unterrichtet und fragte, ob es zutreffe, daß dabei das Antworttelegramm des Dänischen Königs und die Angelegenheit des Empfangs der dänischen Freiwilligen in Kopenhagen eine Rolle gespielt habe. Er sprach seine Mißbilligung über das Antworttelegramm des Königs aus.

Ich habe bestätigt, daß die beiden Fragen in der Angelegenheit eine Rolle gespielt haben und daß eine Verschärfung in den deutsch-dänischen Beziehungen entstanden sei, die in der Abreise der beiderseitigen Gesandten und in dem Wechsel in der Person des Militärbefehlshabers ihren Ausdruck gefunden habe.

---

76 Skrivelsen er ikke lokaliseret.

Graf Cossato und Graf della Porta hatten mich in den letzten Tagen gleichfalls wiederholt in der Frage angesprochen. Ich hatte beide auf die Besprechungen zwischen Botschafter Alfieri und Staatssekretär Freiherr von Weizsäcker hingewiesen. Graf Cossato sagte mir heute, der Botschafter habe nichts Rechtes mit nach Hause gebracht, das zu einem Bericht nach Rom verwendet werden könnte. Dazu sei schließlich auch der Italienische Gesandte in Kopenhagen da. Trotzdem wäre es für die Botschaft natürlich von Wert, genaueres zu erfahren. Ich habe die Angelegenheit mit Graf Cossato nur obenhin behandelt, dabei aber gleichfalls erwähnt, daß eine Verschlechterung der Beziehungen eingetreten sei.

Ich habe meinen Gesprächspartnern gegenüber eine Prognose für die Weiterentwicklung abgelehnt.

Woermann

55. OKW an das Auswärtige Amt, Herman von Hanneken und OKM 9. Oktober 1942

OKW meddelte, at Hitler havde besluttet, at de danske overvågningsenheder (politi og marinefartøjer) ikke skulle afløses af tyske styrker.

Spørgsmålet om bevogtningen af de danske grænser var blevet taget op af Barandon med telegram nr. 1434, 1. oktober 1942 og fulgt op af WFSt, der ønskede en opløsning af de danske bevogtningsstyrker (Grotes optegnelse 7. oktober 1942. – Poulsen 1970, s. 342).

Beslutningen om ikke at lade tyske enheder overtage bevogtningsopgaverne i Danmark var givetvis et ressourcespørgsmål, men det havde også en opbremsende virkning på telegramkrisen. Skulle krisen eskalere yderligere, ville det kræve en forøget tysk ressourceindsats i Danmark.

Kilde: BArch, Freiburg, RM 7/1187. RA, Danica 628, sp. 7, nr. 5224. RA, pk. 202 og 216.

Nur als Verschlußsache zu behandeln.

Telegramm

GWEHL, den	9. Oktober 1942	11.00 Uhr
Ankunft, den	9. Oktober 1942	17.10 Uhr

ohne Nummer   Q E D
SSD Nachr. Auswärtiges Amt,
z.Hd. Botschafter Ritter
Gltd.: Befehlsh. d.dt. Truppen in Dänemark
OKM/Skl = Nachr. Ausw. Amt z.Hd. Botschafter Ritter.
Geheime Kommandosache

Führer hat entschieden, daß eine Ablösung dänischer Überwachungskräfte durch deutsche Kräfte zum Zweck einer Verhinderung illegaler Ausreisen unterbleiben soll.
OKW/WFSt/QU (III) Nr. 003656/42 gKdos

56. Hans Clausen Korff an Christian Breyhan 9. Oktober 1942

Finansråd Korff (Oslo) anmodede ministerialråd Christian Breyhan i RFM om, at der forblev en fast repræsentant for ministeriet ved gesandtskabet i København. Franz Ebner havde telefonisk meddelt ham, at man havde tænkt sig at afskedige hans hidtidige repræsentant. Det ville besværliggøre Korffs arbejde betydeligt, hvis der ingen fast repræsentant var, der kunne samle materiale sammen og orientere ham om tingenes tilstand, når han var i København. Han anså det for en fejl at afvikle en funktion, der netop var kommet i gang og hvorfra man sandsynligvis i fremtiden skulle nyde frugterne. Korff bad om, at Breyhan støttede hans synspunkt hos AA.[77]

Korff kom ikke igennem med sit synspunkt. Se Korff til Breyhan 23. februar 1943.

Korff havde siden 1940 været fast tilknyttet både Det Tyske Gesandtskab i København og rigskommissariatet i Oslo, som ledende medarbejder i finans- og valutaspørgsmål udsendt af RFM. I København var han medarbejder i hovedafdeling III, hvor hans titel var referat for det offentlige finansvæsen. I kraft af denne dobbeltstilling rejste han til stadighed mellem Oslo og København, til han 1. december 1943 blev afskediget af Best. I sin ansættelsesperiode udarbejdede Korff løbende oversigter over Danmarks finansielle situation. Adskillige er bevaret. Korff beherskede både norsk og dansk. Han blev efterfulgt af Regierungsrat dr. Heinrich Esche, der var kommet til København fra Holland i sommeren 1943, hvilket ikke hindrede Korff i at følge udviklingen i Danmark på nært hold til foråret 1945 (BArch, R 2/287 og RA, Danica 201, pk 81, læg 1079 (kopier af Korffs oversigter over Danmarks finansielle situation 1941ff.), BArch, R 26 II/76 (Korffs finansindberetninger) og RA, Danica 201, pk. 81A (originalakter fra Korffs arkiv), BArch, R 2/351-357 (Korff-Breyhan), BArch, R 2/30515 (Breyhan betr. Dänemark), Köller 1965, s. 328, 333, Loock 1970, s. 364, Schwerin von Krosigk 1974, s. 312, Winkler 1976, s. 154, EUHK, s. 24, 103, Bohn 2000, s. 152 og passim, tillæg 4 og 5 her).[78]

Kilde: RA, Danica 50, pk. 91, læg 1255 (gennemslag).

Regierungsrat Korff   *Oslo, den 9. Oktober 1942.*
beim Bevollmächtigten des Deutschen Reiches in Kopenhagen

An den Herrn Reichsminister der Finanzen,
    z.Hd. v. Herrn Ministerialrat Dr. Breyhan,
    Berlin W. 8
    Wilhelmplatz 1/2.

Betr.: Mitarbeiter in Kopenhagen

Sehr geehrter Herr Dr. Breyhan!
Ich teilte bereits fernmündlich mit, daß MinRat Ebener beabsichtigt, meinen ständigen Mitarbeiter in Kopenhagen abzubauen. Diese Absicht geht auf verschiedene Ursachen zurück. Einmal hat eine Prüfungskommission des Auswärtigen Amtes Kopenhagen besucht und auf eine personelle Einschränkung der Dienststelle des Bevollmächtigten gedrungen. MinRat Ebner ist dabei auf ZI Jahn verfallen, weil er unbestreitbar nicht

---

77 Korff sendte samme dag et brev til Ministerialrat E.M. Wunder ved gesandtskabet i København for at opnå hans støtte med hensyn til at fastholde en stilling (RA, Danica 50, pk. 91, læg 1255 (gennemslag)).

78 Hans Clausen Korff afløste i efteråret 1940 Christian Breyhan som leder af afdelingen finanser ved Rigskommissariatet i Oslo. Breyhan vendte tilbage til RFM og blev Korffs nærmeste foresatte. Det er Bohns vurdering, at Korffs indflydelse på de norske statsfinanser til maj 1945 ikke kan overdrives (Bohn 2000, s. 152). Den samme indflydelse fik han ikke i Danmark, da der – som Esche skrev til ham 10. december 1943 – ikke var den samme situation i Danmark som i noget andet besat land. Mulighederne for at diktere denne danske administration var langt mere begrænsede, men at Korff bestemt ikke var uden indflydelse, vil fremgå (Esches brev er citeret i kommentaren til Best til AA 11. december 1943).

voll ausgelastet ist. Nach der Art der Arbeiten, die er auszuführen hat, hängt seine Belastung von der jeweiligen finanziellen Entwicklung und von meiner Anwesenheit ab. Für die Beurteilung durch einen nicht in der Sache stehenden, tritt die Arbeit von ZI Jahn zudem wenig in Erscheinung, da sie nicht in einer mehr oder weniger großen Zahl bearbeiteter Akten ihren Niederschlag findet. Ich habe mich deshalb schon immer Min-Rat Ebner gegenüber damit einverstanden erklärt, daß ZI Jahn auch andere Arbeiten übernimmt, soweit er in seinem eigenen Aufgabengebiet dadurch nicht beeinträchtigt wird. Ich habe insbesondere empfohlen, ihn in der Verbindungsstelle der Hauptverwaltung der Reichskreditkassen zu beschäftigen. Ebner war hiermit auch einverstanden. dies scheiterte jedoch an den Widerstand von Reichsbankdirektor Sattler.

Beim Bevollmächtigten ist nun noch ein Referent Vogler beschäftigt, der ebenfalls keine laufenden Sachen bearbeitet, sondern Pressereferent des Reichswirtschaftsbeauftragten ist. Er fertigt täglich Presseauszüge und gelegentlich Zusammenstellungen über Wirtschaftsfragen an. V. ist zweifellos bei weitem nicht ausgelastet. MinRat Ebner vertritt deshalb die Auffassung, daß einer von beiden überflüssig ist und wünscht naturgemäß, V. zu halten, der in stärkerem Masse als Jahn für ihn arbeitet.

Die Frage würde wahrscheinlich nicht soweit gediehen sein, wenn Reichsbankdirektor Sattler sich nicht gleichzeitig bemühen würde, einen ständigen Vertreter, wahrscheinlich einen Direktor einer Reichsbanknebenstelle, nach Kopenhagen zu bekommen. Sattler begründet dies damit, daß die Beschwerden über den unzulässigen Barverkehr der Wehrmacht überhand nehmen und er selbst nicht in der Lage sei, diese Beschwerden von Oslo aus zu bearbeiten. Dies tritt zweifellos im Augenblick zu, dürfte aber für die Zukunft kaum größere Bedeutung haben. Die Wehrmacht war bisher nicht geneigt, den Sattlerschen Bemühungen Rechnung zu tragen. Sie wird es nach dem schärferen Kurs, mit dem allen Anschein nach in Dänemark gerechnet werden muß, erst recht nicht tun.

Für mich würde der Ausfall von ZI Jahn eine wesentliche Erschwerung meiner Arbeit in Kopenhagen bedeuten, weil er mir das gesamte Material zusammenträgt und mich vor allen Dingen über den Stand der Entwicklung unterrichten kann, damit ich weiß, wann ich nach Kopenhagen kommen muß. Ich würde es für einen Fehler halten, eine Einrichtung abzubauen, die gerade angelaufen ist und deren Früchte sich wahrscheinlich erst in der Zukunft zeigen werden. Gerade im Augenblick ist die künftige Bedeutung meines Aufgabengebietes in Kopenhagen nicht zu übersehen.

Leiter ist MinRat Ebner z.Zt. auf Krankheitsurlaub, so daß ich die Frage mit ihm nicht erörtern konnte. Ich habe mich darauf beschränken müssen, mich entschieden gegen die Abberufung von ZI Jahn auszusprechen und zu bitten, die Sache auszusetzen, um die Frage mit dem Reichsfinanzministerium und alsdann mit Herrn MinRat Ebner persönlich zu erörtern.

Ich wäre Ihnen dankbar, wenn Sie von Berlin aus meinen Standpunkt beim Auswärtigen Amt unterstützen. In diesem Zusammenhang wäre auch erneut zu prüfen, ob nicht eine stärkere Einschaltung in die Arbeit der Verbindungsstelle möglich ist, die bisher an den Widerstand von Reichsbankdirektor Sattler gescheitert ist. Die Einzelheiten dieser Frage möchte ich bei meiner nächsten Anwesenheit in Berlin mit Ihnen erörtern.

Heil Hitler!

[uden underskrift]

57. Kriegstagebuch/Seekriegsleitung 9. Oktober 1942

Hitler havde meddelt Kriegsmarines repræsentant ved førerhovedkvarteret, at han ikke havde til hensigt at skærpe situationen i Danmark. Der skulle alene ske en udskiftning, der betød, at der kom ubundne personligheder til. Kriegsmarine skulle ikke foretage sig noget særligt. Som en opfølgning til Hitlers tidligere stillingtagen virkede det, at OKW allerede havde opfordret RSHA til at deltage i de af værnemagtsafdelingerne allerede pålagte sikringsforanstaltninger i det danske område. Sådanne foranstaltninger var i øvrigt aldrig blevet bekendtgjort for Kriegsmarine.

    Kilde: KTB/Skl 9. oktober 1942.

9.10.42

Lagebesprechung beim Chef Skl.

1.) Zur Lage in Dänemark hat ständiger Vertreter des Ob. d.W. im Führerhauptquartier mitgeteilt, daß er dem Führer die von der Skl übermittelten Gesichtspunkte im Hilfseinsatz der dänischen Marine vorgetragen hat. Der Führer hat bei dieser Gelegenheit bemerkt, daß er nicht die Absicht habe, die Lage zu verschärfen. Der durchgeführte Personalwechsel bedeute nur den Einsatz ungebundener Persönlichkeiten. Örtliche Maßnahmen seitens der Kriegsmarine sind nicht erforderlich.
Als Nachläufer zu dieser Stellungnahme des Führers wirkt es, wenn OKW / L Sicherheitshauptamt zur Beteiligung an den den Wehrmachtteilen bereits auferlegten Sicherungsmaßnahmen im dänischen Raum auffordert. Im übrigen sind der Kriegsmarine derartige Maßnahmen wohl angekündigt, aber niemals bekanntgegeben worden.

[...]

58. Abwehrstelle Dänemark an Hermann von Hanneken 9. Oktober 1942

I anledning af at det var lykkedes fængslede medlemmer af drengesabotagegruppen Churchillklubben i Ålborg at fortsætte sabotageaktiviteten, klagede lederen af Abwehr i Danmark, A.A.F. Howoldt, til von Hanneken over de skandaløse forhold, hvorunder strafafsoningen fandt sted. Howoldt havde dagen før drøftet forholdene med Paul Kanstein, der ville rette henvendelse til det danske justitsministerium. Sluttelig gjorde Howoldt opmærksom på den spionagedømte danske flyverofficer T.P.A. Ørums strafafsoning.

    Kilde: PKB, 13, nr. 326.

Geheim.   *Kopenhagen, den 9.10.1942*

Abwehrstelle Dänemark
Nr. 5150/42/III C1g

Betr.: Unzulängliche Unterbringung von abgeurteilten Saboteuren in dänischen Gefängnissen.

An den
    Befehlshaber der Deutschen Truppen in Dänemark
    z.Hd. d. Chefs des Stabes
    Herrn Oberstleutnant i[m] G[eneralstab] Graf v. Brandenstein-Zeppelin
    Kopenhagen.

Am 7.10.42 ging von der Abwehrnebenstelle Aarhus hier folgendes Fernschreiben ein:

"Nach. tel. Mitteilung der dänischen Sicherheitspolizei in Aalborg sind als Täter der o.g. Sabotage ermittelt worden, die als Mitglieder der "Churchill-Bande" am 11.6.42 zu 5 Jahren bezw. 4½ Jahren verurteilten Knud Andersen-Hornbo, geb. 11.8.16 und Alf Houlberg, geb. 9.10.21 in Frederikshavn.

Sie haben unter Mithilfe des Vaters und des Bruders des Houlberg ca. 10 Mal auf 2-3 Stunden das Gefängnis verlassen und Sabotage verübt.

Vater und Bruder Houlberg sind verhaftet und im Stadtgefängnis Kopenhagen.

Hornbo und Houlberg befinden sich jetzt im Gefängnis Nibe."

Nach Ansicht der Abwehrstelle handelt es sich hier um eine geradezu skandalöse Durchführung von Strafverbüßungen. Es erscheint angebracht, mit den schärfsten Mitteln durch den Bevollmächtigten des Deutschen Reiches – Beauftragter für Fragen der Inneren Verwaltung – bei dem dänischen Justizministerium eine sofortige grundlegende Änderung in der Durchführung der Strafverbüßungen von Saboteuren und sonstigen Personen, die sich gegen die deutsche Wehrmacht vergangen haben, zu fordern.

Im vorliegenden Falle wird vorgeschlagen, die beiden Hornbo und die beiden Houlberg sofort in deutsche Gerichtsverwahrung zu nehmen und sie nach Deutschland überführen zu lassen zur Verbüßung ihrer Strafe.

Der Leiter der Abwehrstelle hat am 8.10.42 mit dem Beauftragten für Fragen der Inneren Verwaltung über diese Angelegenheit gesprochen; sie war dort bereits seit etwa 8 Tagen bekannt. Der Beauftragte für Fragen der Inneren Verwaltung gab zu erkennen, daß von seiner Seite aus in dieser Angelegenheit bereits mit dem dänischen Justizministerium verhandelt wird. Die Forderungen, die von dieser Seite gestellt worden sind, sind mir nicht bekannt.

Die Abwehrstelle macht bei dieser Gelegenheit auf die Strafverbüßung des Oberstleutnant Örum und Anhang aufmerksam. Unter Zugrundelegung der heutigen Verhältnisse ist auch hier eine Änderung in der Art der Durchführung der Strafverbüßung dringend notwendig.

Howoldt

59. Cecil von Renthe-Fink: Aufzeichnung 9. Oktober 1942

Renthe-Fink blev af AA forelagt nogle bemærkninger, som den italienske gesandt Giuseppe Sapuppo i København skulle være fremkommet med. Han startede med at fastslå, at gesandten ikke var kommet med antityske udtalelser og var tro mod aksemagterne, men at han havde en hustru, der var halv- eller kvartjøde, og det var Renthe-Finks fornemmelse, at han ikke stod tyskerne nær. En heroisk livsopfattelse var gesandten fremmed, og så var han kendt for at være politisk sladdervorn. Sapuppo kunne have udtalt sig som anført.

Se endvidere Werner Bests telegram nr. 1882, 17. december 1942.

Kilde: RA, pk. 305.

Aufzeichnung

Antideutsche Äußerungen des Italienischen Gesandten Sapuppo in Dänemark sind mir während meiner Zeit in Kopenhagen nicht zu Ohren gekommen. Uns gegenüber hat sich Herr Sapuppo stets den Anschein der Achsentreue gegeben. Trotzdem ist mein

Gefühl gewesen, daß uns Herr Sapuppo, dessen Frau eine Halb- oder Vierteljüdin ist, innerlich nicht besonders nahe steht. Heroische Lebensauffassung ist Herrn Sapuppo fremd. Im übrigen ist er in Kopenhagen durch seine politische Klatschsucht bekannt.

Es ist wohl möglich, daß Herr Sapuppo ähnliche Bemerkungen wie die ihm zugeschriebenen gemacht hat.

Berlin, den 9. Oktober 1942.

gez. **v. Renthe-Fink**

60. Martin Luther an Emil von Rintelen 9. Oktober 1942

Luther skildrede for Rintelen, hvordan Rademacher ved et tilfælde havde fundet ud af, at professor Höfler skulle på en særopgave for RFSS til Danmark, skønt der tidligere var angivet ansøgning fra Rigsministeriet for Videnskab om at han skulle på en forskningsrejse. Særopgaven gik ud på at udarbejde en betænkning om den kulturpolitiske situation i Skandinavien til forelæggelse af RFSS i førerhovedkvarteret. Betænkningen skulle være en forberedelse til politiske foranstaltninger til bekæmpelse af fjendtlig propaganda og modstandsarbejde, og blev betegnet som krigsvigtig. For Luther viste det, at RSHA ikke spillede fair over for AA, når det arbejdede i den udenrigspolitiske sektor uden at orientere AA eller at afstemme det med AA. Under et skalkeskjul skulle der udføres en højpolitisk særopgave, hvorefter AA kunne undres over, hvorfra de forskelligste informationer fra oven kom fra. Luther ønskede sagen med tilhørende akter forelagt Ribbentrop, og han anså det for nødvendigt, at Ribbentrop tog den op selv med RFSS i førerhovedkvarteret. Luther regnede ikke med at få noget ud af en henvendelse til RSHA (Jakubowski-Tiessen 1998, s. 282f. med ref. til AA-akter i IfZ).

Ribbentrops reaktion er ikke kendt, men sagen blev ikke taget op direkte med RFSS i førerhovedkvarteret. En sådan rækkevidde fandt ledelsen i AA trods alt ikke, at sagen havde. I stedet fik Luther påfølgende tilladelse til at skrive direkte til RSHA i sagen 21. oktober (brevet er ikke lokaliseret), og han fik svar derfra godt en måned senere, 24. november 1942, trykt nedenfor.

Kilde: RA, pk. 234.

Ust.S.-D.-Nr.6948   *Berlin, den 9. Oktober 1942*

Persönlich – Eigenhändig

Sofort!   Geheim!

Mitteilung für Herrn Gesandten v. Rintelen

Betr.: Reise des Prof. Höfler, München nach Dänemark.

Mit Schnellbrief vom 15. September 1942 beantragte der Reichsminister für Wissenschaft, Erziehung und Volksbildung Ausreisegenehmigung für den Prof. Dr. Höfler nach Dänemark auf 6 Wochen. Höfler beabsichtige, sich mit der Durcharbeitung von sonst unerreichbaren Materialen in Kopenhagener Bibliotheken zu beschäftigen. Die Ausreisegenehmigung wurde von der Abteilung Kult befürwortet und sollte erteilt werden. Durch Zufall erfuhr mein Referatsleiter D III, LR Rademacher nun, daß Prof. Höfler einen Sonderauftrag des Reichsführers-SS in Dänemark durchzuführen habe. Höfler bestätigte dies auf Anfrage, woraufhin veranlaßt wurde, einen entsprechenden Reiseantrag durch das Reichssicherheitshauptamt zu stellen. Diesen Antrag füge ich zusammen mit den übrigen Akten in der Anlage mit der Bitte um Vorlage bei dem Herrn RAM bei. Es hat sich herausgestellt, daß das Reichssicherheitshauptamt bereits am 29. September dem Prof. Höfler "zur Vorlage bei der Wehrüberwachungsbehörde" eine Bescheinigung des Inhalts ausgestellt hat, daß Höfler anläßlich seines Studienaufenthalts in Dänemark eine Denkschrift über die kulturpolitische Lage in Skandinavien fertigzustellen hat, die dem Reichsführer-SS im Führerhauptquartier vorgelegt werden soll.

Da die Denkschrift zur Vorbereitung politischer Maßnahmen zur Bekämpfung der gegnerischen Propaganda und Widerstandsarbeit in den Skandinavischen Ländern benötigt wird, ist sie als kriegswichtig bezeichnet worden.

Ich bitte Sie darum, diese mehr als merkwürdige Angelegenheit dem Herrn RAM vorzulegen. Sie zeigt wiederum zur Genüge deutlich, daß das Reichssicherheitshauptamt mit uns ein recht unfaires Spiel treibt, daß es nach wie vor auf dem außenpolitischen Sektor tätig ist, ohne das Auswärtige Amt von dieser Tätigkeit in Kenntnis zu setzen, oder diese mit dem Amt abzustimmen. Unter dem Deckmantel eines harmlosen Forschungsreisenden werden Beauftragte des Reichsführers mit hochpolitischen Sonderaufträgen in die Welt geschickt und wir wundern uns später dann darüber, woher die verschiedensten Informationen nach oben kommen.

Ich glaube, daß es notwendig sein wird, daß diese Angelegenheit im Feldquartier selbst mit dem Reichsführer-SS aufgenommen wird, da ich mir nichts davon verspreche, wenn ich von mir aus das Reichssicherheitshauptamt um eine Aufklärung ersuche. Im übrigen glaube ich, daß diese Angelegenheit von derartiger Tragweite ist, daß sie von dem Herrn RAM selbst aufgenommen werden muß.

Luther

61. Paul Barandon an das Auswärtige Amt 10. Oktober 1942
Barandon viderebragte et stemningsbillede af situationen i Danmark og gengav en række rygter og forlydender om den kommende danske regeringsdannelse. Der var politisk usikkerhed, men livet gik fuldstændigt roligt videre.
    Kilde: PA/AA R 29.566. PKB, 13, nr. 327.

Telegramm

| Kopenhagen, den | 10. Oktober 1942 | 18.25 Uhr |
| Ankunft, den | 10. Oktober 1942 | 19.00 Uhr |

Nr. 1495 vom 10.10.[42.]

Unter Bezugnahme auf Drahtbericht Nr. 1434[79] vom 1.10.42.

Gerüchtemacherei um politische Lage Dänemarks, die sich zu Krisenbeginn in großem Ausmaß entwickelte und in deren Mittelpunkt Befürchtung einer Einrichtung Reichskommissariats und Protektorats stand, ist inzwischen leicht abgeebbt. Trotzdem

---

79 Pol VI. Trykt ovenfor.

wird Lage weiter stark diskutiert. Deutsche Kommentare zu Buhl-Rede sind als Zeichen dafür aufgefaßt worden, daß Haltung deutschen Reichs gegenüber Dänemark sich jedenfalls nicht weiter verschärft hat; man steht auf Standpunkt, daß man abwarten müsse, was von deutscher Seite komme.[80] Man befürchtet allerdings, daß längerer Interimszustand doch Boden für Entwicklung in Richtung zu Reichskommissariat oder Protektorat abgeben könnte,[81] weiß aber nicht, was dänischerseits geschehen könnte, um dieser Entwicklung vorzubeugen. Trotz verbreiteter Mutmaßung über Regierungsumbildung und Schaffung neuen Kabinetts Scavenius, Gunnar Larsen oder Knutzen scheint Regierung selbst sich mit diesem Gedanken jedenfalls zur Zeit nicht ernstlich zu beschäftigen, da sie davon ausgeht, daß derartige Umbildung, solange deutsche Antwort auf dänische Erklärung vom 30. September aussteht, schon aus formalen Gründen nicht möglich ist.[82] Dagegen wird offenbar in verantwortlichen dänischen Kreisen Notwendigkeit neuer deutschem Interesse entgegenkommender Gesetzes- und Verwaltungsmaßnahmen erörtert. Bezüglich Stellung des Königs wird allgemein angenommen, daß er bestrebt ist, sich um Tradition willen zu halten. Nervosität in Kreisen dänischen Militärs, die offenbar auf Vermutung eines von Clausen mit Hilfe Freikorps geplanten Putsches beruht und vorübergehend Vorsichtsmaßnahmen in dänischen Kasernen zur Folge hatte, hat sich gelegt und ist ruhigerer Betrachtung der Lage gewichen. – Leben in Kopenhagen und übrigem Dänemark verläuft völlig ruhig, Straßenbild ist normal. Zu demonstrativen Aufläufen oder ähnlichem ist es nirgends gekommen.

Barandon

62. RSHA: Vermerk 10. Oktober 1942

RSHA registrerede og arkiverede en stemningsberetning fra Danmark afgivet af en tysk forretningsmand, der havde boet 13 år i København. Han vurderede, at danskerne ville afholde sig fra aktiv modstand, men være lydhøre for den antityske propaganda.

Som det fremgår af 3.), så blev der indsamlet et betydeligt stemningsberetningsmateriale i RSHA fra Danmark, som fra andre besatte lande. Der er kun brudstykker som det her gengivne, bevaret.

Kilde: RA, Danica 1069, sp. 7, nr. 8762.

IV A 1 a   *Berlin, den 10. Oktober 1942.*

                            Abschrift

Referat B – 389/42 g –   *Hamburg, 30. September 1942.*

Ein seit 13 Jahren in Kopenhagen lebender deutscher Kaufmann gibt folgenden ersten Stimmungsbericht aus Dänemark:

Die kommunistische Partei, die in dem bisherigen politischen Leben des Landes

---

80 Der henvises til statsminister Vilh. Buhls antisabotagetale 2. september.

81 Det var særligt Frits Clausen, der luftede bekymringen for indførelsen af et tysk protektorat i Danmark for at fremme sine egne muligheder.

82 Der var den 29. september blev afleveret en note til AA, hvori Christian 10. beklagede misopfattelsen af sit takketelegram til Hitler og tilbød at sende kronprinsen til føreren for at fjerne den opståede misstemning. Noten blev aldrig besvaret (Sjøqvist, 2, 1973, s. 204f.).

kaum eine nennenswerte Rolle gespielt hat, ist natürlich verboten, daß jetzt einzelne kommunistische Gruppen sich mit anderen politischen Gruppen finden und auf aktive Sabotage oder ähnliches sinnen, ist wahrscheinlich; aber ganz allgemein gesehen, wird das dänische Volk sich von offener, aktiver Konspiration fernhalten und sich mit geistiger Ablehnung und passivem Abwarten und dem Kitzel der antideutschen Propaganda im Radio und in der Schrift begnügen. Nebenbei bemerkt, die antideutsche Literatur der 30er Jahre ist von den Bibliotheken nicht zurückgezogen worden.[83] Man findet auch heute noch Artikel, Lebensbeschreibungen, Nachrufe in der bürgerlichen Presse über Männer der Wissenschaft und Kunst, deren demokratisches Wirken gerühmt wird, wobei oft ihre jüdische Abstammung der Allgemeinheit bekannt ist.

Es gibt jedoch trotz allem Gesagten auch einige Dänen, die sich zu dem deutschen Standpunkt bekennen und diesen vertreten; sie sind jedoch so vereinzelt, daß z.B. die dänische nationalsozialistische Partei seit der Besetzung kaum größere Fortschritte gemacht hat. Der bisherige friedliche, behäbige dänische Lebensstandard war auch ein schlechter Nährboden für totalitäre politische Richtungen.

2.) Originalvorgang wurde über IV B 1 – IV B 2 an IV D 4 geleitet.
3.) Zu den Akten Dänemark: Lage- und Stimmungsberichte Bd. 4.

63. Kriegstagebuch/Seekriegsleitung 10. Oktober 1942

På von Hannekens forespørgsel hos OKW, om det var nødvendigt med en ændret overvågningsorganisation i farvandet mellem Sjælland og Sverige for at hindre illegal udrejse, var Hitlers svar, at de danske overvågningsstyrker ikke skulle erstattes af tyske. Der var ikke grund til at tro, at den danske marine ville begå uoverlagte handlinger.

Von Hanneken havde trods de forudgående dages meldinger søgt at få en skærpet situation etableret i forventning om, at det var Hitlers ønske. Det havde han ikke fået.

Kilde: RA, Danica 628, sp. 7, nr. 5225 (afskrift af fjernskrivermeddelelsen). BArch, Freiburg, RM 7/1187. KTB/Skl 10. oktober 1942 (ordret afskrift af meddelelsen).

[…]

10.10.42.

Gruppe Nord übermittelt folgende Meldung des Marbef. Dänemark:
1.) "Auf Anfrage des Trubef. Dän. beim OKW, ob Änderung bisheriger Überwachungsorganisation in Gewässern zwischen Seeland und Schweden notwendig, hat Führer entschieden, daß eine Ablösung dänischer Überwachungskräfte durch deutsche Kräfte zum Zweck einer Verhinderung illegaler Ausreisen unterbleiben soll.
2.) Auf Grund ruhiger Beurteilung hiesiger Lage ist vorläufig nicht anzunehmen, daß seitens dänischer Marine unüberlegte Handlungen zu erwarten."
Entspricht der bereits von ständ. Vertreter des Ob. d.M. im F.Hpt.Qu. gemeldeten Auffassung des Führers.
[…]

83 Gennem en artikel i *Fædrelandet* 8. december 1942 blev den af nazisten, bibliotekar Arne Hansen gjort opmærksom på dette. Det blev også noteret i RSHA 22. februar 1943 med en fuldstændig oversættelse af avisartiklen (RA, Danica 1069, sp. 7, nr. 8016f.).

64. Paul Barandon an das Auswärtige Amt 11. Oktober 1942

Barandon videresendte et memorandum, som Frits Clausen havde udarbejdet. Clausen ønskede at udnytte telegramkrisen til at opnå nazistisk deltagelse i en kommende ny dansk regering. Barandon kommenterede ikke selv memorandummet, men bad om AAs holdning.

Da den ikke forelå fire dage senere, fremsendte Barandon 15. oktober sin egen opfattelse.

Kilde: PA/AA R 29.566. PA/AA Nachlässe Renthe-Fink, bd. 6. RA, pk. 202. PKB, 13, nr. 328. *Føreren har ordet!* 2003, s. 714-717 (på dansk).

Telegramm

| Kopenhagen, den | 11. Oktober 1942 | 20.45 Uhr |
| Ankunft, den | 11. Oktober 1942 | 22.55 Uhr |

Nr. 1497 vom 11.10.[42.]   Citissime!

Im Anschluß an Drahtbericht Nr. 1495[84] vom 10. Oktober 42.

Parteiführer dänischer Nationalsozialisten Clausen hat mich heute aufgesucht, und mir Memorandum zur Lage überreicht. Clausen hat mich gebeten, in Anbetracht jetziger für seine Partei drückender Situation, dafür Sorge zu tragen, daß sein mir vorgetragener Standpunkt baldmöglichst maßgebenden Stellen des Reichs bekannt wird. Nachstehend folgt wesentlicher Inhalt Memorandums:

"Wenn DNSAP auch nach außen von entstandener Situation unberührt sei und sich in ersten Tagen entsprechend verhalten habe, so könne es auf die Dauer nicht vermieden werden, daß jetzige unklare Lage für Partei nachteilige Auswirkungen habe. Trotz strengen Parteibefehls gegen jegliche Befassung mit Gerüchten und Kombinationen hätte starke Beunruhigung nicht vermieden werden können.

Jetzige Regierung würde nichts tun, um von sich aus Änderung bisheriger politischer Verhältnisse herbeizuführen. Man warte deutsche Antwort auf in Berlin durch dänischen Geschäftsträger überreichte Erklärung ab. Gewisse Änderungen durch Einführung neuer oder verschärfter Gesetze seien zwar diskutiert, aber wieder ad acta gelegt worden, weil man, wie man sage, nicht wisse, ob solche Änderungen deutscher Seite genehm sein würden. Dem König gebe man Schuld für jetziges Dilemma, weil er mit Königin bekanntes Antworttelegramm an den Führer verfaßt habe, ohne Regierung zu beteiligen. König hätte wissen müssen, daß solches Telegramm ein Staatsakt sei, es sei dafür Sorge getragen, daß so etwas in Zukunft nicht mehr geschähe. Bei dieser Diskussion übersähe System Regierung geflissentlich durch bisherige Politik geschaffene zahlreiche Reibungsflächen mit Deutschland.

Clausen ging in folgenden, besonders auf Gerüchte, vermutlich deutscher Quelle ein, die in ganz Dänemark kursieren. Bei deutschem Erntedankfest in Kopenhagen sei in offizieller Rede seinen Informationen nach, geäußert worden, daß in Dänemark bald ein anderer Wind wehen würde und daß sich 100 Millionen Volk auf die Dauer nicht bieten lassen könne, von 4 Millionen-Volk herausgefordert zu werden. Diese und Äußerungen deutscher Militärpersonen hätten Eindruck entstehen lassen, daß Deutschland

84 bei Pol VI. Trykt ovenfor.

an Entsendung Reichskommissars oder Reichsprotektors für Dänemark dächte. Lange Schweigepause werde mit angeblicher Vorbereitung dieser Aktion in Zusammenhang gebracht. Deutsche Kreise in Norwegen hätten sich angeblich über geplante einheitliche Administrationsgebiete Dänemark-Norwegen durch Reichskommissar Terboven geäußert. Aus Äußerungen schwedischer Presse sei ähnliches entnommen worden.

Solche Perspektiven, äußerte Clausen, wirkten besonders beunruhigend auf Partei. Sie würden als bedrohliche Anzeichen aufgefaßt, daß bisherige dänisch-nationalsozialistische Linie im Zuge weiterer Entwicklung völlig Schiffbruch erleiden könne. Als Parteiführer dänischer Nationalsozialisten stehe er, Clausen, selbstverständlich voll und ganz auf Boden engster Zusammenarbeit mit Deutschland. Dies täte er bereits seit 1930, also 3 Jahre vor nationalsozialistischer Machtübernahme in Deutschland. Er verträte also eine ehrlich gewachsene und durch die Jahre stärksten innerpolitischen Widerstandes gefestigte Idee und keine Konjunkturidee. Im Herbst 1940 habe er zum ersten Male Einladung in Deutsche Gesandtschaft erhalten. Er betone dieses, um unabhängig klare Einstellung seiner Partei zu Deutschland zu unterstreichen. Es sei von jeher seine Überzeugung gewesen, daß Zukunft Dänemarks sich nur auf Grundlage der mit Deutschland gemeinsamen nationalsozialistischen Ideologie gestalten könne. In der Zwischenzeit habe er Entwicklung Verhältnisse, besonders in Norwegen und Niederlanden aufmerksam verfolgt, wobei für ihn nicht übersehen werden könnte, daß oft schwierige Situation dieser Gebiete seiner Partei Weg ins dänische Volk verbauten. Auch jetzige Maßnahmen in Norwegen wirkten nicht sehr ermunternd. Er verstehe aber, daß Deutschland auf keinen Fall dulden könne, daß seine militärische Nordflanke gegen England durch Sabotagen und andere englische Einflüsse unterwühlt würde. Genau so sähe er auch Problem seines Landes. Frucht bisheriger Haltung Regierung sei allgemeine deutschfeindliche Stimmung Bevölkerung, für die keine Einzelbeweise erforderlich. Er, Clausen, habe diese seit 1940 immer wieder deutschen Kreisen vorausgesagt, weil aus Zusammenarbeit mit aus 4 demokratischen Parteien gebildeter Regierung nichts anderes herauskommen konnte. Wenn erwähnte Sammlungsparteien ihren demokratischen Charakter bewahren wollten, hätten sie stimmungsmäßige Widerstandsfront Bevölkerung gegen deutsche Bestrebungen enger Zusammenarbeit schaffen müssen, um unter Berufung auf Einstellung ihrer Wähler für sie gefährliche deutsche Wünsche abwehren zu können. Die Taktik habe man in der Hoffnung angewandt, abwehrende Bevölkerungsstimmung gegen Deutschland stets unter Kontrolle halten zu können, es habe sich aber mit der Zeit Widerstandsfront mit kommunistischen und anglophilen Schwerpunkten herausgebildet, die gefährliches Aussehen gewonnen habe. Dennoch glaube er, Clausen, daß nicht alles hoffnungslos verfahren sei. Sowohl in Arbeiterschaft wie unter Bauern gebe es weitverbreitete deutsche Sympathien. Demokratische Sammlungsfront halte diese jedoch weitgehend in Schach. Er habe aber feste Überzeugung, daß dänisches Volk überwiegend zu Bejahung neuer Zeit unter Deutschlands Führung gebracht werden könne, ohne daß annähernd solche Widerstände wie in Norwegen oder Holland entstünden. Allerdings müsse dänischen Menschen Möglichkeit gegeben werden, seine Form selbst zu gestalten. Es sei daher immer sein Bestreben gewesen, durch seinen Einsatz für nationalsozialistische Idee eines Tages Beweis zu liefern, daß Dänemark aus sich heraus Weg zur neuen Zeit gefunden habe. Obwohl Besatzung vieles erschwert habe, besonders weil unbeirrte Proklamierung engster Zusammenarbeit mit deutscher besitzender Macht[85] durch Partei von weiten Kreisen Bevölkerung mißverstanden wurde, beweise große Zahl dänischer nationalsozialistischer Freiwilliger an Ostfront, wie tief der Geist wurzele. Wenn es Partei möglich sei, zu jeder Zeit in Kopenhagen Massenversammlung mit über 10.000 Teilnehmern zu veranstalten, sei dieses nicht zuletzt darauf zurückzuführen, daß man Auffassung habe, sich für etwas Eigenes einzusetzen. Wenn sich somit Gerüchte Protektorates als zutreffend erweisen würden, käme es zur Sprengung, sowohl DNSAP als auch Bauernorganisation LS, weil sie diese einfach nicht ertragen könnten. Mit solcher Lösung wäre auch nach seiner Ansicht englischen Wünschen völlig in die Hand gearbeitet, die fortdauernd zur Sabotage aufriefen, um deutsche Exekutive herauszufordern.

Bezüglich Bestrebungen vereinzelter dänischer Kreise, Geschäftsministerium zu bilden, äußerte Clausen, daß Interessenten mit geringen Ausnahmen Personen seien, die bisher Mantel auf beiden Schultern getragen hätten. Wenn sie sich auf freundlichere Stimmung Bevölkerung gegen sie beriefen, so sei dies auf Umstand zurückzuführen, daß sie nie klar Farbe bekannt hätten. Vor 8 Tagen habe er selbst mit Gedanken Übergangslösung gespielt. Heute habe er Auffassung, daß es falsch sei, "Leute mit politischem Vertrauen zu belohnen, die einen halben Standpunkt als Empfehlung benützen. Betreffende Personen (offenbar meint Clausen Leute wie Graf Holstein, Prof. Vinding Kruse, Helmer Rosting usw.) seien auch nur Namen, aber keine Begriffe für das Volk. Während Partei unter Boykott und Verfolgung im eigenen Lande Bluteinsatz an Ostfront geleistet habe, hätten die erwähnten Leute von politischen Schöngeistereien gelebt. Mit ihnen könne man keine Zeit gestalten. Er trete daher dafür ein, daß man, wenn man deutscherseits an Fortführung Zusammenarbeit unter Wahrung dänischer Souveränität denke, dänischen Nationalsozialisten die Chance gebe, ihr Volk auf die richtige Bahn zu führen. Er wisse genau, daß Zeitpunkt für Übernahme Verantwortung nicht günstig sei. Harter Winter stünde vor der Tür. Bei Mangel wichtiger Rohstoffe, besonders Kohle, seien Arbeitslosigkeit, leere Fabrikräume und kalte Wohnungen zu erwarten. Alles dieses fordere große Opfer und Vernunft seitens Bevölkerung. Vernunft aber könne man nur erwarten, wenn man Bevölkerung bewußt feste Geisteshaltung anerziehe. Diese könne nicht anders als nationalsozialistische sein. Er glaube aber ebenso fest an glückliche Durchsetzung nationalsozialistischen Geistes in Dänemark, wie er auf militärischen Sieg Deutschlands und damit Europas baue."
Schluß des Memorandums.

Obwohl Regierung zur Zeit nicht an Rücktritt zu denken scheint, wird ungeachtet der Bestrebungen Clausens doch um Weisung gebeten, ob und in welcher Richtung von hier aus Einfluß genommen werden soll.

Barandon

---

85 PKB-note: 'Formentlig skrivefejl for "besetzender Macht".'

65. Ernst von Weizsäcker an Joachim von Ribbentrop [12.] Oktober 1942

Weizsäcker forelagde Ribbentrop Barandons telegram af 11. oktober med den indstilling, at en nazistisk regeringsovertagelse slet ikke var aktuel, og at nærmere anvisninger først skulle gives efter udnævnelse af en ny rigsbefuldmægtiget (Poulsen 1970, s. 345).

Kilde: PA/AA R 29.566. RA, pk. 202. PKB, 13, nr. 329.

Reinkonzept. Berlin, den Oktober 1942.
zu Pol VI 7218 g

St.S.
U.St.S. Pol.
Dg.Pol.

F e r n s c h r e i b e n
über Büro RAM

Zum Drahtbericht Nr. 1497 vom 11.10.[86] aus Kopenhagen, betreffend das Memorandum des Parteiführers der dänischen Nationalsozialisten Clausen ist folgendes zu Bemerken:

Bis vor kurzem hat Clausen, wie er selbst in dem Memorandum bemerkt, auf dem Standpunkt gestanden, daß eine Machtübernahme durch die dänischen Nationalsozialisten zur Zeit noch nicht in Frage kommen könne. Jetzt hat er Position gewechselt. Clausen scheint zu befürchten, daß die Entsendung eines Reichskommissars oder Reichsprotektors bevorsteht. Für einen solchen Fall sieht er eine Sprengung der DNSAP und auch der Bauernorganisation LS voraus.

Clausen sagt in seinem Memorandum, daß er im jetzigen Augenblick die Wahrung der dänischen Souveränität als Voraussetzung für die Machtübernahme durch die dänischen Nationalsozialisten ansehe. Ich bin jedoch der Ansicht, daß die Frage der Machtübernahme durch Clausen sich zur Zeit gar nicht stellt. Ich würde die Machtübernahme für verfrüht und für einen Fehler halten.

Die von dem Geschäftsträger, Gesandten Barandon, erbetene Weisung, ob und in welcher Richtung von hier aus auf die Frage eines eventuellen Rücktritts der Dänischen Regierung Einfluß genommen werden soll, wird erst nach der Ernennung des neuen Bevollmächtigten im Sinn der diesem dann zu erteilenden Richtlinien erfolgen können.

Hiermit dem Herrn Reichsaußenminister.

gez. **Weizsäcker**

66. Paul Barandon an das Auswärtige Amt 12. Oktober 1942

Barandon og Kanstein orienterede om oprulningen af den illegale organisation omkring bladet *De frie Danske*, og at de illegale kredses hemmelige radioforbindelse med England i det mindste for en tid skulle være afbrudt. Det blev understreget, at dansk politi på bedste vis havde hjulpet ved opklaringen.

Kilde: RA, pk. 231.

86 Trykt ovenfor.

Telegramm

Kopenhagen, den   12. Oktober 1942   18.00 Uhr
Ankunft, den   12. Oktober 1942   19.10 Uhr

Nr. 1499 vom 12.10.42.

Im Anschluß an Telegramm vom 21.[9.42.] Nr. 1376.[87]

Am 6. Oktober ist es gelungen, den Gründer des Hetzblattes von "Det frie Danske" und seinen ersten Redakteur dingfest zu machen.[88] Die Zeitschrift ist bis Nr. 7 von diesen Personen hergestellt worden.[89] Ab Nr. 7 kam sie in die Hand einer Gruppe Hammer, die sie wiederum in engen Kontakt mit englischen Geheimsendern brachte. Ein gewisser Mogens Hammer war vermutlich der Leiter des englischen Geheimsendewesens in Dänemark.[90] Er war dem seinerzeit nach der Affäre Christmas Möller bekannt gewordenen Börg Johannsen unterstellt.[91] Im ganzen sind bis jetzt 8 führende Köpfe dieser Organisation festgenommen worden. Das Haupt der Organisation Hammer und noch 2 oder 3 Mithelfer sind noch in Dänemark flüchtig. Gruppe hat versucht, nach Schweden zu entkommen, was in wirksamer, enger Zusammenarbeit mit dänischer Polizei bisher verhindert werden konnte.[92] Es besteht durchaus Aussicht, den Haupttäter baldmöglichst zu fassen. Durch unsere bisherigen Eingriffe ist gesamtes englisches Geheimnachrichtennetz in Dänemark wenigstens vorläufig zerschlagen worden. Das zeigt sich bereits darin, das die Londoner Sender die bis vor kurzem ausgezeichnet informiert waren, über die augenblickliche Krise in Dänemark völlig desorientiert sind.

Hinsichtlich der Mitarbeit der dänischen Polizei in diesem ganzen Fragenkomplex muß anerkannt werden, daß die Polizei loyal ist, tatkräftig mitarbeitet und daß ihr der große Erfolg der letzten Zeit mit zu verdanken ist.

Weiterer Bericht vorbehalten.

Kanstein
Barandon

67. Ernst von Weizsäcker: Notiz 12. Oktober 1942

Weizsäcker havde fra dansk side fået underretning om, at der ved et frikorpsmøde var blevet talt om, at Frikorps Danmark ville stille sig til rådighed for en omvæltning, som kunne være planlagt i Danmark. Der var lovet mere materiale i sagen.

Kilde: PA/AA R 29.566. RA, pk. 202, 211 og 216. PKB, 13, nr. 334.

---

87 Bei Pol VI. Telegrammet er ikke lokaliseret.

88 *De frie Danske* udkom fra december 1941 med et nummer om måneden.

89 Gilbert Nielsen og Cajus Johansen (PKB, 7, s. 246, Birkelund 2000, s. 38f.).

90 For tysk politis bestræbelser på at få fat i SOE-agenten Mogens Hammer, se PKB, 7, s. 256f.

91 Eigil Borch Johansen var en af SOEs vigtigste kontaktmænd i Danmark 1941-42 og havde medvirket ved John Christmas Møllers flugt.

92 Det var lykkedes Mogens Hammer og Borch Johansen at flygte til Sverige allerede i september 1942.

St.S. No. 608.   *Berlin, den 12. Oktober 1942.*

Der Dänische Geschäftsträger sagte mir heute, seitens des Freikorps Dänemark seien bei irgendeinem Zusammensein Radioreden gehalten worden. Bei einer solchen Rede habe sich, wenn man dem Sprecher folge, das Freikorps für einen Umsturz zur Verfügung gestellt, der in Dänemark geplant sein könnte. Material in dieser Sache will der Geschäftsträger noch beibringen und Herrn von Grundherr übergeben.

gez. Weizsäcker

Herrn U.St.S. Pol.
Herrn Dg.Pol.
Herrn v. Grundherr
Herrn U.St.S. Luther
Pol I M.

68. Paul Barandon an das Auswärtige Amt 13. Oktober 1942

Barandon indberettede forløbet af Frikorps Danmarks afrejse fra København, herunder at den danske hærchef general Ebbe Görtz var mødt op uden særlig opfordring, havde skridtet fronten af og udtalt nogle anerkendende ord til korpsføreren. Det skulle ses på baggrund af, at den danske hærledelse hidtil havde ignoreret korpset. Også Frits Clausens optræden blev omtalt, han havde følt sig tilsidesat af Görtz, men misforståelsen blev fjernet ved, at han fik von Hannekens bevæggrunde forklaret.

Helt så let tog SS ikke på Frits Clausens optræden, som det fremgår af Paul Kansteins brev 16. oktober.

Kilde: PA/AA R 29.566. RA, pk. 202 og 225. LAK, Frits Clausen-sagen XIV/338. PKB, 13, nr. 333.

T e l e g r a m m

Kopenhagen, den	13. Oktober 1942	20.45 Uhr
Ankunft, den	13. Oktober 1942	21.45 Uhr

Nr. 1500 vom 13.10.[42.]

Heute Vormittag stattfand deutsche militärische Abschiedsfeier für Freikorps Dänemark, das nach vierwöchentlichem Urlaubsaufenthalt an die Front zurückkehrt. Träger der Veranstaltung, die rein militärischen Charakter trug, waren SS-Brigadeführer Kanstein im besonderen Auftrage des Reichsführers SS und der Befehlshaber der deutschen Truppen in Dänemark, General von Hanneken. Ich habe mit mehreren Mitgliedern der Gesandtschaft an Feier teilgenommen. Als Ehrengäste waren anwesend Parteiführer Dr. Clausen mit Teil seiner Stabsleiter, ferner Befehlshaber des dänischen Heeres, Generalleutnant Görtz und Direktor Svenningsen, Außenministerium, deutscherseits außerdem Landesgruppenleiter NSDAP mit den politischen Leitern und Vertretern Deutscher Kolonie. Marinebefehlshaber war durch Chef des Stabes vertreten, ferner waren die höheren Stabsoffiziere der drei Wehrmachtsteile zugegen. Das Freikorps war auf dem Kasernenhof der neuen Artillerie-Kaserne angetreten und wurde von SS-Brigadeführer

Kanstein dem Befehlshaber der deutschen Truppen gemeldet. Nachdem Befehlshaber mit SS-Brigadeführer Kanstein und Generalleutnant Görtz die Front abgeschritten hatte, hielt SS-Brigadeführer Kanstein[93] an das Freikorps, in der er im Auftrage des Reichsführer-SS das Freikorps verabschiedete und ihm die besten Wünsche für den neuen Einsatz aussprach. Darauf richtete der Befehlshaber der deutschen Truppen an die Männer des Freikorps, die er einleitend als Soldaten Adolf Hitlers begrüßte, einige kurze Abschiedsworte, wobei er die Anwesenheit von Freunden des Freikorps, der Reichsvertretung und des Befehlshabers des dänischen Heeres hervorhob. Mit dem Sieg Heil auf den Obersten Befehlshaber der deutschen Wehrmacht und Liedern der deutschen Nation sowie der dänischen Nationalhymne fand die Feier ihren Abschluß. Anschließend fand außerhalb der Kaserne ein Vorbeimarsch statt. Auf dem Marsch zum Bahnhof, der durch einige Hauptstraßen und über den Rathausplatz führte, wurde das Freikorps von einer dichten Menschenmenge begleitet. Es ist nirgends zu dem geringsten Zwischenfall gekommen. Bei der Abfahrt auf dem Bahnhof waren außer Vertretern des Befehlshabers und des Bevollmächtigten Parteiführer Clausen mit einem Teil seiner Stableiter sowie die Angehörigen der Freikorpskämpfer zugegen. Es war für die dänische Haltung in der gegenwärtigen Situation bezeichnend, daß zur Verabschiedung des Freikorps der Befehlshaber des dänischen Heeres von sich aus ohne besondere Aufforderung erschienen war, während bis dahin amtliche dänische Stellen, insbesondere auch das dänische Heer, vom Freikorps niemals offizielle Notiz genommen hatten. Die Tatsache, daß Generalleutnant Görtz die Front mit abschritt und später im Gespräch anerkennende Worte an den Freikorpsführer berichtete, ist als der Versuch einer Wiedergutmachung der bisherigen ablehnenden Haltung zu werten und wird sowohl im Freikorps wie in der dänischen Öffentlichkeit entsprechend beurteilt. Eine mißverständliche Auffassung Clausens und der Parteileitung, die sich durch die Rolle des Generalleutnants Görtz zurückgesetzt fühlten, konnte dadurch behoben werden, daß Herrn Clausen die Beweggründe des Generals von Hanneken mitgeteilt wurden.

Barandon

69. Raul Mewis an OKM 13. Oktober 1942

OKM havde først 5. oktober givet lov til, at den danske flåde deltog i strygningen af lydaktiverede miner, men det var derefter blev udskudt pga. den uklare politiske situation. Nu ønskede admiral Mewis, at tilladelsen blev givet, da man hos Kriegsmarine i Danmark anså situationen for roligere. Dansk deltagelse i minerydningen ville intet være værd, hvis de ikke også måtte rydde denne type mine.

Mewis havde et klart behov for dansk hjælp og havde ikke ladet sig påvirke af den nye WB Dänemarks ændrede signaler med hensyn til, hvordan Danmark skulle behandles, og derfor pressede han på for en normalisering af situationen. Mewis fik den ønskede tilladelse.

Kilde: BArch, Freiburg, RM 7/1187.

Geheime Kommandosache
Fernschreiben
+S MDKP 0295 13/10 [1942] 12.55

93 Her er formentlig faldet nogle ord ud, muligvis "eine Ansprache." [PKBs note]

M Aue= S OKM Skl=
Gltd.: S OKM Skl= S Nachr OKM SWA= S Nachr Ost= S SVK
gKdos

Die mit OKM SWA 6242/42 g v 5/10[94] genehmigte Unterrichtung Dän. Marine beim
SVK über Geräuschminenabwehr wurde zunächst wegen ungeklärter politischer Lage
unter Vorwand techn. Gründe verschoben. Bestätigung erbeten, daß sie nunmehr statt-
finden kann, da 1.) Einsatz Dän. Marine nur von Wert, wenn auch gegen Geräuschmi-
nen gerichtet, 2.) Lage von hier wie auch von Gruppe als beruhigt angesehen wird.
Marbef Dän. gKdos 2077 A drei+

70. Gottlob Berger an Heinrich Himmler 14. Oktober 1942

Berger bad om en stærkere understøttelse af Frits Clausen og frem for alt at kunne begynde etableringen af
et germansk SS i Danmark. Til det formål ville han have K.B. Martinsen til København.

   Himmler svarede Berger 25. oktober.

   Brevet er et vidnesbyrd om, at Frits Clausens positive stilling hos Berger på dette fremskredne tidspunkt
af telegramkrisen tilsyneladende endnu ikke var styrtdykket, hvis det ikke i stedet var et spørgsmål om, at
Clausen endnu ikke var til at komme uden om.

   Kilde: BArch, NS 19/1712. RA, Danica 1069, sp. 6, sp. nr. 7295. RA, Danica 1000, T-175, sp. 128, nr.
654.631. RA, pk. 442. RA, Danica 201, pk. 81, læg 1075. LAK, Frits Clausen-sagen XV/123.

Der Reichsführer-SS   *Berlin W 35, den 14. Oktober 1942*
Chef des SS-Hauptamtes   Geheim.
CdSSHA/Be/Vo. VS-Tgb. Nr. 3896/42 geh.

Betr.: SS-Stubaf. Martinsen, Freikorps "Danmark."

An den Reichsführer-SS und Chef der Deutschen Polizei,
   Feld-Kommandostelle.

Reichsführer!
Ich bitte vorschlagen zu dürfen, zur stärkeren Stützung Clausens und vor allen Dingen,
um mit der Germanischen SS in Dänemark beginnen zu können, den derzeitigen Kom-
mandeur des Freikorps "Danmark," SS-Sturmbannführer Martinsen, zum 1.12.1942
zurückzuholen, um ihn als Stabschef der Dänischen SA einsetzen zu können. Die Über-
führung in die SS wird, da es sich um hochwertiges Menschenmaterial handelt, dann
sehr leicht gehen. Bei einem Ausfall Martinsens durch Tod würde im Augenblick über-
haupt niemand mehr zur Verfügung stehen.
G. Berger
SS-Gruppenführer

94 Skrivelsen er ikke lokaliseret.

71. Karl Schnurre an die Deutsche Gesandtschaft 14. Oktober 1942

Der var forud for den tyske besættelse af Danmark foretaget olieboringer i Danmark med amerikansk boreud-
styr, og et amerikansk firma havde fået koncession på olieudvindingen i Danmarks undergrund. Boreudstyret
var fremdeles i Danmark, og det var efter USAs indtræden i krigen kommet i tyskernes søgelys. Fra dansk side
prøvede man at holde på udstyret ved at finde anvendelse for det, idet danske interessenter samtidig prøvede
at overtage koncessionen (se Scherpenberg til Best 9. november 1942, Rüdiger 1997, s. 177-192).

Schnurre kunne nu imidlertid meddele, at der manglede reservedele for at anvende udstyret, og at
reservedelene kun kunne leveres fra Tyskland. Det sidste var under de nuværende forhold umuligt, så an-
vendelsen af udstyret kunne alene finde sted i Tyskland. AA ville ved en fornyet henvendelse til den danske
regering have en omgående beslaglæggelse af boreudstyret. Det skulle overtages af Tyskland på lånebasis,
hvorved Danmark blev holdt skadesløs.

Ville den danske regering ikke være villig dertil i løbet af få dage, ville Tyskland foretage beslaglæggelse.
Walter Forstmann fra Wehrwirtschaftsstab skulle forestå beslaglæggelsen.

Den af AA valgte fremfærd over for den danske regering kan skyldes det forværrede politiske klima
under telegramkrisen, men det kan også være et udslag af utålmodighed i en sag, som den danske regering
i forvejen havde trukket ud.

Se videre Barandons telegram nr. 1550, 21. oktober 1942.

Kilde: BArch, R 901 68.712.

zu Ha Pol VI S271   *Berlin, den 14. Oktober 1942*

F e r n s c h r e i b e n

Diplogerma Kopenhagen, Nr. ...
Ref.: LR v. Scherpenberg
Betr.: Beschlagnahme eines Bohrgeräts in Dänemark

Auf Drahtbericht 1164 vom 22.8.[42.][95]

Ursprünglich ins Auge gefaßter Gedanke, Bohrgerät in Dänemark einzusetzen, hat sich
bei näherer Prüfung als undurchführbar erwiesen, weil Bohrgerät unvollständig und
Ergänzungsteile aus Deutschland nachgeliefert werden müßten, was unter jetzigen Ver-
hältnissen ausgeschlossen. Es kommt daher nur Einsatz in Deutschland in Frage.

Bitte erneut an Dänische Regierung herantreten und von ihr umgehende Beschlag-
nahme des Bohrgeräts einschließlich des elektrophysikalischen Hilfsgeräts und sonsti-
gen Zubehörs und leihweise Überlassung an Deutschland verlangen, wobei unsererseits
Schadloshaltung für etwaige Schadensersatz- und Regressansprüche für Beschädigungen
oder Verlust des Geräts zugesagt werden kann.

Falls Dänische Regierung zu diesem Wunsch nicht innerhalb einiger Tage positiv
Stellung nimmt, bitte ich, ihr mitzuteilen, daß wir das Bohrgerät beschlagnahmen. Be-
züglich der Beschlagnahme bitte ich entsprechend dem bei der Beschlagnahme der nor-
wegischen Schiffsbauten auf dänischen Werften eingeschlagenen Verfahren vorzugehen
(vgl. dortige Verbalnote vom 15.9.41-W Sch 4/1a). Wegen der Durchführung der Be-
schlagnahme im einzelnen hat der Leiter des dortigen Wehrwirtschaftsstabes Kpt. Forst-
mann von der Mineralölabteilung des Wirtschafts- und Rüstungsamtes beim OKW
Weisungen erhalten. Ich bitte daher, Herrn Kpt. Forstmann sofort von dem Ergebnis
der dortigen Schritte zu unterrichten. Für die Dauer der Benutzung des Geräts wird von

95 Telegrammet er ikke lokaliseret.

uns eine angemessene Mietgebühr vergütet werden, die im Falle der Beschlagnahme durch die Dänische Regierung dieser ausgezahlt werden wird, im Falle der Beschlagnahme durch uns voraussichtlich dem hiesigen Reichskommissar für feindliches Eigentum zugeleitet werden wird, soweit nicht dänische Interessenten einem begründeten Anspruch dartun können.

Drahtbericht.

Schnurre

72. Paul Barandon an das Auswärtige Amt 15. Oktober 1942

Da AA ikke havde meddelt Barandon en stillingtagen til Frits Clausens memorandum, fremsendte Barandon sin egen opfattelse. Han udpegede tre områder, hvor en ny dansk regering især skulle efterkomme tyske ønsker: Det var vedrørende sabotagebekæmpelsen, pressen og jødespørgsmålet. Clausen anså han ikke for regeringsegnet.

Barandon havde drøftet spørgsmålet med bl.a. Kanstein (se Kanstein til Berger 16. oktober), og når han udpegede tre særlige indsatsområder for en kommende dansk regering var det givetvis i forventning om, at AA og især Luther havde en særlig interesse på disse felter.

Kilde: PA/AA R 29.566. RA, pk. 202. PKB, 13, nr. 335. ADAP/E, 4, nr. 56. Lauridsen 2008a, nr. 51.

Nur als Verschlußsache zu behandeln.

Telegramm

| Kopenhagen, den | 15. Oktober 1942 | 13.25 Uhr |
| Ankunft, den | 15. Oktober 1942 | 13.50 Uhr |

Nr. 1513 vom 15.10.[42.]

Im Anschluß an Drahtbericht Nr. 1497[96] vom 10.10.

Nervosität innerhalb dänischer amtlicher Kreise steigert sich infolge dauernder Ungewissenheit. Man hat wiederholt versucht durch Mittelsmänner zu sondieren, was deutscherseits erwartet werde. In Vordergrund steht die Frage, ob und in welcher Weise eine Regierungsumbildung gewünscht wird. Es besteht hier der Eindruck, daß die Dänische Regierung nur auf die Mitteilung der deutschen Wünsche wartet, um einen Kabinettswechsel eintreten zu lassen. Dabei wird nicht an eine Führung oder Beteiligung Clausens gedacht, sondern an ein Kabinett unter weitgehender Beteiligung parteipolitisch unabhängiger Persönlichkeiten, die unser Vertrauen besitzen. Ich halte in Übereinstimmung mit dem Befehlshaber den Augenblick einer Machtübernahme durch Frits Clausen und seine Leute noch nicht für gekommen, glaube aber daß eine von uns als Übergang zu betrachtende Regierung erreichbar wäre, die willig und in der Lage wäre deutsche Wünsche, insbesondere auf dem Gebiete der Presse, der Bekämpfung aller Widerstandsbestrebungen und schließlich auch in der Judenfrage durchzusetzen.

Barandon

96 bei Pol VI (V S). Trykt ovenfor.

73. Franz Ebner an das Auswärtige Amt 15. Oktober 1942

Ebner indgav beretning om antallet af danske arbejdere i Tyskland og Norge ved slutningen af september 1942, samt om den gennemførte hvervning. Især antallet af kvindeligt hvervede var steget kraftigt.

   Den næste indberetning forelå 27. november 1942, trykt nedenfor.

   Kilde: RA, pk. 287. PKB, 13, nr. 823.

Der Bevollmächtigte des deutschen Reiches   *Kopenhagen, den 15. Oktober 1942.*
Der Beauftragte für Wirtschaftsfragen   Dagmarhus
Wi/4080/42.

Betrifft: Arbeitseinsatz dänischer Arbeitskräfte in Deutschland.
Auf den Drahterlaß Multex Nr. 10 D X 2/42 g vom 2.1.42.

Im Anschluß an den Bericht Wi/3120/42 vom 22. August 1942.
R. 61148/42.[97]

An das Auswärtige Amt,
   Berlin.

Die Zahl der bis Ende September 1942 in Dänemark angeworbenen Arbeitskräfte beläuft sich auf 132.879 gegen 126.621 Ende August, von denen 103.174 (Ende August 98.825) nach Deutschland, bezw. Norwegen abgereist sind.

   Die Zahl der 103.174 (Ende August 98.825) abgereisten Arbeitskräfte verteilt sich auf:

   76.151   nach Deutschland vermittelte Arbeitskräfte, darunter 7.740 weibliche
              (Ende August 74.084 bezw. 7.208),
    4.979   Grenzgänger (Ende August 4.847),
   14.451   Arbeitskräfte im Firmeneinsatz in Deutschland (Ende August 12.941) und
    7.593   Arbeitskräfte nach Norwegen (Ende August 6.953).

Im September sind somit 6.258 Arbeitskräfte gegenüber 5.356 im August angeworben worden. Abgereist sind im September 4.349 und im August 3.561.

Die Werbeergebnisse für den Firmeneinsatz hatten laufend Steigerung zu verzeichnen, zumal das Interesse dänischer Bauunternehmer, im deutschen Reichsgebiet Arbeiten aufzunehmen, zur Zeit andauernd lebhaft ist, da die Bauarbeiten im Lande durch Rationierung verschiedener Baustoffe stark eingeengt wurden. Dagegen waren die Werbeergebnisse für die Verkehrswirtschaft im abgelaufenen Monat etwas geringer als im August. Da im September für die BVG keine Werbung durchgeführt wurde, wurden die angeworbenen Kräfte in verschiedenen Betrieben eingesetzt. – Die Zahl der angeworbenen weiblichen Kräfte hat sich im September stark erhöht. Der weitaus größte Teil wurde der Rüstungsindustrie zugeführt. Die Werbung für Norwegen wurde nicht gesteigert. Sich meldende Kräfte (u.a. Metall- und Baufacharbeiter) wurden in erster Linie für das Reichsgebiet angeworben. So ist es im September gelungen, der Metall-

_____

97 Trykt i PKB, 13, nr. 820. Det var en indberetning om antallet af danske arbejdere i Tyskland og Norge i juli 1942. Der er tidligere indberetninger om dansk arbejdskraft trykt i PKB, 13, se register.

wirtschaft 483 Kräfte (angeworben 675) gegenüber 298 im Monat August (angeworben 422) zuzuführen.

Am 9. September 1942 wurde die Zahl von 100.000 abgereisten Arbeitskräften erreicht. Für die bis zu diesem Tage einschließlich nach Deutschland und Norwegen abgereisten 100.513 Arbeiter sind folgende Transporte eingesetzt worden:

126	Sonderzüge	Kopenhagen-Gedser-Warnemünde,
106	–	Aarhus-Pattburg-Flensburg,
453	Gesellschaftsfahrten nach	Deutschland,
110	–	Norwegen,
2	gecharterte Dampfer	Kopenhagen-Travemünde und
3	gecharterte Dampfer	Kopenhagen-Oslo.

Nachdem in der zweiten Hälfte des August nach leichtem Ansteigen wieder ein kleiner Rückgang der Arbeitslosigkeit festzustellen war, hat sich die Arbeitslosenziffer bis Mitte September auf rd. 26.000 erhöht. Die Zahl der Arbeitslosen zum Ende September liegt noch nicht vor, doch dürfte sie eine weitere Erhöhung aufweisen. Die höchsten Arbeitslosenziffern finden sich bei ungelernten Arbeitern, weiblichen ungelernten Arbeitskräften und Handels- und Kontorangestellten; doch gibt es auch je etwa 1.000 Arbeitslose bei den Textilarbeitern (hauptsächlich weiblich), Schneidern (hauptsächlich weiblich) und Metallarbeitern aller Art. In der nächsten Zeit dürften auch zahlreiche Torfarbeiter frei werden.

In den letzten Monaten sind die Werbeergebnisse fortlaufend angestiegen. Während im August eine stärkere Zunahme der Werbeziffern nur in Kopenhagen festzustellen war, hatten im September auch die Außenstellen in der Provinz höhere Ergebnisse aufzuweisen. Dies dürfte auf die in der vorausliegenden Zeit etwas stärker betriebene Pressewerbung zurückzuführen sein. Auch die Werbeaussichten für die nächste Zeit können günstig beurteilt werden.

Ebner

Gesehen:

Kopenhagen den 15. Okt. 1942

Barandon

74. Gottlob Berger an Hermann von Stutterheim 15. Oktober 1942

Berger sendte Hermann von Stutterheim i partikancelliet et udkast til et cirkulære, der skulle udvide Bormanns forordning af 12. august 1942 til også at gælde den statslige sektor. Herefter skulle RFSS alene være den overordnede myndighed i såvel partimæssig som statslig regi, der stod for forhandlingerne med de germansk-völkische grupper i de germanske lande. Berger mente, at det udtrykte førerens mening med den givne førerordre.

Mens Berger pressede på for at få udstrakt SS' indflydelse, trådte RFSS endnu mere varsomt, se Bormann til Hans-Heinrich Lammers 2. november 1942, trykt nedenfor. Når Berger pressede sådan på, hang det sammen med, at antallet af germanske frivillige, der stod for hjemsendelse, nu voksede, idet der til de sårede kom en del af de frivillige, der i foråret 1941 havde tegnet en toårig kontrakt med SS (jfr. Poulsen 1970, s. 372). Skulle SS ikke miste dem i det völkisch-germanske arbejde, skulle der en SS-organisation i hjemlandene til at tage over.

Kilde: *De SS en Nederland*, 1, 1976, nr. 240.

15. Oktober 1942

Lieber Herr von Stutterheim
Ich danke Ihnen für Ihr Schreiben vom 5.10.42[98] und möchte es infolge der Ereignisse der letzten Tage[99] wie folgt beantworten:

Durch die Anordnung des Führers A 54/42 hinsichtlich der Verhandlungen mit den germanisch-völkischen Gruppen[100] ist für sämtliche Gliederungen der Partei und deren angeschlossene Verbände festgelegt, daß Verhandlungen mit den germanisch-völkischen Gruppen nur über den Reichsführer-SS eingeleitet werden dürfen. Dies betrifft sowohl Verhandlungen von Parteidienststellen im Reich mit obengenannten Gruppen, wie auch Verhandlungen von Parteidienststellen in den besetzten Gebieten.

Der mir von Ihnen vorgelegte Entwurf betrifft nun das staatliche Gebiet.[101] Hierin kommt zum Ausdruck, daß das Einverständnis des Reichsführers-SS zwar bei Verhandlungen von staatlichen Dienststellen im Reich einzuholen ist, daß aber Dienststellen des Reiches in den besetzten Gebieten für Verhandlungen mit den germanisch-völkischen Gruppen, sofern es sich nicht gerade um grundsätzliche Fragen handelt, selbst zuständig sind.

Eine solche Regelung innerhalb der staatlichen Stellen, die sich von der Regelung hinsichtlich der Partei unterscheidet, würde meines Erachtens den Sinn des Führerbefehls, nämlich dem Reichsführer-SS als Volkstumbeauftragen der Partei die wesentliche Führung zu überantworten, nicht erfüllen.

Die wesentlichen und meisten Verhandlungen mit germanisch-völkischen Gruppen werden nicht im Reich, sondern von den Dienststellen des Reiches in den betreffenden Ländern geführt. Es ist höchst selten, daß Mussert, Quisling oder Staf de Clercq im Reich mit uns verhandeln. Die wesentlichen Richtlinien werden von den Stellen der Reichskommissare oder der Militärverwaltung ausgegeben.

Sollten nun diese staatlichen Dienststellen in den betreffenden Ländern außer bei grundsätzlichen Fragen, wie es in Ihrem Entwurf lautet, für Verhandlungen selbst zuständig sein, wäre jede Führung des Reichsführers-SS hinfällig.

Hinzu kommt, daß sowohl bei der Militärverwaltung, wie bei den Reichskommißaren Vertreter der Parteigliederungen eingebaut sind. Es würde durch die in Ihrem Entwurf unter Ziffer 3) vorgeschlagene Regelung somit auch in diesem staatlichen Rahmen die Partei ohne Einschaltung des Reichsführers-SS Verhandlungen in den Ländern führen können.

Ich darf nochmals betonen, daß, nachdem das Hauptgewicht der Verhandlungen von staatlichen Stellen in den Ländern geführt wird, nach meiner Auffassung der Führer-Erlaß nur so verstanden werden kann, daß auch die staatlichen Dienststellen in den Ländern die Verhandlungen nur im Einvernehmen mit dem dortigen Beauftragten des

98 Skrivelsen er ikke lokaliseret.

99 Berger hentyder sandsynligvis til mødet mellem Hitler og Arthur Seyss-Inquart, hvor forordningen af 12. august 1942 bl.a. blev drøftet. Se Luther til Steengracht 8. oktober 1942, trykt ovenfor.

100 Bormanns forordning af 12. august 1942, trykt ovenfor i kommentaren til Bormanns brev til Himmler 5. oktober 1942.

101 Stutterheim forklarede efter krigen, at han af Hans Lammers havde fået til opgave at lave et udkast, der omfattede den statslige sektor (*De SS en Nederland*, 1, 1976, s. 847 note 5).

Reichsführers-SS, dem Höheren SS- und Polizeiführer, bezw. dem Leiter der Germanischen Leitstelle führen dürfen.

Es dürfte hierbei selbstverständlich sein, daß dort, wo der völkische Parteiführer zugleich Ministerpräsident ist – wie in Norwegen – auf dem rein norwegisch-staatlichen Sektor der Reichskommissar selbstverständlich mit dem Ministerpräsidenten direkt verhandelt. Dies ist meiner Auffassung nach schon festgelegt durch die Umschreibung des Verhandlungsthemas Ziffer 1) "Gemeinsame germanisch-völkische Belange".

Den Begriff "unter deutscher Verwaltung stehende besetzte Gebiete" bitte ich, in "besetzte Gebiete" abzuändern, da gerade für Norwegen meiner Auffassung nach der Begriff "deutsche Verwaltung" gefährlich werden kann.

Ich übersende Ihnen, Herr Reichskabinettsrat, beiliegend den Entwurf, den ich dem Sinne des Führerbefehls entsprechend erachte und zu überprüfen bitte.[102]

Heil Hitler!

[G. Berger]

75. Paul Kanstein an Gottlob Berger 16. Oktober 1942

Kanstein fortalte Berger, at han havde påvirket Barandon til at ændre holdning til DNSAPs regeringsovertagelse. I lighed med Kanstein og von Hanneken var Barandon nu imod en sådan. Kanstein bad Berger gøre sin indflydelse gældende, så Werner Best blev ny rigsbefuldmægtiget.

Kilde: BArch, NS 19/1712. RA, pk. 442. RA, Danica 1000, T-175, sp. 128, nr. 654.627ff. RA, Danica 201, pk. 81, læg 1075. Lauridsen 2008a, nr. 52.

	Geheime Kommandosache
Der Bevollmächtigte des Deutschen Reiches	*Kopenhagen, den 16. Oktober 1942*
Der Beauftragte für Fragen der Inneren Verwaltung	Dagmarhus
Kanstein,	
SS-Brigadeführer	

An SS-Gruppenführer Berger,
    SS-Hauptamt, in Berlin

Betrifft: Entwicklung der Lage in Dänemark.

Sehr verehrter Gruppenführer!
Von dem Memorandum, das Dr. Clausen am 11.10.42 dem stellvertretenden Bevollmächtigten in Kopenhagen überreicht hat,[103] und in welchem er zu begründen versucht, warum eine sofortige Machtübernahme durch ihn in Dänemark anzustreben sei, habe ich bereits über SS-Obersturmbannführer Dr. Riedweg Kenntnis gegeben. Ich habe damals dem stellvertretenden Bevollmächtigten dringend nahe gelegt, unseren ablehnenden Standpunkt hinsichtlich der sofortigen Machtübernahme unzweideutig zum Ausdruck

102 Bergers udkast forblev uændret til det endelige cirkulære (*De SS en Nederland*, 1, 1976, s. 848 note 7), se Hans Heinrich Lammers cirkulære 6. februar 1943, trykt nedenfor.
103 Trykt ovenfor.

zu bringen, habe mich aber damit nicht durchsetzen können, weil Meissner den stellvertretenden Bevollmächtigten allzusehr nach der anderen Richtung hin beeinflußt hatte. Das war um so bedauerlicher, als auch General v. Hanneken mich wissen ließ, daß er meine Haltung in dieser grundsätzlichen Frage durchaus stützt. Inzwischen ist es mir aber doch gelungen, den Bevollmächtigten zu einer anderen Haltung in dieser Frage dem Auswärtigen Amt gegenüber zu bewegen. Es ist am 15.10.42 ein neues Telegramm an das Auswärtige Amt gegangen, des Inhalts, daß der Bevollmächtigte in Übereinstimmung mit dem Befehlshaber den Augenblick einer Machtübernahme durch Frits Clausen noch nicht für gekommen ansehe.[104] Zu erstreben wäre vielmehr eine von uns als Übergang zu betrachtende Regierung, die willig und in der Lage wäre, deutsche Wünsche, insbesondere auf dem Gebiete der Presse, der Bekämpfung der Widerstandsbestrebungen und auch schließlich in der Judenfrage durchzusetzen. Tatsächlich habe ich den Eindruck gewonnen, daß man in offiziellen dänischen Kreisen durchaus bereit ist, eine Regierungsumbildung in Angriff zu nehmen, die die Ersetzung der bisherigen parteigebundenen Regierung durch ein Kabinett von Persönlichkeiten bedeuten würde. Man ist aber zu ängstlich, um derartige Schritte in der gegenwärtigen Situation zu tun, ohne die Gewißheit zu haben, ob sie auch die unbedingte Billigung von deutscher Seite finden.

Aus der Schilderung der Lage bitte ich zu entnehmen, daß am vordringlichsten die Frage der Ernennung des neuen Bevollmächtigten ist. Ich wäre sehr dankbar, wenn Sie, sehr verehrter Gruppenführer, in dieser Richtung Ihren ganzen Einfluß einsetzen und den RFSS auf die Dringlichkeit gerade dieser Frage nochmals aufmerksam machen würden. Wir hoffen nach wie vor, daß Ministerialdirektor Dr. Best, den der RFSS bei meiner letzten Besprechung mit ihm von sich aus als geeignet für diesen Posten bezeichnete, mit der Stelle des Bevollmächtigten betraut wird. Diese Ernennung würde u. E. auch den Belangen der SS am besten Rechnung tragen.

Heil Hitler!
Ihr sehr ergebener
Kanstein

76. Paul Kanstein an Heinrich Himmler 16. Oktober 1942

Kanstein orienterede Himmler om Frits Clausens for SS negative optræden ved Frikorps Danmarks afrejse, samt Clausens afvisende holdning til K.B. Martinsen, som han ikke ønskede til København. Til gengæld blev Martinsen rost i høje toner.

Brevet skulle gøre det klart for Himmler, at Clausen krydsede SS' planer for Danmark (Poulsen 1970, s. 369f.).

Kilde: BArch, NS 19/1712. RA, pk. 442. RA, Danica 1000, T-175 sp. 128, nr. 654.627-30. RA, Danica 201, pk. 81, læg 1075. LAK, Frits Clausen-sagen XIV/371.

Geheime Kommandosache
Der Bevollmächtigte des Deutschen Reiches   *Kopenhagen, den 16. Oktober 1942*
Der Beauftragte für Fragen der Inneren Verwaltung   Dagmarhus
Kanstein,

104 Trykt ovenfor.

SS-Brigadeführer

An den Reichsführer-SS
    Feldkommandostelle
    über SS-Gruppenführer Berger, Berlin

Betrifft: Abrücken des Freikorps Dänemark.

Am 13. Oktober 1942 ist das Freikorps Dänemark nach Beendigung des vierwöchigen Urlaubs an die Front zurückgekehrt. Vorher hat ein Appell stattgefunden, bei welchem als Gäste unter anderen der Befehlshaber der Deutschen Truppen in Dänemark, General v. Hanneken, der stellvertretende Bevollmächtigte,[105] der Landesgruppenleiter der NSDAP,[106] Parteiführer Dr. Clausen sowie als offizielle dänische Vertreter der Befehlshaber des Dänischen Heeres, Generalleutnant Görtz, und der Staatssekretär im Dänischen Außenministerium Svenningsen anwesend waren.

Das Freikorps war auf dem Kasernenhof der neuen Artilleriekaserne angetreten. Nachdem der Deutsche Befehlshaber zusammen mit mir und Generalleutnant Görtz die Front abgeschritten hatte, habe ich eine Ansprache an das Freikorps gehalten, in welcher ich es im Auftrage des Reichsführer-SS verabschiedete. Anschließend sprach der Deutsche Befehlshaber im Namen der in Dänemark liegenden Deutschen Truppen einige kurze Abschiedsworte. Danach fand ein Vorbeimarsch statt. Auf dem Marsch zum Bahnhof, der durch einige Hauptstraßen und über den Rathausplatz führte, wurde das Freikorps von einer dichten Menschenmenge begleitet. Es ist nirgends zu dem geringsten Zwischenfall gekommen. Bei der Abfahrt auf dem Bahnhof waren außer mir Vertreter des Befehlshabers und des Bevollmächtigten, Parteiführer Dr. Clausen und zahlreiche Angehörige der Freikorpskämpfer zugegen.

Das Besondere an dem Schußappell war, daß der Befehlshaber des dänischen Heeres, Generalleutnant Görtz, sowie der Staatssekretär im dänischen Außenministerium Svenningsen ohne Aufforderung von unserer Seite zu ihm erschienen waren, und daß Generalleutnant Görtz auf Wunsch des Befehlshabers mit diesem und mir zusammen die Front des Freikorps abgeschritten und, ebenfalls mit dem Befehlshaber und mir zusammen, auch den anschließenden Vorbeimarsch abgenommen hat. Das war vom deutschen Standpunkt aus ein großer Erfolg. Von dänischer Seite wurde damit einmal eine amtliche Genugtuung von höchster Stelle für die bisherige ablehnende Haltung gegenüber dem Freikorps und zum anderen eine erste offizielle Anerkennung des Freikorps zum Ausdruck gebracht. Neben diesem allgemein politischen Erfolg wird diese Änderung in der dänischen Haltung auch rein SS-mäßig für die Freikorpswerbung von großem Vorteil sein. Auch der Freikorpsführer, SS-Sturmbannführer Martinsen, hat die Herausstellung des dänischen Befehlshabers aus diesen Gründen ebenso wie wir begrüßt.

Bezeichnend und erschütternd war, wie Dr. Clausen – allerdings wieder entschei-

---

105 Paul Barandon.
106 Ernst Schäfer.

dend von Meissner beeinflußt – auf die Beteilung des dänischen Befehlshabers reagierte.
Während Dr. Clausen bisher dem dänischen Heer, mit Recht, seine passive Haltung
gegenüber dem Freikorps vorwarf, gab er jetzt seiner Empörung über die Beteiligung
des dänischen Befehlshabers an dem Abschiedsappell Ausdruck, ohne auch nur das ge-
ringste Verständnis für die Motive zu zeigen, die den Befehlshaber zur Herausstellung
des dänischen Befehlshabers veranlaßt hatten und uns diese Herausstellung begrüßen
ließen. Noch in dem Zeitraum zwischen dem Schluß des Appells und der Abfahrt des
Freikorps vom Bahnhof versuchte Meissner mit allen Mitteln die anwesenden Vertreter
der DNSAP und die Freikorpsangehörigen im Sinne dieser von ihm angefachten "Em-
pörung" Dr. Clausens aufzuwiegeln. Außerdem veranlaßte er Dr. Clausen, dem stell-
vertretenden Bevollmächtigten sofort einen Brief zu schreiben, in welchem Dr. Clausen
zum Ausdruck brachte, daß er sofort nach Bovrup in sein Hauptquartier zurückreisen
werde, weil er sich von dem "niederdrückenden Eindruck," den der Abschied des Frei-
korps auf ihn gemacht habe, erst wieder erholen müsse. Ich habe dem Befehlshaber von
dieser Situation sofort Kenntnis gegeben. Der Befehlshaber hat daraufhin am gleichen
Nachmittag den stellvertretenden Bevollmächtigten aufgesucht und ihm seine Auffas-
sung hinsichtlich der Beteilung des dänischen Befehlshabers an dem Appell in Gegen-
wart von Meissner unmißverständlich dargelegt. Danach hat der Befehlshaber auch Dr.
Clausen empfangen und ihm gegenüber das Gleiche getan, womit die Angelegenheit
äußerlich bereinigt war. Dr. Clausen brachte anschließend dem stellvertretenden Bevoll-
mächtigten gegenüber zum Ausdruck, daß er bäte, sein obengenanntes Schreiben wegen
seiner Abreise nach Bovrup als ungeschehen zu betrachten. Ich halte es aber doch für so
bemerkenswert, daß ich es hier erwähnt habe.

Das Auftreten des Freikorpsführers, SS-Sturmbannführer Martinsen, bedarf ei-
ner besonderen Hervorhebung. Martinsen hat es verstanden, sowohl im Verkehr von
Mensch zu Mensch als auch durch sein Auftreten in den Werbeversammlungen weitge-
henden Kontakt zwischen der dänischen Bevölkerung und dem Freikorps herzustellen.
Seinem Verdienst ist es zuzuschreiben, daß die Spannungen, die von jeher zwischen
der Volksgruppe in Nordschleswig und dem Freikorps bestanden, beseitigt worden
sind. Dr. Möller hat sich mir gegenüber wiederholt in anerkennendster Weise über die
verständnisvolle Haltung Martinsens ausgesprochen. Auch in deutschen militärischen
Kreisen hat Martinsen den besten Eindruck hinterlassen. Den Gegnern des Freikorps
in Dänemark hat Martinsen, wie man weithin feststellen kann, Achtung und Anerken-
nung abgenötigt. Um so bedauerlicher ist es, daß der Parteiführer Dr. Clausen bei der
gestrigen Feierstunde zur Einweihung der Schalburg-Schule zu erkennen gab, daß er
mit der Haltung Martinsens unzufrieden sei und ihn als Parteigenossen ablehne. Er hat
uns gestern gegenüber zum Ausdruck gebracht, daß er eine Rückkehr Martinsens nach
Kopenhagen nicht begrüßen würde.

                                    Kanstein

77. Kriegstagebuch/Seekriegsleitung 16. Oktober 1942

Et skib var rømmet i Lillebælt, og det var på grund af dårligt vejr ikke lykkedes at opbringe det. Admiral Mewis forklarede, at den danske marine fra sommeren 1940 havde stået for sikringsopgaverne i de indre danske farvande for at aflaste den tyske marine. Derfor kunne det hændte forekomme.

Kilde: KTB/Skl 16. oktober 1942 og RA, Danica 628, sp. 7, nr. 5228 (afskrift af fjernskrivermeddelelsen).

[…]

16.10.42

IV. Skagerrak, Ostseeeingänge, Ostsee.
Im kleinen Belt wurde eine ELM/J durch SSG geräumt. Geleitaufgabenim BSO-Bericht waren durch schlechtes Wetter beeinträchtigt.

Marbef. Dänemark meldet:

"Befh. dt. Truppen in Dänemark ist von OKW/WFSt Qu aufgefordert worden, über Abmachungen mit dän. Wehrmacht seit der Besetzung zu berichten. Bezüglich Marine wurde im Einvernehmen mit Marbef. Dän. folgendes gemeldet:

Die dänische Kriegsmarine war nach erfolgter Besetzung (9.4.40) zunächst stillgelegt. Küstenverteidigungsanlagen wurden an deutsche Kriegsmarine übergeben ab Sommer 1940 wurde die dän. Marine für Sicherungsaufgaben im innerdän. Raum durch Marbef. Dän. nach Weisungen der Seekriegsleitung herangezogen, um eigene Kräfte zu entlasten.

Augenblickliche Tätigkeit der dän. Marine im einzelnen ist bei Skl bekannt.

Letzte Meldung hierüber wurde von Marbef. Dän. am 1/10. an 1/Skl erstattet.

Der dän. Marine ist ferner von Skl Ausbildung in kleinem Rahmen gestattet, insbesondere Heranbildung des Personalnachwuchses für vorgenannte Aufgaben."

[…]

78. Gottlob Berger an Heinrich Himmler 17. Oktober 1942

Berger videresendte Kansteins brev af 16. oktober til Himmler med dette følgebrev. Efter få dage tidligere at ville have Frits Clausen styrket, ønskede Berger ham nu befriet for Gustav Meissners indflydelse, ligesom Berger vurderede Clausen som regeringsuegnet på dette tidspunkt. Berger fæstede lid til, at Martinsen kunne styrke Clausens position i en sådan grad, at det kunne give ham regeringsledelsen i 1943.

Brevet er et vidnesbyrd om, at Berger var helt uden føling med forholdene i Danmark. Han ville ikke tage det alvorligt, at Frits Clausen ikke ville have med Martinsen at gøre, og troede at Clausen lod sig dirigere med en fast hånd. Men at målet var, at SS overtog ansvaret for den nazistiske bevægelse i Danmark, står klart. Martinsen skulle være midlet hertil. Derpå måtte Clausen godt blive statsminister! (Poulsen 1970, s. 370).

Kilde: BArch, NS 19/1712. RA, Danica 1069, sp. 6, nr. 7288. RA, Danica 1000, T-175, sp. 128, nr. 654.624. RA, pk. 442. RA, Danica 201, pk. 81, læg 1075. LAK, Frits Clausen-sagen XVII/921.

Der Reichsführer-SS   *Berlin W 35, den 17. Oktober 1942*
Chef des SS-Hauptamtes   3 Ausfertigungen
CdSSHA/Be/Vo. VS-Tgb. Nr. 403/42 g. Kdos.   Prüf. Nr. 1

Betr.: Lage in Dänemark.
Bezug: –
Anlg.: 2[107]

An den Reichsführer-SS und Chef der Deutschen Polizei,
    Feldkommandostelle

Reichsführer!
Ich bitte, einen kurzen Bericht über die Lage in Dänemark von SS-Brigf. v. Kanstein
vorlegen zu dürfen und die Bitte Kansteins auf baldige Ernennung eines Bevollmächtig-
ten des Deutschen Reiches unterstützen zu wollen.

Durch das Hereinregieren des Legationsrats Meissner und die Beeinflussung nach
der weichen Seite hin ist die Partei Clausens in den letzten Monaten nicht gewachsen,
sondern immer kleiner geworden. Die Dänische SA besteht nur noch auf dem Papier.
Die Übernahme der Regierung durch Clausen ist überhaupt nicht unterbaut. Könnte
Martinsen nach Dänemark abgegeben werden, dann wäre den Winter über die Mög-
lichkeit gegeben, eine SS zu formieren und mit starken Werbemaßnahmen die Partei
neu zu gliedern und aufzubauen. Im Frühjahr 43 könnte dann Clausen so weit sein, die
Präsidentschaft der neuen Regierung zu übernehmen.

Der erschütternde Bericht Kansteins vom 16.10.42 über die Haltung Clausens zeigt
nur, daß wir Clausen fest in die Hand bekommen müssen. Das hinwiederum ist nur
möglich durch eine Abberufung des Legationsrates Meissner oder durch einen klaren
Befehl, daß auch in Dänemark der Reichsführer-SS die Betreuung der sich dort gebilde-
ten nationalsozialistischen Bewegung übernimmt.

G. Berger
SS-Gruppenführer

79. Rolf Kassler an das Deutsche Konsulat Apenrade 17. Oktober 1942

I august 1942 havde de tyske folkegrupper i de besatte lande fået at vide, at deres månedsindberetninger
fremover kun skulle sendes til VOMI og ikke som hidtil også til de tyske gesandtskaber. Det fik 26. august
Martin Luther til på AAs vegne at skrive til VOMI for i stærke vendinger at anmode fortsat at få månedsbe-
retningerne tilsendt, da de indeholdt stof af væsentlig udenrigspolitisk betydning. De tyske gesandtskaber,
herunder det københavnske, blev orienteret derom, men da man i København i oktober endnu ikke havde
hørt yderligere i sagen, skrev Kassler til konsulatet i Åbenrå for at høre, om det havde viden om en ny ordre
i forlængelse af Luthers brev til VOMI.

Konsulatet svarede 20. oktober, at den tyske folkegruppe ikke havde modtaget en kontraordre og frem-
deles ikke indgav afskrift af sin månedsberetning til konsulatet. Først 7. december 1943 trak VOMI sin
ordre tilbage i et brev til alle folkegruppeførere, og AA orienterede 15. december Best derom, idet der blev
fremsendt en afskrift af VOMIs brev (alle de nævnte breve i RA, pk. 392).

Tilfældet er først og fremmest interessant derved, at det var endnu en af Luthers konfrontationer med
en SS-organisation. Når VOMI i august 1942 handlede, som det gjorde, må det givetvis ses i sammenhæng
med Bormanns forordning af 12. august 1942 (se Bormann til Himmler 5. oktober 1942), der straks blev
benyttet til at søge at afskære AA fra informationer om de tyske folkegruppers indstilling og virksomhed.
Det lykkedes for nogle få måneders vedkommende.

Kilde: RA, pk. 392.

---

107 Bilagene er Kansteins to breve af 16. oktober 1942.

Deutsche Gesandtschaft Kopenhagen   *Kopenhagen, den 17. Oktober 1942.*
Tgb. Nr. 501/42

An das deutsche Konsulat
    Apenrade

Mit Bezugnahme auf den auch dorthin gelangten Erlaß des Auswärtigen Amtes vom
26. August d.Js. – D VIII 3435/42 II – betr. Schreiben des Auswärtigen Amtes vom 26.
Aug. d.Js. an die Volksdeutsche Mittelstelle bitte ich um Bericht, welche Anweisungen
daraufhin die Volksgruppe Nordschleswig von der Volksdeutschen Mittelstelle erhalten
hat, insbesondere auch darüber, ob der sog. politische Bericht der Volksgruppe in Zu-
kunft abschriftlich dem Konsulat eingereicht werden wird.
                                    I.A.
                                  Kassler

80. OKW an das Auswärtige Amt 18. Oktober 1942

OKW fremsendte et udkast til en aftale mellem den danske regering og Tyskland vedrørende afviklingen af
betalingen af skader påført af værnemagten i Danmark. Det var hidtil sket uden officiel dansk deltagelse,
men det ønskede OKW nu af saglige og politiske grunde. Udkastet er vedhæftet en notits fra Roediger i
AA om, at han i begyndelsen af november havde drøftet sagen med Barandon i København og de var blevet
enige om, at det på grund af situationen ikke var formålstjenligt at tage det op til overvejelse nu. I stedet var
Ministerialrat Schreiber ved en forespørgsel gået ind på at omarbejde udkastet med henblik på igen at tage
sagen op over for Danmark.
    Se endvidere C. Roedigers notat 8. december 1942 og OKW til AA 17. april 1943.
    Kilde: RA, pk. 284. PKB, 13, nr. 707.

Oberkommando der Wehrmacht   *Berlin W 35, den 18. Oktober 1942*
60 g Beih. 4 4396/42   Tirpitzufer 72-76
WV (XIV)

Betr.: Abwicklung der von der deutschen Wehrmacht in Dänemark verursachten Schäden.
Bezug: Besprechung Gesandter Dr. Kraske, Ministerialrat Dr. Schreiber

An das Auswärtige Amt
    Berlin W 8 Wilhelmstr. 74-76

Die Abwicklung der von der deutschen Wehrmacht in Dänemark verursachten Schä-
den geschieht bisher ohne offizielle Beteiligung dänischer Stellen. Es erscheint aber aus
sachlichen wie auch aus politischen Gründen wünschenswert, daß dänische Stellen in
diese Abwicklung eingeschaltet werden. Gleichzeitig soll erreicht werden, deutsche An-
sprüche gegenüber den Dänen leichter als bisher durchzusetzen.
    Im nachfolgenden wird der Entwurf eines Abkommens übermittelt mit der Bitte,
dieses Abkommen mit dem Königreich Dänemark abzuschließen. Um Beteiligung bei

evtl. Regierungsverhandlungen wird gebeten.

Das Abkommen soll sowohl die Schäden, welche die deutsche Wehrmacht den Dänen zufügt, als auch die außervertraglichen Ansprüche regeln, die der deutschen Wehrmacht gegen Dänen anläßlich des Aufenthalts in Dänemark erwachsen.

Der Entwurf ist in den Grundsätzen mit dem Reichsminister der Justiz (Min. Direk. Kriege) bereits besprochen.

Der Entwurf hat folgenden Wortlaut:

"I.) 1.) Für außervertragliche Schäden jeder Art, ausgenommen Kriegsschäden, die von der deutschen Wehrmacht, deren Angehörigen oder Angehörigen des Wehrmachtgefolges dänischen Staatsangehörigen auf dänischem Staatsgebiet zugefügt werden, haftet anstelle des Deutschen Reiches der Dänische Staat nach dänischem Recht. Für diese Schäden wird das Deutsche Reich dem Dänischen Staat nach dänischem Recht Ersatz leisten.

2.) Das Deutsche Reich, sowie einzelne Angehörige der deutschen Wehrmacht oder des deutschen Wehrmachtgefolges können wegen der Ansprüche unter Ziffer 1 weder vom Geschädigten noch vom Dänischen Staat vor den ordentlichen Gerichten verklagt werden.

3.) Durch die obigen Bestimmungen soll nicht ausgeschlossen sein, daß zwischen Schadenstifter und Geschädigten unmittelbar Vergleiche geschlossen werden.

4.) Soweit kein Vergleich gemäß Ziffer 3 vorliegt, kann der Dänische Staat mit dem Geschädigten nur dann und insoweit einen Vergleich abschließen, wenn die vom OKW bestimmte Dienststelle zustimmt. Soweit kein Vergleich vorliegt, entscheidet unter Ausschluß des Rechtsweges eine deutsch-dänisch gemischte Kommission mit dem Sitz in Kopenhagen.

Die Kommission besteht aus 2 Mitgliedern; wenn eines der Mitglieder es wünscht, können noch 2 andere Mitglieder und ein Obmann beigezogen werden. Ob im Einzelfalle ein deutscher oder dänischer Obmann eintritt, wird durch Los entschieden. Die Kommission entscheidet dann endgültig in dieser Besetzung.

Die Kommission kann erforderlich erscheinende Erhebungen durchführen und gegebenenfalls örtliche Behörden um Rechtshilfe ersuchen.

5.) Das Verfahren vor der Kommission ist kostenfrei, Auslagen können, soweit sie zweckmäßig waren, der unterliegenden Partei nach billigem Ermessen auferlegt werden.

II.) Bei außervertraglichen Schäden jeder Art, ausgenommen Kriegsschäden, welche der deutschen Wehrmacht, deren Angehörigen oder Angehörigen des deutschen Wehrmachtgefolges anläßlich des Aufenthalts auf dänischem Staatsgebiet zugefügt werden, können die nach dänischem Recht gegenüber dem Schadensstifter bestehenden Ansprüche an den Dänischen Staat zur treuhändlerischen Geltendmachung abgetreten werden, soweit nicht die Sache durch Vergleich erledigt ist.

Soweit der Dänische Staat selbst als Schadensstifter gilt, entscheidet die deutsch-dänisch gemischte Kommission in Kopenhagen nach dänischem Recht endgültig.

Der Abschluß von Vergleichen außerhalb der Kommission bedarf der Zustim-
mung des deutschen Kommissionsmitgliedes.
III.) Das vorliegende Abkommen gilt auch für die Fälle, die bisher durch Vergleich oder
sonst noch nicht erledigt sind.
IV.) Das Abkommen tritt mit dem Austausch der Ratifikationsurkunden in Kraft."

Erläuternd sei auf folgendes hingewiesen:

Zu I.) Das Abkommen soll die Schäden umfassen, die sowohl in Ausübung als auch
außerhalb des Dienstes von der deutschen Wehrmacht verursacht werden; lediglich dä-
nische Staatsangehörige sollen so behandelt werden; die übrigen geschädigten Neutrale
usw. sollen in der bisherigen Weise entschädigt werden.

Die Mitglieder der Kommission sollen deutscherseits vom OKW ernannt werden.

Zu II.) Die Ansprüche der deutschen Wehrmacht gegen Dänen sind u[nter]
U[mständen] im Rechtswege vor dänischen Gerichten von Dänemark geltend zu ma-
chen.

Der Prozeßführung im Einzelfall müßte jedoch immer zugestimmt werden. Selbst-
verständlich könnte der Schadensstifter in solchen Fällen nicht mit einer Forderung
gegen den Dänischen Staat aufrechnen.

Der Chef des Oberkommandos der Wehrmacht
Im Auftrage
v. Richter

81. Adolf Hitler: Führerbefehl 18. Oktober 1942

Hitler udsendte en ordre om, at fangne fjendtlige kommandoenheder, agenter og sabotører mv. ved deres
tilfangetagelse straks skulle overgives til SD og kunne det spare et liv eller to, skulle de straks skydes ned.
Ordren blev sendt til de øverstbefalende i de besatte lande, herunder WB Norwegen, men ikke til WB
Dänemark. Til gengæld gik den naturligvis til OKW/WFSt, hvorfra den er gået til WB Dänemark med et
følgebrev af ubekendt indhold, for von Hanneken reagerede resolut på den, som på meget andet i disse uger
og måneder. Se von Hanneken 24. oktober 1942.
Førerordren er ikke medtaget, men er gengivet i sin helhed hos Hubatsch 1962, nr. 46a og b.

82. Paul Barandon an das Auswärtige Amt 19. Oktober 1942

Barandon orienterede AA om den officielle indvielse af Schalburgskolen på Høveltegård. Trods det betyde-
lige fremmøde af SS-repræsentanter forsikrede Barandon om, at alt ville gå efter DNSAPs ønske, da skolen
ville blive ledet af Dirk Bonnek og Erling Hallas. Barandon gik her ud fra, at AA var vidende om, at det var
to af Frits Clausens pålidelige støtter, hvilket var tilfældet.
Kilde: PA/AA R 100.986.

Durchdruck   *Kopenhagen, den 19. Oktober 1942.*
Deutsche Gesandtschaft

Tgb. Nr. Pol. 3. Nr. Ha   2 Durchschläge

An das Auswärtige Amt

Inhalt: Einweihung der "F.C. v. Schalburg-Schule" in Höveldegaard bei Kopenhagen.

In Anwesenheit des Parteiführers der DNSAP Dr. Frits Clausen und seiner nächsten Mitarbeiter fand am Donnerstag, den 15. d.Mts., die Einweihung der "F.C. von Schalburg-Schule" in Höveldegaard bei Kopenhagen statt. Zu der Einweihungsfeier waren die Gattin des gefallenen Kommandeurs des Freikorps "Dänemark," Obersturmbannführer von Schalburg, sowie die Gattin des jetzigen Kommandeurs, Sturmbannführer Martinsen, anwesend. SS-Gruppenführer Berger hatte als seinen Vertreter den SS-Obersturmbannführer Dr. Riedweg entsandt, der in seiner Feierrede hervorhob, daß die unter Initiative der SS errichtete "F.C. von Schalburg"- Schulungsstätte für eine Auslese der dänischen SA und nationalsozialistischen Jugend sein soll. Politisch hob Dr. Riedweg die Notwendigkeit einer engen Gemeinschaft der germanischen Völker unter Führung des großdeutschen Reiches hervor. Im Anschluß an seine Rede übergab Dr. Riedweg die Schule in die Obhut des Ranghöchsten SS-Führers in Dänemark, SS-Brigadeführer Kanstein. Seitens der SS waren bei der Veranstaltung außer den erwähnten SS-Führern der Personalchef des SS-Hauptamtes, SS-Brigadeführer v. Herff, sowie der Kommandant der Junkerschule in Tölz, SS-Sturmbannführer Klingenberg anwesend, die beide bei der Veranstaltung nicht hervortraten, da sie eines Aufenthalts in Kopenhagen auf der Durchreise nach Norwegen benutzt hatten, um der genannten Veranstaltung beizuwohnen. Außerdem nahmen GR Meissner und Arbeitsführer Scheiffahrt als Gäste an der Einweihungsfeier teil.

Die "F.C. von Schalburg-Schule" wird ihre Lehrgänge unter der Leitung des SS-Hauptsturmführers Bonnek und des SS-Untersturmführers Hallas, beide dänische Freikorpsangehörige durchführen, sodaß also bei Einrichtung der Schule weitgehend auf die diesbezüglichen Wünsche der DNSAP Rücksicht genommen worden ist.

gez. **Barandon**

83. J.G. Lohmann: Notiz 19. Oktober 1942

Christian 10. var faldet af sin hest, og AA forespurgte telefonisk Det Tyske Gesandtskab, hvordan det stod til med kongen. UM kunne fortælle, at det ikke var så slemt, som det først så ud. Det blev ikke nødvendigt for kongen at lade kronprinsen overtage sine beføjelser.

Se tillige Barandons telegram nr. 1538, 20. oktober 1942.
Kilde: RA, pk. 202.

Büro RAM

Auf Weisung des Herrn RAM ist heute Mittag die Gesandtschaft in Kopenhagen fernmündlich um nähere Feststellungen über die Verletzung des dänischen Königs gebeten worden.

Hierzu teilte LS von Mietis nach Rücksprache mit dem Direktor des dänischen Außenministeriums folgendes mit:

Der Zustand des dänischen Königs sei nicht so ernst wie dänischerseits heute früh zunächst angenommen worden war. Der König habe Fleischwunden im Gesicht und ein Loch in den Hinterkopf erhalten; er müsse genäht werden. Eine Gehirnerschütterung sei nicht eingetreten. Die Dänen hofften auf Genesung in einigen Tagen. Der Kronprinz habe die Empfänge übernommen. Das Außenministerium glaube, daß eine Regentschaft nicht notwendig sein werde.

Vorstehendes wurde VLR von Sonnleithner zur Informierung des Herrn RAM mitgeteilt.

Berlin, den 19. Oktober 1942.

Lohmann

84. Paul Barandon an das Auswärtige Amt 20. Oktober 1942

Barandon orienterede om Christian 10.s tilstand. Kronprinsen kom ikke til at overtage regeringsførelsen. Barandon skrev sig ikke på den på Amalienborg fremlagte besøgsliste.

Kilde: PA/AA R 29.566. RA, pk. 202.

Telegramm

| Kopenhagen, den | 20. Oktober 1942 | 14.18 Uhr |
| Ankunft, den | 20. Oktober 1942 | 14.50 Uhr |

Nr. 1538 vom 20.10.[42.] Cito!

Im Anschluß an Drahtbericht Nr. 1533[108] vom 19.[10.42]

Heute morgen wiederholte ärztliche Untersuchung des Königs hat neuerlich ergeben, daß trotz größerer Wunde auf Hinterkopf und leichtem Fieber keinerlei Schädelbruch oder Gehirnerschütterung vorhanden. Rissquetschwunden neben linkem Auge und auf Unterlippe sind genäht worden. Infolge Alters Königs ist nach Ansichts Ärzte mit etwa 14 Tagen Hospitalaufenthalt zu rechnen. Regierungsgeschäfte sind nicht an Kronprinzen abgegeben worden. In auf Schloß Amalienborg aufgelegte Besuchslisten habe ich mich nicht eingetragen.

Barandon

85. Hermann von Hanneken an die Deutsche Gesandtschaft 20. Oktober 1942

Von Hanneken lod tilgå Det Tyske Gesandtskab den orientering, at den gennemgangslejr, som var åbnet ved vagtbataljon København kunne bruges til forplejning af krigsfrivillige fra det tyske mindretal og danskere i perioden, fra de havde meldt sig og til det tidspunkt, hvor de blev indkaldt.

Kilde: RA, pk. 225.

108 bei Pol VI. Telegrammet er ikke lokaliseret.

Abschrift zu R. 29868   *H.Qu. den 20. Oktober 1942*
Der Befehlshaber der deutschen Truppen in Dänemark
Abt. IIb Br. B. Nr. 1191/42 geh.   Geheim

An die Deutsche Gesandtschaft in Kopenhagen.

Betr.:   Freiwilligenmeldungen von Volksdeutschen und Dänen zum Eintritt in die
           deutsche Wehrmacht.
Bezug: Bef. Dänemark IIb Br. B. Nr. 829/42 geh. v. 30.3.42.

Es hat sich als notwendig erwiesen, daß die für die deutsche Wehrmacht sich meldenden
Freiwilligen (Volksdeutsche und Dänen), wenn sie sich in wirtschaftlicher Not befin-
den, bis zu ihrer Einberufung irgendwie festgehalten werden, damit sie nicht durch
Aufnahme einer anderweitigen Tätigkeit verloren gehen.

Durch Einrichtung eines Durchgangslagers, welches beim Wachbataillon Kopenha-
gen eröffnet worden ist, ist der Freiwilligen bis zu ihrer Einberufung die Möglichkeit
gegeben, Verpflegung und geldliche Unterstützung in Wehrsoldhöhe in Anspruch zu
nehmen.

Stehen die Freiwilligen in Arbeit, ist dieser bis zur endgültigen Einberufung nachzu-
gehen. Im Falle, daß ein Fürsorgeantrag für die Familie nötig ist, wird diese Regelung
nach Eintreffen beim Ausbildungstruppenteil in Deutschland vorgenommen.

Der Aufenthalt im Durchgangslager ist für den einzelnen Mann ein zeitlich be-
grenzter, d.J. daß der Freiwillige sich nur so lange dort aufhält, bis seine Einberufung
durch das WBK Ausland erfolgt ist. Wird seinem Antrag zur Aufnahme in die deutsche
Wehrmacht nicht stattgegeben, erfolgt sofort nach Bekanntgabe dieser Entscheidung
Entlassung aus dem Lager. Während des Aufenthalts im Lager findet die ärztliche Un-
tersuchung und abwehrmäßige Überprüfung statt. Gleichzeitig wird mit der Grundaus-
bildung begonnen. Die übrige Zeit wird durch Arbeitsdienst ausgefüllt.

An den mit o.a. Bezug gegebenen Richtlinien ändert sich nichts.

Die für das Auffanglager in Frage kommenden Freiwilligen sind mit Marschbe-
fehl und Wehrmachtfahrschein zum Wachbataillon Kopenhagen, Ingenieurkaserne, in
Marsch zu setzen unter gleichzeitiger Anmeldung an Adjutant Wachbataillon.

Die Zustellung des Einberufungsbefehls vom WBK Ausland erfolgt nunmehr durch
Bef. Dänemark und nicht mehr durch die Deutsche Gesandtschaft. Für alle diejeni-
gen Freiwilligen, die sich im Durchgangslager befinden, wird die Inmarschsetzung nach
dem von W.B.K. Ausland aufgegebenen Standort durch Wachbataillon Kopenhagen
veranlaßt.

Für den Befehlshaber
der deutschen Truppen in Dänemark
der Chef des Generalstabes
i.V.
Unterschrift
Major i.G.

86. Dr. Schmidt: Niederschrift über die Besprechung am 8.10.42 im SS-Hauptamt
20. Oktober 1942

Schmidts referat af mødet i SS-Hauptamt 8. oktober giver et endnu stærkere indtryk af SS' planer med de germanske lande end Heiders referat fra 8. oktober (trykt ovenfor). Berger mente med førerordren i Bormanns forordning af 12. august 1942, at SS havde fået overdraget *alt* germansk arbejde i de germanske lande. Han medgav, at der endnu ikke var truffet en aftale vedrørende det statslige område, men at der blev arbejdet derpå. Førerordren var en anerkendelse for udført arbejde, og initiativet var ikke udgået fra SS, men fra den øverste partiledelse. Førerordren åbnede for store historiske opgaver, og RFSS ville overtage ansvaret for det samlede germanske rum. Til slut blev det berørt, hvordan kompetenceafgrænsningerne herefter skulle være mellem de enkelte SS-Hauptämter.[109]

Se Bormann til Hans-Heinrich Lammers 2. november 1942.

Kilde: BArch, NS 19/3565. *De SS en Nederland*, 1, 1976, nr. 246.

Berlin, 20.10.42

Niederschrift
über die Besprechung am 8.10.42 im SS-Hauptamt.

Der Chef des SS-Hauptamtes gab einen allgemeinen Überblick über die germanische Arbeit und führte dabei aus: "Durch den Führerbefehl A 54/42[110] ist die gesamte germanische Arbeit dem Reichsführer-SS übertragen worden. Als diese Arbeit im Jahr 1940 begonnen wurde, stellt sie ein ausgesprochenes Wagnis dar. Sie mußte aus dem Nichts entwickelt werden und hat alle Kinderkrankheiten durchgemacht. Vor allen Dingen gab es bei der Werbung bittere Erfahrungen. Die Schwierigkeiten lagen nicht nur in der Sprache, sondern vor allem in der inneren Haltung dieser Völker. Es war klar, daß bei dem allgemeinen Fehlen jeder Vorarbeit jeweils Personen eine große Rolle spielen mußten, die später zu ersetzen waren. Die Werbung wurde vor allem auch dadurch erschwert, daß andere Organisationen, wie beispielsweise das NSKK in Flandern, mit Werbebedingungen auftraten, die weit über den lagen, was die Waffen-SS bieten konnte und durfte. Eine weitere Schwierigkeit der Werbung lag in der Beschränkung der Dienstzeit auf ein halbes Jahr. Diese Beschränkung wurde nicht von uns gewählt, sondern wurde uns von den Parteien aufgezwungen. Dazu kam, daß auch bei der Werbung im Reich Schwierigkeiten auftraten. Das OKW hatte die älteren Jahrgänge gesperrt und so mußte auf die jüngeren Jahrgänge zurückgegriffen werden. Heute hat das OKW, nachdem der Jahrgang 1924 einberufen wird, nur noch einen Jahrgang, nämlich den Jahrgang 1925 zur Verfügung. Bei uns wird der Jahrgang 1925 in der ersten Hälfte ab 1.4.43 und in seiner zweiten Hälfte am 1.7.43 eingezogen werden. Im Augenblick ist die Lage so, daß tatsächlich mehr tauglich Gemusterte einberufen worden sind, als wir an und für sich einberufen dürften. Die Jahrgänge werden immer schwächer, und die Ersatzlage ist in einer wirklichen Krise. Ein Überblick über die Ersatzlage in den germanischen Ländern ergibt folgendes:

109 I ingen af de to referater af mødet kom det frem, hvor stor en intern modstand, der var i SS over, at en enkelt afdeling fik ikke alene udvidet sit kompetenceområde, men også blev overordnet de øvrige. Det generede tilsyneladende ikke Berger, men det var fra SS-ledelsen selv, at den første modstand kom (se *De SS en Nederland*, 1976, passim, Madajczyk 1986, s. 266, In 'T Veld 1998, s. 132).

110 Bormanns forordning af 12. august 1942, gengivet ovenfor i kommentaren til Bormanns brev til Himmler 5. oktober 1942.

In Norwegen standen am 18. Sept. als Stichtag 2.000 Bewerber an, so daß in Kürze 1.200 bis 1.400 Mann zur Verfügung stehen werden.

In Dänemark ist durch die jüngsten politischen Ereignisse (Abberufung des deutschen Gesandten) eine Versteifung eingetreten, so daß im Augenblick nicht mehr viel herauszuholen ist.

In den Niederlanden ist die Ersatzlage stetig als gut zu bezeichnen, wenngleich auch hier große Schwierigkeiten durch die Haltung von Herrn Mussert bestehen. Gerade hier hat der Führererlaß eine besondere Wirkung gehabt. Die unklare politische Haltung des Generalkommissars Schmidt wirkt sich notwendigerweise auch auf die Werbung aus.

In Flandern liegt das größte Hindernis in der Eigenart dieses Volkes selbst, weil dort jeder jeden bekämpft und daß bisher mit deutschem Geld jede Richtung, sogar unsere ausgesprochensten Gegner finanziert wurden. Die Werbung sowohl für die Waffen-SS als auch für die Legion hat mit größten, vorwiegend politischen Schwierigkeiten fertig zu werden. In Flandern wird die durch den Führerbefehl erreichte Konzentration am ehesten in Erscheinung treten können. So gut die Haltung des Militärverwaltungschefs, des SS-Brigadeführer Raeder, ist, so haben doch Männer aus dem Stabe des Militärbefehlshabers einen verhängnisvollen Einfluß auf die Entwicklung genommen. Die hervorragenden Voraussetzungen, die im Mai 1940 gerade in Flandern vorhanden waren, sind damit nachhaltig zerstört worden. Um so erfreulicher ist es, daß gerade in Flandern von einer hervorragenden Zusammenarbeit zwischen dem RSHA und dem SS-HA gesprochen werden kann und aus dieser Zusammenarbeit ergibt sich in Flandern selbst ein Aufbau im Stillen, der einmal sehr bedeutungsvoll sein wird.

Der Führerbefehl A 54/42 ist eine Anerkennung für die geleistete Arbeit. Der Anstoß zu dem Führerbefehl ist nicht durch die SS gekommen, sondern aus der höchsten Parteileitung selbst. Die Regelung auf dem staatlichen Sektor steht noch aus. Die bisher vorgelegten Entwürfe haben bisher zu keiner endgültigen Formulierung geführt.[111] Die germanischen Freiwilligen in der Waffen-SS und in den Legionen werden einmal zusammen mit den Angehörigen der Germanischen Schutzstaffel das Fundament bilden, auf dem das Germanische Reich errichtet wird. Die Entwicklung der Allgemeinen SS in den germanischen Ländern ist befriedigend. Wir stehen in einem Zeitpunkt der Entwicklung, wo es möglich ist, jedem dieser Männer seinen Fronteinsatz zu geben und sie hinterher der politischen Aufgabe wieder zur Verfügung zu stellen.

Die in der germanische Arbeit mit den Parteigliederungen aufgetretenen Schwierigkeiten sind nicht zwangsläufig, sondern entsprechen sehr oft dem Dilettantismus der mit der Durchführung Beauftragten. Als Musterbeispiel kann die Werbung des NSKK in Flandern gelten. Große Schwierigkeiten sind mit der HJ aufgetreten. Dabei muß festgestellt werden, daß wir in allen germanischen Ländern, ausgenommen in den Niederlanden mit der Jugendarbeit angefangen haben, um sie dann in die Hand der HJ zu legen. Auch hier zeigt die Entwicklung in Flandern, daß es für die HJ besser gewesen wäre, sie hätte von vorneherein unsere Bedenken ernst genommen und sich unseren politischen Richtlinien angepaßt.

Für die SS ergeben sich durch den Führererlaß große geschichtliche Aufgaben. Dem

---

111 Se Berger til Hermann von Stutterheim 15. oktober 1942.

Reichsführer wird die Verantwortung für den gesamten germanischen Raum übertragen. Dabei muß es unsere Aufgabe sein, dem Führer den Weg zu bereiten, daß er später die germanischen Länder im Germanischen Reich vereinigen kann. Ohne Aufgabe ihres Volkstums und ihrer Kultur sollen diese Länder in unser Germanisches Reich kommen. Wir wollen, wenn es irgend möglich ist, schaffen, daß wir schon zu Lebzeiten des Führers die enge Zusammenfassung aller germanischen Länder zustande bringen und damit ein gewaltiges politisches Resultat schon jetzt noch während des Krieges sicherstellen. Auch die Aufgabe in Schweden und in der Schweiz wird nicht aus dem Auge gelassen. Diese Arbeit geschieht in der selbstverständlichen Nüchternheit der Schutzstaffel. Wir überschätzen die nordischen Völker keineswegs und wissen, daß nicht jeder, der gut aussieht, bereits ein Gewinn für uns ist. Wir halten uns deshalb auch in der gesamten germanischen Arbeit an den Leistungsmenschen, für den der Reichsführer-SS den Ausdruck 'nordisch bedingt' immer wieder gebraucht.

Die Vielfalt der Aufgabenstellung im germanischen Raum bringt es mit sich, daß alle Hauptämter der SS an dieser Arbeit interessiert sind. Das SS-Hauptamt und in ihm die Germanischen Leitstelle übernimmt die Aufgabe, die Arbeit der einzelnen Hauptämter in diesem Raum gleichzurichten. Der Leiter der Germanischen Leitstelle draußen soll sich nicht in die fachliche Arbeit der einzelnen Hauptämter mischen, aber er muß wissen, was geplant ist. Durch ihn muß die einheitliche politische Zielsetzung gewahrt bleiben. Wenn die Arbeit in diesem Sinne durchgeführt wird, so wird es keinerlei Kompetenzstreitigkeiten geben, sondern die germanische Aufgabe wird als Aufgabe der gesamten SS angesehen werden."

Abschließend wurden mit den Vertretern der einzelnen Hauptämter ganz kurz die Grenzen der gegenseitigen Aufgabengebiete gestreift. Es wurde vereinbart, daß die Vertreter der einzelnen Hauptämter in den germanischen Ländern, außer denen des Reichssicherheitshauptamtes und denen der Dienststellen der Waffen-SS, zu der zuständigen Germanischen Leitstelle draußen kommandiert werden sollen. Weiter wurde festgelegt, daß diese Sitzung alle 4 Wochen sich wiederholen soll und daß dann die zeitlich anfallenden Fragestellungen besprochen werden sollen.

87. Konstantin Hierl an Adolf Hitler 20. Oktober 1942

Rigsarbejdsfører Hierl foreslog Hitler oprettelse af statslige arbejdstjenester i en række europæiske lande under sin medvirken. Betingelserne herfor i en række lande blev gennemgået. I Danmark var situationen ikke gunstig på grund af den danske regerings modstand og DNSAPs manglende formåen. Det kunne der ændres på ved uddannelse af en række førere i Tyskland og oprettelse af en dansk arbejdstjeneste, så snart der var sket en gennemgribende ændring af den danske regering. Sammenfattende ønskede Hierl statslige arbejdstjenester, der var opdragelsesorganer for den germanske ide, men tog hensyn til den folkelige egenart. De skulle tjene i hjemlandet, have egen rigsfører, men overledelsen skulle være Hierls.

Hitlers svar er ikke kendt, men ideen må være blevet positivt modtaget. Hierl arbejdede påfølgende for sin sag ved at knytte sig tæt til Germanische Leitstelles bestræbelser på at øge indflydelsen i de germanske lande (se Berger til RFSS 16. januar og 15. februar 1943 (*De SS en Nederland*, 2, 1976, nr. 297 og 335), men pressede også gennem AA for, at der skete noget i sagen. For Danmarks vedkommende skete der imidlertid ikke noget, så Hierl besluttede at trække sin repræsentant i Danmark tilbage, hvilket fik Best og AA til at reagere, se Weizsäcker til Hierl 18. februar 1943.

Kilde: PA/AA R 29.858. RA, pk. 212 (uddrag).

Abschrift
Der Reichsarbeitsführer   *Berlin Grunewald, den 20. Okt. 1942*
Adj. Nr. 231/42g

An den Führer
    Führerhauptquartier

Betrifft: Mitwirkung des Reichsarbeitsführers beim Aufbau von Arbeitsdienstorganisa-
            tionen außerhalb des Deutschen Reiches.

Schon vor dem Kriege war das Interesse des Auslandes für den Reichsarbeitsdienst sehr
rege. Es kam in zahlreichen Besuchen von führenden Persönlichkeiten und Abordnungen
zum Ausdruck. Literatur und Presse beschäftigten sich in zunehmendem Maße mit dem
Reichsarbeitsdienst und der Arbeitsdienstidee. Die Macht dieser Idee und das Beispiel
des Reichsarbeitsdienstes führten dazu, daß in einigen europäischen Staaten Versuche zur
Bildung freiwilliger Arbeitsdienstorganisationen unternommen wurden, die aber bei der
demokratischen Struktur dieser Staaten ohne nennenswertes Ergebnis blieben.
    Die Ausstrahlung des Reichsarbeitsdienstes auf das Ausland ist durch den Krieg
nicht schwächer, sondern stärker geworden. Die durch den Krieg noch offenkundige-
ren Erfolge der nationalsozialistischen Erziehungsarbeit im Reichsarbeitsdienst und der
Kriegseinsatz des Reichsarbeitsdienstes selbst haben die Aufmerksamkeit in erhöhtem
Maße auf den Reichsarbeitsdienst gelenkt.
[...]
In Dänemark ist der Arbeitsdienst trotz der positiven Einstellung eines Teiles der
Jugend zur Arbeitsdienstidee infolge der Gegnerschaft der Dänischen Regierung und
des Unvermögens der dänischen nationalsozialistischen Partei hierin nicht vorwärtsge-
kommen. Die Ausbildung einer Anzahl dänischer Führeranwärter im Reich würde es
auch hier erlauben, mit dem Aufbau eines auf den Führer und das Reich ausgerichteten
dänischen Arbeitsdienstes zu beginnen, sobald eine durchgreifende Änderung in der
Dänischen Regierung herbeigeführt ist.
    Zusammenfassend schlage ich als Richtlinie für die künftige Behandlung von Ar-
beitsdienstangelegenheiten in den Staaten des germanischen Lebensraumes vor:
    Aufbau von *staatlichen* Arbeitsdiensten als Erziehungseinrichtung zur Einstellung
der Jugend auf den Führer und die germanische Gemeinschaft. Organisation, Dienstbe-
trieb und Einsatz nach deutschen Grundsätzen unter Berücksichtigung der volklichen
Eigenart. Einsatz im eigenen Staat, Führung durch volkseigene Führer, Ausbildung we-
nigstens der oberen Führer im Reich.
    Oberleitung durch den Reichsarbeitsführer, der sein Aufsichts- und Anweisungs-
recht durch Beauftragte ausübt.
    Es scheint mir wichtig, daß diese Grundsätze auch in etwaigen künftigen Staatsver-
trägen verankert werden.
[...]
                            Heil Hitler!
                                Ihr
                            gez. **Hierl**

88. Emil von Rintelen an Emil Wiehl 21. Oktober 1942

Rintelen meddelte, at Ribbentrop ønskede forhandlingerne i det tysk-danske regeringsudvalg udskudt lidt endnu og ville have et nyt forslag til en tidstermin.

Kilde: PA/AA R 29.566. RA, pk. 202. PKB, 13, nr. 337.

Telegramm

| Feldmark, den | 21. Oktober 1942 | 23.30 Uhr |
| Ankunft, den | 22. Oktober 1942 | 00.30 Uhr |

Nr. 1360 vom 21.10.42.

1.) Telko,
2.) An Ministerbüro, Berlin, für MD. Wiehl. G.-Schreiber

Zu Vorlage Ha Pol VI 3670 betreffend die deutsch-dänischen Regierungsausschußverhandlungen in Kopenhagen hat der Herr RAM angeordnet, daß der Beginn der Verhandlungen in Kopenhagen noch etwas hinausgeschoben werden soll. Der Herr RAM bittet, einen neuen Termin in Vorschlag zu bringen, dessen Genehmigung er sich noch vorbehalten hat.

Rintelen

89. Emil Wiehl: Vermerk 21. Oktober 1942

Wiehl fik telefonisk besked om, at Ribbentrop ønskede berammet et nyt møde for de tysk-danske handelsforhandlinger. Efter Wiehls råd blev det aftalt, at beslutning om mødet skulle tages om ca. 10 dage.

Kilde: PA/AA R 29.566. RA, pk. 202 og 216. PKB, 13, nr. 338.

Dir. Ha Pol 344. *Berlin, den 21. Okt. 1942*

Vermerk

Ges[andter] von Rintelen teilt telefonisch mit, daß der Herr Reichsaußenminister eine Vertagung der in Aussicht genommenen deutsch-dänischen Wirtschaftsverhandlungen für notwendig halte und wünsche, daß vor Anberaumung eines neuen Termins seine Entscheidung nochmals eingeholt werde.

Ich machte darauf aufmerksam, daß die Verhandlungen ohne wirtschaftlichen Schaden etwa 14 Tage vertagt werden könnten, worauf Ges. v. Rintelen antwortete, daß dann nach etwa 10 Tagen die neue Entscheidung eingeholt werden müsse.

gez. **Wiehl**

Durchdr. an:
Büro RAM
St.S.
U.St.S. Pol.
Dir. Ha. Pol.
Ges. Schnurre
LR van Scherpenberg

90. Paul Barandon an das Auswärtige Amt 21. Oktober 1942

Det amerikanske boreudstyr, der af AA 14. oktober var beordret beslaglagt (Schnurre anf. dato), var stillet til rådighed for det danske statsministerium af ejerne. Udstyret var komplet. Det var hensigten at bruge det til systematiske boringer efter kulforekomster. Undersøgelserne var planlagt allerede 1941. På grund af mangelen på kul bad danskerne om at måtte få overladt boreudstyret til gennemførelse af dette arbejde. Barandon ønskede at få at vide, hvad han skulle svare.

Når direktør Thorkild Juncker blev omtalt i telegrammet, hænger det givetvis sammen med, at han var medlem af Statsministeriets produktions- og råstofudvalg. At han også havde interesse i at overtage den amerikanske koncession er en anden sag. Han skulle have foreslået generalkonsul Ernst Krüger på Dagmarhus, at boreudstyret blev anvendt til at fortsætte de afbrudte boringer, da det alligevel ikke blev benyttet (Krügers efterkrigsforklaring (*Saltfundet* ved *Harte*, 1948, s. 196f. Jfr. Rüdiger 1997, s. 185)). Samtidig hævdede dog både Krüger og Werner Best i efterkrigsforklaringer, at udstyret var bestemt for anvendelse i Østrig og Sydrusland (*Saltfundet* ved *Harte*, 1948, s. 196f. Jfr. Rüdiger 1997, s. 185)).

Se Scherpenbergs notat 9. november 1942 og telegram til Best samme dag.

Kilde: BArch, R 901 68.712.

Telegramm

| Kopenhagen, den | 21. Oktober 1942 | 19.25 Uhr |
| Ankunft, den | 21. Oktober 1942 | 20.30 Uhr |

Nr. 1550 vom 21.10.42.   Cito!

Auf Drahterlaß Nr. 1805[112] vom 19.10.1942.

Weisung ausgeführt. Hiesiger Vertreter amerikanischer Besitzer der Bohrgeräte hat Staatsministerium Bohrgeräte zur Verfügung gestellt. Dieselben sind nach dänischer Auffassung für die hier beabsichtigten Bohrungen vollständig. Auch Direktor Juncker hält auf Grund der Mitteilung des Diplomingenieurs Wolf nach seiner Besichtigung des Bohrgeräts Anlage für vollständig.

Es bestand die Absicht, sowohl die in Jütland neuerdings entdeckten abbauwürdigen Braunkohlenvorkommen als auch die Kohlenvorkommen auf Bornholm, Anholt, Hesselö, Läsö, die vermutlich eine Fortsetzung des Hallandaschonen-Vorkommens sind, eingehender systematisch durch Bohrungen zu untersuchen. Diese Untersuchungen waren bereits 1941 vom dänischen geologischen Untersuchungsausschuß in Aussicht genommen. Hierfür wird das Bohrgerät dringend benötigt. Mit Rücksicht auf die außerordentlich schwierige Kohlenversorgung hat Dänische Regierung nochmals Bitte ausgesprochen, ihr durch Überlassung des Bohrgerätes diese Arbeiten, die Erfolge in absehbarer Zeit erwarten lassen, zu ermöglichen.

Drahtweisung erbeten.

Barandon

112 Telegrammet er ikke lokaliseret.

91. Georg Martius: Aufzeichnung 21. Oktober 1942

Martius nedfældede for AA, hvad der var kommet frem ved et forberedende møde forud for forhandlingerne med danskerne om bygning af 37 Hansa-skibe på danske værfter. Ministerialdirektor Waldeck havde på vegne af rigskommissæren for søskibsfart (RKS) forelagt de fordringer, som danskerne skulle præsenteres for, og som han ikke anså for ubillige og derfor ville stå fast på. Hovedkravet var, at alle skibene skulle være til rådighed for Tyskland, så længe krigen varede.

Se om forhandlingerne RKS 26. oktober 1942.

Kilde: BArch, R 901 68.228.

Durchdruck an									Durchdruck
    Dir. Ha.Pol.
    H. Ges. Schnurre
    Ha.Pol VI
    Ha.Pol II
    Pol VI.

Ha.Pol. IIIa 4793									21.10.42

Aufzeichnung

Ministerialdirektor Waldeck gab heute Mittag in der internen Vorbesprechung für die Verhandlungen mit der dänischen Delegation unter Leitung des Herrn Wassard folgende vom Reichskommissar für die Seeschiffahrt gesammelte deutsche Forderungen bekannt:

1.) Neubau auf dänischen Werften im Rahmen eines bis zum 1. Oktober 1944 (vollständige Ablieferung) laufenden Programms von

    4   Schiffen à 3.000 to
  30   Schiffen à 5.000 to
    3   Schiffen à 9.000 to

2.) Von den auf diese Weise gebauten Schiffen sollen den Dänen zur Verfügung gestellt werden

    2   Schiffe à 3.000 to
  12   Schiffe à 5.000 to

Ferner soll den Dänen ermöglicht werden, bis zu 13 Schiffen, also weitere 65.000 to für eigene Rechnung fertig zu bauen, sofern das Material dazu wirklich vorhanden ist.

3.) Sämtliche Schiffe, auch die für Dänemark zu erbauenden Schiffe sollen während des Krieges für uns fahren, nötigenfalls auch außerhalb der gewöhnlichen Fahrt.

Ferner sollen für die neu in Auftrag zu gebenden dänischen Neubauten uns ein Vorkaufsrecht für die Dauer von drei Jahren nach einen Waffenstillstand eingeräumt werden.

4.) Es wurde bemerkt, daß den dänischen Werften z.Zt. statt 16.000 Arbeitern nur 11.000 zur Verfügung stehen, und daß für die planmäßige Durchführung des Programms statt der vorhandenen 4.200 Arbeiter auf den in Frage kommenden Werften 6.200 nötig sein würden. Die Frage, ob diese noch aus der dänischen Volkswirtschaft herausgeholt werden können blieb offen.

5.) Abgesehen von diesen Punkten erscheint der unsererseits beabsichtigte Vorschlag, auch wenn er wesentlich hinter den zurückbliebe, was den Dänen früher unter anderen Verhältnissen geboten wurde, durchaus entgegenkommend und alles andere als unbillig. Ich habe deshalb empfohlen, bei Schwierigkeiten auf dänischer Seite hart zu bleiben.

6.) Das Oberkommando der Kriegsmarine wird vom Reichskommissar für die Seeschiffahrt für unbeteiligt erachtet, da seine Interessen durch die beabsichtigte Art der Abmachungen nicht gefährdet seien.

Berlin, den 21. Oktober 1942.

gez. **Martius**

92. Paul Barandon an das Auswärtige Amt 22. Oktober 1942

Gesandtskabet redegjorde for den funktion og virksomhed, som forbindelsesleddet mellem rigskreditkassen i Berlin og den rigsbefuldmægtigede havde udfoldet siden 1940. Arbejdet havde taget et sådant omfang, at forbindelsesleddets leder, rigsbankdirektør Rudolf Sattler, havde brug for en kommitteret ved gesandtskabet, og der blev peget på Reichsbankrat Kurt Krause til opgaven.

Rigsbankdirektionen støttede med et brev til AA 7. november 1942 anmodningen, idet den gjorde opmærksom på forbindelsesleddets stigende betydning (BArch, R 901 113.554, RA, pk. 271). Krause kom til København i december 1942.

Rudolf Sattler havde selv været tilknyttet gesandtskabet i København siden sommeren 1940, hvor han i Hauptabteilung III var Referat vedrørende penge, kredit og valuta. Sideløbende havde han status af afdelingsleder for "Volkswirtschaft" ved rigskommissariatet i Oslo 1940-45 (tillæg 4 og 5, Bohn 2000, passim).

For forbindelsesleddets virksomhed 1943-44, se Best til AA 10. november 1944.

Kilde: BArch, R 901 113.554. RA, pk. 271.

Der Bevollmächtigte des Deutschen Reiches   *Kopenhagen, den 22. Oktober 1942.*
Wi/3393/42
2 Durchschläge

An das Auswärtige Amt
   Berlin

Betrifft: Verbindungsstelle der Hauptverwaltung der Reichskreditkassen Berlin beim Bevollmächtigten des Deutschen Reichs in Kopenhagen. Vereinbarung zwischen Hauptverwaltung und Dänemarks Nationalbank vom 17./26.August 1940 über den Kronenbedarf der Deutschen Wehrmacht in Dänemark sowie "Bemerkungen" zu der Vereinbarung. – Mein Bericht Wi/920/40 vom 22.8.40. W V 3236/40
           Dortiges Telegramm Nr. 730 vom 5.9.40.

Die obengenannte Verbindungsstelle besteht seit 2 Jahren und hat die Aufgabe, nach Artikel IV der angezogenen Vereinbarung

   "darauf hinzuwirken, daß die von der Nationalbank" (der deutschen Wehrmacht in

Dänemark) "zu Verfügung gestellten Kronenbeträge nicht zur Bezahlung von Waren verwandt werden, die für den Bedarf der Wehrmacht außerhalb Dänemarks ausgeführt werden" und "daß Zahlungen der Wehrmacht, welche nach ihrer Art in Übereinstimmung mit den getroffenen deutsch-dänischen Vereinbarungen im Clearingwege geleistet werden sollen, auch tatsächlich auf diese Weise geregelt werden."

Nach Artikel V der Vereinbarung ist es ferner Aufgabe der Verbindungsstelle, "auf Niedrighaltung des Barkronenumlaufs durch Benutzung der in Dänemark gangbaren bargeldlosen Zahlungswege …" hinzuwirken.

In Erfüllung dieser Aufgaben hat die Verbindungsstelle eine umfangreiche vermittelnde Tätigkeit entfaltet, indem sie auf der einen Seite die Wehrmachtsdienststellen bei der Durchführung der Vertragsbestimmungen zu beraten und den dänischen Stellen gegenüber zu vertreten, andererseits aber auch dänische, im Rahmen der Vereinbarung liegende Anregungen und Wünsche entgegenzunehmen, zu prüfen und – soweit es auch im deutschen Interesse verantwortet wenden kann – bei den Wehrmachtdienststellen zur Annahme zu bringen hat.

Anfangs stand die Umschulung der Wehrmachtskassen – und Zahlstellenleiter von dem im Reich üblichen Giroüberweisungsverkehr auf die in Dänemark eingeführte Scheckzahlung gemäß dem oben aufgeführten Artikel V im Vordergrund der Bemühungen der Verbindungsstelle. Später mußte sie das Hauptaugenmerk ihren im obengenannten Artikel IV der Vereinbarung bezeichneten Aufgaben der Clearingumbuchung von Ausgabeposten der Wehrmacht zuwenden, die teils vor Inkrafttreten der Vereinbarung, teils aber auch nachher von den Wehrmachtskassen zu Lasten des Besatzungskontos verausgabt worden sind. Hierbei handelt es sich neben zahlreichen leicht zu klärenden Fällen um hunderte von Posten, bei denen die Feststellung, ob sie Ausgaben für die in Dänemark eingesetzten Einheiten betreffen, schwierig ist oder sich schließlich als unmöglich herausstellt. In längeren Verhandlungen sind zwar durch eine Pauschalabfindung die vom 9. April 1940 bis 31. März 1942 zu Unrecht aus Besatzungsmitteln geleisteten Zahlungen über Clearing abgegolten worden, jedoch bringt die Bearbeitung der laufenden Umbuchungsfälle nach wie vor eine starke Inanspruchnahme der Verbindungsstelle mit sich. Hinzu kommt, daß seit etwa 4 Monaten die mit der Förderung des bargeldlosen Zahlungsverkehrs (vgl. den obengenannten Artikel V der Vereinbarung) zusammenhängende Tätigkeit der Verbindungsstelle eine erhöhte Bedeutung erfahren hat, weil zur stärkeren Heranziehung der dänischen Bestände die Wehrmacht bei regierungsseitig vereinbarten Käufen mehr als bisher die bargeldlose Zahlung pflegen muß, damit die darüber hinaus im dringenden deutschen Versorgungsinteresse erforderlichen und nur durch Barzahlung erhältlichen Waren möglichst reibungslos beschafft werden können. Hierzu ist eine ständige banktechnische Unterstützung der Wehrmacht seitens der Verbindungsstelle nicht zu entbehren.

Ich schlage daher vor, dem Leiter der Verbindungsstelle, Reichsbankdirektor Sattler, der gemäß dem Schlußabsatz der oben im Betreff genannten "Bemerkungen" die der Verbindungsstelle auf dem Gebiete der Währungspolitik und Zahlungstechnik obliegenden Funktionen bisher neben seiner Tätigkeit in Oslo ausgeübt hat, einen Reichsbankbeamten zuzuweisen, dem die technische Abwicklung des Geschäftsverkehrs der Verbindungsstelle und die Vertretung des Leiters während dessen Abwesenheit in Angelegenheiten von nicht grundsätzlicher Bedeutung zu übertragen wäre.

Das Reichsbankdirektorium hat dem Reichsbankdirektor Sattler auf eine von mir veranlaßte Frage mitgeteilt, daß es auf Ersuchen des Auswärtigen Amtes den Reichsbankrat Krause in Schweidnitz für das in Aussicht genommene Arbeitsgebiet zur Verbindungsstelle kommittieren würde. Ich bitte, den Reichsbankrat Krause baldmöglichst anfordern zu wollen.

Barandon

93. Heinrich Himmler: Vortragsnotiz 22. Oktober 1942

Himmler var til en drøftelse hos Hitler, hvor bl.a. forholdene i Danmark var på dagsordenen. Han noterede, at der ikke skulle foretages noget foreløbigt (Poulsen 1970, s. 351).

Hvad der konkret menes, er uvist. Det kan enten have drejet sig om, at det blev opgivet at kræve en nazistisk regeringsdeltagelse eller at indlede en aktion mod de danske jøder eller begge. Det sidste er mest sandsynligt, da en eventuel nazistisk regeringsdeltagelse endnu blev diskuteret senere på måneden.

Kilde: *Der Dienstkalender Heinrich Himmlers 1941/42*, 1999, s. 594.

Donnerstag, 22. Oktober 1942
Feld-Kommandostelle
[...]
Vortrag beim Führer
Wehrwolf 22.10.1942
1.) Bericht über Italien
2.) Bericht über Serbien
3.) Verhältnisse in Dänemark
    es ist zunächst nichts zu veranlassen
4.) Neuaufstellungen
    Division Warräger
5.) Bericht d. deutschen Volksgruppe in Rumänien übergeben
    ~~Panzergrenadierdivision~~
    ~~Leibstand., Das Reich, Totenkopf. Wiking~~

94. Cecil von Renthe-Fink an Joachim von Ribbentrop 23. Oktober 1942

Renthe-Fink meddelte Ribbentrop, at han var i venteposition i Berlin og stod til ministerens rådighed. Han benyttede det personlige brev til både at takke Ribbentrop for den udviste fortrolighed, men også at omtale grundlaget for den politik, der hidtil var blevet ført i Danmark. Her var stikordene de afgørende militære og økonomiske fordele, den førte politik havde bragt med sig for Tyskland og den fra dansk side viste samarbejdsvilje.

Renthe-Fink blev kort efter involveret i den nye rigsbefuldmægtigedes briefing om forholdene i Danmark og den tyske politik, der skulle føres fremover.

Kilde: RA, pk. 305.

Berlin, den 23. Oktober 1942.

Sehr verehrter Herr Reichsaußenminister!

Nachdem ich weisungsgemäß in Berlin eingetroffen bin, möchte ich melden, daß ich mich heute in Urlaub begebe, wo ich selbstverständlich jederzeit ganz zu Ihrer Verfügung stehe.

Darf ich gleichzeitig für die Anerkennung, die Sie mir für meine Tätigkeit als Bevollmächtigter des Reichs in Dänemark ausgesprochen haben, meinen Dank zum Ausdruck bringen. Mein ganzes Bestreben ist darauf gerichtet gewesen, auf diesem verantwortungsvollen Posten den höchsten Einsatz zu leisten und nach Ihren Weisungen Dänemark den Interessen der deutschen Politik und der deutschen Kriegsführung in grösstmöglichstem Umfang nutzbar zu machen. In Befolgung der von Ihnen gegebenen Richtlinien ist es möglich gewesen, entscheidende militärische und wirtschaftliche Vorteile aus Dänemark zu ziehen und dieses trotz kompromißloser Wahrung der deutschen Interessen für unsere Zwecke und Bedürfnisse leistungsfähig und leistungswillig zu erhalten.

Wenn es mir gelungen ist, die mir von Ihnen gestellten Aufgaben erfolgreich zu lösen, so habe ich das in erster Linie dem großen Vertrauen zu verdanken, das Sie mir stets geschenkt haben, und das die Grundlage meiner Tätigkeit in Kopenhagen gewesen ist. Dieses Vertrauen bitte ich Sie, Herr Reichsaußenminister, mir auch weiterhin zu bewahren.

Heil Hitler!
stets Ihr aufrichtig ergebener
Renthe-Fink

95. Paul Kanstein an das Auswärtige Amt 24. Oktober 1942

Under Frikorps Danmarks ophold i Danmark under orloven og ikke mindst i de sidste dage i København kom det til talrige sammenstød med befolkningen. Stærkt overdrevne rygter herom nåede til Berlin, og Kanstein påtog sig at mane rygterne i jorden over for AA. Der havde været episoder og sammenstød, men de var ikke nær så alvorlige og så mange, som det blev påstået. Det var klart, at man i gesandtskabet ikke ville puste til ilden med hensyn til situationen i Danmark.

Sagens alvor fremgår af, at RFSS var blevet opmærksom på, hvordan de frivillige i tysk krigstjeneste og deres familier blev chikaneret i deres hjemlande. Den 12. september 1942 beordrede han Gottlob Berger til få at chikanerierne mod familiemedlemmer slået ned på den brutaleste måde i de frivilliges hjemlande, og specielt vedkommende Danmark føjede han til: "In Dänemark beauftrage ich Sie, soweit wir mit Geld helfen können, allen geschädigten Familien großzügigste zu helfen. Außerdem bitte ich Sie zu veranlassen, daß der Dänischen Regierung, vor allem der dänischen Polizei, unmißverständlich über den Gesandten mitgeteilt wird, daß ich dem weiteren Schikanieren der Angehörigen unserer Freiwilligen nicht zusehen werde." (*De SS en Nederland*, 1, 1976, s. 818f.).

Kilde: RA, pk. 225.

Der Bevollmächtigte des Deutschen Reiches	*Kopenhagen, den 24. Oktober 1942*
Der Beauftragte für Fragen der inneren Verwaltung	Dagmarhus
Inn. V.L.	

An das Auswärtige Amt, in Berlin

Betrifft: Gerüchte um das Freikorps.

Erlaß: Ohne.
Anlagen: 2.[113]

Wie hier bekannt geworden ist, sind im Reich, insbesondere in Berlin, und zwar auch
an amtlichen Stellen Gerüchte im Umlauf, die sich mit dem Besuch des Freikorps Dä-
nemark in Kopenhagen befassen. Diese Gerüchte wollen u.a. wissen,
1.) daß die deutsche Uniform den Dänen keinerlei Respekt eingeflößt habe,
2.) daß kommunistische Demonstrationen gegen das Freikorps stattgefunden hätten,
3.) daß die Freiwilligen, wenn sie sich einzeln auf der Straße gezeigt hätten, überfallen
    und mißhandelt worden seien,
4.) daß einzelne Freiwillige schwer verletzt, einzelne sogar getötet worden sein sollen,
5.) daß die Bevölkerung sich sogar an verwundeten Freiwilligen vergriffen, schwer Bein-
    verletzten die Krücken weggeschlagen und sie aus der Straßenbahn geworfen habe.
Diese Gerüchte geben eine unzutreffende Darstellung der Tatsachen und sind geeignet,
letzten Endes dem Freikorps selbst zu schaden. Es soll daher im Folgenden zu diesen
Gerüchten Stellung genommen werden:

Zu 1.) Der überwiegende Teil der dänischen Bevölkerung hat sich dem Freikorps gegen-
über zwar kühl aber korrekt verhalten. Der Führer des Freikorps, SS-Sturmbannführer
Martinsen hat mehrfach betont, daß er mit der Haltung der Bevölkerung zufrieden sei,
daß er sich die Stimmung dem Freikorps gegenüber schlechter vorgestellt habe als sie
tatsächlich sei und daß weitere Kreise sich anerkennend über das Freikorps und seinen
Einsatz geäußert hätten als er erwartet habe.

Zu 2.) Irgendwelche kommunistischen Demonstrationen haben in Dänemark über-
haupt nicht stattgefunden. Es sind somit auch keine Angehörigen des Freikorps aus
Anlaß solcher Demonstration beschimpft oder angegriffen worden.

Zu 3.) Es ist nicht richtig, daß grundsätzlich einzelngehende Freiwillige beschimpft, über-
fallen oder mißhandelt worden sind. Richtig ist, daß es eine Anzahl von Zwischenfällen
gegeben hat. In der Regel war die Ursache dazu die, daß einer Gruppe von Freiwilligen,
die sich auf der Straße bewegte oder in Lokalen saß, Schimpfworte wie Landesverräter
u.a. zugerufen wurden. Daraus entwickelte sich zumeist ein Wortwechsel, in dessen
Verlauf die Freiwilligen sich dadurch Genugtuung verschafften, daß sie dem Gegner
handgreifliche Denkzettel verabreichten oder die Täter der deutschen Feldgendarmerie
oder der dänischen Polizei übergaben. Es war bei Ankunft des Freikorps sichergestellt
worden, daß alle vorkommenden Zwischenfälle sofort dem Stabsquartier zu melden wa-
ren. Es sind deshalb alle wesentlichen Vorfälle erfaßt und beim Untersuchungsführer des
SS- und Polizei-Gerichtes anhängig gemacht worden. Der SS-Untersuchungsführer hat
zurzeit 130 laufende Fälle in Bearbeitung. In dieser Zahl sind aber auch Fälle enthalten,
in welchen es sich um dänische SS-Angehörige handelt, die nicht zu den rund 800 Frei-
korpsurlaubern gehörten, sondern zu anderen SS-Formationen (Divisionen Westland,
Wiking usw.). Bei einem Teil der genannten 130 Fälle handelt es sich auch um Vorgän-
ge, die zeitlich schon vor dem Freikorpsbesuch liegen.

113 Bilagene er ikke lokaliseret.

Der größte Teil der Zwischenfälle war leichter Natur, ernstere Fälle haben sich nur vereinzelt ereignet. In fünf Fällen haben Freiwillige von der Schußwaffe Gebrauch gemacht, dabei sind insgesamt 16 dänische Zivilpersonen verletzt und eine getötet worden. Eine Aufstellung über diese Fälle wird nachgereicht.

Zu 4.) Freiwillige sind in keinem Falle ernstlich verletzt oder getötet worden. In zwei Fällen, in denen dänische Polizeibeamte sich Übergriffe gegen Freiwillige erlaubt haben, sind scharfe Disziplinarverfahren und Strafmaßnahmen eingeleitet worden.

Zu 5.) Es sind vereinzelt bei Zwischenfällen – es handelt sich im ganzen um 5 Fälle – auch verwundete Freiwillige, die der genesenden Kompanie angehörten, beschimpft und belästigt worden. Verletzt wurde keiner dieser Verwundeten. Auf die Verfolgung dieser Fälle wird besonderer Nachdruck gelegt. Die Gerüchte darüber, daß Verwundete aus der Straßenbahn gestoßen wurden usw., entbehren jeder Grundlage.

Kanstein

96. Martin Luther an Walter Büttner 24. Oktober 1942

Luther erindrede kort Büttner om, at Danmark skulle slettes i den af Martin Bormann udfærdigede forordning af 12. august 1942 om de germansk-völkische grupper og bad om at få en afskrift af den ændrede forordning.

AA og Luther var først blevet orienteret om Bormanns forordning fra august den 12. september, da Weizsäcker modtog den og straks lod den gå videre. Luther reagerede meget voldsomt, først til Weizsäcker 16. september og 19. september direkte til RAM (begge trykt efterfølgende). Forordningen var efter hans opfattelse helt uantagelig for AA; Danmark skulle helt stryges i forordningen. For RAM gjorde han det klart, at SS søgte at udstrække sin indflydelse til Danmark på en måde, der skadede forholdet til Danmark. Danmark var udland og kunne ikke behandles som besat, og selv i de øvrige lande burde SS gå forsigtigere frem af propagandahensyn. Luther ville have at vide, om han skulle få forordningen ændret eller ophævet eller om RAM selv ville kontakte Bormann.

Ribbentrops beslutning er påskrevet Luthers skrivelse. Det var et nej til, at Ribbentrop selv ville kontakte Bormann og ja til, at Luther gik videre med sagen. Ribbentrop var vundet for Luthers opfattelse. Luthers ret udiplomatiske formuleringer lader forstå, at dette eksempel på SS' fremtrængen på AAs få enemærker, satte ham i betydelig affekt. Det var et af adskillige tilfælde i løbet af 1942, hvor Luther på AAs vegne tog en konfrontation med SS.[114]

Luther modtog ikke en ændret udgave af forordningen og ophævet blev den ikke. Imidlertid valgte RFSS under indtryk af modstanden mod forordningen at foretage et midlertidigt tilbagetog. Se Martin Bormann til Hans-Heinrich Lammers 2. november 1942.

Kilde: NHWE, Id. dok.: APK-014958.

114 Der var bl.a. Magdeburg-konferencen april 1942, arrangeret af Germanische Leitstelle, hvor et medlem af DNSAP deltog trods AAs forbud imod det (se AA-optegnelsen 20. september 1942 (ADAP/E, 3, nr. 302, jfr. Poulsen 1970, s. 358-361, Materne 2000, s. 90-94), sagen med Gottlob Bergers forslag om at oprettet et germansk politi med frivillige fra bl.a. Danmark, uden at AA var forespurgt først (Martin Luther til Karl Wolff 8. august 1942 (RA, pk. 228 og 442, RA, Danica 1069, sp. 6, nr. 7037-40), siden fulgte Otto Höflers særopgave for RFSS i Danmark (Rademacher til Luther 8. oktober og Luther til Emil von Rintelen 9. oktober 1942, trykt her) og endelig Bests forhandlinger med Germanische Leitstelle (Luther til RFSS 25. januar 1943, trykt her). Det var alle sager, hvor Luther optrådte som RAMs hidsige bulldog, oftest bistået og ansporet af Franz Rademacher.

U.St.S.-D.-Nr. 7023   *Berlin, den 24. Oktober 1942.*

Mitteilung für Parteigenossen Büttner.

Ich erinnere daran, daß die Parteikanzlei eine Berichtigung des Rundschreibens "Zu-
sammenarbeit mit germanisch-völkischen Gruppen" in der Weise vornehmen will, daß
durch eine Nachtragsverfügung Dänemark gestrichen wird. Ich bitte, den Parteigenos-
sen Neuburg zu veranlassen, diesen Rundschreiben baldigst herauszugeben und uns ei-
nige Abschriften zuzusenden.

Luther

U.St.S.-D.-Nr. 6788   *Berlin, den 16. September 1942*

Urschriftlich Herrn Staatssekretär v. Weizsäcker zurückgereicht. Die beiliegende Anord-
nung A 54/42 der Parteikanzlei ist mir erst durch Ihre Notiz bekanntgeworden.[115]
   Es ist natürlich völlig unmöglich, die Verhandlungen mit allen germanisch-völki-
schen Gruppen in Dänemark einer Parteistelle zu übertragen, während uns diese Ver-
handlungen in Norwegen und Belgien und den Niederlanden nicht berühren. Ich habe
vertraulich festgestellt, daß der Erlaß von einem Mitarbeiter der Parteikanzlei ohne
Kenntnis der Zuständigkeiten veranlaßt wurde und schlage vor, daß wir unsererseits
sofort an die Parteikanzlei mit der Bitte herantreten, eine dahingehende Berichtigung
vorzunehmen, daß das Wort "Dänemark" in dem Erlaß gestrichen wird. Hierauf wird
die Parteikanzlei zweifellos sofort eingehen. Wenn unserem Wunsche stattgegeben wird,
kann uns der übrige Erlaß auch hinsichtlich des Punktes 3 meiner Ansicht nach nicht
mehr interessieren.
   Ich schlage weiterhin vor, daß ich sofort mit Herrn v. Stutterheim im Hegewald te-
lefoniere und ihn darum bitte dafür Sorge zu tragen, daß das Wort "Dänemark" in der
Anweisung für den staatlichen Sektor nicht erscheint.

Luther

Auch an:
   Parteigenossen Büttner
   Parteigenossen Rademacher
mit dem Bemerken Zurückgereicht, daß weder in der Aufzeichnung zu D III 672 noch
in der mündlichen Unterredung davon die Rede war, daß der Erlaß des Reichsleiters
Bormann Dänemark einschließe, andernfalls hätte ich sofort dagegen Einspruch erho-
ben. Ich bitte um Mitteilung, ob Ihnen hierüber etwas bekannt gewesen ist.

U.St.S.-D.-Nr. 6816   *Berlin, den 19. September 1942.*
                                                        Geheim!

Zur Vorlage bei dem Herrn Reichsaußenminister.
   über den Herrn Staatssekretär.

---

115 Den knappe notits af Weizsäcker 12. september 1942 er ikke medtaget.

Vortragsnotiz

In der Anlage lege ich Reichsverfügungsblatt der NSDAP, Ausgabe A, Folge 34/42 vom 18. August 1942 vor und verweise auf die auf der 2. Seite abgedruckte Anordnung A 54/42, die "Verhandlungen mit allen germanisch-völkischen Gruppen" betreffend. Von der Anordnung hat das Auswärtige Amt leider erst am 12.9.[116] Kenntnis erhalten und kennt auch nicht die näheren Zusammenhänge, welche zum Erlaß der Anordnung geführt haben. Es war lediglich bekannt, daß es von seiten der SS angestrebt wurde, die großgermanische Arbeit, die von den verschiedensten Stellen in Deutschland in zum großen Teil sehr dilettantischer Weise betrieben wurde, in der dem Gruppenführer Berger unterstehenden "Großgermanischen Leitstelle" einheitlich zusammenzufassen.

Gruppenführer Berger arbeitet mit der Großgermanischen Leitstelle seit längerer Zeit nach Norwegen, Belgien und den Niederlanden. Daß der Reichsführer-SS die Arbeit der Großgermanischen Leitstelle auch auf Dänemark ausdehnen wollte, war dagegen unbekannt.

Die Anordnung, die der Reichsführer-SS augenscheinlich den Reichsleiter Bormann vorgeschlagen und die von diesem ohne jede Kenntnis oder Beteiligung des Auswärtigen Amts erlassen wurde, ist völlig unmöglich. Wenn den Reichsleiter Bormann auch augenscheinlich beim Erlaß der Anordnung der Gedanke geleitet hat, lediglich die großgermanische Arbeit der einzelnen Parteidienststellen, ihrer Gliederungen und angeschlossenen Verbände nach den großgermanischen Ländern im Inland selbst zusammenzufassen, um eine Einheitlichkeit zu erreichen, und wenn er sicherlich hierbei auch vorausgesetzt hat, daß die Arbeit nach Dänemark nur nach erfolgter Genehmigung und im engsten Einvernehmen mit dem Auswärtigen Amt erfolgt, so kann aus den verschiedensten Gründen die Anordnung in dieser Form nicht bestehen bleiben und muß unbedingt entweder ganz aufgehoben oder völlig geändert werden. Denn

1.) Dänemark ist Ausland und muß aus sehr gewichtigen außenpolitischen Rücksichten zumindest vorerst als solches behandelt werden. Die Einbeziehung in den großgermanischen Raum zur jetzigen Zeit ist völlig abwegig. Die Arbeit mit den germanisch-völkischen Gruppen in Dänemark erfolgt seit langer Zeit ausschließlich durch das Auswärtige Amt und gestaltet sich sehr erfolgreich.

2.) Die Arbeit mit den germanisch-völkischen Gruppen auch in Norwegen, Belgien und den Niederlanden muß in sehr vorsichtiger, nach außen möglichst unsichtbarer Form erfolgen, da anderenfalls gerade dieses Thema von der Auslandspropaganda aufgegriffen und sehr zu unserem Ungunsten ausgeschlachtet werden kann.

3.) Aus der Verfügung kann herausgelesen werden, daß die Arbeit mit dem germanisch-völkischen Gruppen auch zum Tätigkeitsbereich der Auslandsorganisation oder der Arbeitsbereiche der NSDAP gerechnet wird. Auch dieses Moment kann sich in der Auslandspropaganda schädlich auswirken.

Da in der Verfügung erwähnt ist, daß Reichsminister Lammers für den staatlichen Sektor eine entsprechende Anweisung herausgeben werde, habe ich mich sofort mit Reichskabinettsrat von Stutterheim in Verbindung gesetzt und festgestellt, daß ihm die Anordnung des Reichsleiters Bormann bereits große Kopfschmerzen bereitet. Auch

116 Se ovenstående.

Reichsminister Lammers hält es für unmöglich, daß Dänemark schon jetzt in den groß-germanischen Raum einbegriffen und damit in der Verfügung erwähnt wird. Herr v. Stutterheim setzt sich zunächst mit Gruppenführer Berger in Verbindung, um zu erfahren, welche Gedanken dieser hinsichtlich einer Verfügung auf den staatlichen Sektor hat und wird dann, bevor die Reichskanzlei irgend etwas veranlaßt, mit uns in Verbindung treten.

Ich bitte um Weisung, ob ich unsere Wünsche auf Abänderung bzw. Aufhebung der Anordnung zunächst mit Parteigenossen Friedrichs besprechen soll oder ob der Herr Reichsaußenminister direkt mit Reichsleiter Bormann in Verbindung zu treten beabsichtigt.[117]

Luther

97. Hermann von Hanneken an die höhere Kommandobehörden 24. Oktober 1942

Herman von Hanneken orienterede med Bef. Dänemark Ia Nr. 696/42 gKdos. de højere militære kommandomyndigheder i Danmark om Hitlers ordre af 18. oktober, ifølge hvilken fjendtlige agenter og sabotører uden videre skulle nedskydes uden rettergang. Indholdet af von Hannekens skrivelse er ikke kendt, men han omtalte den den 22. januar 1943 særskilt i sin Kampfanweisung (trykt nedenfor som Bekämpfung von Fallschirmjägern...), da det blev en pligt for alle regiments- og ligestillede kommandører at orientere de dem underlagte enheder om førerordren. Afsnitskommandanterne henviste efterfølgende både til førerordren af 18. oktober 1943 og von Hannekens ordre af 22. januar 1943.

98. Hermann von Hanneken an OKW 24. Oktober 1942

Hermann von Hanneken bad om retningslinjer for, hvordan han skulle forholde sig for det tilfælde, at kong Christian 10. afgik ved døden. Han fik svar endnu samme dag.

Kilde: RA, Danica 1069, sp. 1, nr. 00176f.

W F St /ZhY
Nr.: 55 1810/42 G.K.Chefs.   F.H.Qu., den 24. Oktober 1942
Geheime Kommandosache

3 Abschriften
3. Abschrift

Chefsache!
Nur durch Offizier!

K R - F e r n s c h r e i b e n
an OKW/WFSt

Am 19.10.1942 hat der Dänische König Christian X. einen schweren Unfall durch Sturz vom Pferde erlitten. Befinden hat sich zwar inzwischen. Bei hohem Alter des Königs ist immerhin mit Möglichkeit überraschend schnellen Ablebens zu rechnen.

Für diesen Fall wird um Anweisung gebeten, ob gegen Regierungsnachfolge des jetzi-

---

117 I originalen er der i marginen ud for dette afsnit skrevet ja til det første spørgsmål og nej til det andet.

gen Kronprinzen Frederik von mir bei dänischer Regierung Einspruch erhoben werden soll. Die Anfrage gründet sich auf die vom Führer an mich anläßlich meiner persönlichen Meldung gerichteten Äußerung: "bei etwaiger Abdankung des Königs wäre mir eine Nachfolge des derzeitigen Kronprinzen in der Regierung höchst unerwünscht".

Soll sonst übliche Halbmastbeflaggung bei deutscher Wehrmacht hier erfolgen?

Der Geschäftsträger-eichs (?) (verstümmelt)[118] – ist ohne Weisung des Auswärtigen Amtes und von diesem Telegramm nicht unterrichtet.

gez. **von Hanneken**
Bef. Dänemark Ia Nr.: 14/42 gKdos. Chefs.

99. OKW an Hermann von Hanneken 24. Oktober 1942

OKW svarede på, hvorledes von Hanneken skulle forholde sig, såfremt Christian 10. afgik ved døden. Føreren var underrettet, men i tilfælde af kongens død, ville der komme anvisninger gennem AA. Der kunne ikke under nogen omstændigheder blive tale om, at værnemagten flagede på halv stang.

Kilde: RA, Danica 1069, sp. 1, nr. 00177.

Chef OKW   *F.H.Qu., den 24. Oktober 1942*

K R - F e r n s c h r e i b e n
an Bef. Dänemark (zu Bef. Dänemark Ia Nr. 14/42 g.K. v. 23.10.1942).

1.) Führer ist unterrichtet.

2.) Weisung über Verhalten für den Fall etwaigen überraschenden Ablebens ergeht durch Außenminister an Geschäftsträger. Selbständiges Eingreifen des Militärbefehlshaber erübrigt sich daher. Etwaige Halbmastbeflaggung deutscher Wehrmacht kommt keinesfalls in Frage.

Geschäftsträger ist anzuraten, erneut beim Außenminister Verhaltungsmaßregeln zu erbitten.

Chef OKW
Nr.: 55 1810/42 g.K.Chefs.

Für die Richtigkeit der Abschrift
F.H.Qu., den 24. Oktober 1942

[underskrift]
Hauptmann

Verteiler:
Chef WFSt   1. Abschrift
Stellv. Chef WFSt / Ktb. 2. –
Qu   3. –

---

118 Således i original, formentlig pga. forstyrrelser i kommunikationen.

100. Paul Barandon an das Auswärtige Amt 24. Oktober 1942

Von Hanneken havde af OKW fået besked på, at han i tilfælde af Christian 10.s død skulle følge de instruk-
ser, som Ribbentrop ville give. Det foranledigede Barandon til at udbede sig besked om, hvordan han skulle
forholde sig ved den danske konges eventuelle død.
      Kilde: PA/AA R 29.566. RA, pk. 202.

Telegramm

| Kopenhagen, den | 24. Oktober 1942 | 19.00 Uhr |
| Ankunft, den | 24. Oktober 1942 | 19.40 Uhr |

Nr. 1561 vom 24.10.[42.]

Wie ich nachträglich erfahren hat Befehlshaber auf eine Anfrage beim Oberkomman-
do die Antwort erhalten, daß er für den Fall überraschenden Ablebens des dänischen
Königs nicht selbständig einzugreifen habe, sondern daß für diesen Fall Weisung des
Außenministers an den Geschäftsträger ergehe. Etwaige Halbmastbeflaggung deutscher
Wehrmacht komme jedoch keinenfalls in Frage.

      Da trotz zur Zeit fortschreitender Besserung im Befinden des Königs bei dessen ho-
hen Alter jederzeit mit überraschender Wendung gerechnet werden muß, bitte ich um
Verhaltungsmaßregeln für diesen Fall, insbesondere auch wegen Regierungsnachfolge
des jetzigen Kronprinzen Frederik.

                                           Barandon

101. Paul Barandon an das Auswärtige Amt 24. Oktober 1942

Barandon videregav indholdet af nogle bemærkelsesværdige telegrammer, der var indløbet i anledning af
Christian 10.s rideulykke.
      Kilde: PA/AA R 29.566. RA, pk. 202.

Telegramm

| Kopenhagen, den | 24. Oktober 1942 | 16.50 Uhr |
| Ankunft, den | 24. Oktober 1942 | 17.45 Uhr |

Nr. 1563 vom 24.10.[42.]

Anläßlich Reitunfall Königs sind folgende bemerkenswerte Telegramme eingegangen:
1.) "Sa. Majesté le Roi, Copenhague Hof. Venant d'apprendre avec une profond afflic-
      tion que vôtre Majesté a été blessée dans un accident, je fais des voeux sincères pour
      sa progurison. Hirohito"
      Protokoll Außenministeriums hat 23.10. folgendes geantwortet:
      "Sa. Majesté l'Empereur du Japon, Tokio. Très ému du temoignage de sympathie que
      Vôtre Majesté Impériale a bien voulu me donner à l'occasion de l'accident qui m'est

arrivé, je m'empresse de lui exprimer me remerciments les plus sincères. Christian R."

2.) 22.10. "His Majesty the King Copenhagen Hof.
Learning with anxiety that Your Majesty was hurt in accident Princess and hasten to express hearty wishes for Your quick recovery. M. Prince Tatamatsu."
Gleichfalls Protokoll Außenministeriums hat 23.10. folgende Antwort erteilt:
"His Imperial Highness Prince Takamatsu, Tokio.
Sincere thanks for your and Princess Takamatsu's kind sympathy and good wishes. Christian R."

3.) Wie dänischer Gesandter Stockholm in heute Nacht bei dänischem Außenministerium eingetroffenen Schriftbericht vom 22. mitteilt, hat er am gleichen Tage von britischem Gesandten Schreiben erhalten, worin dieser um Weiterleitung folgenden Telegramms an König bittet:
"I am so sorry to hear of Your accident and send my best wishes for a speedy recovery.
George R. I."

Barandon

102. Heinrich Himmler an Gottlob Berger 25. Oktober 1942

Himmler blev først sent orienteret om, hvem der skulle være ny tysk rigsbefuldmægtiget i Danmark. Det var endnu ikke sket. Han havde ingen andel deri, og så helst slet ingen, som det fremgår af brevet til Berger.

Umiddelbart forud havde Himmler 22. oktober ved en konference hos Hitler fået at vide, at der ikke skulle ændres ved status quo i Danmark (se ovenfor anf. dato. Poulsen 1970, s. 370f., Thomsen 1971, s. 116 (der tolker brevet sådan, at Himmler havde formidlet, at Best blev rigsbefuldmægtiget!), Kirchhoff, 1, 1979, s. 94, Herbert 1996, s. 610 n. 22).

Kilde: BArch, NS 19/1712. RA, Danica 1069, sp. 6, nr. 7296. RA, pk. 442. RA, Danica 201, pk. 81, læg 1075. LAK, Best-sagen (afskrift). Afskrift i HSB Hovedgruppe 24A.

Der Reichsführer-SS
RF/Dr. 1400/42

Feld-Kommandostelle, 25. Oktober 1942
Geheime Kommandosache
2 Ausfertigungen
2. Ausfertigung.

Gruppenführer Berger
SS-Hauptamt
Berlin

Lieber Berger!
Zur Lage in Dänemark kann ich Ihnen nach meiner Rücksprache mit dem Führer sagen, daß wohl mit einer akuten Änderung in irgendeiner Richtung dort nicht zu rechnen ist. Grundtenor ist: Die Dänische Regierung soll ruhig weiter sündigen. Dies bitte ich streng geheim zu bewahren.
Clausen kann ruhig mitgeteilt werden, daß ich über seine politische Haltung beim

Abmarsch des Freikorps "Danmark" gegenüber dem Generalleutnant Görtz sehr wenig erbaut bin.[119] Man kann Politik nicht mit Impulsen und Stimmungen machen, man muß sie auch etwas mit dem Verstand machen. Was den neuen Bevollmächtigten anbetrifft, glaube ich, kann jetzt noch gar nichts gesagt werden. Ich halte es für das Beste, wenn überhaupt kein eigentlicher Bevollmächtigter hinkommt.

Wegen SS-Sturmbannführer Martinsen bitte ich einmal mit SS-Gruppenführer Jüttner zu sprechen. Ich bin persönlich einverstanden, wenn Martinsen nach Dänemark zurückkommt.[120] Ich brauche dann aber Vorschläge für einen guten Nachfolger, der das Freikorps "Danmark" führt.

Heil Hitler!

Herzlich Ihr

gez. **H. Himmler**

103. Ernst von Weizsäcker an Joachim von Ribbentrop 25. Oktober 1942

Weizsäcker formidlede de bekymringer, der i det diplomatiske korps i Berlin var over skærpelsen af det tysk-danske forhold. I diplomatkredse anså man i almindelighed det tysk-danske forhold for et mønster for den fremtidige ordning i Europa. Deraf den store interesse.
    Kilde: PA/AA R 29.566. RA, pk. 202 og 305. PKB, 13, nr. 341.

St.S. No. 632   *Berlin, den 25. Oktober 1942.*

Fernschreiben dem Herrn Reichsaußenminister
Die Verschärfung der deutsch-dänischen Beziehungen ist dem hiesigen Diplomatischen Korps geläufig. Man spricht viel darüber, was nun weiter kommen werde. Amtlich bin ich darauf nie angeredet worden, auch nicht vom Italienischen Botschafter. Privatim dagegen haben mich hiesige Missionschefs häufig danach befragt, so gestern der Schwedische Gesandte, als ich ihm im Tiergarten begegnete und der Chilenische Botschafter in einem Privathause.

Der Schwede, der gerade aus Stockholm kam, zeigt sich über einen Briefwechsel unterrichtet, der zwischen dem dänischen und dem schwedischen König stattgefunden hat. König Gustaf hat Herrn Richert aus diesem Briefwechsel vorgelesen, aus dem das Bedauern König Christians über den bewußten Vorgang, aber auch seine Bestürzung darüber hervorgehe, die Kritik des Führers ungewollt heraufbeschworen zu haben. König Gustaf hoffe natürlich sehr auf eine Applanierung. Ich habe mich auf Einzelheiten nicht eingelassen, Herrn Richert jedoch gesagt, der Gesandte von Renthe-Fink habe schon im vorigen Jahre Herrn von Scavenius darauf aufmerksam gemacht, daß die Art und Weise der Behandlung von Glückwunschtelegrammen des Führers an den König von Dänemark eines schönen Tages unangenehme Folgen haben könnte.

Der Chilenische Botschafter hat soeben eine Woche in Kopenhagen zugebracht, wo seine Frau sich zur Erholung nach einer Operation aufhielt. Herr Barros war durch

---

119 Se Kanstein til Himmler 16. oktober 1942.
120 Se Berger til Himmler 14. oktober 1942.

seinen Kopenhagener Chilenischen Kollegen auf dem Laufenden. Dieser Chilenische Gesandte heißt Wessel, ist eigentlich dänischen Ursprungs und hat seit etwa 20 Jahren seinen dortigen Posten inne. Herr Wessel hat Herrn Barros so informiert:

Läßt Deutschland in Dänemark die souveräne Fassade bestehen, d.h. den König in seiner Scheinfunktion, so ist mit geringen Machtmitteln alles zu haben, anderenfalls muß es die Geschäfte selbst und mit wesentlich stärkeren Kräften in die Hand nehmen.

Allgemein wurde im Berliner Diplomatischen Korps die bisherige Ordnung des deutschdänischen Verhältnisses als ein Muster für die künftige Ordnung in Europa betrachtet. Daher das Interesse für das, was kommt.

gez. Weizsäcker

104. Cecil von Renthe-Fink/Werner von Grundherr an Joachim von Ribbentrop 25. Oktober 1942

Ribbentrop havde bedt om en indstilling vedrørende det danske spørgsmål. Den blev udarbejdet af Renthe-Fink, Grundherr og Gaus. De frarådede et indgreb over for det danske kongehus og forfatningen, men foreslog i stedet dannelsen af en tyskvenlig regering, vedtagelse af en vidtgående fuldmagtslov, krav om en mere tyskvenlig presse og radio, krav om en mere aktiv sabotagebekæmpelse og en tillempning til den tyske lovgivning i jødespørgsmålet. Det blev luftet som en mulighed at optage medlemmer af DNSAP eller det nærtstående personer i regeringen (et første udkast til denne notits om den danske forespørgsel foreligger i RA, pk. 305, nr. 535774-76 i forbindelse med Renthe-Finks brev til Ribbentrop 23. oktober 1942. - Poulsen 1970, s. 342, Thomsen 1971, s. 117f., Kirchhoff, 1, 1979, s. 50f.).

Kilde: PA/AA Nachlässe Renthe-Fink, bd. 6. RA, pk. 202. PKB, 13, nr. 342. Lauridsen 2008a, nr. 53 (uddrag).

Geheime Reichssache!   *Berlin, den 25. Oktober 1942.*
Sofort!
Mit Vorrang!
Nr.

T e l e g r a m m

Herrn
Gesandten von Rintelen, Feldmark.

Nachstehend folgt die vom Herrn RAM angeordnete Notiz über die dänische Frage, die Gesandter von Renthe-Fink zusammen mit mir und Gesandten von Grundherr aufgesetzt hat:
(inseratur die Anlage).

Gaus

Geheime Reichssache!

N o t i z
für den Herrn RAM zu der dänischen Frage

1.) Wenn beabsichtigt wird, das Régime in Dänemark formell und nach außen sichtbar zu ändern, so würde ein durch den Tod des jetzigen Königs eintretender Thronwechsel hierfür an sich ein geeigneter Zeitpunkt sein. Wir könnten eine solche Änderung damit begründen, daß die maßgebenden Faktoren in Dänemark, wie die Erfahrungen seit April 1940 gezeigt haben, die Zeichen der Zeit nicht verstanden, sondern es, im Widerspruch mit den wohlverstandenen Interessen des dänischen Volkes selbst, versäumt haben, eine effektive Mitarbeit am neuen Europa zu leisten. Ein Thronwechsel und seine nicht zu übersehenden Auswirkungen würden für uns einen Zustand der Unsicherheit in Dänemark schaffen, den wir in diesem Stadium unseres Existenzkampfes nicht einfach hinnehmen könnten, gegen den wir uns vielmehr sichern müßten.

2.) Eine radikale Lösung würde darin bestehen, daß wir den Regierungsantritt des neuen Königs überhaupt nicht effektiv werden lassen. Dies könnte auf dem Wege erreicht werden, daß wir beim Ableben des Königs als Besatzungsmacht von uns aus dekretieren, die dänische Verfassung werde, ohne daß ihr Bestand an sich angetastet würde, bis zum Ende des Krieges insoweit suspendiert, als es sich um die Thronfolge und die Gesetzgebung handelt. Die Regierungsgeschäfte, einschließlich des Gesetzgebungs- und Verordnungsrechts, wären dem Staatsrat (ohne König) zu übertragen. Gesetze und Verordnungen wären aber von der Zustimmung des Bevollmächtigten des Reichs abhängig zu machen. Im übrigen blieben die Funktionen der Landesbehörden unberührt.

Man könnte daran denken, das gleiche Ergebnis in der Weise herbeizuführen, daß wir es nicht von uns aus dekretieren, sondern daß wir an die Dänische Regierung die ultimative Forderung stellen, die entsprechende Änderung ihrerseits zu beschließen. Dieser letztere Weg würde aber voraussichtlich deshalb nicht zum Ziele führen, weil die Dänen keinen legalen Weg finden werden, ihre Verfassung dementsprechend zu ändern.

3.) Bei der vorstehenden radikalen Lösung würde in zeitlicher Beziehung folgendes zu berücksichtigen sein: Die dänische Verfassung sieht vor, daß der König die Regierung erst dann antritt, wenn er im Staatsrat die schriftliche Versicherung abgegeben hat, die Verfassung unverbrüchlich halten zu wollen. Der Regierungsantritt erfolgt jedoch automatisch, wenn der König diese Versicherung bereits als Thronfolger abgegeben hat. Ob der jetzige Kronprinz dies getan hat, was z.B. während der Reise des Königs nach Island im Jahre 1936 geschehen sein könnte, läßt sich im Augenblick nicht feststellen. Sollte es der Fall sein, so würde sich verfassungsrechtlich sein Regierungsantritt mit dem Ableben seines Vaters automatisch vollziehen. Es wäre dann also nötig, daß wir unsere Maßnahme gegen den neuen König sofort nach dem Ableben des jetzigen Königs durchführen, und zwar möglichst noch bevor der neue König mit einem Regierungsakt, etwa einer Proklamation, hervortritt.

4.) Es ist damit zu rechnen, daß dänischerseits in einer so einschneidenden deutschen Maßnahme, wie der Suspendierung der Thronfolge und wesentlicher Teile der Verfassung, auch wenn wir der Suspendierung die Form eines bloßen Zwischenzustandes geben, der erste Schritt zur Beseitigung der dänischen Selbständigkeit gesehen werden und daß sie daher in der dänischen Bevölkerung die stärkste Reaktion hervorrufen würde. Das gilt um so mehr, als das dänische Volk, das früher der Dynastie keine besondere Anhänglichkeit entgegenbrachte, in ihr jetzt das Symbol der Eigenstaatlichkeit Dänemarks sieht. Wenn auch Gewalttätigkeiten dem dänischen Volkscharakter fernliegen und der Däne geneigt ist, sich machtpolitischen Tatsachen zu beugen und Kompromisse zu schließen, so würde doch zum mindesten eine verstärkte passive Resistenz der Bevölkerung die Folge sein. Aber auch die Möglichkeit eines aktiven Widerstands, z.B. in der Form von Unruhen und Zwischenfällen, ist in einem solchen Falle keineswegs ausgeschlossen. Dabei wird bei der unheroischen Art der Dänen neben der Sorge um den Verlust der staatlichen Selbständigkeit ein Hauptfaktor die Befürchtung bilden, daß Dänemark nun in den Krieg hineingezogen werde, seinerseits Soldaten für ihn stellen müsse und starke englische Luftbombardements zu erwarten habe. Auch auf die Zuverlässigkeit der dänischen Polizei und der anderen Behörden, die bisher im großen und ganzen zu unserer Zufriedenheit mit uns zusammengearbeitet haben, kann dann nicht mehr gerechnet werden. Ebensowenig würden wir unter solchen Umständen der Haltung des dänischen Militärs sicher sein, sodaß es wohl notwendig wäre, seine völlige Entwaffnung durchzuführen. Es wird daher ein sehr viel größerer Einsatz von deutschen Machtmitteln, insbesondere von Polizeikräften, zur Sicherung der deutschen Belangen und zur Erfüllung von Aufgaben erforderlich werden, die bisher der dänischen Seite überlassen werden konnten. Aber selbst beim Einsatz dieser deutschen Machtmittel wird es kaum zu vermeiden sein, daß die bisherigen, recht erheblichen kriegswirtschaftlichen Leistungen Dänemarks zurückgehen.

5.) Abgesehen von diesen allgemeinen Folgen, ist zu beachten, daß die Funktionen des Königs und die Gesetzgebung nicht dem Staatsrat in seiner jetzigen Zusammensetzung übertragen werden könnten. Wir brauchen eine Regierung, die mit uns an einem Strang zieht und die gewillt und in der Lage ist, für die Zuverlässigkeit des dänischen Staatsapparats Sorge zu tragen. Die bisherigen Sammlungsparteien müssen deshalb aus der Regierung ausgeschaltet werden. Bei der zeitweiligen Suspendierung der Verfassung wird es allerdings schwer, wenn auch nicht unmöglich sein, ein neues Kabinett mit geeigneten Männern zu bilden. Persönlichkeiten wie Scavenius und Gunnar Larsen, die schon jetzt der Regierung angehören, würden sich hierzu vielleicht bereitfinden, wenn sie die Überzeugung gewönnen, daß sie dadurch eine noch weitergehende Beschränkung der dänischen Selbständigkeit verhindern können. Die Bildung einer rein nationalsozialistischen Regierung würde verfrüht sein, da der Anhang der dänischen Nationalsozialisten in der Bevölkerung bekanntlich noch sehr klein ist, und da die Masse des Volkes ihnen nicht nur ablehnend, sondern feindlich gegenübersteht. Sie würden daher nur unter direkter Anwendung der Machtmittel des Reichs zur Regierung gebracht und am Ruder gehalten werden können. Dabei ist noch zu bedenken, daß, da ein starker Flügel der dänischen nationalsozialistischen Partei grundsätzlich monarchistisch eingestellt ist und sich der Dynastie durch ein Treuverhältnis verbunden fühlt, aller Voraussicht nach die Suspendierung der Thronfolge Spaltungen innerhalb der Partei hervorrufen und so ihre Schwächung herbeiführen wird.

6.) Besondere Beachtung erfordern die außenpolitischen Wirkungen einer zeitweiligen Suspendierung der dänischen Thronfolge und Verfassung. Ebenso wie in Dänemark selbst, wird man auch im Ausland in dieser Maßnahme, selbst wenn wir ihren provisorischen Charakter betonen, doch sicherlich das Ende der dänischen Souveränität sehen. Das würde in Schweden, dessen Königshaus mit der dänischen Dynastie verwandtschaftlich eng verbunden ist, vor allem aber in Finnland eine starke Wirkung auslösen. Auch in den anderen europäischen Ländern, selbst bei unseren Freunden und Verbündeten würde unser Vorgehen als der erste Schritt zur Annexion des Landes aufgefaßt werden. Wir würden damit unsere machtpolitischen Ziele vorzeitig decouvrieren und in anderen Teilen Europas, namentlich in den zum germanischen Bereich gehörenden Ländern, das Gefühl lebendigwerden lassen, daß ihnen das gleiche Schicksal bevorsteht. Wie stark die feindliche Propaganda das gegen uns ausbeuten würde, bedarf keiner weiteren Ausführung. Wahrscheinlich würde es auch zur Bildung einer dänischen Exilregierung in London und zur endgültigen Loslösung Islands von Dänemark kommen.

7.) Man könnte daran denken, den radikalen Charakter unseres Vorgehens dadurch etwas abzuschwächen, daß wir den Thronfolger veranlassen, beim Ableben seines Vaters von sich aus für die Dauer des Krieges auf seine Funktionen zu verzichten und diese in die Hände des Staatsrats zu legen. Das dänische Parlament und seine gesetzgeberischen Funktionen blieben dann bestehen. Der Thronfolger würde sich vielleicht unter deutschem Druck zu einem solchen Schritt entschließen, wenn dadurch, wenigstens nach außen hin, das bisherige Régime im übrigen gerettet würde. Es hätte aber für uns nur einen geringen praktischen Nutzeffekt, lediglich den Thronfolger auszuschalten, andererseits aber das parlamentarische Régime zu belassen, da gerade dieses das größte Hindernis für eine positive Mitarbeit Dänemarks bildet. Außerdem würden bei einem solchen Vorgehen die außenpolitischen Rückwirkungen wohl kaum gemildert werden, da es nicht zu verbergen sein würde, daß der Thronfolger lediglich unter deutschem Druck handelt.

8.) Bei dieser Sachlage wird zu überlegen sein, ob es nicht besser ist, den Thronfolger ruhig die Regierung antreten zu lassen und die endgültige Entscheidung über die Frage der Dynastie einem späteren Zeitpunkt vorzubehalten, den Dänen aber sofort bei dem Thronwechsel bestimmte Forderungen zu präsentieren. Diese Forderungen könnten vor allem enthalten: eine Regierungsumbildung in deutschem Sinne, ein weitgehendes Ermächtigungsgesetz für die Regierung zwecks ihrer Befreiung vom parlamentarischen Betriebe, die deutschfreundliche Gestaltung von Presse und Rundfunk, die aktive Bekämpfung von Widerstandsbewegungen, die Angleichung der Behandlung der Judenfrage an die deutsche Gesetzgebung, sowie präzisierte deutsche Aufsichtsrechte hinsichtlich Gesetzgebung, Verordnungsrecht und Personalpolitik. Es würde sich empfehlen, den neuen Bevollmächtigten des Reichs zwar gleichzeitig als Gesandten zu bestellen, aber kein Agrément für ihn nachzusuchen. Auch sonst würde er die Person des Königs zu ignorieren und lediglich mit dem neuen Kabinett zu arbeiten haben. Intern würde der Bevollmächtigte zu ermächtigen sein, der Dänischen Regierung de facto alle in unserm Interesse notwendigen Befehle zu erteilen. Dabei wäre davon auszugehen, daß die neue Regierung eine Übergangsregierung ist, die mit der Zeit immer mehr nationalsozialistisch auszurichten wäre. Was ihre nächste Zusammensetzung anbetrifft, so könnten von den bisherigen Ministern einige Persönlichkeiten, wie z.B. Scavenius, Gunnar Larsen und Kjärböl, beibehalten werden. Zu ihnen könnten einige Mitglieder der nationalsozialistischen Partei oder der Partei nahestehende Personen treten. Ferner wäre es erwünscht, die eine oder andere geeignete Persönlichkeit aus den dänischen Gewerkschaften in das Kabinett zu nehmen, weil das einen günstigen Einfluß auf die ganze Haltung der dänischen Arbeiterschaft ausüben und die Möglichkeit eröffnen würde, sie allmählich zum Nationalsozialismus herüberzuziehen.

9.) Auch wenn der jetzige König am Leben bleiben sollte, wird es notwendig sein, gleichzeitig mit der Ernennung des neuen Bevollmächtigten des Reichs den neuen Kurs in Dänemark durch bestimmte Forderungen an die Dänen einzuleiten. Diese Forderungen würden im wesentlichen die gleichen sein, wie sie in der vorstehenden Ziffer 8) aufgeführt sind. Obwohl die Dänen Forderungen dieser Art erwarten, wird ihre Durchsetzung vielleicht nicht ganz einfach, aber bei genügendem Nachdruck doch zu erreichen sein.

105. Martin Luther an Joachim von Ribbentrop 26. Oktober 1942

Gustav Meissner havde været i AA og orienteret Luther om forholdene i Danmark. Luther viderebragte til Ribbentrop en orientering om den politiske situation i Danmark, hvis hovedpunkt var, at Frits Clausen ønskede at få regeringsmagten nu, som overgangsled var et fagministerium en mulighed, og konkrete nazistiske ministeremner blev nævnt.

Luther kunne naturligvis ikke træffe beslutning, men sagen blev fremstillet for Ribbentrop på en måde, der talte til fordel for DNSAP. Telegrammets forslag kom til at indgå ved et møde næste dag i førerhovedkvarteret, hvor situationen i Danmark blev drøftet. Her blev det besluttet, at DNSAP ikke skulle have regeringsmagten, regeringen skulle i stedet dannes af tyskvenlige personer, mens DNSAP skulle nyde fortsat støtte, men være helt afhængig af tysk støtte (Poulsen 1970, s. 346f.).

Kilde: PA/AA R 29.566. RA, pk. 202. PKB, 13, nr. 343.

Geheim!   Akt. Z. D III 938 g

T e l e g r a m m

Berlin, den   26. Oktober 1942

Nr. 3283.   Citissime

Referent: U.St.S. Luther
Herrn Gesandten v. Rintelen
Feldmark.
Zur Vorlage bei dem Herrn RAM.

Der Pressereferent der Gesandtschaft Kopenhagen, Gesandtschaftsrat Meissner, der den

Sonderauftrag hat, die dänischen Nationalsozialisten zu betreuen, ist von mir zur Besprechung laufender Angelegenheiten nach Berlin gebeten worden. Er gibt mir folgenden Stimmungsbericht zur Lage in Dänemark:

Der dänische König ist neuerdings noch an Lungenentzündung erkrankt, so daß man mit seinem baldigen Ableben rechnet. Nach seinem Ableben würde, wenn nicht von unserer Seite vorher entscheidend eingegriffen wird, Kronprinz Frederik auf den Thron kommen. Dieser hat in Kopenhagen vor wenigen Tagen in einer Rede vor den dänischen Studenten darauf hingewiesen, daß er bald in die Lage kommen könnte, das Staatsschiff zu übernehmen.

Jetzige Sammlungsregierung ist durch die Unklarheit der letzten Wochen mürbe geworden und innerlich auf erhebliche deutsche Forderungen vorbereitet. Man erörtert in Dänemark bereits ein deutsches Protektorat unter Reichskommissar Terboven.

Auf die Regierung hat stimmungsmäßig die nachträgliche Abreise des Italienischen Gesandten nach Rom gewirkt und insbesondere die zwischenzeitlich durchgesickerte Mitteilung, daß dieser nicht nach Kopenhagen zurückkehren wird.

Jetzige Sammlungsregierung ist sich völlig darüber im klaren, daß ihre aus den 4 demokratischen Parteien gebildete Einheitsfront nicht mehr gehalten werden kann, ist aber so harmlos, auch heute noch auf eine Lösung zu hoffen, die den vier Parteien einen, wenn auch geringen Einfluß für die Zukunft erhält; dabei macht sie sich allmählich mit dem Gedanken vertraut, die als deutschfeindlich bekannten Minister, Unterrichtsminister Jörgen Jörgensen, Finanzminister Alsing Andersen, Kirchenminister Fibiger und Verteidigungsminister Brorson zu opfern.

Die Gruppe um Außenminister Scavenius und Verkehrsminister Gunnar Larsen strebt offenbar neutrales Geschäftsministerium mit Larsen als Regierungschef an.

Die dänischen Nationalsozialisten unter Clausen betrachten sowohl die Pläne der Sammlungsregierung als die vermuteten Bestrebungen Scavenius/Gunnar Larsen mit Skepsis und befürchten, daß beide nur den Zweck verfolgen, Clausen auszuschalten bzw. ihm das Wasser abzugraben. Clausen zieht die unmittelbare Machtübernahme durch ihn vor. Er wäre mit der Übergangslösung, der Bildung eines Fachministeriums, dann einverstanden, wenn in diesem die Interessen der Nationalsozialisten durch Männer wie C.O. Jörgensen als Landwirtschaftsminister (Mitglied der DNSAP), Popp-Madsen als Justizminister (der DNSAP nahestehend),[121] Professor Wanscher als Unterrichtsminister (der DNSAP nahestehend)[122] und Helmer Rosting als Kirchenminister (der DNSAP nahestehend)[123] vertreten würden.

Der Leiter der Gewerkschaften Lauritz Hansen hat Meissner gegenüber seine Bereitwilligkeit ausgesprochen, in ein Übergangsministerium als Sozialminister einzutreten und damit die 514.000 in den Gewerkschaften organisierten Arbeiter zu neutralisieren. Er ist bereit, die aktiven marxistischen Kreise aus der Gewerkschaftsführung zu entfernen und dieser damit ein rein fachliches Gepräge zu geben.

Clausen steht dem Führer selbstverständlich zu jeder anderen Lösung zur Verfü-

---

121 Carl Popp-Madsen var jurist og ansat i det danske justitsministerium.

122 Wilhelm Wanscher var kunsthistoriker og professor ved Københavns Universitet.

123 Helmer Rosting var direktør for Dansk Røde Kors.

gung. Im jetzigen Zeitpunkt hat er lediglich gegen eine Protektoratslösung Bedenken, weil diese nicht nur die Stimmung der gesamten Bevölkerung völlig gegen Deutschland einnehmen, sondern auch seine eigene Partei und die mit ihr zusammenwirkenden deutschfreundlichen Kräfte wie z.B. die Bauernorganisation LS stark im negativen Sinne in Mitleidenschaft ziehen würde. Clausen rät zurzeit auch noch von einer gänzlichen Ausschaltung des Königshauses ab.

Luther

106. Paul Barandon an das Auswärtige Amt 26. Oktober 1942

Barandon videregav indholdet af et takketelegram fra Christian 10. til den engelske konge med det spørgsmål fra UM, om den danske gesandt i Stockholm skulle behandles på samme vis. Barandon ønskede at få at vide, om beslutningen og ansvaret skulle overlades danskerne.

For svaret se Weizsäcker til Ribbentrop 27. oktober 1942.

Kilde: PA/AA R 29.566. RA, pk. 202.

Telegramm

| Kopenhagen, den | 26. Oktober 1942 | 19.05 Uhr |
| Ankunft, den | 26. Oktober 1942 | 19.40 Uhr |

Nr. 1572 vom 26.10.[42.]

Im Anschluß an Drahtbericht 1563 vom 24.10.[124] Punkt 3.

Telegramm Königs von England ist Sonnabend zusammen mit anderer Post König Christian vorgelegt worden, der Kabinettssekretär Auftrag erteilte, wie folgt zu antworten:

"Send you my best thanks – Christian R"

Außenministerium hat angefragt, ob dänischer Gesandter Stockholm entsprechend angewiesen werden könne. Erbitte Weisung, ob Außenministerium geantwortet werden kann, daß wir Entscheidung und Verantwortung Dänen überließen.

Barandon

107. Paul Barandon an das Auswärtige Amt 26. Oktober 1942

Barandon viderebragte bulletiner om Christian 10.s sygdomstilstand.

Kilde: PA/AA R 29.566. RA, pk. 202.

Telegramm

| Kopenhagen, den | 26. Oktober 1942 | 20.30 Uhr |

124 Trykt ovenfor.

Ankunft, den   26. Oktober 1942   20.50 Uhr
Nr. 1578 vom 26.10.[42.]   Cito!

Im Anschluß an Drahtbericht 1570[125] vom 26.10.

Kommuniqué über Gesundheitszustand Königs von heute morgen, 9 Uhr, hat folgenden Wortlaut:

"Der König hat eine verhältnismäßig unruhige Nacht verbracht. Gegen Morgen ist das Allgemeinbefinden wiederum einigermaßen befriedigend und der Kräftezustand scheint besser zu sein. Temperatur 38,5, Puls 70, regelmäßig."

Heute abend, 18 Uhr, wurde folgende weitere Mitteilung veröffentlicht:

"Der Gesundheitszustand des Königs hat sich im Laufe des Tages beinahe nicht verändert. Beim Verbandwechseln wurden die Fäden entfernt. Die Wunden waren normal verheilt. Symptome einer Lungenentzündung sind noch vorhanden, jedoch ohne Anzeichen einer Verschlimmerung. Temperatur 38,3, Puls 72, regelmäßig."

Falls sich der Krankheitszustand nicht wesentlich verändert, ist ein neues Bulletin nicht vor morgen Nachmittag zu erwarten.

Barandon

108. Der Reichskommissar für die Seeschiffahrt an das Auswärtige Amt u.a. 26. Oktober 1942

RKS fremsendte til en række interesserede instanser resultatet af de drøftelser, der var blevet ført 21. til 23. oktober med danskerne om bygningen af en række handelsskibe på danske værfter. Aftalen var ikke blevet underskrevet, da den danske delegation ikke havde mandat dertil uden den danske regerings tilladelse, men den danske forhandlingsleder M. Wassard var sikker på at opnå den. Aftalen samt kommentarerne til den er aftrykt i den endelige version 8. december nedenfor. Der er talrige enkeltændringer i forhold til det først her nedskrevne, som ikke er medtaget.

Den endelige aftale blev indgået 8. december 1942, trykt nedenfor.

Kilde: BArch, R 901 68.228 (uddrag medtaget).

Der Reichskommissar für die Seeschiffahrt   *Berlin, den 26. Okt. 1942*
– Seeschiffahrtsamt –   Wilhelmstrasse 80.
S 8 RL 4249/42.

S c h n e l l b r i e f

An
den Vorsitzenden des deutsch-dänischen Regierungsausschusses
    Herrn Ministerialdirektor Walter
    Reichsministerium für Ernährung und Landwirtschaft, Berlin
das Auswärtige Amt
    z.Hd. v. Herrn Gesandten Martius
    z.Hd. v. Herrn Legationsrat von Scherpenberg, Berlin
das Reichswirtschaftsministerium
    z.Hd. v. Herrn Ministerialrat Ludwig,

125 Pol VI. Telegrammet er ikke lokaliseret.

z.Hd. v. Herrn Regierungsrat Schubert
z.Hd. v. Herrn Regierungsrat Burchardt, Berlin
das Oberkommando der Kriegsmarine – A VI –
z.Hd. v. Herrn Kapitän z.S. Kaehler, Berlin
den Sonderausschuß Handelsschiffbau
Fa. Blohm & Voss, Hamburg
z.Hd. v. Herrn Staatsrat Rudolf Blohm
z.Hd. v. Herrn Direktor Goedecken, Hamburg
die Fachgruppe Reeder, Hamburg 13
– je besonders –

Betrifft: Deutsch-dänische Schiffbaubesprechungen.

Anbei übersende ich Abdruck einer Niederschrift über das Ergebnis der Besprechungen vom 21. bis 23. Oktober d.Js. über Handelsschiffsneubauten auf dänischen Werften sowie Abdruck einer Aufzeichnung über den Gang der Besprechungen zur gefl. Kenntnisnahme.

Im Auftrag
gez. Bergemann

Beglaubigt:
[underskrift]
Ministerialkanzleian[gestellt].

Der Reichskommissar für die Seeschiffahrt   *Berlin, den 26. Okt. 1942.*
– Seeschiffahrtsamt –   Wilhelmstrasse 80.
S 8 RL 4249/42

V e r m e r k

Vom 21. bis 23.10.1942 haben in Berlin mit einer dänischen Delegation Besprechungen über Handelsschiffsneubauten auf dänischen Werften stattgefunden. An den Besprechungen haben teilgenommen:

Auf deutscher Seite:

Ministerialdirektor Waldeck	RKS
Gesandter Martius	Auswärtiges Amt
(nur bei den Vorbesprechungen)	
Regierungsrat Dr. Schubert	RWM
Regierungsrat Burchardi	RWM
Etaatsrat Rud. Blohm	Sonderausschuß Handelsschiffbau
Direktor Goedecken	Sonderausschuß Handelsschiffbau
Ing. Karl Todt	Länderbeauftragter des Sonderausschusses Handelsschiffbau für Dänemark.
Schiffahrtssachverständiger Duckwitz	Deutsche Gesandtschaft Kopenhagen
Der Unterzeichnete –	

Auf dänischer Seite:

Ministerialdirektor A.M. Wassard	Dänisches Außenministerium
Legationssekretär Seidenfaden	Dänisches Außenministerium
Direktor H.P. Christensen	Fachgruppe Werften
Generaldirektor C.A. Möller	Werft Burmeister & Wain
Direktor Körbing	Dänische Reedervereinigung
Schiffsreeder Harhoff	Dänische Reedervereinigung

Das Ziel der Verhandlungen war auf deutscher Seite daß die Dänische Regierung sich bereit erklären sollte, den vom Sonderausschuß Handelsschiffbau für den Bau auf dänischen Werften vorgesehenen Teil des deutschen Hansa-Programms in Dänemark bauen zu lassen. Dieses Ziel ist erreicht worden; das Ergebnis der Besprechungen geht aus der beiliegenden Niederschrift vom 23.10.1942 hervor.

Da Ministerialdirektor Wassard von seiner Regierung zur Unterzeichnung dieser Vereinbarung nicht ermächtigt war, ist die Niederschrift zunächst nur von den beiden Verhandlungsführern paragraphiert worden. Ministerialdirektor Wassard rechnet jedoch mit Sicherheit auf die Zustimmung der Dänischen Regierung. [...]

109. Cecil von Renthe-Fink: Niederschrift 27. Oktober 1942

Optegnelsen af Renthe-Fink var bestemt for Ribbentrop ved mødet med Hitler i førerhovedkvarteret i Vinnitsa i Ukraine den 27. oktober. I mødet deltog også legationsråd Walter Hewel og Best. Best var dagen før af Ribbentrop udnævnt til rigsbefuldmægtiget i Danmark.

Ifølge PKB, 13, nr. 345 er notitsen affattet af gesandt v. Grundherr, hvorimod NORD udnævner den til at være fra Ribbentrops hånd. Her er ADAP lagt til grund, idet det også fremgår af en randbemærkning af legationsråd von Rintelen på det håndskrevne koncept, at optegnelsen er af Renthe-Fink (jfr. Kirchhoff, 3, 1979, s. 97, der dog ikke kender ADAP/E 8, nr. 108 eller benytter denne udg. i det hele taget, men slutter sig til sammenhængen. Poulsen 1970, s. 347 er pga. den mangelfulde udg. i PKB, 13 ikke på det rene med optegnelsens anvendelsessammenhæng, men slutter alligevel, at det kun kan være et taktisk bestemt forhandlingsoplæg, der kunne fires meget på. Thomsen 1971, s. 119 følger PKB og angiver aktstykket som forelagt Best før mødet (kilden til sidstnævnte er Best selv efter 1945), men er ikke klar over, at optegnelsen var til brug for udenrigsministeren, hvilket ikke udelukker, at Best forud var orienteret. Herbert 1996, s. 610 n. 25 gør det til både Grundherrs og Lohmanns optegnelse (!) og er (s. 334) tilbøjelig til at tage det mere som et direktiv end forhandlingsoplæg (se hertil kommentaren til telegram nr. 1657, 8. november 1942)).

Kilde: PA/AA Nachlässe Renthe-Fink, bd. 6. RA, pk. 305. PKB, 13, nr. 345. ADAP/E, 4, nr. 108. Best 1988, s. 256-257. NORD, nr. 70.

Geheime Reichssache   *Berlin, den 28. Oktober 1942*

Die anliegende Aufzeichnung über Dänemark, die der Herr RAM zu seinen Termin bei dem Führer am 27./28. d.M. mitgenommen hat, wird weisungsgemäß über St.S. Herrn U.St.S. Gaus vorgelegt.

Lohmann

[Anlage]
Geheime Reichssache   *Berlin, den 27. Oktober 1942*

I. Ziel.
Ziel der deutschen Politik gegenüber Dänemark ist die innere Eroberung des Landes
mit Hilfe der DNSAP ohne Beeinträchtigung anderer außenpolitischer Belange oder
kriegswirtschaftlicher Notwendigkeiten des Reiches. Deshalb soll einerseits von einer
Änderung des bestehenden staatsrechtlichen Zustandes – Beseitigung des Königtums,
des Reichstags oder anderer Einrichtungen – und von der sofortigen Einsetzung einer
nationalsozialistischen Regierung abgesehen werden.[126] Andererseits soll die politische
Entwicklung Dänemarks stärker vorwärtsgetrieben werden durch die Ernennung eines
neuen Bevollmächtigten des Deutschen Reiches in Dänemark, durch eine Regierungs-
umbildung mit prodeutscher Tendenz und durch eine stärkere Bindung der neuen Re-
gierung an die Direktiven des Bevollmächtigten.

II. Weg
1.) Der dänische Außenminister von Scavenius wird nach Berlin zum Herrn RAM geladen.
2.) Dem dänischen Außenminister wird eröffnet, daß ein neuer Bevollmächtigter des
    Deutschen Reiches in Dänemark (nicht mehr ein bei dem dänischen König beglau-
    bigter Gesandter) ernannt wird.
3.) Dem dänischen Außenminister wird die beschleunigte Annahme der folgenden Vor-
    schläge der Reichsregierung empfohlen:
    a.) Um die Wiederherstellung eines aufrichtigen Vertrauensverhältnisses zwischen
        dem Deutschen Reich und Dänemark zu ermöglichen, tritt die gegenwärtige
        Dänische Regierung zurück und werden in die neu zu bildende Regierung nur
        solche Persönlichkeiten berufen, gegen die von deutscher Seite keine Bedenken
        hinsichtlich ihrer Loyalität in Bezug auf das deutsch-dänische Verhältnis erhoben
        werden.
    b.) Um eine dauernde vertrauensvolle Zusammenarbeit zwischen dem Deutschen
        Reich und Dänemark zum Besten beider Länder sicherzustellen, wird sich die
        Dänische Regierung künftig in ihren Gesetzgebungs- und Verwaltungsmaßnah-
        men in vollem Einverständnis mit dem Bevollmächtigten des Deutschen Reiches
        in Dänemark halten.
    c.) Um den Notwendigkeiten ausreichender Sicherung der deutschen Besatzungs-
        truppen und der Aufrechterhaltung der öffentlichen Ordnung und Sicherheit
        im Lande Dänemark Rechnung tragen zu können, wird die Dänische Regierung
        unverzüglich den Erlaß eines Gesetzes herbeiführen, durch das die Regierung
        ermächtigt wird, im Hinblick auf die gegenwärtige besondere Lage im Verord-
        nungswege alle zur Aufrechterhaltung der öffentlichen Ordnung und Sicherheit
        im dänischen Staatsgebiet erforderlichen Anordnungen zu erlassen mit der Wir-
        kung, daß hierdurch entgegenstehende gesetzliche Bestimmungen abgeändert
        werden.

126 Se også optegnelsen af Gaus, Renthe-Fink og Grundherr 25. oktober og Luthers stemningsberetning
26. oktober 1942, trykt ovenfor.

4.) Mündlich wird dem dänischen Außenminister eröffnet,

    a.) daß gegen die folgende Zusammensetzung der neu zu bildenden Dänischen Regierung von deutscher Seite keine Einwendungen erhoben würden (wobei von deutscher Seite in erster Linie auf den beiden ersten Vorschlägen zu bestehen ist, während im übrigen auf Gegenvorschläge eingegangen werden kann):

    Staatsminister und Außenminister: Erik von Scavenius, z.Zt. Außenminister

    Justizminister (zugleich Polizeichef): Popp-Madsen, z.Zt. Ministerialrat im Justizministerium, der DNSAP nahestehend

    Landwirtschaftsminister: C.O. Jörgensen, Bauer, Mitglied der DNSAP

    Unterrichtsminister: Professor Wanscher, Kunsthistoriker, der DNSAP nahestehend[127]

    Verteidigungsminister: Fregattenkapitän Wodschou, Mitglied der DNSAP[128]

    Sozialminister: Axel Olsen, Vorsitzender der Gewerkschaft der ungelernten Arbeiter

    Finanzminister: Laurits Hansen, Vorsitzender des Gewerkschaftsverbandes

    Handelsminister: Kjärböl, z.Zt. Sozialminister, vorher Handelsminister, Gewerkschaftler[129]

    Innenminister: Thune-Jacobsen, z.Zt. Justizminister

    Kirchenminister: Helmer Rosting, Direktor im Dänischen Roten Kreuz, früher Völkerbundskommissar in Danzig, Theologe;

    b.) daß zu den Verwaltungsmaßnahmen, hinsichtlich deren sich die Dänische Regierung künftig im vollen Einverständnis mit dem Bevollmächtigten des Deutschen Reichs in Dänemark halten wolle, auch personalpolitische Entscheidungen gehören, soweit der Bevollmächtigte dies im Interesse der Sicherheit der deutschen Truppen oder im Interesse der notwendigen Zusammenarbeit zwischen dem Deutschen Reich und Dänemark als wünschenswert bezeichnet;

    c.) daß über den Inhalt des Ermächtigungsgesetzes Einvernehmen mit dem Bevollmächtigten hergestellt werden möge.

Feldmark, den 27. Oktober 1942.

110. Cecil von Renthe-Fink/Werner Best: Niederschrift 27. Oktober 1942

Efter mødet med Hitler den 27. oktober nedskrev Renthe-Fink og Best, hvad der kom ud af samtalen og var Hitlers beslutning. Renthe-Fink førte pennen, og Best føjede sine kommentarer til.

    Best fortæller i sine erindringer, at mødet varede en halv time og mest havde karakter af en monolog fra Hitlers side (Yahil 1967, s. 79, Poulsen 1970, s. 346 (der bl.a. betegner nedskriften som anonym og vedrørende skiftet mellem de to rigsbefuldmægtigede), Thomsen 1971, s. 120f., Sjøqvist, 2, 1973, s. 231 (henlægger i lighed med Best mødet til 26. oktober. Her er ADAP og Best til Himmler 28. oktober 1942 lagt til grund), Kirchhoff, 1, s. 51f. og 3, 1979, s. 98f. (der overbevisende argumenterer for, at der er tale om en førerbeslutning), Best 1988, s. 23f., 129). Under et møde med WB Dänemark 26. januar 1943

---

127 Med håndskrift er her tilføjet navnet "Hartel."

128 Med håndskrift er her tilføjet navnene "Oberstlt. Nørresø, Oberstlt. Leif Lang."

129 Med håndskrift er her tilføjet navnene "Kraft, Knutzen, Direktør Örs."

refererede Best, hvad Hitler 27. oktober havde ønsket vedrørende Danmark, se kommentaren til Keitels forordning 28. januar 1943, trykt nedenfor.

Kilde: PA/AA R 35.553. PKB, 13, nr. 346. ADAP/E, 4, nr. 104.

den Akten BRAM
6/XII

N i e d e r s c h r i f t
Renthe-Fink/Best 27.10.42

Betrifft: Dänemark.
Priv. Akten.

Die Abberufung des bisherigen Bevollmächtigten des Deutschen Reiches in Dänemark und des Befehlshabers der deutschen Truppen in Dänemark ist erfolgt, um deutlich sichtbar festzustellen, daß die von dem König Christian X bewiesene Nichtachtung des Führers des Großdeutschen Reiches das politische Verhältnis zwischen dem Deutschen Reiche und Dänemark ernsthaft beeinträchtigt hat. Diese Feststellung soll als Schuld Dänemarks gegenüber dem Deutschen Reiche für die Zukunft festgehalten werden, um im gegebenen Augenblick zur Begründung bzw. Rechtfertigung deutscher Maßnahmen gegenüber Dänemark Verwendung zu finden. Das Benehmen des Königs schließt sich an die "Leichenfledderei" Dänemarks am Deutschen Reiche von 1919, an die Flucht und die jetzige Betätigung des ehemaligen Handelsministers Christmas Möller, die offensichtlichen Sympathien für den norwegischen Exkönig und andere Symptome illoyaler Haltung Dänemarks gegenüber dem Deutschen Reiche an.

Die innere Leitlinie der deutschen Politik gegenüber Dänemark, die bis auf weiteres nach außen verborgen bleiben muß, soll sein, daß Dänemark als geographischer und politischer Appendix Deutschlands und als militärisch unentbehrliche Brücke zu der für Deutschland lebenswichtigen norwegischen Atlantikposition niemals wieder aus der deutschen Hand gegeben werden darf. Zur Verwirklichung dieses Zieles müßten gegebenenfalls "juristische Zwirnsfäden oder Kreidestriche" übersprungen werden. Wenn möglich, ist jedoch vorzuziehen durch vertragliche Vereinbarung mit einer legalen Dänischen Regierung zu gegebener Zeit formelle Rechtstitel hinsichtlich des künftigen Verhältnisses Dänemark zum Deutschen Reich und hinsichtlich der inneren Struktur Dänemarks zu schaffen, die für eine spätere – vielleicht schwächere und mehr "juristisch" denkende – Zeit in der Schublade bereitliegen sollen.

Zur Einleitung einer auf dieses Ziel hinstrebenden Entwicklung wird nunmehr ein neuer Bevollmächtigter des Deutschen Reiches in Dänemark eingesetzt, der nicht mehr als deutscher Gesandter beim dänischen König beglaubigt wird.

Der neue Bevollmächtigte soll darauf hinwirken, daß eine neue Dänische Regierung in legalen Formen gebildet wird, der nur solche Persönlichkeiten angehören, die entweder deutschfreundlich oder den deutschen Wünschen gefügig sind. Es soll darauf geachtet werden, daß diese Regierung keinen starken politischen Rückhalt in der Bevölkerung findet, sondern sich in erster Linie von der deutschen Macht abhängig fühlt.

Von einer Beseitigung des Königshauses oder anderer verfassungsmäßiger Einrichtungen des dänischen Staates wird bis auf weiteres abgesehen, um nachteilige Wirkungen auf die außenpolitischen Beziehungen anderer Staaten (z.B. Schwedens und Finnlands oder auch – im Hinblick auf die dänische Monarchie – der befreundeten Monarchien) zum Deutschen Reiche zu verhüten. Dagegen wird der neue Bevollmächtigte den dänischen König, der als "interne Angelegenheit der Dänen" betrachtet wird, ignorieren und nur mit der Dänischen Regierung arbeiten. Der dänische Reichstag soll durch ein der Regierung zu bewilligendes Ermächtigungsgesetz praktisch weitgehend ausgeschaltet werden.

Im übrigen soll gegenüber der Dänischen Regierung und Verwaltung so verfahren werden, daß diese jederzeit die deutsche Macht fühlt und respektiert, daß aber nach Möglichkeit unnötige Beunruhigungen und Minderungen der dänischen Leistungen für die deutsche Kriegführung vermieden werden. Vielmehr soll das dänische Wirtschaftsleben schon so weit auf Deutschland ausgerichtet werden, daß die Dänen immer stärker erkennen, daß sie von Deutschland leben und sich aus dieser Abhängigkeit nie mehr lösen können.

Die DNSAP soll gefördert werden, aber nur bis zu einem Masse, daß sie sich noch immer völlig von der deutschen Hilfe abhängig fühlt. Auch die DNSAP soll in der Bevölkerung keinen so starken Rückhalt finden, daß sie im Falle einer Regierungsübernahme sich einhellig mit dem gesamten dänischen Volke als Gegenspieler des Deutschen Reiches und seines Bevollmächtigten fühlen könnte.

Der Bevollmächtigte des Deutschen Reiches in Dänemark hat mit den jeweils geeignet erscheinenden Mitteln stets die Fäden der inneren Entwicklung in Dänemark in der Hand zu behalten, bis eines Tages vielleicht seine Stellung in eine andere übergeht.

111. Paul Kanstein an das Auswärtige Amt 27. Oktober 1942

Kanstein fremsendte til AA de fire eksempler, der havde været på, at medlemmer af Frikorps Danmark havde været i alvorlige sammenstød med andre danskere.
    Kilde: RA, pk. 225 og 228.

Der Bevollmächtigte des Deutschen Reiches   *Kopenhagen, den 27. Oktober 1942*
Der Beauftragte für Fragen der inneren Verwaltung
Inn. V.1.
Dagmarhus

An das Auswärtige Amt,
    in Berlin.

Betrifft: Gerüchte um das Freikorps.
Bezug.: Vorbericht vom 24.10.1942[130]
Anlagen: 2 Durchschriften des Berichtes.
1 Abschrift mit 2 Durchschriften.

130 Trykt ovenfor.

In der Anlage überreiche ich in Ergänzung des vorbezeichneten Berichtes eine Aufstellung der vier – nicht fünf – Zwischenfälle, bei welchen Freikorps-Angehörige von der Waffe Gebrauch gemacht haben.

In Vertretung:

Kanstein

Gesehen:

Kopenhagen, den 27.10.1942

Der stellv. Bevollmächtigte des Deutschen Reiches:

Barandon

1.) Am 27.9.42 wurde der SS-Mann Kofoed Jensen in Kopenhagen auf der Vesterbrogade von einer mehrere 100 Personen betragenden Menschenmenge, als er einem anderen bedrängten SS-Kameraden zur Hilfe kommen wollte, beschimpft und derart bedrängt, daß er von der Schußwaffe Gebrauch machte. Er hat 5 Schüsse und zwar gegen die Erde abgegeben. Durch die abprellenden Projektile wurden 5 Personen, darunter 1 Frau erheblich schwer verletzt. Nach dem Jetztstand der Ermittlungen ist anzunehmen, daß Kofoed Jensen in Notwehr gehandelt hat.

2.) Am 27.9.42 entwickelte sich in der Bahnhofshalle des Hauptbahnhofs in Kopenhagen eine Streitigkeit zwischen deutschen Wehrmachtsangehörigen, darunter auch der Leg.-Schtz. Mogens Rathje und dänischen Zivilisten. Nach den Beleidigungen fielen mehrere Schüsse, durch die 2 dänische Zivilisten verletzt wurden. Wer die Schüsse abgegeben hat, konnte nicht festgestellt werden. Es hat sich ergeben, daß der Leg.-Schtz. Rathje, der zunächst im Verdacht stand, nicht geschossen hat. Die Akten liegen dem zuständigen SS- und Polizeigericht zur Entscheidung vor.

3.) Am 22.9.1942 wurde der Leg.-Schtz. Ejler Quist Christensen auf der Vesterbrogade in Odense nach Beschimpfungen von einer größeren Menschenmenge dänischer Zivilisten bedrängt. Zunächst wehrte er sich, indem er damit drohte, daß er scharf schießen würde, und indem er mit dem Pistolenschaft um sich schlug. Dann gab er mehrere Schüsse ab, wodurch 3 Dänen verletzt wurden.

4.) Am 16.10.42 entwickelte sich zwischen dem Leg. Uschaf. Carl A.T. Petersen und mehreren Zivilisten in einer Gastwirtschaft ein Streit. Petersen gibt an, beleidigt worden zu sein. Er wurde aus der Gastwirtschaft mit Gewalt hinausgeworfen. Auf der Straße setzte sich der Streit durch Schlägerei fort. Petersen hat von seiner Schußwaffe Gebrauch gemacht und dabei 3 Personen verletzt und 1 getötet. Die umfangreichen Ermittlungen sind noch nicht abgeschlossen. Nach dem Jetztstand ist nicht mit Sicherheit zu sagen, daß Petersen in Notwehr gehandelt hat.

112. Otto von Grote: Notiz 27. Oktober 1942

Von Grote opgjorde antallet af tyske tropper i Danmark inden for alle tre værn, og dertil den danske hærs talmæssige styrke og udrustning. Det var til brug for Friedrich Gaus, understatssekretær og leder af AAs retsafdeling.

Kilde: RA, pk. 308. EUHK, nr. 74.

Ref.: LR von Grote   eo. Pol I M 2855 g.Rs.
                                                            5 Ausfertigungen
                                                               Dies ist Nr. 2
Betrifft: Dänemark.

1.) An deutschen Truppen befinden sich in Dänemark:
   a.) vom Heer: 1 Division Besatzungstruppen, ferner Einheiten des Ersatzheeres (zur
       Aufstellung, Auffüllung und zur Ausbildung) in der Gesamtstärke einer weiteren
       Division.
   b.) von der Marine: rund 10.000 Mann, davon etwa 1.100 an Bord von in dänischen
       Häfen liegenden leichten Seestreitkräften, der Rest als Landkommando. In dieser
       Zahl sind mitenthalten die Stäbe und Verwaltungsdienststellen. Das Hauptkon-
       tingent sind Ausbildungseinheiten und Minenräumkommandos.
   c.) von der Luftwaffe: rund 5.000 Mann, und zwar im einzelnen etwa 10 Flakbatte-
       rien, ein Teil einer Jagdstaffel, ferner Einheiten der Nachrichten- und Bodenor-
       ganisation.
   Militärischer Kampfwert kommt lediglich der Besatzungsdivision zu.
2.) Das dänische Heer ist durch die militärischen Abmachungen vom April 1940 auf
   eine zahlenmäßige Stärke von 3.300 Mann (davon 1.100 Arbeitssoldaten) festge-
   setzt worden. Im Jahre 1941 ist eine Erhöhung des Kontingents auf insgesamt 6.300
   Mann erfolgt.
   Die Waffen- und Munitionsbestände des dänischen Heeres wurden mit Ausnah-
   me der für die Ausrüstung der belassenen Truppen benötigten Mengen in Lagern
   zusammengefaßt und unter deutsche Obhut gestellt. Die in Jütland und auf der
   Insel Alsen befindlichen Lager werden zur Zeit beschlagnahmt und den deutschen
   Truppen zur Verwendung übergeben.
Auf Weisung von Herrn Botschafter Ritter Herrn U.St.S. Gaus vorgelegt.
   Berlin, den 27. Oktober 1942
                            gez. **von Grote**

113. Paul Barandon an das Auswärtige Amt 27. Oktober 1942

Barandon videregav den seneste bulletin om Christian 10.s sygdomstilstand. Desuden kunne han fra påli-
delig kilde fortælle, at kongen anså sig for en hindring for en bedring af det tysk-danske forhold.
   Kilde: PA/AA R 29.566. RA, pk. 202.

T e l e g r a m m

Kopenhagen, den   27. Oktober 1942   14.10 Uhr
Ankunft, den   27. Oktober 1942   15.30 Uhr

Nr. 1581 vom 27.10.42.   Citissime

Im Anschluß an Drahtbericht 1578[131] vom 26.10.

Neues Bulletin ist bereits heute morgen erschienen und hat folgenden Wortlaut: "Der König hat wieder eine etwas unruhige Nacht verbracht. Die Anzeichen der Lungenentzündung sind unverändert. Obwohl die Herztätigkeit befriedigend ist, ist die Müdigkeit grösser geworden und die Kräfte haben etwas abgenommen. Temperatur 38,9, Puls 72, regelmäßig."

Heutige Mittagspresse verhehlt nicht mehr, daß der Zustand des Königs sehr ernst ist.

Wie ich aus gut informierter Quelle höre, soll König der Auffassung sein, daß durch seinen Tod Stein des Anstoßes in deutsch-dänischem Verhältnis verschwinden würde. Umgebung befürchtet daher, daß zur Überwindung der Krankheit notwendiger Widerstandswille durch solche Überlegungen entscheidend geschwächt wird.

Barandon

114. Ernst von Weizsäcker an Joachim von Ribbentrop 27. Oktober 1942

Weizsäcker indstillede til Ribbentrop, at Barandon fik besked om, at det blev overladt til danskerne at beslutte, hvordan svarskrivelsen fra Christian 10. til den engelske konge skulle være.

Kilde: PA/AA R 29.566. RA, pk. 202.

Berlin, den [27.] Oktober 1942.   zu Pol.VI 1281
Büro RAM
St.S.
U.St.S. Pol.
Dg.Pol.

Fernschreiben!

An "Feldmark"   Cito!

Für RAM.
Zu den Drahtbericht Nr. 1572 vom 26.10.[132] aus Kopenhagen wird vorgeschlagen, daß Geschäftsträger Gesandter Barandon die Weisung erhält, dem Dänischen Außenministerium zu antworten, daß wir hinsichtlich der Antwortdepesche des Königs von Dänemark an den englischen König die Entscheidung und Verantwortung den Dänen überließen.

Weizsäcker

---

131 bei Pol VI. Trykt ovenfor.
132 Trykt ovenfor.

115. Paul Barandon an das Auswärtige Amt 27. Oktober 1942

Barandon oplyste, at der samme aften var givet meddelelse om, at Christian 10. på grund af sin sygdom havde overladt regeringsførelsen til kronprins Frederik.

Kilde: PA/AA R 29.566. RA, pk. 202.

Telegramm

| Kopenhagen, den | 27. Oktober 1942 | 22.45 Uhr |
| Ankunft, den | 27. Oktober 1942 | 22.45 Uhr |

Nr. 1585 vom 27.10.[42.]   Citissime!

Auf Drahterlaß 1861[133] vom 26.10.42.

Soeben ist durch Dänische Regierung nachstehende Veröffentlichung erfolgt: Quote. Heute abend wurde eine allerhöchste Bekanntmachung betreffend die Übertragung der Regierungsführung während der Krankheit des Königs veröffentlicht.

In der Bekanntmachung, die vom König unterschrieben und von Staatsminister Buhl gegengezeichnet ist, heißt es: Während Unserer Krankheit übertragen Wir in Übereinstimmung mit dem Gesetz vom 11. Februar 1871 die Regierungsführung an den Thronfolger. Also machen Wir hiermit Unseren lieben und treuen Untertanen bekannt, daß ab heute Seine königliche Hoheit Kronprinz Christian Frederik Franz Michael Carl Waldemar Georg die Regierungsführung in Unserem Namen während Unserer Krankheit übernimmt.

Erlassen auf dem Diakonissenstift in Kopenhagen am 27. Oktober 1942 unter Unserer königlichen Hand und Siegel.

gez. Christian Rex, gegengezeichnet v. Buhl.

Unquote

Barandon

116. Werner Best an Heinrich Himmler 28. Oktober 1942

Straks efter meddelelsen om sin udnævnelse søgte Best kontakt til Himmler med ønske om at meddele de retningslinier, som Hitler havde givet ham for den forestående opgave. Best traf ikke Himmler, men kradsede i stedet denne håndskrevne besked ned til ham med anmodning om et møde.

Mødet kom ikke i stand, men Best mødtes i stedet med Gottlob Berger (se Berger til Himmler 4. november) og fik en aftale i stand med ham. Det var Bests bestræbelse endnu før sin tiltræden at have et mandat både fra AA og SS (Herbert 1996, s. 610, n. 22).

Kilde: BArch, NL 263/421 (håndskrevet).

"Feldmark" den 28.10.1942

Reichsführer,

da es infolge Ihrer Abreise leider nicht möglich war, daß ich mich hier bei Ihnen meldete, berichte ich Ihnen auf diesem Wege, daß meine Entsendung nach Dänemark nunmehr

---

133 Pol VI 1270. Skrivelsen er ikke lokaliseret.

entschieden worden ist. Ich werde zum Bevollmächtigten des Reiches in Dänemark bestellt, aber nicht mehr als Gesandter beglaubigt.

Gestern waren wir beim Führer, der dem Reichsaußenminister und mir klare Richtlinien gab, die ich Ihnen, Reichsführer, gern bald vortragen möchte. Wann und wo kann dies geschehen?

Heil Hitler!
Ihr **Werner Best**

117. Gottlob Berger an Heinrich Himmler 28. Oktober 1942

Berger orienterede Himmler om indholdet af et møde, han havde haft med Helmut Möckel, stabsfører i Hitlerjugend. Möckel havde fortalt om en samtale med Luther, der åbent havde talt om "krig" mellem SS og AA, en krig AA nu havde vundet.

Baggrunden var Bormanns forordning af 12. august 1942 med fuldmagt til SS til at forhandle med beslægtede organisationer i Danmark, Norge, Holland og Belgien. Luther konkluderede imidlertid for hurtigt, at AA havde vundet krigen, selv om han muligvis høstede en midlertidig sejr (se Bormann til Lammers 2. november 1942).

Kilde: RA, pk. 442.

Der Reichsführer-SS   *Berlin, den 28. Oktober 1942*
Chef des SS-Hauptamtes   Geheim.
CdSSHA/Be/Ge. – VS-Tgb. Nr. 4226/42 geh.

An den Reichsführer-SS und Chef der Deutschen Polizei,
    Feldkommandostelle

Reichsführer!
Stabsführer Möckel von der Reichsjugendführung war heute zur Rücksprache über die im Augenblick anfallenden Fragen hier. Insbesondere waren es die Fragen Nachwuchs, Errichtung einer 3. Motorsportschule für die Streifendienstgefolgschaften, Landjahr – hier insbesondere Bestrebungen der SA, über Reichsobmann Behrends Einfluß zu erhalten – germanische Wehrertüchtigungslager im Anschluß an die mit SS-Ausbildern besetzten Lager in den Gauen, über welche ich gesondert melden werde. Wichtig zur Beurteilung der Lage und insbesondere im Hinblick auf die vorgesehene Rücksprache möchte ich folgendes melden:

Möckel war bei Unterstaatssekretär Luther. Es besteht ja im Augenblick ein nicht unerheblicher Krieg zwischen Auswärtigem Amt und der Reichsjugendführung. Bei dieser Gelegenheit erzählte Luther,

1.) daß der "Krieg zwischen dem Reichsführer-SS und dem Reichsaußenminister" vollkommen zu Gunsten des Auswärtigen Amtes ausgegangen sei,

2.) daß Generalkommissar Schmidt der Niederlande an ihn einen Brief geschrieben und gegen die Verfügung 54/42 – von einem eigenen Chef Bormann unterzeichnet – Einspruch erhoben habe,

3.) daß Friedrichs von der Parteikanzlei in den nächsten Tagen bei ihm zur Rücksprache

erscheinen, wegen Dänemark mit ihm sprechen und ebenfalls Einspruch gegen Ausdehnung der Verfügung auf Dänemark erheben werde.
Wie weit diese Aussagen Luthers den Tatsachen entsprechen, wird sich nach den gemachten Erfahrungen nie überprüfen lassen. Es ist aber für die für den 4.11.42 vorgesehene Besprechung mit Generalkommissar Schmidt doch von einiger Wichtigkeit.

G. Berger
SS-Gruppenführer

118. Paul Barandon an das Auswärtige Amt 28. Oktober 1942
Barandon videregav den seneste danske bulletin om Christian 10.s sygdomstilstand.
    Kilde: PA/AA R 29.566. RA, pk. 202.

Telegramm

| Kopenhagen, den | 28. Oktober 1942 | 13.40 Uhr |
| Ankunft, den | 28. Oktober 1942 | 14.15 Uhr |

Nr. 1587 vom 28.10.[42.]   Cito!

Im Anschluß an Drahtbericht 1581[134] vom 27. Oktober 1942. Über Befinden Königs ist heute um 8 Uhr folgendes Bulletin erschienen: "Die Besserung im Befinden des Königs ist im Laufe der Nacht wesentlich fortgeschritten. Der Schlaf war gut und beinah ungestört, der Kräftezustand gegen morgen wirklich gut. Der Appetit ist gebessert. Die Aussichten sind besser, werden aber trotzdem noch von einiger Unsicherheit geprägt. Temperatur 38,2 Puls 66 regelmäßig." Es bleibt abzuwarten, ob Besserung nicht lediglich Verlängerung Krankheit bedeute.

Barandon

119. Franz Riedweg an Rudolf Brandt 28. Oktober 1942
Rudolf Brandt havde på vegne af RFSS og efter en henvendelse fra Sigmund Rascher til denne forespurgt, om Waffen-SS' Forsorgsofficer i Danmark kunne bruge den danske læge Emil Petersen som faglæge. Franz Riedweg mente ikke, at der var behov for en sådan faglæge i Danmark, og at der var stor mangel på udmærkede kirurger som Petersen andre steder.
    Emil Petersen nøjedes imidlertid ikke med at søge at fremme sin sag ved en indirekte henvendelse til RFSS. Han havde forud i juni taget direkte kontakt til Waffen-SS' Forsorgsofficer i Danmark, Berger, i København, som i oktober gav udtryk for at have brug for en læge og igen drøftede dette med SS-Sanitätshauptamt, SS-Oberführer Dr. Bernd: "Dr. Bernd sei an einer Versetzung des SS-Hptstuf. Dr. Petersen zu meiner Dienststelle nunmehr sehr interessiert, da Dr. P. der die dänischen Verhältnisse eingehend kennt, auch die weitere Werbung von Ärzten und ärztlichem Personal in Dänemark übernehmen soll." (Fürsorgeoffizier der Waffen-SS in Dänemark: Tätigkeitsbericht für Monat Juni 1942, 2. juli 1942, s. 9 og samme

134 Pol VI. Trykt ovenfor.

for oktober 1942, 1. november 1942, s. 4f. (RA, Danica 465, Moskva: Osobyj Archiv, 1372/3/125/13 og 1372/3/133/13)). De to gik videre med sagen, og Emil Petersen opsøgte selv 27. januar 1943 Best. Slutresultatet blev, at Petersen i marts 1943 fik den ønskede stilling i København. Han kom tilbage til København med en viden om bl.a. menneskeforsøgene i Dachau og stod i forbindelse med en anden dansk læge Carl Peter Værnet, der selv påfølgende foretog forsøg på KZ-fanger i Buchenwald. Meget muligt formidlede Petersen Værnets kontakt til RFSS og KZ-forsøgene, da han i forvejen havde opnået kontakt med Stabsarzt Sigmund Rascher, der var direkte deltager i forsøgene (Bests kalenderoptegnelser 27. januar 1943, Benz 1988, s. 209, Klee 1997, s. 237, Lauridsen 2003b, s. 366).

Om Emil Petersens senere rolle, se Bests telegram nr. 251, 26. februar 1944.

Kilde: RA, Danica 1000, T-175, sp. 56, nr. 570578f.

Der Reichsführer-SS   *Berlin W 35, den 28. Oktober 1942*
Chef des SS-Hauptamtes
Amt VI
Germanische Leitstelle

Betr.: SS-Hauptsturmführer Dr. Emil Petersen
Bezug: Dort. Schreib. vom 15.8.42[135] – T. Nr. A 19/185/42 Bra/Bn.

An Obersturmbannführer Dr. Brandt
    Persönlicher Stab Reichsführer-SS
    Berlin SW 11
    Prinz-Albrecht-Str. 9.

135 Brandt havde 15. august 1942 skrevet til Gottlob Berger. Berger overlod Riedweg at svare derpå. Brevet var et længere direkte uddrag af et brev, som stabslæge i Luftwaffe Sigmund Rascher 9. august 1942 havde skrevet til RFSS: "1.) Entsprechend Ihrem Befehl vom 14.VII. mich mit Professor Dr. Thalbitzer – Kopenhagen in Verbindung zu setzen, fuhr ich am 2.VIII. nach Kopenhagen. Thalbitzer war ein ausgesprochener Mißgriff, da Edelkommunist und Volljude. Er gab keinerlei Auskunft über die Kältefragen. Leider erst auf der Rückreise, wurde ich bekannt mit dem SS-Hauptsturmführer Dr.med. Emil Petersen, dänische Waffen-SS. Dieser nannte mir eine ganze Anzahl Wissenschaftler in Dänemark, die über das Thema gearbeitet haben und forderte mich auf, nach Dänemark zu fahren, wenn er dort anwesend sei. Dr. Petersen bat mich, Ihnen folgendes vorzutragen: P. ist aufgefordert, die Versorgung und Betreuung der Hinterbliebenen von gefallenen dänischen, norwegischen und litauischen, finnischen SS-Kämpfern durchzuführen. Beantragender war Hauptsturmführer Berger, SS-Führungshauptamt Kopenhagen, Standartenführer Schmidt in SS-Fürsorgeamt "Ausland" Berlin betonte, bei Rücksprache mit Dr. Petersen ebenfalls die außerordentliche Notwendigkeit der Einsetzung eines dänischen SS-Arztes für diese Aufgabe. Wie mir Petersen schrieb, entstehen bei den verschiedenen Ämtern, San.-Amt. Kommandoamt etc. Verwaltungsschwierigkeiten, welche die Einsetzung eines Fürsorgeoffiziers für die Hinterbliebenen um Monate verzögern wird. Dr. P. bat mich, Sie, hochverehrter Reichsführer, zu bitten, daß diese für die dänischen Freiwilligen außerordentlich wichtige Angelegenheit baldigst wohlwollend gefördert wird. Dr. P. ist z.Zt. eingesetzt zum Deutschlernen im SS-Lazarett Wien IV, Wiedener Gürtel 68 […]" Uddragets andet punkt vedrørte den danske civilflyver Peter Nielsen, der trods sine 63 år havde meldt sig til Waffen-SS. Det blev foreslået RFSS at udnytte dette propagandistisk. Udeladt fra Raschers brev til RFSS var bl.a. dette afsnit: "[…] Wie Sie wissen, wird im KL Dachau dieselbe Einrichtung wie in Linz gebaut. Nachdem die "Invalidentransporte" sowieso in bestimmten Kammern enden, frage ich, ob nicht in diesen Kammern an den sowieso dazu bestimmten Personen die Wirkung unserer verschiedenen Kampfgase erprobt werden kann? Bis jetzt liegen nur Tierversuche bzw. Berichte über Unfälle bei Herstellung dieser Gase vor." (Brevene 9. og 15. august 1942 er begge sst. som ovenfor, nr. 570574-77). Rascher var i første række involveret i de medicinske forsøg på mennesker i Dachau, og det havde, som det vil fremgå nedenfor, været meningen at inddrage professor Waldemar Thalbitzer i forsøgene (se Rudolf Brandt til Kanstein 13. november 1942).

Lieber Kamerad Dr. Brandt!

Ich bitte um Entschuldigung, wenn ich Ihr Schreiben vom 15.8.42 verspätet beant-worte. Ich war einige Wochen bei der Wiking und dummerweise ist dieser Vorgang in der Zeit liegen geblieben. Zudem habe ich augenblicklich so wenig Mitarbeiter und die Arbeit der Germanischen Leitstelle wächst von Woche zu Woche, daß ich manchmal nicht mehr ganz durchkomme. Ich darf Ihnen bei dieser Gelegenheit ans Herz legen, an mich zu denken, wenn irgendwelche Führer zu neuer Verwendung frei stehen.

Hinsichtlich der Einsetzung des dänischen Arztes Dr. Petersen darf ich mitteilen, daß das Sanitätsamt der Auffassung ist, daß Petersen, der ein ausgezeichneter Chirurg ist, in Anbetracht des großen Mangels an Chirurgen unbedingt im Augenblick als Facharzt eingesetzt werden muß. Petersen ist vom Sanitätsamt entsprechend verwendet worden.

Ich persönlich halte es nicht für notwendig – diese Auffassung teilt auch der Fürsorge-offizier in Dänemark – daß ein besonderer dänischer Arzt für die Fürsorge in Däne-mark eingesetzt wird. Die Fürsorge hat sich inzwischen in Dänemark so gut eingespielt – das beweisen auch die wenigen Beanstandungen der Feldpostprüfstelle – daß ich von der Abstellung eines dänischen Arztes absehen möchte.

Mit den besten Grüßen und

Heil Hitler!

Ihr

Franz Riedweg

SS-Obersturmbannführer

120. Martin Luther an Joachim von Ribbentrop 29. Oktober 1942

I anledning af Christian 10.s fødselsdag havde der i *Kopenhagener Soldatenzeitschrift* stået rosende ord om ham. Luther gjorde Ribbentrop opmærksom derpå med den bemærkning, at WB Dänemark og lederen af det militære propagandakompagni skulle have besked om, at Christian 10. fra tysk side ikke kunne be-tegnes som "verehrungswürdig." Sluttelig foreslog Luther, at bladet blev forelagt Hitler ledsaget af Luthers bemærkninger.

Kilde: RA, pk. 300.

U.St.S.-D. Nr. 7050   *Berlin, den 29. Oktober 1942*

Vortragsnotiz

Mit welchem Fingerspitzengefühl die Leiter der einzelnen Propagandakompanien ar-beiten, beweist der Geburtstagsartikel anläßlich des letzten Geburtstages des Königs Christian X von Dänemark in der von der Propagandaabteilung Kopenhagen heraus-gegebenen "Kopenhagener Soldatenzeitschrift." Dieser Artikel wurde von dem Leiter der Propagandakompanie, Hauptmann Daub, persönlich geschrieben und enthält den Satz:

"Die deutschen Soldaten aber, die in diesem Lande ihre soldatische Pflicht erfüllen und dafür sorgen, daß es nicht mehr in den Strudel des Krieges hineingezogen wird, beugen sich ebenso wie die Dänen in Ehrfurcht vor der Person dieses Königs, der das Gebet der Stunde erkannte und damit zugleich seinem Volke den Frieden bewahrte."

Interessant ist auch, daß der bisherige Militärbefehlshaber Dänemark, General der Infanterie Lüdke in seinem Tagesbefehl der in obigem Artikel eingerückt wurde, von dem "verehrungswürdigen" König spricht.

Wenn auch an dem Tage, an dem dieser Tagesbefehl erlassen bezw. der Artikel geschrieben wurde, die sich im Anschluß an den Geburtstag ergebenden Folgen noch nicht vorauszusehen waren, so hätte es aber doch dem Herrn Militärbefehlshaber und insbesondere auch dem Leiter der Propagandakompanie bekannt sein müssen, daß König Christian X von Dänemark von unserer Seite schlecht als "verehrungswürdig" bezeichnet werden konnte, da er jede Gelegenheit dazu benutzte, unsere Politik zu durchkreuzen.

Ich würde es für gut halten, wenn der Gesandte Hewel die Zeitung mit den obigen Bemerkungen gelegentlich dem Führer vorlegen, bezw. vortragen würde.

Luther

Zur Vorlage bei dem Herrn Reichsaußenminister
Durchdruck an Herrn LR Rademacher

121. Paul Barandon an das Auswärtige Amt 30. Oktober 1942
Barandon havde fået pålæg om at invitere udenrigsminister Erik Scavenius til Berlin. Han kunne meddele, at Scavenius havde sagt ja til indbydelsen.
Kilde: PA/AA R 29.566. RA, pk. 202.

Telegramm

| Kopenhagen, den | 30. Oktober 1942 | 19.45 Uhr |
| Ankunft, den | 30. Oktober 1942 | 20.30 Uhr |

Nr. 1605 vom 30.10.[42.]   Citissime!

Auf Telegramm vom 30. Nr. 1890.[136]
Auftrag aufgeführt. Außenminister von Scavenius dankt für die Einladung und wird gern zu der Aussprache nach Berlin kommen und am Montag, den 2. November dort sein. Genauer Zeitpunkt der Ankunft wird noch gemeldet.
Barandon

122. Paul Barandon an das Auswärtige Amt 31. Oktober 1942
Barandon videregav praktiske oplysninger vedrørende Scavenius' rejse til Berlin.
Kilde: PA/AA R 29.566. RA, pk. 202.

136 BRAM 141. Telegrammet er ikke lokaliseret.

Telegramm

| Kopenhagen, den | 31. Oktober 1942 | 11.50 Uhr |
| Ankunft, den | 31. Oktober 1942 | 12.25 Uhr |

Nr. 1607 vom 31.10.42.   Citissime

Im Anschluß an Drahtbericht 1605[137] vom 30. Oktober. Außenminister Scavenius, begleitet von Abteilungschef Hvass, abreist Sonntag, 1. November, mit Zug. Falls keine Fährverbindung, Abreise Montag früh mit Flugzeug. Wohnung in dänischer Gesandtschaft. Endgültige Reisedaten werden noch gemeldet.

Barandon

123. Kriegstagebuch/Admiral Dänemark 31. Oktober 1942

Admiral Mewis afgav månedsberetning: Den politiske situation var blevet mindre anspændt i løbet af oktober, men der var stadig usikkerhed på dansk side med hensyn til Tysklands fremtidige holdning til Danmark. WB Dänemark havde fået besked fra OKW om, at der ikke måtte flages på halv stang, såfremt Christian 10. døde. Admiral Mewis havde ladet ordren efterprøve hos MOK Ost og Gruppe Nord, da den danske marine samarbejdede loyalt med den tyske. Hitler havde besluttet, det skulle være, som WB Dänemark havde fået ordre om.

Når admiral Mewis lod Hitlers ordre efterprøve, kan det både være, fordi han ikke nærede fuld tillid til, at det forholdt sig, som WB Dänemark havde meldt, og at han på den måde ville udtrykke sit eget syn på situationen. Samarbejdet med den danske marine var betydningsfuldt.

Kilde: KTB/ADM Dän 31. oktober 1942, RA, Danica 628, spole 2, s. 1960.

[...]

VII. Politisches:

Im Berichtsabschnitt hat sich die politische Lage entspannt, wenn auch durch die Ungewißheit über die zukünftige Haltung Deutschlands gegenüber Dänemark nach wie vor große Sorgen auf dänischer Seite bestehen.

Der dänische König erlitt am 19.10. einen schweren Reitunfall, dessen Folgen, durch eine hinzutretende Lungenentzündung verschärft, sein Ableben erwarten ließen. Eine vorsorgliche Anfrage des Befehlshabers der deutschen Truppen bezgl. des Flaggenceremoniells wurde vom Chef OKW dahingehend beschieden, daß eine Beteiligung der deutschen Wehrmacht an einer dänischen Halbstocksbeflaggung nicht in Frage käme.

Ich habe diese Frage, da sie vom eines zwischen der Kriegsmarine aller Länder stets geübten abwich und insbesondere, weil die dänische Kriegsmarine durch ihre Tätigkeit im dänischen Raum unsere Seekriegsführung materiell und personell entlastet und die ihr gestellten Aufgaben durchaus loyal erfüllt, zur nochmaligen Prüfung und Entscheidung an Station Ost und Gruppe Nord herangetragen. Sie wurde dann durch den Führer in negativen Sinne entschieden.

gez. **Mewis**

---

137 bei Pol VI. Trykt ovenfor.

124. Erich Albrecht an Paul Barandon 31. Oktober 1942

Der skulle oprettes en domstol i København, der skulle træffe afgørelser angående uægte børn af medlemmer af værnemagten. Der var tale om et indre tysk anliggende, sagerne skulle afgøres af en tysk dommer på grundlag af en tysk forordning. Sagen skulle drøftes den kommende uge i København mellem de relevante tyske instanser. Det måtte påregnes, at der siden skulle ske henvendelse til den danske regering eller i det mindste det danske justitsministerium.

Se Bests telegram nr. 374, 2. april 1943 og OKW til AA 6. april 1944.
Kilde: RA, pk. 288.

Abschrift R. 27251 *Berlin, den 31. Oktober 1942*

An den Herrn Reichsbevollmächtigten für Dänemark
Kopenhagen.

Betrifft: Unterhaltzahlungen für uneheliche Kinder von Wehrmachtsangehörigen.

Auf Grund von Besprechungen mit den zuständigen inneren Ressorts ist beabsichtigt, zur Feststellung der Unterhaltsansprüche der uneheliche Kinder von Wehrmachtange-hörigen eine Spruchstelle in Kopenhagen einzurichten, die unter Ausschluß der Zustän-digkeit der inländischen Gerichte allein das Recht haben soll, über derartige Ansprüche rechtskräftig zu entscheiden. Zu diesem Zweck soll eine innerdeutsche Verordnung er-gehen, die einem Wehrmachtsrichter die Aufgabe der Verhandlung und Entscheidung dieser Ansprüche zuweist.

Zur Festsetzung der Einzelheiten der geplanten Verordnung hat das OKW zu einer Besprechung in Kopenhagen eingeladen, damit die Wünsche, die die beteiligten deut-schen Stellen in Kopenhagen vorzubringen haben, erörtert werden können. An den Besprechungen in Kopenhagen werden Beauftragte der Wehrmacht sowie Vertreter des Reichsjustizministeriums und des Auswärtigen Amts teilnehmen. Die Besprechungen sollen am 2. November d.J. beginnen. Vertreter des Auswärtigen Amts wird Vortra-gender Legationsrat Dr. Roediger sein, der aber voraussichtlich erst im Laufe des 3. November eintreffen kann.

Es ist damit zurechnen, daß sich bei den Besprechungen das Bedürfnis herausstellen könnte, mit der Dänischen Regierung oder wenigstens mit dem dänischen Justiz-ministerium in Verbindung zu treten. Während die Besprechungen, solange sie lediglich unter Beteiligung deutscher Stellen stattfinden, unter Vorsitz des OKW durchgeführt werden sollen, würde im Falle der Aufnahme irgendwelcher Verbindung mit den Dä-nen der Vertreter des Auswärtigen Amts die Führung zu übernahmen haben. Er hat Weisung, sich in diesem Fall mit dem Herrn Reichsbevollmächtigten in Verbindung zu setzen.

Im Auftrag
gez. **Albrecht**

125. Wehrwirtschaftstab Dänemark: Lagebericht 31. Oktober 1942

Lederen af Wehrwirtschaftstab Dänemark (fra februar 1943 Rüstungsstab Dänemark), Walter Forstmann, udarbejdede månedligt en beretning om, hvordan det gik med at få placeret tyske ordre på krigsmateriale hos danske virksomheder, ligesom et led heri var at skaffe både råmaterialer og brændstof fra Tyskland til formålet. Reparationer af bl.a. skibe og motorer indgik også i opgaven. Talrige problemer i forbindelse med denne krigsproduktion blev taget op, f.eks. den danske beskæftigelse, ernæringssituationen, sabotagen, sabotagevagter, kulforsyningen o.m.m.

For oktober 1942 var månedsberetningen ret dramatisk, da den indeholdt vidtrækkende tyske beslutninger, som kun lige var blevet meddelt UM som krav; bl.a. fremskaffelsen af nødvendige materialer til fæstningsbyggeriet, og at de tyske tropper fremover skulle forplejes af Danmark og ikke længere fra hjemlandet (Jensen 1971, s. 208f.).

Månedsberetningen blev udsendt i 45 eksemplarer til bl.a. de rustningsansvarlige i OKW, OKH og OKM og til de tyske værnsledere i Danmark, Abwehrstelle Dänemark og den rigsbefuldmægtigede. Fordelingslisten trykkes hverken her eller i det følgende i sin helhed af pladshensyn.

Kilde: BArch, Freiburg, RW 27/4. RA, Danica 1000, T-77, sp. 696, KTB/Rü Stab Dänemark, 4. Vierteljahr 1942, Anlage B.

Wehrwirtschaftstab Dänemark   *Kopenhagen, den 31.10.1942*
ZA/Ia Az. 66dl/Wi-Ber. Nr. 1377/42g   Geheim

Bezug: OKW Wi Rü Amt/Rü IIIb Nr. 21755/42 v. 9.5.42
Betr.: Lagebericht.

Wehrwirtschaftstab Dänemark übersendet in der Anlage Lagebericht gemäß o.a. Bezugsverfügung.

Forstmann

Wehrwirtschaftstab Dänemark   *Kopenhagen, den 31.10.1942*
ZA/Ia Az. 66dl/Wi-Ber. Nr. 1377/42g   Geheim

Vordringliches

Die durch Führerbefehl angeordneten Festungsbauten an der Westküste Dänemarks sollen mit größter Beschleunigung durchgeführt werden und bis Ende Juli 1943 beendet sein.[138] Deshalb kann nicht abgewartet werden, bis die hierfür erforderlichen Rohstoffe und Materialien vorschriftsmäßig rohstoffgesichert sind.

Zur Sicherstellung der sofortigen Inangriffnahme der befohlenen Bauten wird es von den Kommandobehörden der Besatzungstruppen für notwendig gehalten, auf die in Dänemark vorhandenen Vorräte, einschl. der des innerdänischen Versorgungskontingents, im Bedarfsfall Vorgriff zu nehmen, auch wenn die Rohstoffsicherung mangels Anweisung der Eisenbezugsrechte gemäß den von RWiMin erlassenen Richtlinien noch nicht erfolgt ist. Die hieraus sich als notwendig ergebende vorübergehende Umorganisation in der Rohstoffsicherung ist zwischen W Stb Dän. und den dän. Regierungsstellen

---

138 Hitler havde 27. august 1942 krævet udbygning af kystforsvaret i Danmark på grundlag af de forhåndenværende midler. Det blev imidlertid 29. september fulgt op af kravet om en enorm udbygning af Atlantvolden i hele Europa, Danmark indbefattet, selv om Hitler anså en invasion i Danmark for ringe, pga. Tysklands nærhed (Bonvig Christensen 1976, 75f., Andersen 2007, s. 127-129).

in die Wege geleitet und entsprechend geregelt worden.[139]

Fraglich ist nur, ob die an sich geringen Vorräte der dän. Wirtschaft ausreichen werden, um den Sofort-Bedarf für die Festungsbauten bis zum Eintreffen der Kompensierung zu überbrücken. Die deutschen Zuweisungen an Eisen und Stahl für das innerdänische Versorgungskontingent betragen nur etwa 1/10 des Normalverbrauchs in Friedenszeiten und stellen lt. Angabe des RWiMin die niedrigste Menge dessen dar, was zur Inganghaltung der lebenswichtigen, d.s. die Verkehrs- und Versorgungsbetriebe, und der etwa 800 mit Rü-Aufträgen belegten Betriebe (bei letzteren, soweit es sich um Betriebsmittel handelt) notwendig ist.

Im Zuge der Neuordnung der Eisen- und Metallbewirtschaftung gab RWiMin nach Feststellungen beim Stahlwerksverband am Schluß des Berichtsmonats bekannt, daß von dem Gesamt*rückstand* von 42.800 to Eisen und Stahl für Verlagerungsaufträge (Stand v. 30.9.42) nur etwa 16.000 to durch Lieferfreigaben gedeckt sind. Für die restlichen 26.800 to ist demnach Nachkontingentierung durch den Auftraggeber unerläßlich. Darüber hinaus sind Kontrollnummern für etwa 3.000 to dadurch ausgefallen, daß sie *nicht mehr rechtzeitig* bei den deutschen Lieferwerken untergebracht werden konnten; auch diese sind nachzukontingentieren. In beiden Fällen sind betroffen Aufträge der Besatzungstruppen, mittelbare und unmittelbare Wehrmachtaufträge aus dem Reich, sowie Aufträge für den kriegswichtigen zivilen Bedarf.

W Stb Dän. ist Kontingentträger, und die Bestallung eines von W Stb Dän. beantragten "Bevollmächtigten der Rüstungskontor GmbH" für Dänemark (Dr. Ing. Pfautsch) ist jetzt erfolgt. Er ist Angestellter des W Stb Dän.; als "Bevollmächtigter" untersteht er nur der Rüstungskontor GmbH.

Die Lage der *Kohlen- und Koksversorgung* Dänemarks hat sich im Berichtsmonat gegenüber September ds.Jrs. *nicht* gebessert. Eine auch nur geringe unbedingt notwendige Vorratsbildung für den Winter ist bisher nicht möglich gewesen. Bei der Staatsbahn betrug der Vorrat am 1.9.42: 51.000 to gegenüber 112.000 to am 1.9.41. Der *jetzt* vorhandene Bestand deckt den Bedarf der Staatsbahn für 5-6 Wochen. Da im Winter infolge Vereisung der Häfen mit Unterbrechungen im Nachschub von 2-3 Monaten gerechnet werden muß, ist in der von der Transportlage sehr abhängigen wehrwirtschaftlichen Fertigungsindustrie mit erheblichem Produktionsrückgang zu rechnen.

1a. Stand der Fertigung
Wert der seit der Besetzung Dänemarks über W Stb Dän. erteilten *unmittelbaren und mittelbaren Wehrmachtaufträge:*

Am Schluß des Vormonats	RM	268.696.644,-
Zugang im Berichtsmonat	RM	11.267.781,-
Am Schluß des Berichtsmonats	RM	279.964.425,-
Auslieferungen im September	RM	7.583.772,-

Aufträge der Besatzungstruppen (im gleichen Zeitraum), zu deren Durchführung Eisen- und Stahl, NE-Metalle über 50 kg, sowie Kautschuk erforderlich sind:

---

139 Denne nyordning meddelte Forstmann UM 27. oktober 1942 (Jensen 1971, s. 208).

Am Schluß des Vormonats	RM	66.607.000,-
Zugang im Berichtsmonat	RM	700.000,-
Am Schluß des Berichtsmonats	RM	67.307.000,-

Aufträge des kriegswichtigen zivilen Bedarfs (seit Februar 1941), in der Hauptsache solche, zu deren Durchführung Eisen und Stahl, NE-Metalle über 50 kg, sowie Kautschuk erforderlich sind:

Am Schluß des Vormonats	RM	49.419.379,-
Zugang im Berichtsmonat	RM	3.070.534,-
Am Schluß des Berichtsmonats	RM	52.489.913,-

Hinsichtlich der freien Kapazitäten wird auf die letzten Lageberichte verwiesen. Besonderes Interesse besteht bei den dän. Firmen für die Übernahme von Stanz-, Blech- und Pressarbeiten, sowie für den Bau von Generatoren.

1c. Versorgung der Betriebe mit Roh- und Betriebsstoffen
Am 30.9.42 betrug der Lieferungsrückstand an Dänemark aus Verlagerungsaufträgen 42.800 to Eisen und Stahl.

Für das innerdänische Versorgungskontingent kann die entsprechende Ziffer z.Zt. nur annähernd mit 25.000 to genannt werden.

Der Lieferungsrückstand an NE-Metallen zum 30.9.42 beträgt 396 to. Der deutsche Schuldsaldo hat sich gegenüber den Vormonat bei Eisen und Stahl um rd. 3 %, bei NE-Metallen um rd. 14 % *erhöht.*

Im Oktober wurden 2,7 to NE-Metalle an Dänemark abgetreten, bestellt wurden mit 84 Beschaffungsbestätigungen 130 to NE-Metalle.

Bestellungen auf Eisen und Metalle mit Bezugsrechten konnten noch nicht erfolgen, da die neue Eisenbewirtschaftung erst eben angelaufen ist.

Abt. Marine meldet hierzu:

Die Neuregelung der Eisen- und NE-Metall-Bewirtschaftung auf dem Sektor Kriegsmarine war bis kurz vor Monatsschluß noch nicht ganz geklärt, so daß erst in der letzten Oktober-Woche neue Kontingente vom OKM über Rüstungskontor Berlin hier eingingen. Bis dahin stockte die gesamte Auftragsvergebung sämtlicher Marine-Dienststellen im Raume Dänemark. Durch nach und nach eingehende Eisen- und NE-Metall-Kontingente beginnt jetzt die Auftragsunterbringung wieder in Gang zu kommen.

Nachdem im vorigen Winter die Gießerei bei Burmeister & Wain ca. 10 Wochen wegen Fehlens von Rohmaterialien stillag, wodurch ein Stopp in der Fertigung von U-Boot-Teilen eintrat, hat Abt. Marine Schritte unternommen, um bei dieser Firma Läger einzurichten in

500 to Hämetit-Roheisen,
150 to Birlenbacher Roheisen,
200 to Bremanger-Vantit-Roheisen.

Für Wehrmachtaufträge der Besatzungstruppen sind im Oktober von W Stb Dän. Bedarfsbescheinigungen über 7.127,7 m^3 Nadelholz für die vorschußweise Freigabe aus Beständen der dän. Wirtschaft ausgestellt worden. Hiervon für Heer 581,3 m^3, Org. Todt u. Festungs-Pionierstab 1.266,7 m^3, Kriegsmarine 888,8 m^3, Luftwaffe 4.390,7 m^3.

Der Holzbedarf der Besatzungstruppen in Dänemark für das IV/42 wurde mit 30.000 m³ ermittelt.

Dem W Stb Dän. stand bisher nur ein Kontingent von 10.000 m³ für das IV/42 zur Verfügung. Vom OKW ist daher eine Neufestsetzung des Holzkontingents für das IV/42 beantragt und mit dem Abgesandten des OKW/Wi Amt wie folgt vereinbart worden: ca. 10.000 m³ werden vom Reichsforstamt direkt zur Verfügung gestellt, für weitere 10.000 m³ ist Invorlagetreten der dän. Wirtschaft erforderliche Verhandlungen hierüber werden z.Zt. vom Beauftragten für Wirtschaftsfragen geführt.

Im Rahmen des Gesamtkontingents wurden vorläufig als Höchstverbrauchsgrenzen festgelegt: Heer 7.000 m³, Festungs-Pionierstab plus Org. Todt 7.500 m³, Kriegsmarine 2.500 m³, Luftwaffe 13.000 m³.

2b. Lage der Energieversorgung
Die Lage in der Versorgung mit flüssigen Brennstoffen ist weiterhin sehr angespannt. Von den angeforderten Mengen (Öl 68.120 kg, Benzin 2.420 l) wurden nach Überprüfung durch den W Stb Dän. 55.100 kg Öl und 1.520 l Benzin zugewiesen.

2c. Lage der Kohlenversorgung (s. unter "Vordringliches")
Vom 1.-27.10.42 wurden geliefert 136.000 to Kohle und 44.000 to Koks. Liefersoll 1940 und 1941: 250.000 to Kohle u. 83.000 to Koks monatlich.

5. Arbeitseinsatz
Zahl der Arbeitslosen in Dänemark am 16.10.42: 26.650. Rückgang gegenüber den Vormonat: 201. Grenzgänger Zugang im Sept.: 132. Zahl der z.Zt. in Deutschland beschäftigten Dänen rd. 60.000. Neuwerbungen im Sept. 3.577. Gesamtzahl der in *Norwegen* eingesetzten dän. Arbeiter Ende Sept.: 7.593, Zugang im Sept. 640, Neuwerbungen im Sept. 804.

Für Aufträge des Neubauamts der Luftwaffe sind z.Zt. in Dänemark 5.787 dän. Arbeiter und Angestellte, für die des Festungspionierstabs und der OT 3.738 dän. Arbeiter und Angestellte beschäftigt einschließlich derjenigen, die durch dän. Unternehmerfirmen für diese Bauaufträge eingestellt sind.

6. Verkehrslage
Der *Fährbetrieb* Warnemünde-Gedser und Nyborg-Korsör war infolge Verminung auf beiden Strecken im Oktober 2 Tage unterbrochen. Infolge Ausfall einer deutschen Fähre Sassnitz-Trälleborg geht der größte Teil des Urlauberverkehrs nach Norwegen und Finnland z.Zt. über Warnemünde-Gedser.

Die *Waggongestellung* ist im Wehrmachtsektor zu 100 %, im zivilen Sektor zu 70 % erfüllt.

Die dän. *Schiffahrt* war in der Kohlenfahrt nach Dänemark und der Küstenkohlenfahrt, sowie der Erzfahrt von Schweden nach Deutschland und der Holzfahrt von Schweden nach Dänemark eingesetzt.

7a. Ernährungslage

Gem. Erlaß OKW Nr. 002 865/42 v. 29.8.42 hat die Beschaffung sämtlicher Verpflegungsmittel für die Besatzungstruppen in Dänemark nunmehr ausschließlich aus dem Lande zu erfolgen.[140] Diese Maßnahme wird lt. Mitteilung des Bev. d. Dtsch. Reiches, Beauftr. f. Wirtschaftsfragen, bezgl. der geforderten Entnahme von 4.000 to Heu (vorläufig bis April 1943) einen Rückgang der Milch- und Butterproduktion mit sich bringen. – Wertmäßig wurden im September aus den Lebensmittelbeständen des Landes entnommen:

a.) Für die deutschen Truppen in Dänemark d.Kr. 1.964.335,41

b.) Für die deutschen Truppen in Norwegen d.Kr. 4.705.274,92

---

140 Dette blev meddelt UM 28. oktober 1942 (Jensen 1971, s. 209).

NOVEMBER 1942

126. Paul Barandon an das Auswärtige Amt 2. November 1942

På baggrund af sabotagen i efteråret 1942 krævede Hermann von Hanneken indført rigoristiske forholds-regler for at dæmme op herfor. Paul Kanstein viderebragte 20. oktober kravet til UM, idet han fortalte, at Hanneken overvejede at ty til kollektivt ansvar som modtræk til sabotagen. Kanstein pegede selv på, at nogle af de tidligere løsladte funktionærer i DKP kunne blive interneret igen. Det var dette forslag, der blev arbejdet videre med, idet gruppen der skulle anholdes, blev udvidet med tidligere frivillige i den spanske borgerkrig. Begge var grupper man fra tysk side særligt regnede for arnesteder for sabotagen.

Selve aktionerne blev planlagt og udført af dansk politi 2. og 7. november (se Nils Svenningsens notits 20. oktober 1942 om mødet med Kanstein (PKB, 7, nr. 271), Koch 1994, s. 294-296, 447f.).

Kilde: PA/AA R 29.566. RA, pk. 202 og 228. PKB, 13, nr. 716.

Telegramm

| Kopenhagen, den | 2. November 1942 | 18.30 Uhr |
| Ankunft, den | 2. November 1942 | 19.25 Uhr |

Nr. 1616 vom 2.11.42.

Unter Bezug auf Schriftberichte vom 6.7.1942 – Inn. v. 3. B. Nr. 354/42 vom 27.8.1942 und 4.10.1942 – Inn. v. 3. B. Nr. 1694/42.

Im Einvernehmen mit dem Befehlshaber der deutschen Truppen in Dänemark wird aus vorbeugenden Gründen am 2.11. die Festnahme einer größeren Zahl von dänischen Kommunisten stattfinden. Die Aktion wird durch die dänische Polizei unter Steuerung durch die Dienststelle des Suw. Beauftragten für die innere Verwaltung durchgeführt. Für die umfangreichen Ermittlungen und Vernehmungen sind dem Beauftragten für die innere Verwaltung vom RSHA auf kürzere Zeit vier weitere Beamte zur Unterstützung der hiesigen Beamten zur Verfügung gestellt worden. Schriftbericht über das Ergebnis der Aktion folgt nach.[1]

gez. **Barandon**

127. Martin Bormann an Hans-Heinrich Lammers 2. November 1942

Bormann havde 5. oktober skrevet til RFSS angående forordningen af 12. august 1942 og gjort det klart, at RFSS ikke kunne blande sig i rigskommissærernes forhold, men at de fortsat helt igennem var beret-tiget til selvstændigt at føre alle forhandlinger med de germansk-völkische grupper i Holland og Norge. Forordningen gjaldt alene alle tyske partiinstanser i riget. Det havde RFSS 24. oktober erklæret sig helt og aldeles enig i.

RFSS havde midlertidigt kun på skrømt affundet sig med denne begrænsning i sine ekspansionsbestræ-belser, men de strakte videre, som det allerede fremgår af Gottlob Bergers fremfærd ovenfor. Bormanns brev har næppe heller tilfredsstillet Luther: Danmark blev end ikke nævnt, men han opgav ikke forsøgene på at

1 Se Bests telegram nr. 1644, 6. november 1942.

stoppe SS' fremmarch. Se Luther til Ribbentrop 30. december 1942.
  Kilde: NHWE, Id. dok.: APK-014958.

Nationalsozialistische Deutsche Arbeiterpartei   Abschrift.
Partei-Kanzlei   *Führerhauptquartier, den 2. November 1942.*
Leiter der Partei-Kanzlei   Bo/Fu.

Herrn Reichsminister Dr. Lammers,
  Berlin W 8,
  Vossstraße 6.

Betrifft: Verhandlungen mit den germanisch-völkischen Gruppen.

Sehr verehrter Herr Dr. Lammers!
Lediglich zu Ihrer Unterrichtung teile ich Ihnen mit:
  In Ergänzung meiner Anordnung vom 12.8.1942 hatte ich Herrn Reichsführer SS
Himmler unter dem 5.10.1942 geschrieben:[2]
  "Mit der Anordnung sollte selbstverständlich nicht ein Unterstellungsverhältnis der
Reichskommissare Seyss-Inquart und Terboven unter den RFSS erreicht werden. Die
beiden Reichskommissare erhalten ihre Weisungen ausschließlich vom Führer. Selbst-
verständlich sind die beiden Reichskommissare durchaus berechtigt, selbstständig alle
Verhandlungen mit den germanisch-völkischen Gruppen in den Niederlanden und in
Norwegen zu führen.
  Mit der Anordnung vom 12.8.1942 sollte das Hineinregieren irgendwelcher Partei-
Dienststellen des Reiches nach den Niederlanden und nach Norwegen unterbunden
werden."
  Reichsführer Himmler hat mir unter dem 24.10.1942 für meinen Brief gedankt
und erwidert, er habe die Anordnung vom 12.8.42 auch niemals anders aufgefaßt und
deswegen auch niemals anders gehandhabt.
                      Heil Hitler! Ihr sehr ergebener
                      gez. **M. Bormann**

128. Cecil von Renthe-Fink an Werner Best 3. November 1942

I forståelse med Ribbentrop skrev Renthe-Fink en hilsen til sin efterfølger. I den uge, de havde været sam-
men, havde Renthe-Fink fået indtryk af, at Best ville bestræbe sig på at opretholde et venskabeligt forhold
til danskerne i det omfang, deres politik og holdning tillod det. Han håbede, at Best fik et lige så fortroligt
forhold til Scavenius, som han selv havde haft.
  Kilde: RA, pk. 306.

2 Trykt ovenfor.

Berlin, den 3. November 1942.

Lieber Best!
Im Einverständnis mit dem Herrn Reichaußenminister habe ich Scavenius bei seiner
Abreise Lebewohl gesagt und mit ihm bei dieser Gelegenheit in dem verabredeten Sinn
gesprochen. Insbesondere habe ich ihm gesagt, daß ich mich freute, daß gerade Sie mein
Nachfolger geworden wären, denn wenn sich auch jeder Missionschef selbstverständlich
streng an seine Instruktionen halten müßte, so hätte ich doch in der Woche des Zusam-
menseins mit Ihnen den Eindruck erhalten, daß Sie bestrebt sein werden, ein gutes und
freundschaftliches Verhältnis herzustellen, soweit das die dänische Politik und Haltung
erlaubte und daß Sie von der Größe und Verantwortung der Ihnen jetzt übertragenen
Aufgabe durchdrungen seien. Ich habe hinzugefügt, daß ich es im dänischen und auch
in seinem – Scavenius – eigenen Interesse liegend hielte, wenn er – Scavenius – wie
früher mit mir, so nun mit Ihnen enge und vertrauensvolle Beziehungen unterhielte.
Da Scavenius im Laufe des Gesprächs betonte, daß es nicht einfach sein würde, die
parlamentarischen Minister dazu zu bekommen, selbst Harakiri zu begehen, habe ich
ihm nochmals den Ernst der Lage und die Konsequenzen, die sich ergeben könnten, vor
Augen geführt.

Mit herzlichen Grüßen
Heil Hitler!
Renthe-Fink

129. Paul Barandon an das Auswärtige Amt 3. November 1942

DNSAP søgte at udnytte telegramkrisen til sin fordel. Partifører Frits Clausen pressede på overfor Det Tyske
Gesandtskab. Han ønskede, at DNSAP fik pladser i en ny regering. DNSAPs mødeaktivitet omkring 1. no-
vember skulle tjene det formål at demonstrere opslutningen bag partiet. Barandon refererede Frits Clausens
tale i Forum 1. november i en positiv ånd, selv om han tidligere på måneden havde været blandt dem, der
talte mod en nazistisk regeringsdeltagelse (Frits Clausens tale er gengivet i *Fædrelandet* 2. november 1942).
    Kilde: PA/AA R 29.566. RA, pk. 202.

Telegramm

Kopenhagen, den	3. November 1942	08.35 Uhr
Ankunft, den	3. November 1942	09.12 Uhr

Nr. 1621 vom 2.11.[42.]

Dänische Nationalisten veranstalteten Sonntag in Kopenhagen, Aarhus, Odense und
3 kleineren Provinzstädten Kundgebungen, die sich zu beachtenswertem Erfolg für
DNSAP gestalteten. Insgesamt wurden Veranstaltungen von über 18.000 Personen
besucht, obwohl am Veranstaltungstage infolge Gesindesonntags Geschäfte im ganzen
Lande geöffnet waren. In Kopenhagen sprach Parteiführer Dr. Clausen vor über 8.000
Personen. Rede Clausens beschäftigte sich hauptsächlich mit innerdänischen Problemen,
wobei bisherige Politik Sammlungsregierung besonders auf sozialpolitischem Gebiet

scharfer Kritik unterzogen und nationalistischem Programm gegenübergestellt wurde. Hinsichtlich außenpolitischer Stellung Dänemarks hervorhob Clausen, daß Festlegung einer gesunden Politik von größerer Wichtigkeit sei als die Frage, wie lange dieser Krieg noch dauere, auch Dänemark müsse zur notwendigen Erkenntnis kommen, daß dieser Krieg ein unerbittlicher und entscheidender Kampf um Sein oder Nichtsein ganzen europäischen Kontinents sei. Sonderinteressen und Sonderwünsche einzelner Länder.

Je länger Kampf dauere, desto dringender würde Forderung an jedes europäische Land, sich moralisch, politisch und praktisch in europäische Schicksalsgemeinschaft einzureihen. Frage Dauer des Krieges könnte nicht durch passives Zuschauen oder theoretisches Abwägen der Chancen gelöst werden, sondern könne nur dadurch beantwortet werden, daß alle Völker Europas, also auch Dänemark, ehrlich und bereitwillig an Schaffung einer immer engeren europäischen Gemeinschaft mitwirken. In diesen Bestrebungen habe Deutsches Volk mit seinem weitsichtigen und aufopfernden großen Führer Adolf Hitler Führung übernommen. Durch größere Opfer und härteste Entbehrungen und Entsagungen habe Deutschland es auf sich genommen, siegreichen Kampf gegen Weltbolschewismus zu führen. An diese Tatsachen und nicht an Utopien oder Hoffnungen müsse man sich auch in Dänemark halten, wenn man eine richtige politische Einstellung gewinnen wolle. Einstellung dänischer Politik könne daher nur ehrliches auf aufrichtiges Mitwirken an Schaffung neuen, reichen und glücklichen Europas unter Führung Deutschlands sein.

Barandon

130. Paul Otto Schmidt: Aufzeichnung 4. November 1942

Den tre timer lange samtale mellem Ribbentrop og Scavenius i Berlin blev udførligt refereret fra tysk side. Skønt drøftelsen skulle dreje sig om det fremtidige tysk-danske forhold, benyttede Ribbentrop anledningen til at omtale adskillige andre forhold, af hvilke krigen mod Sovjetunionen og krigsudviklingen i øvrigt optog en ikke ringe plads. Fra tysk side kunne forholdet til Danmark ikke fortsætte som hidtil. Ribbentrop så gerne Scavenius som ny statsminister, men i hvert fald skulle der dannes en ny dansk regering, der ikke bestod af tyskfjendtlige ministre. Scavenius afviste at blive statsminister med henvisning til sin manglende uddannelse. Til gengæld påpegede han de store tjenester, som Danmark ydede Tyskland. Skulle de fortsætte, måtte der ikke træffes dramatiske foranstaltninger i Danmark. Regeringen kunne ikke kontrollere det danske folks indstilling. Scavenius afviste, at der kunne optages repræsentanter for DNSAP i en kommende regering, mens Ribbentrop holdt på, at der måtte arbejdes for dette. Scavenius bad om skriftligt at få de tyske krav til en ny dansk regering, hvilket Ribbentrop afviste, for at det ikke skulle blive udnyttet propagandistisk. I stedet blev det overladt den nye rigsbefuldmægtigede at drøfte en ny dansk regering i København. Mødet sluttede med, at Werner Best og Renthe-Fink sluttede sig til selskabet.

(Hvass' divergerende referat af mødet er i PKB, 4, nr. 91 bilag 14, Scavenius 1948, s. 156f., Poulsen 1970, s. 348, Thomsen 1971, s. 121f., Sjøqvist, 2, 1973, s. 208-212 (afvigende udlægning af referatet i forhold til det her resumerede mht. Scavenius' stilling til at blive statsminister), Kirchhoff, 1, 1979, s. 54).

Kilde: PKB, 13, nr. 352. ADAP/E, 4, nr. 122.

Aufzeichnung des Gesandten I. Klasse Schmidt   F 1/0107-09
(Büro RAM)   F 9/0031-61

Geheime Reichssache *Berlin, den 4. November 1942*
Aufz. RAM 40/42 g. Rs.

Aufzeichnung
über die Unterredung zwischen dem RAM und dem dänischen Außenminister Scavenius
am 2. November 1942 in Berlin

Der RAM begann die Unterredung mit der Bemerkung, er habe Scavenius nach Berlin gebeten, weil sich die Beziehungen zwischen Deutschland und Dänemark sehr schlecht entwickelt hätten. Er habe seinerzeit bei einer früheren Unterredung mit Scavenius anläßlich des Beitritts Dänemarks zum Antikominternpakt der Hoffnung Ausdruck gegeben, daß sich in dem Existenzkampf, den Deutschland gegenwärtig für ganz Europa führe, die Beziehungen zwischen den beiden Ländern im Sinne einer vernünftigen Zusammenarbeit günstig entwickeln würden, über die tatsächliche Entwicklung der Beziehungen sei er jedoch aufrichtig enttäuscht und habe Scavenius nach Berlin eingeladen, um ihm zu sagen, daß die Dinge so nicht weitergehen könnten.

Deutschland habe den Verlauf der Geschehnisse in Dänemark sehr sorgfältig verfolgt. Es habe festgestellt, daß Scavenius persönlich bemüht gewesen sei, die Basis für eine Zusammenarbeit und vielleicht noch mehr zu schaffen. Diese Bemühungen würden in Berlin anerkannt und begrüßt. Er (der RAM) fürchte jedoch, daß Scavenius im dänischen Kabinett und in weiten Kreisen der dänischen Bevölkerung mit seinen Ansichten ziemlich allein stehe.

Dies ergebe sich unter anderem aus gewissen konkreten Fällen, die sich in der letzten Zeit in Dänemark ereignet hätten. So besäße z.B. Deutschland Nachrichten, denenzufolge die Flucht von Christmas Möller nach England mit Wissen maßgebender Persönlichkeiten der dänischen Regierung durchgeführt worden sei. Dies habe natürlicherweise in Deutschland großes Mißbehagen erregt.

Weiterhin seien in Dänemark antideutsche Tendenzen beobachtet worden, und schließlich habe auch die Haltung des Staatsministers Buhl zu Bedenken Anlaß gegeben. Besonders seine Reden, für die keinerlei Notwendigkeit vorlag, haben diesen antideutschen Tendenzen Vorschub geleistet. Er (der RAM) verfolge daher die Entwicklung mit Besorgnis.

Deutschland befinde sich im Osten in einem schweren Existenzkampf, bei dem es nicht nur um das Schicksal des Reiches ginge, sondern auch um dasjenige Dänemarks und aller anderen kleinen Länder Europas. Dieser harte und zähe Kampf dauere länger, als es anfangs den Anschein hatte. Er würde aber unter allen Umständen gewonnen werden, er sei im Grunde genommen bereits gewonnen, denn Rußland würde zusehends schwächer. Deutschland könne nicht dulden, daß in seinem Rücken irgendwelche Unklarheiten bestünden. Der Führer sei nicht gewillt, etwas Derartiges ruhig mitanzusehen. Er habe versucht, Dänemark gegenüber eine großzügige Haltung einzunehmen, und habe erst letzthin dem dänischen Souverän ein freundliches Glückwunschtelegramm zu seinem Geburtstag geschickt.[3] Der dänische König habe es in völliger Verkennung seiner Stellung

---

3 Se teksten til telegramudvekslingen mellem Hitler og Christian 10. i ADAP/E, 3, nr. 321, n. 4.

und Lage für richtig gehalten, auf dieses Telegramm in einer Form zu antworten, die man auf deutsch mit einem Wort bezeichne, das er (der RAM) Scavenius gegenüber nicht gebrauchen wolle. Der Führer pflege sich etwas Derartiges ein- oder zweimal mitanzusehen, fasse dann aber einen sehr plötzlichen Entschluß. Er (der RAM) habe diese Entwicklung kommen sehen und auch auf sie hinweisen lassen. Auf das Antworttelegramm des dänischen Königs, das nicht das erste seiner Art war, habe der Führer in der Form reagiert, daß der deutsche Gesandte aus Kopenhagen[4] zurückberufen und Dänemark erklärt wurde, Deutschland wünsche nicht, daß der dänische Gesandte[5] nach Berlin zurückkehre. Er (der RAM) wisse nicht, was den dänischen König zu seiner Haltung veranlaßt habe, wolle dies auch jetzt nicht erörtern. Er habe früher gehofft, derartige Schwierigkeiten durch die entsprechende Politik Dänemark gegenüber vermeiden zu können.

Was nun in der Zukunft erfolgen würde, hänge davon ab, wie sich die dänische Regierung verhalte und was in Dänemark selbst geschehe. Nach dem vorerwähnten Zwischenfall habe der Führer den RAM beauftragt, eine Lösung zu finden. Endgültige Entschlüsse seien noch nicht gefaßt. Der RAM wolle daher mit Scavenius prüfen, ob die Möglichkeit bestünde, noch in letzter Stunde die Dinge in Dänemark so zu gestalten, daß vielleicht doch noch eine Basis für eine vernünftige Zusammenarbeit gefunden werden könne. Sollte er (der RAM) jedoch bei diesem Versuch merken, daß es nicht möglich ist, Dänemark zu einem freundschaftlichen Verhältnis mit Deutschland zu bringen, so müßten neue Entschlüsse gefaßt werden.

Es sei jedoch vollkommen ausgeschlossen, daß die Dinge in Dänemark so weitergingen wie bisher. Er (der RAM) möchte Scavenius daher warnen. Er wisse, daß dieser ein dänischer Patriot sei und einen weiteren Blick habe als viele seiner Landsleute. Diesen Eindruck habe er von Scavenius gelegentlich seiner letzten Unterhaltung mit ihm gewonnen. Er glaube, daß Scavenius begriffen habe, worum es bei dem jetzigen Existenzkampf Europas ginge. Demgegenüber gäbe es allerdings noch viele törichte Leute in Dänemark, die glaubten, daß ihr Land, wenn Deutschland schwach würde, mit einem blauen Auge davon käme. Es werde aber dazu nicht kommen, denn trotz der anglo-amerikanischen Bluffpropaganda wüßten Deutschlands Feinde nicht mehr aus noch ein. Im Laufe des nächsten Jahres würde sich eine Lage ergeben, in der die Russen aus dem letzten Loch pfeifen würden und die Engländer und Amerikaner auch ihrerseits nichts mehr ausrichten könnten. Es gäbe jedoch immer noch Unbelehrbare, vor allen Dingen auch in gewissen Kreisen Schwedens. Zu diesen Unbelehrbaren gehöre auch Staatsminister Buhl mit seinen völlig abwegigen Reden.

Es handle sich also jetzt darum, binnen kurzem festzustellen, ob eine Möglichkeit gefunden werden könne, die Grundlage für eine sehr klare Zusammenarbeit zwischen Deutschland und Dänemark zu bilden. Sei dies nicht möglich, so könne er (der RAM) daran nichts ändern. Das Weitere würde sich dann finden.

Eine unabänderliche Vorbedingung für die Erreichung dieses Ziels sei das sofortige Verschwinden der jetzigen dänischen Regierung, die Deutschlands Vertrauen nicht besitze. Viele ihrer Mitglieder seien deutschfeindlich. Weiterhin müsse sich der neue Re-

4 Renthe-Fink.
5 Mohr.

gierungschef ein Ermächtigungsgesetz geben lassen, mit dessen Hilfe er ohne Befragung der Parteien Verordnungen erlassen könne, die zur Aufrechterhaltung der Ruhe und Ordnung im Lande, zur Sicherheit der deutschen Truppen und zur Durchführung einer klaren und vernünftigen Politik der Zusammenarbeit mit Deutschland notwendig seien. Hinzu käme, daß alle diese gesetzgeberischen, ebenso wie die personellen Maßnahmen mit dem Bevollmächtigten des Deutschen Reiches[6] abgestimmt werden müßten. In den nächsten Tagen würde dieser Bevollmächtigte des Deutschen Reiches in Kopenhagen eintreffen und dafür zu sorgen haben, daß mit der neuen dänischen Regierung die politische Zusammenarbeit mit Deutschland sichergestellt wird.

Der Krieg würde sicherlich noch das ganze nächste Jahr hindurch andauern. Dann würden vielleicht auch die Engländer und Amerikaner genug haben. Bis dahin jedoch könnten das Reich und die Wehrmacht nicht die geringsten Schwierigkeiten in ihrem Rücken dulden.

Er (der RAM) wisse nicht, wie Scavenius persönlich zu diesen Dingen stehe. Er habe ihm bereits von seinem Eindruck gesprochen, daß er einen weiteren Blick habe als seine Landsleute und einige seiner Ministerkollegen und die Zeichen der Zeit besser verstehe, d. h. erkenne, daß der jetzige Krieg nicht wie frühere Kriege geführt wurden, um das Schicksal einzelner Völker ginge, sondern ein Kampf sei, wie es ihn vielleicht noch nie gegeben habe, der das Schicksal ganz Europas bestimme. Entweder würde Europa in einem Meer von Blut und in völliger Anarchie untergehen oder es würde durch die Kraft, die der Führer dem europäischen Zentralstaat gegeben habe, gerettet und damit allen europäischen Staaten ihr kulturelles Eigenleben gesichert werden.

Er (der RAM) habe den Eindruck, daß Scavenius dies verstanden habe, und er würde es persönlich begrüßen, wenn Scavenius die Führung der neuen dänischen Regierung übernähme. Über die weitere Zusammensetzung dieser Regierung wolle er (der RAM) mit Scavenius noch sprechen oder diese Frage durch den deutschen Bevollmächtigten mit ihm regeln lassen. Es interessiere ihn zunächst grundsätzlich zu erfahren, ob Scavenius an eine solche Lösungsmöglichkeit glaube und ob bei ihm persönlich der Wille vorhanden sei, daran mitzuarbeiten.

Scavenius begann seine Erwiderung mit einem Hinweis auf das Telegramm des dänischen Königs an den Führer, zu dem er Erläuterungen geben wolle.

Der RAM unterbrach ihn mit der Bemerkung, daß es besser wäre, wenn auf dieses Telegramm überhaupt nicht mehr eingegangen würde. Der Führer sei in derartigen Fragen recht großzügig. Wenn jedoch auf ein in warmen Worten gehaltenes Glückwunschtelegramm eine Antwort erfolge, die nichts weiter als eine reine Empfangsbestätigung darstelle, so sei die Geduld des Führers zu Ende. Das erste oder zweite Mal, als derartige Antworttelegramme eintrafen, habe der Führer darüber hinweggesehen und die Form mit dem Alter des Königs entschuldigt. Die Wiederholung derartiger Vorfälle schiene aber auf eine Absicht hinzudeuten.

Scavenius erwiderte, er verstehe dies und bedaure den Vorfall außerordentlich. Lediglich zur Unterrichtung des RAM wolle er noch eine erläuternde Bemerkung machen, da er selbst auch eine gewisse Verantwortung in der Angelegenheit habe. Die Abfassung

6 Best.

von Telegrammen persönlicher Art habe sich Generationen hindurch der dänische Kö-
nig stets selbst vorbehalten. Die dänischen Souveräne hätten mit einer gewissen Eifer-
sucht darauf geachtet, daß sie, nachdem ihnen die wichtigen Staatsgeschäfte durch die
Entwicklung der Zeit völlig entzogen worden seien, wenigstens diese reinen Formalien
in der Hand behielten. Es möge zwar komisch klingen, sei aber Tatsache, daß traditi-
onsgemäß der König allein mit der Königin[7] das Telegramm an den Führer in genau
derselben Form, wie dies immer geschehen sei, abgefaßt habe. Der Fehler, den Scavenius
gemacht habe, bestehe darin, daß er dem König nicht auch die Beantwortung derarti-
ger Telegramme abgenommen habe. Er hätte dies wegen der veränderten Verhältnisse
unbedingt tun sollen.

Der RAM erwiderte, daß es sich bei dem Telegramm des dänischen Königs nur um
den Schlußstein einer ganzen Entwicklungsreihe gehandelt habe. Dazu gehörten die
unklugen Reden Buhls, von denen er annehme, daß sie Scavenius nicht gebilligt habe.

In Dänemark dürfe man sich keinen Täuschungen hingeben. Der jetzige Krieg kön-
ne nur einen Ausgang haben. Er sei für die Gegenseite nicht mehr zu gewinnen.

Im weiteren Verlauf des Gesprächs kam der RAM auf das deutsch-russische Ver-
hältnis und den "verräterischen Überfall Deutschlands auf Rußland", wie die Feinde
Deutschlands den deutsch-russischen Krieg bezeichneten, zu sprechen. Als ihn nach
seiner Rückkehr aus Moskau, wo er mit Stalin den deutsch-russischen Pakt[8] abgeschlos-
sen hatte, der Führer fragte, was er (der RAM) wirklich von den Russen halte, habe
er geantwortet, daß die Russen die Deutschen an sich haßten und daß es zwischen
Deutschland und Rußland eine unüberbrückbare Kluft gäbe. Der Paktabschluß mit
Moskau sei trotzdem gut, da man damit rechnen müsse, daß England und Frankreich
über kurz oder lang mit Deutschland einen Krieg beginnen würden. Für Stalin sei je-
doch seiner Ansicht nach der Moskauer Pakt eine zeitbedingte Vernunftsehe. Stalin
rechne damit, daß bei Ausbruch eines europäischen Konflikts Deutschland wieder wie
im Kriege 1914/18 an der Westfront gebunden würde und daß er dadurch Zeit genug
hätte, durch seine Propaganda Deutschland zu zersetzen, um es dann mit Hilfe der
Roten Armee zu besetzen.

Als dann späterhin Molotow in Berlin die russischen Forderungen vorgebracht habe,
sei es dem Führer und ihm (dem RAM) klar gewesen, daß der Krieg mit Rußland un-
vermeidlich sei.[9]

Der RAM berichtete Scavenius über ein Gespräch, das er mit Molotow während
eines Fliegeralarms in Berlin im Luftschutzkeller geführt habe. Zu vorgerückter Stunde
habe Molotow die Maske immer mehr fallen lassen und zum Schluß klar erklärt, daß
sich Rußland niemals am Skagerrak, an einem Ausgang aus der Ostsee nach dem Atlan-
tischen Ozean (der also auf dänischem Gebiet gelegen haben würde), desinteressieren
könne. Alles dies habe in immer stärkerem Maße auf den Krieg mit Rußland hingedeu-
tet.

Sechs Wochen vor Ausbruch dieses Krieges sei eine damals nicht nachprüfbare Agen-

7 Alexandrine.
8 ADAP/D, 7, nr. 228.
9 ADAP/D, 11, nr. 325, 326, 328, 329 og 404.

tenmeldung über ein Bankett für die Absolventen der russischen Militärakademie, der Frunse-Akademie, eingetroffen. Nach dieser Meldung habe dort Stalin eine Rede gehalten des Inhalts, daß das Bündnis mit Deutschland überholt und daß der Zeitpunkt des Angriffs auf das Reich der 1. August sei. Vor vierzehn Tagen habe nun ein Gefangener, ein russischer Major, der auf diesem Bankett anwesend war, diese Tatsache bestätigt. Auf eine Umfrage unter den in Deutschland gefangenen russischen Offizieren hätten sich zwei weitere Teilnehmer an dem Bankett gemeldet, die unabhängig von einander das gleiche berichteten: Den Trinkspruch eines Bankettteilnehmers auf den "großen Stalin" wegen Abschlusses des Nichtangriffspaktes mit Deutschland und der friedlichen Regelung der deutsch-russischen Probleme habe Stalin zum Anlaß genommen zu erklären, daß es mit dem Nichtangriffspakt jetzt vorbei sei und daß es sich jetzt darum handle, mit dem Schwert vorzugehen.

Daß die Rote Armee so stark wäre, wie sich dies im Laufe des Feldzugs gezeigt habe, habe niemand angenommen. Trotzdem sei sie im vergangenen Jahre und in diesem Jahre von Deutschland geschlagen worden. Der russische Koloß sei zweimal angeschlagen, und Deutschland würde auch noch ein drittes Mal ansetzen. Auf jeden Fall würde sich Rußland von den beiden bereits jetzt erhaltenen Stößen nicht mehr erholen können. Nachdem es 14 bis 16 Millionen seiner besten Männer verloren hätte, sei seine Stoßkraft dahin. Diese Verluste könne es ebensowenig wieder aufholen wie die Verluste von Erz- und Kohlelagern sowie von Getreideländern.

In den nächsten Tagen würde Stalingrad endgültig fallen. Der größte Teil der Stadt sei bereits in der Hand der deutschen Truppen. Es handle sich lediglich darum, die noch verbliebenen Russen auszukämmen. Dann sei die Wolga geschlossen. Der Kaukasus würde den Russen restlos aus der Hand geschlagen werden. Grosnyi mit seinen Raffinerien sei vernichtet, Baku würde vernichtet werden. Bereits jetzt könnten die Russen nicht mehr fliegen, weil ihnen das Flugbenzin fehle.

Trotzdem würde der Kampf im nächsten Jahre weitergehen. Deutscherseits habe man einen völligen Zusammenbruch Rußlands niemals angenommen, sondern immer damit gerechnet, daß zehn, zwanzig, ja hundert Jahre lang eine offene Front bestehen bleiben würde. Deutschland würde einen neuen Limes bauen und ständig 60 bis 80 Divisionen dort einsetzen, bis vielleicht eines Tages das restliche Rußland in einige Bauernrepubliken zerfiele.

Sei jedoch die Offensivkraft der Russen gebrochen, würde sich Deutschland anderen Kriegsschauplätzen zuwenden und die dortigen Lagen bereinigen. Im Vergleich zu dem Masseneinsatz von Truppen im Osten würde die Erledigung der afrikanischen Front, wo immer nur einige Tausend Mann eingesetzt werden könnten, ein Kinderspiel sein. Danach würde sich Deutschland mit der englischen Insel auseinanderzusetzen haben.

Amerikas Drohungen beruhten auf Bluff. Was die Amerikaner an Material herstellten, sei schlecht. Mit amerikanischen Truppen seien deutsche Verbände noch nicht zusammen gekommen. Deutschland würde sich jedoch freuen, wenn sich einmal dazu Gelegenheit böte, den Amerikanern die militärische Überlegenheit Deutschlands aus eigener Erfahrung vorzuführen. Von den Japanern hätten die Amerikaner bereits schwere Schläge empfangen, und bei den Salomoninseln sei soeben ein großer Teil der noch übrig gebliebenen amerikanischen Flotte vernichtet worden. Wie die Amerikaner danach über den Stillen Ozean oder den Atlantik hinüber auf weite Entfernungen große Offensiven unternehmen wollten, sei nicht ersichtlich.

Wer nach dieser Lage der Dinge noch an einen andern Ausgang des Krieges glaube – und solche Leute gäbe es anscheinend in Schweden noch vielfach – erweise seinem Lande einen sehr schlechten Dienst. Heute stünden Europa und die Welt mitten in großen Umwälzungen. Vor 3-4 Jahren habe es noch ein deutsch-französisches Problem gegeben. Heute sei das deutsch-französische Verhältnis kein Problem mehr. Es sei allmählich von dem europäischen Problem abgelöst worden. Die Engländer, die sich zum Flugzeugmutterschiff der Amerikaner hergäben, bombardierten deutsche und französische Städte fast ohne Unterschied. Im Rahmen dieser europäischen Welt müßten die einzelnen europäischen Staaten, aus denen sie sich zusammensetze, unter Führung Deutschlands und Italiens irgendein Verhältnis zueinander finden. Wie sich England dazu einstellen würde, wisse er nicht. Zunächst würde es durch Churchill, den Totengräber des Imperiums, sein Weltreich verlieren. Erst kürzlich habe Willkie amerikanische Ansprüche auf Basra und den Irak ebenso wie auf Indien angemeldet, und nach zuverlässigen Berichten täten die Citykreise bereits jetzt alles, um Argentinien und Chile dem amerikanischen Einfluß fernzuhalten und zu verhindern, daß England dort seine Wirtschaftspositionen genauso restlos verlöre wie in Brasilien nach dessen Kriegseintritt an der Seite der Vereinigten Staaten. Ebenso würde Kanada verloren gehen, und in Australien spiele sich bereits jetzt der amerikanische General MacArthur als Herr auf. Aus Afrika würden die Engländer von Deutschland und Italien herausgefegt werden. Sie hätten einen viel längeren Versorgungsweg um das Kap der Guten Hoffnung, der ihnen durch deutsche U-Boote noch gefährdet würde, und würden sich daher im Nachteil gegenüber Deutschland und Italien mit ihren viel kürzeren Verbindungslinien befinden. In irgendeiner Form würde sich auch England nach Verlust seines Weltreichs mit Europa verständigen müssen.

Im neuen Europa würde es zwei Kraftzentren geben: Italien im Süden und Deutschland im Norden. Die anderen Länder würden sich um diese Kraftzentren herumgruppieren müssen, ob ihnen dies sympathisch sei oder nicht. Es handle sich dabei um Entwicklungen, die sich zwangsläufig aus der Situation ergäben. Von der Einstellung für oder gegen diese neue Ordnung würde das Schicksal der einzelnen Länder abhängen. Wer positiv dazu eingestellt sei, würde seine Zukunft in irgendeiner Form gesichert sehen. So werde z.B. in Zukunft ein deutsch-französischer Krieg, der sich im Weltkrieg über vier Jahre, diesmal jedoch nur über sechs Wochen ausgedehnt habe, bei der ständigen Fortentwicklung der Technik gar nicht mehr möglich sein. Es würde daher am Ende dieses Prozesses des Zusammenschlusses der Erdteile nur noch drei Kontinente geben: Europa, den schönsten und glücklichsten Erdteil, Amerika und den japanischen Erdteil. Das Kraftzentrum Europas sei die Achse. Mit den Amerikanern würde vielleicht ein hundertjähriger Krieg herrschen. Vielleicht würde jedoch auch mit ihnen der Krieg ein plötzliches Ende finden, denn ein Land, das alle Schätze der Erde besäße, könne auf die Dauer von seinen Machthabern nicht in einen Krieg in fremden Erdteilen, die es gar nichts angingen, verwickelt werden, und die Amerikaner würden möglicherweise dagegen rebellieren.

Die Dreierpaktmächte seien andererseits in der Lage, mengenmäßig erheblich mehr zu produzieren als England und Amerika zusammen genommen. Daß das von ihnen erzeugte Kriegsmaterial qualitativ besser sei als das anglo-amerikanische habe sich bereits auf dem Schlachtfelde erwiesen, ebenso wie die Tatsache, daß die deutschen Soldaten, die um ihre Heimat kämpften, besser wären als ihre Feinde. – Wie die Neuordnung Europas im einzelnen aussehen werde, lasse sich im Augenblick noch nicht sagen. Soviel sei jedoch sicher, daß die verschiedenen Länder im Rahmen dieser Neuordnung den Platz erhalten würden, der ihnen nach ihrer Haltung Deutschland gegenüber während des Krieges zukomme.

Scavenius betonte in seiner Erwiderung, daß er sein ganzes Leben hindurch dafür eingetreten sei, die Politik Dänemarks auf Deutschland auszurichten. Dies tue er natürlich um so mehr in einem Augenblick, in dem Deutschland in Europa eine derartig wichtige Mission zu erfüllen habe.

Andererseits sei es ihm nicht möglich, die Stimmung in Dänemark zu ändern. Diese Stimmung sei bedingt durch die Furcht der dänischen Bevölkerung vor der Besatzung, besonders jetzt, wo es den Anschein habe, als würde der Krieg und damit die Besetzung Dänemarks noch lange andauern. Aber wenn er auch die Gefühle des dänischen Volkes nicht beherrschen könne, so könne er die Dänen doch zu einer praktischen Zusammenarbeit mit Deutschland veranlassen. In diesem Zusammenhang verwies Scavenius auf die wirtschaftlichen Leistungen Dänemarks für den Krieg, insbesondere auf dem Gebiet des Schiffsbaus. Wenn er auch die Stimmung des dänischen Volkes nicht kontrollieren könne, so könne er doch versuchen, seine Haltung zu beeinflussen und es, wie dies geschehen sei, zur größtmöglichen Anstrengung für die Kriegswirtschaft bringen. Er befürchte, daß irgendwelche drastischen Maßnahmen, die vielleicht ergriffen würden, diese praktische Arbeit stören könnten.

Scavenius las dann eine schriftliche Aufzeichnung vor, in der die wirtschaftlichen und finanziellen Leistungen Dänemarks für den Krieg dargestellt wurden. Er betonte dabei besonders den Zwei-Milliarden-Kredit, den Dänemark für die deutsche Wehrmacht und die deutsche Kriegswirtschaft gewährt habe, ebenso wie die dänischen Lebensmittelleistungen und das Schiffsbauprogramm. Dänische Arbeiter hätten ihre Furcht vor den englischen Fliegerbomben überwunden und in den Fabriken trotz gelegentlicher Angriffe ausgeharrt. Dies sei ihnen erleichtert worden durch die Regelung der Kriegsverlustentschädigungen, die ihnen die dänische Regierung gewährt habe. Daß die dänische Regierung auf diesem praktischen Gebiet auch weiterhin ihre Aufgaben ungestört durchführen könne, liege im beiderseitigen Interesse.

Der RAM erwiderte, daß die jetzige Regierung Dänemarks nicht mehr das Vertrauen der Reichsregierung besäße und daß er daher auf ihrem Verschwinden bestehen müsse. Die Angelegenheit sei insofern eilig, als er bereits in den nächsten Tagen dem Führer über die dänische Frage Vortrag halten müsse und daß dann präzise Beschlüsse gefaßt werden müßten.

Der RAM erläuterte dann noch einmal im einzelnen die deutschen Forderungen bezüglich der neuen Regierung, des Ermächtigungsgesetzes und der Abstimmung aller gesetzlichen und personellen Maßnahmen mit dem Bevollmächtigten.

Auf eine direkte Frage, ob Scavenius bereit sein würde, die Führung der neuen Regierung zu übernehmen, erwiderte dieser, daß er dazu nicht die Stellung und Ausbildung habe. Er würde als Diplomat an der Spitze der Regierung völlig hilflos sein, da ihm die innerpolitische Erfahrung fehle.

Der RAM erwiderte, daß er es bedauern würde, wenn Scavenius die Regierung nicht übernähme, da er (Scavenius) für Deutschland die Garantie böte, daß das deutsch-dänische Verhältnis wieder auf eine vernünftige Grundlage gebracht würde.

Scavenius erwiderte, die neue Regierung müsse zwar das Vertrauen der Reichsregierung haben, sie müsse aber auch im dänischen Volk Vertrauen genießen, denn sonst könne sie nicht mehr als eine dänische Regierung, sondern höchstens als eine deutsche Regierung in Dänemark angesprochen werden.

Der RAM erörterte sodann kurz eine Liste der von Deutschland für tragbar angesehenen weiteren Regierungsmitglieder. Bezüglich des vorgeschlagenen Justizministers bemerkte Scavenius, daß es sich bei ihm um einen untergeordneten Beamten handle, der gar keine Stellung habe und kaum in Frage käme. Zu den anderen Kandidaten, die ihm zum Teil unbekannt waren, nahm er in ähnlicher Weise Stellung und bezeichnete schließlich die Regierungsliste als eine Art Phantasieregierung, durch die nur Unsicherheit und Chaos in Dänemark entstehen würden. Sabotageakte hätten bisher bei der dänischen Bevölkerung wenig Sympathie gefunden und seien in letzter Zeit abgeflaut. Er fürchte, daß, wenn eine dänische Regierung ans Ruder käme, die nicht mehr das Vertrauen der Bevölkerung hätte, den Saboteuren Sympathien entgegengebracht würden. Auf jeden Fall würden die vom RAM vorgebrachten Forderungen drastische Änderungen im praktischen Leben Dänemarks hervorrufen. Etwaige Repressionsmaßnahmen würden sich seiner Ansicht nach schädlich auswirken.

Der RAM betonte noch einmal, daß eine andere Regierung in Dänemark ans Ruder kommen müsse, da die jetzige zum Teil so deutschfeindlich eingestellt sei, daß sie Christinas Möller bei seiner Flucht geholfen habe.

Scavenius stritt dies energisch ab, worauf der RAM ihm erwiderte, die Nachrichten, die Deutschland darüber besäße, seien klar, so daß er annehme, daß die ganze Angelegenheit vor Scavenius von dessen Kabinettskollegen verheimlicht worden sei.

Zu den übrigen Bedenken von Scavenius bemerkte der RAM, daß in Verfolg der gigantischen Kämpfe im Osten nicht nur neue Menschen geformt würden, sondern daß auch neue Begriffe entstünden, so daß die Weltgeschichte über die Anschauungen unseres bürgerlichen Lebens zur Tagesordnung hinwegschritte. Hätte Deutschland diesen alten überkommenen Anschauungen Beachtung geschenkt, so säße Stalin wahrscheinlich jetzt in Berlin. Die Welt habe sich verändert, und dem müsse auch in Dänemark Rechnung getragen werden. Wenn Scavenius erkläre, er wisse nicht, ob das dänische Volk Vertrauen in eine neue Regierung habe, so erwidere er darauf, daß es um die Zukunft Dänemarks gehe. Auf Grund der Vollmacht, die er vom Führer erhalten habe, könne er (der RAM) die Dinge in Dänemark so gestalten, wie er es für notwendig halte, damit die absolute Gewähr gegeben sei, daß keine deutschfeindliche Tendenz mehr bestehe. Der Führer habe den Eindruck, daß, wenn die Dinge in Dänemark so weiter liefen wie bisher, Deutschland eines Tages gezwungen sein würde, in radikalster Weise durchzugreifen. Dies wolle er (der RAM) im Interesse Deutschlands, Dänemarks und der Neuordnung Europas unter besonderer Berücksichtigung der germanischen Staaten verhindern. Er müsse dabei aber immer wieder betonen, daß Deutschland in seinem Existenzkampf nicht dulden könne, daß sich in seinem Rücken Entwicklungen anbahnten, die bei andern Ländern Schule machen könnten. – In diesem Zusammenhang kritisierte der RAM auch die Haltung Schwedens, besonders gegenüber Finnland, wo das Wort Schwede fast zu einem Schimpfnamen geworden sei. Während Schweden seine Sicherheit Rußland gegenüber dem tapferen Ausharren der Finnen verdanke, sei es nicht einmal bereit, Finnland mit Lebensmitteln zu unterstützen und verlange sogar die früher vorschußweise gelieferte Butter jetzt in erpresserischer Form zurück. All dies geschähe unter dem Einfluß englischer und jüdischer Agenten. – Scavenius bemerkte dazu, daß Schweden nicht diesen Einflüssen unterliege, sondern lediglich einem überalterten Neutralitätsbegriff folge.

Der RAM wies im weiteren Verlauf des Gesprächs darauf hin, daß die dänischen Freiwilligen an der Ostfront mehr als alles andere dazu beitrügen, in Deutschland Sympathien für Dänemark zu erwecken.

Scavenius bezeichnete das dänische Freiwilligenkorps als ein Symbol für den Willen Dänemarks, in der gemeinsamen antibolschewistischen Front seinen Mann zu stehen.

Der RAM unterstrich die Freiwilligkeit dieser Waffenhilfe Dänemarks. Er betonte dabei, daß Deutschland an und für sich auch eine derartige Waffenhilfe von Dänemark verlangen könne, genau wie in früheren Zeiten der Geschichte besiegten Ländern die Stellung eines Truppenkontingents aufgegeben worden sei. – Scavenius warf hier ein, daß der Führer ihm allerdings gesagt habe, es handle sich bei dem jetzigen Konflikt um einen deutschen Kampf.

Der RAM erklärte fortfahrend, daß Deutschland diesen an und für sich durch die Geschichte sanktionierten Zwang auf andere Staaten zur Gestellung von Truppen nicht ausübe und das Prinzip der freiwilligen Mitarbeit anwende.

Zum Schluß der Unterredung fragte der RAM Scavenius erneut, ob er selbst die neue dänische Regierung übernehmen wolle, wobei er die Möglichkeit offen ließ, über die weitere Zusammensetzung dieser Regierung zu verhandeln. Allerdings müsse die Entscheidung in Dänemark schnell fallen, da er (der RAM) dem Führer bereits in einigen Tagen Bericht erstatten müsse.

Scavenius erwiderte, daß das vom RAM vorgeschlagene Verfahren so tief in die dänischen Verhältnisse eingreife, daß es nicht möglich sei, von einem Tag auf den andern Ergebnisse zu erzielen. Wenn überhaupt eine Lösung auf dieser Grundlage möglich sei, würde sie eine gewisse Vorbereitungszeit beanspruchen. Die Bildung einer neuen dänischen Regierung sei nicht leicht, denn jedes einzelne Mitglied müsse sich wohl überlegen, ob es in diese Regierung eintreten könne, und alle damit zusammenhängenden Fragen mit den Parteifreunden besprechen. Er (Scavenius) könne nicht einfach kommandieren und bestimmte Dänen zwangsweise in die Regierung einberufen wie eine Gruppe Rekruten. Es müsse alles in Ruhe überlegt werden.

Der RAM unterstrich erneut, daß die Regierungsbildung trotzdem so schnell wie möglich erfolgen müsse, was Scavenius zusagte.

Der RAM wies darauf hin, daß der Führer sich natürlich nur kurz mit der dänischen Frage beschäftigen könne. Habe er jedoch den Eindruck, daß man in Dänemark keine Zusammenarbeit mit Deutschland wolle, dann würde er möglicherweise blitzschnelle Entschlüsse fassen.

Scavenius erwiderte, er fürchte, daß durch ein übereiltes Vorgehen in Dänemark etwas zerschlagen würde, was für die gemeinsamen Interessen, noch nutzbar gemacht werden könne. Wenn der Krieg sich noch längere Zeit hinzöge, sei auch für Deutschland die Unterstützung durch das dänische Volk von großer Wichtigkeit. Man könne selbstverständlich auch den Weg der Unterdrückung beschreiten. Vorzuziehen sei jedoch im Hinblick auf die zu erzielenden Ergebnisse die weiche Methode. Auf jeden Fall dürfe man Dänemark die Einordnung in das neue Europa nicht zu schwer machen.

Auf eine erneute Frage des RAM, ob Scavenius die Regierungsbildung übernehmen wolle, erwiderte dieser, daß ihn der RAM bei Beginn der Unterredung selbst als dänischen Patrioten bezeichnet habe. Als solcher würde er in seinem Lande in eine völlig falsche Position geraten, wenn er sich an einer Regierungsbildung beteilige, die unter deutschem Druck stattfinde. Jeder Däne würde dann erklären, daß die auf diese Weise zustande gekommene Regierung dem Lande von Deutschland aufgezwungen sei. Alles hänge daher von den Mitarbeitern ab, die er zum Eintritt in eine solche Regierung bewegen könne.

Der RAM gab seiner lebhaften Enttäuschung darüber Ausdruck, daß man in Dänemark Scavenius bei der Bildung einer Regierung der Zusammenarbeit mit Deutschland aus patriotischen Gründen Schwierigkeiten machen könne. Wenn dies die tatsächliche Stimmung im Lande sei, sähe er hinsichtlich der Lösung der jetzigen Krise sehr schwarz.

Im weiteren Verlauf des Gesprächs ergab sich noch die Frage der Beteiligung von Vertretern der dänischen Nationalsozialisten an der neuzubildenden Regierung. Scavenius lehnte die Aufnahme von Mitgliedern der Clausen-Partei entschieden ab. Er erklärte, wenn der RAM die örtlichen Verhältnisse genauer kennte, würde er einen derartigen Vorschlag nicht machen. Bei den dänischen Nationalsozialisten handle es sich nicht um eine Volksbewegung wie in Deutschland, sondern nur um eine kleine unbedeutende Partei, deren Führer noch dazu in heftigsten persönlichen Gegensätzen mit allen ständen, die für eine Regierungsbildung sonst noch in Frage kämen, so daß bei Eintritt dänischer Nationalsozialisten der Zusammenhalt jeder neuen dänischen Regierung aufs äußerste gefährdet sei.

Der RAM wies in seiner Erwiderung darauf hin, daß die technische und wirtschaftliche Entwicklung im neuen Europa eine Synthese zwischen einer neuen sozialen Ordnung und einem vernünftigen Kapitalismus notwendig mache. Der Führer habe eine derartige Synthese gefunden und auf die Verhältnisse im Reich angewandt. Interessanterweise würde er darin jetzt von den Feinden, von Roosevelt, Churchill, dem Erzbischof von Canterbury und dem Kardinal Hinsley nachgeahmt. Eine derartige Synthese müsse aber auch in Dänemark durch Hereinnahme von Vertretern der Clausen-Partei in die Regierung vorbereitet werden. Dabei sei noch gar nicht einmal sicher, ob Clausen selber eine derartige Teilnahme seiner Partei an der Verantwortung überhaupt wünschenswert erscheine. Was die persönlichen Gegensätze zwischen den Mitgliedern der Clausen-Partei und anderen für die Regierungsbildung in Frage kommenden Persönlichkeiten anbeträfe, so müßten sie hinter den Interessen des Landes zurücktreten. Auch in Deutschland arbeiteten jetzt viele politischen Persönlichkeiten zusammen, die früher nicht auf der gleichen Seite gestanden hätten. Das schlagendste Beispiel dieser Art sei das Verhältnis des Führers zu Feldmarschall Hindenburg.

Im weiteren Verlauf des Gesprächs fragte Scavenius, ob er eine Aufzeichnung über die Unterredung oder wenigstens eine schriftliche Zusammenstellung der deutschen Forderungen als Gedächtnisstütze erhalten könne. Der RAM wies darauf hin, daß er es für besser halte, wenn Scavenius nichts Schriftliches mitnähme, da bei den antideutschen Tendenzen in der jetzigen dänischen Regierung ein Schriftstück leicht mißbraucht werden könne. Scavenius gab sich damit zufrieden und fügte hinzu, es bestünde die Gefahr, daß man in Dänemark den neuen von Deutschland angestrebten Zustand als ein Protektorat auslege.

Gegen Schluß der Unterredung wurden Ministerialdirektor Best und Gesandter von Renthe-Fink hinzugezogen. Der RAM rekapitulierte kurz den Gang der Unterhaltung und erläuterte die von Ministerialdirektor Best, um dessen baldige Abreise nach Dänemark Scavenius ausdrücklich gebeten hatte, durchzuführenden Aufgaben.

Nachdem sodann der RAM Scavenius noch kurz unter vier Augen gesprochen hatte, fand die Unterredung nach mehr als dreistündiger Dauer ihr Ende.

Schmidt

131. Heinrich Müller an das Auswärtige Amt 4. November 1942

Gestapochef Heinrich Müller havde ladet indhente oplysninger om jødernes indflydelse i DKP og efter en samtale med gesandtskabsråd Karl Klingenfuß sendt dem til AA. Oplysningerne blev fremsendt med anmodning om, at RSHA fik besked, når der forelå en ændring vedrørende løsningen af jødespørgsmålet i Danmark og vedrørende behandlingen af danske statsborgere af jødisk herkomst i de besatte områder.

Oplysningerne blev fremlagt i to bilag. I bilagene blev præsenteret navnene på en række offentligt kendte kommunister og nogle venstrefløjssocialdemokrater, som blev regnet til kommunismen. Begge bilag var skrevet af Gustav Meissner. Der var ikke viden ud over, hvad en almindelig avislæser kunne have tilegnet sig. Dog var Hermod Lannung ved en eller anden fejl havnet i dette selskab, og en hel del andre oplysninger noget eller meget forældede. Oplysningerne synes at stamme fra et udklipsarkiv, måske suppleret med oplysninger fra en eller flere danske nazister. Den første optegnelse formåede ikke at koble dansk kommunisme og danske jøder sammen ud over ganske få tilfælde, men det hindrede ikke, at forbindelse blev betragtet som en kendsgerning. Optegnelsen gav udtryk for kritik af dansk politi, hvad angik de danske kommunister. Med hensyn til at forbinde navngivne danske kommunister med sabotagen var Meissner i lige så store problemer. Han gisnede om, hvilke partimedlemmer, det kunne dreje sig om, og måtte for at gøre kredsen tilstrækkelig omfattende medtage forhenværende kommunister med medlemskab, der lå op til mere end 10 år tilbage og adskillige venstrefløjssocialdemokrater. Tilsyneladende var Meissner (og RSHA) af den opfattelse, at tidligere og nuværende kendte medlemmer af DKP efter Danmarks tiltræden til Antikominternpagten ikke burde gå frit omkring. Han gjorde sit bedste for at mistænkeliggøre endog socialdemokrater, der var tilhængere af samarbejdspolitikken (om den omtalte personkreds er der nærmere oplysninger hos Thing 1993 og Harsløf 1997).

Den første optegnelse er dateret Berlin 26. september, to dage efter at jøder og sabotage var blevet koblet sammen, som det fremgår af en notits af Martin Luther 24. september.[10] Optegnelsen af 26. september skylder givetvis direkte sin tilblivelse det forud i notitsen refererede møde samme dag. Den foreligger i to eksemplarer, det ene er underskrevet af Meissner. Den anden optegnelse af Meissner er udateret, men kan ud fra indholdet (omtalen af Hedtoft-Hansens kronik i *Social-Demokraten*) henføres til tiden efter 22. august 1942.

Müller fulgte op på sin henvendelse til AA ved at sende Karl Heinz Hoffmann (leder af Referat IV D 4 i RSHA) på et omtrent to måneder langt ophold i Danmark, hvor han på grundlag af de derværende akter og

10 Trykt Lauridsen 2008a, nr. 46.

andet materiale skulle udarbejde en rapport om forholdene i Danmark, så man evt. på grundlag deraf kunne få indflydelse på den politiske kurs, der skulle videreføres i landet. Müller fik nemlig ikke for indeværende tilstrækkeligt med materiale fra Danmark til at kunne danne sig et korrekt indtryk af forholdene. Studienrat Hans Wäsches indberetninger til RSHA var en del af problemet. Hoffmann udarbejdede rapporten, som han gav Best en kopi af ved sin afrejse 15. december 1942. Beretningen er ikke lokaliseret, men Best skulle ifølge Hoffmann være enig i indholdet (Hoffmann afhørt 7. maj 1946 og 1. april 1947 (LAK, Best-sagen),[11] Bests kalenderoptegnelser 15. december 1942).

    Kilde: PA/AA R 100.864. Lauridsen 2008a, nr. 54 (uden optegnelsen om Andersen Nexø).

Der Chef der Sicherheitspolizei und des SD   *Berlin SW 11, den 4. Nov. 1942.*
IV B 4 b – 1164/42   Prinz-Albrecht-Straße 8
                                              Geheim

An das Auswärtige Amt,
    zu Hd. von Herrn Gesandtschaftsrat Dr. Klingenfuß,
    Berlin – W 8, Wilhelmstr. 74/76.

Betrifft: Einfluß des Judentums auf die kommunistische Partei in Dänemark.
Bezug: Mündliche Unterredung des Unterzeichneten mit Herrn Gesandtschaftsrat
         Dr. Klingenfuß.
Anlagen: 1.[12]

Unter Bezugnahme auf die obenbezeichnete Unterredung sende ich in der Anlage die Aufzeichnung über den Einfluß des Judentums auf die kommunistische Partei in Dänemark nach Einsichtnahme mit der Bitte um Mitteilung zurück, sobald eine Änderung in Beziehung auf die Lösung der Judenfrage in Dänemark und die Behandlung der Juden dänischer Staatsangehörigkeit im Reichsgebiet sowie in den besetzten Gebieten eingetreten ist.

Im Auftrage:
gez. **Suhr**

A u f z e i c h n u n g

Betrifft: Einfluß des Judentums auf die kommunistische Partei in Dänemark.
Geschichtliche Entwicklung der kommunistischen Partei:

Als die dänische Sozialdemokratie am 30. September 1916 zum ersten Mal durch Stauning als eine Art Kontrollminister in einem bürgerlich radikalen Ministerium vertreten

---

11 Karl Heinz Hoffmanns forklaringer i Danmark efter 1945 var lige så præget af udflugter, fordrejninger og løgne, som hans forklaring ved Nürnberg-domstolen 1. august 1946 (IMT, 20, s. 175-206 og Wildt 2003, s. 753 note 75). Ifølge Duckwitz' beretning 1945-45 og i de udaterede erindringer var Hoffmann i København i tre uger (og ikke to måneder) og skrev efter tilbagekomsten en beretning om forholdene i Danmark, der var så fuld af faktuelle fejl, at gesandtskabet sendte en modberetning til AA. En af konklusionerne i Hoffmanns beretning var ifølge Duckwitz, at det tysk-danske forhold kun kunne forbedres gennem en eliminering af jøderne (ABA, Duckwitz 1945-46a, s. 2f., Duckwitz' erindringer u.å. kap. V, s. 3f. (PA/AA, Nachlass Georg F. Duckwitz, bd. 29)).
12 Trykt efterfølgende.

wurde, kam es zu einer erheblichen Opposition innerhalb der Sozialdemokratischen Partei. Im Zuge dieser Opposition wurde eine geheime Gruppe, die sich als "Internationale" bezeichnete, gegründet. Sie bestand aus rund 60 Hauptsächlich führenden Mitgliedern der Sozialdemokratischen Partei. Ihr Ziel war eine Spaltung der Sozialdemokratie und die Bildung einer neuen linksradikalen sozialistischen Partei.

Die Kommunallehrerin Marie Nielsen und Vorsitzende der Sadelgewerkschaft Th. Thögersen, die dieser Gruppe mit angehörten, gründeten 1918 die Soziale Arbeiterpartei mit der Tageszeitung "Klassenkampf", die später zur kommunistischen Partei wurde. 1919 schlossen sich der Redakteur Ernst Christiansen und der Typograph Hellberg dieser Partei an.[13] Über Schweden wurden aus Rußland z.Zt. erhebliche Geldmittel für die genannte kommunistische Parteigründung gegeben. Die praktische Leitung lag zunächst in Stockholm. Die Direktiven und Subsidien wurden somit aus Moskau direkt nach Stockholm gegeben.[14] In der innerpolitischen Geschichte Dänemarks ist die gewaltige kommunistische Protestversammlung vom 13. November 1918 in Kopenhagen mit über 100.000 Teilnehmern bekannt, die zu blutigen Auseinandersetzungen mit der Polizei führte. Der damalige Hauptredner Johannes Sperling ist heute Direktor einer Art Kraft durch Freude Organisation der sozialdemokratischen Partei unter dem Namen, "Folke-Ferie". Eine große Mehrheit der sozialdemokratischen Jugend, die damals 12.000 Mitglieder hatte, schloß sich damals der kommunistischen Partei an.

Es kam dann 1922 zu einer Spaltung der kommunistischen Partei in 2 Lager, die einander heftig bekämpften. Damals entstand das kommunistische Organ "Arbejderbladet", das nach und nach eine Auflage von 13.000 Exemplaren erreichte und erst nach dem 22. Juni 1941 eingegangen ist.

Ernst Christiansen, der bisher Vorsitzender der kommunistischen Partei gewesen war, wurde damals durch Aksel Larsen abgelöst.[15] Er kehrte in die Sozialdemokratie ca. 1927 zurück. Das gleiche tat der Geschäftsführer der kommunistischen Partei Hellberg, der heute Vorsitzender des Typographenbundes ist, während Christiansen der außenpolitische Redakteur der Zeitung "Sozialdemokraten" ist. Gleichzeitig ist Christiansen Kopenhagener Vorsitzender des Rundfunkvereins der Arbeiter, der im ganzen Lande über 350 Abteilungen verfügt. Leiter der Landesorganisation ist der Kommunist Peder Nörgaard.

Aksel Larsen, der bekanntlich noch immer von der dänischen Polizei gesucht wird[16] und in Dänemark sehr intensiv als Leiter des illegalen kommunistischen Widerstandes tätig ist, hat es besonders verstanden, Studenten, Künstler, Schriftsteller und andere Intellektuelle für die kommunistische Partei zu gewinnen und dem Salon-Bolschewismus erhebliche Positionen zu verschaffen.

Unter den Akademikern gibt es eine Reihe Juden, die mit dem Kommunismus in engster Verbindung gestanden haben und noch stehen. So der Soziologe Dr. Josef Da-

---

13 Sigvald Hellberg.

14 DKP blev delvis finansieret af Sovjetunionen i en meget lang årrække. Pengene blev populært kaldt for det "røde guld" (Thing 2001).

15 Aksel Larsen blev først formand for DKP i 1931. Det var Thøger Thøgersen, der overtog formandskabet efter Ernst Christiansen i 1927.

16 Aksel Larsen blev anholdt 5. november 1942 efter oplysninger indsamlet af tysk politi.

vidsohn, der mit einer russischen Jüdin verheiratet ist.[17] Davidsohn hat sich vor einigen Jahren allerdings mehr und mehr aus der politischen Tätigkeit zurückgezogen. Weiter ist in der dänischen kommunistischen Partei Otto Melchior, Sprößling eines sehr wohlhabenden jüdischen Geschlechts in Dänemark eifrigst tätig.[18] Nachfolger Davidsohns ist der Jude Isac Grünbaum geworden, der in den letzten Jahren der fähigste, aber auch deutschfeindlichste Mitarbeiter der Zeitung "Arbejderbladet" gewesen ist. Sein Bruder Henry Grünbaum ist Statistiker und Wirtschaftsmitarbeiter der Vereinigten Gewerkschaften. Isac Grünbaum ist Sekretär im dänischen Finanzministerium und hat somit einen vollen Einblick in die Arbeit der Regierung und des Reichstags. Gleichzeitig ist er Repetitor an der Universität Kopenhagen und hat dadurch einen Einfluß auf die heute noch bestehende kommunistische Studentenorganisation "Studentersamfundet" und auf die ebenfalls noch bestehende Gruppe Clarté. Zweifellos ist Isac Grünbaum einer der Hauptkräfte der illegalen kommunistischen Schriftpropaganda gegen Deutschland. Nach dem 22. Juni 1941 war Isac Grünbaum vorübergehend verhaftet, ist aber von den deutschen Stellen wieder frei gelassen worden.[19]

Es ist seit Bestehen der kommunistischen Partei in Dänemark bekannt, daß in Kopenhagen die Mehrzahl ihrer Mitglieder von Angehörigen der mosaischen Gemeinde gestellt wurde. Hierbei handelt es sich hauptsächlich um die nach 1900 eingewanderten Ostjuden. Es besteht heute noch eine jüdische-kommunistische Vereinigung Ikor (jüdische Kulturorganisation), die von russisch-polnischen Juden geleitet und von finanziell starken Juden, darunter wahrscheinlich Henriques finanziert wird.

Andere kommunistische Juden sind der Arzt Tage Philipson und der Arzt Dr. Leuenbach. Letzterer hat besonders 1932 eine große politische Rolle anläßlich der Wahlen gespielt und sicherte durch seine Kandidatur der dänischen kommunistischen Partei 2 Reichstagsmandate.[20]

Weiter muß der heute noch amtierende Geschichtsprofessor Albert Olsen genannt werden, der bis zum Juni 1941 Vorsitzender der Gesellschaft "Dansk Russisk Samvirke" (Dänisch-russische Vereinigung) war. Olsen ist zwar Mitglied der Sozialdemokratie, aber seiner Einstellung nach Kommunist.[21] Er ist mit einer Jüdin aus der Familie Henriques verheiratet. Ein anderer einflußreicher Kommunist ist der Abgeordnete der Radikalen Partei Hermod Lannung. Dieser arbeitete nach 1920 während der großen Hungersnot für Frithjof Nansen in Rußland. Dort lernte er seine Frau, die Tochter eines jüdischen

17 Joseph Davidsohn havde ikke været aktiv på venstrefløjen siden 1920'ernes slutning.

18 Otto Melchior var på tysk foranledning blevet arresteret 22. marts 1941 for "sabotage og terrorhandlinger", siden frifundet, men på grund af kommunistloven ikke løsladt, men interneret i Horserødlejren. Her sad han fortsat, da denne optegnelse blev skrevet, og frem til 29. august 1943, hvorefter han blev overført til koncentrationslejren i Stutthof, hvor han døde af tyfus 16. februar 1945 (*Faldne i Danmarks frihedskamp*, 1970, s. 289).

19 Isi Grünbaum var en flittig skribent i bl.a. det illegale *Land og Folk* og siden tilknyttet Frit Danmarks Tjenestemandsgruppe, men han var ikke en af hovedkræfterne i den kommunistiske propaganda mod Tyskland (Grünbaum 1988).

20 Læge dr.med. J.H. Leunbach var kendt som fortaler for svangerskabsforebyggelse og kvinders ret til abort. Han stillede i 1932 op til valget i listeforbund med DKP og ved valget 1935 på partiets liste. Han bidrog til partiets fremgang. Læge Tage Philipson drev seksualoplysende virksomhed.

21 Albert Olsen tilhørte Socialdemokratiets venstrefløj og havde en meget positiv holdning til Sovjetunionen modsat f.eks. Hartvig Frisch.

Professors an der Universität Charkow kennen. Herr und Frau Lannung sind jahrelang in der russischen Handelsrepräsentation in Kopenhagen tätig gewesen. Lannung war von 1925-1941 juristischer Berater der Sowjetgesandtschaft. Er war auch 2. Vorsitzender der bereits erwähnten Vereinigung "Dansk-russisk Samvirke". Intern hat Lannung von jeher zur Führungsschicht der kommunistischen Partei gehört, wenn er dieses auch durch seine Mitgliedschaft in der Radikalen Partei zu verbergen gesucht hat.[22] Auch der Verfasser Harald Herdal, der mit einer Jüdin namens Hoffman verheiratet ist, spielt besonders in kommunistischen Studentenkreisen eine bedeutende Rolle. Am 4. Februar d.J. war er Hauptredner auf einem Studentenfest anläßlich des 100. Geburtstages des Juden Georg Brandes in Kopenhagen. Ebenso muß der Verfasser Sigvard Lund genannt werden, der im spanischen Bürgerkrieg auf roter Seit mitgekämpft hat.

Andere Namen, die erwähnenswert sind, der Kommunallehrer Kjärulff Nielsen, der 8 Jahre als Ingenieur in Moskau gearbeitet hat,[23] der frühere Leiter des Tass-Büros Ove Johansen, der bis 1941 zusammen mit seinem Schwager Rechtsanwalt Robert Mikkelsen der Geldvermittler für die kommunistische Partei gewesen ist und wahrscheinlich noch ist. Es muß bemerkt werden, daß alle diese genannten Leute trotz des Antikominternpaktes noch auf freiem Fuß sind, daß also die dänische Polizei nur die gewöhnlichen kleinen Mitglieder der kommunistischen Partei in einer begrenzten Anzahl festgesetzt hat, die wirklichen Kommunisten aber frei herumlaufen ließ, obwohl ihr diese bestimmt bekannt sind.[24]

Weitere Namen, die für die Beurteilung der noch immer sehr regen und ständig anwachsenden kommunistischen Arbeit in Dänemark von Wichtigkeit sind, lauten:

An der Spitze der Gruppe Clarté stehen Mogens und Ester Boserup.[25] Der jetzige Prof. Hartvig Frisch, der das nationalsozialistische Deutschland in seinem Buch "Pest über Europa" schwerstens angriff, war früher Vorsitzender von Clarté.[26] Ebenso war dieser eine Zeitlang der kommunistisch orientierte Sohn des dänischen Geschichtsprofessor Aage Friis, Henning Friis, der heute Sekretär im Sozialministerium ist. Weiter ist auch Knud Korst der höchste Beamte im Finanzministerium, Vorsitzender von Clarté gewesen.[27] Korst ist mit einer Tochter des bekannten Salonkommunisten Andersen Nexö verheiratet. (Näheres hierüber findet sich in einer beigefügten Aufzeichnung über M.A. Nexö). Auch der Lektor Ebbe Neergaard,[28] der heute nach außen hin journalistisch tätig ist, ist Kommunist und ein enger Freund Axel Larsens. Es ist nicht unmöglich, daß die Polizei durch Beobachtung Neergaards auf die Spur Larsens kommen

---

22 Hermod Lannung var ikke i al hemmelighed medlem af DKP, endsige tilhørte partiets inderkreds. Han var og forblev medlem af Det Radikale Venstre. Sandsynligvis forvekslede meddeleren Lannung med Georg Moltved, som var medlem af Det Radikale Venstre, men i virkeligheden arbejdede for DKP, hvilket kom frem efter 1945.

23 Axel Kjærulf Nielsen.

24 Denne kritik af dansk politi lader formode, at det er en dansk nazist, der har bidraget med oplysninger til optegnelsen.

25 Ægteparret Boserup havde fra deres tidlige ungdom været kritiske over for DKP og brød i begyndelsen af 1930'erne enhver forbindelse med partiet.

26 Pest over Europa udkom 1933.

27 Knud Korst var politisk aktiv i nævnte sammenhæng sidst i 1920'erne og ikke senere.

28 Cand.mag. og journalist Ebbe Neergaard skrev om litteratur og først og fremmest om film.

könnte.[29] Der oberste Leiter aller dänischen Bibliotheken, Direktor Dössing, ist wegen seiner kommunistischen Einstellung im ganzen Lande bekannt. Er ist aber Mitglied der Sozialdemokratie.[30]

Eine besondere Gruppe von Salonkommunisten ist das Kabarett der Geschwister Ziegler, das heute noch mit großem Erfolg in Kopenhagen und in der dänischen Provinz auftritt.[31] Zur Ziegler-Gruppe gehörten Direktor Kjeld Abell,[32] der Verfasser Poul Henningsen, die Schauspielerin Ruth Berlau,[33] der Architekt Edvard Heiberg, Dr. Jens Hostrup, der Schauspieler Per Knutzon, der Verfasser Hans Kirk usw.

Innerhalb der dänischen Gewerkschaften sind die Namen Hellberg, des Vorsitzenden des Typographenverbandes, des Gewerkschaftssekretärs und früheren Sekretärs der Roten Hilfe Ejner Nielsen und des Redakteurs Svend Johansen zu erwähnen. Daß diese Kräfte heute mit den radikalen Elementen innerhalb der dänischen Sozialdemokratie (Hartvig Frisch, Hedtoft-Hansen, H.C. Hansen usw.) eng zusammenhängen, dürfte selbstverständlich sein. Bei einer eingehenden Untersuchung des Treibens der vorher erwähnten kommunistischen Kräfte wird sich auch unschwer ein enger Zusammenhang mit wesentlichen, jüdischen Kreisen in Dänemark feststellen lassen.

Wenn es sich immer wieder zeigt, wie alle die vorgenannten wirklichen Träger der kommunistischen Arbeit in Dänemark bis heute von der dänischen Polizei geflissentlich übersehen worden sind, so muß festgestellt werden, daß in dieser Beziehung die deutsch-dänische Zusammenarbeit versagt hat.

Die Aufzeichnung M.A. Nexö ist beigefügt, weil sie an einem einzigen Ereignis lebendig demonstriert, welche Positionen der Kommunismus trotz Antikominternpaktes noch heute in Dänemark inne hat.[34]

Berlin, den 26. September 1942

Meissner

Martin Andersen-Nexö

Am Sonntag, dem 28. Juni 1942, wurde der 73. Geburtstag Nexös in seiner Villa auf Möllevej in Stenløse gefeiert. Der Geburtstag fiel eigentlich auf Freitag, den 26. Juni, aber die kommunistische Partei hatte demonstrativ gewünscht, Nexö am Sonntag eine Huldigung entgegenzubringen, da man dann ein größeres Aufgebot an organisierten Arbeitern hinzuziehen konnte.[35]

Das kommunistische Flugblatt "Land og Folk" gab in seiner Juli-Nummer ein Referat der Zusammenkunft in der Villa Nexös und schrieb u.a., daß eine Deputation von

---

29 Denne bemærkning indikerer, at meddeleren ikke havde viden om tysk politis igangværende arbejde med at opspore Aksel Larsen via stikkeren Karl Winther.

30 Biblioteksdirektør Thomas Døssing.

31 Skuespillerne Aase og Lulu Ziegler.

32 Dramatikeren Kjeld Abell var medlem af Tivolis direktion 1940-49.

33 Ruth Berlau meldte sig ind i DKP 1930 og er blevet mest kendt for sit teatersamarbejde med og forhold til Berthold Brecht (Tove Thage i *Dansk Kvindebiografisk Leksikon*, 1, 2000, s.131-134).

34 Optegnelsen af Meissner er trykt efterfølgende.

35 Om fødselsdagen se Houmann 1988, s. 283f., hvor gæsternes antal opgives til 30-40 personer.

Arbeitern der Werft Burmeister & Wain Andersen-Nexö einen Briefbeschwerer mit dem Sowjetstern überreicht habe und daß seine Freunde ihm ein Nexö-Gemälde geschenkt hätten.[36] Von anderer Seite (Anker Kirkeby) verlautet,[37] daß 50-60 Arbeiter an der Zusammenkunft teilnahmen und daß diese Zusammenkunft gut vorbereitet war und zwar mit viel Essen, Wein und Kuchen für die vielen Gäste, die sich teilweise im Garten Nexös aufhalten mußten. Selbst behauptet Anker Kirkeby, daß er nur rein zufällig Nexö an diesem Tage besucht habe und daß er sich in Begleitung seiner Frau befand. Von anderen Personen, die an dem Tage Nexö besuchten, erwähnte Kirkeby drei, nämlich den Verfasser Sigvard Lund,[38] den Arzt Moltved[39] und Peter Freuchen.[40]

Worüber man während dieser illegalen Zusammenkunft verhandelt hat, konnte Kirkeby nicht sagen, da er nur sehr kurze Zeit daran teilnahm. Kirkeby habe eine Unterredung von ca. zehn Minuten mit dem bettlägerigen Nexö geführt. Das Gespräch habe sich hauptsächlich um seine Krankheit gedreht und Nexö habe ihm im Verlaufe des Gesprächs mitgeteilt, daß er versuchen würde, in das Reichshospital eingelegt zu werden.

Man muß der Tatsache, daß Sigvard Lund sich erdreistet hat, an diesem Tage an einer offenbar sowjetfreundlichen und antideutschen Demonstration zu beteiligen, größte Bedeutung beimessen. Er hat nämlich in einer Reihe von Jahren seit seinem Aufenthalt in Moskau und Sibirien 1933-34 eine Zentralfigur in der hiesigen deutschfeindlichen Emigranten-Clique mit Bert Brecht als einer der Hauptpersonen dargestellt. Ein Teil der hervortretenden Emigranten war im übrigen seinerzeit häufig Gast bei Sigvard Lund und Nexö. Nexö selbst wohnte während der Jahre 1926-30 in Unteruhldingen und Allensbach am Bodensee, wo er teilt in seinem Heim und teils während häufiger Besuche in Konstanz, München und Berlin regelmäßig Verbindung mit Viggo Münzenberg, Eberlein (Mitglied des Exekutivkomitées der Komintern) und dem Verleger Wörle hatte, der der Sozius Nexös in einem Buchverlag in Konstanz war. Es ist von Interesse, daß Nexö mütterlicherseits deutscher Abstammung ist; Seine Mutter, eine geborene Mathilde Mainz, war Tochter eines eingewanderten Deutschen, der aus Mainz stammte. Nexös jetzige Frau, Johanne, ist 1902 in Karlsruhe in Baden geboren. Ihr Vater, Justizsekretär Fr. W. May, ist mit seiner Frau als deutscher Beamter bei Nexö in Dänemark zu Besuch gewesen, ist aber nicht kommunistisch eingestellt. Nexös Tochter Inge heiratete einen deutschen Arzt und ist, so weit festgestellt werden kann noch in Deutschland wohnhaft. Eine andere Tochter aus der ersten Ehe Nexös – er war drei Mal verheiratet – ist Frau Knud Korst, deren Mann, der Generaldirektor, Mitglied des dänisch-deutschen Vereins ist – jedoch sympathisiert er wohl kaum mit dem Ziel des Vereins. Er war seinerzeit fester Mitarbeiter bei "Arbeiterbladet" und Vorsitzender von "Clarté". Jetzt gehört er zu

36 Meddelelsen i *Land og Folk* var meget knap og ikke egnet som kilde til fødselsdagen ud over dens propagandaværdi for DKP. Portrættet af Nexø var malet af Harald Heiring, og om dets kvalitet kan man danne sig et indtryk ved gengivelsen hos Houmann 1988, s. 285.

37 Anker Kirkeby var journalist ved *Politiken*. Hans rolle som meddeler for Meissner har givetvis været tilfældig, idet han var en åben beundrer af Nexøs forfatterskab (Se Houmann 1988).

38 Sigvard Lunds skriftlige produktion var næppe af en karakter, så den berettiger til at gøre ham til forfatter.

39 Georg Moltved.

40 Peter Freuchen, forfatter uden tilknytning til kommunismen, der givetvis kom på besøg for at lykønske sin forfatterkollega.

dem engsten Umgangskreis von Hartvig Frisch.

Nexö hat – neben seiner Arbeit als aktives Mitglied der dänischen kommunistischen Partei – Zeit gefunden, an einer Reihe internationaler Kongresse teilzunehmen. Er vertrat auf dem internationalen kommunistisch geprägten Verfasserkongreß 1935 in Paris nicht nur Dänemark, sondern ganz Skandinavien und war der Präsident des Kongresses während der Diskussion. Auch hatte er Umgang mit folgenden deutschen Emigranten: Bert Brecht, Heinrich Mann, Ernst Toller (den Nexö sehr schätzte), Egon E. Kisch, Lion Feuchtwanger, Erich Weinert, Johs. R. Becher, Willi Bredel, Anna Seghers, Artur Holitscher, George Grosz, u.a.m. Von bekannten Russen nahmen u.a. folgende teil: Ehrenburg, Alexej Tolstoj, Michael Kolzow. Nexö war doch die markanteste Figur des Kongresses und gleichzeitig derjenige, der am ausgesprochensten politisch gestempelt war. Er war auch – zusammen mit Gorki – Redakteur und Hauptmitarbeiter der in Moskau auf Deutsch herausgegebenen Zeitschrift "Internationale Literatur", Mitarbeiter bei einer Reihe von russischen Zeitungen und Zeitschriften, führender Mitarbeiter bei "Das Wort" (Literarische Monatsschrift), welche von Bert Brecht redigiert wurde, der bis 1941 auf Thurö wohnte und der Nachbar von Karin Michaelis war.[41] "Das Wort" wurde weiter redigiert von Lion Feuchtwanger und Willi Bredel, und wurde vom "Verlag Meshdunarodnaja Kniga" in Moskau herausgegeben. Mit diesem Verlag sowie mit der "Gesellschaft für kulturelle Verbindungen der Sowjetunion mit dem Auslande" (W.O.K.S.) stand Nexö in intimer Verbindung und erhielt sehr bedeutende Dollarbeträge überwiesen, offiziell für die ins Russische übersetzten Nexö-Bücher und -Artikel, in Wirklichkeit aber für die Unterstützung und Leitung der Auslandpropaganda, die sonst hauptsächlich von den deutschen Emigranten betrieben wurde.

Im übrigen betrachtete – und tut es wohl heute noch – Moskau Nexö als einen der eigenen sowjetischen russischen Verfasser, was u.a. aus der Zeitschrift "Olktjebr" (Oktoberrevolution) hervorgeht, z.B. aus Nr. 1. Januar 1935, wo Nexö als Sowjetverfasser schreibt und anläßlich des 10-jährigen Jubiläums der Zeitschrift der Revolution und der Zeitschrift, dessen einer Leiter er selber ist, huldigt.

Während Nexö seine literarischen und finanziellen Verbindungen mit Moskau selber regelte, war Sigvard Lund jahrelang Nexös Vermittler gegenüber den deutschen Emigranten in Dänemark und ihren lichtscheuen Hintermännern in Moskau, London und Stockholm, ja vielleicht auch in Berlin. Diese unsympathische Sekretärtätigkeit betreibt Sigvard Lund anscheinend auch weiterhin, und wenn in denselben Tagen, da die Burmeister & Wain-Arbeiter Nexö feierten, ein nationalsozialistischer Arbeiter auf B&W durchprügelt und von der Arbeit fortgezwungen wurde,[42] dann ist der Hintermann dieser Handlungsweise Sigvard Lund, der selber zugegen war, als die B&W-Arbeiter Nexö den Briefbeschwerer überreichten. Sigvard Lund ist ein persönlicher Freund von Direktor Ingeborg Andersen und übersetzt englisch-amerikanische Literatur für Gyldendal. Nach seinem Rußland-Aufenthalt schrieb er ein in rosigen Farben gehaltenes

---

41 Brecht forlod Danmark 23. april 1939 (Nørregaard 1986, s. 344 og 1993, s. 413). Når naboen på Thurø, forfatteren Karin Michaëlis blev nævnt i denne sammenhæng, hang det givetvis sammen med, at hun var kendt som hjælper for tyske emigranter i 1930'erne.
42 Den danske nazist Heinrich Outzen fik 11. juni 1942 ved fyraftenstid prygl. Han skulle have angivet tre arbejdskammerater for at udbrede kommunistisk propaganda (*Land og Folk* 3. juli 1942).

Propagandabuch über seine phantastischen Erlebnisse ("Brot und Stahl")[43] und sammelte in seinem Heim und anderswo eine Clique hiesiger deutscher Emigranten, die auf verschiedene Weise die salonkommunistische Tätigkeit in Kopenhagen unterstützten. So hatte er eine Zeit lang direkte und indirekte Verbindung mit dem Emigrantenheim auf dem Rathausplatz. Er liebte es, geheimnisvoll anzudeuten, daß er ein GPU-Mann "mit besonderen Aufträgen" sei. Während des Spanischen Bürgerkriegs nahm er – meistens hinter der Front – als eine Art "politischer Soldat" teil. Sein Freund Grieg hat ihn übrigens unter dem Namen "Possum" in seinem Buch "Ung maa Verden endnu väre" (Jung muß die Welt noch sein) geschildert, sowohl wie er ihn in Moskau sah und wie er ihn später in Spanien getroffen hatte.[44]

Als er nach Kopenhagen zurückkehrte, durfte er in "Socialdemokraten" Kroniken schreiben. Dort hatte er Beziehungen zu dem früheren Kommunisten Oscar Hansen, der immer noch der ausgesprochensten Deutschenfresser in der Redaktion der Zeitung ist.[45] Sein naher Freund ist Ove Johansen, ebenfalls GPU-Mann, früher Redakteur von "Tass".[46] Während S. Lund am 22. Juni – dank seiner ausgezeichneten Verbindungen innerhalb der Polizei – mit einigen Stunden Aufenthalt auf der Polizeiwache davonkam, ist Ove Johannsen immer noch auf freiem Fuß. Diese beiden Herren sind wahrscheinlich Leiter oder Mitarrangeuere der vielen unheimlichen Provokationen und Überfälle der letzten Zeit. Möglicherweise werden sie von hiesigen Emigranten unterstützt. Sicher ist jedenfalls, daß sie mit Salonkommunisten wie Isak Grünbaum, Henry Grünbaum, Poul Henningsen, Kjeld Abell, Thomas Petersen,[47] Arzt Moltved, Rechtsanwalt Lannung, Peter Freuchen, dem Juden Dr. Davidsohn (früherer Vorsitzender des "Studentersamfundet", verheiratet mit einer russischen Jüdin), Lulu Ziegler und Per Knutzon, der Schauspielerin Ruth Berlau (die zu Bert Brecht nach Stockholm gefahren sein soll)[48], dem Gesangspädagogen und Juden Professor Erwin Berg (der zur Zeit wegen Sittlichkeitsverbrechen im Gefängnis ist),[49] dem früheren Lehrer Kjärulff Nielsen, Gretor, u.a. in Verbindung standen.

Innerhalb dieses Kreises muß man auch die Redakteure und Herausgeber der vielen illegalen Flugschriften der letzten Zeit suchen, vieles deutet jedoch darauf hin, daß auch hiesige deutsch-jüdische Emigranten – vielleicht durch Herrn und Frau Gretor[50] – einen Finger mit im Spiel haben.

43 *Brød og Staal. Rejse- og Arbejdsoplevelser fra Sovjetrusland og Sibirien*, 1935.

44 Nordahl Grieg: *Ung maa Verden endnu være*, 1939 oversat af Ellen Kirk (norsk udg. 1938).

45 Forfatteren Oskar Hansen var tilknyttet *Social-Demokraten* 1930-49 som litteratur- og teatermedarbejder.

46 Ove Johannsen havde et mangeårigt virke på den politiske venstrefløj bag sig, bl.a. i Clarté og Monde.

47 Om Thomas Petersen foreligger ikke oplysninger.

48 Ruth Berlau fulgte Brecht til udlandet og var med ham i USA i 1942. Når Meissner ikke var på det rene med dette, skyldtes det enten hastværksarbejde eller et helt utilstrækkeligt netværk af informanter.

49 Ervin Berg var sangpædagog og selvudnævnt professor (?) fra Kiev. I Snaregade i København underviste han i sang og drev ved siden af et psykoanalytisk institut, hvor seksuelle håndgribeligheder var en del af "behandlingen". Han blev søgt af det københavnske borgerskab og ikke mindst dets børn. Det førte til anmeldelse og siden en fængselsdom (KB, Bergstrøms dagbog 22. april 1942).

50 Georg (født i Frankrig, men dansk, d. 1943) og Esther Gretor havde slået sig ned i Danmark i 1920'erne. Han var i 1930'erne aktiv mod det nazistiske Tyskland i bl.a. organisationen Frisindet Kulturkamp og skrev tillige talrige bidrag til *Politiken*.

In den letzten Monaten schien es, als ob die Salonkommunisten ihre Energie um die Fachvereine und die großen Arbeitsplätze konzentriert hätten. In dieser planmäßigen Wühlarbeit finden sie verständnisvolle Unterstützung bei den früheren Kommunisten Sigvald Hellberg, Ejnar Nielsen, Svend Johansen[51] und Oscar Hansen, möglicherweise auch bei Ernst Christiansen.[52]

Sozialdemokraten wie Hartvig Frisch (dessen Doktorarbeit über "Athens Verfassung" in diesen Tagen von Gyldendal auf Englisch herausgegeben wurde!),[53] Alsing Andersen (der soeben ein Verbot dagegen erlassen hat, daß Lindberg und andere Sozialdemokraten Mitglieder des Vereins "Vortragsverein von 1942" sind),[54] Hedtoft-Hansen, der vor wenigen Tagen in einer Kronik in "Social-Demokraten" von Ejnar Nielsen lobend erwähnt wurde[55] (am selben Tage wie mitgeteilt wurde, daß Chr. Christiansen der Vizegeschäftsführer der Partei geworden war), – all diese und noch mehrere andere sind faktisch auf derselben deutschfeindlichen Linie wie die Kommunisten.

In scharfen Gegensatz zu den klaren Erklärungen des Königs, Staunings und der Sammlungsregierung wird seitens dieser Kreise eine offene Propaganda für England und Rußland und gegen Deutschland betrieben. Der Typographenkongreß[56] und die vielen Attentate der letzten Zeit haben gezeigt, wie gefährlich diese Tätigkeit jetzt geworden ist.

Meissner

[uden datering]

51 Svend Johansen var (teater)maler.

52 De fleste af de nævnte var i efteråret 1942 ansvarsbevidste socialdemokrater, der med sikkerhed ikke ville skabe uro på arbejdspladserne. Det burde en velorienteret tysk presseattaché være klar over, og det var Meissner givetvis også til en vis grad, men i forfølgelsen af det kommunistiske spor i modstanden gik han (for) langt for at have emner at fremvise, et tydeligt tegn på, at han var uden reel viden om, hvem den organiserede modstands bagmænd var.

53 Hartvig Frisch: *Athenernes Statsforfatning*, 1941, der kom i en engelsk udgave 1942 i serien *Classica et Mediaevalia* på Gyldendal. Med sit udråbstegn ville Meissner gøre det odiøst med den engelske udgave. Der var ikke tale om en provokation fra Frischs side. Hans følgende bog kom også på engelsk.

54 Alsing Andersen havde i sin egenskab af partiformand i Socialdemokratiet 11. august 1942 udsendt et cirkulære, der advarede partimedlemmer mod Foredragsforeningen af 1942 og mod tidsskriftet *Globus*. Socialdemokraten Niels Lindberg, tillige ansat i arbejderbevægelsens erhvervsråd, kom på den måde i konflikt med sit partis politik, da han havde brugt foredragsforeningen som platform (Grunz 2004, s. 35, Niels Banke om Niels Lindberg i DBL 3. udg.).

55 Ejnar Nielsen, næstformand i De Samvirkende Fagforbund, skrev 22. august 1942 en kronik i *Social-Demokraten* med titlen "Dansk Arbejderbevægelse", hvori Hans Hedtoft-Hansen blev rosende omtalt. Samtidig pågik der fra tysk side (Renthe-Fink, Meissner) forhandlinger om at få Hedtoft-Hansen fjernet helt fra det politiske liv, hvilket forklarer Meissners fornærmelse over rosen til Hedtoft-Hansen (Lund 1972, s. 112-115).

56 Dansk Typografforbund holdt i dagene fra 17. august 1942 delegeretmøde i København, hvor der dels kom oppositionelle synspunkter til orde over for regeringens politik, dels blev valgt tillidsrepræsentanter repræsenterende aktive modstandsholdninger. Det forbigik ikke Meissners opmærksomhed (*Typograftidende* 69:34, 21. august 1942, Bjerg Clausen 1985, s. 114f.).

132. Joachim von Ribbentrop an Werner Best 4. November 1942

Den formelle udnævnelse af Best forelå 4. november. Udnævnelsesdokumentet var yderst knapt i sit ind-
hold. Der blev henvist til forgængerens opgaver og til de mundtlige direktiver, som Ribbentrop havde givet.
Best opsøgte samme dag før sin afrejse til København Ribbentrop, men fik kun gentaget, hvad der var blevet
fastlagt med Hitler 27. oktober. Best blev ikke orienteret om indholdet af Ribbentrops samtaler med Erik
Scavenius 2. november (se telegrammet 5. maj 1943, Thomsen 1971, s. 122, Best 1988, s. 25).

Kilde: Originaldokumentet har været på FM 24A (bortkommet, kopi foreligger). RA, pk. 250. LAK,
Best-sagen (oversat til dansk). PKB, 13, nr. 351. Best 1988, s. 25 (afvigende formuleringer pga. tilbageover-
sættelse fra dansk).

Abschrift Pers. H 10433.   *Berlin, den 4. November 1944.*[57]

Herrn Ministerialdirektor Dr. Werner Best, im Amt.

Der Führer hat Sie zum Bevollmächtigten des Reiches in Dänemark bestellt. Gleich-
zeitig beauftrage ich Sie mit der kommissarischen Leitung der Deutschen Gesandtschaft
in Kopenhagen. In Ihrem neuen Amte haben Sie Weisungen ausschließlich von mir
entgegenzunehmen.

Als Bevollmächtigter des Reiches sind Sie ebenso wie Ihr Amtsvorgänger der erste
Vertreter des Reiches in Dänemark. Für die Gestaltung der politischen, wirtschaftlichen
und kulturellen Beziehungen zwischen Deutschland und Dänemark obliegt Ihnen die
Verantwortung. Der Militärbefehlshaber ist für alle sich aus seinem Auftrag ergebenden
militärischen Maßnahmen zuständig und verantwortlich. Im übrigen verweise ich auf
den Ihrem Amtsvorgänger zugegangenen, in Abschrift beigefügten Erlaß vom 12. April
1940 – Pol. I M 5070 g[58] – sowie auf die Ihnen von mir mündlich erteilten Weisun-
gen.

[Ribbentrop]

133. Gottlob Berger an Rudolf Brandt/Heinrich Himmler 4. November 1942

Best tog straks efter meddelelsen om sin udnævnelse flere initiativer til at oprette en nær forbindelse med SS.
Himmler nåede han ikke at træffe før sin afrejse til København, men med Berger fik han en aftale i stand
vedr. Germanische Leitstelle i Danmark, som Himmler skulle konfirmere. Best skulle have det overordnede
ansvar for Germanische Leitstelle angiveligt for at undgå kompetencestridigheder med AA.

Gennem adjudant Brandt sendte Berger forslaget videre til Himmler. Berger fik svar 21. november
(Poulsen 1970, s. 371, Thomsen 1971, s. 127, Herbert 1996, s. 337f.).

Ved aftalen med Berger ville Best sikre sig kontrollen med alle "germanischen Fragen" i Danmark, dvs.
med kontakten med alle kollaborerende grupper i Danmark. Best var givetvis bekendt med, at RFSS 12.
august 1942 var blevet enerådende i alle forhold vedrørende "germanischen Fragen" i de "germanske lande",
og det var derfor nødvendigt for Best som AA-repræsentant at få knyttet den positive forbindelse til RFSS,
hvis han ikke skulle afgive et betydende magtområde (Birn 1986, s. 210).

Kilde: BArch, NS 19/3302. RA, pk. 443 og 443a. RA, Danica 1000, T-175, sp. 59, nr. 675.552f. (uden
overstregning af Reichsführer).

---

57 Dokumentet er fejlagtigt dateret 1944; bør være 1942.
58 Trykt PKB, 12, nr. 125.

Der Reichsführer-SS   *Berlin, den 4. November 1942*
Chef des SS-Hauptamtes   Geheim
Tgb. Nr. 4361/42 Geh.
Tgb. Nr. 2019/42 Geh.

Betr.: Bevollmächtigten des Auswärtigen Amtes in Dänemark,
       SS-Brigadenführer Dr. Best.

An den Reichsführer-SS
   Berlin SW 11
   Prinz-Albrecht-Str. 9

                                                    Bitte anfragen![59]

Lieber du![60]
SS-Brigadeführer Dr. Best hat sich bei mir vor seinem Dienstantritt in Dänemark ge-
meldet, und ich habe mit ihm die gemeinsame Arbeit besprochen. Nach Rücksprache
mit ihm, darf ich Ihnen vorschlagen, daß SS-Brigadeführer Dr. Best in gleicher Weise
wie SS-Obergruppenführer Rediess und SS-Gruppenführer Rauter zu Ihrem Beauftrag-
ten der germanischen Volkstumsarbeit in Dänemark intern mit Kenntnisnahme an das
Auswärtige Amt, die SS-Dienststellen und das Reichsinnenministerium ernannt wird.
SS-Brigadeführer Dr. Best liegt es sehr daran, diesen Auftrag zu erhalten, um von vorn-
eherein die Reibungen zwischem Auswärtigem Amt und der Arbeit der Germanischen
Leitstelle in Dänemark auszuschalten. Er betont, daß er in dieser Form dem Auswärtigen
Amt immer wieder mitteilen könne, daß er von der Aktion der Germanischen Leitstelle
unterrichtet gewesen sei und daß nichts ohne sein Wissen, d.h. ohne Wissen des Aus-
wärtigen Amtes von Seiten der SS in Dänemark geschehe. SS-Brigadeführer Kanstein
wäre in dieser Funktion sein Vertreter. Die Germanische Leitstelle, SS-Sturmbannführer
Boysen, würde SS-Brigadeführer Dr. Best unmittelbar unterstellt.[61]

   Es wäre hier gleichsam der Idealfall, daß der Hoheitsträger des Reiches auch der
Träger der germanischen Volkstumsarbeit ist.

   Ich würde diese Lösung außerordentlich begrüßen und darf Reichsführer um Ge-
nehmigung bitten.

59 Tilføjet med håndskrift.
60 "Reichsführer" er overstreget. Berger vidste, at det var Rudolf Brandt, der ville behandle henvendelsen.
61 Bruno Boysen var kommet til Danmark som leder af Germanische Leitstelle i juni 1942 (Poulsen 1970,
s. 365). I en afhøring august 1945 søgte Best at sløre, hvor tæt Germanische Leitstelle var knyttet til hans
embede og lod som om, at AA ikke havde taget stilling dertil: "The detainee explained that about New
Year 1942/43 Hitler gave an order through Himmler, which demanded all the Nazi movements from
the occupied countries to be coordinated under the so-called Germanische Leitstelle, which was already
in force in the case of Denmark. Through the ministry of foreign affairs in Berlin the detainee inquired
about the relation of command, but he never received an answer. In order to secure himself some influence
of the development in Denmark, he established a connection with the head of Germanische Leitstelle in
Denmark, major Boysen, and asked him to report the doings which might occur, as he at the same time
promised him economical support. He promised Boysen the economical support in order to be able to have
a certain control of Boysens activity, and he did so, because he thought it beneficial for his so-called "good-
will-policy", and by doing so he avoided the establishment of an authoritative instance, upon which he had
no influence, which might have been of irreparable damage to his policy." Bests opfattelse afhørt 31.8.1945
(CI Preliminary Interrogation Report (CI-PIR) No 115, 14 May 1946, s. 13 (HSB)),

Heil Hitler
Ihr **G. Berger**
SS-Gruppenführer

134. Joachim von Ribbentrop an Paul Barandon 4. November 1942

Som stedfortrædende rigsbefuldmægtiget i København var det Barandon, der sørgede for modtagelsen af Best i Kastrup lufthavn. Blandt de fremmødte var UMs direktør, Nils Svenningsen, og Paul Kanstein.

   Kilde: PA/AA R 29.566. RA, pk. 202.

Telegramm

Berlin, den   4. November 1942
Ankunft, den

Nr.

Deutsche Gesandtschaft Kopenhagen
   Für Gesandten Barandon persönlich!

Der vom Führer zum Bevollmächtigten des Reichs in Dänemark ernannte Dr. Best wird morgen mit Flugzeug etwa 12.30 Uhr mittags dort eintreffen. Ich bitte Sie, ihn vom Flugplatz abzuholen. Ferner bitte ich Sie, den Militärbefehlshaber zu verständigen.

Ribbentrop

135. Werner Best an das Auswärtige Amt 6. November 1942

Godt 24 timer efter sin ankomst til København kunne Best meddele resultatet af aktionen mod det illegale DKP 2. november, herunder at den kommunistiske partiformand, Aksel Larsen, var anholdt, og at DKPs illegale radioforbindelse til Moskva var stoppet.

   Dog nævnes det ikke, at det gunstige resultat bl.a. skyldtes anvendelse af den danske stikker Karl Winther (se telegram nr. 1616, 2. november 1942, Jakobsen 1993, s. 263-265).

   Kilde: PA/AA R 29.566. PKB, 13, nr. 717. EUHK, nr. 75.

Telegramm

Kopenhagen, den   6. November 1942   14.20 Uhr
Ankunft, den   6. November 1942   14.45 Uhr

Nr. 1644 vom 6.11.42.

Unter Bezug auf Drahtbericht Nr. 1616[62] vom 2.11.1942.
   Bei der Aktion am 2.11.1942 wurden insgesamt 166 dänische Kommunisten festge-

---

62 bei Pol. VI (Verschlußsache). Trykt ovenfor.

nommen. 17 Haupttäter wurden in deutsche Haft überführt. Gegen sie läuft ein Verfahren vor dem Kriegsgericht beim Oberbefehlshaber der deutschen Truppen. Die Vernehmungen, die durch die deutsche Polizei erfolgen, haben inzwischen zur Aufdeckung einer kommunistischen Funkverbindung nach Rußland und der Chiffrierstelle geführt. Die Chiffrierstelle stand in unmittelbarer Verbindung mit dem Leiter der illegalen dänischen kommunistischen Partei, dem früheren Reichstagsabgeordneten Aksel Larsen, diese Wohnung wurde daher ständig besetzt gehalten. Hier lief neben anderen Personen gestern Abend Aksel Larsen selbst an und wurde festgenommen. Damit dürfte das Netz der illegalen dänischen kommunistischen Partei im wesentlichen zerschlagen sein. Die Ermittlungen werden unter Beteiligung der dänischen Polizei, die ausgezeichnet mitgearbeitet hat, weitergeführt. Ausführlicher Schriftbericht folgt noch. Zu Anfang nächster Woche ist außerdem die Festnahme eines größeren Kreises von dänischen Rotspanienkämpfern vorgesehen. Auch hierüber ergeht besonderer Schriftbericht.[63]

Dr. Best

136. Werner Best an das Auswärtige Amt 6. November 1942

Argentina var interesseret i at købe det danske skib "Linda," der lå oplagt i Las Palmas. En tidligere henvendelse i februar 1942 var forblevet uden resultat pga. betænkeligheder i AA. AAs svar i anden omgang er ukendt, men "Linda" forblev i Las Palmas til marts 1944, da det kom under engelsk flag (Røder 1957, s. 101, Tortzen, 4, 1985, s. 298-302).

Den i gesandtskabet skibsfartskyndige G.F. Duckwitz havde givetvis behandlet sagen, men Best satte straks ved sin ankomst sit præg på hele forretningsgangen og udøvede større kontrol end sin forgænger, der ikke havde handlet nær så egenmægtigt. Derfor kom Bests navn under Duckwitz' (tillæg 4 og 5).

Kilde: BArch, R 901 68.712.

Telegramm

| Kopenhagen, den | 6. November 1942 | 21.10 Uhr |
| Ankunft, den | 6. November 1942 | 22.05 Uhr |

Nr. 1650 vom 6.11.[42.]

Auf Schrifterlaß vom 9.2.1942 – Ha Pol. 767/42 g II –

Argentinien zeigt Interesse, das in Las Palmas liegende dänische Schiff "Linda," Reederei Lauritzen, unter bekannten Bedingungen käuflich zu erwerben.

Erbitte Weisung, ob die in nebenbezeichnetem Schrifterlaß mitgeteilten Bedenken noch bestehen oder ob Verhandlungen mit argentinischer Regierung aufgenommen werden können.

Duckwitz
Dr. Best

63 En sådan er ikke lokaliseret.

137. 416. Infanterie-Division an Hermann von Hanneken 6. November 1942

Den 14. oktober havde von Hanneken givet sine kommandanter ordre til at komme med forslag til at træffe forberedelser i tilfælde af en invasion i Danmark. Fra 416. infanteridivision i Jylland kom der 6. november forslag om 25 broer, som skulle forberedes til sprængning strækkende sig fra Ålborg i nord til Ribe i syd.

Sagen gik påfølgende midlertidigt i sig selv, idet forslagene til brosprængninger ikke var med i den reviderede kampanvisning fra januar 1943. Allerede februar-marts 1943 forelå der dog en liste over broer, der skulle forberedes til sprængning i tilfælde af en invasion, og i kampanvisningen fra 20. juli 1943 var der en liste over 33 broer fordelt over landet, der skulle sprænges ved Bereitschaftsstufe 2 (Hendriksen 1983, s. 702-704, Andersen 2007, s. 147).

Von Hannekens initiativ vedrørende invasionsforsvaret af Danmark var en markering ikke alene af, at invasionsrisikoen var steget, men set i sammenhæng med hans øvrige tiltag i de første måneder som WB Dänemark også et udtryk for, at han i henhold til Hitlers instruktion betragtede Danmark som fjendeland.

Kilde: BArch, Freiburg, RW 38/14, s. 8 og RH 26-416/5.

416. Infanterie-Division
Abt. Ia Nr. 2857/42g. II. Ang.

Div. St. Qu., den 6.11.1942
Geheim!

Betr.: Sprengung von Brücken.
Bezug: Bef. Dänemark Abt. Ia Nr. 1769/42 geh. v. 14.10.42.[64]

Dem Befehlshaber der deutschen Truppen in Dänemark, Abt. Ia –
  Kopenhagen

Die Division meldet folgende Straßenkunstbauten, die zur Vorbereitung für eine Sprengung in Frage kommen:
Abschnitt Jütland-Nord:
1.) Aalborg: Limfjordbrücke – Verkehrsbrücke,
2.) Aalborg: Limfjordbrücke – Eisenbahnbrücke,
3.) Brücke bei Aggersund.
  Abschnitt Jütland-Mitte:
4.) Vilsundbrücke,
5.) Oddesundbrücke,
6.) Straßenbrücke über die Storaa (1 km südlich Vem),
7.) Eisenbahnbrücke über die Storaa (1 km südlich Vem).
  Abschnitt Jütland-Süd:
8.) Süd-Vondaa-Brücke (ca. 800 m westl. Ringköbing),
9.) Langenbro – hart südl. Skern – über die Skernaa,
10.) Sonderbro – südl. Skern – über die Skernaa,
11/12.) 2 Eisenbahnbrücken – südl. Skern – über die Skernaa,
13.) Brücke über die Vardeaa (ca. 4 km südl. Billum).
14/15.) 2 Eisenbahnbrücken im Standort Varde
16/17.) 2 Straßenbrücken [im Standort Varde]
18.) Straßenüberführung der Straße Esbjerg-Kolding über die Bahn in Jarne im Standort Esbjerg

---

64 WB Dänemarks ordre af 14. oktober er ikke lokaliseret.

19.) Straßenüberführung der Straße Esbjerg-Kolding über die Bahn ca.500 m nördl. Bahnhof Esbjerg [im Standort Esbjerg]

20.) Straßenüberführung bei Boldesager in der Verlängerung der Roldesagergade nach Norden ca. 1400 m nördl. Bahnhof Esbjerg [im Standort Esbjerg]

21.) Bahnüberführung am Estrupvej, ca. 100 m nordostwärts des E-Werkes Esbjerg [im Standort Esbjerg]

22.) 1 Eisenbahnbrücke hart südl. Ribe,

23-25.) 3 Straßenbrücken im Standort Ribe.

[underskrift]

138. Joseph Goebbels: Tagebuch 6. November 1942

Goebbels kommenterede Bests udnævnelse til rigsbefuldmægtiget i Danmark. Best skulle hurtigt skaffe orden. Der var udnævnt en regering, hvor Scavenius blev statsminister, men hvori ikke deltog førende nazister, men dog var optaget enkelte ikke så synlige nazister. Den nye politiske kurs skulle foreløbigt holdes uklar, da det ville få de førende kredse til lettere at give efter for tyske krav.

Dagbogsoptegnelsen er indsat under 6. november, men er sandsynligvis fejlplaceret. Forhandlingerne om en regeringsdannelse var ikke så langt fremme 6. november, at det af Goebbels refererede resultat var i sigte endsige forelå. Det er imidlertid interessant ved at rumme en begrundelse for, at førende nazister ikke var optaget i regeringen. Det var noget, der havde krævet en forklaring i Berlin.

Goebbels omtalte igen Bests virke i Danmark 21. februar 1943.

Kilde: *Die Tagebücher von Joseph Goebbels*, Teil II:6, 1996, s. 244.

[...]

Berichte über die besetzten Gebiete bringen nichts wesentlich Neues. In Dänemark ist als Bevollmächtigter des Reiches Best eingesetz[t] worden. Er wird dort schon Ordnung schaff[en]. Es ist] eine neue Regierung gebildet werden, i[n der zwar] nicht der Führer der Nationalsozialis[ten] [...] aber doch einige nicht so sichtba[r]lich [...] Nationalsozialisten aufgenomm[en] [...] der Regierung soll dem bishe[rigen Außenminister] Scavenius übertragen wer[d]en. [...] vorläufig noch etwas im dunkeln gehalten, damit die führenden Kreise Dänemarks nicht wissen, was ihnen blüht. Sie werden dann umso eher geneigt sein, un[se]ren Forderungen nachzugeben. Eine unklare Stell[ung], wenn man die Macht besitzt, hat immer eine ganze Reihe von Vorteilen; sie werden uns hier wesen[tlich] zugute kommen.

[...]

139. Werner Best an Joachim von Ribbentrop 8. November 1942

Efter tre dage i København kunne Best i et natligt telegram meddele det første knappe resultat af forhandlingerne om dannelsen af en ny dansk regering. To gange blev det fremført, at regeringsdannelsen var helt i overensstemmelse med de givne retningslinjer, hvilket ikke var ganske i overensstemmelse med sandheden, hvis alene de kendte skriftlige retningslinjer tages for pålydende.

Men alt tyder på, at de alene var taktisk bestemte, og at Best havde fuldmagt til at træffe den endelige ordning og blot skulle melde resultatet til Berlin, som han fortalte Erik Scavenius det allerede den 5. november 1942 (Gunnar Larsens dagbog anf. dato). Det forklarer dette telegrams karakter og hele Bests ageren i de afgørende dage. Når halvdelen af den nye regerings medlemmer blev betegnet som tyskvenlige, tog Best munden alt for fuld, men karakteristikken var først og fremmest bestemt for opdragsgiverne i Berlin (Poulsen 1970, s. 347f., Thomsen 1971, s. 126, Kirchhoff, 1, 1979, s. 79, Herbert 1996, s. 335, Lauridsen 2003, s. 348).

Best tiltog sig efter maj 1945 igen og igen æren for at have fået dannet en dansk regering uden nazistisk regeringsdeltagelse, og han blev sekunderet af både Barandon, Kanstein og Duckwitz. Han glemte hver gang at tilføje, at han havde et mandat i ryggen fra SS, i det mindste fra SS-Hauptamt, der næppe kan have handlet på trods af RFSS, og som ikke ønskede Frits Clausens regeringsdeltagelse, endsige regeringsovertagelse (se SS-Hauptamts Monatsbericht, 20. november 1942, trykt nedenfor).

Kilde: PA/AA R 29.566. LAK, Best-sagen (afskrift). PKB, 13, nr. 354. ADAP/E, 4, nr. 147.

Telegramm

| Kopenhagen, den | 8. November 1942 | 02.15 Uhr |
| Ankunft, den | 8. November 1942 | 03.50 Uhr |

Nr. 1657 vom 7.11.[42.]   Citissime!
Für Herrn Reichsaußenminister persönlich.

Nach Dienstantritt als Reichsbevollmächtigter in Dänemark habe ich gemäß den Richtlinien des Führers und des Herrn Reichsaußenministers veranlaßt:
1.) Rücktritt der Regierung Bu[hl].
2.) Bildung einer Regierung Scavenius.
3.) Erlaß eines Ermächtigungsgesetzes zur Aufrechterhaltung der Ordnung und Sicherheit.
Alle Maßnahmen sind völlig legal durchgeführt worden. Sie werden voraussichtlich am 9. November veröffentlicht werden.

Die neue Regierung entspricht insofern voll den Richtlinien des Führers, als Scavenius (der sich übrigens bis heute gegen die Übernahme der Regierung wehrte und nur auf meinen moralischen Druck nachgab) keinen Rückhalt in Parlament und Öffentlichkeit besitzt und Regierungschef von des Reiches Gnaden bleiben wird. Von den Ministern kann gut die Hälfte als deutschfreundlich bezeichnet werden, während die übrigen als Vertreter des "alten Systems" mir gegenüber durch schlechtes Gewissen und Furcht vor Beseitigung gehemmt und deshalb fügsam sein werden. Namensliste mit Charakteristik folgt in Schriftbericht.[65]

Dr. Best

140. Wipert von Blücher an das Auswärtige Amt 8. November 1942

Den tyske gesandt i Helsingfors vurderede, at det tysk-danske forhold kunne udvikle sig til et problem for de tysk-finske forbindelser, da Danmark blev taget som barometer for, hvordan Tyskland kom ud af det med et lille nordisk land. Hidtil var det blevet betragtet positivt, men nu begyndte de tyskvenlige kredse at føle sig desavoueret.

Kilde: RA, pk. 202.

---

65 Se Bests telegram nr. 1665, 10. november 1942.

Telegramm

Helsinki, den	8. November 1942	13.20 Uhr
Ankunft, den	9. November 1942	14.45 Uhr

Nr. 1955 vom 9.11.[42.]

1.) Es besteht Gefahr, daß deutsch-dänisches Verhältnis sich zu Störungsfaktor für deutsch-finnische Beziehungen entwickelt, da Dänemark Barometer, an dem Finnen ablesen, wie Deutschland mit kleinem nordischen Volk auskommt.

2.) Bisher war deutsch-dänisches Verhältnis Posten der Kreditseite in deutsch-finnischer Bilanz. Finnische Deutschfreunde beriefen sich zur Widerlegung der aus Vorgängen in Norwegen gegen deutsche Politik abgeleitete Vorwürfe auf gute deutsch-dänische Zusammenarbeit. Jetzt beginnen diese Deutschfreunde sich desavouiert zu fühlen.

3.) Marschall Mannerheim unterhält persönliches Verhältnis zu dänischem König und möchte mit seinen Sympathien auf dessen Seite stehen.

4.) Weite Kreise in Finnland gefühlsmäßig auf Seite dänischen Volks.

5.) Schwierig, Schwergewicht dieser Faktoren zu bestimmen, Sie dürfen aber nicht unterschätzt werden. Nachdem die militärischen Ziele, mit denen finnische Politik in diesem Jahre im Osten gerechnet hatte, bisher nicht erreicht sind, ist öffentliche Meinung in gewisse Resignation verfallen, die leicht in Depression übergehen kann und keiner Belastung ausgesetzt werden sollte.

Blücher

141. Wolfram Sievers an Bruno Boysen 8. November 1942

Ahnenerbes leder Sievers bad lederen af Germanische Leitstelle i København, Bruno Boysen, skaffe præparatet Vasodil, som var blevet anbefalet af SS-Hauptsturmführer Emil Petersen. Overlæge Charles Hindborg havde opnået udmærkede resultater ved brugen af det. Endvidere ville Sievers have skaffet det nummer af *Ugeskrift for Læger*, hvori der var en artikel om Vasodil.[66]

Sievers optrådte her i rollen som mellemmand for Sigmund Rascher. Boysen skulle alene have at vide, at det drejede sig om en forskning, der havde RFSS' personlige interesse. Samtidig blev der gjort brug af det nazistiske netværk. Både Emil Petersen og Hindborg var kendte danske nazister.

Sievers modtog det ønskede præparat og sendte det videre til Rascher 24. december 1942 (NS 21/922). Det tog noget længere tid med at skaffe *Ugeskrift for Læger*. Boysen måtte låne det af Hindborg og sendte det til Sievers 19. marts 1943. Sievers takkede Boysen 10 dage senere, men ville nu også have den relevante artikel om Vasodil oversat (NS 21/915). Det fik han også, så 19. april kunne Wolff sende oversættelsen til Rascher (NS 21/916). Vasodil var et præparat til forbedring af kredsløbet i huden og til behandling af frostskader, sår og udslæt, og Rascher ville lade det afprøve på fanger i koncentrationslejren Dachau for at vurdere dets virkning – på lignende vis som han afprøvede det blodstørknende medikament Polygal (Benz 1993, s. 212).

Kilde: BArch, NS 21/914 (gennemslag).

66 Det drejede sig om en artikel af H. Heidemann i *Ugeskrift for Læger*, 104, 1942, s. 105-107 (22. januar 1942).

[Amt Ahnenerbe – Reichsgeschäftsführer]   *8. November 1942*
G/R/8 S/Wo   Geheim

An die Dienststelle SS-Sturmbannführer Boysen
Feldpostnummer: 25 362 L

Unser Institut für wehrwissenschaftliche Zweckforschung hat vom Reichsführer-SS
bestimmte Forschungsaufgaben erhalten, die im Interesse der Landesverteidigung hier
nicht näher gekennzeichnet werden können. Für diese Untersuchungen wird unbedingt
ein Medikament benötigt, das nur in Dänemark erhältlich ist. Es handelt sich um das
von den Leo-Werken hergestellte "Vasodil". Wir wurden auf dieses Präparat durch SS-
Hauptsturmführer Dr. E. Petersen, Virum pr. Lyngby, Birkevangen 10, verwiesen auf
Grund der ausgezeichneten Erfolge, welche Oberarzt Dr. Hindborg, Rungsted Kyst,
mit Vasodil erzielt hat. SS-H'Stuf. Dr. Petersen befindet sich z.Zt. nicht in Dänemark,
sodaß er für die Beschaffung nicht herangezogen werden kann. Oberarzt Dr. Hindborg
ist ebenfalls SS-Angehöriger. Ich bitte Sie deshalb, sich zu bemühen, Vasodil zu erhalten,
und zwar zunächst zehn Original-Packungen. Die Verrechnung kann über die Germani-
sche Leitstelle erfolgen. Ebenso wird die Nummer der Zeitschrift "Ugeskrift for Läger"
benötigt, in der ein Artikel über Behandlung mit Vasodil veröffentlicht wurde. Ich hof-
fe, daß Sie die Beschaffungen vornehmen können, damit wir alsbald die Versuche auch
auf dieses Präparat ausdehnen können, da der Reichsführer daran persönlich Interesse
nimmt und sich laufend Bericht erstatten läßt.
Sievers
SS-Obersturmführer

142. Werner Best an das Auswärtige Amt 9. November 1942

Best fremsendte et forslag til meddelelse i den tyske presse om regeringsskiftet i Danmark og hans egen til-
træden som rigsbefuldmægtiget. Der blev slået på både den nye statsministers positive forhold til Tyskland,
og at der blev indledt en *ny* periode med et tættere samarbejde.
    Kilde: PA/AA R 29.566.

T e l e g r a m m

Kopenhagen, den   9. November 1942   13.30 Uhr
Ankunft, den   9. November 1942   14.45 Uhr

Nr. 1661 vom 9.11.[42.]

Zu bevorstehender dänischer offizieller Bekanntgabe Rücktritts Regierung Buhl und
Bildung neuer Regierung Scavenius vorschlage einheitliche Veröffentlichung folgender
Notiz in deutscher Tagespresse:
    Die bisherige dänische Regierung unter der Leitung des sozialdemokratischen Staats-

ministers Buhl ist zurückgetreten. Die neue Regierung wird von dem bisherigen Außen-
minister Erik von Scavenius geleitet, der sich in der Vergangenheit besonders um die
Verbesserung der politischen Beziehungen zwischen Dänemark und dem deutschen
Reiche bemüht hat. Der Regierungswechsel, der mit der Einsetzung des neuen Bevoll-
mächtigten des deutschen Reiches in Dänemark Dr. Best zusammenfällt, darf als Auf-
takt einer neuen Periode engerer und intensiverer deutsch-dänischer Zusammenarbeit
gedeutet werden.

Dr. Best

143. Werner Best an das Auswärtige Amt 9. November 1942

Best søgte efter sin ankomst til København straks at udstrække sin indflydelse til de dansk-tyske økonomi-
ske og erhvervsmæssige relationer. Med henvisning til den "politiske kursændring" ville han overtage for-
mandskabet for den tyske delegation i det tysk-danske regeringsudvalg fra ministerialdirektor Alex Walter
i det tyske ernærings- og landbrugsministerium (REM). Det blev afslået i AA den 14. november med den
begrundelse, at Best allerede havde tilstrækkeligt med ansvarsområder. Best modtog afslaget 16. november
(se Wiehls optegnelse 10. november (trykt her) og Rintelen til Wiehl 14. november 1943).
    Efter 29. august 1943 blev der givet ordre om, at alle økonomiske anliggender skulle behandles via Best,
men der skete ingen reel ændring. De økonomiske anliggender forblev hos Walter og Walter Forstmann, og
Det Tyske Gesandtskabs Afdeling Wirtschaft under ledelse af Franz Ebner korresponderede selvstændigt
med REM og RWM med Bests godkendelse i hvert tilfælde[67] (ADAP/E, 4, s. 258 n. 1, Thomsen 1971, s.
127, Jensen 1971, s. 217, Giltner 1998, s. 151f., Brandenborg Jensen 2005, s. 368).
    Kilde: PA/AA R 29.566. RA, pk. 300. PKB, 13, nr. 356.

Telegramm

| Kopenhagen, den | 9. November 1942 | 13.40 Uhr |
| Ankunft, den | 9. November 1942 | 14.45 Uhr |

Nr. 1663 vom 9.11.[42.]

Ich bitte, mir mit sofortiger Wirkung den Vorsitz des deutschen Regierungsausschusses
für die deutsch-dänischen Wirtschaftsverhandlungen zu übertragen, damit im Zusam-
menhang mit dem erfolgten politischen Kurswechsel deutlich herausgestellt wird, daß
die dänische Regierung in allen Angelegenheiten des deutsch-dänischen Verhältnisses
ausschließlich auf den Bevollmächtigten des Reichs in Dänemark angewiesen ist. An der
sachlichen Arbeit des deutschen Regierungsausschusses soll hierdurch nichts verändert
werden. Ich schlage vor, daß der bisherige Vorsitzende als stellvertretender Vorsitzender
seine Tätigkeit fortsetzt.

Dr. Best

---

67 Se tillæg 5, Gesandtskabets forretningsorden, for Ebners muligheder for at skrive med den rigsbefuld-
mægtigedes tilladelse.

144. Werner Best an die deutschen Dienststellen in Dänemark 9. November 1942

Ved sin officielle tiltræden som rigsbefuldmægtiget i Danmark udsendte Best et trepunktsdirektiv til alle tyske tjenestesteder, også værnemagtens, som han ønskede efterlevet. Han ønskede fodslag med hensyn til den fremtidige tyske politik i Danmark, en politik som han formulerede og havde ansvaret for.

Sideløbende blev Best præsenteret for rigstyskerne i Danmark i deres tidsskrift *Skagerrak* i midten af november. På forsiden var en manende hilsen fra Best med en opfordring til at vise omtanke og viljestyrke i den tyske eksistenskamp og på side to med et portræt blev hans karriere oprullet.[68]

Kilde: BArch, Freiburg, RW 27/4. RA, Danica 1000, T-77, sp. 696, KTB/Rü Stab Dä 4. Vierteljahr 1942, Anlage C.

Abschrift

Der Bevollmächtigte des Reiches in Dänemark   *Kopenhagen, den 9. Nov. 1942*

Für die Stellungnahme der deutschen Dienststellen in Dänemark und ihrer Angehörigen zu der neu gebildeten dänischen Regierung unter dem Staatsminister von Scavenius gebe ich die folgende Sprachregelung aus, für deren Befolgung ich Sorge zu tragen bitte:

1.) Der Rücktritt der bisherigen dänischen Regierung war notwendig als sichtbares Zeichen dafür, daß eine Zeit der Unklarheit und Spannung, verursacht durch mangelnden guten Willen auf dänischer Seite, abgelöst werden soll durch eine Zeit aufrichtigerer und engerer Zusammenarbeit Dänemarks mit dem Großdeutschen Reiche.

2.) Die neue dänische Regierung ist verfassungsmäßig und mit Zustimmung der Parteien, die die Mehrheit des dänischen Reichstages darstellen, gebildet – also nicht von deutscher Seite oktroyiert – worden. Sie wird von deutscher Seite danach beurteilt werden, in welchem Masse sie in loyaler Zusammenarbeit mit dem Bevollmächtigten des Reiches den Notwendigkeiten der deutschen Kriegsführung genügen und für stete Verbesserung des politischen Verhältnisses zwischen den beiden Ländern sorgen wird.

3.) Die Stellungnahme jedes Repräsentanten des Reiches und jedes Reichsdeutschen zum Lande Dänemark und seiner Bevölkerung hat zum Ausdruck zu bringen, daß Deutschland von dem stammverwandten Nachbarland Verständnis und Mitarbeit für seinen gegenwärtigen Kampf erwartet und Feindseligkeiten mit entsprechenden Maßnahmen beantworten wird.

gez. **Dr. Best**

145. Franz Riedweg an Gottlob Berger 9. November 1942

Der var en meget stor interesse fra tysk side i den danske regeringsdannelse, herunder hvordan den nye rigsbefuldmægtigede håndterede opgaven. Blandt interessenterne var SS-Hauptamt, som Best havde søgt og opnået alliance med før sin tiltræden, og Franz Riedweg, leder af Germanische Leitstelle var en af de første,

---

68 På det tidspunkt havde Best optrådt for første gang offentligt sammen med von Hanneken i anledning af markeringen af årsdagen for det mislykkede NSDAP-kup i München 9. november 1923 (*Skagerrak* 1942:4, s. 3f.).

hvis ikke den første, der allerede kl. 17.40 kunne meddele Berger i SS-Hauptamt, hvad der interesserede organisationen særligt, at Frits Clausen (foreløbigt) ikke ville deltage i en regering.

Dermed havde Best givetvis opfyldt en af forventningerne i SS-Hauptamt, som havde set skævt til Clausen på grund af hans optræden i tiden forud og indstilling til et germansk-SS.

Se også Bruno Boysen til Berger senere samme dag.

Kilde: RA, pk. 442.

Dienststelle SS-Oberabschnitt Süd

Fernschreiben Nr. 127.　　　　　　Geheim!　　　　　　　　XI b/96
Aufgenommen am 9.11.42, 18.02 Uhr
Übermittelt am 9.11.42, 19.45 Uhr
zur Abholung gemeldet am 9.11.[42.], 18.13 Uhr an E-Stelle

Blitz SS-H[aupt]a[mt] F[ern]s[chreiber] Nr. 6937 9.11.42. 1740 =me=
SS-Hauptamt Berlin Amt VI

An SS-Gruppenführer Berger
　z.Zt. Erg. Stelle Mu
　München　　　　　　　　　　　Geheim, dringend, sofort vorlegen.

Ich darf Gruppenführer melden:
1.) Dänische Regierung Buhl ist heute zurückgetreten.
2.) Scavenius übernimmt als Staatsminister die neue Regierungsbildung.
3.) Die Hälfte der neuen Minister ist unpolitisch und ausgesprochen deutschfreundlich (Liste wird Morgen durchgegeben).
4.) Clausen wünscht vorläufig keine Beteiligung an der Regierung.
5.) Sämtliche Parteien haben dem Ermächtigungsgesetz zugestimmt.
　　　　　　　　　　gez. **Dr. Riedweg**
　　　　　　　　　　SS-Obersturmbannführer

146. Bruno Boysen an Gottlob Berger 9. November 1942

Boysen orienterede Berger om resultatet af Bests forhandlinger om dannelsen af en ny dansk regering. Frits Clausen skulle være indforstået med, at der ikke kom nazister i regeringen.

Dermed kunne Boysen i lighed med Riedweg bekræfte, at Frits Clausen fortsat var sat uden for indflydelse. Clausen ville derved have sværere ved at komme i vejen for SS' planer om et germansk korps i Danmark.

Kilde: RA, pk. 442.

Fernschreiben
Kopenhagen Nr. 3253 vom 9.11.42.
23.55 [Uhr] = SCHN[ell] =

An den Chef des SS-Hauptamtes
    SS-Gruppenführer Berger
    z.Zt. München   Sofort vorlegen. Dringend. Geheim.

Gruppenführer Best hat Auftrag, Regierung Buhl zu beseitigen und Regierung Scave-
nius in legaler Weise bilden zu lassen. Beides ist binnen 3 Tagen durchgeführt wor-
den. Regierung besteht zur größeren Hälfte aus Fachministern. Auch von den übrigen
politischen Ministern sind einige als ausgesprochen deutschfreundlich zu bezeichnen.
Minister der Richtung Clausen sind in vollem Einverständnis mit Clausen der Regie-
rung nicht aufgezwungen worden, um einerseits nicht das legale Zustandekommen zu
gefährden und um andererseits der DNSAP die Mitverantwortung für das zu ersparen,
was die Regierung Scavenius an unangenehmen Dingen schlucken muß. Es ist weiter
erreicht worden, daß die Mehrheitsparteien des Reichstags sich bereit erklärt haben,
der Regierung Scavenius durch Ermächtigungsgesetz die Möglichkeit zu geben, alle zur
Aufrechthaltung der Ordnung und Sicherheit erforderlichen Maßnahmen im Verord-
nungswege anzuordnen.
                    Dienststelle-SS – Stubaf. Boysen
                              gez. **Boysen**
                           SS-Sturmbannführer

147. Albert van Scherpenberg: Vermerk 9. November 1942

Da Tyskland ikke kunne dække Danmarks minimumsbehov for kul, skulle danskerne stimuleres til at
øge brunkulseftersøgningen. Dertil behøvede de imidlertid ikke det svære boreudstyr, den danske regering
ønskede at anvende, men kunne få noget andet stillet til rådighed (se Barandons telegram nr. 1550, 21.
oktober 1942).
    Se tillige det følgende brevudkast til Best og de der anførte henvisninger.
    Kilde: BArch, R 901 68.712.

e.o. Ha Pol VI 4035   *Berlin, den 9. November 1942*
                              V e r m e r k
Ref: LR v. Scherpenberg

In einer Besprechung bei mir, in der die Mineralölabteilung des Wehrwirtschaftsamts
(Oberlt. Franz), das Reichsamt für Bodenforschung (Dr. Kähn) und das RWM (Amts-
rat Krause) vertreten waren, macht das RWM geltend, daß bei der Unmöglichkeit für
Deutschland, den Mindestbedarf Dänemarks an Kohlen zu decken, das deutsche wirt-
schaftliche Interesse an der Erschließung neuer dänischer Braunkohlevorkommen au-
ßerordentlich stark sei. Wenn es daher zutreffe, daß das in Dänemark lagernde Bohrge-
rät in erster Linie für Erdölbohrungen geeignet sei, und den Dänen daher nicht belassen
werden könne, so sollte man den Dänen ein leichtes Gerät im Austausch anbieten, das
ihnen die Fortsetzung der Schürfarbeiten nach Braunkohle ermöglichen würde.
    Der Vertreter des Reichsamts für Bodenforschung legte nochmals klar, weshalb das
zur Erörterung stehende Bohrgerät für Erdölbohrungen in Deutschland Verwendung

finde müsse, und erklärte, das Reichsamt habe z.Zt. eine Anzahl von leichteren Schürf-
geräten verfügbar, von denen eines, falls erforderlich, den Dänen angeboten werden
könne.

Der Vertreter des Wehrwirtschaftsamts erklärte sich mit einem solchen Vorgehen
einverstanden.

[Scherpenberg]

148. Albert van Scherpenberg an Werner Best 9. November 1942

AA ønskede fortsat at overtage det svære boreudstyr til olieefterforskning, som den danske regering ville
anvende til egne undersøgelser. Et lettere boreudstyr kunne stilles til rådighed i stedet. Forstmann skulle
foretage beslaglæggelsen.

Så langt synes det dog ikke at være kommet, men yderligere tyske akter er ikke lokaliseret. Gunnar Lar-
sen redegør imidlertid 16. februar 1943 for forløbet indtil da: "I Efteraarets Løb blev Tyskernes Interesse for
det amerikanske Materiel stærkt stigende, og der blev afholdt forskellige Møder i Udenrigsministeriet, hvor
ogsaa Professor Engelund og vistnok nogle af Videnskabsmændene var til Stede saavelsom Repræsentanter
fra Statsministeriet. Man udtalte overfor Tyskerne, at man selv vilde optage Efterforskningen af Raastof-
fer i Danmarks Undergrund ved Anvendelse af det amerikanske Materiel, som man i Mellemtiden havde
faaet en Overenskomst med Højesteretssagfører Gamborg om, men efter de Meddelelser der foreligger fra
Udenrigsministeriets Embedsmænd, tog man fra dansk Side noget valent paa Spørgsmaalet, saaledes at
Tyskerne maatte faa det Indtryk, at det var tvivlsomt, hvor meget man fra dansk Side i Virkeligheden vilde
gøre ved denne Sag. Man pressede derfor fra tysk Side haardere og haardere paa, og da jeg overtog Sagen
fra Statsministeriet, forelaa der allerede et direkte Krav fra tysk Side om Udlevering af den væsentligste Del
af Materiellet.

Jeg forsøgte endnu en Henvendelse til Dr. Best og Generalkonsul Krüger og mødte her stor Sympati,
idet de begge udtalte, at hvis det virkelig var Meningen, at vi selv vilde søge efter Olie i Danmark, saa burde
vi beholde Materiellet. Der blev dog gjort opmærksom paa, at Sagen allerede var løbet meget langt ud, og
at man som Følge af den valne Holdning, man hidtil havde indtaget fra dansk Side, blandt Tyskerne havde
faaet det Indtryk, at vi i Realiteten ikke vilde tage haandfast paa Spørgsmaalet, men kun beholde Materiellet
med Paaskud af, at der skulde foretages visse Undersøgelser, som nærmest havde videnskabelig Interesse, og
af denne Grund havde man i Berlin allerede disponeret over Materiellet, og det var derfor nu vanskeligt at
kalde Sagen tilbage. Jeg ved imidlertid, at Dr. Best gjorde et meget kraftigt Forsøg overfor Berlin, og Sagen
blev endnu en Gang udskudt en Maaneds Tid. Det viste sig, at man ikke kunde modstaa Presset, da Berlin
holdt fast ved de allerede trufne Dispositioner, og man maatte da gaa ind paa Udlevering af visse Dele af
Materiellet.

Fra tysk Side interesserer man sig meget stærkt for ogsaa at faa Resten af Materiellet, det egentlige
Efterforskningsmateriel, overtaget, men jeg har paany heroverfor protesteret, og man har da fra vistnok
Generalkonsul Krügers eller Hr. Meulemanns Side overfor Kontorchef Peschardt udtalt, at hvis ikke det
amerikanske Materiel var bragt til effektiv Anvendelse i Løbet af en meget kort Frist, vilde man fra tysk Side
beslaglægge Resten af det mere værdifulde Materiel.

For at undgaa noget saadant, har vi straks fjernet den Del af Materiellet, som Tyskerne ikke allerede ved
en Besigtigelsesforretning har beslaglagt, fra Depoterne og meddelt, at det vilde blive bragt til Anvendelse.
Anvendelsesfristen, som udløber en af de nærmeste Dage, skal formentlig ikke tages alt for bogstaveligt, og
det kan for saa vidt siges, at vi har taget det i Anvendelse i det Øjeblik, hvor vi fjerner det fra Depoterne og
anbringer det i Teknisk Centrals Depoter."

Gunnar Larsens bestræbelser for at få udstyret stillet til rådighed for den af ham kontrollerede Teknisk
Central, foranledigede det amerikanske selskab, der ejede boreudstyret og havde oliekoncessionen til at
protestere stærkt ved sin danske fuldmægtig Leif Gamborg. Også danske geologer modarbejdede Larsen i
denne sag, som ikke blev mindre kompliceret af, at den tildelte koncession byggede på svindel med en bo-

rekerne. Larsen brugte svindelen til at søge at få koncessionen kendt ugyldig (KB, Gunnar Larsens dagbog 7. og 9. december 1942, 30. januar 1943, 9., 11. (saltfundet et falsum), 12., 13. og 16. februar (redegørelse for forløbet), 17., 18. (her også redegørelse af ingeniør Østmann), 19., 22., 24.-27. februar, 1., 2., 4., 5. og 12. marts 1943, endvidere breve vekslet mellem Leif Gamborg og Finn Hoskier 19. og 21. januar 1943 og Gamborgs brev til S. Garde 22. februar, alle indsat i dagbogen).

Kilde: BArch, R 901 68.712 (koncept).

F e r n s c h r e i b e n

An Diplogerma Kopenhagen
Nr.
Auf 1550 vom 21.10.[42.][69]

Nach einheitlicher Auffassung hiesiger Sachverständiger ist dortiges Bohrgerät nur zu verwenden, wenn dafür laufendes Ergänzungsmaterial aus Deutschland (insbesondere Koks usw.) zur Verfügung gestellt werden könnte, wozu wir z.Zt. nicht in der Lage sind. Außerdem wird von fachmännischer Seite hervorgehoben, daß Bohrungen auf tief gelegene Kohlenlager, die die Verwendung eines so schweren Gerätes, wie des zur Erörterung stehenden erforderlich machen würde, eine Entlastung der dänischen Brennstoffversorgung erst in vielen Jahren herbeiführen könnten. Andererseits sind für Bohrungen auf weniger tief gelegenen und somit für alsbaldigen Abbau geeignete und Kohlenlager sehr viel leichtere Geräte u.a. schon einfache Brunnenbohrgeräte, wie sie in Dänemark reichlich vorhanden sein dürfen, ausreichend.

Wir halten daher an unserem Wunsch nach Abgabe des Bohrgeräts fest, sind jedoch im Wege ganz besonderen Entgegenkommens bereit, der Dänischen Regierung zur Fortsetzung ihrer Schürfungen nach Braunkohle ein dafür geeignetes leichtes Bohrgerät (sogenanntes Schürfgerät) aus deutschen Beständen gegen angemessene Vergütung zur Verfügung zu stellen.

Erbitte alsbaldigen Drahtbericht.

Bitte Kapitän Forstmann unterrichten, daß nach erfolgter Beschlagnahme das Gerät von der Wintershall-Aktiengesellschaft im deutschen Bohrplan zum Einsatz gebracht werden wird. Wintershall wird von hier aus unterrichtet werden.

Scherpenberg

149. Emil Wiehl: Aufzeichnung 10. November 1942

Som svar på Bests henvendelse 9. november indstillede Wiehl, at Bests ønske om at blive formand for det tysk-danske regeringsudvalg ikke blev imødekommet. Best skulle kunne tjene som en højere instans i tilfælde af konflikter og ikke direkte deltage i arbejdet i kraft af sin stilling som missionschef.

Indstillingen blev fulgt, men med en anden begrundelse 14. november, nemlig at Best havde ansvarsområder nok. Det blev Wiehl, der 16. november sendte Best afslaget på hans anmodning. AAs overvejelser blev Best ikke delagtiggjort i.

Kilde: BArch, R 901 68.712. PA/AA R 29.566. RA, pk. 202.

69 Trykt ovenfor.

Dir. Ha Pol. Nr. 363   *Berlin, den 10. November 1942.*

A u f z e i c h n u n g
zu Telegramm aus Kopenhagen Nr. 1663 vom 9.11.1942.[70]

Reichsbevollmächtigter Dr. Best hat mit obigem Telegramm gebeten, ihm den Vorsitz im Regierungsausschuß für Dänemark zu übertragen. Ich habe ihm darauf folgenden Zwischenbescheid gegeben:
"Ihre Bitte um Übertragung des Vorsitzes im Regierungsausschuß muß Herrn Reichsaußenminister vorgelegt werden, durch den die Bestellung nach Zustimmung des Handelspolitischen Ausschusses der Reichsregierung zu erfolgen hat. Sobald sie vollzogen ist, folgt weitere Mitteilung. Ministerialdirektor Walter ist heute früh dorthin abgereist, um Verhandlungen aufzunehmen, nachdem Reichsaußenminister sich gestern damit einverstanden erklärt hat. W[alter] beabsichtigt, sich wegen der bei Verhandlungen zu befolgenden Linie vorher mit Ihnen in Verbindung zu setzen."
Bisher sind für Wirtschaftsverhandlungen mit fremden Ländern immer besondere Delegationsführer bezw. Regierungsausschußvorsitzende bestimmt worden, für Dänemark ebenso wie für Schweden, wo auch Ministerialdirektor Walter vom Ernährungsministerium und für Finnland, wo Gesandter Schnurre den Vorsitz in den Regierungsausschüssen führen. Der Grund weshalb nie die Missionschefs mit dieser Aufgabe betraut worden sind, liegt in der Erwägung, daß sie sozusagen als zweite Instanz zur Verfügung stehen sollen, wenn bei Schwierigkeiten in den Verhandlungen Demarchen bei höheren Stellen der Gegenseite nötig werden. Der Reichsbevollmächtigte in Dänemark hat jedoch eine andere Stellung als die eines Missionschefs, und die von ihm beantragte Maßnahme liegt an sich in der gegenüber Dänemark befolgten neuen Linie. Im Handelspolitischen Ausschuß werden vielleicht von inneren Ressorts, besonders vom Reichsernährungsministerium, dagegen Widerstände auftreten, aus dem Gesichtspunkt, daß die dänische landwirtschaftliche Lieferfreudigkeit unter einer solchen Sonderbehandlung leiden könnte und daß es besser sei, die Behandlung der wirtschaftlichen Dinge möglichst aus etwaigen Konflikten herauszuhalten. Solche etwaigen Bedenken müßten mit dem Hinweis auf die besonderen Verhältnisse in Dänemark sowie darauf überwunden werden, daß die Bestellung des Reichsbevollmächtigten zum Regierungsausschußvorsitzenden von der dänischen Öffentlichkeit kaum bemerkt werden wird und deshalb keine besondere stimmungsmäßige Erschwerung verursachen kann.
Ich bitte um Weisung, ob ich die Angelegenheit im Handelspolitischen Ausschuß in diesem Sinn betreiben soll.
Hiermit über Herrn Staatssekretär Herrn Reichsaußenminister vorgelegt.
                    gez. **Wiehl**

70 Trykt ovenfor.

150. Werner Best an das Auswärtige Amt 10. November 1942

Best fremsendte ministerlister for den nye danske regering med karakteristikker af de enkelte ministre ud fra, hvordan han mente deres forhold til Tyskland skulle opfattes i Berlin.

Kilde: PA/AA R 29.566. PKB, 13, nr. 357.

T e l e g r a m m

| Kopenhagen, den | 10. November 1942 | 18.40 Uhr |
| Ankunft, den | 10. November 1942 | 19.30 Uhr |

Nr. 1665 vom 10.11.42.   Cito!

Ministerliste der Regierung Scavenius, bezugnehmend auf heutiges Ferngespräch mit Gesandten von Grundherr:

1.) Staatsminister (Ministerpräsident) und Außenminister: Erik von Scavenius, 65 Jahre, Berufsdiplomat, bisher Außenminister, Partei Radikale Linke, deutschfreundlich.

2.) Finanzminister: Kofoed, 63 Jahre, Schulfachmann, bisher Abteilungsleiter im Finanzministerium, Partei Radikale Linke, gegenüber Deutschland loyal.

3.) Landwirtschaftsminister: Bording, 66 Jahre, Landwirt, bisher Landwirtschaftsminister, Sozialdemokrat, gegenüber Deutschland loyal.

4.) Unterrichtsminister: Dr. Holberg-Christensen, 54 Jahre, Schulfachmann, bisher Inspektor im Unterrichtsministerium, keine Partei, deutschfreundlich.

5.) Arbeitsminister: Kjärböl, 57 Jahre, Gewerkschaftler, bisher Arbeitsminister, Sozialdemokrat, deutschfreundlich.

6.) Sozialminister: Laurits Hansen, 48 Jahre, Gewerkschaftler, bisher Vorsitzender der Vereinigten Gewerkschaften, Sozialdemokrat, deutschfreundlich.

7.) Justizminister: Thune-Jacobsen, 54 Jahre, Polizeijurist, bisher Justizminister, keine Partei, deutschfreundlich.

8.) Verkehrsminister: Elgaard, 63 Jahre, Landwirt, Journalist und Berufspolitiker, bisher Fraktionsvorsitzender der Partei Venstre (Bauern-linke), gegenüber Deutschland loyal.

9.) Minister für öffentliche Arbeiten: Gunnar Larsen, 40 Jahre, Industrieller, bisher Minister für öffentliche Arbeiten und Verkehr, keine Partei, deutschfreundlich.

10.) Innenminister: Jörgensen, 54 Jahre, Schulfachmann, bisher Unterrichtsminister, Partei Radikale Linke, gegenüber Deutschland fügsam.

11.) Handelsminister: Hendriksen, 61 Jahre, Industrieller, bisher Handelsminister, konservative Partei (persönlicher Gegner des Christmas Möller), gegenüber Deutschland fügsam.

12.) Verteidigungsminister: Brorsen, 67 Jahre, Landwirt, bisher Verteidigungsminister, Partei Venstre (Bauern-linke), gegenüber Deutschland fügsam.

13.) Kirchenminister: Holböll, 71 Jahre, Verwaltungsbeamter, bisher Abteilungsleiter im Kirchenministerium, keine Partei, gegenüber Deutschland loyal.

Darstellung des Hergangs der Regierungsbildung und genauerer Charakteristik der Regierung folgt im Schriftbericht.

Dr. Best

151. Werner Best an das Auswärtige Amt 10. November 1942

Fra dansk side frygtede man for tyske krav til den nydannede regerings tiltrædelseserklæring, men frygten
viste sig ubegrundet. Best anlagde ikke en hård linie. Regeringserklæringen var skrevet af Nils Svenningsen
og "skåret over 8. julierklæringens læst med de obligate vendinger om samarbejde, godt naboforhold og
europæisk nyordning." (Kirchhoff). Den indeholdt tillige en udtalelse om sabotagen og "andre forbrydelser"
mod værnemagten, hvilket var første gang i en regeringserklæring. Baggrunden var efterårets sabotagebølge
(Kirchhoff, 1, 1979, s. 74).
    Kilde: PA/AA R 29.566. PKB, 13, nr. 359. ADAP/E, 4, nr. 157.

Telegramm

| Kopenhagen, den | 10. November 1942 | 21.10 Uhr |
| Ankunft, den | 10. November 1942 | 22.50 Uhr |

Nr. 1666 vom 10.11.42.

Zur Regierungsneubildung berichte ich:

1.) Der neue Staatsminister von Scavenius hat mir am heutigen Nachmittag seinen offiziellen Antrittsbesuch gemacht und einsichtige und vertrauensvolle Zusammenarbeit versprochen.

2.) Scavenius hat mir die folgende Regierungserklärung zur Prüfung vorgelegt, der ich zugestimmt habe:

"Wie am 9. ds.Mts. mitgeteilt, haben die Verhältnisse sich so entwickelt, daß ein Regierungswechsel notwendig geworden ist. Dieser Regierungswechsel hat in einer für das Land ernsten Situation stattgefunden. Die neu gebildete Regierung, die jetzt ihre Funktionen übernommen hat, wird nach innen die bisher geführte Politik fortsetzen, indem sie ihre Aufmerksamkeit auf alle Erscheinungen auf wirtschaftlichem, finanziellem und beschäftigungsmäßigem Gebiet hier im Lande richten und auf diesen Gebieten für eine gesunde und für Land und Volk nützliche Entwicklung arbeiten wird. Nach außen wird die Regierung es als ihre wichtigste Aufgabe ansehen, für eine Stärkung und Befestigung des guten und freundnachbarlichen Verhältnisses zwischen Dänemark und Deutschland zu wirken und eine gegenseitige, vertrauensvolle Zusammenarbeit zu fördern in dem Wunsche, weitere Entwicklungsmöglichkeiten zu schaffen für die befruchtende Wechselwirkung zwischen dänisch und deutsch, die durch die Zeiten so große Bedeutung gehabt hat.

In Erkenntnis der europäischen Schicksalsgemeinschaft ist sich die Regierung der Verantwortung bewußt, die auch ein kleines Land wie Dänemark im Hinblick auf den Aufbau des kommenden neuen Europas hat, und sie wird nach Kräften ihre Mitwirkung zur Lösung solcher Aufgaben, die in dieser Verbindung unserem Lande natürlicherweise zufallen werden, zur Verfügung stellen.

Die Regierung wird die Aufrechterhaltung von Ruhe und Ordnung im Land sichern. Sie wird Sabotagen und andere Verbrechen, die sich direkt oder indirekt gegen die Besatzungstruppen richten, nicht dulden; der Standpunkt der Regierung gegenüber dem Kommunismus ist klar. Seit Annahme des Gesetzes vom 22. August 1941 ist kommunistische Betätigung hier im Lande ungesetzlich. Das fand seine Bekräftigung durch den Eintritt Dänemarks in den Antikominternpakt, dem zufolge die dänische Regierung verpflichtet ist, auf dänischem Gebiet die auflösende und zersetzende Tätigkeit der kommunistischen Internationale zu bekämpfen."

Pressemäßige Auswertung der Regierungserklärung, die heute im dänischen Rundfunk bekanntgegeben wurde, vom 4.-9. Satz bitte ich zu erwägen.

3.) Scavenius hat mir weiter den folgenden Text eines Telegramms an den Herrn Reichsaußenminister vorgelegt, gegen den ich keine Einwendungen zu erheben hatte:

"In dankbarer Erinnerung unserer Besprechung am 2. November beehre ich mich, Euer Exzellenz mitzuteilen, daß ich am heutigen Tage das Amt des Staats- und Außenministers im neu gebildeten Kabinett übernommen habe. Als verantwortlicher Leiter der Politik Dänemarks werde ich es nach außen hin als meine erste Aufgabe betrachten, im Verfolg meiner bisherigen Linie mich für eine gegenseitig vertrauensvolle und freundschaftliche Zusammenarbeit zwischen Dänemark und Deutschland im neuen Europa einzusetzen. Für Ihr wohlwollendes Verständnis für die hiesige Lage spreche ich Euer Exzellenz meinen aufrichtigen Dank aus und verbleibe in ausgezeichnetster Hochachtung Ihr sehr ergebener (gez.) Erik von Scavenius."

Dr. Best

152. Werner Best an das Auswärtige Amt 11. November 1942

Best kom til København med pålæg om ikke at aflægge Christian 10. officielt besøg. Som en tysk demonstration var Best heller ikke som sin forgænger udnævnt til gesandt, men alligevel var kongens ve og vel naturligvis et politisk anliggende, der blev rapporteret om. Best ønskede at holde emnet i live og at få normaliseret forholdet til kongehuset (se telegrammerne 31. december 1942, 16. og 28. januar og 4. februar 1943, Thomsen 1971, s. 132).
Kilde: PA/AA R 29.566. RA, pk. 202.

Telegramm

| Kopenhagen, den | 11. November 1942 | 13.00 Uhr |
| Ankunft, den | 11. November 1942 | 13.40 Uhr |

Nr. 1669 vom 11.11.42.

Im Anschluß an Drahtbericht Nr. 1613[71] vom 1.11.

Nach gestern Nachmittag erfolgter abschließender Untersuchung ist über Gesundheitszustand Königs folgendes Bulletin veröffentlicht worden:

"Der König befindet sich in gleichmäßig fortschreitender Besserung und ist heute ein wenig aufgestanden, wobei er sich wohl fühlte. Eine heute durchgeführte Untersuchung hat ergeben, daß die Verletzungen am Kopf geheilt sind. Die Lungenentzündung ist verschwunden und die Herztätigkeit normal. Ein Bruch der linken Knieschale heilt natürlich. Der König befindet sich nunmehr in voller Rekonvaleszenz. Weitere Bulletins werden daher nicht mehr ausgegeben."

Dr. Best

---

71 bei Pol. VI. Indberetninger er ikke lokaliseret.

153. Werner Best an das Auswärtige Amt 11. November 1942

Best bad om, at vedligeholdelsen af krigergravene i Danmark forblev den rigbefuldmægtigedes opgave som aftalt 3. juli 1941. Hans begrundelse var, at det ikke var i samklang med opgaven, at WB Dänemark tog sig af de engelske krigergrave, og at det af politiske grunde ikke kunne overlades danskerne.

  Best fik svar fra AA 1. februar 1943. Se AA til OKW samme dag.

  Kilde: RA, pk. 285.

Der Bevollmächtigte des Deutschen Reiches   *Kopenhagen, den 11. November 1942.*
378 R 2 Kg/42.
Unter Bezugnahme auf den Erlaß
vom 12. Oktober 1942 – R 23854 – [72]

An das Auswärtige Amt
  Berlin

Betrifft: Pflege englischer Kriegergräber in Dänemark.

Meine Dienststelle hat auf Grund des Erlasses vom 3. Juli 1941 – R 19426 – vom Befehlshaber der deutschen Truppen in Dänemark die Pflege aller bis dahin von ihm betreuten Kriegergräber übernommen. Dazu gehörten auch die in Dänemark befindlichen Gräber englischer Wehrmachtangehöriger.

  Ich bitte, an dieser Regelung festhalten zu dürfen, da eine Wiederbetrauung des Befehlshaber mit der Pflege der englischen Kriegergräber nicht mit den Grundgedanken in Einklang stehen würde, die für die Übertragung der Pflege der Kriegergräber überhaupt an meine Dienststelle maßgebend waren, und eine Überlassung der Pflege englischer Kriegergräber an dänische Stellen aus politischen Gründen nicht erwünscht ist.

  Für eine entsprechende neuerliche Weisung wäre ich dankbar.

W. Best

154. Hugo Hensel an das Auswärtige Amt 11. November 1942

Frikorps Danmarks orlov i Danmark i efteråret 1942 blev både et politisk og økonomisk anliggende for Det Tyske Gesandtskab. Paradeforestillingen affødte en regning til den danske Nationalbank, som blev opgjort af gesandtskabsråd Hugo Hensel på Bests vegne (se Bests telegram 18. december 1942).

  Kilde: RA, pk. 225. LAK, Frits Clausen-sagen XIV/342.

Deutsche Gesandtschaft   *Kopenhagen, den 11. November 1942.*
Nr. Pers. R/17d.

An das Auswärtige Amt,
  Berlin

Im Anschluß an den Bericht vom 16.9. ds.Js. – Wi/3628/42. –

72 Skrivelsen er ikke lokaliseret.

Betr.: Abrechnung über Zahlungen für Freikorps Danmark.
2 Anlagen
2 Durchschläge

Die von Danmarks Nationalbank für Zwecke des Freikorps Danmark vorgeschossenen d.Kr. 200.000,- sind wie folgt verwendet worden:

1.) d.Kr. 170.000,- zur Umwechselung von Wehrsoldersparnissen der Angehörigen des Freikorps,
2.) d.Kr. 13.311,39 für die Werbeveranstaltungen des Freikorps in Dänemark,
3.) d.Kr. 16.688,61 sind in der Gesandtschaftskasse verblieben und als Auftragseinnahme in Teil I der Abrechnung verbucht worden.

Abschrift der Empfangsbestätigung über die Summe zu 1.) ausgestellt von dem zuständigen SS-Führer, Hauptsturmführer Beyer, füge ich hier bei. Empfangsbestätigungen und Abrechnung über die Summe zu 2.) werden gleichfalls beiliegend überreicht.

Die Erstattung der von Danmarks Nationalbank vorgeschossenen Summe ist bis jetzt noch nicht erfolgt, obwohl der Hauptsturmführer Beyer wiederholt auf die Notwendigkeit einer baldigen Einzahlung des Reichsmarkgegenwertes in Deutschland hingewiesen worden ist.

Ich darf bitten, die Abrechnung, die die Waffen SS-Dienststelle Dänemark aufgestellt hat, der Reichsführung SS zuzuleiten und diese zu veranlassen, den Gesamtgegenwert von d.Kr. 200.000,- bei der Deutschen Verrechnungskasse zur Gutschrift für Danmarks Nationalbank einzuzahlen. Von der Legationskasse würden dann RM 8.711,50 als Gegenwert des Betrages unter 3.) zur Deckung dieser hier vereinnahmten Restsumme an die Reichsführung SS zurückzuvergüten sein.

I.A.
D. Hensel

155. Werner Best an das Auswärtige Amt 11. November 1942

Forhandlingerne om dannelsen af en ny dansk regering var efter tysk ønske sket under et stærkt tidspres. Efter at have afsluttet forhandlingerne fik Best tid til en mere detaljeret redegørelse for forløbet og at uddybe karakteristikkerne af de enkelte ministre uden i substansen at tilføje noget til de tidligere givne meldinger. Dog blev mødet med Frits Clausen om en eventuel nazistisk regeringsdeltagelse omtalt, og Best gav udtryk for, at de to var fuldt enige om, at det ikke skulle være tilfældet. Der er ingen tvivl om at Best havde trumfet sin vilje overfor Frits Clausen igennem, hvad denne end måtte have ment i spørgsmålet.[73] Her blev også plads til en gengivelse af den fuldmagtserklæring til regeringen, der var krævet fra tysk side, og som blev vedtaget i Folketinget 11. november. Den gav regeringen bemyndigelse til at handle uden forudgående tilsagn fra Rigsdagen (om det danske syn på regeringsforhandlingerne, se KB, Gunnar Larsens dagbog 4.-11. november 1942, Scavenius 1948, s. 156-164, Munch 1967, s. 385-419, Sjøqvist, 2, 1973, s. 208-224, Kirchhoff, 1, 1979, s. 54-85. Overtaget af Herbert 1996, s. 334-336 i knap form).
    Kilde: PA/AA Nachlässe Renthe-Fink, bd. 6. PKB, 13, nr. 361. Best 1988, s. 259-264.

73 Best havde mødt Frits Clausen på tomandshånd straks efter sin ankomst til København den 5. november (Poulsen 1970, s. 350f.), men indtrykket var ikke gunstigere, end at Scavenius allerede dagen efter kunne videregive det indtryk, at Best ikke ville presse en nazistisk regeringsdeltagelse igennem (Gunnar Larsens dagbog anf. dato).

Geheim!   Durchschlag
Der Bevollmächtigte des Deutschen   *Kopenhagen, d. 11. November 1942.*
Reiches in Dänemark
556/42

An das Auswärtige Amt,
    Berlin.

Betrifft: Die Umbildung der dänischen Regierung
    2 Durchschläge
    1 Anlage (fünffach)

1.) Wenige Stunden nach meiner Ankunft in Kopenhagen am 5.11.1942 erschien ver-
    einbarungsgemäß der Außenminister von Scavenius bei mir, um mir zu berichten,
    wie sich die Frage der Regierungsumbildung entwickelt habe, seit er am 3.11.1942
    von Berlin zurückgekehrt war.

    Er teilte zunächst mit, daß auf dänischer Seite der dringende Wunsch bestehe,
    daß ich den derzeitigen Staatsminister Buhl zu einer Aussprache empfinge. Ich lehn-
    te dieses ab mit der Begründung, daß ich mit dem Staatsminister, dessen Rücktritt
    der Herr Reichsaußenminister gefordert habe, nicht mehr in Verhandlungen eintre-
    ten könne.

    Von Scavenius bat nunmehr dringend darum, daß von der Forderung, daß er
    die neue Regierung bilde, Abstand genommen werden möge. Er begründete seine
    Ablehnung wie folgt:
    a.) Er sei zu alt, um in einer so schwierigen Lage an die Spitze der Regierung zu tre-
        ten.
    b.) Er sei während seines ganzen Lebens nur Diplomat gewesen und verstehe nichts
        von den inneren Staatsgeschäften.
    c.) Er finde keine Resonanz bei den Parteien und beim Reichstag.
    d.) Er gelte, wenn er auf deutsche Forderung hin als Staatsminister berufen werde, in
        seinem Lande als Verräter, der sich in Berlin den Deutschen verkauft habe.
    Auf meine Gegenfrage, wen er denn an seiner Stelle als Staatsminister vorschlage,
    nannte von Scavenius den Staatsbankdirektor Bramsnäs und bat dringend, daß ich
    diesen zu einer Aussprache empfangen möge. Da mir Bramsnäs unbekannt war, be-
    hielt ich mir meine Entscheidung vor.

2.) Meine Erkundigungen über Bramsnäs ergaben, daß er zwar Sozialdemokrat sei, daß
    aber von deutscher Seite keine Bedenken gegen ihn bestünden. Er sei bereits vor län-
    gerer Zeit von deutscher Seite als Nachfolger des Staatsministers Stauning ins Auge
    gefaßt worden.

    Ich entschloß mich nunmehr, durch scheinbares Eingehen auf die dänischen Vor-
    schläge klar zu stellen, welche Möglichkeiten einer Regierungsneubildung auf dieser
    Linie bestünden. Ich teilte deshalb noch am Abend des 5.11.1942 dem Außenmi-

nister von Scavenius mit, daß ich bereit sei, den Staatsbankdirektor Bramsnäs zu empfangen.

Bramsnäs, der am Vormittag des 6.11.1942 bei mir erschien, machte den Eindruck eines alten Mannes, der körperlich schwach und politisch unsicher ist. Er erklärte zunächst, daß er wegen seines Alters und wegen der Wichtigkeit seiner Aufgabe in der Staatsbank es für richtig halte, wenn ein anderer zum Staatsminister ernannt werde. Im Laufe des Gesprächs ließ er sich aber doch auf sachliche Erörterungen über die Regierungsbildung ein und stellte beim Abschied konkrete Vorschläge in Aussicht.

Gegen Abend des 6.11.1942 wurde mir mittelbar bekannt, daß Bramsnäs die Bildung der Regierung abgelehnt habe, es verlautete, er habe im Laufe des Tages einen Nervenzusammenbruch erlitten.

Am späten Abend des 6.11.1942 wurde durch den Ministerialdirektor Svenningsen im Außenministerium bei mir angefragt, ob ich geneigt sei, eine Kandidatur des Vorsitzenden des Landwirtschaftsrates Hauch zuzulassen. Nachdem ich durch Erkundigungen festgestellt hatte, daß Hauch wegen seiner ablehnenden Einstellung gegenüber dem Reiche untragbar sei, lehnte ich jede Erörterung über seine Kandidatur ab und ersuchte um den Besuch des Außenministers von Scavenius am folgenden Vormittag.

3.) Als am Vormittag des 7.11.1942 der Außenminister von Scavenius bei mir erschien, zeigte ich mich sehr entrüstet darüber, daß man mich einen ganzen Tag zwecklos hingehalten habe und erklärte ihm, daß ich nunmehr fordern müsse, daß er die Bildung der neuen Regierung übernehme. Nach einigen Einwendungen erklärte von Scavenius sich hierzu bereit. Er bat aber dringend, daß ich hinsichtlich der einzelnen Minister möglichst weitgehend seinen Vorschlägen entgegenkommen möchte, damit er, der bei der Mehrheitsparteien des Reichstags und in der Öffentlichkeit durchaus unbeliebt sei, doch eine legale Regierung bilden könne.

Ich bat ihn, mir möglichst noch am gleichen Tage seine Vorschläge zu übermitteln.

4.) Inzwischen hatte ich mit dem Parteiführer des DNSAP Dr. Frits Clausen die Frage erörtert, ob Angehörige seiner Partei oder ihr nahestehende Persönlichkeiten als Minister aufgezwungen werden sollten. Es wurde volle Einigkeit darüber erzielt, daß hiervon abzusehen sei. Denn es wäre nicht nur die Bildung einer legalen Regierung unmöglich gemacht worden, sodaß nur ein geschäftsführendes Kabinett hätte gebildet werden können, das wiederum den nationalsozialistischen Ministern keine politische Auswirkung ermöglicht hätte. Dr. Clausen stellte sich vielmehr auf den Standpunkt, daß lieber die Träger des bisherigen Systems die unangenehmen Belastungen auf sich nehmen sollten, die der jetzt zu bildenden Regierung nicht erspart bleiben könnten. Dr. Clausen zieht es vor, freie Hand zu behalten und die kommende Zeit zu benutzen, um seine Bewegung im Lande vorwärts zu treiben.

5.) Im Laufe des 7.11.1942 hat von Scavenius mir nach und nach Vorschläge für die Besetzung der einzelnen Ministerien übermittelt.

Den Vorschlag, dem bisherigen Staatsminister Buhl das von ihm früher geleitete Finanzministerium wieder zu übertragen, lehnte ich ab, obwohl von Scavenius eindringlich geltend machte, daß ihm hierdurch die Regierungsbildung sehr erleichtert würde. Ebenso erklärte ich den bisherigen Finanzminister Andersen (deutschfeindlicher Sozialdemokrat) und den Kirchenminister Fibiger (deutschfeindlicher Konservativer) für gänzlich untragbar. Den bisherigen Unterrichtsminister Jörgensen wollte ich ebenfalls nicht mehr zulassen –. Da aber Scavenius ihn als Fraktionsvorsitzenden seiner eigenen Partei (Radikale Linke) als unentbehrlich bezeichnete, machte ich zur Bedingung, daß Jörgensen das Unterrichtsministerium, durch das er die Jugend ungünstig beeinflussen könnte, abzugeben habe.

In der Nacht vom 7. auf 8.11.1942 um 1.30 Uhr ließ mir von Scavenius mitteilen, daß er mit den beteiligten politischen Faktoren – Neunerausschuß des Reichstags und König – über die Bildung der neuen Regierung einig geworden sei. Nachträglich verlautete, daß der König selbst, als von Scavenius wegen der ihm von den Parteien bereiteten Schwierigkeiten die Regierungsbildung doch noch ablehnen wollte, ihn bestimmt habe, die Regierung zu bilden.

Gleichzeitig wurde mir mitgeteilt, daß der Neunerausschuß der Reichstagsparteien zugesagt habe, daß der Reichstag, der neuen Regierung das geforderte Ermächtigungsgesetz zur Aufrechterhaltung von Ordnung und Sicherheit gewähren werde.

6.) Die dem neuen Kabinett angehörenden Minister sind wie folgt zu charakterisieren:
   a.) Staatsminister und Außenminister Erik von Scavenius:
       geboren 13.6.1877 in Kopenhagen. 1906-08 Legationssekretär in Berlin. 1909-10 Außenminister in der ersten Regierung Zahle. 1912 Gesandter in Wien und Rom.
           1913-20 Außenminister in der zweiten Regierung Zahle. 1924-32 Gesandter in Stockholm. Seit 1940 Außenminister in der zweiten Regierung Stauning und in der Regierung Buhl.
           Angehöriger der Partei Radikale Linke, gegenüber Deutschland stets positiv eingestellt –. Bereits während des 1. Weltkrieges gute Zusammenarbeit und freundschaftliche Beziehungen mit dem Deutschen Gesandten Grafen Brockdorff-Rantzau. Seit der Besetzung Dänemarks Verständnis für die deutschen Forderungen. Kühles Verhältnis zum Königshaus –. Während der letzten Krise Kritik an der Dynastie in einer Presseinformation. Bei den Parteien und in der Öffentlichkeit unbeliebt.
   b.) Finanzminister Kofoed:
       geboren 11.3.1879 in Östermarie auf Bornholm. 1900 Volksschullehrer-Examen, 1903 Maturitätsprüfung, 1908 Staats-Examen für Höhere Lehrertätigkeit, 1909-20 Lehrer an der Höheren Schule in Rönne.
           Angehöriger der Partei Radikale Linke. 1913-20 Reichstagsabgeordneter für den Aakirkeby Kreis.
           Seit 1919 Vorsitzender des Staatlichen Lohnausschusses. Seit 1924 Chef des

1. Departements im Finanzministerium.

Gilt als Fachminister. Gegenüber Deutschland loyal.

c.) Landwirtschaftsminister Bording:

geboren 11.4.1876 in Kragelund. Seit 1903 selbständiger Landwirt.

Angehöriger der Sozialdemokratischen Partei.

Seit 1920 Reichstagsabgeordneter. 1924-26 Landwirtschaftsminister in der ersten Regierung Stauning. Seit 1929 ständig Landwirtschaftsminister.

Durch lange Übung in die Aufgaben des Landwirtschaftsministers einge-wöhnt. Als besonderer Förderer der Klein- und Kleinstlandwirtschaft von ande-ren Kreisen der Landwirtschaft öfter angegriffen. Schon bisher gegenüber deut-schen Forderungen und Wünschen stets fügsam.

d.) Unterrichtsminister Dr.phil. Höjberg-Christensen:

geboren 5.4.1888 in Aalborg. Als tüchtiger Schulfachmann zum Inspektor im Unterrichtsministerium avanciert.

Wissenschaftlich und kulturpolitisch eindeutig nach Deutschland orientiert. Untersuchungen über die Lübecksche Kanzleisprache, viele Reisen nach Deutsch-land, häufiger Gast bei der Nordischen Gesellschaft und bei deutschen Univer-sitäten. Interesse für deutsch-dänischen Lehrer- und Schüleraustausch. Seit der Besetzung aus dänischen Lehrerkreisen wegen deutschfreundlicher Einstellung angefeindet.

e.) Arbeitsminister Kjärböl:

geboren 23.9.1885 in Kopenhagen. Von Beruf Schmied, gewerkschaftlich tätig. 1926 Vorsitzender des dänischen Schmiede- und Maschinenarbeiterverbandes. Angehöriger der Sozialdemokratischen Partei.

Seit 1935 Reichstagsabgeordneter. Exponent des fachlichen Flügels der Par-tei.

Deutschfreundlich, schon als Handelsminister 1935 für Zusammenarbeit mit Deutschland eingetreten. Im September 1942 Reise nach Berlin zum Studium der Deutschen Arbeitsfront. Vortrag im Rahmen der Nordischen Verbindungs-stelle.

f.) Sozialminister Laurits Hansen:

geboren 24.10.1894 in Kjelstrup bei Slagelse. 1925-36 Vorsitzender des däni-schen Kessel- und Maschinenaufseher-Verbandes. 1936-39 Sekretär der Vereinig-ten Gewerkschaften. Seit 1939 Vorsitzender derselben.

Angehöriger der Sozialdemokratischen Partei. Exponent der fachlichen Orga-nisation und sehr um das Wohl der Arbeiter bemüht.

Seit 1940 aus Einsicht und Überzeugung deutschfreundlich. 1940 Teilnahme an einer von der DAF veranstalteten Studienreise dänischer Gewerkschaftsführer nach Deutschland.

g.) Justizminister Thune-Jacobsen:

geboren 1.10.1888 in Kopenhagen. Jurist. Von Anfang seiner Laufbahn an in der Polizei tätig. 1933 Chef der Staatspolizei und Polizeidirektor in Kopenhagen. 1937 Reichspolizeichef. 1941 Justizminister. Parteilos.

Ausgesprochen deutschfreundlich. Korrespondierendes Mitglied der Akademie für Deutsches Recht.

h.) Verkehrsminister Elgaard:
geboren 1.2.1879. 1906-13 in der Landwirtschaft tätig. 1916-22 Schriftleiter beim "Randers Venstre-Blad." Seit 1922 Schriftleiter beim "Randers Dagblad."

Angehöriger der Venstre-Partei. 1912-15 Vorsitzender der Jugendorganisation. Seit 1922 Reichstagsabgeordneter. Seit 1940 Fraktionsvorsitzender und Mitglied des Neunmänner-Ausschusses der Reichstagsparteien.

Ruhiger und ausgeglichener Politiker. Gegenüber Deutschland mindestens loyal.

i.) Minister für Öffentliche Arbeiten Gunnar Larsen:
geboren 10.1.1902 in Frederiksborg. Inhaber eines großen Zementkonzerns. Seit 1940 Minister für Öffentliche Arbeiten und Verkehr. Parteilos.

Deutschfreundlich und bestrebt, in dänischen Kreisen aufklärend für Deutschland zu wirken. Beteiligt an der Bildung des Ostausschusses im dänischen Außenministerium –. Mit dem Vorsitzenden des Ausschusses Juncker 1942 Studienreise zum Reichskommissariat Ostland.

j.) Innenminister Jörgen Jörgensen:
geboren 19.5.1888 in Kornerup. Früher Leiter verschiedener Schulvereinigungen. Seit 1935 Unterrichtsminister.

Angehöriger der Partei Radikale Linke. Seit 1928 Reichstagsabgeordneter. Fraktionsvorsitzender.

Von deutscher Seite mit einem gewissen Mißtrauen betrachtet. Auf Wunsch des Staatsministers von Scavenius in der Regierung belassen, jedoch auf deutsche Forderung nicht in dem für die Jugendführung wichtigen Unterrichtsministerium, sondern in dem bedeutungslosen (da Polizei vom Justizministerium ressortiert) Innenministerium.

k.) Handelsminister Halfdan Hendriksen:
geboren 12.11.1881 in Kopenhagen. Früher in Schiffahrt und Fischindustrie tätig. Eigenes Import- und Exportgeschäft auf Island und Grönland. Vorsitzender wirtschaftlicher Vereinigungen.

Seit 1940 Handelsminister. Wirtschaftspolitisch Vertreter des Großhandels.

Angehöriger der Konservativen Partei. Seit 1924 Reichstagsabgeordneter. Innerhalb der Konservativen Partei persönlicher Gegner des ehemaligen Handelsministers Christmas Möller.

Gegenüber deutschen Forderungen und Wünschen verständnisvoll und loyal.

l.) Verteidigungsminister Brorsen:
geboren 1.7.1875 in Farup bei Ribe. Landwirt.

Angehöriger der Venstre-Partei. Seit 1906 Reichstagsabgeordneter. 1922-24 Verteidigungsminister in der Regierung Neergaard. 1926-29 Verteidigungsminister in der Regierung Madsen-Mygdal. Seit 1940 wiederum Verteidigungsminister.

Gegenüber Deutschland zurückhaltend, hat vor kurzem im Ministerrat den Antrag gestellt, das dänische Heer aufzulösen und – nach Ablehnung – den weiteren Antrag, die Ausbildungszeit auf die Hälfte herabzusetzen und die bis jetzt ausgebildeten Soldaten sofort zu entlassen, was ebenfalls abgelehnt wurde.

m.) Kirchenminister Holböll:
geboren 14.12.1871 in Frederiksborg. Verwaltungsbeamter. Fast ausschließlich im Unterrichtsministerium und im Kirchenministerium beschäftigt gewesen. Seit 1923 Abteilungsleiter im Kirchenministerium. Im vorigen Jahr fällige Pensionierung wegen seiner besonderen Fachkenntnisse zurückgestellt. Parteilos. Gegenüber Deutschland stets korrekt.

7.) Am 9.11.1942 wurde die Regierungsumbildung amtlich bekannt gegeben. Ich gab nunmehr an alle deutschen Dienststellen (einschließlich Wehrmacht) in Dänemark die folgende Sprachregelung aus:

"a.) Der Rücktritt der bisherigen dänischen Regierung war notwendig als sichtbares Zeichen dafür, daß eine Zeit der Unklarheit und Spannung, verursacht durch mangelnden guten Willen auf dänischer Seite, abgelöst werden soll durch eine Zeit aufrichtigerer und engerer Zusammenarbeit Dänemarks mit dem Großdeutschen Reiche.

b.) Die neue dänische Regierung ist verfassungsmäßig und mit Zustimmung der Parteien, die die Mehrheit des dänischen Reichstages darstellen, gebildet – also nicht von deutscher Seite oktroyiert worden. Sie wird von deutscher Seite danach beurteilt werden, in welchem Maße sie in loyaler Zusammenarbeit mit dem Bevollmächtigten des Reiches den Notwendigkeiten der deutschen Kriegsführung genügen und für stete Verbesserung des politischen Verhältnisses zwischen den beiden Ländern sorgen wird.

c.) Die Stellungnahme jedes Repräsentanten des Reiches und jedes Reichsdeutschen zum Lande Dänemark und seiner Bevölkerung hat zum Ausdruck zu bringen, daß Deutschland von dem stammverwandten Nachbarland Verständnis und Mitarbeit für seinen gegenwärtigen Kampf erwartet und Feindseligkeiten mit entsprechenden Maßnahmen beantworten wird."

8.) Am 10.11.1942 machte mir der neue Staatsminister und Außenminister von Scavenius seinen offiziellen Antrittsbesuch. Er bat zugleich um meine Zustimmung, die ich erteilte, zu der folgenden Regierungserklärung:[74]

"Wie am 9. ds.Mts. mitgeteilt, haben die Verhältnisse sich so entwickelt, daß ein Regierungswechsel notwendig geworden ist. Dieser Regierungswechsel hat in einer für das Land ernsten Situation stattgefunden. Die neu gebildete Regierung, die jetzt ihre Funktionen übernommen hat, wird nach innen die bisher geführte Politik fortsetzen, indem sie ihre Aufmerksamkeit auf alle Erscheinungen auf wirtschaftlichem, finanziellem und beschäftigungsmäßigem Gebiet hier im Lande richten und auf diesen Gebieten für eine gesunde und für Land und Volk nützliche Entwicklung arbeiten wird.

Nach außen wird die Regierung es als ihre wichtigste Aufgabe ansehen, für eine Stärkung und Befestigung des guten und freundnachbarlichen Verhältnisses zwi-

74 Trykt på dansk hos Alkil, 1, 1945-46, s. 208f. og Scavenius 1948, s. 165f.

schen Dänemark und Deutschland zu wirken und eine gegenseitige vertrauensvolle Zusammenarbeit zu fördern in dem Wunsche, weitere Entwicklungsmöglichkeiten zu schaffen für die befruchtende Wechselwirkung zwischen Dänisch und Deutsch, die durch die Zeiten so große Bedeutung gehabt hat.

In Erkenntnis der europäischen Schicksalsgemeinschaft ist sich die Regierung der Verantwortung bewußt, die auch ein kleines Land wie Dänemark im Hinblick auf den Aufbau des kommenden neuen Europas hat, und sie wird nach Kräften ihre Mitwirkung zur Lösung solcher Aufgaben, die in dieser Verbindung unserem Lande natürlicherweise zufallen werden, zur Verfügung stellen.

Die Regierung wird die Aufrechterhaltung von Ruhe und Ordnung im Lande sichern. Sie wird Sabotagen und andere Verbrechen, die sich direkt oder indirekt gegen die Besatzungstruppen richten, nicht dulden.

Der Standpunkt der Regierung gegenüber dem Kommunismus ist klar. Seit Annahme des Gesetzes vom 22. August 1941 ist kommunistische Betätigung hier im Lande ungesetzlich. Das fand seine Bekräftigung durch den Eintritt Dänemarks in den Antikominternpakt, demzufolge die dänische Regierung verpflichtet ist, auf dänischem Gebiet die auflösende und zersetzende Tätigkeit der kommunistischen Internationale zu bekämpfen."

9.) Weiter gab er mir seine Absicht bekannt, das folgende Telegramm an den Herrn Reichsaußenminister zu senden, gegen das ich Bedenken nicht zu äußern hatte:

"In dankbarer Erinnerung unserer Besprechung am 2. November beehre ich mich, Euer Exzellenz mitzuteilen, daß ich am heutigen Tage das Amt des Staats- und Außenministers im neu gebildeten Kabinett übernommen habe. Als verantwortlicher Leiter der Politik Dänemarks werde ich es nach außen hin als meine erste Aufgabe betrachten, im Verfolg meiner bisherigen Linie mich für eine gegenseitig vertrauensvolle und freundschaftliche Zusammenarbeit zwischen Dänemark und Deutschland im neuen Europa einzusetzen. Für Ihr wohlwollendes Verständnis für die hiesige Lage spreche ich Euer Exzellenz meinen aufrichtigen Dank aus und verbleibe in ausgezeichnetster Hochachtung Ihr sehr ergebener
        gez. Erik von Scavenius."

10.) Der Staatsminister von Scavenius hat mir versichert, daß noch nie in Dänemark eine Regierung so schnell gebildet worden sei wie die seine.

11.) Das Ermächtigungsgesetz ist heute – am 11.11.1942 – vom Reichstag angenommen worden. Der Wortlaut ist beigefügt.[75]
        gez. **Dr. Best**

Zeitweiliges Gesetz
über Ermächtigung der Regierung, Bestimmungen zur Aufrechterhaltung von Ruhe, Ordnung und Sicherheit zu treffen

---

75 Midlertidig lov nr. 452 er trykt på dansk hos Alkil, 1, 1945-46, s. 75. Loven blev ophævet 7. maj 1945.

§ 1.

Die Regierung wird ermächtigt, durch Königliche Anordnung Verbote oder Gebote zur Aufrechterhaltung von Ruhe, Ordnung und Sicherheit in dem Umfange zu erlassen, in welchem es notwendig erscheint, Handlungen entgegenzuwirken, die bei den vorliegenden ernsten Verhältnissen und der Besetzung des Landes durch deutsche Truppen geeignet sind, die Interessen des Landes in Gefahr zu bringen.

§ 2.

Die Strafe für Übertretung einer in Verfolg des § 1 erlassenen Anordnung wird in der Anordnung innerhalb der im 6. Kap. des Bürgerlichen Strafgesetzes angegebenen Rahmen festgesetzt. Weiter können in der Anordnung besonders Regeln für die Behandlung und Aburteilung von die Übertretung ihrer Bestimmungen betreffenden Sachen festgesetzt werden.

§ 3.

Über die in Verfolg des § 1 erlassenen Anordnungen wird einem vom Reichstag nach den Regeln des § 49 der Verfassung gewählten Ausschuß Mitteilung gegeben, der verlangen kann, daß ihm nähere Aufklärungen über die Verhältnisse vorgelegt werden, die zum Erlaß der Anordnung geführt haben.

§ 4.

Dieses Gesetz, das nicht für die Färöer gilt, tritt sofort in Kraft. Durch Königliche Anordnung kann Bestimmung über seinen Fortfall getroffen werden. Im Falle des Regierungswechsels hat das Gesetz nur dann weiter Gültigkeit, wenn es durch Beschluß beider Tings des Reichstages bestätigt wird; die in Verfolg des Gesetzes erlassenen Anordnungen bleiben jedoch in Kraft, bis sie durch Königliche Anordnung oder Gesetz aufgehoben werden.

156. Werner Best an das Auswärtige Amt 12. November 1942

Statsminister Scavenius fulgte regeringserklæringen op med en udtalelse i tingene den 11. november, hvis indhold ikke var forelagt Best først. Best valgte heller ikke at kommentere udtalelsen overfor AA, selv om især Scavenius' ord om, at regeringen følte sig forpligtet overfor Rigsdagen kunne have givet anledning dertil. Det gik på tværs af de tyske hensigter med kravet om fuldmagtsloven.

Kilde: PA/AA R 29.566. RA, pk. 202

Telegramm

| Kopenhagen, den | 12. November 1942 | 08.50 Uhr |
| Ankunft, den | 12. November 1942 | 09.35 Uhr |

Nr. 1674 vom 11.11.[42.]

In heutiger Sitzung Dänischen Reichstages abgab Staatsminister Scavenius folgende Erklärung:[76]

"Nach dem Rücktritt des Kabinetts Buhl hat der König mich mit der Bildung eines neuen Ministeriums beauftragt. Dieses Ministerium hat nun seine Geschäfte aufgenommen und zwar mit voller Zustimmung der Parteien, die meinem Vorgänger ihre Unterstützung zuteil werden ließen. Zur Frage der von der neuen Regierung zu führenden Politik verweise ich auf die gestern veröffentlichte Erklärung der gesamten Regierung, eine Erklärung, die die politische Linie weiterzieht, die in den früheren Regierungserklärungen zum Ausdruck kam und die ihren sichtbaren Ausdruck in der Erklärung fand, die ich am 8. Juli 1940 als Außenminister mit Zustimmung der gesamten Regierung abgab. Ich will hier nicht die gestrige Erklärung wiederholen, die den einheitlichen Wunsch der gesamten Regierung zum Ausdruck bringt, einen Wunsch, der, wie ich überzeugt bin, vom ganzen dänischen Volk geteilt wird, und darauf abzielt, daß in Dänemark eine Politik geführt werden muß, die mit den politischen und wirtschaftlichen Bedingungen übereinstimmt. Ferner haben wir den Hintergrund unserer Geschichte sowie die weltbewegenden Ereignisse dieser Jahre auf dem europäischen Kontinent zu berücksichtigen. Wir müssen den bestgeeigneten Weg finden, um Dänemark durch die gegenwärtigen Schwierigkeiten zu führen und um das Weiterbestehen Dänemarks als freies und selbständiges Volk zu sichern. Die neue Regierung geht in einer Zeit an die Arbeit, die auch für unser Land schwer und ernst ist. Wir stehen an der Schwelle des vierten Kriegswinters, und die Besetzung hat jetzt mehr als zweieinhalb Jahre gedauert. Es muß festgestellt werden, daß Dänemark nicht ohne Schwierigkeiten durch diese Zeit gekommen ist, aber doch besser, als man anfangs zu hoffen gewagt hatte. Die korrekte und rücksichtsvolle Haltung die in den vergangenen zweieinhalb Jahren von den Besatzungstruppen eingenommen wurde, hat wesentlich dazu beigetragen. Obwohl die Absperrung sich in weitem Maße auf unser Erwerbsleben auswirkt und vor allem eine Umstellung auf vielen Gebieten erforderlich gemacht hat, ist die wirtschaftliche Struktur Dänemarks nicht erschüttert. Unser gesamter Produktionsapparat ist in guter Verfassung. Wir haben allen Grund, uns diese Tatsache zu vergegenwärtigen und sind zu der Hoffnung berechtigt, daß es auch weiterhin gelingen wird, diesen Zustand aufrechtzuerhalten, sodaß Dänemark gut gerüstet dastehen kann, wenn die zukünftige Wiederaufbauarbeit in Angriff genommen werden soll. Ich bin überzeugt, daß die Regierung, die sich in ihrer Arbeit dem Reichstag verpflichtet fühlt, eine gute und vertrauensvolle Zusammenarbeit mit dem Reichstag selbst und mit allen verantwortungsbewußten Kreisen im Lande erreichen wird. Die Zeit fordert eine zielbewußte und nüchterne Zusammenarbeit, damit wir das Ziel erreichen, das allen in diesem Lande gemeinsam sein muß. Es ist die Überzeugung des Ministeriums und ebenfalls meine Überzeugung, daß in weitesten Kreisen der Bevölkerung Klarheit über die Notwendigkeit dieser Zusammenarbeit herrscht und daß man sich ebenfalls darüber im klaren ist, was durch eine solche Zusammenarbeit befestigt und gewonnen werden kann."

Dr. Best

---

76 Trykt delvist på dansk i Alkil, 1, 1945-46, s. 209 og helt i Scavenius 1948, s. 166f.

157. Werner Best an das Auswärtige Amt 12. November 1942

Hitler havde 11. november givet de tyske tropper ordre til at rykke ind i det ubesatte område af Frankrig. I et budskab til marskal Pétain og til det franske folk gjorde Hitler rede for årsagerne til dette skridt. Fra tysk side skulle budskabernes udsendelse internationalt koordineres tidsmæssigt, men det glippede i Danmark, og Best ilede med at give forklaringen.
  Kilde: PA/AA R 29.566. RA, pk. 202

Telegramm

| Kopenhagen, den | 12. November 1942 | 17.40 Uhr |
| Ankunft, den | 12. November 1942 | 18.30 Uhr |

Nr. 1677 vom 12.11.[42.]

Heutige Sperrung des Führerbriefes an Pétain traf zu spät ein (13.50 Uhr) auf Grund heutiger Sprachregelung, die Führerbrief und Aufruf ab 10.00 Uhr freigibt, wurden beide Dokumente in heutiger Mittagssendung (12.30 Uhr) dänischen Rundfunknachrichtendienstes in vollem Wortlaut ausgestrahlt.

Dr. Best

158. Werner Best an das Auswärtige Amt 12. November 1942

Best videresendte et af G.F. Duckwitz skrevet telegram angående norske muligheder for at leje to danske skibe til norsk kystsejlads.
  Kilde: BArch, R 901 68.712.

Telegramm

| Kopenhagen, den | 12. November 1942 | 21.00 Uhr |
| Ankunft, den | 12. November 1942 | 21.40 Uhr |

Nr. 1679 vom 12.11.42.

Erbitte Weiterleitung nachstehenden Telegramms:
  "Reichskommissar Norwegen für Senator Otte nachrichtlich:
Reichskommissar für die Seeschiffahrt, zu Händen Direktor Betram, Berlin W 8, Wilhelmstraße 80.
  Von den mit Ihnen besprochenen Schiffen sind inzwischen zwei vom OKW als Urlaubertransportschiff beziehungsweise als Sicherungsschiff angefordert. Von verbleibenden Schiffen ist Reederei bereit, zwei für hier besprochenen Zweck zur Verfügung zu stellen. Rest muß für Fahrten in innerdänische Gewässer bereit gehalten werden. Verhandlungen mit Reederei und Regierung haben ergeben, daß man dänischerseits bereit ist, zwei Schiffe für norwegische Küstenroutenfahrt (Passagier- und Frachtdienst) auf Strecke Oslo/Bergen zur Verfügung zu stellen, entsprechend der hier mit Ihnen

getroffenen Abrede. Reederei zieht vor, Chartervertrag mit norwegischer Reederei ab-
zuschließen und schlägt dafür Bergenske vor. Eine solche Regelung hätte den Vorteil,
daß dadurch sonst zu erwartende Mannschafts- und Flaggenschwierigkeiten vermieden
werden. Falls nicht unvorhergesehene Umstände eintreten, halte Zurverfügungstellung
eines weiteren Schiffes für möglich. Erbitte Mitteilung, wann mit Eintreffen Befrachter-
vertreters zu rechnen. Schiffpläne sind unterwegs. Duckwitz."

Dr. Best

159. WB Dänemark: Propaganda-Lagebericht vom 12. November 1942

WB Dänemarks propagandaofficer afgav beretning om tiden lige efter den nye rigsbefuldmægtigedes tiltræ-
den, som havde påvirket dansk presses fremstilling af den militære situation i gunstig retning for Tyskland.
Det skyldtes frygt for et øget tysk tryk. Den nye rigsbefuldmægtigedes ankomst og dannelsen af en ny
dansk regering havde haft en vis beroligende indflydelse på den danske befolkning. Den nye regering blev
stærkt kritiseret af de danske nazister, hvilket var så meget mere bemærkelsesværdigt, som den neutrale og
fjendtlige propaganda havde henvist til, at den nye regering var dannet efter tysk tryk og kun skulle tjene
til at øge presset på Danmark.

    WB Dänemarks propagandaofficer udarbejdede løbende sådanne propagandasituationsberetninger til
OKW siden 1940. Den først kendte er fra 24. oktober 1940, den sidste fra december 1942, og det er uvist,
om de blev videreført derefter. Indberetningerne byggede på læsning af dansk, neutral og fjendtlig presse,
siden også læsning af illegal presse, og dertil aflytning af dansk og udenlandsk radio med henblik på fremstil-
lingen af dels situationen i Danmark generelt, dels og især den internationale militære situation, som den
blev gengivet for danskerne og påvirkede dem.[77]

    Kilde: RA, pk. 450.

WPrO beim Befehlshaber	*H.Q., den 12.11.1942*
der deutschen Truppen in Dänemark	Geheim
Az.: 224/42 geh.	

An das Oberkommando der Wehrmacht
    Abtlg. WPr/IV i
    Berlin W35
    Am Karlsbad 28
über Befehlshaber d[es] d[eu]tsch[en] Tr[uppen] in Dän[e]m[ark]

Propaganda-Lagebericht
vom 12. November 1942

Die Entwicklung der politischen Verhältnisse in Dänemark hat in den letzten Wochen
zu einer spürbaren Umstellung der dänischen Presse in Bezug auf die militärische Be-
richterstattung geführt. Die Meldungen aus deutscher Quelle fanden eine wesentlich

---

77 Ved siden af WB Dänemark udarbejdede Wehrwirtschaftstab Dänemark og RSHA stemningsberetninger
fra Danmark, siden også BdS, da der kom tysk politi til Danmark. En række stemningsberetninger 1940-41
er bevaret i RA, pk. 456.

bessere Aufmachung als früher und in den Betrachtungen der führenden Zeitungen über die militärische Lage wurden auch die Position der Achsenmächte in einer günstigeren Beleuchtung dargestellt. Das bedeutet freilich nicht, daß die dänischen Redakteure und ihre militärischen Mitarbeiter sich grundlegend geändert hätten, sondern die zutage getretene Umstellung in der Berichterstattung ist in erster Linie auf die Furcht vor einem stärkeren politischen Druck von Seiten Deutschlands zurückzuführen. Im Rahmen dieser Gesamthaltung der Presse wurde jedoch die englische Offensive gegen die deutsch-italienische Afrika-Armee und die von den Engländern erzielten Erfolge in der Berichterstattung besonders unterstrichen.

In den letzten Tagen wurde die Berichterstattung über die amerikanischen Truppenlandungen in Algier und Marokko besonders groß und in sensationeller Form herausgestellt. Die weitere politische und militärische Entwicklung dieser Aktion beherrscht bis zur Stunde die ersten Seiten der dänischen Zeitungen. Die Gegenmaßnahmen der Achsenmächte, der Einmarsch deutscher und italienischer Truppen in das unbesetzte Gebiet von Südfrankreich, die Botschaft des Führers an Marschall Pétain und an das französische Volk und eine Meldung, nach der deutsche Luftlandetruppen Tunis besetzt hätten, wurden ebenfalls in großer Aufmachung herausgestellt. Daneben kam freilich auch auf Grund der Nachrichten aus Vichy eine gewisse Skepsis in Bezug auf das Mitgehen Frankreichs zum Ausdruck.

Die Ernennung des neuen Reichsbevollmächtigten Dr. Best, sein Amtsantritt und die im Zusammenhang damit erfolgte Umbildung der dänischen Regierung hat nach außen hin zu einer gewissen Beruhigung in der Haltung und in der Stimmung des dänischen Volkes geführt. Die von den Zeitungen besonders herausgehobene Tatsache, daß die neue Regierung Scavenius auf verfassungsmäßiger Grundlage gebildet worden ist, hat mit dazu beigetragen, daß sich die Gemüter etwas beruhigt haben. Der dänische Reichstag hat, wie die Zeitungen vom 12. November berichten, inzwischen ein Ermächtigungsgesetz angenommen, das in der parlamentarischen Geschichte Dänemarks einzigartig dasteht und der neuen Regierung eine verhältnismäßig große Handlungsfreiheit verschafft. In einigen Zeitungen wurde lediglich betont, daß dieses Ermächtigungsgesetz nur für die Regierung Scavenius Gültigkeit habe.

Bemerkenswerterweise wurde die Regierung Scavenius bereits wenige Stunden nach der Veröffentlichung der Ministerliste von dem Führer der dänischen Nationalsozialisten, Frits Clausen, in einem Interview, das er der Zeitung "Fädrelandet" gewährte, angegriffen und als die schwächste Regierung hingestellt, die Dänemark jemals besessen hat. Diese Tatsache erregte in der Bevölkerung umso mehr Erstaunen, als jedem Dänen hinlänglich bekannt ist, daß die Umbildung der Regierung auf deutschen Druck erfolgt. Es darf in diesem Zusammenhang nicht übersehen werden, daß nicht nur die angelsächsische und kommunistische Propaganda wochenlang in dieser Richtung gehetzt haben, sondern, daß darüber hinaus auch in den neutralen Ländern, insbesondere in den schwedischen Zeitungen immer wieder darauf hingewiesen wurde, daß die von deutscher Seite eingeleiteten politischen Maßnahmen nur zum Zwecke eine[r] schärferen Pression Dänemarks erfolgten.

Vom englischen Rundfunk ist in den letzten Wochen in den regelmäßigen Aussendungen in englischer und in dänischer Sprache unterbrochen eine wüste Hetze betrieben worden, die sich in den letzten Tagen besonders intensiv mit der Person des neuen Reichsbevollmächtigten Dr. Best befaßte. Sie hatte eine starke Tiefenwirkung in der dänischen Bevölkerung, weil bekanntlich die englischen Rundfunksendungen von zahlreichen Dänen abgehört und gesprächsweise verbreitet werden. Darüber hinaus ist die unterirdische kommunistische Flugblatt- und Zeitschriften-Propaganda, die in letzter Zeit in verstärktem Masse zu Sabotage-Handlungen auffordert, immer noch sehr stark im Gange. Da jedoch die meisten Dänen dem Kommunismus ablehnend gegenüberstehen, ist sie nicht so wirksam, wie die englisch-amerikanische Rundfunkpropaganda. Die Zahl der Sabotage-Handlungen ist jedenfalls in den letzen Wochen zurückgegangen.

Daub

160. Rudolf Brandt an Paul Kanstein 13. November 1942

Brandt henvendte sig til Kanstein i anledning af, at kurator i Ahnenerbe, Walter Wüst, havde foreslået stabslæge i Luftwaffe Sigmund Rascher at sætte sig i forbindelse med professor Walter Thalbitzer i København. Desværre viste det sig, at Thalbitzer var jøde og tyskfjendtlig.[78] RFSS opfattede denne opførsel som tilstrækkelig til at anholde Thalbitzer og overføre ham til Dachau, hvor hans færdigheder i forbindelse med arktisforskning kunne udnyttes på passende måde. Brandt ville have Kanstein til at foretage de nødvendige undersøgelser vedrørende Thalbitzer. Der måtte bestemt kunne findes materiale mod ham.

Walter Wüst fik kopi af brevet til Kanstein og svarede Brandt 22. november 1942, at han ikke vidste, at Thalbitzer skulle være jøde, men kun kendte ham fra bibliografiske håndbøger. Havde han vidst det, ville han ikke have foreslået ham til Rascher. Wüst vidste heller ikke, at Rascher skulle have opsøgt Thalbitzer personligt i København. I så fald havde Rascher forbrudt sig mod sin meldepligt, da han ikke havde henvendt sig på noget tysk tjenestested i byen (kilde som nedenfor nr. 570.582f.). Det var klart, at Wüst ikke ville have hængende på sig, at han havde foreslået RFSS en jøde, men samtidigt såede han en vis tvivl ved Raschers troværdighed, hvis ikke denne havde forsømt sin tjenesteplikt. Raschers hensigt med at opsøge Thalbitzer var at søge at drage nytte af ham som arktisforsker med den forventning, at denne ekspertise kunne finde anvendelse i forbindelse med kuldeforsøgene på KZ-fanger i Dachau (Benz 1993, 205f., Klee 1997, s. 231-235, Heider 1999, s. 105).

Brandt rykkede for svar 21. april 1943, som Kanstein gav 1. juni 1943, trykt nedenfor.

Kilde: RA, Danica 1000, T-175, sp. 59, nr. 570.580.

Der Reichsführer-SS   *Feld-Kommandostelle, 13. Nov.1942*
Persönlicher Stab

---

78 Af et brev fra Rascher til Sievers 9. august 1942 fremgår, hvem der havde bibragt Rascher den meget negative opfattelse af Thalbitzer: "Wie Sie durch SS-Unterstürmführer Wolff wohl erfahren haben, bin ich am 2. August auf Befehl des Reichsführers und des San-Inspekteurs der Luftwaffe nach Kopenhagen gefahren um Rücksprache mit einigen Professoren zu nehmen. Die von SS-Standartenführer Wüst angeregte und vom Reichsführer befohlene Einziehung von Erkundigungen bei Professor Thalbitzer war leider ein Reinfall. Thalbitzer frug mich nach Empfehlungen, worauf ich ihm den Rektor der Universität München nannte. Seine Antwort *"Das* ist keine Empfehlung für mich, ich verzichte Sie zu empfangen." Vom Botschaftsarzt Dr. Mats, Kopenhagen, erfuhr ich dann, daß es sich bei Thalbitzer um einen Edelkommunisten handle, von SS-Hauptsturmführer Dr. Petersen, dänische SS-Legion des weiteren, daß es sich um einen Volljuden handle." (BArch, NS 21/922). Når Emil Petersen fejlagtigt udlagde Thalbitzer som heljøde, kan det kun have været for at få ham skudt til side og erstattet med Petersens egne forbindelser. Petersen lovede i det citerede brev Rascher at skaffe tilstrækkeligt med forbindelser, hvis Rascher kom til København igen om fire uger.

Tgb. Nr.: 23/4/43g.
Bra/Sch.   Einschreiben

SS-Brigadefürer Kanstein
   Kopenhagen

Lieber Brigadeführer!
SS-Hauptsturmführer und Stabsarzt d.R. der Luftwaffe Dr. Rascher wollte sich auf Vor-
schlag von SS-Oberführer Wüst mit Herrn Dr. Thalbitzer in Kopenhagen in Verbin-
dung setzen.[79] Leider war dem SS-Hauptsturmführer Dr. Rascher nicht bekannt, daß
Thalbitzer Jude ist. T. hat sich auch dementsprechend gegenüber Rascher benommen,
indem er Äußerungen etwa derart machte: "für Deutsche würde er nichts tun" oder "...
nichts sagen".
   Der Reichsführer-SS hält dieses Benehmen des T. für so ausreichend, daß an seine
Festnahme und an seine Überführung nach Dachau herangegangen werden kann. Der
Truppenarzt vom Fliegerhorst Kastrup, der zugleich auch Gesandtschaftsarzt ist, kann
über diesen Vorgang sicher noch nähere Einzelheiten angeben.
   Bei Thalbitzer handelt es sich zwar um einen Mann, der für die Arktisforschung und
die damit zusammen hängenden Probleme sicher[80] einen Ruf hat; der Reichsführer-SS
will seine Fähigkeiten dann in Dachau in geeigneter Form ausnutzen.
   Die Festnahme ist sicher nicht von heute auf morgen nötig; Sie werden zunächst
prüfen, zu welchem Zeitpunkt und mit welcher Begründung sie vorgenommen werden
kann. Material gegen T. wird sich außerdem bestimmt noch finden lassen.
   Ich wäre Ihnen für eine abschließende Unterrichtung dankbar.
   Heil Hitler!"
                              gez. **Brandt**
                         SS-Obersturmbannführer

2.) SS-Oberführer Dr. Wüst
    München – 22
    Wiedemeyer Str. 35 III
durchschriftlich mit der Bitte um Kenntnisnahme übersandt.
                              i.A.
                              RB
                         SS-Obersturmbannführer

161. Frh. von Brandenstein-Zeppelin: Räumung Jutlands von dänischen Militär 14. November 1942

Kort efter sin ankomst – 10. oktober – krævede von Hanneken de danske tropper i Jylland overført til Fyn
og Lolland-Falster. Hans generalstabschef fulgte dagen før befalingens ikrafttræden op over for de tyske

---

79 Se noten i forbindelse med Franz Riedweg til Brandt 28. oktober 1942.
80 "sicher" overstreget i original.

tjenestesteder med at oplyse, at danske officerer og soldater herefter kun måtte færdes i civil i landsdelen og skulle være i besiddelse af et legitimationskort.

Baggrunden for beslutningen var en tysk frygt for at blive faldet i ryggen ved en allieret invasion af Danmark. Befalingen havde ikke været til diskussion, da den blev givet, og ved Bests ankomst var der tale om et fait accompli (Kirchhoff, 1, 1979, s. 119).

Kilde: RA, Danica 1069, sp. 11, nr. 13.644.

Der Befehlshaber der deutschen Truppen in Dänemark   *H.Qu., 14.11.1942*
Abt. Ia – Br.B. Nr. 494/42 –

Betr.: Räumung Jütlands vom dänischen Militär.

Auf Anordnung des Befehlshabers der deutschen Truppen in Dänemark werden bis 15.11.42 sämtliche Garnisonen in Jütland und der Insel Alsen vom dänischen Militär geräumt sein. Von diesem Tage an dürfen Jütland und die Insel Alsen nicht mehr von dänischen Offizieren und Soldaten *in Uniform* betreten werden. Der Einreise in Zivil stehen keine Hindernisse im Wege, jedoch muß jeder Einreisende mit einem gültigen Lichtbildausweis versehen sein, entsprechend den für das Sicherungsgebiet Jütland hier-über getroffenen Anordnungen.

Als Unterbringungsraum für die aus Jütland herauszuziehenden Truppen sind den Dänen die Inseln Fünen, Lolland und Langeland zugewiesen worden unter Ausschluß einer weiteren Belegung von Seeland. Wie bereits mit hiesigem Schreiben – Ia Nr. 467/42 – vom 2.11.42 mitgeteilt, dürfen sich einzelne an Land befindliche Kommandos der dänischen Marine in Jütland auch weiterhin aufhalten.

Division Nr. 160 veranlaßt entsprechende Instruktion der Brückenwache Kleiner Belt.

Für den Befehlshaber
der deutschen Truppen in Dänemark
Der Chef des Generalstabes
gez. **Brandenstein**

Verteiler:
Divisionen
Heeresküstenartillerie
Fest. Pi. Dienststellen
Sämtliche Standortältesten
Marbef. Dänemark
Gen. d. Lw. in Dänemark
Hausverteiler

162. Emil Wiehl an Werner Best 16. November 1942
Wiehl meddelte kort Best, at AA havde besluttet ikke at imødekomme hans ønske om at blive formand for det tysk-danske regeringsudvalg.

Kilde: BArch, R 901 68.712 (forlæg).

zu Ha Pol VI 4041/42 II   *16.11.[194]2*
[Diplogerma] Kopenhagen   Cito!

Auf Nr. 1663 vom 9.11.[42.][81]

Für Reichsbevollmächtigten.
Reichsaußenminister hat entschieden, daß von Ihrer Bestellung zum Vorsitzenden des Regierungsausschusses für Dänemark abgesehen werden solle, da es ihm richtig erscheint, wenn diese Frage in der bisherigen Form geregelt bleibt, d.h. so, daß der Reichsbevollmächtigte gegebenenfalls von der politischen Seite her eingreifen kann, wenn bei den Verhandlungen des Regierungsausschusses die Besprechungen sich festlaufen oder sich dies sonst als nötig erweisen sollte.

Ich beabsichtige, entsprechend unserem Telefongespräch Ministerialdirektor Walter gelegentlich nächster Tage zu unterrichten, falls ich von Ihnen nichts anderes höre.

Wiehl

163. Wolfram Sievers an Werner Best 16. November 1942
Sievers skrev sin lykønskning til den nyudnævnte rigsbefuldmægtigede. Af brevet fremgår det, at Best, endnu inden han havde forladt Berlin for at tiltræde sin stilling i Danmark, havde skrevet til Wolfram Sievers i anledning af en sag af fælles interesse, nemlig det kommende germanske arbejde. Best havde drøftet det med Rudolf Mentzel, præsident i Deutschen Forschungsgemeinschaft. Det af Sievers nævnte fælles mål var givetvis at få den tyske arkæolog Karl Kersten tilbage til Danmark, hvor han tidligere havde virket til beskyttelse af oldtidsminder.[82] (Schreiber Pedersen 2008, 293f.).

Brevet er et vidnesbyrd om, at Best havde gjort sit forarbejde hos SS i forhold til Danmark før afrejsen og ville være aktiv i det germanske arbejde, som han havde været det i Frankrig.[83] Sievers besøgte i marts 1943 bl.a. Best i samme anliggende, se Sievers' notat 5. april 1943 om beskyttelse af fortidsmindesmærker.

Kilde: BArch, NS 21/974 (gennemslag).

D/D/10   *16. November 1942*
B/60/m 1 S/Wo

An den
    Bevollmächtigten des Deutschen Reiches in Dänemark
    SS-Gruppenführer Dr. Best
    Berlin-Zahlendorf
    Thanner Pfad 1

81 Trykt ovenfor.
82 Se Sievers til Kersten 24. november 1942, hvor der træffes forberedelser til Kerstens forestående rejse til Danmark (BArch, NS 21/974).
83 Se f.eks. Fehr 2007, s. 334.

Lieber Gruppenführer!

Bei Rückkehr von einer Dienstreise aus Norwegen fand ich Ihr Schreiben vom 4.11.42 vor. Ich danke Ihnen herzlich für Ihre erfolgreiche Besprechung mit dem Kameraden Mentzel. Unserem Ziele sind wir damit bestimmt ein ganzes Stück näher gekommen.

Gleichzeitig möchte ich Ihnen noch meine herzlichen Glückwünsche zu Ihrer Beförderung zum SS-Gruppenführer aussprechen, wie auch zu Ihrer ehrenvollen Ernennung zum Bevollmächtigten des Deutschen Reiches in Dänemark.

Da SS-Gruppenführer Berger mit der Germanischen Leitstelle eine Arbeitsbesprechung im Dezember in Kopenhagen plant, ergibt sich dabei sicher eine Begegnung und die Möglichkeit, auch über unsere germanische Arbeit in Dänemark zu sprechen.[84]

Mit den besten Grüßen

Heil Hitler!
Sievers
SS-Standartenführer

164. Werner Best an das Auswärtige Amt 17. November 1942

Best fremsendte oplysninger om, at en transport med frivillige samme dag afgik sydpå.
Kilde: PA/AA R 101.039.

Telegramm

D[iplo]G[erma] Kopenhagen
Nr. 95 [vom] 17.11.42
13.10 [Uhr]
An Ausw[ärtig] B[er]l[i]n = Nr. 1700 vom 17.11.42

Bitte um Benachrichtigung der Reichsdienstleitung, daß Freiwilligentransport heute in Stärke von 3/70 in Marsch gesetzt ist. Ankunft wie bereits gemeldet um 16 Uhr in Warnemünde.

Dr. Best

165. Werner Best an das Auswärtige Amt 18. November 1942

Handelsminister Halfdan Hendriksen havde holdt en tale om rationeringen og forsyningssituationen, som efter Bests vurdering havde en beroligende tendens, der allerede havde gjort sin virkning i befolkningen.
Kilde: BArch, R 901 68.712.

Telegramm

| Kopenhagen, den | 18. November 1942 | 20.00 Uhr |
| Ankunft, den | 18. November 1942 | 20.55 Uhr |

84 Se Franz Riedweg til Hans Schneider 18. november 1942.

Nr. 1708 vom 18.11.[42.]

Als erster Minister der Regierung Scavenius hat der Handelsminister Hendriksen am 16. November eine Rundfunkrede über die Versorgungslage gehalten. Die Rede zeigte allgemein die Tendenz, beruhigend zu wirken und umlaufenden Gerüchten über Versorgungsschwierigkeiten entgegenzutreten. Die Rede gab einen Überblick über die Versorgung im kommenden Winter und trat insbesondere Gerüchten über beabsichtigte Rationierung von Fleisch entgegen. Im einzelnen kündigte der Handelsminister an, daß im nächsten Vierteljahr die Rationen für Brot, Butter und Seife unverändert blieben, daß aber eine Herabsetzung der Ration für Zucker infolge geringer Rübenernte und zwecks Aufrechterhaltung der Ausfuhr nach Norwegen, Finnland und Schweden bevorstehe. Es sei damit zu rechnen, daß die Kürzung der Zuckerration 500 Gramm je Monat nicht überschreiten würde, man hoffe sogar, mit einer geringeren Kürzung auszukommen, falls die noch nicht endgültig übersehbare Zuckererzeugung dies zulasse. Andererseits sei eine Erhöhung der Grützrationen um 1 Kilogramm im Vierteljahr für Normalverbraucher sowie um die gleiche Menge für die Zulagen für Schwer- und Schwerstarbeiter vorgesehen. Zu Weihnachten werde aus den letzten Beständen an Weizenmehl eine einmalige Zuteilung von 800 Gramm je Normalverbraucher erfolgen. Die Brennstoffsituation sei infolge nicht befriedigender Kohlenzufuhren nach wie vor schwierig, es sei daher nicht möglich, die aufgerufenen Brennstoffmarken in voller Höhe zu beliefern. Man hoffe aber, daß die Zufuhren bis Weihnachten es ermöglichen werden, daß man die aufgerufenen Brennstoffmarken entsprechenden Mengen liefern könne. Der Handelsminister wies noch besonders darauf hin, daß die lebenswichtigen Betriebe sowie auch die großen städtischen Wohnblocks sich mit einheimischen Brennstoffen eindeckten. Am 17. November hielt der Handelsminister eine Rede vor dem konservativen Frauenverein in Kopenhagen, die die gleiche beruhigende Tendenz wie die Rundfunkrede hatte. Wie aus verschiedenen Teilen des Landes berichtet wird, hat die Rundfunkrede bereits eine positive Wirkung in der Bevölkerung gehabt.

Dr. Best

166. Werner Best an Hermann von Hanneken 18. November 1942

WB Danmark fik tilsendt de taler, som Erik Scavenius og Best havde holdt for hinanden i forbindelse med den nye regerings præsentation for den rigsbefuldmægtigede. Begge talere forsikrede hinanden om ansvarsfuldt samarbejde. Von Hanneken kunne frit gøre brug af talerne (Sjøqvist. 2, 1973, s. 232f.).

Brevet var uden hilsener af nogen art, men dog underskrevet af Best personligt. Det var en tjenstlig skrivelse. Best gav "Politische Information".

Kilde: RA, pk. 456. KB, Gunnar Larsens dagbog mellem 12. og 21. november 1942. PKB, 4, s. 230f.

Der Bevollmächtigte des Reiches in Dänemark   *Kopenhagen, den 18. November*
Nr. 557/42.

Betr.: Politische Information.
1 Anlage.

An den Befehlshaber der deutschen Truppen in Dänemark
   Herrn General d. Inf. v. Hanneken
   Kopenhagen
   Hotel d'Angleterre.

Als politische Information übermittle ich in der Anlage die Texte der Ansprachen, die zwischen dem Staats- und Außenminister von Scavenius und mir gewechselt wurden, als Herr von Scavenius mir am 14. November 1942 die Minister seines Kabinetts vorstellte.
   Von den Texten kann beliebiger Gebrauch gemacht werden.
                                    W. Best

                                A n s p r a c h e n ,
              die bei der Vorstellung der Minister der neuen dänischen Regierung
                    von dem Staats- und Außenminister von Scavenius und von dem
                             Reichsbevollmächtigten Dr. Best gehalten wurden.

1. *Staats- und Außenminister von Scavenius*
Herr Reichsbevollmächtigter,
Es gereicht mir zur Freude, Sie hier im Kreise des gesamten neugebildeten Kabinetts begrüßen zu dürfen, und ich möchte Ihnen sowohl im eigenen als auch im Namen meiner hier anwesenden Kollegen ein herzliches Willkommen aussprechen.
   Über die von der neugebildeten Regierung zu führende Politik brauche ich Ihnen keine nähere Erläuterung zu geben. Sie ist in der am 10. November veröffentlichten Regierungserklärung sowie in meiner Rede im Folketing am 11. November festgelegt.
   Freundschaftliche Zusammenarbeit mit dem großdeutschen Reiche und ein gutes Nachbarverhältnis zwischen den beiden Völkern in gegenseitiger Achtung der nationalen Eigenarten, das sind die Ziele, die wir uns von dänischer Seite stets vor Augen halten werden.
   Herr Reichsbevollmächtigter, Sie haben Ihr verantwortungsvolles Amt in einer für Dänemark schweren Stunde übernommen. Es war leider zwischen Dänemark und Deutschland ein trübes Verhältnis eingetreten, und wir brauchen ja keinen Hehl daraus zu machen, daß die Lage ernst war. Die Schwierigkeiten auf unserer Seite waren groß. Sie wurden jedoch überbrückt, nicht am wenigsten dank des Verständnisses, das von Ihrer Seite für unsere Lage gezeigt wurde. Ich danke Ihnen für den Einsatz, den Sie bei Ihrer Amtsübernahme zugunsten dänischer Interessen geleistet haben. Ich nehme diesen Auftakt zu unserer Zusammenarbeit hier in Kopenhagen als ein gutes Omen und möchte zu Schluß der Hoffnung Ausdruck geben, daß die Zusammenarbeit zwischen der Dänischen Regierung und Ihnen sich in ersprießlicher Weise zum Besten unserer beiden Länder gestalten möge.

2. Reichsbevollmächtigter Dr. Best

Herr Staatsminister,

Für Ihre freundliche Begrüßung sage ich Ihnen aufrichtigen Dank. Ich zweifele nicht daran, daß schon die äußere Form eines offenen und – fast möchte ich sagen: – kameradschaftlichen Meinungsaustausches, die unser dienstlicher Verkehr in den Besprechungen der hinter uns liegenden Krisentage angenommen hat, unsere künftige Zusammenarbeit erleichtern und angenehm gestalten wird. Darüber hinaus aber möchte ich in dieser Stunde zum Ausdruck bringen, mit wie hoher Achtung ich das große Opfer zu würdigen weiß, das Sie durch die Übernahme Ihres verantwortungsvollen neuen Amtes gebracht haben, um sowohl den Interessen Ihres Landes wie einer günstigen Entwicklung des dänisch- deutschen Verhältnisses zu dienen. Meine Achtung vor dieser Ihrer Haltung wird stets eine wichtige Komponente unserer Zusammenarbeit bleiben.

Meine Herren Minister,

Sie sind nach einer Vertrauenskrise, die aus mehr als einem Grunde das deutsch-dänische Verhältnis in den letzten Monaten getrübt hat, in eine Regierung berufen worden, die bereits durch die Tatsache ihrer Bildung den Beginn einer neuen Epoche engerer und freundschaftlicherer Zusammenarbeit zwischen Dänemark und dem Reiche symbolisieren soll. Ich gebe der Hoffnung Ausdruck, daß nicht nur die sachliche Zusammenarbeit zwischen Ihnen und mir fruchtbare Ergebnisse für die großen Notwendigkeiten Europas und für die übereinstimmenden Interessen unserer beiden Länder zeitigen wird, sondern daß auch aus gegenseitiger Achtung und gegenseitigem Vertrauen ein persönliches Verhältnis zwischen Ihnen und mir erwachsen wird, das die geistige und politische Verständigung zwischen Dänen und Deutschen fördert. Der Bevölkerung Ihres Landes ein Vorbild dieses Verständigungswillens zu geben, ist nach meiner Auffassung eine wichtige Aufgabe Ihrer neuen Regierung.

Zwei Ziele habe ich mir für meine künftige Amtstätigkeit als Bevollmächtigter des Reiches in Dänemark gesteckt:

daß einerseits alle sachlichen Notwendigkeiten, die in Zusammenarbeit mit der Dänischen Regierung erfüllt werden müssen, auf der Grundlage nüchterner Vernunft und Einsicht schnell und reibungslos verwirklicht werden mögen, daß aber gleichzeitig – trotz aller Schwierigkeiten der Situation – in der Bevölkerung des Landes eine positive Einstellung zu der weiteren Entwicklung des dänisch- deutschen Verhältnisses ausgelöst werden möge.

Ich weiß, daß dies weder durch Phrasen noch durch Forderungen erreicht werden kann. Mit Phrasen kann man nicht überzeugen. Mit Forderungen kann man nicht Liebe oder Freundschaft erwirken. Der Weg kann nur über die Vernunft und Einsicht jedes einzelnen Dänen führen. Jeder muß einsehen, daß eine Katastrophe des Reiches auch eine Katastrophe der übrigen europäischen Länder bedeuten würde. Denn die Deutschen würden – das versichere ich Ihnen – in diesem Kriege nicht mehr die Waffen niederlegen, sondern bis zum bitteren Ende den letzten Kampf ausfechten, wo sie auch stehen. Wer also weiß, daß vor der endgültigen Katastrophe des Reiches auch das schöne Land Dänemark der Vernichtung durch einen erbitterten Schlußkampf anheimfiele, der kann die Katastrophe des Reiches nicht wünschen, weil er die Vernichtung Dänemarks nicht will. Diese Erkenntnis wird jedem Dänen die Zusammenarbeit mit dem Reiche, die Ihrem Lande ja nicht durch menschliche Willkür sondern durch geographisches und geschichtliches Schicksal vorgeschrieben ist, in seinem Gewissen erleichtern. Wenn es darüber hinaus gelingt, im persönlichen Verhältnis zwischen den Exponenten der dänisch-deutschen Zusammenarbeit gegenseitige Achtung und gegenseitiges Vertrauen zu pflanzen, so dürfte die Hoffnung berechtigt sein, daß aus der politischen "Vernunftehe" zwischen den beiden Ländern doch noch einmal eine politische "Neigungsehe" werden möge.

Für die Verwirklichung dieses schönen Endzieles kann eine enge, vertrauensvolle und erfolgreiche Zusammenarbeit zwischen Ihnen, meine Herren Minister, und mir ein wirksames Vorbild werden. Wir wollen deshalb in dieser Zusammenarbeit eine hohe Pflicht erkennen, die wir gegenüber unseren Ländern zu erfüllen haben.

167. Franz Riedweg an Hans Schneider 18. November 1942

Riedweg inviterede Hans Schneider til en konference, som Germanische Leitstelle ville holde i december på Høveltegård i Danmark. Programmet for konferencen var medsendt.

Programmet oplyser ikke, hvem hovedtalerne var, men af nogle samtidige mødenotater af Schneider fremgår det i grove træk, hvordan konferencen forløb, selv om de ikke kan stå i stedet for et officielt referat. Det var Riedweg, der indledte konferencen på førstedagen med emnet "Germanische Reichspolitik", efterfulgt af Eberhard von Löw om "Zusammenarbeit SD-Germanische Leitstelle". Derefter kommenterede ledere af de enkelte landes Germanische Leitstellen om situationen hos dem. Den 13. december holdt Riedweg igen tale om "Germanisches Europa", mens Fritz Klingenberg, kommandant ved SS-Junkerskolen i Bad Tölz, orienterede om "Lehrgang Tölz" og Walter von Kielpinski fra RSHA om "Propaganda". På tredjedagen var temaet terminologien i det germanske opbygningsarbejde, hvorom der foreligger et særskilt referat af det opfølgende møde.[85] Mest interessant her er, at både von Löw og Bruno Boysen fremhævede, at Frits Clausen var stærkt imod opbygningen af Schalburgkorpset som et germansk korps under SS-ledelse. Boysen gjorde det imidlertid klart, som fremstillet i Schneiders noter: Schalburgkorpset = SS, uafhængig af dr. Clausen. Der var ikke lagt op til et kompromis med DNSAP i Danmark, som der heller ikke var det i de nazistiske organisationer i de andre germanske lande.

Kilde: BArch, NS 21/938 (heri også Schneiders 21 sider med notater fra mødet).

Der Reichsführer-SS   *Berlin W 35, den 18. November 1942*
SS-Hauptamt-Amt VI   Lützowstr. 48/49
VI/1 Dr. R./Fr. Az.: 13i18

Betr.: Arbeitstagung der Germanischen Leitstelle in Dänemark.
Anlg.: 1 Programm.

An SS-Obersturmführer Dr. Schneider,
    Ahnenerbe
    Berlin-Dahlem
    Pücklerstr. 16

85 Se Niederschrift..., 20. januar 1943.

Lieber Kamerad Schneider!
Ich bitte Sie zu einer vom 11.-16. Dezember 1942 in Dänemark stattfindenden Tagung der Germanischen Leitstelle. Ziel dieser Tagung ist die Festlegung bestimmter Arbeitsrichtlinien für die Aufbauarbeit der Germanischen Schutzstaffel. Es ist nicht beabsichtigt, an dieser Tagung durch zahlreiche Vorträge den Eingeladenen neues Wissen zu vermitteln, da es sich bei den einzelnen Teilnehmern um Kameraden handelt, die mit der Materie vertraut sind. Es sollen in gemeinsamer Aussprache einige Fragen geklärt und Richtlinien dazu festgelegt werden. Es erfolgt jeweils täglich nur ein kurzes grundsätzliches Referat, das die Diskussionsgrundlage umreißt besprochen wird. Ich bitte deshalb, folgende Themata als Grundlage für das Kolloquium mitteilen zu dürfen:
a.) Das Grundsätzliche der politischen Lage in den germanischen Ländern.
b.) Die geistig-politische Idee des germanischen Aufbruchs in Europa.
c.) Die Terminologie in der germanischen Aufbauarbeit.

Heil Hitler!
Riedweg
SS-Obersturmbannführer

Programm
Arbeitstagung der Germanischen-Leitstelle
im Frederik von Schalburghaus, Höveltegaard/Dänemark
in der Zeit vom 11.-16. Dezember 1942

11. Dez.	18 Uhr:	Eintreffen in Kopenhagen Abfahrt nach Höveltegaard mit Pkw bzw. Omnibus vom Hauptbahnhof
	20 Uhr:	Gemeinschaftliches Abendessen
12. Dez.	7 Uhr:	Wecken
	8 Uhr:	Morgenkaffee
	9-12 Uhr:	Referate über die Grundzüge der politischen Lage in den germanischen Ländern anschließend: Kolloquium
	13 Uhr:	Mittagsessen
	15-18 Uhr:	Fortsetzung der Aussprache
	19 Uhr:	Abendessen
13. Dez.	7 Uhr:	Wecken
	8 Uhr:	Morgenkaffee
	9-12 Uhr:	Referat: Die geistig-politische Idee des germanischen Aufbruchs in Europa[86] anschließend: Kolloquium
	13 Uhr:	Mittagsessen
	15-18 Uhr:	Fortsetzung der Aussprache
	19 Uhr:	Abendessen

86 Se Germanische Leitstelle: Arbeit in den germanischen Ländern, 12. januar 1943.

14. Dez.	7 Uhr:	Wecken
	8 Uhr:	Morgenkaffee
	9-12 Uhr:	Referat: Die Terminologie in der germanischen Auf-bauarbeit
	13 Uhr:	Mittagsessen
	15-18 Uhr:	Fortsetzung der Aussprache
	19 Uhr:	Abendessen
	20 Uhr:	Kameradschaftliches Beisammensein in Anwesenheit des Bevollmächtigten des Reiches SS-Gruppenführer Dr. Best
15. Dez.		Besuch Kopenhagens
16. Dez.		Abreise.

[...][87]

168. OKW an das Auswärtige Amt 19. November 1942

Tre danske skibe lå oplagte i Lissabon siden april 1940. OKW ønskede at hindre, at de kom fjenden til gode. Det blev forsøgt at få dem chartret ud til venligtsindet side. Røde Kors ville være den bedste løsning. Irland var også en mulighed, især hvis der kunne laves en hemmelig aftale vedrørende betalingen. Det skulle prøves.

Talrige bestræbelser gennem 1943 var forgæves, se AA til OKM 10. september 1943 (Tortzen, 3, 1981-85, s. 128 og 4, 1981-85, s. 287-291)

Kilde: BArch, Freiburg, RM 7/1187. RA, Danica 628, sp. 7, nr. 5236.

Oberkommando der Wehrmacht   *19.11.1942*
Sonderstab für Handelskrieg und wirtschaftliche Kampfmaßnahmen

HWK Nr. 2762(42 (M)

An Auswärtiges Amt
    z.Hd. Herrn Botschafter Dr. Ritter
nachrichtlich: Reichskommissar für die Seeschiffahrt
    z.Hd. Herrn Oberreg. Rat. Dr. Müller
OKW – Ag. Ausland – Ausl. I B (3)
OKM – 1.Skl.

Betr.:   Dänische Schiffe "Skaane", "Egholm" und "Nancy" in Lissabon.
Vorgang: AA Ha Pol XI 3094/42 v. 13.11.1942.[88]

Eine Vercharterung der 3 in Lissabon liegenden dänischen Schiffe "Nancy", "Skaane" und "Egholm" an das Rote Kreuz wird für die beste Lösung gehalten. Bei einer Über-

---

87 En side med praktiske oplysninger er udeladt.
88 Skrivelsen er ikke lokaliseret.

nahme der Schiffe durch Irland würde sicherlich als Bedingung für die Anerkennung des Flaggenwechsels vom Feinde die Bezahlung des Kaufpreises auf ein Sperrkonto verlangt werden. Irgendwelche greifbaren Vorteile kämen dann für Deutschland nicht heraus. Vielleicht ließe sich aber ermöglichen, von den Iren Pseudo-Beträge in Portugal als Darlehen zu erhalten, ohne daß die Feinde davon erfahren. Es wird gebeten, diese Anregung zu prüfen.

Der Chef des Sonderstabes
Im Auftrage
[underskrift]

169. Das Auswärtige Amt an die Deutsche Gesandtschaft 19. November 1942

AA orienterede gesandtskabet om, at de merudgifter til det tyske mindretal, som var blevet anset for nødvendige af gesandtskabet, ikke var blevet bevilget af RWM, hvorfor de måtte skaffes ved besparelser inden udgangen af marts 1943.

De stærkt stigende udgifter til mindretallet havde deres baggrund i en storstilet offensiv på skoleområdet, hvor der blev nybygget skoler og ansat flere lærere. Offensiven ebbede ud i løbet af 1942, da bevillingerne blev beskåret, som det vil fremgå i det følgende. Best viste ikke vilje til at finde de fornødne midler på gesandtskabets konto (se om det omfattende og kostbare skolebyggeri PKB, 14, nr. 194-201 og 211 med kommentarerne til sidstnævnte, Hvidtfeldt 1953, s. 86-88, Noack 1975, s. 145).

Best svarede 3. december (ikke lokaliseret), og han fik svar igen fra AA 21. december 1942.

Kilde: PA/AA R 100.354. RA, pk. 392.

Durchdruck.
Auswärtiges Amt   *Berlin, den 19. November 1942.*
Ref.: AR Fleissner   zu D VIII 4913/42
                                                    5081/42

An die Deutsche Gesandtschaft in Kopenhagen

Mit Bericht vom 17. März d.J.[89] – Nr. 182 – ist der Haushaltsplan 1942 der Deutschen Volksgruppe in Nordschleswig dem Auswärtigen Amt vorgelegt und der Betrag von 210.000 d.Kr. als notwendiger Bedarf der Volksgruppe bezeichnet worden. Auf den vom Auswärtigen Amt befürworteten Antrag der Volksdeutsche Mittelstelle beim Reichswirtschaftsministerium auf Transferierung von 200.000 d.Kr. hat es das Reichswirtschaftsministerium dem Auswärtigen Amt bezw. der dortigen Gesandtschaft überlassen, zu prüfen, inwieweit die Zahlung des benötigen Betrages wie bisher aus den eigenen Devisenmitteln geleistet werden kann. Da von dem Gesamtbetrag von 1.293.890 d.Kr., mit dem der Haushaltsplan abschließt, lediglich rund 780.000 d.Kr. (monatlich 34.000,- RM) für Lehrergehälter transferiert werden, sind die zur Durchführung des Gesamthaushaltsplans genannten 200.000 d.Kr. als Mindestbedarf anzusehen. Der ungedeckt bleibende erhebliche Betrag wird einzusparen sein. Ich bitte, der Deutschen Volksgruppe in Nordschleswig die auch von der Gesandtschaft für erforderlich gehalte-

---

89 Om indholdet af denne skrivelse, se Best til AA 26. januar 1943.

nen 200.000 d.Kr. nach Möglichkeit bis Ende März 1943 aus dem dortigen Kronenbe-
stand zu zahlen und über den Verlauf der Angelegenheit zu berichten.

Das Deutsche Konsulat in Apenrade erhält Abschrift dieses Erlasses.

Im Auftrag

gez. **Goeken**

170. Werner Best an das Auswärtige Amt 20. November 1942

Lige før Bests udnævnelse var der søgt udskilt en stilling som fuldmægtig for generatorcentralen i Danmark.
Best bad indtrængende om, at han alene måtte varetage alle tyske interesser i Danmark. Derfor foreslog han,
at hans embedsmænd som hidtil tog sig af generatorspørgsmålet. Svaret er ikke kendt, men der blev ikke
oprettet en stilling som fuldmægtig for generatorcentralen.

Tilfældet er et tidligt eksempel på, at Best søgte at samle og holde mest muligt magt inden for sit em-
bede.

Kilde: BArch, R 901 68.712.

T e l e g r a m m

| Kopenhagen, den | 20. November 1942 | 14.25 Uhr |
| Ankunft, den | 20. November 1942 | 15.20 Uhr |

Nr. 1766 vom 20.11.[42.]

Unter Bezugnahme auf den Schriftbericht vom 26.10.42[90] (Wi 3290/42, 3276/42,
3147/42) betreffend Einsatz von Generatoren in Dänemark, Bestellung des "Länder-
beauftragten Dänemark der Zentralstelle für Generatoren," der vor meiner Bestellung
als Reichsbevollmächtiger erstattet worden ist, bitte ich dringend darum, daß die ein-
heitliche Vertretung aller Reichsinteressen in Dänemark durch mich auch gegenüber
der Zentralstelle für Generatoren unbedingt durchgesetzt wird. Es ist angesichts der mir
gestellten Aufgaben politisch untragbar, daß der dänischen Regierung, die in mir den
alleinigen Bevollmächtigten des Reiches sieht, irgendwelche deutschen "Beauftragten,"
die mir nicht unterstellt sind, gegenübertreten. Ich habe die Absicht, das Tätigwerden
solcher Beauftragter in jedem Fall zu verhindern. Am zweckmäßigsten wäre es, wenn ein
Beamter meiner Behörde, der schon bisher die Generatorfragen für die dänische zivile
Wirtschaft bearbeitet hat, im Rahmen meiner Behörde mit den Aufgaben des "Länder-
beauftragten für Generatoren" betraut würde.

Dr. Best

---

90 bei Ha Pol. Telegrammet er ikke søgt lokaliseret.

171. SS-Hauptamt, Amt VI: Monatsbericht/Oktober 1942, 20. November 1942

Germanische Leitstelles månedsindberetning for oktober 1942 bar præg af den igangværende offensiv over for de germanske lande. Det blev indledningsvis fremhævet, at alle de nationale bevægelsers førere i de berørte lande led af nationalistisk separatisme. De havde heller ikke endnu de historiske forudsætninger for at opbygge store folkebevægelser. Selvstændighedstendenserne hos Anton Mussert, Hendrik Elias og Vidkun Quisling nødvendiggjorde en vis distance til disse partier. Frem for alt ville disse partiers magtovertagelse ikke være belejlige nu for den storgermanske tanke. Forholdene i de enkelte lande blev gennemgået et for et. Situationen i Danmark blev bedømt positivt, da Best var blevet ny rigsbefuldmægtiget og havde påtaget sig at være repræsentant for den völkisch-germanske sag, hvorved Germanische Leitstelle var underlagt ham. Brødrene Bryld voldte fortsat problemer via deres påvirkning af Frits Clausen, og han modsatte sig oprettelsen af et kommende germansk korps. Høveltegård var stillet til rådighed som skole og samlingssted for de danske frivillige og til brug for oprettelse af et Schalburgkorps. DNSAPs ledelse havde på det seneste – i lighed med de nationale førere i de andre lande – ikke indordnet sig. Germanische Leitstelle havde ikke anbefalet Frits Clausens magtovertagelse, men heller ikke at ledere af de andre nationale bevægelser fik det.

Månedsberetningen opererede med både et Schalburgkorps og et germansk korps på dette tidspunkt, muligvis med henblik på at få Frits Clausen til at acceptere Schalburgkorpset for senere at forene det med eller gøre det til et germansk korps (Materne 2000, s. 53, n. 165).

Kilde: BArch, NS 31/375 (uddrag medtaget for Norge, Danmark og Holland).

Der Reichsführer-SS
SS-Hauptamt-Amt VI
VS-Tgb. Nr. 4624/42 geh.
VI-Tgb. Nr. 2179/42 geh. Dr. R./VB.

Geheim!
Berlin W. 35, am 20.11.1942
Lützowstr. 48/49.

Monatsbericht
Oktober 1942

Allgemeines

Insgesamt ist über die Lage in den germanischen Ländern im Berichtsmonat zu sagen, daß durch die feindlichen Angriffe im Mittelmeer die Renitenz der uns nicht freundlich gesinnten Kreise zugenommen, wie sich auch die Tätigkeit des Katholizismus verstärkt hat. Hierbei sind die Stützpunkte der Katholischen Aktion in Madrid, Vichy, Rom (Vatikan), Budapest und Preßburg zu beachten.

Über die nationalistischen Bewegungen in den einzelnen Ländern ist zu sagen, daß für sie alle das gleiche gilt: Sie sind insgesamt immer mehr festgefahren. Der Grund liegt darin, daß diese Parteiführer zum Teil die Auffassung eines nationalistischen Separatismus haben, der mit einem europäischen Staatenbund in Einklang gebracht wird, und daß sie zum Teil, auch wenn sie innerlich großgermanisch eingestellt sind, glauben, daß der Weg zum Reich über einen Nationalismus führe. Diese Auffassung dürfte sich mehr denn je als abwegig erwiesen haben. Der Weg zum Reich wird durch nationalistisch-chauvinistische Bewegungen, die letzten Endes aus liberalem Denken geboren sind, verbaut. Zu dieser falschen Einstellung kommt hinzu, daß die geschichtlichen Voraussetzungen zur Bildung großer Volksbewegungen in diesen Ländern heute noch nicht gegeben sind. Die eigenstaatlichen Tendenzen von Mussert, Staf de Clercq (Elias) und Quisling nötigen uns immer mehr, bei allem Wohlwollen von diesen Parteien Distanz zu halten. Vor allem wird die Machtübernahme durch eine dieser Parteien für den großgermanischen Gedanken heute als inopportun erachtet.

Der Zugang zur Waffen-SS und den Legionen ist im Wachsen begriffen, ebenso der Zugang zur Germanischen Schutzstaffel in den einzelnen Ländern. Die Berichte der Feldpostprüfstelle zeigen eindeutig, daß der germanische Gedanke bei der jungen Generation zusehends mehr Boden gewinnt.

Im Berichtsmonat fand die erste Sitzung der auf Grund des Führererlasses A 54/42 vom 12.8.42 neu gebildeten Arbeitsgemeinschaft für den germanischen Raum statt, die aus einem SS- und einem Partei-Ausschuß besteht.
Im SS-Ausschuß sind folgende Dienststellen vertreten:
     SS-Führungshauptamt
     Reichssicherheitshauptamt/ Amt VI
     Reichssicherheitshauptamt/ Amt III
     Stabshauptamt d. Reichsk. f.d. Fest. d. Volkstums
     SS-Wirtschafts-Verwaltungshauptamt
     Fürsorge- u. Versorgungsamt-SS/Ausland
     SS-Personalhauptamt
     Kommandoamt der Waffen-SS
     Hauptamt Volksdeutsche Mittelstelle
     Rasse- und Siedlungshauptamt
     Lebensborn
     SS-Division Wiking
     SS-Kriegsberichter-ABTEILUNG
     SS-Hauptamt/Amt VI.
Im Partei-Ausschuß sind vertreten:
     DAF, NSV, RAD, DRK, NSKK, RJF
     Reichsfrauenführung,
     Reichsstudentenführung,
     Reichsdozentenführung,
     Reichspressestelle der NSDAP,
     Parteikanzlei.
In den Sitzungen der Arbeitsgemeinschaft, die monatlich stattfinden, werden die politischen Richtlinien für die kommende Arbeitszeit ausgegeben.

Sämtliche Außenstellen werden erneut gebeten, die Beauftragten der SS-Hauptämter oder der Parteigliederungen auf das kameradschaftlichste zu betreuen und ihnen behilflich zu sein.

Norwegen

Die Stimmung der Bevölkerung steht ganz unter dem Eindruck des über den Bezirk Drontheim verhängten Ausnahmezustandes und der Erschießung der 10 englandfreundlich eingestellten Norweger, die aber mit dem vorgekommenen Sabotageakt in keinem Kausalzusammenhang standen und am Tage zuvor in der Wirtschaft, Kunst und Wissenschaft noch ihren Beruf nachgegangen waren. Die Stimmung ist ferner gedrückt durch den Mangel an Heizmaterial und die Lebensmittelknappheit.

Die am Parteitag der NS gehaltenen Reden von Quisling und Fuglesang betonten die germanische Gemeinschaft. Quisling bemüht sich dauernd, Vorschläge für einen Sonderfrieden, über die Auflösung des Reichskommissariats, eine eigene Wehrmacht und künftige Auslandsvertretungen an die deutschen Reichsdienststellen heranzubringen. Als Stabsführer der Jugend wurde der Leg.-Untersturmführer Östring ernannt, der Fronteinsatz hinter sich hat und dem Amt VI nahesteht.

Der verstorbene Minister Lunde war Vertreter des großskandinavischen Gedankens auf nationalistischer Basis und kein Freund der SS. Von der Germanischen Leitstelle wurden als Nachfolger Minister Riisnäs und Gauleiter Jacobsen vorgeschlagen

Durch das Aufgreifen der Freimaurererfrage in der "Germaneren" wurden innerhalb der Partei Unruhen verursacht. Der Führer der Flieger-Hird, Aagard, hat einige frühere Freimaurer zwangsweise abgesetzt und handgreiflich aus den Büros vertrieben. Aagard wurde daraufhin von Quisling verhaftet.

Die Freimauer-Frage wird zu einer Scheidung der jungen und älteren Generation führen.

Quisling hat die Gestellung zur Legion für einen großen Teil der Partei befohlen. Die überwiegende Zahl der NS-Mitglieder steht dieser Aktion aber ablehnend gegenüber.

Die Errichtung der Germanischen Schutzstaffel in Norwegen hat Unruhe in der Hird hervorgerufen. Die Vereinbarungen zwischen SS und Hird werden zum Teil von der Hird nicht eingehalten. Die Einsetzung von Moystad, eines ehemaligen Freimauers und Chefs der Sicherheitspolizei, als Hird-Chef ist keine glückliche Lösung. Übertritte von der Hird zur SS mehren sich. Das erstmalige Auftreten der SS am 8.Parteitag war ein großer Erfolg. Der Führer der Germanischen Schutzstaffel, Minister Lie, genügt dem Posten nicht.

Die SS hat 463 Mitglieder. Die Zahl der fördernden Mitglieder beläuft sich auf 1.099.

Die Burg Kongsvinger ist als SS-Schule eingerichtet mit vierwöchigen Lehrgängen zu 60 Mann.

Die SS-Reitschule, die dem Leiter der GL unterstellt ist, führt laufend Fortbildungskurse für Polizei und SS durch.

Ferner ist es der GL gelungen, ein Erholungsheim für ca. 80 Verwundete der Waffen-SS und Legion einzurichten.

Die "Germaneren" hat eine Auflage von 7.000 Exemplaren. Die Broschüre "Stimme der Ahnen" wurde ins Norwegische übersetzt in 5.000 Exemplaren verbreitet. Die Germanischen Leithefte habe eine Auflage von 15.000 Exemplaren.

Für die Werbung wurden 42 PK-Berichte und 73 Bildberichte in der Presse veröffentlicht.

Es wird eine Ski-Kompanie aufgestellt. Die Männer befinden sich zum Teil in Sennheim und sollen evtl. im Norden Einsatz finden.

Das Frontkämpfer-Büro als Betreuungsbüro wurde vom Leiter der GL übernommen.

750 Lotten haben sich für den Krankenpflegedienst im Reich gemeldet, wovon ein Teil bereits in Marsch gesetzt ist.

Von Männern wurden in Marsch gesetzt:

56 zur Waffen-SS,
26 zur Legion,
90 zum Wachbataillon Nord.
[...]

Dänemark

In Dänemark ist für die Arbeit der Germanischen Leitstelle die Entwicklung außerordentlich erfreulich verlaufen.

Die auf das unverschämte Dankestelegramm des Königs erfolgte Abberufung des Bevollmächtigten und die Tatsache, daß der dänische Gesandte Berlin verlassen mußte, hat die Dänen außerordentlich beeindruckt. Der Regierungswechsel mit Scavenius und das Zustandekommen des Ermächtigungsgesetzes wirkt sich sehr vorteilhaft aus.

Die Zusammenarbeit mit dem neuen Militärbefehlshaber, General von Hanneken, ist vorzüglich.

Die größte Stütze für die germanische Volkstumsarbeit erwächst der GL durch die Einsetzung von Gruppenführer Dr. Best als Bevollmächtigter des Reiches (nicht Gesandter). Gruppenführer Best hat sich bereit erklärt, zugleich der Volkstums-Beauftragte für Dänemark zu sein. Ihm ist somit die GL in Dänemark verantwortlich und unterstellt.[91]

Die Schule Höveltegaard wurde als Kriegsfreiwilligen-Sammelstelle der Waffen-SS eröffnet und Parteiführer Clausen für Kurse seiner SA-Männer und zur Aufstellung eines Schalburg-Korps, das sich um die Frontkämpfer gruppiert, zur Verfügung gestellt. Der erste Kursus unter der Leitung von Hauptsturmführer Bonnek (Leg.) lief an.

Durch den Einfluß der Gebrüder Bryld treten mit Clausen immer wieder Schwierigkeiten auf.[92] Er sträubt sich gegen die Aufstellung der Germanischen Schutzstaffel in Dänemark, die in absehbarer Zeit erfolgen muß.

Die Freikorps-Angehörigen unter der Führung von Sturmbannführer Martinsen, wollen Clausen den Frontkämpferbund nicht direkt unterstellen.

Die Führung der Partei war, wie in den anderen Ländern, in letzter Zeit keineswegs sehr geschickt. Eine Machtübernahme von Seiten Clausens wurde von der GL nicht befürwortet.

Der König hat sich von seinem Reitunfall wieder erholt.

Bei den kleinen Unruhen anläßlich des Freikorps-Besuches, wo der Mob provozierte, kam es zu einigen Verwundungen, und ein Däne, der nicht dem Freikorps angehörte, wurde erschossen.

Im Berichtsmonat wurden einberufen:
105 Dänen und
 28 Volksdeutsche.
Von den 167 Meldungen sind nur 56 durch die Partei hereingekommen.

91 Se herom Berger til Brandt 11. oktober 1944.
92 Se Rudolf Brandt til Stabshauptamt des Reichskommissars für die Festigung deutschen Volkstums 16. Februar 1943.

Niederlande

Die Stimmung in den Niederlanden ist ruhig, aber gedrückt. Es fanden wiederum 15 Geiselerschießungen im Zusammenhang mit Sabotagehandlungen statt. Die Geiselerschießungen wirken sich in allen Ländern auf die germanische Volkstumsarbeit sehr nachteilig aus. Auch von Kreisen, die uns freundlich gesinnt sind, werden die Geiselerschießungen scharf verurteilt.

Die NSB ist mehr denn je in großdeutschem, z.T. nationalistisch-separatistischem Fahrwasser. Mussert hat erst nach großen Schwierigkeiten befohlen, daß der Name "Niederländische SS" umgewandelt wird in "Germanische Schutzstaffel in den Niederlanden". Die "Germanische Schutzstaffel in den Niederlanden" hat, einschließlich ihrer Angehöriger im Felde, 2.518 Mitglieder, davon gehören 226 der niederländischen Polizei an. Die Zahl der fördernden Mitglieder beträgt 1.229.

Die NSB macht den Werbeveranstaltungen für die Germanische Schutzstaffel verstärkt Schwierigkeiten.

Der Dienst innerhalb der Schutzstaffel ist auf dem Lande durch die Wegschwierigkeiten sehr schwer durchführbar. Fahrradbereifungen sind beinahe nicht mehr zu beschaffen. In der Schule Avegoor finden laufend Lehrgänge statt, die auch SD-Männer einschließen.

Die Kulturarbeit der Niederländischen Werkgemeinschaft ist besonders intensiv. Die Zeitungen "Hamer", "Storm", "Sibbe" und "Volksche Wacht" stehen unter unserer Führung. Der "Untermensch" kam in 60.000 Exemplaren zur Verbreitung. Es fand eine Tagung der Völkischen Werkgemeinschaft mit 55 Teilnehmern statt. Ferner sind verschiedene Kulturfilmstreifen über germanisches Volksgut in den Niederlanden hergestellt worden.

Die Werbung ist vom Ersatzkommando intensiviert worden durch den Einsatz von Rundfunkpropagandawagen, mit denen in den Werkpausen konzertiert wird und Kundgebungen auf den Dörfern veranstaltet werden. Hierbei wird die neueste Wochenschau und der Tonfilm "Unsere Kriegsfreiwilligen in der Waffen-SS" gezeigt. Oft waren 1.000 Zuschauer anwesend. Auch in den niederländischen Arbeitsdienstlagern wird geworben. Von den volksdeutschen und Staatenlosen wurden 35 Mann einberufen. Der neue Werbeprospekt wurde in 50.000 Exemplaren an die Haushaltungen verteilte.

In Marsch gesetzt wurden insgesamt 320 Mann, davon

   54 Mann zur Waffen-SS,
159   –   – Legion,
  97   –   – Wachbataillon
  10   –   – Röntgensturmbann.
[…]

Germanische Sturmbanne

Die Arbeit innerhalb der germanischen Arbeiterschaft im Reich über die Sonderstäbe der Germanischen Sturmbanne in Berlin, Braunschweig, Dresden, Düsseldorf und Hamburg schreitet erfolgreich weiter. Es wurden niederländische, dänische [?] und flämische Stürme aufgestellt.

172. Werner Best an das Auswärtige Amt 21. November 1942

Værnemagtens krav om aflevering af alle den danske hærs overskudslagre af våben og materiel var for Best først og fremmest et anliggende, hvor han kunne søge sin indflydelse udvidet, dvs. det skulle gøres til et politisk anliggende, hvor han skulle stå for forhandlingerne med den danske regering. Derfor stillede han spørgsmål til AA, om det skulle være ham eller von Hanneken, der skulle tage sig af sagen, hvis Scavenius ikke kunne bringe en frivillig ordning om aflevering i stand.

Om det for værnemagten først og fremmest skyldtes et reelt behov for våben eller ønsket om at stække den danske hær lader sig ikke entydigt afgøre. Selv om 60.000 geværer ikke var alverden i det opgør, som Tyskland havde begivet sig ud i, var forsyningssituationen på østfronten tilspidset (Sjøqvist, 2, 1973, s. 233-35. Jfr. Kirchhoff, 1, 1979, s. 120f., der i øvrigt mener, at Best stillede sig solidarisk med Hanneken. Det fremgår ikke af telegrammaterialet).

Kilde: PA/AA R 29.566. PKB, 13, nr. 656.

Telegramm

| Kopenhagen, den | 21. November 1942 | 02.20 Uhr |
| Ankunft, den | 21. November 1942 | 03.05 Uhr |

Nr. 1771 vom 20.11.[42.]

Der Befehlshaber der deutschen Truppen in Dänemark, General von Hanneken, hat mir vor einigen Tagen mitgeteilt, er habe von dem Befehlshaber des Ersatzheeres die Weisung erhalten, dem dänischen Heer alle nicht im gegenwärtigen Dienstgebrauch befindlichen Waffen, Geräte, Kraftwagen und Pferde wegzunehmen; er habe dies bereits dem Generalstabschef des dänischen Heeres mitgeteilt und ihm vorgeschlagen, daß zur Wahrung des dänischen Prestiges eine förmliche Vereinbarung über die Abgabe der Waffen usw. gegen irgendwelche deutsche Gegenleistungen getroffen werden möge. Wegen der politischen Bedeutung der Angelegenheit habe ich heute Befehlshaber und Staatsminister von Scavenius zu einer Besprechung zu mir gebeten, in der der Befehlshaber die Forderung auf Abgabe der Waffen usw. und das Angebot einer zu vereinbarenden Gegenleistung wiederholte. Der Staatsminister von Scavenius erklärte zunächst, daß diese Forderung die Gefühle des dänischen Heeres tief verletzte und seiner Regierung ernsthafte Schwierigkeiten bereiten werde. Er wolle versuchen seine Regierung zu veranlassen, auf eine freiwillige Vereinbarung einzugehen. Wenn ihm dies nicht gelinge, empfehle er, daß die Wegnahme der Waffen und so weiter auf dem Wege einer politischen Forderung des Reichs oder auf dem rein militärischen Wege erfolge, damit er unter Zwang nachgeben und ein Auseinanderfallen seiner Regierung verhüten könne. Es wurde vereinbart, daß dem Staatsminister von Scavenius bis zum Ende der nächsten Woche Zeit gegeben wird, um seine Regierung im Sinne einer freiwilligen Einigung zu beeinflussen.

Ich bitte um Weisung, ob – wenn der Staatsminister von Scavenius kein Angebot einer freiwilligen Einigung bringen kann – die Forderung auf Abgabe der Waffen und so weiter von mir als politische Forderung an die dänische Regierung gerichtet oder ob die Durchführung der Maßnahme dem Befehlshaber der deutschen Truppen in Dänemark als rein militärische Maßnahme überlassen werden soll.

Dr. Best

173. Rudolf Brandt an Gottlob Berger 21. November 1942

Berger fik besked om, at Best ikke for Ribbentrop kunne få lov til at varetage den germanske opgave, dvs. de befolkningspolitiske anliggender, i Danmark for RFSS, men at SS måtte finde en anden dertil.

Det var det første tilbageslag i Bests bestræbelser på at udvide den rigsbefuldmægtigedes ressortområder, men han opgav ikke at komme til at varetage denne opgave, og fik sommeren 1943 held dermed (Büro RAM til Wagner 23. juli 1943, Poulsen 1970, s. 371, 374).

Kilde: RA, pk. 443. RA, Danica 1000, T-175, sp. 59, nr. 675.554.

Der Reichsführer-SS
Persönlicher Stab   *Feld-Kommandostelle, 21. Nov. 42.*
Tgb. Nr. 36/11/43g
Bra/Sch.

Betr.: Bevollmächtigten des Auswärtigen Amtes in Dänemark, SS-Gruppenführer Best.
Bezug: Dort. Schreiben vom 4.11.42[93] (Geheim)
VS-Tgb. Nr. 4361/42 Geh. – VI Tgb. Nr. 2019/42 geh.

SS-Gruppenführer Berger
    Chef des SS-Hauptamtes
    Berlin

Lieber Gruppenführer!
SS-Obergruppenführer Wolff hat auf Veranlassung des Reichsführers-SS mit dem Gesandten v. Rintelen wegen der gleichzeitigen Übertagung der germanischen Arbeit an SS-Gruppenführer Best telefonisch gesprochen.

Er erhielt heute den Bescheid, der Reichsaußenminister hielte es nicht für richtig, dem SS-Gruppenführer Best gleichzeitig mit dieser Aufgabe zu betrauen, er sei der Ansicht, daß die germanischen Dinge vom Reichsführer-SS aus zwar bearbeitet werden müßten, daß es aber besser sei, wenn dies von einer anderen Stelle als der des Beauftragten des Auswärtigen Amtes erfolge.

Heil Hitler!
R. Brandt
SS-Übersturmbannführer

174. OKW an Hermann von Hanneken 23. November 1942

OKW havde fra AA erfaret, at den danske regering havde opgivet modstanden mod at udlevere de våben og den ammunition, der ikke umiddelbart var brug for. Der var til gengæld stillet den danske regering politiske modydelser i udsigt. OKW beordrede von Hanneken om at tage stilling dertil og indberette, hvilke våben og hvilket udstyr han havde krævet.

Kilde: RA, pk. 202. PKB, 13, nr. 657.

Nur als Verschlußsache zu behandeln.   Geheime Reichssache.
                                                            Geheime Kommandosache.

93 Trykt ovenfor.

Telegramm

GWASL, den   23. November 1942   14.00 Uhr
Ankunft, den   24. November 1942   01.45 Uhr

Ohne Nummer vom 23.11.[42.]

Gltd.:   SSD Befehlshaber d.dt. Truppen in Dänemark
         SSD Nachr. Chef H Rüst u BDE
         SSD Nachr. Ausl./ABW.
         SSD Nachr. Ausw. Amt z.Hd. Herrn Leg. Rat von Grote.
         gKdos
Bezug: FS OKW WFSt Qu (Verw.) Nr. 003907/42 GK v. 23.10.42.
Betr.:   Inanspruchnahme dän. Waffen.

Nach Mitteilung des Ausw. Amtes sind der dän. Regierung gegenüber Forderungen über
die in Jütland und auf Alsen lagernden Waffen- und Munitionsbestände hinaus, und
zwar auf Ablieferung aller Waffen, die nicht für die Truppe benötigt werden, erhoben
worden. Diese Forderung sei nicht als militärische, sondern als politische Forderung
dem Ministerpräsidenten gegenüber geltend gemacht worden. Hierbei sollen deutsche
Gegenleistungen in Aussicht gestellt worden sein. BFH. d. Dt. Truppen wird gebeten,
hierüber eingehende Stellungnahme vorzulegen, insbesondere ob und gegebenenfalls
welche Gegenleistungen den Dänen in Aussicht gestellt wurden. Ferner sind die Waffen
und Geräte, die über die im Fernschrb. vom 23. Oktober 1942[94] erwähnten Bestände
hinaus gefordert werden, zu melden. Weitere Verhandlungen bedürfen gem. Fernschrb.
vom 23. Oktober 1942 der Zustimmung des OKW.
         FS OKW WFSt Qu (Verw.) Nr. 003907/42 GK II Ang.
         [uden signatur]

175. Werner Best an das Auswärtige Amt 23. November 1942

Best meddelte, at den danske toldlov var blevet ændret efter tysk ønske, og at den nye lov trådte i kraft 1.
december 1942.
     Kilde: BArch, R 901 68.712.

Telegramm

Kopenhagen, den   23. November 1942   14.50 Uhr
Ankunft, den   23. November 1942   15.50 Uhr

Nr. 1774 vom 23.11.[42.]

94 Meddelelsen er ikke lokaliseret.

Der Dänische Reichstag hat anstelle des am l. Dezember 1942 ablaufenden Zollgesetzes vom 25. März 1942 ein Gesetz angenommen, in dem die von uns bei den Regierungs-verhandlungen vorgeschlagenen Änderungen des alten Gesetzes berücksichtigt worden sind. Das neue Gesetz tritt am 1.12.42 in Kraft.

Dr. Best

176. Werner Best an das Auswärtige Amt 24. November 1942

Som det var tilfældet, da værnemagten ønskede den danske hærs overskydende våben, tog Best ikke stilling til spørgsmålet om nødvendigheden af at viderebefordre ønsket om at få den danske hærs uldtæpper, men tog alene stilling til, om generel von Hanneken havde bemyndigelse dertil. Det ville han have afklaret i Berlin.

Med hensyn til uldtæpperne er det uden tvivl, at det var et led i bestræbelserne på at dække behovet på østfronten. Se Karl Schnurres optegnelser 28. november og (koncept til) svar til Best 30. november.

Kilde: PA/AA R 29.566. PKB, 13, nr. 658.

Telegramm

| Kopenhagen, den | 24. November 1942 | 13.40 Uhr |
| Ankunft, den | 24. November 1942 | 14.40 Uhr |

Nr. 1785 vom 24.11.[42.]

Der Befehlshaber der deutschen Truppen in Dänemark hat mir mitgeteilt, daß er vom Befehlshaber des Ersatzheeres beauftragt worden sei, möglichst große Mengen von Wolldecken in Dänemark zu beschaffen und dem Befehlshaber des Ersatzheeres zur Verfügung zu stellen. Der Befehlshaber hat bereits begonnen, über seine Dienststellen zu prüfen, welche Bestände an Wolldecken bei der dänischen Wehrmacht vorhanden sind und welche Mengen etwa im Lande angekauft werden können. Ich bitte um Klä-rung, ob der Befehlshaber des Ersatzheeres befugt ist, durch militärischen Befehl an den hiesigen Befehlshaber den Ankauf von Bedarfsgegenständen, die nicht für in Dänemark stehende Truppen bestimmt sind, und die Ausfuhr derselben in das Reich anzuordnen.

Dr. Best

177. Werner Best an das Auswärtige Amt 24. November 1942

Best benyttede værnemagtens krav og fremfærd i våbenspørgsmålet til at indtage en medierende rolle. Hans trumf var den nære forbindelse til Scavenius og den danske regering og truslen om, at den politiske for-bindelse kunne lide skade, hvis værnemagten tromlede frem. Han stillede sig kun tilsyneladende uden for sagens afgørelse, detaljerne interesserede ham mindre, men han var dybt utilfreds med, at von Hanneken kom ham på tværs i besættelsespolitikken (hos Kirchhoff, 1, 1979, s. 120f. en delvis anden vurdering).

Kilde: PA/AA R 29.566. PKB, 13, nr. 659.

Nur als Verschlußsache zu behandeln.

Telegramm

| Kopenhagen, den | 24. November 1942 | 21.00 Uhr |
| Ankunft, den | 24. November 1942 | 22.00 Uhr |

Nr. 1786 vom 24.11.[42.]

Mit Bezug auf diesseitiges Telegramm Nr. 1771[95] vom 20. dieses Monats berichte ich in der Frage der Beschlagnahme der dänischen Waffen folgendes:

Der Befehlshaber der deutschen Truppen in Dänemark, General von Hanneken, hat mir mitgeteilt, er sei von dem Befehlshaber des Ersatzheeres heute fernmündlich gefragt worden, warum er die Waffen noch nicht beschlagnahmt habe. Auf meine Frage, wie denn die ihm von dem Befehlshaber des Ersatzheeres erteilten Befehle genau lauteten, gab General von Hanneken die folgende Darstellung: Er habe zunächst von dem Befehlshaber des Ersatzheeres den Befehl erhalten, die dänischen Waffen, die in Jütland in deutsche Verwahrung genommen wurden, endgültig zu "beschlagnahmen" und in das Reich abzuliefern. Er habe darauf erwidert, daß die Schlösser der jütländischen Gewehre in Kopenhagen liegen, sodaß er dann auch hier "Beschlagnahmen" vornehmen müsse. Er habe deshalb vorgeschlagen, man möge die Dänen zum gütlichen Überlassen einer größeren Menge von Waffen und Geräten als in Jütland in deutschem Gewahrsam sei, veranlassen, um unsererseits die Beschlagnahme mit ihren etwaigen Auswirkungen zu vermeiden, und um andererseits größere Mengen zu erfassen. Der Befehlshaber des Ersatzheeres habe diesem Vorschlag zugestimmt. Darauf habe er dem dänischen Generalstabschef Generalmajor Rolstedt diesen Vorschlag eröffnet. – Von der dänischen Regierung ist noch keine Äußerung erfolgt. Vertraulich wurde bekannt, daß Mitteilung des Befehlshabers der deutschen Truppen höchste Aufregung verursacht habe. Man spricht von der Möglichkeit eines Rücktritts der Regierung, diese Möglichkeit ist nicht von der Hand zu weisen, da inzwischen bekannt wurde, daß es einem Teil der Parteien, insbesondere der konservativen Partei, leid geworden sei, sich auf die Bildung dieser Regierung eingelassen zu haben, und daß sie gern mit einer nationalen Geste die Regierung sprengen und sich weiterer Verantwortung entziehen möchte. Der Staatsminister Scavenius versucht, die Regierung zu einem Angebot zu veranlassen, das sich jedoch auf einen Teil der vorhandenen Waffen usw. (wahrscheinlich $1/_3$, das etwa den in Jütland zurückgelassenen Waffen entspreche) erstrecken wird. Die Antwort der dänischen Regierung wird mir erst nach Ablauf der vereinbarten Frist (29. November bezw. 30. November) zugehen.

Dr. Best

95 bei Pol I M (V.S.). Trykt ovenfor.

178. Franz Rademacher an Werner Best 24. November 1942

AA ville have oplyst, om Christian 10. havde modtaget en Davidsstjerne af den jødiske menighed på sin fødselsdag.

Best svarede 5. februar 1943.

Kilde: RA, pk. 219. Lauridsen 2008a, nr. 55.

Durchdruck als Konzept   *den 24. November [19]42*

D III

An die Deutsche Gesandtschaft
    Kopenhagen

Nach Angaben des in der Schweiz erscheinenden "Israelitischen Wochenblatts," Nr. 46 des Jahrgangs 42 vom 13.11.42 soll der Dänische König zu seinem 72. Geburtstage eine Delegation der Jüdischen Gemeinde in Kopenhagen empfangen haben, die ihm einen goldenen Davidstern mit Widmung überreicht haben soll.

Es wird um Bericht gebeten.

Im Auftrag
gez. **Rademacher**

179. Gottlob Berger an Heinrich Himmler 24. November 1942

Berger orienterede RFSS om indholdet af en samtale, han havde haft med rigskommissær Josef Terboven om Bests udnævnelse til rigsbefuldmægtiget. Det havde krævet adskillige argumenter at overbevise Terboven om det rigtige i beslutningen, men Berger mente, at det var lykkedes, selv om han ikke var i tvivl om, at Terboven nu ville lægge rænker op.

Om Berger selv troede på de argumenter, som han førte i marken, er åbent spørgsmål; de skulle først og fremmest overbevise Terboven og behage RFSS. Beslutningens visdom kunne ikke anfægtes. Det er imidlertid interessant, at Gauleiter Karl Kaufmann skulle have eftertragtet posten, men det hænger måske sammen med, som angiveligt anført af Terboven, at stillingen som rigsbefuldmægtiget ville føre til avancementet til rigskommissær. Det kunne meget vel være forventningen hos mulige kandidater til stillingen, og også hos Best (Thomsen 1971, s. 127, 249, n. 19, Herbert 1996, s. 332, 610, n. 20 uden reel udnyttelse af brevet).

Kilde: IfZG, IMT/NO 2215 (kun uddrag om Best medtaget her)

Der Reichsführer-SS

Chef des SS-Hauptamtes   *Berlin W 33, den 24. Nov. 1942.*

CdSSHA/Be/Vo. VS-Tgb. Nr. 532/42 g.Kdos.

3 Ausfertigungen

                                                                              Prüf. Nr. 1

Betr.:   Norwegen.

Anlg.:   1 Brief des Ministerpräsidenten Quisling.[96]

An den Reichsführer-SS und Chef der Deutschen Polizei,
    Feldkommandostelle.

96 Brevet er ikke vedlagt.

Reichsführer!

Aus einem Aktenvermerk des SS-Stubaf. Leib bin ich wohl in großen und ganzen über den Inhalt des Briefes von Ministerpräsident Quisling im Bilde.[97] Da es sich wahrscheinlich um in der Entwicklung liegende grundsätzliche Fragen handelt, bitte ich, einen knappen Bericht über die derzeitige Lage vorlegen zu dürfen.

Vorbemerkung, da für die Beurteilung der Gesamtsituation nicht unwesentlich:

Am 8. Nov. bat mich, wie schon berichtet, Reichskommissar Terboven zu sich zum Mittagessen. Sein Bestreben, aus Norwegen zu kommen und den belgischen Raum zu übernehmen, sind bekannt. Er hofft, in Reichsführer-SS bei der Durchsetzung seines Zieles einen starken Bundesgenossen zu haben. Am 10.11. traf ich Terboven noch einmal kurz auf dem Flugplatz, zusammen mit den Gauleitern Kauffmann und Wegener.[98] Terboven nahm mich etwas auf die Seite und sprach über die Ernennung den SS-Gruf. Dr. Best zum Außerordentlichen Bevollmächtigten in Dänemark. Er ließ durchblicken, daß diese Ernennung in der Partei Aufsehen hervorgerufen hätte, und zwar darum, weil doch für diese Aufgabe – da später ein Reichskommissariat entstünde – eigentlich besser ein aktiver jüngerer Gauleiter die geeignetere Persönlichkeit gewesen wäre, da bekannt sei, daß Dr. Best bei all seinen besonderen Fähigkeiten sehr formal und in vielen Dingen wenig wendig sei. Ich schloß aus Bemerkungen, daß Gauleiter Kaufmann gerne diese Sache übernommen hätte. Ich entgegnete:

a.) Wie bekannt, war Dr. Best im Reichssicherheitshauptamt. Er schied dort aus und wurde in Frankreich bei der Militärverwaltung eingesetzt. Hier hat er sich außerordentlich bewährt. Auf eine Anfrage des Herrn Reichsaußenministers bei Reichsführer-SS wegen Abgabe eines für den diplomatischen Dienst geeigneten SS-Führers wurde u.a. Dr. Best genannt.[99] Ich persönlich hatte es sehr gerne gesehen, wenn Dr. Best als Gesandter entweder in Schweden oder in der Schweiz eingesetzt worden wäre, da Dänemark für die SS nicht so sehr interessant ist, umso weniger, als die Frage Dänemark sich im Laufe der Monate oder Jahre ganz von selbst erledigen würde. Es kann also dem Reichsführer-SS hier keinesfalls ein Vorwurf gemacht werden.

b.) Aus den Bemerkungen einiger Herren des Auswärtigen Amtes schließe ich sogar, daß man Dr. Best für Dänemark eingesetzt hätte, um ihn in Schweden oder der Schweiz nicht einsetzen zu müssen, damit diese Stellen für "Berufsdiplomaten" freigehalten werden könnten. Reichsführer-SS sei also schuldlos.

c.) Es sei doch praktisch einfach unmöglich, daß man einen Gauleiter und Reichsstatthalter als Außerordentlichen Bevollmächtigten in Dänemark einsetze, solange der dänische König noch lebe. Als Gesandter würde er dem Auswärtigen Amt unterstehen. Damit würde ja die Stellung der Gauleiter und Reichsstatthalter in einer Form herabgewürdigt, die für die Partei einfach untragbar wäre.

Terboven gab sich vorerst damit zufrieden. Bei seiner Mentalität rechnete ich aber nun

---

97 Karl Leib, leder af Waffen-SS' rekrutteringskontor i Norge. Desuden Bergers svigersøn.

98 Karl Kaufmann, Gauleiter i Hamburg; Paul Wegener, Gauleiter i Weser-Ems og Sonderbeauftragter des Reichskommissars (Einsatzstab der NSDAP) bei der Nasjonal Samling.

99 Se Karl Wolff til Best 5. november 1941, hvor Wolff fortæller, at Ribbentrop havde henvendt sig til RFSS for at blive henvist til nogle højtkvalificerede SS-førere med henblik på at repræsentere Tyskland i udlandet (BArch, SSO 064, Best).

auf einen Gegenschlag in irgendeiner Form, der auch eintrat, dadurch er nun am selben Tage – die Gauleiter flogen nach Berlin nicht ab – Stabschef Lutze nach Norwegen einludet.[100] Dieser befindet sich im Augenblick dort.

[...]

Berger
SS-Gruppenführer

180. RSHA an Martin Luther 24. November 1942

RSHA afviste, at Höflers besøg i Danmark på nogen måde antastede AAs politiske interesser. Höflers særopgave for RFSS var først og fremmest af åndshistorisk art, og han skulle til København for at indsamle det seneste materiale til et foredrag om de åndshistoriske grunde til skandinavernes nuværende holdning. Opgaven var af videnskabelig-efterretningsmæssig art, og derfor faldt den ind under RSHAs område. Det var beklageligt, at der skulle bruges tid på og være modsætninger i en sag som denne, hvor tiden kunne være anvendt bedre.

RSHAs brev fik Luther til at reagere endnu engang med, at der nu skulle rettes henvendelse til Walter Schellenberg i RSHA, se Göddes notat 30. november 1942.

Kilde: RA, pk. 234.

Der Chef der Sicherheitspolizei und des SD   *Berlin, den 24. November 1942*
AZ 7173/42

An das Auswärtige Amt
z.Hd. von Herrn Unterstaatssekretär Luther
Berlin W. 8
Wilhelmstr. 74-76

Betr.:   Studienreise des Professors Otto Höfler, München, nach Dänemark
Vorg.:   Dort. Schnellbrief D II 1493 g vom 21.10.1942[101]

Zu diesem Schreiben darf zunächst berichtigend bemerkt werden, daß das Auswärtige Amt nicht "durch Zufall" von dem Sonderauftrage des Professors Höfler erfahren hat, sondern daß der zuständige Referent meines Amtes sich um die Entscheidungen des Höfler'schen Antrages zu beschleunigen, fernmündlich mit dem Verbindungsführer des Auswärtigen Amtes zum Reichssicherheitshauptamt, Legationsrat Picot, in Verbindung gesetzt hat. Mein Referent teilte Legationsrat Picot mit, daß ein Interesse des Reichssicherheitshauptamtes an der beschleunigten Durchführung der Reise des Professors Höfler bestehe, da Höfler anläßlich seines Studienaufenthaltes in Kopenhagen eine Denkschrift für den Reichsführer-SS über die geistesgeschichtliche Lage in Skandinavien fertigstellen soll.

Sachlich ist festzustellen, daß Professor Höfler in Berlin vor Sachbearbeitern meines

---

100 Victor Lutze, fhv. stabschef for SA.
101 Brevet er ikke lokaliseret.

Amtes aus den besetzten Gebieten einen Vortrag über die geistesgeschichtliche Ent-
wicklung Skandinaviens gehalten hat, der außerordentlich interessante Hinweise auf die
geistesgeschichtlichen Gründe für die heutige Haltung der Skandinavier (und auch der
übrigen Germanen) Deutschland seiner Kulturpolitik und seiner Propaganda gegenüber
enthielt. Es wurde mit Professor Höfler vereinbart, daß er den Vortrag zu einer kurzen
Denkschrift zusammenfassen sollte, die dem Reichsführer-SS vorgelegt werden sollte
mit dem Vorschlag, sie auch anderen höchsten Reichsstellen, so dem Reichsaußenmini-
ster, dem Reichspropagandaminister und den verschiedenen interessierten Dienststellen
in den besetzten Gebieten zuzuleiten. Als Professor Höfler hier mitteilte, daß er zu einen
Studienaufenthalt nach Kopenhagen fahren wollte, wurde diesem vorgeschlagen, bei
dieser Gelegenheit an Ort und Stelle sich zur Ergänzung das erreichbare Material über
die letzte Entwicklung zu beschaffen.

Es handelt sich also bei dem Auftrag für Professor Höfler nur um abschließende
(ergänzende und evtl. berichtigende) Studien zu einer Ausarbeitung *historischer* Art, die
er auf Grund seiner langjährigen Kenntnis der skandinavischen Verhältnisse bereits hier
fertiggestellt hatte. Er hatte nicht den geringsten Auftrag, aktiv politisch oder kulturpo-
litisch tätig zu werden oder sich mit der praktischen deutschen Kulturpolitik in diesen
Ländern zu befassen. Seine Aufgabe ist eine rein wissenschaftlich-*nachrichtendienstliche*
und fällt als solche in die Zuständigkeit des Chefs der Sicherheitspolizei und des SD.

Wenn in dem Schreiben an die Wehrüberwachungsbehörde ausgeführt wurde, daß
die Denkschrift der "Vorbereitung politischer Maßnahmen zur Bekämpfung der geg-
nerischen Propaganda und Widerstandsarbeit in den skandinavischen Ländern" dienen
soll, so ist das so zu verstehen, daß die Denkschrift den zuständigen Stellen zugeleitet
werden sollte mit gewissen, von hier zu erarbeitenden Vorschlägen und Anregungen für
die Durchführung der deutschen Kulturarbeit in diesen Ländern. Darüber hinaus sollte
sie zur Unterrichtung und Ausrichtung der Dienststellen des Reichsführers-SS dienen,
denen die Bekämpfung der Widerstandsarbeit, insbesondere in Norwegen und den Nie-
derlanden, obliegt.

Eine "Angelegenheit von außenpolitischer Bedeutung" wäre die Denkschrift somit
erst dann geworden, wenn das Auswärtige Amt nach Kenntnis ihrer Gedankengänge
sich entschlossen hätte, für seine Arbeit irgend welche Folgerungen aus ihr zu ziehen.
Eine vorherige Unterrichtung des Auswärtigen Amtes war daher um so weniger erfor-
derlich, als die Denkschrift ja nicht den Hauptzweck der Reise des Professors Höfler
darstellt. Eine Unterrichtung ist jedoch trotzdem durch fernmündliche Mitteilung an
den zuständigen Verbindungsführer des Auswärtigen Amtes erfolgt; die entstehenden
bedauerlichen Mißverständnisse hätten ebenfalls durch fernmündliche Rückfrage bei
dem zuständigen Referenten meines Amtes ohne Schwierigkeiten geklärt werden kön-
nen.

Ich bedauere, daß nunmehr eine Verzögerung dieser für alle zuständigen Dienststellen
interessanten Arbeit eingetreten ist und daß die zweifellos sehr wichtigen wissenschaft-
lichen Studien des Professors Höfler, der einer von den drei heute an den deutschen
Hochschulen lehrenden Skandinavisten ist, darunter leiden mußten. Ebenso bedauere
ich, daß die beteiligten Ämter bei ihrer Belastung durch wichtigste Kriegsaufgaben sich
mit langwierigen Auseinandersetzungen in dieser Angelegenheit befassen müßte.

Heil Hitler!
i.V.: [underskrift]
SS-Brigadeführer

181. Politische Informationen für die deutschen Dienststellen in Dänemark 24. November 1942

Efter knap tre uger i Danmark udsendte Best det første nummer af en politisk bulletin rettet til alle tyske tjenestesteder i Danmark, det være sig militære som civile. Indholdet var godkendt af ham selv, og grund-materialet leveret af hans stab, mens han alene formulerede alle de politisk afsnit og konklusioner.[102] Her blev udtrykt den officielle tyske opfattelse af situationen i Danmark på alle de områder, som Best på et givet tidspunkt fandt det relevant at omtale og videreformidle. *Politische Informationen* blev udviklet undervejs, hvor faste rubrikker blev indført, nogle forsvandt igen, andre blev der til sidste udgave.

Politische Informationen fremkom jævnligt lige til 1945. I tiden frem til august 1943 fremkom det hver 14. dag, i valgmåneden marts 1943 dog tre gange, for efter augustoprøret at holde pause til 1. november 1943, hvorefter det fremkom månedligt til og med april 1945.

AA fik lejlighedsvis fremsendt et eksemplar til orientering, og det gjorde andre tyske instanser i Berlin også. Hitler stiftede lejlighedsvis bekendtskab med indholdet og reagerede derpå.

Politische Informationen er hidtil kun blevet sporadisk udnyttet af forskningen og har f.eks. kun ganske usystematisk fundet anvendelse i diskussionen om den danske landbrugseksports betydning for Tyskland,[103] ligesom det ikke er blevet udnyttet efter fortjeneste ved undersøgelsen af tysk besættelsespolitik. Ulrich Herbert benytter således næsten ikke *Politische Informationen* trods det, at det er en nøgle til forståelsen af den af Best førte besættelsespolitik.

Politische Informationen var et af de mest karakteristiske udtryk for Bests lederstil. På den ene side tog han de fleste væsentlige beslutninger alene, på den anden side skulle der være åbenhed om en lang række forhold, som var helt utænkelig i andre tyskbesatte lande. Således omtalen af sabotagen og de udførlige referater af illegal presse og engelsk og svensk radio (Kirchhoff, 1, 1979, s. 103).

I første nummer af *Politische Informationen* var det Best meget om at gøre at eksponere betydningen af landbrugseksporten, og de positive udsigter med hensyn til øgede leverancer til Tyskland i fremtiden. Her fortsatte han sin forgængers linje. Hensigten hermed synes også meget klar; Best ville undgå foranstaltninger i Danmark, der kunne svække landbrugets "Produktionsfreudigkeit," det være sig i form af rationering eller krav, der kunne forstyrre ro og orden i landet. Adressaten kunne være von Hanneken, som stillede det ene krav efter det andet i forhold til den danske hær og med hensyn til sabotagebekæmpelsen (Nissen 2005, s. 245f.).

Kilde: BArch, R 901 67.735. RA, Centralkartoteket, pk. 680.

Der Bevollmächtigte des Reiches in Dänemark   *Kopenhagen, den 24.11.1942.*

Politische Informationen
für die deutschen Dienststellen in Dänemark.

Betr.:   Abschluß der deutsch-dänischen Regierungsausschuß-Verhandlungen und die Leistungen der dänischen Landwirtschaft an das Reich.

---

102 Nissen 2005, s. 245 har fremsat den formodning, at Franz Ebner var forfatteren. I bedste fald leverede han det udkast, som Best arbejdede videre ud fra ved denne første udsendelse. Det fremgår af de talrige følgende numre af *Politische Informationen*, at Best havde bestemt såvel emnevalg som formuleringer. Det kunne ikke overlades til andre i denne type politisk udsendelse.

103 Det har undgået adskillige forskeres opmærksomhed, at et næsten komplet sæt *Politische Informationen* er på RA, mens de betjener sig af enkelte numre hentet i Berlin.

In den letzten Tagen sind die diesjährigen Verhandlungen zwischen den zur Regelung
der handelsvertraglichen Beziehungen zwischen dem Reiche und Dänemark eingesetz-
ten Regierungsausschüssen zum Abschluß gebracht worden. Die Verhandlungen wur-
den auf deutscher Seite von dem Vorsitzenden des deutschen Regierungsausschusses,
Ministerialdirektor Walter (Reichsernährungsministerium), und auf dänischer Seite von
dem Vorsitzenden des dänischen Regierungsausschusses, Abteilungschef Wassard (Au-
ßenministerium) geführt.

Der Zweck der Verhandlungen war, die im Wirtschaftsjahr 1941/42 (Oktober bis
Oktober) geleisteten dänischen Lieferungen abschließend festzustellen und den Liefe-
rungsplan für das Wirtschaftsjahr 1942/43 zu vereinbaren.

Es wurde festgestellt, daß im Wirtschaftsjahr 1941/42 die folgenden Mengen land-
wirtschaftlicher Haupterzeugnisse aus Dänemark in das Reich ausgeführt worden sind:

	31.500 t	Butter,
	9.100 t	Eier (etwa 146 Millionen Stück),
	280.000 Stck.	Rinder,
	564.000 –	Schweine,
über	17.000	Gebrauchspferde.

Dazu kommen als weitere ernährungswirtschaftliche Leistungen
            80.000 t   frische Seefische und Heringe.

Außer diesen Haupteinfuhrgruppen hat Dänemark weiterhin an Deutschland nennens-
werte Mengen an Käse, Dauermilch-Erzeugnissen, Obst und Gemüse geliefert. Von gro-
ßer Bedeutung ist ferner die dänische Lieferung an Gras-Samen; es kann gesagt werden,
daß der gesamte unter deutscher Kontrolle stehende europäische Bedarf an Gras-Samen
zu einem wesentlichen Teil durch die dänischen Lieferungen gedeckt wird, deren Be-
deutung als Grundlage für die Futtermittelerzeugung nicht unterschätzt werden darf.

Als indirekte dänische Leistung an das Reich ist zu erwähnen, daß Dänemark in den
letzten Jahren große Ausfuhren an Zucker insbesondere nach Finnland und Norwegen
vorgenommen hat und dadurch hauptsächlich den Fehlbedarf dieser Länder gedeckt
hat. Wenn Dänemark diese Lieferungen nicht vorgenommen hätte, so hätten sie aus
Deutschland kommen müssen zu Lasten der deutschen Rationen.

Um einen Begriff von der Größenordnung der dänischen Lieferungen im Rah-
men der deutschen Versorgung zu geben, wird darauf hingewiesen, daß die dänischen
Fleischlieferungen ausreichen, um Großdeutschland mit 90 Mill. Einwohnern bei einer
Fleischration von wöchentlich 350 Gramm etwa 3 Wochen mit Fleisch und Fleisch-
waren zu versorgen. Die Butterlieferung würde ebenfalls ausreichen, um das deutsche
Volk bei einer angenommenen Ration von wöchentlich 125 Gramm etwa 3 Wochen
zu versorgen, während die Eierlieferungen bei einer wöchentlichen Ration von 1 Ei je
Normalverbraucher ca. 1 ½ Woche ausreichen würden.

Über die voraussichtlichen dänischen Leistungen im 4. Kriegswirtschaftsjahr sind
in den letzten Regierungsausschuß-Verhandlungen Berechnungen aufgestellt worden.
Zum Verständnis der Bedeutung dieser Berechnung ist festzustellen, daß bei den un-
mittelbar nach dem 9. April 1940 von den zuständigen deutschen Stellen in Berlin

angestellten Berechnungen nicht damit gerechnet wurde, daß Dänemark in 4. Kriegs-
wirtschaftsjahr überhaupt noch irgendwelche nennenswerten Lieferungen über die eige-
ne Versorgung hinaus zugunsten Deutschlands werde leisten können. Erfreulicherweise
entwickelte sich die Lage günstiger. Es ist nach wie, vor eine Ausfuhr von etwa 170.000
Stück Schlachtrindern angesetzt. An Schweinen ist die voraussichtliche Liefermenge
nach Deutschland noch um die Hälfte größer als im 3. Kriegswirtschaftsjahr. Bei Pfer-
den, Fischen, Obst und Gemüse wird mit annähernd den gleichen Mengen wie im
Vorjahre gerechnet. Es ist erklärlich, daß insbesondere bei den Fischen keine genauen
Berechnungen aufgestellt werden können, da die endgültigen Fangergebnisse – auch bei
guten Fischvorkommen – von der Ölzuteilung und von den kriegerischen Ereignissen
(Erweiterung der Sperrgebiete usw.) beeinflußt werden.

Die dänischen Lieferungen stellen für die deutsche Ernährungswirtschaft einen be-
achtlichen Beitrag für die Aufrechterhaltung der deutschen Rationssätze dar. Es ist kei-
neswegs so, wie vielfach angenommen wird, daß diese dänischen Lieferungen gegenüber
dem, was die Ukraine und andere Länder liefern, keine Bedeutung hätten. Es muß viel-
mehr nach wie vor größter Wert darauf gelegt werden, daß die vorgesehenen Mengen im
kommenden Wirtschaftsjahr wirklich zur Ausfuhr gelangen. Die Voraussetzung dafür,
daß diese Ausfuhren getätigt werden, ist in der Hauptsache die Aufrechterhaltung der
Ruhe im Lande und der Produktionsfreudigkeit der dänischen Landwirtschaft.

Es wird manchmal nicht verstanden, daß in Dänemark nicht alle Lebensmittel der
Rationierung unterworfen sind, insbesondere, daß das Fleisch nicht rationiert ist, son-
dern scheinbar im freien Handel in jeder beliebigen Menge gekauft werden kann. Hier-
zu ist festzustellen:

1.) Die Hälfte der dänischen Bevölkerung ist als Fleischselbstversorgen anzusehen, so
daß bei dieser – im Hinblick auf die Hausschlachtungen – eine Rationierung ohne-
hin keine Wirkung haben würde. Von der übrigen Hälfte der Bevölkerung hat wie-
derum ein sehr großer Teil Beziehungen zum Lande, so daß – wie im Reich – immer
ein gewisser Verkehr vom Selbstversorger in die Stadt stattfände.

2.) Ein großer Teil der städtischen Bevölkerung in Dänemark ist wegen der hohen
Fleischpreise nicht in der Lage, seinen früheren Fleischverbrauch aufrechtzuerhalten,
sondern muß – zum Teil stärker als bei einer Rationierung – seinen Fleischverzehr
einschränken.

Die Rationierung von Lebensmitteln wird in einem Lande wie Dänemark mit einem so
unverhältnismäßig großen Anteil der Selbstversorger immer ein problematisches Unter-
fangen bleiben. Es ist deshalb von deutscher Seite – auch gegenüber dänischen Rationie-
rungsvorschlägen – stets der Standpunkt eingenommen worden, nur dann eine Rationie-
rung zu fordern, wenn sie wirklich etwas einbringen würde.

Als teilweise Gegenleistungen für die landwirtschaftlichen Lieferungen Dänemarks
sind in den Regierungsausschuß-Verhandlungen von deutscher Seite an Dänemark Liefe-
rungen von Rohstoffen (Kohle, Eisen, Treibstoffen, Chemikalien, Textilrohstoffen usw.)
zugesagt worden. Diese Rohstofflieferungen setzen erst die dänische Industrie in die
Lage, weiter für die deutsche Kriegswirtschaft zu arbeiten.

182. Rudolf Querner an Werner Best 25. November 1942

I anledning af årsdagen for Hitlers mislykkede kup i München 8.-9. november 1923 blev Best forfremmet til SS-Gruppenführer.
Kilde: RA, pk. 443a.

25. November 1942

An den
SS-Gruppenführer Dr. Best,
Berlin NW 7
Unter den Linden 72

Lieber Kamerad Best!
Ich erfuhr von Ihrer durch den Führer aus Anlaß des Gedenktages für die Gefallenen der Bewegung ausgesprochenen Beförderung zum SS-Gruppenführer. Hierzu gratuliere ich Ihnen recht herzlich.
Mit kameradschaftlichem Gruß und Heil Hitler!
Ihr
gez. **Querner**
SS-Gruppenführer
Generalleutnant d.P.

183. Deutsche Gesandtschaft an das Auswärtige Amt 25. November 1942

General von Hanneken fortsatte sin offensive kurs for værnemagten i Danmark. Det gjaldt bl.a. i spørgs-målet om hvervning af frivillige til den tyske hær. Hidtil var hvervningen foregået gennem DNSAP og SS. Hanneken fik en ordning igennem, der tillod frivillige danske statsborgere at henvende sig på værnemagtens tjenestesteder i Danmark og blive indrulleret, idet Det Tyske Gesandtskabs konsulatafdeling blev involveret i hvert enkelt tilfælde.
Konsulatafdelingen blev ledet af legationssekretær dr. Machowetz.
Kilde: RA, pk. 225.

Abschrift R. 29.868
Deutsche Gesandtschaft   *Kopenhagen, den 25. November 1942*
Konsulatsabteilung
395 D Pol. 3 Mil./42

An das Auswärtige Amt,
Berlin

Unter Bezugnahme auf den Erlaß vom 8. Okt. 1942[104] – R 23.929 –
Betr.:   Einstellung von dänischen Staatsangehörigen (Volksdeutschen und Dänen) in die deutsche Wehrmacht.

104 Skrivelsen er ikke lokaliseret.

Anliegend wird Abschrift eines auf Grund einer Anordnung des Oberkommandos der Wehrmacht ergangenen Befehl des Befehlshabers der deutschen Truppen in Dänemark an die hier befindlichen Truppeneinheiten vorgelegt. Danach erfolgt die Zustellung der Einberufungsbefehle an dänische Staatsangehörige (Volksdeutsche und Dänen), die sich bei einem deutschen Standort in Dänemark zum Wehrdienst melden, nunmehr durch den Befehlshaber Dänemark.

Im Hinblick auf den obengenannten Erlaß vom 8. Oktober und zwecks entsprechender Beteiligung der Gesandtschaft bei Einziehung von Freiwilligen in den vorgenannten Fällen ist mit dem Befehlshaber Dänemark folgendes vereinbart worden:

1.) Die sich meldenden Freiwilligen werden in allen Fällen betreffend die Festsetzung und Gewährung von Familienunterhalt an die Gesandtschaft – Konsulatsabteilung – verwiesen.

2.) Jede Freiwilligenmeldung wird der Gesandtschaft – Konsulatsabteilung zwecks Stellungnahme mitgeteilt.

3.) Die Gesandtschaft – Konsulatsabteilung – wird seitens des Befehlshabers Dänemark von jeder erfolgten Einberufung unter Angabe des Truppenteils benachrichtigt.

Im Auftrag
Unterschrift
[uden signatur]

184. Karl Schnurre: Aufzeichnung 25. November 1942

Schnurre rekapitulerede samarbejdet med OKW. AA bad fremover om, at AA blev underrettet, før WFSt krævede våben beslaglagt i Danmark pga. de politiske implikationer. Imidlertid meddelte WFSt, at von Hanneken havde handlet på en anden måde, end det havde været hensigten, og han havde fået besked på at indstille videre forhandlinger. Nu afventedes von Hannekens indberetning, og det ville givetvis føre til, at OKW ville rådspørge AA i sagen på grund af dens politiske virkninger.

Kilde: RA, pk. 202. PKB, 13, nr. 660.

zu Pol I M 5486 g.

A u f z e i c h n u n g
betr. deutsche Forderung auf Ablieferung der dänischen Waffen

Ich habe heute Min. Rat v. Fritsch, Wehrmachtführungsstab, fernmündlich gesagt. Es lägen uns auch heute weitere Nachrichten aus Kopenhagen vor, die darauf schließen ließen, daß die Forderungen des Befehlshabers der deutschen Truppen in Dänemark auf Ablieferung der dänischen Waffen weitere politische Kreise ziehen. Wir bäten den Wehrmachtführungsstab das Auswärtige Amt vorher zu unterrichten, wenn weitere Weisungen an den Befehlshaber gegeben würden, die über das seinerzeit besprochene Vorgehen (Beschlagnahme der Waffen nur auf Jütland und Alsen) hinausgehen. Wir hätten nicht die Absicht, dem OKW irgendwie in den Arm zu fallen, wenn es diese Waffen haben wolle. Wir müßten aber in Anbetracht der politischen Auswirkungen jedenfalls vorher Gelegenheit haben, die Frage vom politischen Gesichtspunkt aus zu prüfen. Den Herrn Reichsbevollmächtigten hätten wir angewiesen, sich in der Sache zurückzuhalten, da es sich um eine militärische Angelegenheit handle.

Min. Rat. v. Fritsch bedauerte, daß durch die Dazwischenschaltung des Oberbefehlshabers des Ersatzheeres die Frage der Waffenforderung an Dänemark auf ein anderes Geleis gekommen ist als es vom Wehrmachtführungsstab beabsichtigt war. Der Wehrmachtführungsstab hätte jedenfalls dem Befehlshaber der deutschen Truppen in Dänemark die Weisung gegeben, weitere Gespräche in der Angelegenheit zu unterlassen bis neue Instruktionen vom WFSt gegeben wären. Der angeforderte Bericht des Befehlshabers der deutschen Truppen in Dänemark läge noch nicht vor, würde aber für morgen erwartet. Auf Grund dieses Berichtes werde Min. Rat v. Fritsch die Angelegenheit vortragen. Er werde selbstverständlich vor jeder weiteren Instruktion das Auswärtige Amt unterrichten. Es werde wahrscheinlich wohl so kommen, daß mit Rücksicht auf die politischen Auswirkungen das OKW das Auswärtige Amt fragen werde, wie es in der Sache weiter vorgehen solle.

Berlin, den 25. November 1942.

gez. **Schnurre**

185. Werner Best an das Auswärtige Amt 25. November 1942

Den danske nationalbank ønskede, at værnemagtskontoen blev opgjort i danske kroner i stedet for i RM. Best diskuterede for og imod denne ændring, og hældede mest til at imødekomme ønsket. Det ville styrke den nye danske regering og skulle tilladelsen blive givet, bad Best om, at det blev overladt ham at finde det egnede tidspunkt, hvor den danske regering skulle have besked derom. Han ville da kunne benytte imødekommelsen i forbindelse med eventuelt opståede problemer.

Scherpenberg udarbejdede 7. december et hastebrev til RFM, hvorefter der blev bedt om en hurtig stillingtagen til Bests brev, idet Best da i givet tilfælde ville kunne udnytte et positivt udfald i sine forhandlinger med danskerne endnu samme måned (BArch, R 901 113.554. RA, pk. 271). RFM svarede imidlertid først 20. januar 1943, trykt nedenfor). Derfor fik Best først svar fra Wiehl 1. marts 1943, trykt nedenfor.

Den nyudnævnte rigsbefuldmægtigede var klar til at udnytte den først givne lejlighed til at forbedre sit forhold til den danske regering, men i AA var der ikke stemning for at spille Best dette kort i hænde, selv om andre berørte tyske instanser var indstillet derpå. Bests offensive diplomati stod i modsætning til forgængerens, og måske gav det i sig selv anledning til tilbageholdenhed fra AAs side.

Kilde: BArch, R 901 113.554. RA, pk. 271.

Der Bevollmächtigte des Reiches in Dänemark   *Kopenhagen, den 25. Nov. 1942.*
Wi/4724/42.

Betr.:   Umstellung des bei der Hauptverwaltung der Reichskreditkassen geführten
          Wehrmachtkontos von Reichsmark auf Dänenkronen.

An das Auswärtige Amt
    Berlin

Auf den Erlaß Ha Pol VI 2818 v. 23.9.42.[105]
Gegen den Wunsch der Danmarks Nationalbank auf Umwandlung des zurzeit über

---

105 Wiehl til gesandtskabet i København. AA nærede visse betænkeligheder ved at ændre værnemagtskontoen fra RM til kroner. Gesandtskabet blev bedt om stillingtagen (RA, pk. 271).

Reichsmark lautenden Wehrmachtkontos in Dänenkronen haben nach meinen Feststellungen bei der hiesigen Behörde grundsätzliche Bedenken nicht bestanden. Es war jedoch beabsichtigt, die Befürwortung des Antrags so lange auszusetzen, bis sie infolge eines besonderen dänischen Entgegenkommens vertretbar sein würde.

Bei Prüfung der Angelegenheit bin ich zu der Auffassung gelangt, daß aus den im Schreiben vom 6.August ds.Mts. des Herrn Präsidenten der Deutschen Reichsbank an den Herrn Reichsminister der Finanzen angegebenen Gründen dem Dänischen Wunsch nunmehr entsprochen werden sollte.[106]

Wenn auch die Kontoumstellung der Danmarks Nationalbank keine unmittelbar materielle sondern nur eine indirekte bilanztechnische Hilfe bringt, so ist doch die zweifellos gute Wirkung eines Entgegenkommens auf Regierung und Finanzkreise vom politischen und wirtschaftlichen Gesichtspunkt aus als wünschenswert anzusehen.

Die fortdauernde Zunahme der Wehrmachtausgaben hat die Notwendigkeit mit sich gebracht, auch die Abschöpfung der überschüssigen Kaufkraft zu steigern, um – auch im deutschen Interesse – die Stabilität der Krone so lange wie möglich zu erhalten. Diese Bindung der flüssigen Gelder voranzutreiben, ist aber die besondere Aufgabe der Nationalbank. Sie kann dabei die Hilfe der Geldinstitute nicht entbehren, da diese im Vertrauen auf die Stabilität der Währungsverhältnisse dänische Geldmarktpapiere und Anleihen übernehmen und weiter verkaufen sollen. Dabei werden sie auch in Zukunft lieber mitwirken, wenn die Notenbank innerlich gesund dasteht.

Andererseits sind Finanzierungserfolge ganz besonders geeignet, das allgemeine Vertrauen zur neuen Regierung zu heben. Daher liegt ein Entgegenkommen gegenüber der Nationalbank im Sinne der Stärkung des Kabinetts Scavenius.

Für den Fall der Genehmigung würde ich vorschlagen, mir diese in Form einer Ermächtigung an die Hand zu geben, damit ich sie in einem mir geeignet erscheinenden Zeitpunkt der dänischen Regierung gegenüber als Mittel benutzen kann, um etwa auftauchende Schwierigkeiten unter Vermeidung unerwünschter Folgen zu überwinden. Da zurzeit eine Reihe größerer Forderungen an die Dänen herangebracht werden müssen, würde ich noch im Laufe des Monats Dezember in der Lage sein, von der Ermächtigung Gebrauch zu machen.

Bei der Prüfung dieser Frage sind hier zwei Gesichtspunkte zur Sprache gebracht worden, die ich wiedergeben will, obwohl ich annehme, daß die Erwägungen darüber von den zuständigen Reichsstellen bereits im positiven Sinne entschieden sind.

Eine Änderung der Währung, auf die die deutsche Verpflichtung lautet, von der Reichsmark in die Krone könnte möglicherweise von der Gegenseite als ausdrückliche Anerkennung der Schuld aufgefaßt, also der Tatbestand der Novation als gegeben angesehen werden. Selbstverständlich würde ich, wenn die Dänen Andeutungen dieser Art machen sollten, ein Eingehen auf diese Frage ablehnen und auf den rein buchungstechnischen Charakter der Maßnahme hinweisen.

Ferner könnte daran gedacht werden, daß die Übernahme einer Kronenverpflichtung eine spätere Aufwertung der Dänenkrone erschweren müßte, weil sie eventuell mit erhöhten Reichsmarkaufwendungen verbunden wäre, die bei Kontoführung in Reichs-

---

106 Walther Funks brev til Schwerin von Krosigk 6. august 1942 er i RA, pk. 271.

mark vermieden würden. Andererseits könnte gerade ein jetzt durch die Umstellung auf Kronen den Dänen gezeigtes Entgegenkommen geeignet sein, spätere Aufwertungswünsche mit Erfolg abzuweisen. Damit, daß die Dänen in absehbarer Zeit mit einem neuen Aufwertungsantrag kommen, ist aber nach meiner Auffassung nicht zu rechnen, denn die Kaufkraft der dänischen Krone sinkt ständig.

Im Entwurf gezeichnet:
Dr. Best
Barandon

186. Werner Best an das Auswärtige Amt 26. November 1942

Best bad om tilladelse til, at besætningsmedlemmer på det i Frankrig beslaglagte danske skib "S/S Helene" (?) måtte rejse til Marseille, da skibet var givet tilbage til det danske rederi. Svaret er ikke kendt, men skibet er ikke blandt de ni af tyskerne beslaglagte ved besættelsen af Marseille (se PKB, 13, nr. 863), så muligvis har det fået lov til at sejle.

    Kilde: BArch, R 901 68.712.

T e l e g r a m m

Kopenhagen, den	26. November 1942	19.45 Uhr
Ankunft, den	26. November 1942	21.15 Uhr

Nr. 1792 vom 25.11.42.

Unter Bezugnahme auf Drahtbericht Nr. 1345[107] vom 17.9.42.
Dänische Staatsangehörige Harald Georg Carlsen, geb. 12.4.1900 in Korsör, Kapitän Otto Jörgen Christian Sörensen, geb. 9.3.96 in Kopenhagen, 1. Maschinenmeister der Dampskibsselskabet Jutlandia Aktieselskab, Kopenhagen beantragen Durchreisesichtvermerke zwecks Reise nach Marseille über Paris.

    Genannte sind Besatzungsangehörige dänischen bisher von Frankreich beschlagnahmt gewesenen Schiffes "Saint Alaine," das jetzt zwecks Verwendung im Schwarzen Meer an dänische Reederei zurückgegeben wird.

    Drahtweisung erbeten.

Dr. Best

187. Werner Best an das Auswärtige Amt 26. November 1942

Trods tilsagn om tilbagelevering af fire danske skibe i Marseille, var de tillige med fem andre danske skibe blevet beslaglagt af de tyske myndigheder. Best bad om anvisning på, hvordan han skulle retfærdiggøre det over for de danske redere. Svaret er ikke kendt, men beslaglæggelsen blev opretholdt (Tortzen, 4, 1981-85, s. 308).

    Kilde: BArch, R 901 68.712.

---

107 bei Ha Pol. Trykt PKB, 13, nr. 860.

T e l e g r a m m

Kopenhagen, den	26. November 1942	20.00 Uhr
Ankunft, den	26. November 1942	21.15 Uhr

Nr. 1795 vom 26.11.42. Cito

Im Anschluß an Drahtbericht 1795[108] vom 23. November.
Nachdem dänische Reederei-Vertreter in Marseille entsprechend Wunsch Reichskommissars Seeschiffahrt auf französische Übernahmebedingungen von vier dänischen Schiffen eingehen mußten und die Übernahme dieser Schiffe von den Franzosen unter Hintansetzung ihrer auch deutscherseits anerkannten Forderungen an französische Regierung vollzogen haben, erfahre durch hiesiges Außenministerium, daß auf Anordnung Reichskommissars See – alle neun dänischen Schiffe in Marseille, darunter auch obengenannte vier, die bereits von Dänen übernommen waren, beschlagnahmt und auf Reichsdienstflagge überführt wurden.

Entsprechend den bei Schiffahrtssachverständigen vorliegenden Weisungen ist auf dänische Regierung und Reeder starker Druck ausgeübt worden. Schiffe auch unter Verzicht berechtigter dänischer Ansprüche zu übernehmen. Hierzu konnte dänische Zustimmung erzielt werden. Unter diesen Umständen muß ich um Weisung darüber bitten, wie die erfolgte Beschlagnahme den dänischen Reedern gegenüber gerechtfertigt werden kann.

Dr. Best

188. Paul Barandon an das Auswärtige Amt 26. November 1942
Barandon viderebragte oplysninger om resultatet af den seneste svinetælling i Danmark, og hvad årsagen til den øgede bestand var. Efter danskernes eget udsagn var det den på tysk initiativ foretagne prisforhøjelse.
   Kilde: BArch, R 901 68.712.

T e l e g r a m m

Kopenhagen, den	26. November 1942	20.00 Uhr
Ankunft, den	26. November 1942	21.15 Uhr

Nr. 1797 vom 26.11.42.

Soeben bekannt gewordenes Ergebnis dänischer Schweinezählung vom 14. November zeigt Gesamtschweinebestand vom 1.665.000 Stück. Gesamtzunahme seit 3. Oktober beträgt 72.000 Stück. Im Vergleich mit Zählung vom 13. Juni hat Schweinebestand in Dänemark um 511.000 Stück (45 v. H.) zugenommen. In vor einigen Tagen stattgefun-

---

108 Note i original: "Bezugnahme ist falsch, wahrscheinlich Nr. 1781". Telegram nr. 1781 er ikke lokaliseret.

dener Jahresversammlung seeländischer Landwirtschaftsverein hat Vorsitzender, Hofbe-
sitzer [Jacob] Tvedegaard, erstmalig anerkannt, daß Zunahme des Schweinebestandes
auf die im März bekanntgegebene, ab 1. Oktober erfolgte Preiserhöhung zurückzufüh-
ren ist und daß diese Preiserhöhung auf deutscher Initiative beruht.

Barandon

189. Paul Barandon an das Auswärtige Amt 27. November 1942

Der var blevet givet ordre om, at der skulle indsættes danske færger på ruten København-Malmø. Disse
færger måtte tages fra ruten Gedser-Warnemünde, hvilket ville skade de tyske værnemagtstransporter. Ba-
randon spurgte, om ordren alligevel skulle udføres.

Der indløb svar fra AA 14. december 1942.

Kilde: BArch, R 901 68.712.

Telegramm

| Kopenhagen, den | 27. November 1942 | 20.50 Uhr |
| Ankunft, den | 27. November 1942 | 21.55 Uhr |

Nr. 1802 vom 27.11.[42.]

Auf Schrifterlaß Ha Pol XII a 5257 vom 20.11.42.[109]
Wenn dänische Fähre zwischen Kopenhagen-Malmö neu eingesetzt werden sollte, müß-
te sie aus der Fahrt Gedser-Warnemünde herausgezogen werden, wo sie nach Auffassung
des hiesigen Vertreters der Reichsbahn für Wehrmachtstransporte nach Dänemark und
Norwegen dringender notwendig ist. Die Herausziehung der Fähre aus diesem Verkehr
würde daher unseren Interessen schaden.

Erbitte Drahtweisung, ob trotzdem Auftrag des Schrifterlasses ausgeführt werden
soll.

Barandon

190. Werner Best an das Auswärtige Amt 27. November 1942

Selv om Best til AA skrev, at kontroversen med von Hanneken udspandt sig kammeratligt, var han skarp i
udhævningen af de passager, hvor han mente, at von Hannekens beføjelser kom på tværs af hans egne og
ønskede, at AA hos OKW fik opklaret problemerne, så Hanneken kunne få beføjelser, der var i samklang
med Bests.

AA reagerede med en henvendelse til OKW med henblik på, "daß das OKW seine Weisungen an den
Befehlshaber der Deutschen Truppen in Dänemark so abändert, daß sie bez. der Kompetenzen mit unseren
an Dr. Best gegebenen Weisungen übereinstimmen." (Sonnleithner til Ritter 3. december 1942 (PA/AA R
28.889), Thomsen 1971, s. 147, Kirchhoff, 1, 1979, s. 120f.).

Kilde: PA/AA R 29.566. PKB, 13, nr. 661.

109 Beretningen er ikke lokaliseret.

Telegramm

| Kopenhagen, den | 27. November 1942 | 21.50 Uhr |
| Ankunft, den | 27. November 1942 | 23.40 Uhr |

Nr. 1803 vom 27.11.[42.]

Im Zuge einer (durchaus kameradschaftlich geführten) Auseinandersetzung über die zu … (fehlt ansch. Gruppe in Klartext) … unmittelbaren Verhandlungen mit der dänischen Regierung hat der Befehlshaber der deutschen Truppen in Dänemark mir den folgenden Auszug aus einem Erlaß des OKW Nr. 001424/42 g Kdos. WFSt. vom 4. Mai 1942 zur Kenntnis gegeben.

"Befehlshaber der deutschen Truppen übt die militärischen Hoheitsrechte aus und vertritt alle die Wehrmachtsteile einheitlich gegenüber dem Bevollmächtigten des Reichs und der dänischen Regierung. Er ist berechtigt alle die im Rahmen seiner Aufgabe notwendigen militärischen Maßnahmen selbständig zu treffen. Bei Gefahr im Verzuge ist er befugt, die zur Sicherung Dänemarks notwendigen Anordnungen auch für den zivilen Bereich, möglichst unter Einschaltung des Bevollmächtigten des Reichs, zu geben. Sonst ändert sich an den bestehenden Beziehungen zur dänischen Regierung sowie an der Abgrenzung der Befugnisse zwischen dem Befehlshaber der deutschen Truppen und dem Bevollmächtigten des Reichs nichts."

In seinem mir ebenfalls zur Kenntnis gegebenen Erlaß des Oberbefehlshaber des Heeres (Gen St. d H/gen 723 I B Nr. 5198/40 geh.) vom 19. April 1940 findet sich unter anderem der Satz:

"Die militärischen Belange aller Wehrmachtsteile vertritt der Befehlshaber einheitlich gegenüber der dänischen Regierung."

Die in den vorstehend erwähnten Erlassen festgesetzte Befugnis des Befehlshabers zu unmittelbaren Verhandlungen mit der dänischen Regierung widerspricht den Anweisungen, die mir von dem Herrn Reichsaußenminister in meiner Bestallung vom 4. November 1942 (Pers. H 10.433) und in dem in der Bestallung angezogenen Drahterlaß vom 12. April 1940 erteilt wurde. Ich bitte, daß mit dem OKW der Widerspruch der beiden Anweisungen geklärt wird und daß dem Befehlshaber der deutschen Truppen in Dänemark und mir übereinstimmende Anweisungen erteilt werden.

Dr. Best

191. Franz Ebner an das Auswärtige Amt 27. November 1942

Gesandtskabet indberettede rutinemæssigt månedligt antallet af danske arbejdere i udlandet til AA. Da antallet af danske arbejdere i Tyskland fra begyndelsen af 1942 var faldende og det tyske behov samtidigt stigende, var fokus på området forøget. Både Best og hans foresatte i AA søgte frivillighedens vej overfor danske statsborgere af hensyn til den generelt førte politik. Det var imidlertid ikke tilstrækkeligt for Der Beauftragte für den Vierjahresplan, se hans skrivelse til AA 16. januar 1943 (om tysklandsarbejderne, se Stræde 1991, s. 158f.).

Kilde: RA, pk. 287. PKB, 13, nr. 824.

Der Bevollmächtigte des Reiches in Dänemark   *Kopenhagen, den 27.11.1942.*
Wi/4622/42

An das Auswärtige Amt,
    Berlin.

Betr.: Arbeitseinsatz dänischer Arbeitskräfte in Deutschland.

Auf den Drahterlaß Multex Nr. 10 D X 2/42 g vom 2. Januar 1942.
Im Anschluß an den Bericht Wi/4080/42 vom 15. Oktober 1942 bei R. 63584/42.
Die Zahl der bis Ende Oktober 1942 in Dänemark angeworbenen Arbeitskräfte beläuft
sich auf 137.794, von denen 106.592 nach Deutschland, Norwegen, Finnland und dem
Ostland abgereist sind.
    Die Zahl der 106.592 abgereisten Arbeitskräfte verteilt sich auf

    78.031   nach Deutschland vermittelte Arbeitskräfte, darunter 8.168 weibliche,
     5.144   Grenzgänger,
    15.461   Arbeitskräfte im Firmeneinsatz in Deutschland,
     7.915   Arbeitskräfte nach Norwegen,
        16   Arbeitskräfte nach Finnland und
        25   Arbeitskräfte im OT Osteinsatz.

Im Oktober wurden 4.915 Arbeitskräfte angeworben, von denen 3.418 abgereist sind.
Die Zahl der Gefahrenen liegt um 1.061 niedriger als im Oktober 1941 und um 931
niedriger als im September 1942. Der Rückgang traf besonders den Firmeneinsatz und
den Norwegeneinsatz. Die Werbung für den Firmeneinsatz ist gedrosselt worden, da
sich in der letzten Zeit die Klagen der deutschen Vertragspartner über die eingesetzten
Firmen gehäuft haben und auch die hiesige Deutsche Arbeitsvermittlungsstelle seit eini-
gen Monaten schlechte Erfahrungen mit dem Firmeneinsatz gemacht hat. In der ersten
Hälfte des Monats war bei den Arbeitern wegen der politischen Spannungen in Norwe-
gen, die vorübergehend zur Erklärung des Ausnahmezustandes in Drontheim geführt
haben, wenig Neigung vorhanden nach Norwegen zu gehen. Auch die Entwicklung der
politischen Verhältnisse hier im Lande sowie verschiedene Gerüchte, unter anderem daß
dänische Arbeitskräfte nach Deutschland dienstverpflichtet werden sollen, haben sich
auf die Werbung nachteilig ausgewirkt.
    Obwohl die dänischen Betriebe der Metallwirtschaft mit Verlagerungsaufträgen voll
beschäftigt sind, ist es doch gelungen, der deutschen Metallwirtschaft 444 Arbeitskräfte
zuzuführen; davon wurden den in die Oktoberaktion Rü. 42 einbezogenen Betrieben
101, vorwiegend Fachkräfte, zugewiesen. – Der Anteil der Anwerbeergebnisse für Auf-
träge aus dem Rüstungssektor betrug im Oktober 77,2 %.
    Die Zahl der Arbeitslosen ist von 27.500 Ende September 1942 auf 31.400 Ende
Oktober 1942 gestiegen, während sie Ende Oktober 1941 fast 47.000 betragen hat. Die
Anwerbungsergebnisse waren in den ersten Novembertagen bei allen Werbestellen recht
gut. Auch in diesem Jahre versucht die dänische Regierung, das zu erwartende stärkere
Ansteigen der Arbeitslosigkeit durch ein Arbeitsbeschaffungsprogramm abzufangen. Da

außerdem demnächst die Hauptarbeiten im Rahmen des Westwallbaues an der West-
küste Jütlands beginnen werden, bei denen während der nächsten zwei Monate etwa
10.000 Arbeitskräfte beschäftigt werden sollen, bin ich bereits mit der dänischen Re-
gierung in Verbindung getreten mit dem Ziel, das Arbeitsbeschaffungsprogramm mög-
lichst weitgehend zu drosseln, da andernfalls das Werbeergebnis in den kommenden
Wochen ungünstig beeinflußt werden würde.

In Vertretung
Ebner

192. WB Dänemark: Propaganda-Lagebericht vom 27. November 1942

Den danske presse dækkede den militære udvikling i Nordafrika positivt for Tyskland. Feltmarskal Rom-
mels popularitet bidrog dertil. Til gengæld virkede skildringen af krigsudviklingen i Middelhavsområdet
meget ugunstig, og det skyldtes først og fremmest den fjendtlige radiopropaganda, der blev viderebragt
fra mund til mund i Danmark. Hertil bidrog også, at den danske befolkning var kommet til at tvivle på
de danske avisers troværdighed. To kommunister var blevet idømt lange fængselsstraffe for ødelæggende
propagandaarbejde, hvilket skulle have en afskrækkende virkning, da dommene var blevet offentliggjort i
alle danske aviser.

Med sin påpegning af den fjendtlige propagandas store påvirkningsmuligheder gennem radioen gav
propagandaofficeren også en indirekte anvisning på, hvordan den fjendtlige propaganda kunne imødegås,
nemlig ved at begrænse mulighederne for at høre udenlandsk radio. Det var et emne, der blev aktuelt
umiddelbart efter, givetvis på von Hannekens initiativ, og som gav resultat, se Propaganda-Lagebericht 15.
Dezember 1942.

Kilde: RA, pk. 450.

WPrO beim Befehlshaber   *H.Qu., den 27.11.1942*
der deutschen Truppen in Dänemark   Geheim
Br. B. Nr. 238/42 geh.

An das Oberkommando der Wehrmacht
    Abteilung WPr/IV i
    Berlin W 35
    Am Karlsbad 28
über Befehlshaber d.dt.Tr. in Dänemark.

Propaganda-Lagebericht
vom 27. November 1942.

Die dänischen Zeitungen bemühen sich weiterhin um eine objektive Berichterstattung
in unserem Sinne. Die Entwicklung an den Fronten in Nord-Afrika und im Osten hat
jedoch zwangsläufig dazu geführt, daß die propagandistisch weniger günstigen Meldun-
gen in den letzten beiden Wochen stark in den Vordergrund getreten sind. In den eigenen
Kommentaren der großen Zeitungen zu der militärischen Lage wird demgegenüber die
Position der Achsenmächte durchweg noch relativ günstig beurteilt. Die große Populari-
tät des Generalfeldmarschall Rommel und seine Erfolge im Sommer dieses Jahres haben

in erheblichem Masse dazu beigetragen, daß man in dem schrittweisen Ausweichen der deutsch-italienischen Afrika-Armee in erster Linie ein großzügiges taktisches Manöver erkennen wollte. In den meisten Zeitungen wurde in den letzten Tagen die Besetzung von Tunis als ein für die Achsenmächte besonders günstiges Moment stark herausgestellt und z.T. auch in eigenen Kommentaren entsprechend unterstrichen. In einigen Kommentaren wurde außerdem hervorgehoben, daß sich durch die englisch-amerikanische Truppenlandung in Nord-Afrika der Schwerpunkt des Krieges von den Steppen Rußlands nach Nord-Afrika verlagert habe, denn in der allernächsten Zeit schon werde die Entscheidung darüber fallen, ob die Alliierten in der Lage sind, von Nord-Afrika aus die Festung Europa anzugreifen.

Stark hervorgehoben wurde auch die Einstellung Frankreichs zu der militärischen und politischen Lage im Mittelmeer-Raum. Die einzelnen Phasen der Entwicklung, der Abfall Darlans und die Einsetzung des General Giraud zum Oberbefehlshaber der französischen Truppen in Nord-Afrika, die verschiedenen Erklärungen und Aufrufe Pétains und Laval wurden von den Zeitungen jeweils in mehr oder minder sensationellen Form gebracht.

Stimmungsmäßig hat sich die militärische Entwicklung im Mittelmeer-Raum auf die dänische Bevölkerung sehr ungünstig ausgewirkt, weil sie von der Feindpropaganda (Rundfunk) in ganz großem Stil ausgeschlachtet wurde und die England-freundlich eingestellten Dänen jedem der hören wollte, versicherten, daß nunmehr der Wendepunkt des Krieges [ge]kommen sei. Naturgemäß hat sich diese Auffassung in den letzten Wochen auch in den Kreisen der dänischen Bevölkerung breit gemacht, bisher noch eine abwartende Haltung einnahmen, oder gar auf Grund bisherigen deutschen Erfolge sich stärker auf die Möglichkeit des deutschen Endsieges eingestellt hatten. Die jüngsten Ereignisse an [der] Ostfront haben die absinkende Tendenz der Stimmung noch verstärkt.

Bei der Beurteilung dieser stimmungsmäßigen Entwicklung muß immer wieder darauf hingewiesen werden, daß die angelsächsische Rundfunk Propaganda eine außerordentlich starke Wirkung ausübt. Die von der Feindseite aufgestellten Behauptungen über riesige Verluste der Achsentruppen im Osten und in Libyen werden innerhalb der Bevölkerung von den deutsch-feindlichen Kreisen von Mund zu Mund weiter verbreitet und finden auch vielfach Glauben, weil man den dänischen Zeitungsberichten die Glaubwürdigkeit mit der Begründung abspricht, die Journalisten könnten doch nicht mehr so schreiben, wie sie wollten.

Die kommunistische Flugblatt-Propaganda hat sich in der Berichtzeit im bisherigen Rahmen gehalten, ist aber weniger wirkungsvoll, weil sie sich oft in recht ungeschickter Form allzu plumper Argumente dient. Eine abschreckende Wirkung gegen die kommunistische Zersetzarbeit wird sich in der allernächsten Zeit ergeben durch die vor einigen Tagen erfolgte Verurteilung zweier Kommunisten zu fünf und zehn Jahren Zuchthaus durch ein deutsches Kriegsgericht. Die verurteilten Kommunisten hatten zersetzende Flugblätter in deutscher Sprache in [der] Nähe von Kasernen verteilt. Das Urteil wurde in allen dänischen Zeitungen veröffentlicht mit dem ausdrücklichen Hinweis darauf, daß derartige Handlungen, ebenso wie Sabotage-Handlungen, die gegen die deutsche

Wehrmacht gerichtet sind, evtl. auch die Todesstrafe zur Folge haben können.[110]

Daub

193. Karl Schnurre: Aufzeichnung 28. November 1942

Schnurre søgte med sin optegnelse at få klarlagt de rent militære anliggender henhørende under von Hanneken og adskilt fra Bests overordnede politiske beføjelser. Anledningen var sagen med von Hannekens krav om aflevering af våben. AA ville inddrages i alle bestræbelser fra von Hannekens side, der havde politiske konsekvenser. Von Hanneken skulle fremover ikke forhandle direkte med Scavenius.

Kilde: PA/AA R 29.566. RA, pk. 202.

A u f z e i c h n u n g
betreffend Forderung des Befehlshabers der deutschen Truppen in Dänemark
auf Ablieferung der dänischen Waffen.

Min. Rat von Fritsch, WFSt., rief mich heute Vormittag an und teilte mir zu der Frage der Ablieferung der dänischen Waffen folgendes mit:

Der Befehlshaber der deutschen Truppen in Dänemark habe gemeldet, daß von dänischer Seite nunmehr eine positive Antwort in Aussicht gestellt sei. Die Dänen schlügen einen Kaufvertrag vor, durch den die geforderten Waffen übereignet werden sollten. Der Chef OKW habe einstweilen den Befehlshaber der deutschen Truppen in Dänemark angewiesen, weitere Besprechungen nicht zu führen bevor er nicht weitere Weisungen erhalten habe. Das OKW bitte nunmehr das Auswärtige Amt mitzuteilen, ob gegen die Fortführung der Angelegenheit auf der darlegten Linie Bedenken bestünden.

Ich habe Herrn von Fritsch erwidert, daß wir entsprechend einer uns zugegangenen Weisung des Führers die Angelegenheit als eine rein militärische betrachteten und hätten, wie ich ihm bereits früher gesagt habe, unseren Reichsbevollmächtigten in Kopenhagen angewiesen, sich völlig zurückzuhalten. Das Interesse des Auswärtigen Amts bestände nur darin, eingeschaltet zu werden, wenn die Betreibung in dieser Angelegenheit politische Konsequenzen nach sich ziehen würde. Ich entnähme aus den vom OKW jetzt gemachten Mitteilungen, daß die dänische Seite Bereitwilligkeit zeige, auf die deutschen Forderungen einzugehen. Das Auswärtige Amt hätte daher keine Bedenken, wenn den Befehlshaber der deutschen Truppen in Dänemark von OKW die Weisung gegeben würde, die Waffenfrage mit den dänischen militärischen Stellen weiter zu behandeln. Auch gegen einen Kaufvertrag hätten wir nichts einzuwenden, wenn dieser Kaufvertrag zwischen dem Befehlshaber und der Intendantur der dänischen Armee abgeschlossen würde. Wir gingen aber davon aus, daß weitere Gespräche mit dem Staatsminister Scavenius nicht geführt würden.

Min. Rat v. Fritsch wird dem Chef OKW auf dieser Grundlage Vertrag halten und ihm vorschlagen, eine Instruktion auf diese Linie an den Befehlshaber der deutschen Truppen in Dänemark zu geben.

Berlin, den 28. November 1942.

gez. **Schnurre**

110 Offentliggørelsen skete 24. november 1942 (gengivet hos Alkil, 2, 1945-46, s. 834).

194. Joachim von Ribbentrop an Werner Best 28. November 1942

Efter dannelsen af den nye danske regering fik den danske gesandt i Berlin, O.C. Mohr, tilladelse til at vende tilbage i slutningen af november. Dog var de diplomatiske forhold dermed ikke normaliseret. Der skulle fortsat ikke udnævnes nogen tysk gesandt.

    Se telegrammerne 1. og 11. december 1942.

    Kilde: PA/AA R 29.566. RA, pk. 202. PKB, 13, nr. 362.

Telegramm

Sonderzug, den	28. November 1942	00.45 Uhr
Ankunft, den	28. November 1942	01.35 Uhr

RAM 126/R
Nr. 1497 vom 28.11.[42.]

1.) Chiffr. Büro Aus. Amt Telko
2.) Diplogerma Kopenhagen
Tel. i. Ziff. (Geh.Ch.Verf.) (Geheimvermerk f. Geh. Reichssachen)

Auf den Bericht vom 18. November. Ausw./254/42.

    Die gesprächsweise an Herrn Barandon gerichtete Frage, ob die dänische Regierung damit rechnen könne, daß dem Gesandten Mohr die Rückkehr auf seinen Posten in Berlin gestattet würde, kann positiv beantwortet werden. Hingegen würde eine von dänischer Seite etwa an uns gestellte Frage, ob nicht auch wieder ein deutscher Gesandter bei dem Dänischen König beglaubigt werden könnte, eine negative Antwort finden. Bei einem Gespräch Barandons mit seinem dänischen Gesprächspartner bitte ich selbstverständlich den letzteren Punkt von uns aus überhaupt nicht zu berühren.

Ribbentrop

Vermerk:
Unter Nr. 2134 an Diplogerma Kopenhagen weitergeleitet.
Tel. Ktr., 28.11.42. 5.15

195. Ernst Woermann an Werner Best 28. November 1942

Bests indblanding i von Hannekens bestræbelser på at overtage overskydende våben fra den danske hær blev delvist bremset af AA, idet han fik besked på at holde sig fra indblanding i forhandlinger mellem tyske og danske militære myndigheder. Best skulle holde sig til de politiske konsekvenser og ikke videreføre drøftelser med regeringen derom, hvis ikke der var grund dertil.

    Kilde: PA/AA R 29.566. RA, pk. 202. PKB, 13, nr. 663.

Citissime!   *28. November [194]2*
Geheim

Kopenhagen
    Für Reichsbevollmächtigten.

Im Anschluß an Nr. 1771 vom 20.11.[42.][111]

OKW, WFSt, teilte heute zur Frage der Ablieferung der dänischen Waffen mit, daß nach einer Meldung des Befehlshabers der deutschen Truppen in Dänemark von dänischer Seite nunmehr eine positive Antwort in Aussicht gestellt sei. Die Dänen schlügen einen Kaufvertrag vor, durch den die geforderten Waffen übereignet werden sollten. Der Chef OKW habe einstweilen den Befehlshaber der deutschen Truppen in Dänemark angewiesen, vor Fortführung der Besprechungen weitere Weisungen abzuwarten.

Entsprechend der Ihnen bekannten Weisung des Führers ist dem OKW mitgeteilt worden, daß das Auswärtige Amt keine Bedenken habe, die Waffenfrage mit den dänischen militärischen Stellen auf dieser Grundlage weiter zu behandeln. Auch gegen einen Kaufvertrag hätte das Auswärtige Amt nichts einzuwenden, wenn dieser Kaufvertrag zwischen dem Befehlshaber und der Intendantur der dänischen Armee abgeschlossen würde. Das Interesse des Auswärtigen Amts bestände nur darin eingeschaltet zu werden, wenn die Betreibung dieser Angelegenheit politische Konsequenzen nach sich ziehen würde. Das Auswärtige Amt ginge davon aus, daß nach den vorliegenden Mitteilungen weitere Gespräche mit dem Staatsminister Scavenius nicht geführt würden.

Das OKW wird den Befehlshaber der deutschen Truppen in Dänemark entsprechend anweisen. Sie werden weiterhin gebeten, sich aus den Erörterungen herauszuhalten und zu berichten, wenn sich entgegen der mitgeteilten Auffassung des Befehlshabers politische Konsequenzen für das Kabinett Scavenius ergeben sollten.

Woermann

196. Karl Schnurre: Aufzeichnung 28. November 1942

Schnurre vurderede, at det var et rent militært anliggende, hvis værnemagten overtog uldtæpper fra den danske hær.

Kilde: BArch, R 901 67.734. PA/AA R 29.566. PKB, 13, nr. 662.

Geheim

A u f z e i c h n u n g

zu dem Drahtbericht aus Kopenhagen Nr. 1785 vom 24.11. betreffend Ankauf von Wolldecken durch den Befehlshaber der deutschen Truppen in Dänemark.

Ich habe Min. Rat von Fritsch, OKW – WFSt – unsere Auffassung mitgeteilt, daß wir zwar nichts dagegen einzuwenden haben, wenn der Befehlshaber der deutschen Truppen in Dänemark Bestände an Wolldecken bei der dänischen Wehrmacht erfaßt. Insofern gelte das Gleiche wie bei unserer anderen jetzt zur Erörterungstehenden Frage der Ablieferung der dänischen Waffen an den Befehlshaber der deutschen Truppen in Dänemark. Es sei dies eine rein militärische Angelegenheit, in die wir uns nicht hineinmischen. Anders läge es aber, wenn Wolldecken im Lande angekauft werden und nach Deutschland ausgeführt werden sollten. Dies letztere sei eine Frage der Handelspolitik und müßte durch das Auswärtige Amt mit der Dänischen Regierung aufgenommen werden. Wenn

111 Se telegram nr. 1771, 21. november 1942, trykt ovenfor.

das OKW den Wunsch hätte, dänische Wolldecken aus dem Zivilsektor zu erhalten, solle es uns dies mitteilen, wir würden daraufhin das Erforderliche veranlassen.

Min. Rat v. Fritsch sagte eine Antwort zu.

Berlin, den 28. November 1942.

gez. **Schnurre**

HA Pol VI (Bitte Kopenhagen zu informieren).

197. Karl Schnurre an Werner Best 30. November 1942

I forlængelse af sin optegnelse 28. november sendte Schnurre en instruks til Best om, hvordan han skulle forholde sig i forhold til von Hanneken og dennes krav om danske våben og dansk militært materiel. Dels skulle det militære og politiske holdes adskilt, dels skulle handelspolitiske hensyn tages i betragtning i det øjeblik det drejede sig om handel over grænsen.

Kilde: BArch, R 901 68.712 (koncept).

[Berlin, den 30. November 1942]

An Diplogerma Kopenhagen
Nr.

Betr.: Aufkauf von Wolldecken bei der dänischen Wehrmacht.

Auf 1785 vom 24.[11.42.][112]

Oberkommando der Wehrmacht ist von uns dahin verständigt, daß wir zwar nichts dagegen einzuwenden haben, wenn der Befehlshaber der deutschen Truppen in Dänemark Bestände an Wolldecken bei der dänischen Wehrmacht erfaßt. Insofern gelte das Gleiche wie bei unserer anderen jetzt zur Erörterung stehenden Frage der Ablieferung der dänischen Waffen an den Befehlshaber der deutschen Truppen in Dänemark. Es sei dies eine rein militärische Angelegenheit, in die wir uns nicht hineinmischen. Anders läge es aber, wenn Wolldecken im Lande angekauft werden und nach Deutschland ausgeführt werden sollten. Dies letztere sie eine Frage der Handelspolitik und müßte durch das Auswärtige Amt mit der Dänischen Regierung aufgenommen werden. Wenn das Oberkommando der Wehrmacht den Wunsch hätte, dänische Wolldecken aus dem Zivilsektor zu erhalten solle es uns dies mitteilen, wir würden daraufhin das Erforderliche veranlassen.

Eine endgültige Antwort des Oberkommando der Wehrmacht auf diese Mitteilung steht noch aus, doch hat eine Besprechung mit dem zuständigen Sachbearbeiter ergeben, daß dieses grundsätzlich unserer Auffassung zustimmt.

Weitere Weisung bleibt vorbehalten.

Schnurre

112 Trykt ovenfor.

198. OKW/WFSt an Karl Schnurre 30. November 1942

OKW ville ad militære kanaler fortsætte forhandlingerne om afgivelse af danske våben, ammunition og uldtæpper. Skulle civile danske myndigheder deltage, ville den rigsbefuldmægtigede blive inddraget. OKW var principielt enig med AA i fordelingen af opgaverne mellem militære og civile anliggender.

Med denne tilkendegivelse havde AA og Best genvundet et vist terræn i forhold til den militære øverst-befalende.

Kilde: RA, pk. 202.

Telegramm

WNOL, den	30. November 1942	22.45 Uhr
Ankunft, den	1. Dezember 1942	02.40 Uhr

Ohne Nummer vom 30.11.[42.]   Geheim.

An Nachr.: Ausw. Amt z.Hd. Herrn Gesandten Schnurre.

1.) Die Verhandlungen wegen der Abgabe der dänischen Waffen, Munition und Woll-decken sind fortzusetzen. Sie sind auf rein militärischem Wege von dort zu füh-ren. Falls von dänischer militärischer Seite der Ministerpräsident oder andere zivile Dienststellen beteiligt werden, ist vor den Besprechungen das Einvernehmen mit dem Bevollmächtigten des Auswärtigen Amtes herzustellen.

2.) Zu der grundsätzlichen Frage der Verhandlungsführung stimmt das OKW der dor-tigen Auffassung zu, daß rein militärische Fragen von dort auch zivilen dänischen Stellen gegenüber vertreten werden können. Mit dem Bevollmächtigten des Aus-wärtigen Amtes ist vor den Verhandlungen Fühlung aufzunehmen und laufend zu halten.

OKW/WFSt/QU. (Verw.) Nr. 03940/42 geh.

[uden signatur]

199. Walter Gödde an Emil Geiger 30. November 1942

Luther ville have Geiger og Rademacher til at opsøge Walter Schellenberg i anledning af det brev, som RSHA 24. november havde fremsendt vedrørende Otto Höflers rejse til Danmark. Brevets form gav ikke grundlag for et meningsfuldt samarbejde mellem AA og RSHA. Forud skulle Werner Picot dog tage stilling til RSHAs brev.

Picot tog stilling 5. december 1942 med en notits til Abteilung Deutschland II, trykt nedenfor.

Hvad der kom ud af Geigers og Rademachers møde med Schellenberg er uvist. Luther plejede i forvejen en fortrolig kontakt med Schellenberg, hvilket senere skulle blive fatalt for ham (Browning 1977, s. 334, 337f.).

Kilde: RA, pk. 234.

Geheim   Zu D II 1878/42 g

N o t i z

für Parteigenossen Geiger

Herr Luther bittet, gemeinsam mit Parteigenossen Rademacher Standartenführer Schellenberg aufzusuchen, um mit ihm die Angelegenheit Höfler anhand der Akten zu besprechen. Herr Luther legt Wert darauf, daß Standartenführer Schellenberg anhand der Unterlagen in freundschaftlicher Form auseinandergesetzt wird, daß die Form wie unser wirklich kameradschaftliches Schreiben beantwortet worden ist, leider nicht Basis für eine verständnisvolle Zusammenarbeit abgeben kann. Vorher bittet Herr Luther noch, Parteigenosse Picot um Stellungnahme zu dem Brief vom 24. November zu bitten.

Berlin, den 30. November 1942

Gödde

200. Kriegstagebuch/Admiral Dänemark 30. November 1942

Admiral Mewis noterede i sin månedsberetning med nogen forsinkelse, at WB Dänemark havde fundet det nødvendigt at oprette en tysk krigsret i Danmark. Den skulle bl.a. tage sig af danskeres forbrydelser mod værnemagten.

WB Dänemark havde taget beslutningen 26. oktober 1942.

Kilde: KTB/ADM Dän 30. november 1942, RA, Danica 628, sp. 2, s. 1814.

[…]

X. Einsetzung eines Wehrmachtsgerichts.

Es besteht auf Grund der besonderen politischen Verhältnisse in Dänemark sowie der Notwendigkeit einer zentralen Behandlung aller deutsch-dänischen Zwischenfälle (Entscheidung durch dieselben Richter beim Befehlshaber der deutschen Truppen in Dänemark) die Absicht, ein Wehrmachtsgericht in Dänemark entsprechend dem Vorbild für Böhmen und Mähren einzusetzen.

Dieses Wehrmachtsgericht soll im Einzelnen zuständig sein für Verfahren gegen Dänen wegen Straftaten gegenüber der Deutschen Wehrmacht. Dagegen soll seine Zuständigkeit ausdrücklich ausgeschlossenen sein für Verfahren gegen Soldaten wegen Straftaten gegenüber Dänen und in solchen Fällen, in denen die Schuldfrage noch ungeklärt ist. In Fällen, in denen Marine- bzw. Luftbelange ausschließlich und überwiegend berührt sind, soll das Kriegsgericht mit Richtern der Marine bzw. Luftwaffe besetzt sein.

[…]

201. WB Dänemark: Tätigkeitsbericht der Abteilung Ia 1.10.-30.11.1942, 30. November 1942

Von Hanneken lod gøre rede for sin virksomhed i de to første måneder efter sin tiltræden. Han havde straks gjort den kommanderende danske general klart, at der kunne regnes med betydelige ændringer i den tyske holdning til Danmark. I stedet for anmodninger ville træde krav. Der var bl.a. krævet omrokering af de danske tropper og udlevering af overskydende udrustning, ligesom der var foreslået indførelse af bedriftsværn efter tysk mønster.

Aktivitetsberetningen fastholdt den hårde tone og linje, som von Hanneken havde anslået fra sin ankomst til Danmark. Tre ugers bekendtskab med den nye rigsbefuldmægtige havde ikke ændret derved.

WB Dänemark synes ikke at have ført krigsdagbog før november 1943, en sådan er ikke lokaliseret, men i stedet er der bevaret en række aktivitetsberetninger, hvoraf denne er den første, dækkende perioden 1. oktober 1942 til 31. juli 1943.[113]

Kilde: BArch, Freiburg, RW 38/14. RA, Danica 203, pk. 63, læg 847 (uddrag).

Tätigkeitsbericht
der Abteilung Ia 1.10.-30.11.1942.

[...]

II. Kampfhandlungen.

[...]

Auf Grund von Agentennachrichten über feindliche Landungsabsichten, die sich später als Fehlmeldungen herausstellten, wurde zeitweilig Bereitschaftsstufe A in den Stützpunkten an der Westküste angeordnet.

III. Deutsche Wehrmacht und dänischer Staat.

Auf Grund der politischen Lage bei der Rückberufung der beiderseitigen Gesandten am 29.9.42 wurde, da mit besonderen Maßnahmen der dänischen Regierung zu rechnen war, beschränkter Stadturlaub und Abhalten des Dienstes in der Nähe der Unterkünfte befohlen. Die dänische Garnison antwortete mit Gegenmaßnahmen, die jedoch auf hiesiges Einschreiten sofort aufgehoben wurden. Zu sonstigen Vorkommnissen kam es nicht. Die Beschränkungen wurden nach 3 Tagen aufgehoben.

Da mit einer Flucht des dänischen Königspaares nach Schweden gerechnet werden mußte, wurden zur Verhinderung Vorbeugungsmaßnahmen getroffen.

[...]

Entsprechend der Weisung des Führers ließ der Herr Befehlshaber den Dänen gegenüber eine andere Form der Behandlung eintreten. Gelegentlich seines Antrittsbesuches beim dänischen Kommandierenden General Görtz ließ der Herr Befehlshaber keiner Zweifel darüber, daß infolge des ablehnenden Verhaltens der Dänen und ihrer Regierung in den letzten 2 Jahren die Einstellung der Deutschen Wehrmacht dem Königreich Dänemark gegenüber eine erhebliche Änderung erfahren werde. Anstelle der bisherigen Bitten werden in Zukunft Forderungen treten.

In einzelnen wurde bei den Dänen Durchführung folgender Maßnahmen erreicht:

1.) Räumung von Jütland durch das dänische Heer (s. Ziff. IV).
2.) Räumung sämtlicher von der deutschen Wehrmacht belegten dänischen Kasernen durch die noch darin wohnenden dänischen Heeresangehörigen.
3.) Auf Befehl des OKW im Rahmen der Räumung Jütlands die Abgabe überzähliger Waffen, Munition und Ausrüstungsgegenstände, um diese brachliegenden dänischen Bestände für die deutsche Armee nutzbar zu machen.[114]

Der Truppe wurde die Absicht des Herrn Befehlshabers, wegen Bildung eines sogenannten dänischen Schutzkorps mit der dänischen Regierung in Verbindung zu treten, mitgeteilt und zur Meldung über benötigte Kräfte aufgefordert. Dieses Schutzkorps soll an Arbeitsdiensten, passiver Abwehr und Bewachungsaufgaben dort eingesetzt werden,

113 Da det var en tjenstlig forpligtelse for alle værnemagtens enheder at føre krigsdagbog (jfr. Gemzell 1965, s. 340f.), må det antages, at WB Danmarks krigsdagbog delvist er gået tabt.
114 Se OKW til von Hanneken 23. november 1942.

wo für diese Zwecke Angehörige der Deutschen Wehrmacht nicht unbedingt notwendig sind.[115]

[...]

IV. Küstenverteidigung.

[...]

Auf Befehl des OKH wurde die Aufstellung von Alarmeinheiten bei den nicht unmittelbar eingesetzten Stäben und Verbänden des Heeres angeordnet. Ausbildung der Einheiten soll nach den von OKH gegebenen Richtlinien sofort einsetzen.

Von der Aufstellung von Alarmeinheiten bei wehrwirtschaftlich wichtigen Fabrikanlagen, die von OKH gefordert war, wurde abgesehen, da die Belegschaften vollständig aus dänischen Arbeitern bestehen. Wehrwirtschaftsstab Dänemark wurde angewiesen, in Einvernehmen mit OKW/Wi. Amt Bildung von Werkschutz nach deutschem Muster einzurichten.[116]

[...]

In Ergänzung der Kampfanweisung wurden die Standortältesten hinsichtlich der Kampfführung zu Lande und der Vorbereitung dazu, sowie zur Bekämpfung von Fallschirmjägern usw. den örtlich zuständigen Abschnittskommandeuren des Heeres unterstellt.

Um bei den zu erwartenden Feindangriffen in Jütland eine Bedrohung in Rücken durch das dänische Heer auszuschalten, wurde mit Genehmigung des OKH die Räumung Jütlands durch das dänische Heer verfügt. Bis zum 15.11.1942 wurden sämtliche dänischen Garnisonen in Jütland an die Deutsche Wehrmacht übergeben. Für die Unterbringung dieser Teile des dänischen Heeres wurden die Insel Fünen und Langeland unter Ausschluß der Insel Seeland angewiesen. Die Durchführung der Räumung vollzog sich planmäßig und ohne Reibungen. Von 15.11.1942 ab durfte kein dänischer Landsoldat in Uniform Jütland mehr betreten. Für die dänische Marine wurden Ausnahmebestimmungen getroffen, da sich weiterhin in Interesse des Reiches zu kriegswichtigen Fahrten zum Schutze der dänischen Gewässer gegen Verminung herangezogen wird und daher ein zeitweiliges Anlaufen von Jütischen Häfen unvermeidbar ist.

[...]

115 Se WB Dänemarks aktivitetsberetning 31. januar 1943.
116 Se Wehrwirtschaftsstab Dänemarks beretning 1. december 1942.